LE TEMPS DES DÉCISIONS
2008-2013

Du même auteur

Il faut tout un village pour élever un enfant, Denoël, 1996.
Civiliser la démocratie, Desclée de Brouwer, 1998 ; rééd. 2008.
Mon histoire, Fayard, 2003 ; rééd. « J'ai lu », 2004.

Hillary Rodham Clinton

LE TEMPS DES DÉCISIONS
2008-2013

Traduit de l'anglais (États-Unis)
par Perrine Chambon, Lise Chemla,
Paul Chemla et Odile Demange

Fayard

Les idées et les portraits qui figurent dans cet ouvrage reflètent les opinions de l'auteur et pas nécessairement les positions officielles du gouvernement des États-Unis.

Cet ouvrage est la traduction intégrale, publiée pour la première fois en France, du livre de langue anglaise
HARD CHOICES
édité par Simon & Schuster, New York, en juin 2014.

*Aux diplomates et experts en développement américains
qui représentent si bien notre pays et nos valeurs
en des lieux grands et petits, paisibles
et dangereux du monde entier*

et

*À la mémoire de mes parents :
Hugh Ellsworth Rodham (1911-1993)
et Dorothy Emma Howell Rodham (1919-2011)*

Note de l'auteure

Nous avons tous à faire des choix difficiles dans la vie. Certains en ont plus que leur part. Nous devons décider comment équilibrer les exigences du travail et de la famille. Comment nous occuper d'un enfant malade, d'un parent âgé. Comment financer des études supérieures. Comment trouver un bon emploi, et que faire si nous le perdons. S'il faut nous marier – ou rester marié. Comment donner à nos enfants les chances dont ils rêvent et qu'ils méritent. La vie consiste à prendre ce genre de décision. Nos choix, et notre façon d'y faire face, déterminent qui nous devenons. Pour les gouvernants et les nations, ils peuvent faire la différence entre la guerre et la paix, la pauvreté et la prospérité.

Je serai éternellement reconnaissante d'être née de parents qui m'ont aimée et soutenue dans un pays qui offrait tous les avantages et toutes les possibilités – ces facteurs, qui ne dépendaient pas de moi, ont fixé le cadre de la vie que j'ai menée, des valeurs et de la foi que j'ai embrassées. Lorsque, jeune avocate, j'ai choisi de quitter ma carrière à Washington pour aller épouser Bill et fonder une famille en Arkansas, mes amis m'ont dit : « Tu es folle ? » On m'a posé la même question quand, devenue première dame, j'ai pris en charge la réforme de la santé, quand je me suis moi-même présentée aux élections, et quand j'ai accepté l'offre du président Barack Obama de représenter notre pays en tant que secrétaire d'État.

J'ai pris ces décisions en écoutant à la fois mon cœur et ma raison. Mon cœur, je l'ai suivi en Arkansas, il a débordé d'amour à la naissance de notre fille, Chelsea, et il a souffert lorsque j'ai perdu mon père et ma mère. Ma raison m'a permis d'aller de l'avant dans mes études et dans mes choix professionnels. Et mon cœur et ma raison réunis m'ont mise au service de l'intérêt public. Sur ma route, j'ai essayé de ne pas faire deux fois la même erreur, d'apprendre, de m'adapter et de prier pour avoir la sagesse de mieux choisir à l'avenir.

Ce qui est vrai dans notre vie quotidienne l'est aussi aux plus hauts niveaux de l'État. Garder l'Amérique sûre, forte et prospère, c'est faire un ensemble infini de choix, souvent avec une information imparfaite et des impératifs contradictoires. Le plus célèbre exemple, au cours de mes quatre années de service en tant que secrétaire d'État, a peut-être été l'ordre donné par le président Obama d'envoyer une unité des SEAL[1] de l'US Navy au Pakistan, par une nuit sans lune, pour déférer Oussama Ben Laden devant la justice. Les plus hauts conseillers du président étaient divisés. Nous disposions de renseignements impressionnants, mais loin d'être absolument certains. Les risques d'échec étaient redoutables. Les enjeux étaient importants, pour la sécurité nationale des États-Unis, pour notre bataille contre Al-Qaida et pour nos rapports avec le Pakistan. Surtout, la vie de ces braves SEAL et pilotes d'hélicoptère était dans la balance. Ce fut l'un des actes de leadership les plus nets et les plus courageux que j'aie jamais vus.

Ce livre parle des choix que j'ai effectués en tant que secrétaire d'État, et de ceux qu'ont faits le président Obama et d'autres dirigeants dans le monde. Certains chapitres portent sur des événements qui ont été à la une, d'autres sur les tendances de fond qui continueront à définir notre planète pour les générations futures.

Évidemment, un certain nombre de choix, de personnalités, de pays et d'événements importants ne sont pas évoqués ici. Pour leur donner la place qu'ils méritent, il me faudrait bien plus de pages. Je pourrais remplir tout un livre avec mes remerciements aux collaborateurs talentueux et dévoués sur lesquels je me suis appuyée au département d'État. Ma gratitude pour leur service et leur amitié est immense.

En tant que secrétaire d'État, j'ai réfléchi à nos choix et à nos défis en les classant en trois catégories : les problèmes dont nous avons hérité, notamment deux guerres et une crise financière mondiale ; les événements nouveaux, souvent inattendus, et les menaces émergentes, des sables mouvants du Moyen-Orient aux eaux tumul-

---

1. Sea, Air and Land : les forces spéciales de la marine américaine. [*Toutes les notes de bas de page sont des traducteurs.*]

tueuses du Pacifique et au territoire encore non cartographié du cyber-espace ; et les occasions offertes par les progrès de la mise en réseau du monde, qui pourrait aider à poser les bases de la prospérité et du leadership de l'Amérique au XXIe siècle.

J'ai abordé mon travail avec une grande confiance dans les forces et la détermination durables de notre pays, et avec humilité face à tout ce qui échappe à notre savoir et à notre contrôle. J'ai œuvré à réorienter la politique étrangère américaine dans le sens de ce que j'ai appelé le *smart power*, le « pouvoir intelligent ». Si nous voulons réussir au XXIe siècle, nous devons mieux intégrer les outils tradition-nels dont elle dispose – la diplomatie, l'aide au développement et la force militaire –, mais aussi puiser dans le dynamisme et les idées du secteur privé et donner du pouvoir aux citoyens, notamment les militants, organisateurs et apporteurs de solutions que nous appelons la société civile, afin qu'ils résolvent eux-mêmes leurs problèmes et déterminent leur avenir. Nous devons mettre en œuvre toutes les forces de l'Amérique pour construire un monde où il y aura plus de partenaires et moins d'adversaires, plus de responsabilité partagée et moins de sang versé, plus de bons emplois et moins de pauvreté, plus de prospérité largement répartie et moins de dommages à notre environnement.

Avec le recul – c'est son effet habituel –, j'aimerais pouvoir réexaminer certains de mes choix passés. Mais je suis fière de ce que nous avons accompli. Pour notre pays, le début du siècle a été traumatisant : les attentats terroristes du 11-Septembre, les longues guerres qui ont suivi, et la Grande Récession. Nous avions besoin de faire mieux, et je crois que nous l'avons fait.

Ces années ont aussi été pour moi un voyage personnel, au sens propre (je me suis rendue dans cent douze pays, j'ai parcouru près de 1,6 million de kilomètres) comme au sens figuré, de la pénible fin de la campagne des primaires 2008 à son issue inattendue : le partenariat et l'amitié avec mon ancien rival, Barack Obama. D'une façon ou d'une autre, je sers notre pays depuis des décennies. Pour-tant, pendant mes années au département d'État, j'en ai encore appris sur nos forces exceptionnelles ainsi que sur ce que nous devons faire pour être à la hauteur et prospérer, à l'intérieur comme à l'extérieur.

J'espère que ce livre sera utile à tous ceux qui veulent savoir ce qu'a défendu l'Amérique dans les premières années du XXIe siècle, et comment l'administration Obama a affronté de grands défis en des temps périlleux.

Ceux qui suivent l'interminable feuilleton de Washington vont sûrement scruter mes idées et mes expériences – qui a pris quelle position, qui s'est opposé à qui, qui était en ascension et qui en perte de vitesse –, mais ce n'est pas pour eux que j'ai écrit ce livre. Je l'ai écrit pour les Américains et pour tous ceux, partout, qui essaient de donner un sens à notre monde en mutation rapide, qui veulent comprendre comment les dirigeants et les pays peuvent travailler ensemble, pourquoi ils se heurtent parfois, et comment leurs décisions affectent nos vies à tous. Comment l'effondrement de l'économie à Athènes, en Grèce, touche les entreprises à Athens, en Géorgie. Comment une révolution au Caire, en Égypte, influe sur la vie à Cairo, dans l'Illinois. Ce qu'une rencontre diplomatique tendue à Saint-Pétersbourg, en Russie, signifie pour les familles de St. Petersburg, en Floride.

Les récits qui figurent dans ce livre n'ont pas tous une fin heureuse, ni même une fin tout court – le monde où nous vivons n'est pas comme cela –, mais tous mettent en scène des personnes dont nous pouvons apprendre quelque chose, que nous soyons ou non d'accord avec elles. Il existe encore des héros : certains ont voulu faire la paix et ont persévéré quand le succès semblait impossible, des dirigeants ont ignoré la politique et les pressions, et ont pris des décisions difficiles, des hommes et des femmes ont eu le courage de laisser le passé derrière eux pour façonner un avenir neuf et meilleur. Voilà quelques-unes des histoires que je raconte ici.

J'ai écrit ce livre pour rendre hommage aux diplomates et aux experts du développement exceptionnels que j'ai eu l'honneur de diriger en ma qualité de soixante-septième secrétaire d'État. Je l'ai écrit pour tous ceux qui, partout, se demandent si les États-Unis ont encore les moyens de leur leadership. Pour moi, la réponse est résolument : « Oui. » Même s'il est devenu courant de discourir sur le déclin de l'Amérique, ma foi dans notre avenir n'a jamais été plus grande. Il existe dans le monde actuel peu de problèmes que les États-Unis peuvent régler seuls, mais il en existe encore moins qui peuvent être réglés sans eux. Tout ce que j'ai fait et vu m'a persuadée que l'Amérique reste le « pays indispensable ». Mais je suis tout aussi convaincue que notre leadership n'est pas un dû. Nous devons le gagner à chaque génération.

Et nous le ferons. Tant que nous resterons fidèles à nos valeurs, tant que nous nous souviendrons que, avant d'être républicains ou démocrates, libéraux, conservateurs ou une autre de ces étiquettes qui nous divisent autant qu'elles nous définissent, nous sommes des Américains et nous avons tous dans notre pays un enjeu personnel.

Quand j'ai commencé cet ouvrage, peu après avoir quitté le département d'État, j'ai envisagé plusieurs titres. Secourable, le *Washington Post* a demandé à ses lecteurs d'envoyer leurs suggestions. Quelqu'un a proposé « Il faut tout un monde », qui pourrait être une bonne suite à « Il faut tout un village[1] ». Mais mon favori a été : « Les chroniques de l'élastique à cheveux : cent douze pays, et on parle toujours de ma coiffure ».

Finalement, le titre qui résume le mieux ce que j'ai vécu sur la corde raide de la diplomatie internationale et ce qui sera nécessaire, à mon sens, pour assurer le leadership des États-Unis au XXIe siècle est : « Le temps des décisions ».

Servir notre pays n'a jamais été pour moi un choix difficile. C'est le plus grand honneur de ma vie.

---

1. Hillary Clinton, *Il faut tout un village pour élever un enfant*, trad. fr. de Martine Leyris et Natalie Zimmermann, Paris, Denoël, 1996.

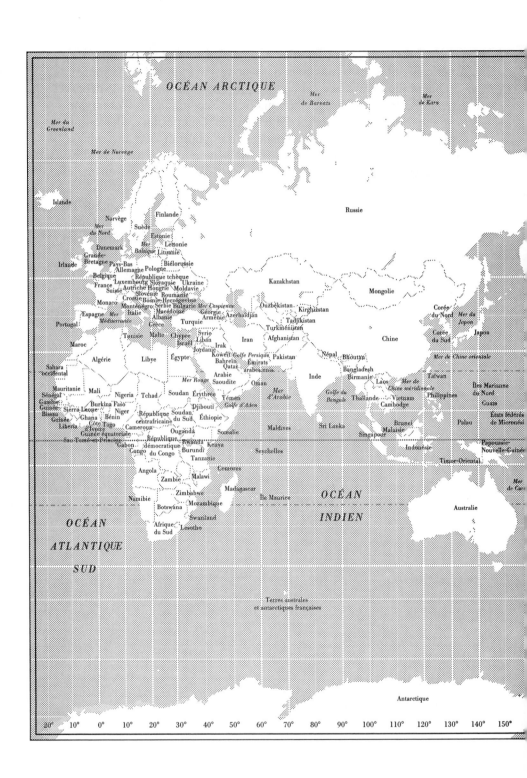

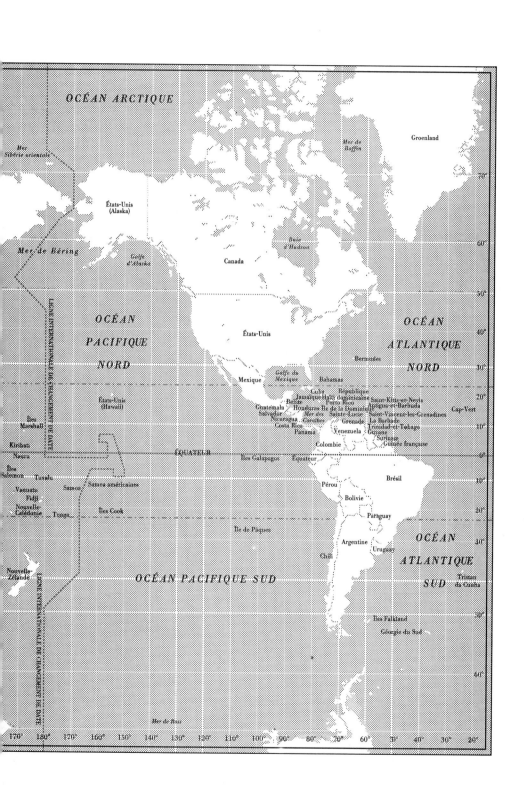

PREMIÈRE PARTIE

Nouveau départ

Chapitre 1

2008 : une équipe de rivaux

Mais pourquoi étais-je allongée sur le siège arrière d'un mono-space bleu aux vitres teintées ? Bonne question. Je tentais de sortir de chez moi, à Washington, DC, sans être vue des journalistes qui m'assiégeaient.

En cette soirée du 5 juin 2008, je me rendais à une rencontre secrète avec Barack Obama, et ce n'était pas celle que j'espérais et attendais encore quelques mois plus tôt seulement. J'avais perdu. Il avait gagné. Je n'avais guère eu le temps de me faire à cette réalité, mais nous en étions là. La campagne des primaires était historique – parce qu'il était afro-américain et que j'étais une femme –, mais elle avait aussi été éreintante, violente, longue et serrée. J'étais déçue et épuisée. J'avais lutté avec acharnement jusqu'au bout, mais Barack avait gagné et l'heure était venue de le soutenir. J'avais fait campagne pour des causes, des gens – les Américains qui avaient perdu leur emploi et leur assurance-maladie, qui ne pouvaient pas payer l'essence, les courses ou les études, qui depuis sept ans se sentaient invisibles aux yeux de leur gouvernement. À présent, leur sort dépendait de l'élection de Barack comme quarante-quatrième président des États-Unis.

Cela n'allait pas être facile pour moi, ni pour mes collaborateurs et partisans, qui s'étaient donnés à fond. Pour être juste, cela n'allait pas être facile non plus pour Barack et les siens. Les animateurs de sa campagne ressentaient pour moi et mon équipe autant de méfiance qu'ils nous en inspiraient. Il y avait eu des deux côtés beaucoup de discours enflammés et de sentiments froissés, et, malgré les intenses pressions de ceux qui le soutenaient, j'avais refusé d'abandonner jusqu'à ce que la dernière voix fût décomptée.

Nous nous étions parlé deux jours plus tôt, Barack et moi, à une heure tardive, après les dernières primaires dans le Montana et le Dakota du Sud. « Rencontrons-nous quand cela vous conviendra », m'avait-il dit. Le lendemain, nous nous étions croisés dans les coulisses d'une conférence prévue depuis longtemps pour le Comité américain des affaires publiques israéliennes à Washington. C'était un peu embarrassant, mais nos adjoints les plus proches avaient ainsi eu l'occasion de commencer à discuter des détails d'une entrevue. De mon côté, c'était ma directrice de cabinet itinérante, Huma Abedin, une jeune femme subtile, infatigable et gracieuse qui travaillait pour moi depuis l'époque de la Maison-Blanche. Pour Obama, c'était Reggie Love, l'ancien joueur de basket-ball de l'université Duke, qui le quittait rarement d'une semelle. Huma et Reggie avaient toujours maintenu une ligne de communication ouverte, une sorte de téléphone rouge, même aux moments les plus chauds de la campagne – entre autres parce qu'après chaque primaire le vaincu, quel qu'il fût, appelait l'autre pour lui concéder la victoire et le féliciter. Certains de ces appels étaient cordiaux, parfois même légers, puisqu'un des interlocuteurs au moins avait des raisons d'être de bonne humeur. Mais plusieurs appels ont été secs : il s'agissait juste de cocher la case. Au football, si les entraîneurs se rencontrent au milieu du terrain après le match, ils ne se donnent pas toujours l'accolade.

Il nous fallait un lieu discret, loin des projecteurs des médias, pour nous rencontrer et discuter. J'ai appelé mon amie Dianne Feinstein, sénatrice de Californie, et je lui ai demandé si nous pouvions utiliser sa maison de Washington. Je m'y étais déjà rendue, et je pensais qu'elle ferait bien l'affaire pour arriver et repartir sans attirer l'attention. La ruse a fonctionné. Après le virage en épingle au bout de ma rue pour entrer dans Massachusetts Avenue, je me suis remise en position assise sur le siège arrière et j'étais en route.

J'étais la première sur place. À l'arrivée de Barack, Dianne nous a offert à chacun un verre de chardonnay de Californie, puis nous a laissés dans sa salle de séjour, assis face à face dans de confortables fauteuils, devant la cheminée. Malgré nos affrontements de l'année écoulée, nos expériences partagées nous avaient inspiré un certain respect l'un pour l'autre. Se présenter à la présidence est une entreprise intellectuellement exigeante, émotionnellement épuisante et physiquement exténuante. Mais, si extravagantes que puissent être les campagnes nationales, elles représentent notre démocratie en acte, avec tous ses petits défauts. Voir cela de près nous a aidés à nous estimer mutuellement : nous étions tous deux descendus dans l'« arène », comme disait Theodore Roosevelt, et nous nous étions battus jusqu'au bout.

Cela faisait alors quatre ans que je connaissais Barack, et nous en avions passé deux à polémiquer. Comme de nombreux Américains, j'avais été impressionnée par son discours à la convention nationale démocrate de 2004 à Boston. Au début de la même année, j'avais soutenu sa campagne aux sénatoriales en organisant dans notre maison de Washington une réunion de collecte de fonds et en assistant à une autre à Chicago. À la surprise de beaucoup – de plus en plus vive compte tenu de l'évolution des événements –, j'avais dans mon bureau du Sénat une photo prise lors de cette soirée à Chicago nous montrant, lui, Michelle, leurs filles et moi. Quand je suis redevenue sénatrice à plein temps après les primaires, elle était là où je l'avais laissée. Au Sénat, nous avions travaillé ensemble sur plusieurs législations et priorités communes. Après l'ouragan Katrina, Bill et moi avions invité Barack à nous rejoindre à Houston avec le président George H.W. Bush et sa femme Barbara pour rencontrer les évacués et les chefs des services de secours.

Nous étions tous deux des avocats qui avaient fait leurs premières armes comme militants de base pour la justice sociale. Au début de ma carrière, je travaillais pour le Fonds de défense des enfants, j'inscrivais les Hispaniques sur les listes électorales du Texas, je plaidais pour des pauvres en tant qu'avocate de l'aide juridictionnelle. Barack était animateur social dans le South Side de Chicago. Nos histoires et expériences personnelles étaient très différentes, mais nous partagions la même idée « vieille école » selon laquelle le service public est une noble entreprise, et nous croyions tous deux profondément au pacte fondamental qui est au cœur du rêve américain : qui que tu sois, d'où que tu viennes, si tu travailles dur et respectes les règles, tu dois avoir la possibilité de te construire une vie décente, pour toi et ta famille.

Mais faire campagne, c'est braquer les projecteurs sur les différences, et nous n'avons pas fait exception. Même si nous étions d'accord sur la plupart des questions, nous avons trouvé de multiples raisons de ne pas l'être et exploité la moindre occasion de créer le contraste. Et j'avais beau savoir que les campagnes politiques où l'on joue gros ne sont pas faites pour les âmes sensibles et susceptibles, nous avions tous – Barack, moi et nos équipes – quantité de sujets de rancœur. Il était temps de purifier l'atmosphère. Nous avions une

Maison-Blanche à gagner, et il était important pour le pays – et pour moi personnellement – de tourner la page.

Nous nous sommes regardés comme deux adolescents gênés à leur première rencontre, en buvant de petites gorgées de chardonnay. Finalement, Barack a brisé la glace en me taquinant un peu sur la dureté de la campagne que j'avais menée contre lui. Sur quoi il m'a demandé mon aide pour rassembler notre parti et gagner la présidence. Il voulait que nous nous affichions côte à côte rapidement et que la convention nationale démocrate de Denver soit unie et galvanisée. Il tenait aussi beaucoup à l'aide de Bill.

J'avais déjà décidé d'accepter de l'aider comme il le demandait, mais j'avais aussi besoin d'évoquer certains moments désagréables de l'année écoulée. Nous n'avions eu ni l'un ni l'autre un contrôle total sur tout ce qui s'était dit ou fait dans notre campagne, encore moins chez nos plus ardents partisans ou dans la presse politique, notamment au sein de l'immense armée des blogueurs. Des remarques faites des deux côtés – dont certaines de moi – avaient été sorties de leur contexte, mais la ridicule accusation de racisme portée contre Bill était particulièrement blessante. Barack m'a assuré que ni lui ni son équipe n'y croyaient. Quant au sexisme qui s'était manifesté pendant la campagne, même si je savais qu'il provenait d'attitudes culturelles et psychologiques sur le rôle des femmes dans la société, cela ne le rendait pas moins pénible pour moi et les miens. Barack a répondu par des propos émouvants sur la lutte qu'avait menée sa grand-mère tout au long de sa vie professionnelle ; il m'a aussi dit combien il était fier de Michelle, Malia et Sasha, et fermement convaincu qu'elles méritaient une totale égalité des droits dans notre société.

La franchise de notre conversation était rassurante : elle a renforcé ma résolution à le soutenir. Bien entendu, j'aurais préféré que ce soit moi qui lui demande son aide et non l'inverse, mais je savais que son succès était désormais le meilleur moyen de promouvoir les valeurs et le programme politique progressiste pour lesquels je m'étais battue ces deux dernières années – et toute ma vie.

Il m'a demandé ce qu'il devait faire pour convaincre mes partisans de rallier sa campagne. J'ai dit qu'il fallait leur laisser un peu de temps, mais que, s'il s'efforçait vraiment de s'adresser à eux et de leur faire sentir qu'ils étaient les bienvenus, l'immense majorité le rejoindrait. Après tout, il était à présent le porte-drapeau de notre programme. Si j'étais prête à faire tout mon possible pour qu'il soit élu président après avoir fait de mon mieux pour le battre, mes partisans pouvaient agir de même. En fin de compte, presque tous l'ont fait.

Au bout d'une heure et demie, nous nous étions dit ce que nous voulions nous dire et nous avions vu comment nous pouvions avancer. Plus tard cette nuit-là, Barack a envoyé par e-mail un projet de communiqué commun qui serait publié par son équipe de campagne, confirmant la rencontre et notre « discussion fructueuse » sur ce qu'il « convenait de faire pour réussir en novembre ». Il me demandait aussi un numéro où joindre Bill afin qu'ils puissent se parler directement.

Le lendemain, 6 juin, Bill et moi avons reçu mes collaborateurs de campagne dans le jardin de notre maison de Washington. Il faisait une chaleur torride. Nous essayions tous de ne pas trop nous échauffer en nous remémorant les incroyables péripéties des primaires. Être entourée par l'équipe dévouée qui s'était si durement battue pour moi m'inspirait un sentiment d'exaltation et d'humilité. Certains étaient des amis qui travaillaient avec nous dans toutes les campagnes depuis l'Arkansas. Mais, pour bien des plus jeunes, c'était la première campagne. Je ne voulais pas que la défaite les décourage ou les détourne de la politique électorale et du service public. C'est pourquoi je leur ai dit que nous pouvions être fiers de ce que nous avions fait, et que nous devions continuer à œuvrer pour les causes et les candidats auxquels nous croyions. Je savais aussi que je devais donner l'exemple, et ma conversation avec Barack devant la cheminée la nuit précédente était un début, rien de plus. Il faudrait du temps à bon nombre de ceux qui se trouvaient là pour surmonter tout ce qui s'était passé, et je savais qu'ils allaient s'inspirer de mon attitude. J'ai donc annoncé clairement, dès cet instant, que j'allais soutenir Barack Obama à 100 %.

En dépit des circonstances, les gens se détendaient et s'amusaient. Mon amie Stephanie Tubbs Jones, l'intrépide représentante afro-américaine de l'Ohio au Congrès, qui, résistant à d'intenses pressions, était restée à mes côtés pendant toutes les primaires, trempait ses pieds dans la piscine et racontait des histoires drôles. Deux mois plus tard, elle allait mourir brutalement d'un anévrisme cérébral – une perte terrible pour sa famille et ses électeurs, ainsi que pour moi et ma famille. Mais, ce jour-là, nous étions encore des sœurs d'armes, les yeux tournés vers un avenir meilleur.

J'avais avalisé le lieu et l'heure de mon ultime apparition publique de campagne, prévue le lendemain, et je me suis mise à travailler à mon discours. C'était compliqué. Je devais remercier mes partisans, célébrer l'importance historique de ma campagne – j'étais la première femme à avoir gagné une primaire – et soutenir Barack d'une façon qui l'aiderait pour l'élection générale. Tout cela en un seul discours, que je n'avais guère le temps d'affiner : c'était une lourde tâche. J'avais en tête le souvenir de primaires acharnées où la bataille s'était poursuivie sans relâche jusqu'à la convention – notamment le défi manqué de Ted Kennedy au président Carter en 1980 –, et je ne voulais pas que l'histoire se répète. Ce ne serait bon ni pour notre parti ni pour le pays, donc j'allais rapidement annoncer publiquement que je soutenais Barack et faire campagne pour lui.

Respecter mes électeurs et me tourner vers l'avenir : je voulais parvenir à un équilibre entre ces deux impératifs. J'ai eu de nombreux échanges directs et téléphoniques avec des rédacteurs de discours et des conseillers pour trouver le ton et les mots justes. Jim Kennedy, un vieil ami doté d'un sens magique de la formule, s'était réveillé en pleine nuit en se disant que chacun de mes 18 millions d'électeurs avait fait sa propre entaille dans le dernier plafond de verre. Cela m'a fourni une base de départ. Je ne souhaitais pas répéter les banalités d'usage ; ce soutien, je devais l'accorder avec mes mots, en donnant une explication personnelle convaincante des raisons pour lesquelles nous devions tous œuvrer à faire élire Barack. Je suis restée éveillée jusqu'au petit matin, assise à notre table de cuisine, avec Bill qui révisait brouillon sur brouillon.

J'ai prononcé mon discours le samedi 7 juin au National Building Museum, à Washington. Nous avions eu du mal à trouver un lieu capable d'accueillir tous les partisans et journalistes que nous attendions. J'ai été soulagée quand nous nous sommes décidés pour le « Pension Building », comme on l'appelait couramment, avec ses colonnes et ses hauts plafonds. Construit pour servir les anciens combattants, les veuves et les orphelins de la guerre de Sécession, c'est un hommage monumental à l'esprit américain de responsabilité partagée. Bill, Chelsea et ma mère, Dorothy Rodham, âgée de 89 ans, se tenaient à mes côtés quand je me suis frayé un chemin à travers la foule pour atteindre l'estrade. Certains pleuraient avant même que j'aie commencé à parler.

L'atmosphère ressemblait un peu à celle d'une veillée funèbre – lourde de tristesse et de colère, certes, mais aussi de fierté et même d'amour. Une femme portait un énorme macaron avec les mots : « Hillary pape ! » Il ne fallait pas trop y compter, mais le sentiment m'a émue.

Si le discours avait été difficile à écrire, il l'a été plus encore à prononcer. J'avais l'impression d'avoir laissé tomber des millions de personnes, en particulier les femmes et les jeunes filles qui m'avaient investie de leurs rêves. J'ai commencé par remercier tous ceux qui avaient fait campagne et voté pour moi ; je leur ai dit que je croyais au service public et que j'allais continuer d'« aider les gens à résoudre leurs problèmes et à vivre leurs rêves ».

J'ai poursuivi en rendant un hommage appuyé aux femmes de la génération de ma mère : elles étaient nées à une époque où les femmes n'avaient même pas le droit de vote, mais elles avaient vécu suffisamment longtemps pour voir ma campagne présidentielle. L'une d'elles était Florence Steen, 88 ans, du Dakota du Sud, qui avait demandé à sa fille de lui apporter un bulletin de vote par procuration sur son lit d'hôpital pour qu'elle puisse prendre part aux primaires démocrates. Elle a rendu l'âme avant l'élection ; donc, selon la loi de l'État, son vote ne comptait plus. Mais sa fille a confié plus tard à un journaliste : « Papa est un vieux cow-boy grincheux, et ça ne lui a pas plu de s'entendre dire que la voix de Maman ne serait pas comptée. Je crois qu'il n'avait pas voté depuis vingt ans, mais il est allé voter à la place de ma mère. » Être le réceptacle des espoirs et des prières de millions de personnes était une responsabilité redoutable, et je me suis efforcée de ne jamais oublier que la campagne était menée pour elles bien plus que pour moi.

J'ai évoqué sans détour la déception de mes partisans : « Bien que nous n'ayons pu briser cette fois-ci le plus haut et le plus résistant des plafonds de verre, il a reçu grâce à vous 18 millions de fissures. Et la lumière brille à travers lui comme elle ne l'a jamais fait ; elle nous emplit tous d'un espoir, d'une certitude : le chemin sera un peu plus facile la prochaine fois. Telle a toujours été l'histoire du progrès en Amérique. » J'ai pris un engagement : « Vous me trouverez toujours en première ligne de la démocratie – du combat pour l'avenir. » Et j'ai ajouté : « Le moyen de continuer notre lutte aujourd'hui, d'atteindre les objectifs que nous défendons, c'est de mobiliser notre énergie, notre passion, notre force, et de faire tout ce que nous pourrons pour que Barack Obama devienne le prochain président des États-Unis. »

Si dur que tout cela ait pu être pour moi, j'ai beaucoup appris en perdant. J'avais eu ma part de déceptions personnelles et publiques au fil des ans, mais, jusqu'en 2008, j'avais joui d'une cascade inhabituelle de succès électoraux, d'abord en participant aux campagnes de mon mari dans l'Arkansas et à la présidentielle, puis dans mes campagnes pour le Sénat en 2000 et 2006. La nuit du caucus de l'Iowa, où j'ai fini troisième, a été atroce.

En continuant ma route dans le New Hampshire, puis dans tout le pays, j'ai repris pied et trouvé ma voix. Les nombreux Américains que je rencontrais sur le chemin me donnaient le moral et renforçaient ma détermination. J'ai dédié ma victoire à la primaire de l'Ohio à tous ceux en Amérique « qui ne comptaient pas mais ne se sont pas laissé abattre, à tous ceux qui ont trébuché mais se sont redressés, et à tous ceux qui travaillent dur et n'abandonnent jamais ». Les histoires des personnes que j'ai rencontrées ont raffermi ma foi dans la promesse illimitée de notre pays, mais elles m'ont aussi fait comprendre combien nous avions à faire pour que cette promesse soit partagée par tous. Finalement, bien que la campagne ait été longue, épuisante, et qu'elle ait coûté beaucoup trop cher, l'ensemble du processus a réussi à offrir aux électeurs un choix réel sur l'avenir du pays.

Ce fut l'un des bons côtés de ma défaite : à l'issue de cette expérience, j'ai pris conscience que je ne me souciais plus beaucoup de ce que mes adversaires disaient de moi. J'apprenais à prendre les critiques au sérieux sans en souffrir personnellement, et il est certain que, sur ce point, la campagne m'a mise à l'épreuve. Elle m'a aussi libérée. J'ai pu lâcher mes cheveux – au sens propre[1]. Un jour, lors d'une interview pendant un voyage en Inde que j'ai fait en qualité de secrétaire d'État, Jill Dougherty, de CNN, m'a interrogée sur une obsession des médias : j'apparaissais dans des capitales étrangères, après de longues heures de vol, avec des lunettes et sans maquillage. « Hillary au naturel[2] », a-t-elle dit. Mieux valait en rire. « Je me sens vraiment soulagée d'en être au stade où j'en suis dans ma vie, Jill. Parce que si je veux mettre mes lunettes, je mets mes lunettes. Si je veux tirer mes cheveux en arrière, je les tire en arrière. » Certains des journalistes suivant mes activités au département d'État ont été surpris de m'entendre, à l'occasion, jeter aux orties les « éléments de langage » diplomatiques et dire exactement ce que je pensais – qu'il s'agisse de fustiger le président de la Corée du Nord ou de pousser les Pakistanais dans leurs derniers retranchements à propos de la

---

1. En anglais, l'expression a le sens figuré de « se détendre, se laisser aller ».
2. « *Hillary Au Naturale* », c'est-à-dire non maquillée.

localisation d'Oussama Ben Laden. C'est que je ne supportais plus de marcher sur des œufs.

Ma défaite me permettrait aussi d'évoquer avec des dirigeants d'autres États ce que signifie le fait d'accepter un verdict intérieur difficile et d'aller de l'avant pour le bien de son pays. On trouve dans le monde entier des chefs d'État qui se disent de fermes partisans de la démocratie, puis font tout pour la réprimer quand les électeurs manifestent ou décident de les chasser du pouvoir par leur vote. J'ai compris que j'avais la possibilité d'incarner un autre modèle. Certes, j'avais la chance d'avoir perdu face à un candidat dont les idées étaient en étroite harmonie avec les miennes, et qui n'avait pas ménagé ses efforts pour m'intégrer à son équipe. Néanmoins, le seul fait que nous nous soyons combattus avec acharnement et que nous travaillions désormais ensemble était un argument assez impressionnant en faveur de la démocratie – et j'allais l'invoquer à maintes reprises de par le monde au cours des années suivantes, à un poste que je ne me serais jamais attendue à occuper.

*
*   *

Trois semaines après mon discours au Building Museum, j'étais en route vers Unity (New Hampshire). Nous avions choisi cette ville pour ma première apparition commune avec Barack à cause de son nom (« Unité »), mais aussi parce que nous y avions obtenu exactement le même nombre de suffrages à la primaire : 107 voix chacun. Barack et moi nous sommes retrouvés à Washington et avons fait le voyage ensemble dans son avion de campagne. À l'atterrissage, un grand tour-bus nous attendait ; il y avait près de deux heures de route jusqu'à Unity. Cela m'a rappelé la formidable tournée en bus que nous avions faite, Bill et moi, avec Al et Tipper Gore juste après la convention démocrate de 1992, ainsi que le célèbre livre de Timothy Crouse sur la campagne de 1972, *The Boys on the Bus* [Les gars du bus][1]. Cette fois, j'étais la « fille » du bus, et le candidat n'était ni moi ni mon mari. J'ai respiré un grand coup et je suis montée.

Nous nous sommes assis côte à côte, Barack et moi, et nous avons bavardé à bâtons rompus. Je lui ai fait part de certaines de nos

---

1. Timothy Crouse, alors jeune reporter au magazine *Rolling Stone*, y décrivait en termes cinglants les journalistes qui avaient couvert cette campagne présidentielle.

expériences sur l'éducation d'une fille à la Maison-Blanche. Michelle et lui réfléchissaient déjà à la vie qu'allaient mener Malia et Sasha s'il gagnait. Le rassemblement lui-même, organisé dans un grand champ par une splendide journée d'été, était conçu pour transmettre un message d'une parfaite clarté : les primaires étaient derrière nous ; désormais, nous ne formions qu'une seule équipe. Les gens ont scandé nos deux noms quand nous sommes entrés en scène au son de la chanson du groupe U2 « Beautiful Day ». Dans le dos du public, d'immenses lettres épelaient U-N-I-T-Y, et derrière la scène était tendue une banderole bleue avec les mots « Unite for Change » [S'unir pour le changement]. « Aujourd'hui et dorénavant, ai-je dit à l'assistance, nous sommes soudés au service des idéaux que nous partageons, des valeurs que nous chérissons et du pays que nous aimons. » Quand je me suis tue, la foule m'a acclamée : « Merci Hillary ! Merci Hillary ! » Même Barack s'y est mis. « Eh, les gars, vous avez jeté un œil en douce à mon discours, vous connaissez déjà la première phrase ! » a-t-il plaisanté. Puis il a parlé avec éloquence et générosité de la campagne que j'avais menée. Quelques jours plus tard, Bill et Barack ont eu un long entretien au cours duquel ils ont éclairci les derniers problèmes liés aux primaires et convenu de faire campagne ensemble.

Le plus grand événement de l'été fut la convention nationale démocrate à Denver à la fin août. J'avais assisté à toutes les conventions démocrates depuis 1976, et j'avais évidemment des souvenirs particulièrement agréables de celles de 1992 à New York et de 1996 à Chicago. Cette fois-ci, Barack m'a demandé de prononcer un discours au début de la soirée d'ouverture pour proposer officiellement sa nomination, et j'ai accepté.

Le moment venu, c'est Chelsea qui m'a présentée et appelée sur scène. Je n'aurais pu être plus fière d'elle, ni plus reconnaissante pour l'énorme travail qu'elle avait accompli d'un bout à l'autre de la longue campagne des primaires. Elle avait parcouru le pays en tout sens, de sa propre initiative, allant parler aux jeunes et galvanisant les foules partout où elle passait. En la voyant là, face à la grande salle de la convention pleine à craquer, je n'en suis pas revenue de constater à quel point elle était devenue pondérée, totalement adulte.

Puis ce fut mon tour. J'ai été accueillie par une mer de pancartes « Hillary » rouge-blanc-bleu. Certes, je m'étais souvent exprimée en public, mais ce discours-là, face à une immense foule et à des millions de téléspectateurs, était particulièrement important. Je dois reconnaître que j'étais nerveuse. J'avais retouché le texte jusqu'à la toute dernière minute – si bien que, lorsque mon convoi[1] est arrivé, un de mes assistants a dû jaillir du monospace et courir remettre la clé USB à l'opérateur prompteur. Les animateurs de la campagne d'Obama avaient demandé à le lire à l'avance et, voyant que je ne l'avais pas transmis, certains de ses collaborateurs ont pris peur : je cachais sûrement quelque chose qu'ils ne voulaient pas que je dise. Mais non : j'utilisais simplement chaque seconde dont je disposais pour que mes mots sonnent juste.

Ce n'était pas le discours que j'avais longtemps espéré prononcer lors de cette convention, mais il était important. « Que vous ayez voté pour moi ou pour Barack, ai-je dit à la foule, l'heure est venue de nous unir en un seul parti tourné vers un seul but. Nous sommes dans la même équipe, et aucun de nous ne peut se permettre de rester spectateur. C'est un combat pour l'avenir. Et c'est un combat que nous devons gagner ensemble. Barack Obama est mon candidat. Et il doit être notre président. » Après mon discours, Joe Biden m'a accueillie devant les loges en tombant à genoux pour me baiser la main. (Qui a dit que la galanterie n'existait plus ?) Barack a appelé de Billings, dans le Montana, pour me remercier.

Le même jour, j'avais rencontré par hasard Michelle dans les coulisses d'une réunion publique, et elle aussi était reconnaissante de tout ce que nous faisions pour aider Barack. Bill n'était évidemment pas le seul conjoint dans cette campagne, et Barack et moi avions pu tous deux constater que nos familles étaient souvent les plus meurtries par les attaques qui nous visaient. Mais Michelle et moi avons créé des liens personnels autour de la difficulté d'élever une famille sous le regard public.

Quelques mois plus tard, lors d'un déjeuner privé dans le salon Ovale Jaune, au deuxième étage de la Maison-Blanche, nous avons parlé toutes les deux de l'installation de leur famille et des projets de Michelle pour combattre l'obésité infantile par l'amélioration du régime alimentaire et l'exercice[2]. Assises à une petite table face aux fenêtres orientées sud, nous voyions l'obélisque du Washington Monument s'élever au-dessus du balcon Truman. C'était la première fois que je revenais dans les appartements privés depuis que nous les avions quittés, le 20 janvier 2001. J'ai adoré revoir le personnel qui

---

1. Nous traduisons ainsi *motorcade* : lorsque les hautes personnalités se déplacent, il y a toujours plusieurs voitures, notamment pour des raisons de sécurité.

2. Michelle Obama a lancé le programme « Let's Move » [Bougeons !], qui se propose de résoudre en une génération le problème de l'obésité infantile.

est là pour aider la famille de chaque président à se sentir chez elle à la Maison-Blanche. Quand j'étais devenue première dame en 1993, entendre Jacqueline Kennedy, Lady Bird Johnson, Betty Ford, Rosalynn Carter, Nancy Reagan et Barbara Bush partager leur expérience avait été très important pour moi. Nous ne sommes que quelques-unes à avoir eu le privilège de vivre dans la Maison du peuple, et je voulais procurer toute l'aide dont j'étais capable.

J'avais pensé que mon discours serait ma seule intervention pendant la convention, mais il se trouvait parmi mes délégués un groupe déterminé qui avait toujours la ferme intention de voter pour moi lors de l'appel nominatif des États. Les collaborateurs d'Obama m'ont demandé si je voulais bien me rendre à la convention le lendemain, interrompre le vote et proposer de déclarer immédiatement que Barack avait l'investiture de notre parti. J'ai accepté, mais je comprenais pourquoi bon nombre de mes amis, partisans et délégués me suppliaient de n'en rien faire. Ils voulaient finir ce qu'ils avaient commencé. Ils voulaient aussi que l'histoire retienne qu'une femme avait gagné plus d'une vingtaine de primaires et de caucus, et obtenu près de 1 900 délégués : cela ne s'était jamais produit. Si le vote par appel nominatif était interrompu, soutenaient-ils, jamais nos efforts ne seraient justement reconnus. Je ne pouvais m'empêcher d'être émue par leur ardente loyauté, mais il m'a paru plus important de montrer que nous étions totalement unis.

Certains de mes partisans étaient irrités que Barack ait choisi Biden comme colistier plutôt que moi. Mais la fonction de vice-présidente ne m'avait jamais intéressée. J'avais l'intention de retourner au Sénat, où j'espérais contribuer à mener la charge sur la réforme de la santé, la création d'emplois et d'autres problèmes urgents. J'ai donc approuvé de tout cœur le choix de Barack, et je savais que Joe serait un atout pour gagner l'élection, ainsi qu'à la Maison-Blanche.

Nous avions gardé le secret sur ma venue dans la salle de la convention. D'où le vif émoi des délégués et journalistes quand je suis soudain apparue parmi les milliers de démocrates excités, au moment précis où l'on appelait l'État de New York à annoncer ses votes. Entourée d'amis et de collègues, j'ai pris la parole : « Les yeux clairement fixés sur l'avenir, dans un esprit d'unité, en visant la victoire, en ayant foi dans notre parti et notre pays, déclarons ensemble d'une seule voix, ici même, à l'instant même, que Barack Obama est notre candidat et sera notre président. » Sur quoi j'ai proposé de suspendre l'appel nominatif et d'investir Barack par acclamation. Sur l'estrade, la présidente de la Chambre des représentants, Nancy Pelosi, a demandé s'il y avait une deuxième personne pour ma motion[1], et toute la convention a rugi son approbation. L'atmosphère débordait d'énergie, rendant palpable le sentiment que l'on était en train de faire l'histoire en se rassemblant derrière le premier Afro-Américain investi par un grand parti.

Il y a eu une autre grosse surprise cette semaine-là. Le lendemain du jour où Barack a pris la parole devant la convention, le sénateur John McCain, candidat présomptif des républicains, a fait savoir qu'il choisissait comme colistière Sarah Palin, alors gouverneure de l'Alaska. Un « Qui ça ? » retentissant a résonné dans tout le pays. Nous allions tous apprendre à la connaître dans les mois qui suivraient, mais à ce moment-là c'était une illustre inconnue, même pour les passionnés de politique. Les collaborateurs d'Obama ont vu dans ce choix une tentative flagrante pour ruiner leurs propres espoirs de rallier les femmes qui m'avaient vigoureusement soutenue. Ils ont aussitôt publié un communiqué méprisant et se sont adressés à moi en espérant que j'allais suivre. Mais je n'ai pas suivi. Je n'allais pas attaquer Sarah Palin pour le simple fait d'être une femme qui demandait le soutien d'autres femmes. Je pensais que c'était politiquement absurde, et ce n'était pas juste. J'ai donc dit non, en répondant aux animateurs de la campagne d'Obama qu'on aurait bien le temps de la critiquer. Quelques heures plus tard, ils sont revenus sur leur position et ont félicité la gouverneure Palin.

Dans les semaines qui ont suivi, Bill et moi avons assisté à plus d'une centaine de réunions publiques et de collectes de fonds, au cours desquelles nous avons discuté avec des partisans et des électeurs indécis et plaidé pour Barack et Joe. Le matin du 4 novembre – jour de l'élection –, nous sommes allés voter dans une petite école primaire proche de notre maison de Chappaqua, dans l'État de New York. C'était la fin d'un voyage incroyablement long. Cette nuit-là, Bill est resté collé au petit écran, à faire ce qu'il fait toujours les soirs d'élection : analyser toutes les données qu'il peut trouver sur la participation et les sondages de sortie des urnes. Maintenant que nous ne pouvions plus rien faire, j'essayais de m'occuper à d'autres choses en attendant le résultat. Finalement, ce fut une victoire décisive, sans

---

1. Question traditionnelle de la procédure parlementaire américaine : pour qu'une motion soit mise aux voix, il faut qu'au moins une autre personne que celle qui l'a proposée le demande (sans qu'elle soit nécessairement favorable à son contenu).

l'attente interminable de 2004 ni celle, mémorable, de 2000. Huma a appelé Reggie Love, et bientôt je me suis retrouvée à féliciter le président élu[1]. (C'est ainsi que j'ai alors commencé à penser à lui, à parler de lui et à m'adresser à lui, de même qu'après l'inauguration il deviendrait « Monsieur le Président ».) J'étais enthousiaste, fière et, pour être franche, soulagée. L'heure était venue de souffler ; j'avais hâte de revenir à la vie et au travail que j'aimais.

*

*   *

C'était un dimanche après-midi bien tranquille, cinq jours après l'élection – l'occasion parfaite pour décompresser. L'air de l'automne était frais, et nous avons décidé, Bill et moi, de nous rendre dans la réserve naturelle des gorges de la rivière Mianus, en empruntant l'un des nombreux sentiers proches de notre maison, dans le comté de Westchester. Nous menons chacun une vie trépidante, et nous cherchons souvent à faire le vide dans notre esprit en partant ensemble pour de longues marches. Je me souviens que celle-là a été particulièrement libératrice. L'élection terminée, je pouvais revenir à mon travail au Sénat. J'adorais représenter le peuple de New York, et je sortais de la campagne avec en tête tout un programme que j'avais hâte de faire avancer. Je débordais d'idées qui toutes, je l'espérais, allaient être confortées par ma relation étroite avec le nouveau président.

J'ignorais encore à quel point cette relation deviendrait étroite. Au milieu de notre promenade, le téléphone portable de Bill a sonné. En décrochant, il a entendu la voix du président élu, qui lui a dit qu'il souhaitait nous parler à tous les deux. Bill lui a expliqué que nous nous trouvions dans une réserve naturelle et que nous le rappellerions à notre retour. Pourquoi appelait-il ? Peut-être voulait-il avoir notre avis sur l'équipe qu'il constituait. Ou discuter stratégie à propos d'un défi politique majeur, comme la reprise économique ou la réforme de la santé. Ou simplement s'assurer de notre aide pour une phase rapide d'activité législative au printemps. Bill, qui se souvenait du tumulte de sa propre transition présidentielle, supposait qu'il voulait

---

1. Aux États-Unis, le candidat qui remporte l'élection présidentielle de novembre est officiellement élu par les grands électeurs en décembre et n'entre en fonction que le jour de son investiture présidentielle (*inauguration*), le 20 janvier suivant. Dans l'intervalle, on l'appelle le « président élu » (*President-elect*).

passer en revue avec nous des noms pressentis pour des postes à la Maison-Blanche et au cabinet.

La conjecture de Bill s'est révélée juste pour lui. À notre retour à la maison, le président élu a fait appel à ses lumières sur des membres possibles de l'équipe économique qu'il rassemblait pour s'attaquer à la crise financière qu'affrontait le pays. Puis il a dit à Bill qu'il avait l'intention de me rencontrer bientôt. J'ai supposé qu'il voulait me parler de la façon dont nous pourrions coopérer étroitement sur son programme législatif au Sénat.

Cependant, j'étais curieuse. J'ai donc appelé quelques-uns de mes collaborateurs au Sénat pour voir ce qu'ils en pensaient, notamment mon porte-parole, Philippe Reines. C'est un homme ardent, loyal et astucieux. En général, il sait ce que pensent les détenteurs de pouvoir et d'influence à Washington avant qu'ils le sachent eux-mêmes. Et je peux toujours lui faire confiance pour dire ce qu'il a en tête. C'est bien ce qui s'est passé, une fois de plus. Philippe m'avait informée deux jours plus tôt que des bruits couraient sur ma nomination à tous les portefeuilles, de secrétaire à la Défense à Maître des postes général. Mais, pour sa part, il avait prédit avec assurance : « Il va te proposer secrétaire d'État. — C'est ridicule ! avais-je aussitôt répondu. Pour une raison évidente. » Je m'étais dit que Philippe se faisait des illusions – ce ne serait pas la première fois. Et, en toute franchise, servir au sein du cabinet ne m'intéressait pas. Je voulais revenir au Sénat et à mon travail pour l'État de New York. Entre le 11-Septembre et le krach financier de 2008, les New-Yorkais avaient vécu huit années éprouvantes. Ils avaient pris le risque de m'élire en 2000, et maintenant il leur fallait une avocate forte et engagée à Washington. De plus, j'aimais être ma propre patronne, fixer moi-même mon calendrier et mon programme. Entrer dans le cabinet signifiait abandonner une part de cette autonomie.

Quand j'ai appelé Philippe ce dimanche-là, il m'a appris que les médias avaient entamé leur cycle de spéculations. L'émission « This Week » d'ABC avait évoqué des rumeurs selon lesquelles le président élu Obama envisageait de me confier le poste de secrétaire d'État, ajoutant qu'il était séduit par l'idée d'avoir au cabinet une « équipe de rivaux ». C'était une allusion au titre d'un best-seller de Doris Kearns Goodwin, un ouvrage d'histoire paru en 2005[1], dans lequel

1. Doris Kearns Goodwin, *Team of Rivals* [Une équipe de rivaux], New York, Simon & Schuster, 2005. Une version abrégée a paru en français sous le titre *Abraham Lin-*

elle rappelait qu'en 1860 Abraham Lincoln avait choisi William Henry Seward, sénateur de New York, comme secrétaire d'État après l'avoir battu pour l'investiture républicaine à la présidentielle.

Au fil du temps, j'étais devenue une grande admiratrice de Seward ; aussi ce parallèle m'intriguait-il particulièrement. Seward était l'un des grands esprits éclairés de son époque, réformateur, homme de principes, adversaire résolu de l'esclavage, gouverneur et sénateur de New York, enfin secrétaire d'État. Il avait aussi aidé le président Lincoln à rédiger la proclamation faisant de Thanksgiving une fête nationale américaine. Un contemporain le décrit ainsi : « jamais désarçonné ni excité, astucieux, prompt à saisir une plaisanterie, à reconnaître ce qui est bien, et adorant la "bonne chère" ». Je pouvais m'identifier à ce profil.

Seward était un sénateur respecté de New York lorsqu'il a tenté d'obtenir l'investiture à l'élection présidentielle, mais il s'est heurté à un homme politique prometteur et ingénieux de l'Illinois. Le parallèle n'était pas parfaitement exact – j'espère que nul ne m'assimilera jamais à un « sage perroquet », comme l'historien Henry Adams voyait Seward. Enfin – une coïncidence qui m'a personnellement amusée –, l'homme qui a le plus œuvré à ruiner les chances de Seward de devenir président, le journaliste Horace Greeley, a sa statue bien en vue à Chappaqua.

Mais Seward m'attirait pour des raisons bien plus profondes que des coïncidences historiques. Je m'étais rendue dans sa maison d'Auburn, dans l'État de New York, une « station » du Chemin de fer clandestin[1] des esclaves du Sud en fuite vers la liberté. Elle est remplie de souvenirs de sa carrière extraordinaire et du voyage de quatorze mois autour du monde qu'il a accompli après avoir quitté ses fonctions. On trouve dans la « galerie diplomatique » des témoignages de respect provenant de la quasi-totalité des dirigeants mondiaux – la plupart étaient des têtes couronnées rendant hommage à un humble serviteur de la démocratie.

Malgré toute son expérience du monde, Seward était profondément attaché à ses mandants, qui le lui rendaient bien. Il parlait avec éloquence du pays accueillant pour tous que pouvait être l'Amérique. Et il prolongeait ses mots par des actes. Harriet Tubman, l'héroïque

---

coln : l'homme qui rêva l'Amérique, trad. fr. de Catherine Makarius, Neuilly-sur-Seine, M. Lafon, 2012.

1. L'Underground Railroad désigne l'ensemble des personnes qui aidaient les esclaves fugitifs à quitter les États esclavagistes et le réseau de routes clandestines qu'ils utilisaient. Dans leurs communications codées, c'est la terminologie ferroviaire qui était employée.

« conductrice » du Chemin de fer clandestin, s'est installée dans une maison située dans la ville natale de Seward, sur un terrain qu'elle lui avait acheté. L'amitié entre Seward et Lincoln était particulièrement émouvante. Après avoir reconnu sa défaite dans leur affrontement pour l'investiture, Seward a travaillé dur en vue de faire élire Lincoln, parcourant le pays en chemin de fer et prononçant partout des discours. Il est vite devenu l'un de ses conseillers de confiance. Il était là au commencement : c'est lui qui a suggéré le magnifique dernier paragraphe du premier discours d'investiture de Lincoln, que celui-ci a transformé en appel aux « meilleurs anges de notre nature ». Et il était là aussi à la fin : le complot pour tuer Lincoln comprenait un attentat coordonné contre Seward, mais ce dernier a survécu. Lincoln et Seward ont fait ensemble un long voyage ; leur amitié et leurs efforts ont contribué à sauver l'Union.

Toutefois, quand la guerre de Sécession a pris fin, le travail de Seward n'était pas tout à fait terminé. En 1867, dans un ultime coup d'éclat qui a prouvé son habileté politique, il a monté le rachat de l'Alaska à la Russie. Le prix – 7,2 millions de dollars – a été jugé si extravagant qu'on a appelé l'opération la « folie de Seward ». Nous comprenons aujourd'hui que ce fut l'une des grandes transactions foncières de l'histoire des États-Unis (et une excellente affaire, à moins de 5 cents l'hectare). Juste après avoir obtenu mon diplôme à l'université, j'ai passé quelques mois mémorables en Alaska à vider des poissons et laver des assiettes. Maintenant que mon nom commençait à être souvent cité au sujet du poste de secrétaire d'État, je me demandais si le fantôme de Seward ne me suivait pas à la trace. Néanmoins, je devais me poser la question : si le président élu me demandait de servir, n'était-ce pas de la pure folie d'abandonner le Sénat et tout mon programme sur le terrain national pour un mandat de court terme au département d'État ?

*

*   *

La nuit qui a suivi l'entretien téléphonique du président élu Obama avec Bill, une journaliste, à la remise du prix des « Femmes de l'année » organisé par *Glamour* à New York, m'a demandé, tandis que je m'y rendais, si j'envisageais d'accepter un poste dans l'administration Obama. Je lui ai dit ce qui était alors mon sentiment : « Je suis heureuse d'être sénatrice de New York. » C'était vrai. Mais j'étais aussi assez réaliste pour savoir que tout peut arriver en politique.

Le matin du jeudi 13 novembre, j'ai pris l'avion pour Chicago avec Huma pour rencontrer le président élu, et je suis parvenue sur les lieux sans incidents. À notre arrivée au quartier général de la transition, j'ai été introduite dans une grande salle lambrissée, meublée de quelques chaises et d'une table pliante, où j'allais m'entretenir en tête-à-tête avec le président élu.

Je ne l'avais pas vu aussi détendu et reposé depuis des mois. Bien qu'il fût confronté à la crise économique la plus grave depuis la Grande Dépression, il paraissait confiant. Comme j'allais le voir faire si souvent par la suite, il est allé droit au but : ignorant les banalités d'usage, il m'a demandé d'être sa secrétaire d'État. Il m'a dit qu'il pensait à moi pour le poste depuis un certain temps, qu'il était convaincu que j'étais la meilleure, la seule personne – ce sont ses propres termes – qui pouvait l'occuper à ce moment de l'histoire, avec les défis exceptionnels auxquels était confrontée l'Amérique à l'intérieur et à l'extérieur.

Malgré tous les chuchotements, rumeurs et questions directes, j'ai été sidérée. Quelques mois plus tôt seulement, nous nous étions affrontés, Barack Obama et moi, dans l'une des campagnes des primaires les plus dures de l'histoire. Maintenant, il me demandait d'entrer dans son administration, au poste le plus élevé du cabinet – quatrième dans l'ordre de succession à la présidence. C'était comme une rediffusion de la dernière saison d'*À la Maison-Blanche*[1] : là aussi, le nouveau président élu offre à son adversaire battu le poste de secrétaire d'État. Dans la série, le rival commence par refuser, mais le président élu ne veut rien entendre.

Dans la vraie vie, le président élu Obama m'a tenu un discours bien argumenté. Il allait devoir consacrer l'essentiel de son temps et de son attention à la crise économique, et il avait besoin d'une personnalité d'envergure pour le représenter à l'étranger. Je l'ai écouté attentivement, puis j'ai respectueusement décliné l'offre. Certes, j'étais honorée par sa demande. Je m'intéressais beaucoup à la politique étrangère, et restaurer la position compromise de notre pays dans le monde me paraissait essentiel. Il y avait deux guerres à terminer, des menaces émergentes à contrer et de nouvelles opportunités à

---

1. Série télévisée américaine du début des années 2000 ; le titre original est *The West Wing*.

saisir. Mais je me sentais aussi passionnément investie dans d'autres tâches : inverser les pertes d'emplois massives que nous constations aux États-Unis, réparer notre système de santé en panne et créer de nouvelles opportunités pour les familles laborieuses d'Amérique. Les gens souffraient et avaient besoin d'un champion qui se battrait pour eux. Tous ces objectifs et bien d'autres m'attendaient au Sénat. De plus, on ne manquait pas de diplomates chevronnés qui, à mon avis, pouvaient aussi faire de grands secrétaires d'État. « Que pensez-vous de Richard Holbrooke ? ai-je suggéré. Ou de George Mitchell[1] ? » Mais le président élu ne s'est pas découragé, et je l'ai quitté en lui disant que j'allais y réfléchir. Pendant le vol retour vers New York, je n'ai pensé qu'à cela.

Avant même mon atterrissage à New York, la presse spéculait intensément. Deux jours plus tard, le *New York Times* a titré à la une : « La conversation d'Obama avec Clinton crée le buzz. » Avec la perspective de ma nomination à la tête de la diplomatie américaine, lisait-on, l'« affrontement théâtral Obama-Clinton » de la campagne présidentielle allait peut-être se dénouer par un « retournement final ». Par respect pour le président élu, j'ai évité de confirmer qu'il m'avait fait la moindre proposition.

J'avais promis de réfléchir à son offre, donc je l'ai fait. La semaine suivante, j'en ai longuement parlé avec ma famille, mes amis, mes collègues. Bill et Chelsea m'ont écoutée avec patience et m'ont vivement conseillé d'évaluer les choses très soigneusement. Mes amis se sont divisés à égalité entre l'enthousiasme et le scepticisme. J'avais quantité d'éléments à prendre en compte et seulement quelques jours pour me décider. Il est certain que la mission était séduisante, et je me sentais capable de bien l'accomplir. Cela faisait des années que j'étais aux prises avec les défis auxquels se heurtaient les États-Unis dans le monde, comme première dame et comme sénatrice, et j'entretenais déjà des relations avec de nombreux dirigeants cruciaux, d'Angela Merkel en Allemagne à Hamid Karzai en Afghanistan.

John Podesta, un ami que j'estimais, coprésident de l'équipe de transition d'Obama, et ancien secrétaire général de la Maison-Blanche pour mon mari, m'a appelée le 16 novembre pour évoquer quelques points et souligner avec force combien le président élu souhaitait que j'accepte. Nous avons discuté de certaines questions pratiques. Par exemple, comment allais-je pouvoir finir de rembourser

---

1. Ces deux diplomates seront présentés *infra*, p. 53.

ma dette de campagne – je devais encore plus de 6 millions de dollars – si je devenais secrétaire d'État et s'il me fallait donc rester à l'écart de la politique partisane ? De plus, je ne voulais rien faire qui puisse limiter le travail qu'effectuait Bill dans le monde à travers la fondation Clinton, car il sauvait des vies. La presse parlait abondamment de possibles conflits d'intérêts entre ses efforts philanthropiques et mes nouvelles fonctions éventuelles. Ce problème a vite été réglé : l'équipe de transition présidentielle a examiné minutieusement les donateurs de la fondation, et Bill a accepté de révéler tous les noms. Pour éviter toute apparence de conflit avec mon travail de secrétaire d'État, il devait aussi s'abstenir de reproduire à l'étranger la table ronde philanthropique innovante qu'il avait lancée, la Clinton Global Initiative. « Le bien que tu pourras faire comme secrétaire d'État fera plus que compenser ce qu'il me faudra abandonner », m'a-t-il assuré.

Tout au long de ce processus, et pendant les quatre années qui ont suivi, Bill a été, comme depuis des décennies, mon soutien essentiel et le premier auditeur critique de mes pensées. Il m'a recommandé de me concentrer sur les « grandes tendances », pas seulement sur les « gros titres », et de savourer les expériences.

J'ai demandé leur avis à quelques collègues de confiance. Les sénatrices Dianne Feinstein et Barbara Mikulski et la représentante Ellen Tauscher m'ont encouragée à accepter, de même que le sénateur Chuck Schumer, élu de New York comme moi. Si beaucoup aimaient à souligner combien nous étions différents, Chuck et moi, et à quel point nous nous concurrencions parfois, la vérité est que nous formions une grande équipe, et je respectais ses intuitions. Harry Reid, leader de la majorité au Sénat, m'a surprise en m'apprenant que le président élu lui avait soumis l'idée à l'automne, pendant une halte de campagne à Las Vegas. Il m'a dit que, même s'il ne voulait pas me perdre au Sénat, il ne voyait pas comment je pouvais refuser l'offre.

J'ai donc continué à réfléchir. Une heure je penchais pour l'acceptation, la suivante je songeais aux textes de loi que j'allais introduire à la prochaine session du Congrès. Mon équipe et celle du président élu se livraient à diverses manœuvres pour qu'il me soit difficile de dire non – je l'ignorais alors, mais je l'ai appris plus tard. Mes collaborateurs m'ayant dit que c'était l'anniversaire de Joe Biden, je l'ai appelé deux jours avant la vraie date, ce qui lui a donné l'occasion de tenter à son tour de me persuader. Lorsque j'ai essayé d'appeler le président élu pour dire non, le nouveau secrétaire général de la Maison-Blanche, Rahm Emanuel, a prétendu qu'il était souffrant.

Finalement, le président élu et moi nous sommes entretenus au téléphone aux toutes premières heures du 20 novembre. Il s'est montré attentif à mes inquiétudes, a répondu à mes questions et évoqué avec enthousiasme le travail que nous pourrions faire ensemble. Je lui ai dit que, même si les activités caritatives de Bill et ma dette de campagne me préoccupaient, mon grand souci était de savoir à quel endroit je pouvais être le plus utile et le plus efficace : au Sénat ou dans le cabinet. Et, soyons franche, j'aspirais à un emploi du temps régulier après la longue campagne. J'ai exposé tout cela, et il a écouté patiemment – puis il m'a assuré que tous les points que je soulevais pouvaient se régler.

Habilement, le président élu a détourné la conversation de l'offre en elle-même pour aborder le contenu du poste. Nous avons parlé des guerres d'Irak et d'Afghanistan, des problèmes permanents que posaient l'Iran et la Corée du Nord, de la façon dont les États-Unis pourraient sortir rapidement et avec assurance de la récession. C'était génial d'échanger des idées au cours d'une confortable conversation privée après un an passé à s'acharner l'un contre l'autre dans des débats de campagne télévisés. Avec le recul, cette discussion était encore plus importante qu'elle ne l'a paru sur le moment. Nous posions les bases d'un programme commun qui allait guider la politique étrangère américaine des années suivantes.

Néanmoins, ma réponse restait non. À nouveau, le président élu l'a refusée. « Je veux un oui, m'a-t-il dit. Vous êtes la meilleure pour le poste. » Pour lui, « non » n'était pas une réponse. Cela m'a impressionnée.

Après avoir raccroché, je suis restée éveillée presque toute la nuit. À quelle réponse me serais-je attendue si les rôles avaient été inversés ? Si j'avais été élue présidente et si j'avais voulu Barack Obama comme secrétaire d'État ? Si j'avais hérité des défis auxquels il était confronté ? Il est clair que je souhaiterais qu'il dise oui – et vite, pour que nous puissions passer à d'autres problèmes. Je voudrais que les serviteurs les plus talentueux de l'intérêt public fassent bloc et travaillent dur, pour le bien du pays. Plus j'y réfléchissais, plus je voyais que le président élu avait raison. Le pays était en difficulté, à l'intérieur comme à l'extérieur. Obama avait besoin d'une secrétaire d'État capable d'entrer immédiatement sur la scène mondiale et de commencer à réparer les dégâts dont nous avions hérité.

Finalement, je ne cessais de revenir à une idée simple : quand votre président vous demande de servir, il faut dire oui. Même si j'adorais mon travail au Sénat et pensais pouvoir y être plus utile, il disait avoir besoin de moi au département d'État. Mon père avait servi dans l'US Navy pendant la Seconde Guerre mondiale : il entraînait les jeunes marins qui partaient se battre dans le Pacifique. Et même s'il maugréait souvent contre les décisions prises par divers présidents à Washington, ma mère et lui m'ont inculqué un sens profond du devoir et du service. Ce sentiment a été renforcé par la foi méthodiste de ma famille, qui nous enseigne : « Fais tout le bien que tu peux, à chaque moment que tu peux, à tous les gens que tu peux, aussi longtemps que tu peux. » En 2000, l'appel à servir m'avait aidée à faire le grand saut du mandat électif quand j'avais lancé ma première campagne pour entrer au Sénat ; à présent, il m'aidait à faire le choix difficile de quitter le Sénat et d'accepter le poste de secrétaire d'État.

*
* *

Au matin, j'avais pris ma décision, et j'ai demandé à parler une nouvelle fois au président élu.

Il a été ravi que je me sois laissé convaincre. Il m'a garanti que j'aurais un accès direct auprès de lui et que je pourrais le voir seul autant que nécessaire. Il a dit que je pourrais choisir ma propre équipe, même s'il allait faire certaines suggestions. Pour avoir déjà vécu à la Maison-Blanche, je mesurais l'importance de ces deux promesses. L'histoire a montré à maintes reprises que la Maison-Blanche peut négliger le département d'État, en général avec de tristes résultats. Le président élu m'a assuré que, cette fois, ce serait différent : « Je veux être sûr de votre succès. » Il savait que notre partenariat sur la politique étrangère n'irait pas sans erreurs et turbulences, a-t-il ajouté, mais nous devions nous efforcer de prendre les meilleures décisions possible pour notre pays. Les relations personnelles étroites que nous allions forger par la suite n'étaient pas encore installées, mais j'ai été touchée quand il m'a dit : « Contrairement à ce qui s'écrit, je pense que nous pouvons devenir bons amis. » Cette remarque est restée gravée dans mon esprit depuis.

Le président a pleinement respecté ses promesses. Il m'a donné toute liberté de choisir mon équipe, s'est fié à mon avis de principale conseillère en politique étrangère pour les décisions majeures qui arrivaient sur son bureau, et a tenu à me rencontrer souvent pour que nous puissions parler franchement. En général, nous nous entretenions en tête-à-tête au moins une fois par semaine, quand nous n'étions pas en voyage. Il y avait aussi les réunions plénières du cabinet, celles du Conseil de sécurité nationale et les rencontres bilatérales avec les dirigeants étrangers en visite – pour ne parler que des réunions auxquelles assistait le président. J'avais également des entretiens réguliers à la Maison-Blanche avec le secrétaire à la Défense et le conseiller à la Sécurité nationale. Si je fais le compte, je constate que, malgré mon programme intensif de déplacements, je me suis rendue à la Maison-Blanche plus de sept cents fois au cours de ces quatre années. Après avoir perdu les primaires, je ne m'attendais sûrement pas à y passer tout ce temps.

Dans les années qui allaient suivre, je ne serais pas toujours d'accord avec le président et les autres membres de son équipe – à certaines occasions qui seront évoquées dans ce livre, et aussi à d'autres qui resteront privées, pour respecter l'espace de confidentialité qui doit exister entre un président et sa secrétaire d'État, notamment quand le premier exerce encore ses fonctions. Mais nous avons développé, lui et moi, une relation professionnelle forte, ainsi que, avec le temps, l'amitié personnelle qu'il avait prédite et qui m'est aujourd'hui très chère. Quelques semaines après l'arrivée de la nouvelle administration, par un doux après-midi d'avril, le président a suggéré que nous terminions l'une de nos réunions hebdomadaires à la table de pique-nique qui se trouve devant le Bureau ovale, sur la pelouse sud, tout près du nouveau terrain de jeux de Malia et de Sasha. Cela me convenait parfaitement. La presse a commenté : « Réunion stratégique à la table de pique-nique ». Je dirais plutôt : « Deux personnes en grande conversation ».

Le lundi 1er décembre 2008, le président élu Obama a annoncé qu'il m'avait choisie pour servir en tant que soixante-septième secrétaire d'État. J'étais à ses côtés, et il a répété en public ce qu'il m'avait dit en privé : « La nomination de Hillary montre à nos amis comme à nos ennemis le sérieux de mon engagement à renouveler la diplomatie américaine. »

Le 20 janvier suivant, j'ai assisté avec mon mari, dans un froid mordant, à la prestation de serment de Barack Obama. Notre âpre rivalité d'hier était terminée. Nous étions désormais partenaires.

Chapitre 2

Foggy Bottom : le *smart power*

Le premier secrétaire d'État que j'ai rencontré est Dean Acheson. Il avait servi le président Harry Truman au début de la guerre froide, et il était l'incarnation même de l'imposant diplomate « vieille école ». J'étais alors étudiante, et nerveuse à la perspective de prononcer le premier discours public important de ma jeune vie. Cela se passait au printemps 1969. Ma condisciple et amie de Wellesley, Eldie Acheson, petite-fille de l'ancien secrétaire, avait jugé que notre classe devait avoir sa propre oratrice lors de la remise des diplômes. Le président de notre université ayant donné son aval, mes camarades m'avaient demandé d'évoquer nos quatre années tumultueuses à Wellesley et d'accompagner notre départ vers un avenir inconnu de dignes propos.

Le soir précédant la cérémonie, tandis que mon discours n'était toujours pas terminé, je suis tombée par hasard sur Eldie et sa famille. Elle m'a présentée à son grand-père comme « la fille qui va parler demain ». Le vieux monsieur de 76 ans venait d'achever les Mémoires qui lui vaudraient le prix Pulitzer l'année suivante : *Present at the Creation* [Présent à la Création]. Le secrétaire Acheson m'a souri et serré la main : « Je suis curieux d'entendre ce que vous avez à dire. » Prise de panique, j'ai regagné en toute hâte ma chambre à la résidence universitaire pour une dernière nuit de travail.

Jamais je n'aurais imaginé que, quarante ans plus tard, j'allais suivre les traces d'Acheson au département d'État – que l'on appelle affectueusement « Foggy Bottom », du nom du quartier de Washington où il se trouve. Même mon rêve d'enfant – une carrière d'astronaute – aurait paru plus réaliste. Néanmoins, une fois devenue la soixante-septième secrétaire d'État, j'ai souvent pensé au diplomate chevronné aux cheveux gris que j'avais rencontré cette nuit-là à Wellesley. Sous ses airs cérémonieux, c'était un homme d'État très imaginatif, qui savait rompre avec le protocole quand il jugeait que c'était dans l'intérêt de son pays et de son président.

Le leadership mondial de l'Amérique ressemble à une course de relais. Un secrétaire, un président, une génération reçoivent le bâton et doivent courir du mieux qu'ils peuvent sur leur partie du parcours, puis ils passent le témoin à leurs successeurs. J'ai bénéficié des mesures prises par mes prédécesseurs et des leçons que j'ai tirées de leur action. De même, certaines des initiatives que j'ai lancées au département d'État ont porté leurs fruits après que j'ai quitté mon poste et « passé le témoin » au secrétaire John Kerry.

J'ai vite compris qu'être secrétaire d'État, c'est faire trois métiers en un seul : chef de la diplomatie du pays, principal conseiller du président en politique étrangère et PDG d'un ministère tentaculaire. Dès le début, j'ai dû répartir mon temps et mon énergie entre ces impératifs rivaux. Il me fallait diriger notre diplomatie publique et privée pour restaurer des alliances compromises et construire de nouveaux partenariats. Mais je devais aussi conduire un vaste effort diplomatique au sein même de notre gouvernement, notamment au niveau du processus d'élaboration des politiques à la Maison-Blanche et au Congrès. Enfin, il y avait le travail interne au département d'État : pour tirer le meilleur parti de son personnel talentueux, il fallait lui remonter le moral, accroître son efficacité et le doter des capacités à faire face aux nouveaux défis.

Un ancien secrétaire d'État m'a appelée pour me dire : « N'essayez pas de tout faire à la fois. » D'autres vétérans du département d'État étaient du même avis : « On peut tenter de corriger les politiques ou de corriger le fonctionnement, mais on ne peut pas faire les deux. »

Un autre conseil m'a souvent été donné : il faut choisir un petit nombre de problèmes majeurs et les maîtriser à fond. Aucune de ces deux recommandations n'était compatible avec le paysage international toujours plus complexe qui nous attendait. Peut-être y a-t-il eu une époque où un secrétaire d'État pouvait se concentrer exclusivement sur quelques priorités en laissant ses adjoints et assistants gérer le département d'État et le reste du monde. Mais c'est fini. Nous avions appris dans la douleur (par exemple, en Afghanistan après le retrait soviétique de 1989) que négliger certaines menaces, certaines régions, pouvait avoir de terribles conséquences. Il me faudrait être attentive à l'ensemble de l'échiquier.

Dans les années post-11-Septembre, on le comprend, la politique étrangère américaine s'était concentrée sur les principales menaces terroristes, et nous devions bien sûr rester vigilants. Mais je pensais aussi que nous devions faire plus pour saisir les grandes opportunités, notamment dans la zone Asie-Pacifique.

Je voulais aborder une série de défis émergents qui allaient nécessiter notre attention au plus haut niveau et des stratégies imaginatives. Par exemple : comment gérer la concurrence pour les ressources énergétiques sous-marines, de l'Arctique au Pacifique ? Fallait-il ou non se dresser contre les pratiques d'intimidation économique de puissantes entreprises d'État ? Comment créer des liens avec les jeunes du monde entier, auxquels les réseaux sociaux donnaient un pouvoir nouveau ? Et je n'en mentionne ici que quelques-uns. Dans les hautes sphères de la politique étrangère, je le savais bien, les traditionalistes allaient demander si ce n'était pas une perte de temps pour une secrétaire d'État de réfléchir à l'impact de Twitter, de lancer des programmes de soutien aux femmes créatrices d'entreprise ou encore de plaider pour les compagnies américaines à l'étranger. Mais, à mes yeux, tout cela faisait partie intégrante de la tâche d'une diplomate du XXIe siècle.

*

* *

Les membres, récemment choisis, de l'équipe de sécurité nationale de l'administration Obama entrante se sont réunis pendant six heures à Chicago le 15 décembre. C'était notre première discussion depuis l'annonce de nos nominations deux semaines plus tôt. Nous nous sommes d'emblée plongés dans quelques-uns des dossiers les plus épineux qui nous attendaient, notamment les guerres d'Irak et d'Afghanistan et les perspectives de paix au Moyen-Orient. Nous avons aussi longuement discuté d'une question qui s'est révélée très compliquée à résoudre : comment tenir la promesse du président élu de fermer la prison militaire de Guantánamo (Cuba), qui reste ouverte après toutes ces années.

Je suis arrivée dans l'administration Obama avec mes propres idées sur le leadership américain et la politique étrangère, ainsi que sur le travail d'équipe que tout président doit attendre des membres de son Conseil de sécurité nationale. J'avais l'intention de plaider vigoureusement pour mes positions au sein du gouvernement. Mais je savais, par l'histoire et par expérience personnelle, que la pancarte que Harry Truman avait posée sur sa table dans le Bureau ovale disait vrai[1] : oui, le « parapluie » s'arrête au président. Et, après la longue bataille des primaires, je savais aussi que les journalistes allaient chercher – espérer, même – des signes de discorde entre la Maison-Blanche et moi. J'étais bien décidée à les priver de ce type de scoop.

J'ai été impressionnée par les personnes que le président élu avait choisies pour son équipe. Le vice-président élu, Joe Biden, apportait une riche expérience internationale : il avait été président de la commission des relations extérieures du Sénat. Sa cordialité et son humour nous feraient du bien pendant nos longues heures dans la salle de crise de la Maison-Blanche. Chaque semaine, Joe et moi nous efforcions de prendre un petit déjeuner privé à l'Observatoire naval, sa résidence officielle, non loin de chez moi. Toujours gentleman, il venait m'accueillir à la voiture et nous marchions ensemble jusqu'à un coin ensoleillé devant le porche, où nous déjeunions et discutions. Nous n'étions pas toujours d'accord, mais j'aimais beaucoup nos conversations franches et confidentielles.

Je connaissais Rahm Emanuel depuis des années. Il avait fait ses débuts avec mon mari à l'aube de la campagne de 1992, servi à la Maison-Blanche, puis regagné sa ville de Chicago où il s'était présenté aux législatives. Étoile montante à la Chambre des représentants, il avait dirigé la campagne qui avait abouti à une nouvelle majorité démocrate en 2006, mais il avait renoncé à son siège quand le président Obama lui avait demandé d'être secrétaire général de la Maison-Blanche. Plus tard, il serait élu maire de Chicago. Rahm était connu pour sa forte personnalité et la vivacité de son langage (pour le dire poliment), mais c'était aussi un penseur imaginatif, un expert de la procédure législative et un atout maître pour le président. Il était resté neutre pendant la dure bataille de la campagne des primaires, en raison de ses liens forts avec moi et avec Obama, alors sénateur. « Je me cache sous mon bureau », avait-il confié au *Chicago Tribune*. Maintenant que nous étions tous réunis, Rahm apportait un peu de la colle nécessaire pour assurer d'emblée la cohésion de cette « équipe de rivaux ». Il m'offrait une oreille amie et une porte ouverte dans l'aile Ouest[2], et nous conversions souvent.

---

1. Cette pancarte disait : « *The buck stops here* », ce qu'on pourrait traduire par : « Le parapluie s'arrête ici. » Tout le monde peut fuir ses responsabilités en se retranchant derrière sa hiérarchie, mais pas le président : il ne peut pas « ouvrir le parapluie ».
2. L'aile de la Maison-Blanche où se trouvent les bureaux du président.

Le nouveau conseiller à la Sécurité nationale était le général des Marines à la retraite James Jones. J'avais fait sa connaissance à l'époque où j'étais membre de la commission des forces armées du Sénat, et lui commandant suprême des forces alliées en Europe. C'était un homme digne, réfléchi, et un médiateur équitable qui avait le sens de l'humour – des qualités importantes pour un conseiller à la Sécurité nationale.

L'adjoint et futur successeur du général Jones était Tom Donilon, que je connaissais depuis l'administration Carter. Ayant été le directeur de cabinet du secrétaire d'État Warren Christopher, il comprenait et estimait le département d'État. Il partageait aussi mon enthousiasme pour un engagement accru dans la région Asie-Pacifique. Tom est devenu un collègue apprécié. Il supervisait le délicat processus interministériel d'élaboration des politiques, destiné à analyser les options et à préparer les décisions pour le président. Il avait le chic pour poser des questions difficiles, ce qui nous obligeait à réfléchir avec encore plus de rigueur aux choix politiques importants.

Pour le poste d'ambassadeur auprès des Nations unies, le président avait choisi Susan Rice. Elle avait servi dans l'équipe du Conseil de sécurité nationale, puis avait été sous-secrétaire d'État aux Affaires africaines dans les années 1990. Pendant les primaires, Susan représentait activement le camp Obama et passait souvent à la télévision pour m'attaquer. Je savais que c'était son travail – et nous avons oublié le passé et coopéré étroitement, par exemple pour réunir à l'ONU les voix nécessaires à l'adoption de nouvelles sanctions contre l'Iran et la Corée du Nord, ou pour obtenir l'autorisation de la mission de protection des civils en Libye.

À la surprise de beaucoup, le président a gardé comme secrétaire à la Défense Robert Gates. Celui-ci avait fait une brillante carrière à la CIA et au Conseil de sécurité nationale, en servant huit présidents des deux partis avant que, en 2006, le président George W. Bush le persuade de quitter Texas A&M pour remplacer Donald Rumsfeld au Pentagone. De mon poste d'observation à la commission des forces armées, j'avais vu Bob à l'œuvre, et j'estimais qu'il allait assurer continuité et fermeté dans une situation où nous héritions de deux guerres. Il plaidait aussi, efficacement, pour que la diplomatie et le développement reçoivent davantage de ressources et jouent un plus grand rôle dans notre politique extérieure. À Washington, où chacun a une conscience aiguë de son territoire, il est rare d'entendre un haut responsable, quel qu'il soit, suggérer qu'un autre organisme que le sien devrait être financé plus généreusement. Mais Bob, après toutes ces années où la politique étrangère américaine avait été dominée par l'armée, avait une vision globale de la situation stratégique et pensait qu'il était temps d'opérer un rééquilibrage entre ce que j'appelais les « trois D » : la défense, la diplomatie et le développement.

C'est dans le budget que le déséquilibre était le plus visible. Bien que l'idée communément admise fût que l'aide extérieure pesait au moins le quart du budget fédéral, la vérité est que, sur chaque dollar dépensé par l'État fédéral, un seul centime allait à la diplomatie et au développement. Dans un discours de 2007, Bob avait dit que le budget des affaires étrangères était « démesurément faible par rapport à ce que nous dépensons pour l'armée ». Comme il le répétait souvent, il y avait autant d'Américains dans les fanfares militaires que dans l'ensemble du corps diplomatique.

Nous sommes devenus des alliés dès le départ : nous avons fait équipe au Congrès pour obtenir un budget de sécurité nationale plus intelligent, et nous nous sommes retrouvés dans le même camp lors de nombreux débats d'orientation internes à l'administration. Nous avons évité les traditionnelles querelles entre le département d'État et la Défense, qui dans bien des administrations précédentes faisaient penser aux Sharks et aux Jets de *West Side Story*. Nous avons tenu ensemble des réunions avec des ministres de la Défense et des Affaires étrangères, et accordé des interviews communes pour présenter un front uni sur les problèmes extérieurs du moment.

En octobre 2009, à l'université George Washington, nous avons donné une conférence publique commune, radiodiffusée et modérée par CNN. On nous a demandé comment nous travaillions ensemble. « Pendant toute ma carrière ou presque, les secrétaires d'État et à la Défense ne se sont pas adressé la parole, a expliqué Bob, provoquant de nombreux rires dans l'assistance. Cela pouvait vraiment tourner au vinaigre, en fait. Donc c'est formidable d'avoir une relation dans laquelle on peut se parler. [...] Nous nous entendons bien et nous travaillons bien ensemble. Pour être franc, sur la base de mon expérience, je pense que c'est parce que le secrétaire à la Défense veut bien admettre que le secrétaire d'État est le principal porte-parole de la politique étrangère des États-Unis. Une fois qu'on a surmonté cet obstacle, tout se met en place facilement. »

*

* *

Notre équipe héritait d'un nombre impressionnant de défis, en un temps où, dans notre pays comme à l'étranger, on croyait moins à la capacité de l'Amérique à diriger le monde.

À cette époque, lorsqu'on ouvrait un journal ou se rendait dans un institut de réflexion de Washington, on avait de fortes chances de lire ou d'entendre : l'Amérique est en déclin. Peu après l'élection présidentielle de 2008, le Conseil du renseignement national, un comité d'analystes et d'experts nommés par le directeur du renseignement national, a publié un rapport alarmant intitulé *Global Trends 2025 : A Transformed World* [Tendances mondiales à l'horizon 2025 : un monde transformé]. Ses prévisions brossaient un sinistre tableau : déclin de l'influence américaine, montée de la concurrence mondiale, épuisement rapide des ressources et généralisation de l'instabilité. À en croire les analystes des services de renseignement, la puissance économique et militaire relative de l'Amérique allait décroître dans les prochaines années, et le système international que nous avions contribué à construire et à défendre depuis la Seconde Guerre mondiale serait miné par l'influence croissante de puissances économiques émergentes comme la Chine, de pays riches en pétrole comme la Russie ou l'Iran, et d'acteurs non étatiques comme Al-Qaida. Ils résumaient tout cela par une formule d'une rare vigueur, parlant d'« un transfert historique de richesse et de puissance économique relatives de l'Occident à l'Orient ».

Peu avant l'investiture du président Obama, l'historien Paul Kennedy, de l'université Yale, a écrit pour le *Wall Street Journal* un article intitulé : « La puissance américaine est en déclin. » Développant une analyse critique que l'on entendait souvent en 2008 et 2009, il expliquait ce déclin par la montée de l'endettement, les graves effets économiques de la Grande Récession et la « surextension impériale » des guerres d'Irak et d'Afghanistan. Pour faire comprendre comment l'Amérique, selon lui, était en train de perdre sa place de leader mondial incontesté, il proposait cette analogie : « Un individu robuste, musclé et doté d'un bon équilibre peut gravir une côte en portant sur son dos un sac d'un poids impressionnant pendant pas mal de temps. Mais s'il perd des forces (problèmes économiques) alors que son fardeau reste aussi lourd, voire s'alourdit (la doctrine Bush), et que le terrain se fait plus difficile (ascension de nouvelles grandes puissances, terrorisme international, États en décomposition), l'allègre randonneur d'hier va commencer à ralentir et tituber. C'est à ce moment précis que des marcheurs plus lestes et moins chargés vont se rapprocher, parvenir à son niveau et peut-être le dépasser. »

Je n'en restais pas moins fondamentalement optimiste sur l'avenir des États-Unis. Ma confiance reposait sur toute une vie d'étude et d'expérience des vicissitudes de l'histoire américaine, ainsi que sur une évaluation lucide de nos avantages comparatifs par rapport au reste du monde. Les nations connaissent l'ascension et la chute, et il y aura toujours des gens pour prédire que le désastre est imminent. Mais parier contre les États-Unis n'est jamais intelligent. Chaque fois qu'ils se sont heurtés à un défi, que ce soit la guerre, la crise ou la concurrence mondiale, les Américains se sont dressés pour lui faire face, par l'effort et la créativité.

Je trouvais que ces analyses pessimistes sous-estimaient nombre de points forts de l'Amérique, notamment notre aptitude à résister aux chocs et à nous réinventer. Notre armée était de loin la plus puissante du monde, nous restions la plus grande économie, notre influence diplomatique était sans rivale, nos universités fixaient les normes mondiales, et nos valeurs de liberté, d'égalité et de chances offertes à tous continuaient d'attirer sur nos rives des personnes venues de toute la planète. Quand nous avions un problème à résoudre n'importe où sur le globe, nous pouvions nous adresser à des dizaines d'amis et d'alliés.

Ce qui allait arriver à l'Amérique, selon moi, dépendait encore essentiellement des Américains, comme à toutes les époques. Nous avions seulement besoin d'aiguiser nos outils et d'en faire le meilleur usage. Cependant, tout ce discours « décliniste » montrait bien que nous avions hérité de défis de grande envergure. Il me confirmait dans ma détermination à « penser autrement », comme disait Steve Jobs[1], le rôle du département d'État au XXIe siècle.

*
* *

Les secrétaires d'État arrivent puis s'en vont au bout de quelques années, mais, pour la plupart, les fonctionnaires du département d'État

---

1. Allusion à un slogan d'Apple, « *Think different* ».

et de l'Agence des États-Unis pour le développement international, l'USAID[1], restent bien plus longtemps. À elles seules, ces deux agences emploient dans le monde environ 70 000 personnes, dont l'immense majorité sont des professionnels qui y font carrière et servent sous plusieurs présidents. C'est bien inférieur aux plus de 3 millions d'agents du département de la Défense, mais c'est tout de même un effectif de bonne taille. Quand je suis devenue secrétaire, les professionnels du département d'État et de l'USAID avaient vu fondre les budgets et augmenter les exigences ; ils souhaitaient donc une direction qui défende énergiquement l'importance de leur travail. Je voulais être cette dirigeante. Pour y parvenir, il me fallait une équipe de hauts responsables qui partagent mes valeurs et aient le souci constant d'obtenir des résultats.

J'ai recruté Cheryl Mills comme conseillère et directrice de cabinet[2]. Nous étions devenues amies dans les années 1990, lorsqu'elle était conseillère juridique adjointe à la Maison-Blanche. Elle parlait vite et pensait plus vite encore ; son intellect était une lame tranchante, qui disséquait tous les problèmes qu'elle rencontrait. Elle avait aussi beaucoup de cœur, une loyauté sans borne, une intégrité à toute épreuve et un engagement profond pour la justice sociale. Après la Maison-Blanche, Cheryl avait occupé d'autres postes juridiques et managériaux éminents dans le secteur privé et à l'université de New York, dont elle était alors la première vice-présidente. Elle m'a dit qu'elle était disposée à m'aider pendant ma période de transition au département d'État, mais pas à quitter l'université de New York pour une fonction permanente au gouvernement. Heureusement, elle a changé d'avis sur ce point.

Elle m'a aidée à gérer l'« Immeuble » – comme on appelle en interne l'administration du département d'État – et a directement supervisé certaines de mes priorités cruciales, notamment la sécurité alimentaire, la politique mondiale de la santé, les droits des personnes LGBT et Haïti. Elle a aussi été mon principal agent de liaison avec la Maison-Blanche sur les questions sensibles, en particulier les problèmes de personnel. Bien que le président se fût engagé à me laisser

---

1. United States Agency for International Development. C'est l'organisme officiel d'aide au développement et d'assistance humanitaire, techniquement indépendant du département d'État, mais en fait lié à lui.

2. Au département d'État, le poste de *counselor* est une très haute fonction : c'est à la fois un conseiller spécial sur les grands problèmes de politique étrangère et un haut responsable qui donne des instructions sur ces sujets aux chefs des divers bureaux.

choisir mon équipe, mes efforts pour recruter les meilleurs talents possible ont parfois suscité, au départ, quelques discussions houleuses avec ses conseillers.

L'une d'elles a eu lieu au sujet de Capricia Marshall. Je voulais qu'elle soit ma directrice du protocole, ce haut responsable qui accueille les dirigeants étrangers dans la capitale, organise les sommets, dialogue avec le corps diplomatique à Washington, voyage avec le président à l'étranger et choisit les cadeaux que lui et moi offrirons à nos homologues. Quand j'étais première dame, j'ai appris toute l'importance qu'a le protocole pour la diplomatie. Être un hôte généreux et un invité aimable aide à créer de bonnes relations, tandis qu'en suivant l'autre voie on peut offenser sans l'avoir voulu. Je tenais donc à être sûre de notre excellence sur ce point.

Organisatrice des réceptions à la Maison-Blanche dans les années 1990 en tant que « secrétaire sociale », Capricia savait déjà ce qu'il fallait faire à ce poste, mais la Maison-Blanche voulait quelqu'un qui avait soutenu le président pendant les primaires. Cette réaction me paraissait être de courte vue, même si je comprenais que, dans nos efforts pour fusionner ces entités tentaculaires qu'on appelait l'Obamaworld et l'Hillaryland, quelques frictions et douleurs de croissance étaient inévitables. « Nous allons régler ça, ai-je assuré à Capricia. Je n'insisterais pas si tu n'avais pas parfaitement le profil de l'emploi, mais tu l'as. »

Le président m'a demandé s'il nous fallait un processus de paix entre Cheryl et Denis McDonough, l'un de ses plus proches conseillers, mais aucune intervention n'a été nécessaire. Ils ont réglé la question et Capricia a eu le poste. Je savais qu'elle ne décevrait pas, et elle n'a pas déçu. Denis raconterait plus tard que, un matin, sa femme Kari et lui l'avaient entendue donner une interview sur NPR. Kari était enchantée et a demandé qui était cette diplomate « d'une élégance absolue ». Denis a reconnu qu'il s'était d'abord opposé à sa nomination. Kari l'a traité de fou et Denis en est convenu. « Pas étonnant que j'aie perdu cette partie-là ! a-t-il dit plus tard à Cheryl. Et heureusement ! »

Le succès de Capricia résumait bien le chemin que nous avions tous parcouru : les rivaux de la campagne étaient à présent des collègues qui se respectaient. Cheryl et Denis, les deux principaux protagonistes de nos accrochages initiaux, étaient devenus non seulement collègues, mais aussi amis. Ils étaient en contact constant pratiquement tous les jours et prenaient ensemble, le week-end, des petits déjeuners très matinaux où leur stratégie s'affinait autour des œufs et du chocolat chaud. Vers la fin de mon mandat de secrétaire, le président a envoyé à Cheryl un mot d'adieu : il lui a dit que notre « équipe de rivaux » était devenue une « équipe sans rivale ».

*
* *

J'étais également déterminée à recruter Richard Holbrooke, une force de la nature que beaucoup considéraient comme le premier diplomate de notre génération. Ses efforts personnels concrets dans les années 1990 avaient rétabli la paix dans les Balkans. En tant qu'ambassadeur des États-Unis à l'ONU, il avait convaincu les républicains de payer nos dettes aux Nations unies et montré que la propagation du VIH/sida pouvait représenter un problème de sécurité. Peu après avoir accepté le poste de secrétaire d'État, je lui ai demandé de servir en qualité de représentant spécial pour l'Afghanistan et le Pakistan. En effet, la nouvelle administration serait confrontée, dès son entrée en fonction, à des questions graves au sujet de l'avenir de la guerre d'Afghanistan, notamment celle-ci : fallait-il y envoyer davantage de soldats, comme le voulait l'armée ? Quelle que fût la décision du président, nous allions devoir redoubler d'efforts diplomatiques et intensifier nos activités de développement dans les deux pays. Richard avait l'expérience et le cran nécessaires.

Une autre priorité était, comme toujours, la recherche de la paix au Moyen-Orient. J'ai demandé à l'ex-sénateur George Mitchell de diriger notre effort. George était l'antithèse de Holbrooke : il était aussi réservé que Richard était exubérant, mais il était très expérimenté et compétent. Il avait représenté le Maine au Sénat pendant quinze ans, dont six comme leader de la majorité. Après avoir quitté ses fonctions au milieu des années 1990, il avait œuvré, avec mon mari, à l'accouchement du processus de paix en Irlande. Plus tard, il avait présidé le Comité d'établissement des faits de Charm el-Cheikh, qui enquêtait sur la seconde Intifada, le soulèvement palestinien qui avait commencé en 2000.

De nombreux présidents et secrétaires d'État avaient eu recours à des envoyés spéciaux pour effectuer des missions ciblées et coordonner les politiques de divers acteurs du gouvernement sur certains sujets. J'avais constaté l'efficacité de ce système. Certains commentateurs ont fait observer que, avec la nomination de diplomates prestigieux comme Holbrooke et Mitchell, j'allais jouer un moindre rôle dans la détermination des politiques et des décisions importantes. Je ne le voyais pas ainsi. En nommant des envoyés qui avaient les qualifications nécessaires pour être eux-mêmes secrétaires d'État, j'étendais mon rayon d'action – et la crédibilité du gouvernement. Ils seraient des multiplicateurs de puissance : c'est à moi qu'ils feraient leur rapport, mais ils travailleraient étroitement avec la Maison-Blanche. Le président en est convenu, et il s'est rendu au département d'État en compagnie du vice-président pour annoncer la nomination de Richard et celle de George. J'étais fière que des hommes de cette envergure acceptent de servir à ces fonctions au sein de mon équipe. Après leurs longues et brillantes carrières, ni Richard ni George n'avaient besoin de se charger de ces missions à tout point de vue difficiles, voire impossibles. En bons patriotes et serviteurs de l'intérêt public, ils ont répondu à l'appel.

J'avais aussi besoin de secrétaires d'État adjoints de premier ordre pour m'aider à gérer le département d'État. Le président Obama m'a fait une seule recommandation en matière de personnel : penser à Jim Steinberg quand je choisirais mon secrétaire adjoint à la politique. Dans la presse, certains affirmaient que Jim serait perçu comme une « taupe d'Obama » et prédisaient des tensions entre nous. Cela m'a paru parfaitement stupide. Je connaissais Jim depuis qu'il avait été conseiller adjoint à la Sécurité nationale sous l'administration Clinton. Pendant les primaires de 2008, il avait dispensé ses conseils de politique étrangère aux deux campagnes, et le président et moi le tenions tous deux en haute estime. C'était aussi un spécialiste de la région Asie-Pacifique, à laquelle je voulais donner la priorité. Je lui ai offert le poste et, lors de notre premier entretien, je lui ai dit clairement qu'à mes yeux nous ne formions qu'une seule équipe. C'était exactement son sentiment. Au début de l'été 2011, Jim a démissionné pour devenir doyen de la Maxwell School à l'université de Syracuse. J'ai demandé à Bill Burns, un diplomate de carrière à l'expérience et aux talents exceptionnels, de le remplacer.

Traditionnellement, il n'y avait qu'un seul secrétaire d'État adjoint. J'ai appris qu'un second poste d'adjoint, au management et aux ressources, avait été autorisé par le Congrès, mais jamais pourvu. Je désirais vivement introduire un gestionnaire de haut niveau qui pourrait m'aider à me battre au Capitole et à la Maison-Blanche pour obtenir les ressources dont le département d'État avait besoin et s'assurer qu'elles étaient dépensées judicieusement. J'ai choisi Jack

Lew, qui avait été directeur du Bureau de la gestion et du budget (Office of Management and Budget, OMB) à la fin des années 1990. Son expertise financière et managériale s'est révélée inestimable dans notre travail conjoint pour instituer des examens de politique et des changements organisationnels.

En 2010, quand le président a demandé à Jack de reprendre ses anciennes fonctions à l'OMB, Tom Nides, qui avait une longue expérience dans le privé comme dans la fonction publique, lui a succédé avec beaucoup de souplesse. Les années où il avait été directeur de cabinet du président de la Chambre des représentants Tom Foley, puis de mon ami le représentant américain au commerce Mickey Kantor, l'avaient bien préparé à plaider au Congrès pour le département d'État et à intervenir pour les compagnies américaines à l'étranger. Il a appliqué ses superbes talents de négociateur à plusieurs problèmes épineux, notamment une confrontation sur un enjeu ultra-sensible avec le Pakistan, qu'il a contribué à apaiser en 2012.

*
* *

Mon audition de confirmation devant la commission des relations extérieures du Sénat approchait, et je me suis mise à m'y préparer intensivement. Jake Sullivan, un jeune homme brillant et sérieux venu du Minnesota et affichant des références impeccables (boursier Rhodes[1], stagiaire à la Cour suprême, assistant au Sénat), avait été un conseiller écouté de ma campagne présidentielle (il avait aussi aidé Obama à préparer des débats pendant l'élection générale). Je lui ai demandé de travailler avec mon amie Lissa Muscatine ; ancienne rédactrice de discours à la Maison-Blanche, elle a repris ce rôle au département d'État. Tous deux m'ont aidée à formuler un message clair en vue de l'audition et des réponses aux questions que pourrait poser la commission sur n'importe quel problème. Jake est ensuite devenu mon directeur de cabinet adjoint pour la politique, puis directeur de la planification politique, et il a été à mes côtés pratiquement partout où je suis allée au cours des quatre années suivantes.

---

1. Les bourses Rhodes permettent de faire des études gratuites à l'université d'Oxford, en Grande-Bretagne.

Une équipe de transition travaillant avec des professionnels du département d'État m'a inondée d'épais dossiers de synthèse et soumise à des entretiens en face-à-face sur tous les sujets imaginables, du budget de la cafétéria de l'Immeuble aux centres d'intérêt politiques de chaque membre du Congrès. Au cours de ma carrière, j'ai eu l'occasion de voir ma juste part de dossiers de synthèse, et j'ai été impressionnée par la profondeur, l'envergure et l'ordre parfait de ceux du département d'État. On y soignait les moindres détails, et une procédure d'« autorisation de publication » de grande ampleur (parfois byzantine) permettait à des experts de toute l'institution, et du gouvernement en général, d'intervenir sur le fond.

En dehors du processus officiel d'information, j'ai passé ces semaines à lire, à réfléchir et à consulter experts et amis. Bill et moi avons fait de longues promenades en parlant de l'état du monde. Notre vieil ami Tony Blair m'a rendu visite chez moi, à Washington, début décembre. Il m'a mise au courant du dernier état des travaux qu'il menait avec le « Quartet » – États-Unis, Nations unies, Union européenne et Russie – sur les négociations de paix au Moyen-Orient depuis sa démission de ses fonctions de Premier ministre britannique en juin 2007.

La secrétaire d'État Condoleezza Rice m'a invitée dans son appartement du complexe de Watergate pour un dîner privé qui nous a donné l'occasion de discuter des problèmes politiques que j'allais affronter et des décisions de recrutement que j'allais prendre. Elle n'a fait qu'une seule requête : acceptais-je de garder son chauffeur ? J'ai accepté, et je suis vite devenue aussi dépendante de lui que l'avait été Condi.

Condi a organisé pour moi un autre dîner avec ses principaux adjoints dans l'une des salles à manger officielles du département d'État, qui sont situées à l'écart au huitième étage. Ses conseils sur ce qui m'attendait dans mon nouveau rôle se sont révélés très utiles.

Je me suis entretenue avec les anciens secrétaires d'État encore en vie. C'est un club fascinant, qui transcende les divergences partisanes. Chacun a couru une partie de la course de relais, et tous étaient désireux de m'aider à saisir le témoin et à partir à vive allure. Madeleine Albright était de longue date mon amie et partenaire dans la promotion des droits des femmes et des chances qui leur sont offertes, et elle a accepté de présider un nouveau partenariat public-privé pour stimuler l'esprit d'entreprise et l'innovation au Moyen-Orient. Warren Christopher m'a donné le conseil pratique peut-être le plus judicieux que j'aie reçu : ne jamais prévoir de vacances en août, parce qu'il semble qu'il se passe toujours quelque chose ce mois-là, par exemple l'invasion russe de la Géorgie en 2008. Henry Kissinger est venu me voir régulièrement, m'a fait part d'observations perspicaces sur les dirigeants étrangers et envoyé des rapports écrits sur ses voyages. James Baker a soutenu les efforts du département d'État pour préserver ses prestigieuses salles de réception diplomatique et concrétiser le vieux projet de construire un musée de la Diplomatie américaine à Washington. Colin Powell m'a donné des avis francs sur les personnalités et les idées auxquelles le président et moi réfléchissions. Lawrence Eagleburger, le premier et seul diplomate de carrière à avoir été secrétaire d'État, s'est joint à moi pour le cinquantième anniversaire du Centre des opérations du département d'État (l'« Ops », comme tout le monde l'appelle dans l'Immeuble). Mais c'est George Shultz qui m'a fait le plus beau cadeau : un ours en peluche qui chantait « *Don't worry, be happy !* » [« Ne t'en fais pas, sois heureuse ! »] quand on lui pressait la patte. Je l'ai gardé dans mon bureau – d'abord pour rire, mais je dois dire que, de temps à autre, cela m'a vraiment aidée de serrer la patte de l'ours et d'entendre la chanson.

J'ai beaucoup pensé aux expériences de mes prédécesseurs, depuis le tout premier secrétaire d'État, Thomas Jefferson. La politique étrangère américaine est toujours née d'un équilibre précaire entre continuité et changement. J'ai tenté d'imaginer comment Dean Acheson, que j'avais rencontré il y a tant d'années à Wellesley, et son illustre prédécesseur George C. Marshall avaient réfléchi au contexte international tumultueux de leur époque.

À la fin des années 1940, la mission de l'administration Truman était de bâtir un monde nouveau – un monde libre – à partir des ruines de la Seconde Guerre mondiale et dans l'ombre de la guerre froide. Tâche « à peine moins redoutable que celle dont parle le premier chapitre de la Genèse », écrirait Acheson. De vieux empires s'étaient effondrés, de nouvelles puissances émergeaient. Une grande partie de l'Europe était détruite et se trouvait sous la menace du communisme. Dans ce qu'on appelait alors le tiers-monde, des peuples longtemps opprimés prenaient la parole et exigeaient le droit à l'autodétermination.

Le général Marshall, héros de la Seconde Guerre mondiale, qui avait été secrétaire d'État et secrétaire à la Défense sous Truman, a compris que la sécurité et la prospérité de l'Amérique dépendaient d'alliés capables qui auraient les mêmes intérêts que nous et achète-raient nos produits. Plus important : il savait que l'Amérique avait la responsabilité et la possibilité de diriger le monde, et qu'elle devait le faire à l'aide de nouveaux moyens afin de réagir aux nouveaux défis.

Marshall et Truman ont lancé un plan ambitieux pour reconstruire les pays européens dévastés et endiguer l'expansion du communisme en utilisant la puissance américaine sous toutes ses formes : militaire, économique, diplomatique, culturelle et morale. Ils ont dialogué avec les parlementaires de l'autre bord pour assurer un soutien bipartisan à leurs efforts et demandé à des chefs d'entreprise, à des syndica-listes et à des universitaires de les aider à expliquer leurs objectifs au peuple américain.

Soixante ans plus tard, à la fin de la première décennie du XXIe siècle, notre pays devait à nouveau naviguer dans un monde en rapide transformation. La technologie et la mondialisation l'avaient rendu plus interconnecté et plus interdépendant que jamais, et il nous fallait compter avec les drones, la cyberguerre et les réseaux sociaux. Des pays plus nombreux – dont la Chine, l'Inde, le Brésil, la Turquie ou l'Afrique du Sud – pesaient dans les débats internatio-naux, tandis que des acteurs non étatiques – tels les militants de la société civile, les multinationales et les réseaux terroristes – jouaient un rôle croissant dans les affaires mondiales, pour le meilleur comme pour le pire.

Si certains réclamaient peut-être une « doctrine Obama » – une grande théorie unifiée qui donnerait à la politique étrangère de cette ère nouvelle une feuille de route simple et élégante, comme l'« endi-guement » pendant la guerre froide –, rien n'était simple ni élégant dans les problèmes auxquels nous étions confrontés. Contrairement à ce qui se passait dans la guerre froide, où nous luttions contre un seul adversaire, l'Union soviétique, il nous fallait à présent affron-ter de nombreuses contre-forces. Donc, comme nos prédécesseurs au lendemain de la Seconde Guerre mondiale, nous devions remettre à jour notre pensée pour nous adapter aux changements que nous constatons partout autour de nous.

Les spécialistes de la politique étrangère appellent souvent « archi-tecture » le système d'institutions, d'alliances et de normes édifié après la Seconde Guerre mondiale. Il nous fallait conserver un ordre mondial fondé sur des règles, capable de gérer les interactions entre États, de protéger les libertés fondamentales et de permettre une mobi-lisation pour des actions communes. Mais il devait être plus flexible et plus ouvert qu'auparavant. Je comparais la vieille architecture au Parthénon : des lignes nettes, des règles claires. Les colonnes qui la soutenaient – un petit nombre de grandes institutions, d'alliances et de traités majeurs – étaient remarquablement solides. Mais le temps fait ses ravages, même sur le plus noble des édifices, et nous avions besoin à présent d'une architecture nouvelle pour un monde nouveau, dans l'esprit de Frank Gehry plus que de la Grèce antique. Si autrefois quelques puissantes colonnes suffisaient à soutenir le poids du monde, à présent c'était un mélange dynamique de matériaux, de formes et de structures qu'il nous fallait.

Pendant des décennies, on a classé les outils de la politique étrangère en deux catégories selon qu'ils relevaient du *hard power* – la force militaire – ou du *soft power* – l'influence diplomatique, économique, humanitaire et culturelle. Je voulais briser l'emprise de ce paradigme dépassé et penser de manière globale : où et comment pouvions-nous utiliser de concert l'ensemble des éléments de la politique extérieure américaine ?

Au-delà de notre travail traditionnel, comme négocier des traités et assister à des conférences diplomatiques, nous devions – entre autres tâches – dialoguer avec les militants sur les réseaux sociaux, contribuer à fixer les itinéraires des pipelines acheminant l'énergie, limiter les émissions de carbone, encourager des populations marginalisées à participer à la vie politique, défendre les droits humains universels et protéger le « code de la route » économique commun. Notre capacité à faire tout cela constituerait un critère crucial pour mesurer la puissance de notre pays.

Cette analyse m'a conduite à embrasser le concept de *smart power*, le « pouvoir intelligent », qui était dans l'air à Washington depuis quelques années. Joseph Nye, de l'université Harvard, Suzanne Nossel, de l'ONG Human Rights Watch, et quelques autres avaient utilisé ce terme, bien que chacun d'entre nous lui eût donné un sens légèrement différent. Pour moi, le *smart power* était le choix de la combinaison d'outils – diplomatiques, économiques, militaires, politiques, juridiques et culturels – la plus adaptée à chaque situation.

L'objectif du *smart power* et de notre intérêt accru pour la technologie, les partenariats public-privé, l'énergie, l'économie et d'autres domaines extérieurs aux champs d'action classiques du département d'État était de compléter les outils et priorités de la diplomatie traditionnelle, pas de les remplacer. Nous avons voulu appliquer toutes nos ressources aux problèmes les plus importants et les plus difficiles qui se posaient à notre sécurité nationale. Tout au long de ce livre, on verra des exemples du fonctionnement de ce système. Prenons nos efforts sur l'Iran. Nous avons utilisé de nouveaux outils financiers ainsi que des partenaires du secteur privé pour imposer à ce pays des sanctions rigoureuses et le couper de l'économie mondiale. Notre diplomatie énergétique a contribué à réduire les ventes de pétrole iranien et à mobiliser une nouvelle offre pour stabiliser le marché. Nous nous sommes tournés vers les réseaux sociaux pour communiquer directement avec le peuple iranien, et nous avons investi dans de nouveaux outils technologiques de pointe pour aider les dissidents à échapper à la répression gouvernementale. Toutes ces initiatives ont renforcé notre diplomatie à l'ancienne et, ensemble, elles nous ont permis d'avancer sur nos objectifs cruciaux de sécurité nationale.

*

*   *

Le 13 janvier 2009, je me suis assise en face de mes collègues du Sénat pour mon audition de confirmation devant la commission des relations extérieures. Pendant plus de cinq heures, j'ai expliqué pourquoi et comment j'avais l'intention de redéfinir le rôle de secrétaire d'État, exposé dans leurs grandes lignes mes positions sur nos problèmes les plus urgents et répondu à des questions sur toutes sortes de sujets, de la politique arctique à l'économie internationale en passant par l'approvisionnement en énergie.

Le 21, le Sénat a confirmé ma nomination en séance plénière par 94 voix contre 2. Puis, le même jour, lors d'une petite cérémonie privée dans mon bureau sénatorial du bâtiment Russell, entourée de mon équipe au Sénat, la juge Kay Oberly m'a fait prêter serment sur la Bible que tenait mon mari.

Le 22, conformément à la tradition pour tous les nouveaux secrétaires d'État, je suis entrée au département d'État par la grande porte, sur C Street. Le hall était plein de monde : mes collaborateurs m'acclamaient, et leur accueil enthousiaste m'a submergée d'émotion et d'humilité. Il y avait un long alignement de drapeaux flottants : ceux de tous les pays du monde avec lesquels les États-Unis entretenaient des relations diplomatiques. Je me rendrais dans plus de la moitié d'entre eux – cent douze en tout – pendant le tourbillon qui était sur le point de commencer. « Je crois, du fond du cœur, que c'est une ère nouvelle pour l'Amérique », ai-je dit à la foule réunie.

Dans le hall, derrière les têtes, je voyais gravés sur les murs de marbre les noms des plus de 200 diplomates morts en représentant l'Amérique à l'étranger depuis les toutes premières années de la République. Ils avaient péri dans des guerres, des catastrophes naturelles, des attentats terroristes, des épidémies et même des naufrages. Je savais que, au cours de la période qui s'ouvrait, nous allions peut-être perdre d'autres Américains en mission dans des lieux instables et dangereux. (C'est malheureusement ce qui est arrivé, du séisme d'Haïti à l'attentat terroriste de Benghazi en Libye, en passant par d'autres endroits.) Ce jour-là, et tous les autres, j'ai résolu de faire tout ce que je pourrais pour soutenir et protéger les hommes et les femmes qui servaient notre pays dans le monde.

Le bureau du secrétaire d'État se trouve dans la suite du septième étage qu'on appelle les « salles d'acajou ». Le couloir était orné d'imposants portraits de mes prédécesseurs. J'allais travailler sous leur regard attentif. Notre dédale de bureaux et de salles de conférence était gardé par des agents du service de la sécurité diplomatique et constamment ausculté pour repérer d'éventuels dispositifs d'écoute. On appelait cela un SCIF (*Sensitive Compartmented Information Facility*, Local isolé pour informations sensibles), et l'on avait parfois l'impression de travailler dans un coffre-fort géant. Pour empêcher les écoutes, on interdisait à tous d'y introduire le moindre appareil électronique extérieur, même un téléphone portable.

Après avoir salué mon équipe, je suis entrée dans mon bureau et me suis assise à ma table de travail pour la première fois. Une lettre de la secrétaire d'État précédente, Condoleezza Rice, m'y attendait. Les murs de ce bureau « interne » étaient lambrissés de panneaux de bois de cerisier nordique choisis par l'ex-secrétaire George Shultz ; ils donnaient à la petite pièce une atmosphère confortable, très différente de celle du vaste bureau « externe » où j'allais recevoir les visiteurs. Sur la table de travail, trois téléphones, dont des lignes directes vers la Maison-Blanche, le Pentagone et la CIA. J'ai ajouté un canapé où je pourrais lire confortablement, et même faire un petit somme à l'occasion ; et, dans la pièce adjacente, il y avait une petite cuisine et une salle de bains, avec une douche.

Ce bureau deviendrait vite mon deuxième chez-moi ; j'allais passer de nombreuses heures à arpenter cette petite pièce en parlant au téléphone avec des dirigeants étrangers. Mais pour l'instant, en ce premier jour, je ne faisais que m'imprégner de ces lieux.

J'ai pris la lettre de Condi et l'ai ouverte. Elle était brève, chaleureuse et sincère. Être secrétaire d'État, écrivait-elle, était « le meilleur poste du gouvernement », et elle était sûre qu'elle laissait le département d'État en de bonnes mains. « Vous avez la compétence la plus importante pour l'emploi : vous aimez profondément ce pays. » J'ai été touchée par ses mots.

J'étais impatiente de commencer.

DEUXIÈME PARTIE

Sur l'autre rive du Pacifique

Chapitre 3

Asie : le pivot

Par un dimanche ensoleillé de la mi-février 2009, mon convoi avançait dans les rues silencieuses de la base aérienne militaire d'Andrews. Après les guérites des gardes, nous avons longé des maisons et des hangars, puis débouché sur l'immense étendue de béton du tarmac. J'allais embarquer pour mon premier voyage de secrétaire d'État. Les voitures se sont arrêtées à côté d'un Boeing 757 bleu et blanc de l'US Air Force. Il comportait un équipement de communications avancé suffisant pour coordonner notre diplomatie mondiale à partir de n'importe quel point du globe. Sur le flanc, on lisait en grandes lettres noires : « United States of America ». En sortant de la voiture, j'ai fait une pause et pris la mesure de tout cela.

En tant que première dame, j'avais parcouru le monde avec Bill à bord de l'Air Force One, le plus grand et le plus prestigieux des jets de l'État. J'avais aussi énormément voyagé seule, en général dans un 757 qui ressemblait beaucoup à celui-ci, et dans divers petits avions lorsque, devenue sénatrice, je participais à des délégations parlementaires dans des pays comme l'Irak, l'Afghanistan ou le Pakistan. Mais aucune de ces expériences ne pouvait me préparer à ce qui m'attendait : passer dans les airs plus de deux mille heures au total en quatre ans, en parcourant près d'un million et demi de kilomètres. Cela représente quatre-vingt-sept journées de vingt-quatre heures passées dans un air recyclé, au rythme des vibrations incessantes des doubles turboréacteurs qui nous propulsaient à plus de 800 kilomètres à l'heure. Cet avion était aussi un puissant symbole du pays que j'avais l'honneur de représenter. Quel que fût le nombre de kilomètres abattus ou de pays visités, c'est toujours avec fierté que je voyais briller ces couleurs emblématiques, bleu et blanc, sur une piste du bout du monde.

À bord, à ma gauche, des officiers de l'Air Force s'affairaient dans une cabine remplie d'ordinateurs et de matériel de communication. Derrière eux, les pilotes effectuaient leurs vérifications finales. À droite, un étroit couloir conduisait à mon compartiment personnel : il était équipé d'un petit bureau, d'un canapé-lit, d'une salle de bains avec WC et de téléphones sécurisés et non sécurisés.

Ensuite venait la cabine principale, divisée en trois sections : une pour mes collaborateurs, une pour la sécurité et une pour la presse et le personnel de l'Air Force. La première comprenait deux tables, chacune avec quatre chaises en cuir se faisant face, comme dans certains compartiments de train. Sur l'une d'elles, des agents du Service extérieur[1] du département d'État avaient établi un bureau itinérant, relié au Centre des opérations de Foggy Bottom et capable de tout préparer, des câbles classifiés aux emplois du temps quotidiens détaillés, à 9 000 mètres d'altitude. De l'autre côté de l'allée, mes principaux collaborateurs installaient leurs ordinateurs, téléphonaient intensivement ou tentaient de dormir un peu entre les escales. Les tables étaient en général couvertes d'épais dossiers de synthèse et de brouillons de discours annotés, mais sous les piles de documents officiels on voyait souvent dépasser des exemplaires de *People* et d'*US Weekly*.

La section médiane de l'avion ressemblait à n'importe quelle cabine classe affaires de vol intérieur, mais les sièges étaient occupés par divers spécialistes des bureaux du département d'État concernés, des collègues de la Maison-Blanche et du Pentagone, un traducteur et plusieurs agents de la Sécurité diplomatique. Puis venait la cabine de presse, réservée aux journalistes et aux équipes de prise de vues qui faisaient des reportages sur nos voyages.

À l'arrière se trouvait le personnel de bord de l'Air Force, qui préparait nos repas et s'occupait toujours très bien de nous. Ce n'était pas facile, car, la plupart du temps, nos préférences alimentaires et nos cycles de sommeil divergeaient. L'équipage faisait les courses dans les pays où nous nous rendions, ce qui nous valait des mets inattendus : fromage d'Oaxaca au Mexique, saumon fumé en Irlande,

---

1. Le Foreign Service, ou Service extérieur des États-Unis, regroupe les agents de différents ministères (département d'État, départements de l'Agriculture, du Commerce, etc.) disponibles pour des missions à l'étranger.

fruits tropicaux au Cambodge. Mais, quel que soit l'endroit où nous nous trouvions, nous étions sûrs que figureraient au menu certains de nos plats favoris, comme la célèbre salade taco à la dinde de l'Air Force.

Ce tube métallique bien rempli est devenu notre maison dans le ciel. Mes consignes à mes collaborateurs étaient claires : s'habiller décontracté, dormir le plus possible, tout faire pour rester sain de corps et d'esprit malgré les rigueurs d'un emploi du temps épuisant. Au fil de ces deux mille heures passées dans les airs, nous allions célébrer des anniversaires, surprendre d'éminents diplomates en pleurs devant des feuilletons à l'eau de rose (et tenter, sans y parvenir, de ne pas nous moquer d'eux) ou encore admirer le pyjama jaune vif de Richard Holbrooke, qu'il appelait son « costume de nuit ».

Sur la plupart des vols, l'équipe dégageait beaucoup de temps de travail, et moi aussi. Mais, à la fin d'une longue tournée internationale, le soulagement et la détente étaient palpables au cours du vol retour. Nous dégustions un verre de vin, regardions des films, échangions des histoires. Pendant l'un de ces vols, nous avons regardé *Agent double*, un film sur Robert Hanssen – un agent du FBI qui travaillait pour les Russes dans les années 1980 et 1990. Dans une scène, le Hanssen du film lance : « Une femme en tailleur, j'ai pas confiance. C'est l'homme qui porte le pantalon. Le monde n'a pas besoin d'autres Hillary Clinton. » Tout l'avion a éclaté de rire.

Plusieurs fois, nous sommes tombés en panne. Un jour, clouée au sol par des problèmes mécaniques en Arabie Saoudite, j'ai réussi à rentrer à la maison en stop avec le général David Petraeus, qui passait par là. Il m'a généreusement offert sa cabine personnelle et a voyagé à côté de ses collaborateurs. En pleine nuit, nous nous sommes arrêtés pour faire le plein dans une base de l'Air Force en Allemagne. Dave est descendu de l'avion, a gagné en droite ligne le gymnase de la base et passé une heure à faire du sport, puis nous avons redécollé.

Au cours de ce premier voyage de février 2009, je me suis rendue à l'arrière de l'avion, où les journalistes s'installaient sur leurs sièges. Beaucoup avaient couvert des secrétaires d'État précédents et se remémoraient des voyages passés, ou spéculaient sur ce que cette nouvelle secrétaire leur réserverait.

Certains de mes conseillers m'avaient suggéré de profiter de mon premier déplacement à l'étranger pour commencer à réduire les fractures transatlantiques apparues sous l'administration Bush en allant en Europe. D'autres m'avaient recommandé l'Afghanistan, où des soldats américains se battaient contre une insurrection coriace. Colin Powell avait fait sa première halte au Mexique, notre voisin du Sud, ce qui était également très sensé. Warren Christopher s'était rendu au Moyen-Orient, sur lequel il nous fallait concentrer notre attention en permanence. Mais Jim Steinberg, mon nouvel adjoint, avait conseillé l'Asie, où s'écrirait en grande partie, pensions-nous, l'histoire du XXI⁰ siècle. Je lui ai donné raison ; aussi, rompant avec les précédents, j'allais me rendre d'abord au Japon, puis en Indonésie, en Corée du Sud et enfin en Chine. Nous devions faire savoir à l'Asie et au monde que l'Amérique était de retour.

*

* *

Lorsque je suis devenue secrétaire d'État, j'étais persuadée que les États-Unis devaient faire davantage pour contribuer à dessiner l'avenir de l'Asie et pour gérer notre relation toujours plus complexe avec la Chine. L'évolution de l'économie mondiale et de la prospérité américaine, les progrès de la démocratie et des droits de l'homme et notre espoir de connaître un XXI⁰ siècle moins sanglant que le XX⁰ dépendaient beaucoup de ce qui s'était passé en Asie-Pacifique. Cette immense région, qui va de l'océan Indien aux minuscules pays insulaires du Pacifique, comprend plus de la moitié de la population mondiale, plusieurs de nos alliés les plus sûrs et de nos partenaires économiques les plus précieux, ainsi que nombre des routes les plus dynamiques du monde par où transitent les flux commerciaux et énergétiques. Les exportations américaines vers cette zone ont aidé à stimuler notre reprise économique après la récession, et notre crois-sance future dépend de notre meilleur accès aux classes moyennes asiatiques consommatrices, en pleine ascension. L'Asie est aussi une source de menaces réelles contre notre sécurité, notamment celles de l'imprévisible dictature nord-coréenne.

L'essor de la Chine est l'une des évolutions stratégiques majeures de notre époque. C'est un pays plein de contradictions : une nation de plus en plus riche et influente qui a fait sortir de la pauvreté des centaines de millions de personnes, et un régime autoritaire qui s'efforce de camoufler ses graves problèmes intérieurs alors que près de 100 millions d'habitants vivent encore avec moins d'un dollar par jour ; le premier producteur mondial de panneaux solaires et le plus gros émetteur de gaz à effet de serre, connaissant l'une des pires pollutions aériennes urbaines. Désireuse de jouer un rôle majeur sur la scène mondiale, mais bien décidée à agir unilatéralement envers ses voisins, la Chine reste réticente à interpeller les autres pays sur leurs affaires intérieures, même dans des circonstances extrêmes.

En tant que sénatrice, j'avais souligné que les États-Unis devaient traiter la question de l'essor de la Chine, de sa montée en puissance économique, diplomatique et militaire – et le faire avec attention et discipline. Dans le passé, l'émergence de nouvelles puissances s'est rarement produite sans frictions. En l'occurrence, la situation était particulièrement complexe, tant nos économies devenaient interdépendantes. En 2007, le commerce entre les États-Unis et la Chine pesait plus de 387 milliards de dollars ; en 2013, il a atteint 562 milliards de dollars. Les Chinois détenaient énormément de bons du Trésor américains, ce qui révélait l'ampleur de l'investissement de chaque pays dans le succès économique de l'autre. Tous deux avaient donc intérêt à maintenir la stabilité en Asie et partout ailleurs, et à garantir la circulation régulière des flux énergétiques et commerciaux. Cependant, au-delà de ces intérêts communs, nos valeurs et nos visions du monde divergeaient souvent. Nous le constations sur de vieux points de friction comme la Corée du Nord, Taïwan, le Tibet et les droits de l'homme, ainsi que sur d'autres devenus importants depuis peu, comme le changement climatique et les différends territoriaux dans les mers de Chine méridionale et orientale.

Tout cela nous imposait un difficile exercice d'équilibriste. Nous devions, au moyen d'une stratégie élaborée, inciter la Chine à participer à la communauté internationale en membre responsable, tout en restant fermes sur nos valeurs et nos intérêts. C'était une position que j'avais défendue tout au long de ma campagne de 2008 : les États-Unis, avais-je dit, doivent savoir trouver un terrain d'entente sans céder de terrain. Il fallait notamment – j'avais insisté sur ce point – convaincre la Chine de respecter les règles sur le marché mondial, en abandonnant les pratiques commerciales discriminatoires, en laissant monter la valeur de sa monnaie et en empêchant les denrées avariées et les produits dangereux de parvenir aux consommateurs à travers le monde, comme les jouets contaminés par une peinture au plomb toxique qui avaient fini entre les mains d'enfants américains. Pour marquer vraiment des points contre le changement climatique, empêcher une guerre dans la péninsule de Corée et régler bien d'autres défis régionaux et mondiaux, le monde avait besoin d'un leadership responsable de la Chine ; nous n'avions donc pas intérêt à transformer Pékin en croquemitaine d'une nouvelle guerre froide. Il nous fallait plutôt trouver une formule pour gérer la concurrence et encourager la coopération.

Sous la direction du secrétaire au Trésor Hank Paulson, l'administration Bush avait entamé avec la Chine un dialogue économique de haut niveau qui avait permis d'avancer sur certains problèmes commerciaux importants, mais ces échanges avaient été maintenus à distance des discussions globales d'ordre stratégique et sécuritaire. Dans la région, beaucoup pensaient que l'administration américaine, obnubilée par l'Irak, l'Afghanistan et le Moyen-Orient, se désengageait de son leadership traditionnel en Asie. Leurs inquiétudes étaient parfois exagérées, mais donner cette impression était en soi un problème. J'estimais que nous devions élargir notre dialogue avec la Chine et placer l'Asie-Pacifique en tête de notre ordre du jour diplomatique.

Nous sommes vite tombés d'accord, Jim Steinberg et moi, sur l'intérêt de confier au Dr Kurt Campbell la direction du Bureau des affaires de l'Asie orientale et du Pacifique. Kurt, qui avait contribué à définir notre politique asiatique au Pentagone et au Conseil de sécurité nationale sous l'administration Clinton, allait devenir un architecte crucial de notre diplomatie. Penseur stratégique créatif et haut fonctionnaire dévoué, il serait aussi un compagnon de voyage inénarrable, adorant les canulars et jamais à court de plaisanteries ou d'histoires drôles.

Au cours de mes premiers jours au département d'État, j'ai téléphoné aux principaux dirigeants asiatiques. Mon entretien avec le ministre australien des Affaires étrangères, Stephen Smith, a été l'un des plus directs. Son patron, le Premier ministre, Kevin Rudd, parlait le mandarin et avait une vision lucide des chances et des défis qu'apportait l'essor chinois. Riche en ressources naturelles, l'Australie profitait du boom industriel de la Chine, qu'elle approvisionnait en minerais et autres matières premières. Celle-ci était devenue son premier partenaire commercial, dépassant le Japon et les États-Unis. Mais Rudd comprenait aussi que la paix et la sécurité dans le Pacifique dépendaient du leadership américain, et il accordait beaucoup d'importance aux liens historiques entre nos deux pays. Voir l'Amérique se retirer de l'Asie ou y perdre son influence était bien la dernière chose qu'il souhaitait. Dans cet entretien initial, Smith m'a dit qu'il espérait – et Rudd aussi – que l'administration Obama

« engagerait un dialogue approfondi avec l'Asie ». Je lui ai répondu que c'était dans le droit-fil de ma pensée et que j'avais hâte d'y œuvrer, en étroite coopération avec eux. L'Australie est devenue une alliée cruciale dans notre stratégie asiatique au cours des années suivantes, sous Rudd comme sous la Première ministre, Julia Gillard, qui lui a succédé.

Le cas du pays voisin, la Nouvelle-Zélande, était plus problématique. Vingt-cinq ans plus tôt, elle avait interdit à tous les navires nucléaires d'entrer dans ses ports ; depuis, ses relations avec les États-Unis étaient limitées. Néanmoins, j'estimais que notre longue amitié et nos intérêts mutuels ouvraient un espace diplomatique pour aplanir les différends et établir de nouveaux rapports entre Wellington et Washington. Pendant ma visite de 2010, j'ai signé avec le Premier ministre, John Key, la déclaration de Wellington, par laquelle nos deux pays s'engageaient à coopérer plus étroitement en Asie, dans le Pacifique et au sein des organisations multilatérales. En 2012, le secrétaire à la Défense Leon Panetta a levé l'interdiction faite aux navires néo-zélandais d'accoster dans les bases américaines. En politique internationale, tendre la main à un vieil ami peut parfois se révéler aussi fructueux que s'en faire un nouveau.

Pendant cette première semaine, tous mes entretiens téléphoniques avec les dirigeants asiatiques ont confirmé que nous avions besoin d'une nouvelle approche dans la région. Jim et moi, nous avons consulté des experts sur les diverses options envisageables. Nous pouvions concentrer nos efforts sur l'élargissement de nos relations avec la Chine, en postulant qu'avec une politique bien calibrée envers Pékin le reste de notre travail en Asie serait beaucoup plus simple, ou bien privilégier le renforcement de nos alliances dans la région (nos traités avec le Japon, la Corée du Sud, la Thaïlande, les Philippines et l'Australie) pour faire contrepoids au pouvoir croissant de la Chine.

Une troisième approche consistait à renforcer et harmoniser les organisations régionales multilatérales comme l'ASEAN (Association des nations d'Asie du Sud-Est) et l'APEC (Organisation de la coopération économique Asie-Pacifique). Nul ne s'attendait à voir jaillir du jour au lendemain une entité aussi soudée que l'Union européenne, mais d'autres régions avaient pu constater tout l'intérêt d'institutions multinationales bien organisées. Elles offraient un cadre dans lequel chaque pays et chaque point de vue pouvaient se faire entendre ; elles permettaient aux nations de résoudre ensemble des problèmes communs, de régler leurs différends, d'établir des règles et des codes de conduite ; elles récompensaient les pays au comportement responsable par la légitimité et le respect ; et elles rendaient plus facile de demander des comptes à ceux qui violaient les règles. Si les institutions multilatérales asiatiques étaient soutenues et modernisées, elles pourraient renforcer les normes régionales sur tous les sujets, des droits de propriété intellectuelle à la prolifération nucléaire ou à la liberté de navigation, et permettre une mobilisation contre des défis comme le changement climatique ou la piraterie. Cette diplomatie multilatérale méthodique est souvent lente et frustrante, elle fait rarement les gros titres dans la presse américaine, mais elle peut rapporter de vrais dividendes qui changent la vie de millions de personnes.

Conformément à la position que j'avais prise au Sénat et comme candidate à la présidence, j'ai décidé que le choix « intelligent » consistait à fusionner ces trois approches. Nous allions montrer qu'en Asie l'Amérique jouait toutes ses cartes. J'étais prête à ouvrir la voie, mais, pour réussir, il fallait que l'ensemble de notre gouvernement suive, à commencer par la Maison-Blanche.

Le président partageait ma détermination à faire de l'Asie une préoccupation centrale de la politique étrangère de son administration. Né à Hawaii, ayant fait son école primaire en Indonésie, il ressentait un lien personnel fort avec la région et comprenait son importance. Sur ses instructions, l'équipe du Conseil de sécurité nationale, dirigée par le général Jim Jones avec Tom Donilon, et son expert sur l'Asie, Jeff Bader, soutenaient notre stratégie. Au cours des quatre années suivantes, nous avons pratiqué en Asie une « diplomatie déployée à l'avant », ainsi que je l'ai baptisée à partir d'une expression empruntée à nos collègues militaires[1]. Nous avons accéléré le rythme et élargi le champ de notre engagement diplomatique dans la région, en dépêchant de tous côtés de hauts responsables et des experts en développement, en participant pleinement aux organisations multilatérales, en réaffirmant nos alliances traditionnelles et en allant au-devant de nouveaux partenaires stratégiques. Puisque les relations personnelles et les gestes de respect sont très importants en Asie, il m'a paru prioritaire de me rendre dans la quasi-totalité des pays de la région. Mes voyages finiraient par me conduire de l'une des plus petites îles du Pacifique à la maison d'une lauréate du prix Nobel de

---

1. Dans la terminologie militaire, le *forward-deployment* consiste à déployer des troupes « à l'avant », dans les lieux les plus éloignés et les plus difficiles d'accès, pour que, en cas de besoin, elles soient déjà sur place et puissent intervenir instantanément.

la paix longtemps emprisonnée, et aussi tout au bord de la frontière la plus massivement gardée du monde.

Dans une série de discours prononcés en l'espace de quatre années, j'ai expliqué notre stratégie et développé les raisons pour lesquelles la zone Asie-Pacifique méritait davantage d'attention de la part du gouvernement des États-Unis. À l'été 2011, j'ai entamé la rédaction d'un long article qui situerait notre travail en Asie dans le cadre général de la politique étrangère américaine. La guerre en Irak s'apaisait, et en Afghanistan une transition était en cours. Après dix années où nous étions restés concentrés sur les zones les plus menaçantes, nous avions atteint un « pivot[1] ». Nous devions bien sûr rester vigilants face aux menaces qui demeuraient, mais il était aussi temps d'agir davantage dans les zones les plus prometteuses.

La revue *Foreign Policy* a publié mon article à l'automne, sous le titre « Un siècle du Pacifique pour l'Amérique » ; toutefois, c'est le mot « pivot » qui a marqué les esprits. Les journalistes s'en sont emparés pour désigner par un raccourci saisissant l'intérêt nouveau de l'administration Obama pour l'Asie, même si, au sein du gouvernement, beaucoup préféraient une formulation plus anodine : « rééquilibrage vers l'Asie ». Bien évidemment, certains de nos amis et alliés dans d'autres régions du monde s'en sont émus : cette formule signifiait-elle que nous allions leur tourner le dos ? Nous avons expliqué clairement que l'Amérique avait les moyens de pivoter *vers* l'Asie et la détermination pour le faire sans *s'éloigner* pour autant d'autres obligations et champs d'action.

*
* *

Notre première tâche était de réaffirmer l'Amérique comme une puissance du Pacifique sans déclencher d'affrontement inutile avec la Chine. C'est pourquoi j'ai décidé de fixer à mon premier voyage de secrétaire d'État trois objectifs : rendre visite à nos alliés asiatiques essentiels, à savoir le Japon et la Corée du Sud ; aller au-devant de l'Indonésie, puissance régionale émergente où se trouvait le siège de l'ASEAN ; entamer notre dialogue crucial avec la Chine.

---

1. *Pivot point*, qui signifie en fait « tournant » ou, si l'on veut, « moment où l'on pivote ». Le mot « pivot » a été repris en français (au sens de « pivotement ») pour désigner la politique asiatique de l'administration Obama : le « pivot vers l'Asie ».

Début février, peu après mon entrée en fonction, j'ai invité à dîner au département d'État plusieurs universitaires et spécialistes de l'Asie. Nous nous sommes attablés dans l'élégante salle de réception Thomas Jefferson, au prestigieux huitième étage. Avec ses murs bleu turquoise et ses meubles anciens de style Chippendale américain, elle allait devenir l'une de mes salles favorites dans l'Immeuble et j'y ai organisé, au fil des ans, bien des repas et des réceptions. Nous avons parlé des moyens d'équilibrer les intérêts de l'Amérique en Asie, puisqu'ils semblaient parfois se concurrencer. Jusqu'à quel point, par exemple, pouvions-nous faire pression sur les Chinois au sujet des droits de l'homme ou du changement climatique tout en obtenant leur soutien sur des problèmes de sécurité comme ceux posés par l'Iran et la Corée du Nord ? Stapleton Roy, qui avait été ambassadeur à Singapour, en Indonésie et en Chine, m'a vivement conseillé de ne pas négliger l'Asie du Sud-Est, ce que Jim et Kurt recommandaient aussi. C'était souvent l'Asie du Nord-Est qui avait retenu l'attention des États-Unis, en raison de nos alliances et de la présence de nos soldats au Japon et en Corée du Sud. Mais des pays comme l'Indonésie, la Malaisie ou le Vietnam gagnaient en importance économique et stratégique. Roy et d'autres experts soutenaient notre projet de signer avec l'ASEAN un traité qui ouvrirait la porte à un engagement bien plus vaste des États-Unis dans cette zone. Cette initiative apparemment mineure pouvait rapporter par la suite des bénéfices réels.

Une semaine plus tard, je me suis rendue à la Société asiatique, à New York, pour prononcer mon premier grand discours de secrétaire d'État sur notre approche à l'égard de l'Asie-Pacifique. Orville Schell, spécialiste de la Chine à la Société, m'avait suggéré d'utiliser un antique précepte de *L'Art de la guerre*, de Sun Tzu, qui fait référence à deux soldats venus de deux royaumes combattants féodaux et traversant ensemble un grand fleuve pendant une tempête. Au lieu de se battre, ils coopèrent et survivent. Une traduction approximative du précepte serait : « Quand vous êtes sur le même bateau, traversez paisiblement le fleuve ensemble. » Pour les États-Unis et la Chine, dont les destins économiques étaient liés au beau milieu d'une tempête financière mondiale, le conseil était bon. J'ai fait usage du précepte, et cela n'a pas échappé à Pékin. Le Premier ministre, Wen Jiabao, et d'autres dirigeants y ont fait allusion lors de discussions ultérieures que nous avons eues ensemble. Quelques jours après mon discours, j'ai pris l'avion sur la base aérienne d'Andrews et franchi le Pacifique.

En bien des années de voyages, j'ai acquis la capacité de m'endormir presque n'importe où et n'importe quand – en avion, en voiture, dans une chambre d'hôtel pour une sieste éclair avant une réunion. En déplacement, j'essayais de grappiller du sommeil chaque fois que je pouvais, puisque je ne savais jamais quand se présenterait la prochaine occasion de me reposer convenablement. Lorsque je devais rester éveillée pendant des réunions ou des téléconférences, je buvais force tasses de thé et de café, et, parfois, enfonçais mes ongles dans mes paumes. C'étaient les seuls moyens que je connaissais pour faire face aux emplois du temps délirants et aux terribles décalages horaires. Mais, tandis que notre avion se préparait à franchir la ligne internationale de changement de date en direction de Tokyo, je savais qu'essayer de dormir était inutile. Je ne pouvais cesser de penser à ce que je devais faire pour tirer le meilleur parti de ce voyage.

Je m'étais rendue au Japon pour la première fois avec Bill comme membre d'une délégation commerciale de l'Arkansas, pendant son mandat de gouverneur. Le pays était alors un de nos alliés cruciaux, mais aussi une source de vives inquiétudes aux États-Unis. Le « miracle économique » japonais avait fini par incarner des peurs profondes de stagnation et de déclin américains – tout à fait comme l'essor de la Chine au XXIᵉ siècle. Sur la couverture du livre de 1987 de Paul Kennedy, *Naissance et déclin des grandes puissances*[1], on voyait un oncle Sam fatigué descendre d'un piédestal mondial tandis qu'un homme d'affaires japonais, l'air déterminé, y grimpait parderrière. Cela vous rappelle un air connu ? Lorsqu'un conglomérat japonais a acheté, en 1989, l'historique Rockefeller Center de New York, l'événement a provoqué une petite panique dans la presse. « L'Amérique à vendre ? » interrogeait ainsi le *Chicago Tribune*.

À cette époque, il existait des inquiétudes justifiées sur l'avenir économique des États-Unis, et elles ont contribué au succès de la campagne présidentielle de Bill en 1992. Mais, à l'été 1993, quand l'empereur du Japon Akihito et l'impératrice Michiko nous ont accueillis, Bill et moi, dans le palais impérial de Tokyo, il était déjà manifeste que l'Amérique retrouvait sa puissance économique. En revanche, après l'éclatement de sa bulle boursière et immobilière, le Japon allait connaître une « décennie perdue » qui laisserait ses banques et ses entreprises criblées de dettes toxiques. Les Japonais

---

1. Trad. fr. de Marie-Aude Cochez et Jean-Louis Lebrave, Paris, Payot, 1989 ; nouv. éd., Payot & Rivages, 2004.

ont vu leur économie, autrefois redoutée par les Américains, ralentir jusqu'à l'anémie – ce qui a fait naître un éventail de préoccupations entièrement différent pour eux et nous. Le Japon était encore l'une des plus grandes économies du monde, ainsi qu'un partenaire crucial pour faire face à la crise financière mondiale. J'ai choisi Tokyo comme première destination pour souligner que notre nouvelle administration voyait dans l'alliance japonaise une pierre angulaire de notre stratégie régionale. Le même mois, le président Obama recevrait le Premier ministre japonais, Taro Aso, à Washington, et celui-ci serait le premier dirigeant étranger avec lequel il s'entretiendrait dans le Bureau ovale.

La solidité de notre alliance s'est manifestée de façon spectaculaire en mars 2011, quand un séisme de magnitude 9,0 a frappé la côte orientale du Japon, déclenchant un tsunami avec des vagues de trente mètres de haut et provoquant la fusion des réacteurs de la centrale nucléaire de Fukushima. La « triple catastrophe » a fait près de 20 000 morts, a entraîné le déplacement de centaines de milliers de personnes et a été l'un des désastres naturels les plus coûteux de l'histoire. Notre ambassade et la 7e flotte américaine, qui entretenait de longue date d'étroites relations avec la Force d'autodéfense maritime du Japon, sont vite entrées en action, coopérant avec les Japonais pour livrer des denrées et des médicaments, effectuer des interventions de recherche et de sauvetage, évacuer les blessés et participer à d'autres missions vitales. C'est ce qu'on appelle une « opération Tomodachi » – du mot japonais signifiant « ami ».

Lors de cette première visite, j'ai atterri à Tokyo dans un déploiement de faste et d'apparat. Outre la délégation habituelle de hauts responsables venue m'accueillir, deux femmes astronautes et des membres de l'équipe japonaise des Jeux olympiques spéciaux[1] m'attendaient à l'aéroport.

Après quelques heures de sommeil à l'historique Hotel Okura de Tokyo – une enclave de style et de culture *sixties* tout droit sortie de *Mad Men* –, ma première halte a consisté dans une visite à l'historique sanctuaire Meiji[2]. Le reste de ma journée tourbillonnante a vu se succéder une présentation des personnels et de leurs familles à

---

1. Officiellement reconnus par le Comité international olympique, les Jeux olympiques spéciaux sont disputés par des déficients intellectuels.
2. Lieu de culte shintoïste consacré au souvenir du fondateur de la dynastie impériale régnante, l'empereur Meiji, qui a entrepris l'ouverture commerciale et la modernisation du Japon dans la seconde moitié du XIXe siècle.

l'ambassade des États-Unis, un déjeuner avec le ministre des Affaires étrangères, une réunion déchirante avec des familles de citoyens japonais enlevés par la Corée du Nord, un débat public animé avec les étudiants de l'université de Tokyo, des interviews pour la presse américaine et japonaise, un dîner avec le Premier ministre et une rencontre, tard dans la nuit, avec le dirigeant du parti d'opposition. C'était la première des nombreuses journées remplies à ras bord que j'allais connaître dans les quatre années suivantes, toutes faites de hauts et de bas diplomatiques et affectifs.

L'un des grands moments a été ma visite au palais impérial pour revoir l'impératrice Michiko. C'était un honneur rare, dû à nos relations personnelles chaleureuses depuis l'époque où j'étais première dame. Nous nous sommes saluées d'un sourire et d'une accolade. Puis elle m'a fait entrer dans ses appartements privés. L'empereur nous a rejointes pour le thé, et nous avons parlé de mes voyages et des leurs.

*
* *

Pour préparer un voyage à l'étranger aussi complexe que celui-ci, il faut toute une équipe de personnes très douées. Huma, devenue ma directrice de cabinet adjointe aux opérations, et ma directrice de la programmation Lona Valmoro, qui a jonglé avec un million d'invitations sans jamais commettre la moindre erreur, ont coordonné un large processus de collecte d'idées pour déterminer les meilleurs projets d'étapes et d'événements. J'ai dit clairement que je voulais sortir des ministères des Affaires étrangères et des palais pour rencontrer des citoyens, notamment des militants et des bénévoles au sein des communautés locales ; des journalistes ; des étudiants et des enseignants ; des chefs d'entreprise, des dirigeants syndicaux, des dignitaires religieux ; bref, la société civile qui contribue à mettre l'État face à ses responsabilités et à impulser le changement social. Je l'avais toujours fait, depuis l'époque où j'étais première dame. En 1998, dans un discours au Forum économique mondial de Davos, en Suisse, j'avais comparé une société saine à un trépied : elle reposait sur un État responsable, une économie ouverte et une société civile passionnée. Le troisième pied était trop souvent négligé.

Grâce à Internet, notamment aux réseaux sociaux, les citoyens et les organisations locales avaient plus de possibilités qu'ils n'en avaient jamais eu d'accéder à l'information et de s'exprimer. Désormais, même des autocraties devaient être attentives aux sentiments de leur peuple, comme on allait le voir pendant le Printemps arabe. Pour les États-Unis, il était important de nouer des relations fortes avec les populations étrangères autant qu'avec les États. Cela aiderait à garantir la durabilité des partenariats avec nos amis. Cela organiserait aussi le soutien à nos objectifs et à nos valeurs quand nous avions de notre côté le peuple, mais pas le gouvernement. Dans bien des cas, les défenseurs et les organisations de la société civile étaient la force motrice du progrès au sein des pays. Ils se battaient contre la corruption des autorités, mobilisaient des mouvements de masse et attiraient l'attention sur des problèmes comme les dégradations de l'environnement, les violations des droits de l'homme ou l'inégalité économique. D'emblée, j'ai voulu que l'Amérique s'engage fermement à leurs côtés, les encourage et les soutienne dans leurs efforts.

Ma première réunion publique a eu lieu à l'université de Tokyo. J'ai dit aux étudiants que l'Amérique était à nouveau prête à écouter, puis je leur ai donné la parole. Ils ont répondu par un torrent de questions, et pas seulement sur les problèmes qui faisaient la une des journaux, comme l'avenir de l'alliance entre les États-Unis et le Japon ou la crise financière mondiale en cours. Ils m'ont aussi interrogée sur les perspectives de la démocratie en Birmanie, la sécurité de l'énergie nucléaire (avec prescience), les tensions avec le monde musulman, le changement climatique, et m'ont demandé comment il est possible de réussir quand on est une femme évoluant dans une société dominée par les hommes. Ce fut la première de mes nombreuses réunions publiques avec des jeunes du monde entier, et j'ai adoré entendre leurs réflexions et dialoguer avec eux du tac au tac sur le fond. Des années plus tard, j'ai entendu dire que la fille du président de l'université se trouvait ce jour-là dans l'assistance et a décidé qu'elle deviendrait diplomate. Elle a fini par intégrer la diplomatie japonaise.

Quelques jours plus tard, à l'université des femmes Ewha de Séoul (Corée du Sud), j'ai constaté qu'aller vers la jeunesse m'entraînerait bien au-delà des préoccupations traditionnelles de la politique étrangère. Quand je suis montée sur l'estrade à Ewha, l'assistance m'a acclamée et applaudie à tout rompre. Puis les jeunes femmes se sont succédé au micro pour me poser des questions très personnelles – avec respect, mais aussi une vive curiosité :

Est-il difficile de traiter avec les dirigeants misogynes dans le monde ?

J'imagine que de nombreux dirigeants décident d'oublier qu'ils négocient avec une femme quand ils discutent avec moi. Mais j'essaie de ne pas les laisser s'en tirer à si bon compte. (Néanmoins, malheureusement, c'est un fait que les femmes, dans la vie publique, subissent encore un traitement injuste qui n'est réservé qu'à elles. Même des dirigeantes comme l'ex-Première ministre australienne, Julia Gillard, ont été confrontées à un sexisme scandaleux qui ne devrait être toléré dans aucun pays.)

Pouvez-vous nous parler de votre fille, Chelsea ?

Je pourrais passer des heures sur cette question. Je dirai seulement qu'elle est extraordinaire et que je suis fière d'elle.

Comment décrivez-vous l'amour ?

(Là, j'ai dit en riant que, sur ce point, je me sentais représenter officiellement le courrier du cœur plutôt que le département d'État. J'ai réfléchi un instant, puis j'ai répondu :) Comment peut-on décrire l'amour ? Je veux dire, les poètes ont passé des millénaires à parler d'amour. Des psychologues et toutes sortes d'auteurs écrivent sur l'amour. Je pense que, si on peut le décrire, on n'en fait peut-être pas pleinement l'expérience : c'est une relation si personnelle ! J'ai beaucoup de chance, parce que mon mari est mon meilleur ami, et nous sommes ensemble depuis très longtemps, plus longtemps que toute la vie de la plupart d'entre vous.

Apparemment, ces femmes se sentaient un lien personnel avec moi – et, merveille, elles étaient assez à l'aise et assurées pour me parler comme si j'étais leur amie, ou leur conseillère, et non une ministre venue d'un lointain pays. Je voulais être digne de leur admiration. J'espérais aussi qu'en ayant une conversation comme celle-là, de personne à personne, je pourrais franchir la barrière culturelle, et peut-être les convaincre de porter un autre regard sur l'Amérique.

Après le Japon, ce fut Jakarta, en Indonésie. J'y ai été accueillie par un groupe d'élèves de l'école primaire où le président Obama était allé quand il était enfant. Au cours de ma visite, je suis passée dans « The Awesome Show », l'une des émissions télévisées les plus populaires du pays. Cela ressemblait vraiment à MTV. Une musique tonitruante beuglait entre les séquences, et les intervieweurs semblaient tous avoir l'âge d'aller encore à l'école plutôt que celui d'animer un talk-show national.

Ils m'ont posé une question que j'allais entendre par la suite dans le monde entier : comment pouvais-je travailler avec le président Obama après notre bataille acharnée pendant la campagne ? L'Indonésie était encore une très jeune démocratie ; Suharto, qui l'avait longtemps gouvernée, a été renversé par des manifestations populaires en 1998, et la première élection présidentielle au suffrage direct n'a eu lieu qu'en 2004. Il n'était donc guère surprenant que les gens soient plus habitués à voir un rival politique jeté en prison ou chassé du pays que nommé chef de la diplomatie. Cela n'avait pas été facile pour moi de perdre cette campagne acharnée face au président Obama, leur ai-je dit, mais la démocratie ne fonctionne que si les dirigeants font passer l'intérêt général avant leur intérêt personnel. Quand il m'avait demandé de servir, j'avais accepté, parce que nous aimions tous deux notre pays. Ce fut la première des nombreuses situations où notre partenariat allait être un exemple pour ceux qui, dans d'autres pays, tentaient de comprendre la démocratie.

La nuit précédente, lors d'un dîner avec des personnalités de la société civile au Musée des archives nationales, à Jakarta, nous avons discuté du défi extraordinaire qu'avaient relevé les dirigeants et le peuple d'Indonésie : fusionner la démocratie, l'islam, la modernité et les droits des femmes dans le pays abritant la plus vaste population musulmane du monde.

Au cours du demi-siècle précédent, l'Indonésie avait été un acteur relativement mineur dans le jeu politique de la région. Lorsque je m'y étais rendue, quinze ans plus tôt, en qualité de première dame, elle était encore pauvre et non démocratique.

En 2009, elle était en pleine transformation, sous la direction éclairée du président Susilo Bambang Yudhoyono. La croissance économique avait arraché beaucoup de gens à la pauvreté, et l'Indonésie cherchait à faire partager à d'autres pays d'Asie les leçons de la transition qui l'avait sortie de la dictature.

J'ai été impressionnée par Yudhoyono : il comprenait en profondeur les dynamiques diplomatiques régionales et avait une vision claire de la poursuite du développement de son pays. Lors de notre première conversation, il m'a incitée à changer de méthode à l'égard de la Birmanie, gouvernée depuis des années par une junte militaire répressive. Yudhoyono avait rencontré deux fois son dirigeant suprême, le général Than Shwe, qui vivait en reclus, et m'a dit que la junte était peut-être disposée à s'orienter peu à peu vers la démocratie si l'Amérique et la communauté internationale l'y aidaient. J'ai écouté attentivement son conseil avisé, et nous sommes ensuite restés en contact étroit sur la Birmanie. Notre politique à l'égard de ce pays a fini par devenir l'une des réalisations les plus passionnantes de mon action de secrétaire d'État.

Jakarta était aussi le siège permanent de l'ASEAN, l'institution régionale à laquelle les experts de l'Asie à Washington m'avaient vivement conseillé de donner priorité. Au cours d'une interview à Tokyo, un journaliste japonais m'a dit que, dans le Sud-Est asiatique, on avait été très déçu de voir les représentants des États-Unis « sécher » les dernières conférences de l'ASEAN. Certains y décelaient un signe de l'affaiblissement de la présence américaine en Asie-Pacifique, alors que la Chine s'efforçait d'y étendre son influence. Le journaliste voulait savoir si j'avais l'intention de poursuivre dans cette voie, ou si j'allais œuvrer à redynamiser notre engagement. Cette question en disait long sur l'appétit de l'Asie pour des signes tangibles du leadership américain. J'ai répondu que le développement de nos relations avec des organisations comme l'ASEAN était un aspect important de notre stratégie dans la région et que je comptais assister au plus grand nombre de réunions possible. Si nous voulions améliorer notre position en Asie du Sud-Est, comme la Chine tentait de le faire aussi, et inciter les pays à accepter de coopérer davantage en matière de commerce, de sécurité et d'environnement, l'ASEAN serait un bon point de départ.

Aucun secrétaire d'État américain ne s'était jamais rendu au siège de l'organisation. Le secrétaire général de l'ASEAN, Surin Pitsuwan, m'a accueillie avec un bouquet de roses jaunes en précisant que, pour les Indonésiens, le jaune est un symbole d'espoir et de nouveau départ. « Votre visite montre que les États-Unis veulent sérieusement mettre fin à leur absentéisme diplomatique dans la région », a-t-il déclaré. C'était un mot de bienvenue assez critique, mais il avait raison sur nos intentions.

*
* *

Mon étape suivante a été la Corée du Sud, une démocratie prospère et avancée, et un allié crucial qui vivait à l'ombre de son voisin du Nord, répressif et belliqueux. Des soldats américains y montaient attentivement la garde depuis la fin de la guerre de Corée, en 1953. Au fil de mes rencontres avec le président Lee Myung-bak et d'autres hauts responsables, j'ai répété que, si le gouvernement américain avait changé, l'engagement de notre pays à défendre la Corée du Sud restait le même.

La Corée du Nord, en revanche, est l'État totalitaire le plus fermé du monde. Une grande partie de sa population – qui compte près de 25 millions d'habitants – vit dans une extrême pauvreté. L'oppression politique est quasi totale. Les famines sont fréquentes. Néanmoins, le régime – dirigé dans les premières années de l'administration Obama par l'excentrique et vieillissant Kim Jong-il, puis par son jeune fils, Kim Jong-un – consacrait l'essentiel de ses ressources limitées à financer son armée, à mettre au point des armes nucléaires et à s'attirer l'hostilité de ses voisins.

En 1994, l'administration Clinton a négocié un accord avec la Corée du Nord : celle-ci s'engageait à interrompre le fonctionnement et la construction d'installations qui s'inscrivaient, de l'avis de beaucoup, dans le cadre d'un programme secret d'armement nucléaire ; en échange, on l'aiderait à construire deux petits réacteurs nucléaires qui produiraient de l'énergie, et non du plutonium à usage militaire. Cet accord traçait aussi la voie vers une normalisation des relations entre nos deux pays. En septembre 1999, une autre négociation a réussi : Pyongyang a accepté de geler ses essais de missiles à longue portée. En octobre 2000, la secrétaire d'État Madeleine Albright s'est rendue en Corée du Nord afin d'évaluer les intentions du régime et de négocier une autre entente sur une poursuite des inspections. Malheureusement, si les Nord-Coréens ont fait beaucoup de promesses, aucun accord global ne s'est concrétisé. Quand le président George W. Bush est arrivé au pouvoir, il a vite changé de politique, citant la Corée du Nord parmi les pays de l'« axe du mal » dans son discours de 2002 sur l'état de l'Union. Il a été prouvé que la Corée du Nord avait secrètement enrichi de l'uranium et repris l'enrichissement du plutonium en 2003. À la fin de l'administration Bush, Pyongyang avait construit plusieurs armes nucléaires qui pouvaient menacer la Corée du Sud et la région.

Dans mes déclarations publiques à Séoul, j'ai adressé une invitation aux Nord-Coréens. S'ils procédaient à l'élimination complète et vérifiable de leur programme d'armes nucléaires, l'administration Obama accepterait de normaliser les relations, de remplacer le vieil accord d'armistice sur la péninsule par un traité de paix permanent, et de contribuer à satisfaire les besoins énergétiques du peuple nord-coréen, ainsi que ses autres besoins économiques et humanitaires. Sinon, l'isolement du régime se poursuivrait. C'était une tactique d'ouverture dans une partie qui, j'en étais sûre, allait se prolonger tout au long de notre mandat, comme elle le faisait depuis des décennies ; et je ne croyais guère à son succès. Mais, comme avec l'Iran – un autre régime aux ambitions nucléaires –, nous avons commencé par faire une offre de dialogue, en espérant qu'elle serait acceptée et en sachant que, si elle ne l'était pas, il serait plus facile de mobiliser les autres pays afin de faire pression sur la Corée du Nord. Il était particulièrement important que la Chine, qui avait longtemps financé et protégé le régime de Pyongyang, fasse partie de ce front uni international.

La réponse ne s'est pas fait attendre.

Le mois suivant, en mars 2009, une équipe de journalistes de la télévision américaine faisait un reportage à la frontière entre la Chine et la Corée du Nord pour Current TV, la chaîne cofondée par l'ancien vice-président Al Gore, puis vendue à Al Jazeera. Ils étaient là pour chercher des informations confirmant peut-être le fait qu'il existait sur cette frontière une traite de femmes nord-coréennes contraintes à la prostitution et à d'autres formes d'esclavage moderne. À l'aube du 17 mars, un guide local a conduit les Américains le long du fleuve qui sépare les deux pays, le Tumen, encore gelé en ce début de printemps. Les journalistes l'ont suivi sur la glace puis, brièvement, jusqu'à la rive nord-coréenne. Selon eux, ils ont ensuite regagné le territoire chinois. Soudain, des gardes-frontières nord-coréens sont apparus, armes pointées. Les Américains se sont mis à courir, et le producteur a fui avec le guide. Mais les deux femmes journalistes, Euna Lee et Laura Ling, n'ont pas eu cette chance. Elles ont été arrêtées et ramenées sur l'autre rive, en Corée du Nord, où elles ont été condamnées à douze ans de travaux forcés.

Deux mois plus tard, la Corée du Nord a effectué un essai nucléaire souterrain et fait savoir qu'elle ne s'estimait plus liée par les termes de l'armistice de 1953. Comme le président Obama l'avait promis dans son discours d'investiture, nous avions tendu la main, mais la Corée du Nord répondait par un poing fermé.

Notre première mesure a été de déterminer s'il était possible d'agir dans le cadre des Nations unies. En étroite coopération avec notre ambassadrice, Susan Rice, à New York, j'ai passé des heures au téléphone avec les dirigeants de Pékin, Moscou, Tokyo et d'autres capitales pour les rallier à une résolution forte qui imposerait des sanctions contre le régime de Pyongyang. Tout le monde était d'accord pour juger l'essai nucléaire inacceptable, mais quant à savoir ce qu'il fallait faire à ce sujet, c'était une autre histoire.

« Je sais que c'est difficile pour votre gouvernement, ai-je dit au ministre chinois des Affaires étrangères, Yang Jiechi, lors d'un de ces entretiens téléphoniques, [mais,] si nous agissons ensemble, nous avons une chance de changer les calculs de la Corée du Nord sur ce que va lui coûter la poursuite de son programme de missiles et d'armes nucléaires. » Yang a affirmé que la Chine partageait nos inquiétudes sur une course aux armements régionale et convenait qu'une réaction « appropriée et mesurée » était nécessaire. J'espérais que ce n'était pas une expression codée pour dire « inefficace ».

À la mi-juin, nos efforts ont payé. Tous les membres du Conseil de sécurité de l'ONU se sont entendus pour imposer des sanctions supplémentaires. Si nous avions dû faire certaines concessions pour obtenir le soutien des Chinois et des Russes, il s'agissait néanmoins de la mesure la plus sévère jamais prise contre la Corée du Nord, et j'étais heureuse que nous ayons enfin réussi à susciter une réaction internationale unifiée.

Mais comment venir en aide aux journalistes emprisonnées ? Nous avions entendu dire que Kim Jong-il ne laisserait partir les deux femmes que si une délégation américaine haut placée venait lui rendre visite, personnellement, pour solliciter leur libération. J'en ai discuté avec le président Obama et d'autres membres de l'équipe de sécurité nationale. Et si Al Gore y allait lui-même ? Ou peut-être l'ex-président Jimmy Carter, connu pour son travail humanitaire dans le monde entier ? Ou peut-être Madeleine Albright, qui devait à sa diplomatie des années 1990 une expérience unique de la Corée du Nord ? Mais les Nord-Coréens pensaient déjà à un visiteur bien précis : Bill, mon mari. La requête était surprenante. D'un côté, le régime nord-coréen ne cessait de m'agonir d'invectives absurdes sur la question nucléaire, allant jusqu'à me qualifier de « dame ridicule ». (La propagande nord-coréenne est célèbre pour ses agressions rhétoriques outrancières et souvent saugrenues. Un jour, elle a traité le vice-président Biden de « cambrioleur éhonté ». Il existe même sur Internet un « générateur automatique d'insultes » qui débite des parodies de ses diatribes.) De l'autre, Kim avait apparemment un faible pour mon mari depuis que Bill lui avait envoyé une lettre de condoléances à la mort de son père, Kim Il-sung, en 1994. Il souhaitait aussi, bien sûr, attirer l'attention mondiale, ce que parviendrait à faire cette mission de sauvetage conduite par un ancien président.

J'ai évoqué l'idée avec Bill. Il était prêt à y aller si cela pouvait vraiment rendre la liberté aux deux journalistes. Al Gore et les familles des prisonnières l'incitaient aussi à se charger de la mission. Mais, à la Maison-Blanche, des voix assez nombreuses s'élevaient contre ce voyage. Peut-être certains étaient-ils mal disposés envers Bill à cause de la campagne des primaires 2008, mais la plupart répugnaient simplement à récompenser l'inconduite de Kim par un déplacement d'aussi haut niveau et à susciter potentiellement des inquiétudes chez nos alliés. Ils n'avaient pas tort sur ce point. Nous devions trouver le juste équilibre entre deux impératifs : faire le nécessaire pour sauver les deux Américaines innocentes et éviter les retombées géopolitiques potentielles.

J'estimais que cela valait la peine d'essayer. Les Nord-Coréens avaient déjà tiré de l'incident tout le parti qu'ils pouvaient, mais, pour laisser ces femmes rentrer chez elles, il leur fallait une justification quelconque. Et si nous ne faisions rien pour tenter de résoudre le problème, nos efforts sur tous les autres sujets avec la Corée du Nord seraient gelés en raison de l'incarcération des journalistes. Quand j'ai suggéré directement l'idée au président Obama lors d'un déjeuner fin juillet, il s'est déclaré d'accord avec moi : c'était la meilleure option que nous avions.

Même si cette initiative était considérée comme une « mission privée », Bill et la petite équipe qui l'accompagnerait ont été dûment briefés avant leur départ. Un élément drolatique mais important des préparatifs consistait à leur demander de ne pas sourire (ni faire grise mine) quand seraient prises les inévitables photos officielles avec Kim.

Début août, Bill est parti accomplir sa mission. Après vingt heures sur le terrain en Corée du Nord et un face-à-face avec Kim, il a réussi à obtenir la libération immédiate des journalistes. Elles sont rentrées avec lui et ont fait une arrivée spectaculaire en Californie, où elles ont été accueillies par leurs familles, leurs amis et d'innombrables caméras de télévision. Les images officielles publiées par le régime ont été aussi neutres qu'il convenait – aucun Américain ne souriait. Bill a dit en plaisantant qu'il avait eu l'impression de passer une audition pour un film de James Bond, mais son succès prouvait, estimait-il, que ce régime intolérant réagirait positivement, au moins sur certains points, si nous parvenions à trouver le bon dosage d'incitations.

Malheureusement, d'autres graves difficultés nous attendaient. Un soir de mars 2010, à une heure tardive, un bâtiment militaire sud-coréen, le *Cheonan*, croisait non loin des eaux nord-coréennes. Il faisait froid, cette nuit-là, et la plupart des cent quatre marins sud-coréens se trouvaient en cabine, à dormir, manger ou s'entraîner. Sans sommation, une torpille tirée d'une source inconnue a explosé sous la coque du *Cheonan*. Le bateau a été coupé en deux et ses vestiges se sont mis à sombrer dans la mer Jaune. Quarante-six marins sont morts. En mai, une équipe d'inspecteurs de l'ONU a conclu qu'un sous-marin « de poche » nord-coréen était probablement à l'origine de cette attaque non provoquée. Cette fois, si le Conseil de sécurité a unanimement condamné le torpillage, la Chine s'est opposée à toute mention explicite de la Corée du Nord ou à toute réaction plus énergique. C'était une manifestation flagrante de l'une de ses contradictions. Pékin clamait que la stabilité lui importait plus que tout, et pourtant il tolérait tacitement un acte de pure agression profondément déstabilisant.

En juillet 2010, nous sommes revenus ensemble en Corée du Sud, Bob Gates et moi, rencontrer nos homologues et montrer à Pyong-yang que les États-Unis restaient fermement aux côtés de leurs alliés. Nous nous sommes rendus à Panmunjom, dans la zone démilitarisée (DMZ) qui sépare la Corée du Nord et la Corée du Sud depuis 1953. Large de quatre kilomètres, la DMZ suit le 38e parallèle d'un bout à l'autre de la péninsule. C'est la frontière la plus fortifiée et la plus minée du monde, ainsi que l'une des plus dangereuses. Sous un ciel menaçant, nous avons grimpé sur un poste d'observation camouflé, sous une tour de garde où flottaient les drapeaux des États-Unis, des Nations unies et de la république de Corée. Une pluie fine s'est mise à tomber tandis que, debout derrière des sacs de sable, nous scrutions avec des jumelles le territoire nord-coréen.

Regardant au-delà de la zone démilitarisée, je n'ai pas pu m'empê-cher d'être à nouveau frappée par la différence spectaculaire entre les deux mondes que séparait cette ligne étroite. La Corée du Sud était un brillant exemple de progrès, un pays qui avait réussi à passer de la pauvreté et de la dictature à la prospérité et à la démocratie. Ses dirigeants se souciaient du bien-être de leurs concitoyens, les jeunes grandissaient dans la liberté et avec toutes les chances de leur côté, et le pays connaissait les vitesses de téléchargement les plus rapides du monde. Quatre kilomètres plus loin, la Corée du Nord était un État de peur et de famine. Le contraste n'aurait pu être plus tranché ni plus tragique.

Bob et moi sommes entrés, avec nos homologues sud-coréens, dans le quartier général des forces de l'ONU, tout proche, pour un exposé de la situation militaire. Nous avons aussi visité un bâtiment qui se trouve littéralement au-dessus de la frontière, une moitié au nord et une moitié au sud. Il a été conçu pour faciliter les négociations entre les deux camps. Il y a même une longue table de conférence positionnée exactement sur la ligne de démarcation. Tandis que nous traversions ce bâtiment, un soldat nord-coréen s'est posté à quelques centimètres, derrière une fenêtre, et nous a fixés froidement. Peut-être était-ce par pure curiosité. Mais s'il voulait nous intimider, c'était manqué. Je suis restée concentrée sur l'exposé, et Bob avait le sourire. Un photographe ayant pris sur le vif cet instant insolite, l'image a fait la une du *New York Times*.

Dans nos réunions avec les Sud-Coréens, nous avons discuté des mesures que nous pouvions prendre pour faire pression sur le Nord et le dissuader de nouvelles provocations. Nous sommes convenus d'une puissante démonstration de force pour rassurer nos amis et montrer clairement que les États-Unis protégeraient la sécurité régionale. Nous avons annoncé de nouvelles sanctions et fait savoir que le porte-avions *USS George Washington* allait prendre position au large de la côte coréenne et se joindre à des manœuvres militaires de la marine de guerre sud-coréenne. En tout, 18 navires, environ 200 avions et quelque 8 000 soldats américains et sud-coréens participeraient à ces quatre jours d'exercices. Ces manœuvres navales ont suscité l'indignation de Pyongyang et de Pékin, ce qui nous a confirmé que notre message avait été reçu.

Ce soir-là, le président sud-coréen, Lee Myung-bak, nous a reçus à dîner, Bob et moi, à la Maison Bleue, sa résidence officielle. Il nous a remerciés de nous tenir aux côtés de la Corée du Sud dans les moments difficiles et, comme il le faisait souvent, il a établi un parallèle entre sa propre ascension d'enfant indigent et celle de son pays. La Corée du Sud était autrefois plus pauvre que la Corée du Nord, mais, avec l'aide des États-Unis et de la communauté internationale, elle avait réussi à développer son économie. C'était un rappel de l'héritage du leadership américain en Asie.

*

* *

Un autre aspect de notre stratégie du pivot consistait à amener l'Inde à s'engager pleinement sur la scène politique de l'Asie-Pacifique. La présence forte autour de la table des négociations régionales d'une autre grande démocratie pourrait inciter davantage de pays à s'orienter vers l'ouverture politique et économique, plutôt qu'à suivre le modèle chinois de capitalisme d'État autocratique.

Je gardais d'agréables souvenirs de mon premier voyage en Inde. C'était en 1995, et Chelsea était à mes côtés. Nous avions visité l'un des orphelinats de mère Teresa, l'humble religieuse catholique devenue par sa charité et sa sainteté un symbole mondial. Les bébés étaient surtout des petites filles que l'on avait abandonnées dans les rues ou laissées devant la porte à l'intention des religieuses ; puisqu'elles n'étaient pas des garçons, elles n'avaient pas de valeur pour leur famille. Notre visite avait incité la municipalité à paver le chemin poudreux menant à l'orphelinat – les nonnes y voyaient un petit miracle. Quand mère Teresa est morte en 1997, j'ai conduit une délégation américaine à ses funérailles à Kolkata pour rendre hommage à son remarquable héritage humanitaire. Son cercueil ouvert a été porté dans les rues, noires de monde, et présidents, Premiers ministres et chefs religieux de nombreuses confessions ont déposé des couronnes de fleurs blanches sur la bière. Plus tard, la nouvelle supérieure des Missionnaires de la charité m'a invitée à une réunion privée au siège de l'ordre. Dans une chambre simple, blanchie à la chaux, que seule éclairait la lueur vacillante des cierges, les religieuses debout, en cercle, priaient en silence autour du cercueil fermé, qu'on avait ramené : ce serait le lieu de son dernier repos. À ma grande surprise, elles m'ont demandé de faire une prière personnelle. J'ai hésité, puis, courbant la tête, j'ai remercié Dieu du privilège d'avoir connu cette petite femme, forte et sainte, pendant son passage sur cette terre.

C'est à l'été 2009 que j'ai effectué mon premier voyage en Inde en tant que secrétaire d'État. Au cours des quatorze années écoulées depuis mon séjour précédent, le commerce entre nos pays était passé de moins de 10 milliards de dollars à plus de 60 milliards, et il allait poursuivre son expansion pour atteindre près de 100 milliards en 2012. Il y avait encore trop de barrières et de restrictions, mais les compagnies américaines accédaient lentement au marché indien, ce qui créait des emplois et des occasions d'affaires pour les citoyens des deux pays. Des entreprises indiennes aussi investissaient aux États-Unis, et beaucoup de professionnels indiens très qualifiés demandaient des visas et participaient au lancement d'entreprises américaines innovantes. Plus de 100 000 Indiens venaient étudier aux États-Unis chaque année ; certains rentraient ensuite en Inde pour mettre leurs compétences au service de leur pays, tandis que beaucoup restaient pour contribuer à développer l'économie américaine.

À New Delhi, j'ai rencontré un large échantillon de la société, notamment le Premier ministre Manmohan Singh, des dirigeants des milieux d'affaires, des femmes créatrices d'entreprise, des scientifiques spécialistes de l'énergie et du climat, ainsi que des étudiants. J'ai été heureuse de revoir Sonia Gandhi, la présidente du parti du Congrès, dont j'avais fait la connaissance dans les années 1990. Elle m'a expliqué, de même que le Premier ministre Singh, combien il avait été difficile de faire preuve de retenue à l'égard du Pakistan après les attaques terroristes coordonnées de Bombay en novembre de l'année précédente. L'un et l'autre m'ont dit clairement que, en cas de nouvel attentat, la retenue ne serait pas de mise. Par allusion à notre propre 11-Septembre, le « 9/11 », les Indiens appellent les attaques du 26 novembre 2008 le « 26/11 ». Dans un geste de solidarité envers le peuple indien, j'ai décidé de descendre à l'élégant hôtel Taj Mahal Palace de Bombay, l'un des sites de ces effroyables attaques, qui avaient fait 164 morts, dont 138 Indiens et 4 Américains. En y séjournant, et en visitant le mémorial pour un hommage aux victimes, je voulais faire savoir à tous que Bombay n'avait pas peur et restait ouvert aux affaires.

En juillet 2011, par une chaleur estivale étouffante, je me suis rendue dans le port indien de Chennai[1], sur le golfe du Bengale, foyer économique tourné vers les routes commerciales et énergétiques en plein essor de l'Asie du Sud-Est. Aucun secrétaire d'État n'avait jamais visité la ville avant moi, mais je tenais à montrer que nous comprenions que l'Inde ne se résume pas à Delhi et à Bombay. Dans la bibliothèque publique de Chennai, la plus grande du pays, j'ai parlé du rôle de l'Inde sur la scène mondiale, en particulier dans

---

1. Autrefois appelé Madras.

la zone Asie-Pacifique. L'Inde entretient des liens très anciens avec l'Asie du Sud-Est – des marchands qui naviguaient dans le détroit de Malacca aux temples hindouistes qui parsèment la région. Nous espérions qu'elle allait dépasser son conflit insoluble avec le Pakistan pour défendre plus activement la démocratie et les valeurs du marché libre dans toute l'Asie. Comme je l'ai dit à mes auditeurs à Chennai, les États-Unis soutenaient l'Inde dans sa démarche consistant à « regarder vers l'est ». Nous voulions aussi qu'elle « dirige l'Est ».

Malgré certaines divergences au sujet de l'actualité immédiate, les fondamentaux stratégiques de nos rapports avec l'Inde – les valeurs démocratiques, les impératifs économiques et les priorités diplomatiques que nous partagions – amenaient progressivement les intérêts de nos deux pays à converger. Nous entrions dans une phase nouvelle, plus mûre, de nos relations.

*
* *

Un objectif majeur de notre stratégie asiatique était de promouvoir la réforme politique en même temps que la croissance économique. Nous voulions faire du XXIe siècle une époque où les populations de toute l'Asie n'allaient pas seulement devenir plus prospères, mais aussi plus libres. Et l'expansion de la liberté, j'en étais certaine, stimulerait celle de la prospérité.

De nombreux pays de la région se demandaient quel modèle de gouvernance convenait le mieux à leur société et à leur situation. L'essor de la Chine, avec son mélange d'autoritarisme et de capitalisme d'État, offrait à certains dirigeants un modèle attrayant. On nous répétait souvent que la démocratie fonctionnait peut-être dans le reste du monde, mais qu'en Asie elle n'était pas chez elle. Ce qui voulait dire qu'elle était inadaptée à l'histoire de la région, voire incompatible avec les valeurs asiatiques.

Quantité de contre-exemples réfutaient ces théories. Le Japon, la Malaisie, la Corée du Sud, l'Indonésie et Taïwan étaient des sociétés démocratiques qui avaient apporté à leur population des avantages économiques prodigieux. De 2008 à 2012, l'Asie a été la seule région du monde où les droits politiques et les libertés civiles n'ont cessé de progresser, à en croire l'organisation non gouvernementale Freedom House. En 2010, par exemple, les Philippines ont organisé des élections dans des conditions bien meilleures que les précédentes, ce qui a été largement salué, et le nouveau président, Benigno Aquino III, a lancé un effort concerté pour combattre la corruption et accroître la transparence. Les Philippines étaient pour les États-Unis un allié précieux et, quand un terrible typhon les a frappées fin 2013, les opérations conjointes de secours dirigées par l'US Navy se sont très vite mises en place grâce à nos étroites relations. Et il y a eu, évidemment, la Birmanie. À la fin du printemps 2012, l'ouverture démocratique prédite par le président indonésien Yudhoyono battait son plein et Aung San Suu Kyi, qui avait été pendant des décennies la conscience emprisonnée de son pays, siégeait au parlement.

D'autres exemples ont été moins encourageants. Trop d'États asiatiques continuaient à résister aux réformes, à restreindre l'accès de leur peuple aux idées et à l'information, et à jeter en prison ceux qui exprimaient des opinions dissidentes. Sous Kim Jong-un, la Corée du Nord restait le pays le plus fermé et le plus répressif du monde. C'était pour nous difficilement imaginable, mais de fait il avait aggravé la situation. Le Cambodge et le Vietnam avaient fait quelques progrès, mais pas assez. Lors d'une visite au Vietnam en 2010, j'ai appris que plusieurs blogueurs importants avaient été incarcérés avant mon arrivée. Au cours de mes réunions avec les responsables vietnamiens, j'ai évoqué des problèmes précis de restriction arbitraire des libertés fondamentales, notamment les arrestations et les lourdes condamnations trop souvent prononcées contre des dissidents politiques, des avocats, des blogueurs, des militants catholiques ou encore des moines et des nonnes bouddhistes.

En juillet 2012, j'ai effectué une nouvelle longue tournée dans la région, visant cette fois à souligner que prospérité et démocratie allaient de pair. J'ai à nouveau commencé par le Japon, l'une des démocraties les plus fortes et les plus riches du monde, puis je me suis rendue au Vietnam, au Cambodge et au Laos, où j'étais la première secrétaire d'État à mettre les pieds depuis cinquante-sept ans.

Je suis rentrée de ma brève visite dans ce pays avec deux impressions générales. Premièrement, le Laos était toujours sous l'étroite emprise de son parti communiste, lui-même de plus en plus soumis au contrôle économique et politique de la Chine. Pékin profitait de cette relation pour extraire des ressources naturelles et promouvoir la construction de grands projets qui n'apportaient pas grand-chose au Laotien moyen. Deuxièmement, les Laotiens payaient toujours un terrible tribut aux bombardements massifs effectués par les États-Unis pendant la guerre du Vietnam. Le Laos avait gagné la terrible distinction d'être « le pays le plus bombardé du monde ». Des milliers d'adultes et d'enfants perdaient encore des membres à cause des bombes à fragmentation qui jonchaient un tiers du territoire. C'est pourquoi j'ai visité à Vientiane un centre soutenu par l'USAID qui leur fournissait des prothèses et assurait leur rééducation. Seulement 1 % de ces bombes avaient été détectées et détruites. J'estimais que les États-Unis avaient des obligations en cours à cet égard, et j'ai été encouragée par la décision du Congrès, en 2012, de tripler les crédits pour accélérer le déminage.

Un des grands moments de ce voyage en Asie de l'été 2012 a été la Mongolie, où j'avais fait un premier séjour inoubliable en 1995. C'était alors une époque difficile pour ce pays reculé, pris en tenaille entre la Chine du Nord et la Sibérie. Des décennies de domination soviétique avaient tenté d'imposer une culture stalinienne à la société nomade. Quand l'aide de Moscou avait cessé, l'économie s'était effondrée. Mais, comme de nombreux visiteurs, j'avais été enchantée par la beauté saisissante du pays, avec ses vastes plaines balayées par le vent, ainsi que par l'énergie, la détermination et l'hospitalité de son peuple. Dans une tente traditionnelle, qu'on appelle yourte, une famille de nomades m'avait offert un bol de lait de jument fermenté (il avait le goût d'un yogourt nature chaud). J'ai été impressionnée par les étudiants, militants et responsables gouvernementaux que j'ai rencontrés dans la capitale, et par leur ardeur à transformer une dictature communiste à parti unique en système politique démocratique et pluraliste. L'entreprise ne serait pas facile, mais ils étaient bien décidés à essayer. Je leur ai dit que, désormais, lorsque quelqu'un douterait devant moi que la démocratie puisse prendre racine en des lieux improbables, je lui répondrais : « Allez donc en Mongolie ! Vous verrez des gens prêts à manifester par − 20 ou − 30 °C et à parcourir de très longues distances pour mettre leur bulletin dans l'urne. »

Quand j'y suis retournée dix-sept ans plus tard, il y avait eu d'immenses changements dans le pays et sa région. Le développement rapide de la Chine et sa soif insatiable de ressources naturelles avaient créé un boom minier en Mongolie, pays abritant d'énormes gisements de cuivre et d'autres minerais. La croissance économique a atteint le rythme fulgurant de plus de 17 % en 2011, et certains experts ont prédit que, dans la décennie suivante, elle serait plus rapide que partout ailleurs sur terre. La plupart des habitants restaient pauvres et beaucoup conservaient leur style de vie nomade, mais l'économie mondiale, qu'ils sentaient autrefois si loin d'eux, était arrivée avec toute sa puissance.

En traversant la capitale, Oulan-Bator, autrefois somnolente, j'ai été ébahie par sa transformation. Des gratte-ciel de verre avaient jailli au sein du labyrinthe de yourtes traditionnelles et de grands ensembles soviétiques à l'ancienne. Sur la place Sukhbaatar, des soldats en tenue mongole traditionnelle montaient la garde à l'ombre d'un magasin Louis Vuitton tout neuf. Je suis entrée dans le Palais du gouvernement, vestige massif de l'ère stalinienne, après être passée devant une statue colossale de Gengis Khan, le guerrier mongol du XIIIᵉ siècle, qui a détenu un empire continental plus étendu que tout autre dans l'histoire. Les Soviétiques avaient réprimé le culte de la personnalité de Gengis Khan, mais il faisait à présent un retour en force. À l'intérieur, je me suis entretenue avec le président Tsakhiagiyn Elbegdorj dans sa yourte de cérémonie. Nous étions assis sous une tente nomade traditionnelle à l'intérieur d'un bâtiment gouvernemental de l'ère stalinienne à discuter de l'avenir de l'économie asiatique, en rapide croissance. Quelle collision des mondes !

Depuis ma visite de 1995, la démocratie mongole avait perduré. Le pays avait organisé avec succès six élections législatives. À la télévision, des Mongols de toutes les tendances politiques débattaient publiquement et vigoureusement. Une loi sur la liberté de l'information, attendue depuis longtemps, donnait aux citoyens une vision plus claire du fonctionnement de leur État. À côté de ces progrès, il y avait aussi des motifs d'inquiétude. Le boom minier exacerbait les problèmes de corruption et d'inégalité, et la Chine s'intéressait davantage à son voisin du Nord, soudain devenu précieux. La Mongolie semblait arrivée à un carrefour : soit elle continuerait à suivre la voie démocratique et utiliserait ses nouvelles richesses pour élever le niveau de vie de toute sa population, soit elle serait attirée dans l'orbite de Pékin et connaîtrait les pires excès de la « malédiction des ressources ». J'espérais encourager la première option et décourager la seconde.

Le moment était propice. La Communauté des démocraties, organisation internationale fondée en 2000 sous les auspices de la secrétaire d'État Albright pour soutenir les démocraties émergentes, notamment dans l'ancien bloc soviétique, tenait un sommet à Oulan-Bator. Belle occasion de conforter les progrès de la Mongolie et d'envoyer un message sur l'importance de la démocratie et des droits de l'homme dans toute l'Asie, par un discours prononcé dans l'arrière-cour même de la Chine.

Ce n'est pas un secret : l'épicentre du mouvement antidémocratique en Asie est la Chine. Le prix Nobel de la paix 2010 a été décerné à Liu Xiaobo, militant chinois des droits de l'homme emprisonné, et le monde a pris bonne note de sa chaise vide à la cérémonie d'Oslo. J'ai alors déclaré que cela pouvait devenir « un symbole du potentiel non réalisé et de la promesse non tenue d'une grande nation ». Les choses n'ont fait que s'aggraver en 2011. Au cours des premiers mois, plusieurs dizaines d'avocats, d'écrivains, d'artistes, d'intellectuels et de militants engagés pour l'intérêt public ont été arbitrairement arrêtés et incarcérés. Le grand artiste Ai Weiwei était du nombre et, avec d'autres, j'ai défendu sa cause.

Dans mon discours d'Oulan-Bator, j'ai expliqué pourquoi un avenir démocratique était le bon choix pour l'Asie. En Chine et partout ailleurs, les adversaires de la démocratie soutenaient qu'elle allait menacer la stabilité en déchaînant des forces populaires chaotiques. Mais des preuves nombreuses venues du monde entier démontrent qu'en réalité la démocratie a un effet stabilisateur. Il est vrai que réprimer l'expression politique et contrôler étroitement ce que les gens lisent, disent ou voient peut créer l'illusion de la sécurité ; cependant, si les illusions se dissipent, l'aspiration du peuple à la liberté, elle, n'en fait rien. La démocratie, au contraire, offre aux sociétés des soupapes de sûreté cruciales. Elle permet au peuple de choisir ses dirigeants, donne à ces derniers la légitimité requise pour prendre des décisions difficiles mais nécessaires dans l'intérêt national, et laisse les minorités exprimer pacifiquement leurs opinions.

Il y avait un autre argument que je voulais réfuter : celui selon lequel la démocratie serait un privilège de pays riches, si bien que les économies en développement devraient donner la priorité à la croissance et remettre la démocratie à plus tard. La Chine était souvent citée comme le meilleur exemple d'un pays qui avait réussi économiquement sans réforme politique sérieuse. Mais il s'agissait là encore, ai-je déclaré, d'« un compromis à courte vue et en définitive insoutenable. À long terme, on ne peut avoir la libéralisation économique sans la libéralisation politique. Les pays qui veulent être ouverts aux affaires et fermés à la liberté d'expression vont découvrir que cette approche a un coût ». Sans la libre circulation des idées et un solide état de droit, l'innovation et l'esprit d'entreprise s'étiolent.

J'ai promis solennellement que les États-Unis seraient un partenaire solide pour tous ceux qui, en Asie et dans le monde, étaient attachés aux droits de l'homme et aux libertés fondamentales. Cela faisait des années que je disais : « Allez donc en Mongolie ! », et j'ai été ravie que tant de militants de la démocratie finissent par le faire. Aux États-Unis, un éditorial du *Washington Post* a commenté favorablement mon discours : « Il fait espérer que le "pivot vers l'Asie" ira au-delà d'une simple démonstration de force des États-Unis et deviendra une approche multiforme, capable de faire pièce à la complexité de l'essor de la Chine en tant que superpuissance moderne. » En Chine, en revanche, les censeurs se sont aussitôt mis au travail pour effacer du Web toute mention de mon message.

pas sacrifier nos valeurs ou nos alliés traditionnels pour améliorer nos rapports avec elle. Malgré sa croissance économique impressionnante et les progrès de ses capacités militaires, elle était encore très loin de surpasser les États-Unis comme première puissance d'Asie. Nous étions prêts à dialoguer en position de force.

Avant d'arriver à Pékin en provenance de Corée du Sud, j'ai réuni les journalistes qui suivaient mon voyage. Je leur ai dit que j'allais surtout parler de la coopération dans le domaine de la crise économique mondiale, du changement climatique et de certains problèmes de sécurité, comme la Corée du Nord et l'Afghanistan. Après avoir énuméré ces points forts de l'ordre du jour, j'ai signalé que les questions sensibles de Taïwan, du Tibet et des droits de l'homme seraient aussi sur la table, et j'ai ajouté : « Nous savons parfaitement ce qu'ils vont dire. »

C'était vrai, bien sûr. Les diplomates américains évoquaient ces problèmes depuis des années, et les réactions des Chinois étaient tout à fait prévisibles. Je me souvenais de la discussion animée que j'avais eue avec l'ancien président Jiang sur le traitement du Tibet par la Chine lorsque nous l'avions reçu, Bill et moi, en octobre 1997, pour un dîner officiel à la Maison-Blanche. Comme je m'étais entretenue auparavant avec le dalaï-lama au sujet de la dure situation des Tibétains, j'avais demandé au président Jiang d'expliquer la répression chinoise. « Les Chinois sont les libérateurs du peuple tibétain, avait-il répondu. J'ai lu les livres d'histoire dans nos bibliothèques, et je sais que les Tibétains vivent mieux maintenant qu'avant. — Mais que faites-vous de leurs traditions et de leur droit de pratiquer leur religion comme ils l'entendent ? » avais-je rétorqué. Il avait répliqué avec force que le Tibet faisait partie de la Chine, et demandé pourquoi les Américains plaidaient en faveur de ces « nécromanciens ». Les Tibétains « étaient des victimes de la religion. À présent, ils sont affranchis du féodalisme », avait-il déclaré.

Je n'avais donc aucune illusion sur ce que les responsables chinois allaient me dire quand je soulèverais à nouveau ces questions. J'exprimais aussi une évidence : étant donné l'ampleur et la complexité de nos relations avec la Chine, nos différences profondes en matière de droits de l'homme ne pouvaient pas nous interdire de dialoguer sur tous les autres problèmes. Nous devions défendre vigoureusement les dissidents tout en cherchant à coopérer sur l'économie, le changement climatique et la prolifération nucléaire. Telle avait été notre approche depuis que Nixon s'était rendu en Chine. Néanmoins, on a

Chapitre 4

Chine : sur des eaux inconnues

Comme beaucoup d'Américains, c'est en 1972 que j'ai réellement porté pour la première fois mon regard sur la Chine, quand le président Richard Nixon a fait son voyage historique sur l'autre rive du Pacifique. Nous étions étudiants en droit, Bill et moi, et nous n'avions pas la télévision. Nous sommes donc allés louer un téléviseur portable avec une antenne en forme d'oreilles de lapin, l'avons trimbalé jusqu'à notre appartement et l'avons allumé toutes les nuits pour regarder des scènes d'un pays que nous n'avions jamais vu de notre vie. J'ai été fascinée, et fière de ce qu'a accompli l'Amérique pendant « la semaine qui a changé le monde », comme l'a appelée le président Nixon.

Avec le recul, il est clair que les deux parties avaient pris d'énormes risques. Elles s'aventuraient dans l'inconnu, et ce au plus fort de la guerre froide ! Il pouvait y avoir de graves conséquences en termes de politique intérieure pour leurs dirigeants respectifs, qu'on allait taxer de faiblesse ou, dans notre cas, de « complaisance pour le communisme ». Mais les hommes qui ont négocié le voyage, Henry Kissinger pour les États-Unis et Zhou Enlai pour la Chine, et les présidents qu'ils représentaient ont estimé que les avantages potentiels l'emportaient sur les risques. (J'ai dit en riant à Henry qu'il avait eu bien de la chance que les smartphones et les réseaux sociaux n'existent pas quand il a effectué son premier voyage secret à Pékin. Vous imaginez un secrétaire d'État tenter de faire la même chose de nos jours ?) Aujourd'hui, nous faisons des calculs semblables quand nous traitons avec des pays dont les politiques ne nous conviennent pas, mais dont la coopération nous est nécessaire, ou quand nous voulons éviter de laisser les désaccords ou la rivalité glisser vers le conflit.

Les relations sino-américaines restent riches en défis. Nous sommes deux grands pays complexes ; nos passés, nos systèmes politiques et nos points de vue sont radicalement différents ; nos économies et nos avenirs sont profondément mêlés. Nos rapports ne sont pas faciles à classer dans des catégories claires, comme « amis » ou « rivaux », et ne le seront peut-être jamais. Nous voguons sur des eaux inconnues. Si nous voulons maintenir le cap et esquiver les récifs et les tourbillons, il nous faut à la fois une bonne boussole et suffisamment de flexibilité pour corriger souvent la direction, parfois au prix de compromis pénibles. Si nous y allons trop fort sur un front, nous risquons d'en fragiliser un autre. De même, si nous sommes trop prompts à transiger ou trop accommodants, nous risquons de nous exposer à l'agression. Lorsqu'on prend en compte tous ces éléments, on peut aisément oublier que, de l'autre côté de la barrière, nos homologues ont leurs propres pressions et impératifs. Plus les deux parties suivront l'exemple de ces premiers diplomates intrépides pour rapprocher les visions et les intérêts, plus nous aurons de chances de faire des progrès.

*
* *

Mon premier voyage en Chine, en 1995, a été l'un des plus mémorables de ma vie. La quatrième conférence mondiale sur les femmes, lors de laquelle j'ai déclaré : « Les droits de l'homme sont les droits des femmes et les droits des femmes sont les droits de l'homme », a été une expérience qui m'a profondément marquée. J'ai ressenti le poids de la censure chinoise quand l'État a empêché la radiodiffusion de mon discours, tant dans l'enceinte de la conférence qu'à la télévision et à la radio officielles. Mon intervention traitait essentiellement des droits des femmes, mais elle adressait aussi un message aux autorités chinoises, qui avaient exilé les réunions destinées aux militants de la société civile sur un site séparé, à Huairou, à une bonne heure de voiture de Pékin, et s'étaient totalement opposées à la présence de femmes du Tibet et de Taïwan. « La liberté signifie le droit de se réunir, de s'organiser et de débattre ouvertement, ai-je déclaré sur l'estrade. Elle signifie que l'on respecte les idées de ceux qui sont en désaccord avec les vues de leur gouvernement. Elle

signifie que l'on ne sépare pas des citoyens de leurs êtres chers pour les incarcérer, les maltraiter ou leur dénier leur liberté ou leur dignité parce qu'ils ont exprimé pacifiquement leurs idées et leurs opinions. » C'étaient là des propos plus tranchants que ceux dont usaient en général les diplomates américains, notamment sur le sol chinois, et certains, au sein du gouvernement des États-Unis, m'avaient vivement conseillé de modifier mon discours ou de ne pas parler du tout. Mais j'ai jugé important de défendre les valeurs démocratiques et les droits de l'homme dans un pays où ils étaient sérieusement menacés.

En juin 1998, je suis revenue en Chine pour un plus long séjour. Chelsea et ma mère nous ont accompagnés, Bill et moi, au cours d'une visite officielle. Les Chinois ont demandé que la cérémonie d'accueil ait lieu sur la place Tian'anmen, où les chars avaient écrasé les manifestations en faveur de la démocratie en juin 1989. Bill avait envisagé de refuser cette demande, pour ne pas donner l'impression d'avaliser ou d'ignorer ce sinistre passé, mais finalement il s'était dit que son message sur les droits de l'homme serait mieux entendu en Chine s'il agissait en invité respectueux. À leur tour, les Chinois nous ont surpris en autorisant la radiodiffusion non censurée de la conférence de presse de Bill avec Jiang Zemin, au cours de laquelle les deux présidents avaient eu un long échange à propos des droits de l'homme, y compris sur le sujet tabou du Tibet. Ils ont aussi radiodiffusé le discours de Bill devant les étudiants de l'université de Pékin, dans lequel il soulignait que « la vraie liberté est plus large que la liberté économique ».

Je suis rentrée de ce voyage persuadée que si la Chine, au fil des ans, embrassait la réforme et la modernisation, elle pourrait devenir une puissance mondiale constructive et une partenaire importante pour les États-Unis. Mais ce ne serait pas facile, et l'Amérique devait être intelligente et vigilante dans son dialogue avec ce pays en pleine croissance.

À mon retour en Chine en qualité de secrétaire d'État en février 2009, mon objectif était de construire une relation assez durable pour résister aux différends et aux crises qui surviendraient inévitablement. Je voulais aussi inscrire nos relations avec la Chine dans notre stratégie générale en Asie, en engageant Pékin à participer aux institutions multilatérales de la région sur des modes qui l'encourageraient à coopérer avec ses voisins dans le cadre de règles acceptées par tous. En même temps, je voulais que la Chine sache qu'elle n'avait pas l'exclusivité de notre attention en Asie. Nous n'allions

aussitôt déduit de ma phrase que les droits de l'homme ne seraient pas une priorité pour l'administration Obama et que les Chinois pouvaient les ignorer en toute sécurité. Rien n'aurait pu être plus éloigné de la vérité, comme la suite l'a montré. Mais ce fut une précieuse leçon. Maintenant que j'étais à la tête de la diplomatie américaine, tous mes propos seraient soumis à un examen d'une nature tout à fait nouvelle : même une évidence manifeste pourrait déclencher un tollé dans les médias.

Plus d'une décennie s'était écoulée depuis ma dernière visite, et en traversant Pékin j'avais l'impression de regarder un film en accéléré. Là où n'existaient autrefois que quelques immeubles très élevés, l'horizon était à présent dominé par le complexe olympique flambant neuf et d'innombrables tours de bureaux. Naguère remplies de bicyclettes Flying Pigeon, les rues étaient maintenant engorgées de voitures.

Pendant mon séjour à Pékin, j'ai rencontré un groupe de militantes des droits des femmes. J'avais vu certaines d'entre elles en 1998. À cette époque, la secrétaire d'État Albright et moi nous étions serrées dans un bureau d'aide juridique exigu pour les entendre expliquer leurs efforts et leurs objectifs : obtenir que les femmes aient droit à une propriété personnelle, aient leur mot à dire dans les questions de mariage et de divorce, et soient traitées en citoyennes égales. Après plus de dix ans, la dimension de leur organisation et leur champ d'action collective s'étaient élargis. Certaines militantes travaillaient désormais pour des droits qui n'étaient plus seulement juridiques, mais aussi économiques, environnementaux ou liés à la santé.

L'une d'elles était le Dr Gao Yaojie, une toute petite femme de 82 ans que l'État harcelait parce qu'elle parlait tout haut du sida en Chine et avait révélé un scandale de sang contaminé. Lors de notre première rencontre, j'avais remarqué ses pieds minuscules – ils avaient été bandés – et son histoire m'avait abasourdie. Elle avait traversé la guerre civile, la Révolution culturelle, une mise en résidence surveillée, une séparation forcée d'avec sa famille. Elle n'avait jamais fléchi dans son effort pour aider le plus grand nombre possible de ses concitoyens à se protéger contre le sida.

En 2007, j'ai intercédé auprès du président Hu Jintao pour qu'il autorise le Dr Gao à venir recevoir un prix à Washington, car des dirigeants locaux essayaient de lui interdire de voyager. Deux ans s'étaient écoulés, et elle subissait toujours des pressions de l'État. Elle n'en avait pas moins l'intention, m'a-t-elle dit, de continuer à plaider pour la transparence et la responsabilité des pouvoirs publics devant les citoyens : « J'ai déjà 82 ans et je n'en ai plus pour très longtemps à vivre. C'est une question importante. Je n'ai pas peur. » Peu après ma visite, le Dr Gao s'est vue forcée de quitter la Chine. Elle vit maintenant à New York, où elle continue à écrire et à s'exprimer sur le sida dans son pays.

Pendant cette première visite à Pékin en qualité de secrétaire d'État, j'ai passé beaucoup de temps à « prendre contact » avec de hauts responsables chinois. J'ai déjeuné avec le conseiller d'État Dai Bingguo à la résidence des hôtes d'État de Diaoyutai, un lieu serein et traditionnel où le président Nixon avait séjourné durant sa célèbre visite, de même que nous pendant notre voyage de 1998. Dai et Yang Jiechi, le ministre des Affaires étrangères, allaient devenir mes premiers interlocuteurs dans le gouvernement chinois. (Dans le système politique chinois, un conseiller d'État est plus haut placé qu'un ministre : il se situe juste au-dessous du vice-Premier ministre dans la hiérarchie.)

Diplomate de carrière, Dai était proche du président Hu et habile manœuvrier dans la politique interne des structures de pouvoir chinoises. Il était fier de sa réputation d'homme de province à l'ascension fulgurante. Petit, trapu, il était resté vigoureux et en bonne santé, malgré son âge respectable, grâce à des exercices réguliers et à de longues marches, qu'il m'a vivement recommandés. Il était aussi à l'aise pour parler histoire et philosophie que pour discuter de l'actualité. Henry Kissinger m'avait dit combien il appréciait ses rapports avec Dai : il voyait en lui l'un des responsables chinois les plus fascinants et les plus ouverts d'esprit qu'il ait jamais rencontrés. Dai pensait en termes d'histoire longue, et il répétait et approuvait le proverbe que j'avais cité dans mon discours à la Société asiatique : « Quand vous êtes sur le même bateau, traversez paisiblement le fleuve ensemble. » Lorsque je lui ai dit qu'à mon avis les États-Unis et la Chine devaient trouver une réponse neuve à une vieille question – ce qui se passe quand une puissance établie et une puissance ascendante se rencontrent –, sa réaction a été enthousiaste, et par la suite il a souvent repris ma formulation. Au cours de l'histoire, cette situation avait maintes fois abouti au conflit. Notre travail consistait donc à fixer un cap qui éviterait ce dénouement en maintenant la concurrence dans des limites acceptables et en poussant la coopération le plus loin possible.

Dai et moi nous sommes tout de suite bien entendus, et nous avons souvent parlé au fil des ans. Parfois, je subissais de longs exposés sur tout le mal que faisaient les États-Unis en Asie, mêlés de sarcasmes mais toujours prononcés avec le sourire. À d'autres moments, nous avions des discussions profondes et personnelles à propos de la nécessité de fonder les rapports sino-américains sur des bases saines pour le bien des générations futures. Au cours d'un de mes premiers séjours à Pékin, Dai m'a offert des cadeaux très bien choisis pour Chelsea et pour ma mère, ce qui allait au-delà du protocole diplomatique normal. Lors de sa visite suivante à Washington, je lui ai rendu la politesse par un cadeau destiné à son unique petite-fille, ce qui a paru lui faire grand plaisir. À l'une de nos premières rencontres, il avait sorti une petite photo du bébé et me l'avait montrée : « C'est pour ça que nous le faisons », avait-il dit. Ce sentiment a touché chez moi une corde sensible. Au départ, c'est le souci du bien-être des enfants qui m'a fait entrer dans la vie publique. Devenue secrétaire d'État, j'avais l'occasion de rendre le monde un peu plus sûr et la vie un peu plus facile pour les enfants en Amérique et dans le reste du monde, y compris en Chine. J'y voyais la chance et la responsabilité de ma vie. Cette passion que Dai partageait avec moi nous a durablement liés.

Yang, le ministre des Affaires étrangères, avait gravi les échelons dans le corps diplomatique, où il était au départ interprète. Sa superbe maîtrise de l'anglais nous a permis d'avoir de longues conversations, parfois volubiles, pendant nos nombreux entretiens téléphoniques et réunions. Il se départait rarement de sa prudente façade diplomatique, mais j'ai pu à l'occasion entr'apercevoir sa personnalité réelle. Un jour, il m'a dit que, lorsqu'il était enfant à Shanghai, sa salle de classe n'était pas chauffée et il grelottait, les mains trop gelées pour tenir une plume. Le parcours qui l'avait mené de cette école glaciale au ministère des Affaires étrangères était une source d'immense fierté personnelle pour les progrès de la Chine. C'était un nationaliste impénitent, et nous avons eu notre part d'échanges tendus, en particulier sur des sujets sensibles comme la mer de Chine méridionale, la Corée du Nord et les différends territoriaux avec le Japon.

Au cours d'une de nos dernières discussions en 2012, tard dans la nuit, Yang s'est lancé dans un long éloge des multiples exploits et de l'excellence suprême de la Chine, notamment sa domination en athlétisme. C'était environ un mois après les Jeux olympiques de Londres, et je lui ai gentiment fait remarquer que les États-Unis, en fait, étaient le pays qui avait gagné le plus de médailles. Yang a dit que le « déclin des fortunes » olympiques de la Chine était imputable à l'absence du champion de basket Yao Ming, blessé. Il a aussi proposé plaisamment l'institution de « Jeux olympiques de la diplomatie », avec des épreuves comme le « nombre de kilomètres parcourus » ; cela vaudrait aux États-Unis au moins une médaille de plus.

Lors de ma première conversation avec lui en février 2009, Yang a évoqué un point auquel je ne m'attendais pas et qui, manifestement, l'ennuyait beaucoup. Les Chinois devaient être les hôtes d'une grande exposition internationale en mai 2010, dans le style des anciennes « expositions universelles ». Chaque pays du monde était chargé de construire un pavillon sur le site de l'exposition pour présenter sa culture et ses traditions nationales. Seuls deux pays ne participaient pas, m'a dit Yang : la minuscule principauté d'Andorre et les États-Unis. Les Chinois y voyaient un signe d'irrespect, et aussi de déclin de l'Amérique. J'ai été surprise d'apprendre que nos efforts n'étaient pas à la hauteur de nos moyens, et j'ai promis à Yang de faire en sorte que les États-Unis soient dignement représentés.

J'ai vite découvert que le pavillon américain était à court d'argent et très en retard sur les délais prévus : faute d'une intervention radicale, il ne serait probablement jamais terminé. Ce n'était pas ainsi qu'on allait montrer la puissance et les valeurs de l'Amérique en Asie ! J'ai donc fait de la construction de notre pavillon une priorité personnelle, c'est-à-dire mobilisé les financements et le soutien du secteur privé en un temps record.

Nous y sommes arrivés et, en mai 2010, me joignant à des millions de personnes venues du monde entier, je suis allée visiter l'exposition. Le pavillon des États-Unis présentait des produits et des récits américains qui illustraient certaines de nos valeurs nationales les plus chères : la persévérance, l'innovation et la diversité. Ce qui m'a le plus frappée, ce sont les étudiants américains bénévoles qui accueillaient et guidaient les visiteurs. Ils représentaient tout l'éventail du peuple américain, tous les milieux, tous les métiers, et tous parlaient le mandarin. Beaucoup de visiteurs chinois étaient stupéfaits d'entendre des Américains parler leur langue avec tant d'enthousiasme. Ils s'arrêtaient pour discuter, poser des questions, plaisanter ou échanger des histoires. C'en était une nouvelle preuve : les contacts personnels peuvent faire autant ou plus pour les relations sino-américaines que la plupart des entretiens diplomatiques ou des sommets chorégraphiés.

Au cours de cette visite de février 2009, après mes discussions avec Dai et Yang, j'ai eu l'occasion de rencontrer séparément le président Hu et le Premier ministre Wen. Ces premiers entretiens seraient suivis d'une dizaine d'autres, si ce n'est plus, au fil des ans. Ces très hauts responsables étaient moins spontanés que Dai ou Yang, et moins à l'aise pour discuter à bâtons rompus. Plus on montait dans la hiérarchie, plus les Chinois privilégiaient la prévisibilité, le formalisme et le décorum respectueux. Ils ne voulaient aucune surprise. Les apparences comptaient. Avec moi, ils étaient circonspects et polis, et même un peu méfiants. Ils m'étudiaient, tout comme je les étudiais.

Hu s'est montré aimable et s'est dit sensible à ma décision de me rendre si tôt en Chine. Il était l'homme le plus puissant du pays, mais n'avait pas l'autorité personnelle de prédécesseurs comme Deng Xiaoping ou Jiang Zemin. Il m'a paru plus proche d'un président de conseil d'administration qui voit les choses de loin que d'un PDG en prise directe avec le terrain. On ne savait pas dans quelle mesure il contrôlait vraiment tout l'appareil tentaculaire du parti communiste, notamment l'armée.

« Grand-père Wen », ainsi qu'on appelait le Premier ministre (le numéro deux du régime), faisait de gros efforts pour paraître doux et amical aux yeux de la Chine et du monde. Mais, en privé, il pouvait être très caustique, comme lorsqu'il accusait les États-Unis d'être responsables de la crise financière mondiale ou opposait une fin de non-recevoir aux critiques contre les politiques chinoises. Il n'était jamais agressif, mais plus tranchant que sa personnalité publique ne le suggérait.

Lors de mes premières réunions avec ces dirigeants, j'ai proposé de faire du dialogue économique Chine - États-Unis engagé par l'ex-secrétaire au Trésor Hank Paulson un dialogue qui serait aussi stratégique : il couvrirait une gamme beaucoup plus large de problèmes et réunirait davantage d'experts et de hauts responsables issus de nos deux gouvernements dans toute leur diversité. Ce n'était pas un stratagème pour introduire subrepticement le département d'État dans ces échanges, ni pour créer un club de discussion prestigieux. Je savais que des conversations régulières – fondamentalement, un comité d'orientation de haut niveau pour guider nos relations – étendraient notre coopération à de nouveaux domaines et rendraient nos rapports plus confiants et plus résilients. Les décideurs politiques des deux parties devaient faire connaissance et prendre l'habitude de travailler ensemble. Des lignes de communication ouvertes réduiraient le risque de voir un malentendu dégénérer en escalade de la tension. Il y aurait ainsi moins de danger que nos futurs différends ne fassent dérailler tout ce qu'il nous fallait faire ensemble.

J'avais évoqué l'idée avec le successeur de Hank Paulson au Trésor, Tim Geithner, lors d'un déjeuner au département d'État début février 2009. Je connaissais et estimais Tim depuis l'époque où il était président de la Federal Reserve de New York. Il avait une très grande expérience de l'Asie et parlait même un peu le mandarin – c'était donc un partenaire idéal dans notre dialogue avec la Chine. Tim a eu le mérite de ne pas interpréter ma proposition d'élargissement comme une intrusion dans le pré carré du Trésor – et le pré carré, bien sûr, est une denrée précieuse à Washington. Il l'a vue telle que je la voyais : comme une occasion de conjuguer les atouts de nos services respectifs, notamment dans une période où, avec la crise financière mondiale, les frontières entre économie et sécurité étaient plus brouillées que jamais. Si les Chinois étaient d'accord, nous présiderions ensemble, Tim et moi, le nouveau dialogue conjoint.

À Pékin, j'anticipais des réticences, voire un refus. Après tout, les Chinois n'avaient aucune envie de discuter de questions politiques sensibles. Mais il s'est révélé qu'eux aussi souhaitaient vivement établir des contacts de plus haut niveau avec les États-Unis : ils recherchaient, comme l'a dit le président Hu Jintao, « des relations positives, coopératives et exhaustives ». Plus tard, notre Dialogue stratégique et économique est devenu un modèle, que nous avons reproduit avec des puissances émergentes du monde entier, de l'Inde à l'Afrique du Sud et au Brésil.

*
* *

Depuis des décennies, le principe directeur de la politique étrangère chinoise était le conseil de Deng Xiaoping : « Observer froidement, gérer les choses calmement, sécuriser ses positions, dissimuler ses capacités, attendre son heure, faire les choses là où c'est possible. » Deng, qui a gouverné la Chine après la mort du président Mao Zedong, estimait qu'elle n'était pas encore assez forte pour s'affirmer sur la scène mondiale, et sa stratégie « dissimuler et attendre » a contribué à éviter les conflits avec les voisins pendant que l'économie chinoise prenait son envol. Bill et moi avions brièvement croisé Deng lors de sa tournée historique aux États-Unis en 1979. Je n'avais jamais rencontré aucun dirigeant chinois auparavant, et j'ai observé de près ses échanges détendus avec les invités américains d'une réception et d'un dîner au Manoir du gouverneur de Géorgie. Il était charmant et faisait excellente impression – tant personnellement que par sa volonté de commencer à ouvrir son pays à la réforme.

Mais, en 2009, certains responsables en Chine, notamment dans l'armée, se sont insurgés contre cette attitude de retenue. Ils estimaient que les États-Unis, après avoir longtemps été la puissance majeure de la zone Asie-Pacifique, se désengageaient désormais de la région tout en restant décidés à empêcher l'accession de la Chine au statut de grande puissance autonome. Selon eux, il était temps pour cette dernière de s'affirmer davantage. Ils étaient enhardis par la crise financière de 2008, qui avait affaibli l'économie américaine, par les guerres d'Irak et d'Afghanistan, qui réduisaient l'attention et les ressources de l'Amérique, et par la montée du nationalisme dans le peuple chinois. La Chine s'était donc mise à prendre des initiatives plus agressives en Asie, désireuse de voir jusqu'où elle pouvait aller.

En novembre 2009, le président Obama a reçu un accueil visiblement tiède pendant sa visite à Pékin. Les Chinois ont tenu à mettre en scène la plupart de ses apparitions publiques, refusé la moindre concession sur des problèmes comme les droits de l'homme ou la valeur de leur monnaie, et donné d'acerbes leçons sur les difficultés budgétaires des États-Unis. Le *New York Times* a qualifié de « guindée » la conférence de presse commune des présidents Obama et Hu – elle l'était tant qu'elle a été parodiée dans l'émission « Saturday Night Live ». De nombreux observateurs se sont demandé si nous assistions à une nouvelle phase des relations entre les deux pays, où une Chine en pleine ascension et affirmation cesserait de cacher ses ressources et ses capacités militaires accrues et, rompant radicalement avec la stratégie « dissimuler et attendre », privilégierait celle consistant à « montrer et parler haut ».

C'est sur les mers que cette nouvelle tendance de la Chine à s'affirmer a été la plus spectaculaire. La Chine et le Japon sont riverains de la mer de Chine orientale ; la Chine, le Vietnam et les Philippines, de la mer de Chine méridionale. Depuis des générations, ces pays ont des revendications territoriales rivales dans la région, sur des cordons de récifs, des rochers, des affleurements et des îles pour l'essentiel inhabitées. Au sud, la Chine et le Vietnam se sont violemment affrontés dans les années 1970 et 1980 pour des îles contestées. Dans les années 1990, il y a eu des accrochages entre la Chine et les Philippines pour d'autres îles. En mer de Chine orientale, une chaîne de huit îles inhabitées – que les Japonais appellent les Senkaku et les Chinois les Diaoyu – est l'enjeu d'une dispute longue et animée qui, en 2014, frémit toujours et menace à tout moment d'entrer en ébullition. En novembre 2013, la Chine a décrété une « zone d'identification de la défense aérienne » sur une grande partie de la mer de Chine orientale, comprenant les îles contestées, et exigé que tout le trafic aérien international se conforme à cette réglementation. Les États-Unis et leurs alliés ont refusé de reconnaître cette initiative et continué à faire voler des avions militaires dans ce qui reste à nos yeux un espace aérien international.

Ces conflits ne sont peut-être pas nouveaux, mais leurs enjeux se sont alourdis. La croissance de l'économie asiatique s'est accompagnée de celle des flux commerciaux qui traversent la région. La moitié au moins du tonnage de la flotte marchande mondiale passe par la mer de Chine méridionale, notamment de nombreuses cargaisons en provenance ou à destination des États-Unis. La découverte de nouvelles réserves énergétiques offshore et les pêcheries environnantes ont fait des eaux entourant certains groupes de rochers sans grand intérêt de fabuleux trésors potentiels. De vieilles rivalités exacerbées par la perspective de nouvelles richesses : la recette est explosive.

En 2009 et 2010, au fil des mois, les voisins de la Chine ont vu avec une inquiétude croissante Pékin accélérer sa montée en puissance navale et revendiquer de vastes étendues d'eau, avec leurs îles et leurs réserves énergétiques. Ces actes étaient aux antipodes de ce qu'espérait l'ex-secrétaire d'État adjoint américain Robert Zoellick (plus tard président de la Banque mondiale), lequel, en 2005, dans un discours très remarqué, avait vivement conseillé à la Chine de devenir une « partenaire responsable ». La Chine devenait à l'inverse – c'est la formule que j'ai employée – une « partenaire sélective » : elle choisissait à sa guise à quel moment elle agirait en grande puissance responsable et à quel moment elle se donnerait le droit d'imposer sa volonté à ses petits voisins.

En mars 2009, deux mois à peine après le début de l'administration Obama, cinq navires chinois ont affronté un navire militaire américain légèrement armé, l'*Impeccable*, à environ 120 kilomètres de la province insulaire chinoise de Hainan. Les Chinois ont exigé que les Américains quittent des eaux qu'ils revendiquaient comme « eaux territoriales exclusives ». L'équipage de l'*Impeccable* a répondu qu'il s'agissait d'eaux internationales et qu'il avait le droit de libre navigation. Les marins chinois ont alors jeté en mer des billes de bois pour barrer la route au navire. Les Américains ont répliqué en utilisant une lance à incendie contre les Chinois, dont certains ont été douchés et se sont retrouvés en sous-vêtements. La scène aurait presque été comique si elle n'avait pas représenté un affrontement potentiellement dangereux. Au cours des deux années suivantes, des heurts semblables survenus en mer entre la Chine et le Japon, entre la Chine et le Vietnam ou entre la Chine et les Philippines ont failli échapper à tout contrôle. Il fallait faire quelque chose.

Pour résoudre ces différends territoriaux, la Chine préfère traiter avec ses voisins dans un cadre bilatéral – un contre un. Le déséquilibre des forces en sa faveur est alors plus prononcé. Dans les cadres multilatéraux, où les petits pays peuvent faire bloc, sa puissance est moindre. Évidemment, la plupart des autres pays de la région étaient partisans de la méthode multilatérale. Trop de revendications et d'intérêts se chevauchaient, estimaient-ils, pour que l'on puisse tenter de les régler un par un, comme dans un patchwork. Réunir dans la même pièce tous les acteurs intéressés et donner à chacun – en particulier aux petits pays – une chance d'exprimer ses opinions était la meilleure façon d'avancer vers une solution globale.

J'étais d'accord avec cette vision des choses. Les États-Unis n'ont aucune revendication territoriale en mer de Chine orientale ou méridionale ; nous ne prenons pas parti dans ces différends, et nous sommes opposés aux tentatives unilatérales pour modifier le *statu quo*. Nous avons un intérêt permanent à protéger la liberté de navigation, le commerce maritime et le droit international. Et nous avons, aux termes de nos traités, des obligations de soutien à l'égard du Japon et des Philippines.

Mes inquiétudes se sont intensifiées quand, me trouvant à Pékin pour le Dialogue stratégique et économique en mai 2010, j'ai entendu pour la première fois des dirigeants chinois qualifier d'« intérêt crucial » les revendications territoriales de leur pays en mer de Chine méridionale, au même titre que des points chauds traditionnels comme Taïwan et le Tibet. Ils ont prévenu que la Chine ne tolérerait pas d'ingérence extérieure. Plus tard, un incident a perturbé nos entretiens : un amiral chinois s'est levé et lancé dans une furieuse diatribe, accusant les États-Unis de tenter d'encercler la Chine et d'enrayer son ascension. C'était tout à fait inhabituel dans un sommet soigneusement chorégraphié et, même si je supposais que cet amiral avait au moins obtenu le feu vert tacite de ses supérieurs de l'armée et du parti, certains diplomates chinois étaient manifestement aussi surpris que moi.

Les affrontements en mer de Chine méridionale au cours des deux premières années de l'administration Obama m'en ont persuadée encore davantage : notre stratégie en Asie devait comprendre un effort important pour améliorer la qualité des institutions multilatérales de la région. Les canaux disponibles n'étaient pas assez efficaces pour résoudre les différends entre les pays ou pour mobiliser ces derniers en vue d'une action commune. La situation des petits pays ressemblait un peu au Far West : une frontière sans état de droit où le faible était à la merci du fort. Notre objectif n'était pas seulement de contribuer à désamorcer des points d'affrontement, comme les mers de Chine méridionale et orientale, mais aussi de développer dans la zone Asie-Pacifique un système international de règles et d'organisations qui pourrait permettre d'éviter de futurs conflits et instaurer un peu d'ordre et de stabilité durable dans la région, quelque chose qui commencerait à se rapprocher de ce qu'avait construit l'Europe.

Sur le vol retour après les discussions de Pékin, j'ai fait le point avec mon équipe. Je pensais que la Chine avait visé trop haut. Au lieu de mettre à profit la période où nous avions paru absents ainsi que la crise économique pour cimenter de bonnes relations avec ses voisins, elle s'était montrée plus agressive à leur égard, et ce changement avait effrayé le reste de la région. Dans les périodes fastes où la sécurité et la prospérité sont peu menacées, les pays ne voient guère l'attrait d'alliances militaires coûteuses, de règles et de normes internationales fortes et d'institutions multilatérales robustes. Mais quand le conflit déstabilise le *statu quo*, ces accords et ces protections deviennent beaucoup plus séduisants, notamment pour les petits États. Peut-être y avait-il une chance à saisir dans toutes ces évolutions perturbantes.

*
* *

Il s'en est présenté une à peine deux mois plus tard, lors d'un forum régional de l'ASEAN au Vietnam. J'ai atterri à Hanoi le 22 juillet 2010 et me suis rendue à un déjeuner donné pour le quinzième anniversaire de la normalisation des relations diplomatiques entre le Vietnam et les États-Unis.

Je me souvenais parfaitement du jour de juillet 1995 où Bill en avait fait l'annonce historique dans le salon Est de la Maison-Blanche, entouré de vétérans du Vietnam, notamment les sénateurs John Kerry et John McCain. C'était le début d'une ère nouvelle : la normalisation refermait de vieilles blessures, réglait les questions concernant les prisonniers de guerre et ouvrait la voie à de meilleures relations économiques et stratégiques. En 2000, nous nous sommes rendus à Hanoi. C'était la première visite d'un président des États-Unis. Nous nous préparions à être confrontés à de la rancœur, et même à de l'hostilité ; pourtant, quand nous avons traversé la ville, il y avait foule sur les trottoirs pour nous souhaiter la bienvenue. Les étudiants, qui n'avaient connu que l'état de paix entre nos deux pays, étaient venus en masse écouter Bill à l'université nationale de Hanoi. Partout où nous allions, nous sentions l'hospitalité chaleureuse du peuple vietnamien, reflet de la bonne volonté qui s'était développée entre nos pays en l'espace d'une seule génération et qui prouvait avec éclat que le passé ne dicte pas forcément l'avenir.

De retour à Hanoi en tant que secrétaire d'État, j'étais émerveillée de voir à quel point le Vietnam était allé loin depuis cette visite, et combien nos relations continuaient à s'améliorer. Alors qu'il représentait moins de 250 millions de dollars avant la normalisation des relations, le commerce annuel entre nos deux pays avait atteint près de 20 milliards de dollars en 2010, et il augmentait rapidement chaque année. Le Vietnam offrait aussi une opportunité stratégique exceptionnelle, même si elle posait problème. En effet, d'un côté, il restait un pays autoritaire au piètre bilan en matière de droits de l'homme, notamment de liberté de la presse ; de l'autre, il prenait régulièrement des mesures pour ouvrir son économie et tentait de s'assurer un rôle plus important dans la région. Au fil des ans, plusieurs responsables vietnamiens m'ont dit que, malgré la guerre que nous leur avions faite, ils admiraient et aimaient l'Amérique.

L'un de nos principaux outils pour engager le dialogue avec le Vietnam était un projet de nouvel accord commercial, le Partenariat transpacifique (TPP), qui allait lier entre eux les marchés d'Asie et des Amériques en réduisant les barrières douanières tout en relevant les normes en matière de main-d'œuvre, d'environnement et de propriété intellectuelle. Comme l'a expliqué le président Obama, l'objectif des négociations du TPP est d'établir un « accord commercial constructif, juridiquement imposable et de haute qualité », dont l'impact « va être d'une puissance incroyable pour les compagnies américaines qui, jusqu'ici, étaient souvent exclues de ces marchés ». Cet accord était également important pour les travailleurs américains, qui allaient tirer avantage de l'égalisation des conditions de concurrence. Et il constituait une initiative stratégique qui allait renforcer la position des États-Unis en Asie.

Notre pays a appris dans la douleur, au cours des dernières décennies, que la mondialisation et l'expansion du commerce international ont des avantages, mais aussi des coûts. Sur la route de la campagne de 2008, le sénateur Obama et moi avions tous deux promis de rechercher des accords commerciaux plus intelligents et plus équitables. Puisque les négociations du TPP sont encore en cours, on ne peut que réserver son jugement jusqu'au moment où il sera possible d'évaluer le projet d'accord final. On peut dire sans risque d'erreur que le TPP ne sera pas parfait – aucun compromis négocié entre une dizaine de pays ne le sera jamais –, mais que ses normes exigeantes, si elles sont appliquées et respectées, devraient bénéficier aux entreprises et aux salariés des États-Unis.

Le Vietnam aussi avait beaucoup à gagner au TPP – lequel allait couvrir un tiers du commerce mondial –, et ses dirigeants étaient donc prêts à faire quelques réformes pour parvenir à un accord. À mesure que les négociations progressaient, d'autres pays de la région ont acquis le même sentiment. Le TPP est devenu notre signature, le pilier économique de notre stratégie en Asie, démontrant les bienfaits d'un ordre fondé sur des règles et d'une plus grande coopération avec les États-Unis.

Le 22 juillet, dans l'après-midi, le forum régional de l'ASEAN a ouvert ses travaux au Centre national des congrès de Hanoi par de longues discussions officielles sur le commerce, le changement climatique, le trafic d'êtres humains, la prolifération nucléaire, la Corée du Nord et la Birmanie. Toutefois, au cours de la deuxième journée, tandis que les réunions se poursuivaient, un seul sujet occupait tous les esprits : la mer de Chine méridionale. Les différends territoriaux, déjà chargés d'histoire, de nationalisme et d'enjeux économiques, étaient devenus une question test cruciale : la Chine allait-elle utiliser sa puissance croissante pour dominer une sphère d'influence en expansion, ou la région allait-elle réaffirmer les normes internationales qui s'imposent même aux pays les plus forts ? Les navires de guerre se toisaient dans les eaux disputées, la presse attisait les sentiments nationalistes dans toute la zone et les diplomates tentaient fiévreusement d'empêcher un conflit d'éclater. Néanmoins, la Chine soutenait toujours que ce n'était pas un thème approprié pour une conférence régionale.

Cette nuit-là, j'ai réuni Kurt Campbell et mon équipe asiatique afin d'étudier nos plans pour le lendemain. Ce que nous avions en tête allait exiger une diplomatie subtile qui ferait appel à tout le travail de terrain que nous menions dans la région depuis un an et demi. Nous avons passé des heures à peaufiner la déclaration que je ferais le lendemain et à mettre au point la chorégraphie avec nos partenaires.

Dès l'ouverture de la séance de l'ASEAN, la pièce de théâtre a commencé. Le Vietnam a donné le coup d'envoi. Malgré les objections des Chinois à l'idée de discuter de la mer de Chine méridionale dans ce cadre, il a soulevé le problème litigieux. Puis, un par un, d'autres ministres ont exprimé leurs préoccupations et préconisé une approche multilatérale et collaborative pour résoudre les différends territoriaux. Après que la Chine eut montré ses muscles et affirmé sa domination pendant deux ans, la région réagissait. Le moment venu, j'ai signalé mon souhait de prendre la parole.

Les États-Unis ne prendraient parti sur aucun différend particulier, ai-je déclaré. Mais nous soutenions l'approche multilatérale proposée, dans le respect du droit international et sans coercition ni menace de la force. J'ai vivement conseillé aux pays de la région de protéger l'accès libre et sans entrave à la mer de Chine méridionale et d'œuvrer à l'élaboration d'un code de conduite qui empêcherait le conflit. Les États-Unis étaient prêts à faciliter ce processus, parce que nous considérions que la liberté de navigation en mer de Chine méridionale était dans notre « intérêt national ». L'expression avait été choisie avec soin pour faire pièce à l'« intérêt crucial » auquel la Chine avait, quelque temps auparavant, assimilé ses revendications territoriales expansionnistes dans cette zone.

Parvenue à la fin de ma déclaration, j'ai vu que Yang, le ministre chinois des Affaires étrangères, était livide. Il a demandé une suspension de séance d'une heure avant de donner sa réponse. Quand il est revenu, me regardant droit dans les yeux, il a écarté le sujet de la mer de Chine méridionale et mis en garde contre les ingérences extérieures. Puis, se tournant vers ses voisins asiatiques, il leur a rappelé que la Chine était « un grand pays, plus grand que tout autre pays ici présent ». Dans cette enceinte, ce n'était pas un argument gagnant.

L'affrontement de Hanoi n'a pas résolu les différends en mer de Chine orientale et méridionale – ils restent actifs et dangereux à l'heure où j'écris. Mais, au cours des années suivantes, les diplomates de la région allaient considérer cette réunion comme un tournant, pour le leadership américain en Asie comme pour le choc en retour contre les ambitions excessives de la Chine.

En rentrant à Washington, je me sentais plus sûre de notre stratégie et de notre position en Asie. Quand nous avions commencé, en 2009, beaucoup dans la région doutaient de notre engagement et de notre endurance. En Chine, certains cherchaient à tirer profit de cette impression. Notre stratégie du pivot avait été conçue pour dissiper ces doutes. Lors d'une longue discussion avec Dai, il s'était exclamé : « Pourquoi ne "pivotez"-vous pas hors d'ici ? » J'avais parcouru plus de kilomètres et assisté à plus de discours diplomatiques maladroitement traduits que je ne l'aurais cru possible. Mais cela avait payé. Nous étions sortis du trou où nous nous trouvions au début de l'administration Obama et nous avions réaffirmé la présence de l'Amérique dans la région. Les années suivantes allaient apporter de nouveaux défis, du changement soudain de dirigeants en Corée du Nord à un bras de fer avec les Chinois sur le sort d'un dissident des droits de l'homme aveugle réfugié à l'ambassade américaine. Il y aurait aussi de nouvelles occasions à saisir. Les petites étincelles de progrès en Birmanie allaient allumer l'incendie d'une mutation spectaculaire et porter la promesse de la démocratie au cœur de ce pays naguère fermé. Et, en partie grâce à nos efforts déterminés pour établir la confiance mutuelle et des habitudes de coopération, les relations avec la Chine allaient se révéler plus résilientes que beaucoup n'osaient l'espérer.

*
*   *

Dans l'avion qui me ramenait de Hanoi, j'avais la tête encore pleine du drame qui se jouait en mer de Chine méridionale, mais il était temps de me tourner vers une autre affaire urgente. Nous n'étions qu'à un peu plus d'une semaine de ce qui s'annonçait comme l'un des événements les plus importants de ma vie. La presse réclamait des informations à grands cris, et j'avais encore beaucoup à faire avant d'être prête. Cette fois, ce n'était ni un sommet mondial ni une crise diplomatique. C'était le mariage de ma fille, un jour que j'attendais depuis trente ans.

J'étais amusée par l'intérêt considérable qu'éveillaient les projets de Chelsea, et pas seulement aux États-Unis. En Pologne, début juillet, un journaliste m'avait demandé comment j'arrivais à préparer le mariage tout en représentant les États-Unis en tant que secrétaire d'État : « Comment pouvez-vous faire face à deux tâches tout à fait différentes, mais toutes deux extrêmement sérieuses ? » Et, effectivement, c'était du sérieux ! Quand nous nous sommes mariés, Bill et moi, en 1975, la cérémonie a eu lieu devant quelques parents et amis dans le salon de notre petite maison de Fayetteville, dans l'Arkansas. Je portais une robe victorienne en dentelle et mousseline que j'avais trouvée la veille en faisant du shopping avec ma mère. Les temps avaient changé.

Chelsea et notre futur gendre, Marc Mezvinsky, avaient prévu un week-end inoubliable pour leurs familles et leurs amis à Rhinebeck, dans l'État de New York. Mère de la mariée, j'étais ravie d'aider de toutes les façons possibles, par exemple en étudiant des photos de compositions florales pendant mes voyages, puis en prenant le temps de faire des dégustations et de choisir des robes une fois rentrée chez moi. J'étais heureuse que mon travail quotidien m'ait préparée à la diplomatie si complexe nécessaire pour contribuer à l'organisation d'un grand mariage. Je me suis tellement prise au jeu que je me suis qualifiée de « MOTB » (« Mother of the Bride », mère de la mariée) dans un e-mail envoyé à tout le personnel du département d'État pour la fête des mères – c'était aussi une allusion au collier portant ces mêmes lettres que Chelsea m'avait offert pour Noël. Maintenant que Hanoi était derrière moi, j'avais hâte de revenir à tous ces détails et décisions de dernière minute qui étaient restés en suspens.

Le lundi, j'ai passé presque toute la journée à la Maison-Blanche, où se sont succédé une réunion avec le président Obama dans le Bureau ovale, une autre avec le reste de l'équipe de sécurité nationale en salle de crise, puis une visite du ministre israélien de la Défense, Ehoud Barak. C'est toujours avec plaisir que je rencontre Ehoud ; en outre, nous nous trouvions de nouveau dans une phase délicate des négociations de paix au Moyen-Orient. Mais, cette fois, je ne parvenais à penser qu'au moment où je pourrais m'en aller et sauter dans une navette pour New York.

Enfin, le grand jour est arrivé, le samedi 31 juillet. Rhinebeck est une adorable petite ville de la vallée de l'Hudson, avec des boutiques pittoresques et de bons restaurants – le cadre parfait. Les amis et parents de Chelsea et de Marc se sont rassemblés à Astor Courts, une élégante demeure de style classique dessinée par l'architecte Stanford White pour Jacob et Ava Astor vers 1900. Sa piscine intérieure, où Franklin Delano Roosevelt aurait suivi une thérapie physique pour sa polio, a peut-être été la première construite à titre privé en Amérique.

Et puis Jacob Astor a coulé avec le *Titanic*. La demeure a changé plusieurs fois de propriétaire et servi pendant quelques années de maison de retraite gérée par l'Église catholique. En 2008, des travaux de restauration lui ont rendu sa beauté d'origine.

Chelsea était absolument éblouissante. En la regardant descendre l'allée avec Bill, je ne pouvais croire que le bébé que j'avais tenu dans mes bras pour la première fois le 27 février 1980 fût devenu cette belle femme pleine d'assurance. Bill était aussi ému que moi, peut-être même plus, et j'étais heureuse qu'il ait réussi à atteindre le bout de l'allée sans s'effondrer. Marc rayonnait quand Chelsea l'a rejoint sous la chuppah, dais traditionnel dans les mariages juifs, fait de branches de saule et de fleurs. Le service religieux était assuré par le révérend William Shillady et le rabbin James Ponet, qui ont trouvé le ton juste. Conformément à la tradition juive, Marc a brisé un verre avec son pied, et tout le monde a applaudi. Bill a ensuite dansé avec Chelsea sur les accords de « The Way You Look Tonight ». Ce fut l'un de mes grands moments de bonheur et de fierté.

Tant de pensées me traversaient l'esprit. Notre famille avait vécu quantité de choses ensemble, des bons moments et des heures difficiles, et maintenant nous étions là à célébrer le meilleur de tous les instants. J'étais particulièrement heureuse que ma mère ait pu assister à cette journée. Elle avait surmonté l'épreuve d'une enfance difficile où elle avait reçu très peu d'amour et de soutien, ce qui ne l'avait pas empêchée de trouver le moyen d'être une maman aimante et tendre pour moi et mes frères, Hugh et Tony. Elle et Chelsea étaient particulièrement liées, et je savais combien il était important pour Chelsea que sa grand-mère ait pu être à ses côtés tandis qu'elle préparait son mariage et épousait Marc.

Je pensais à l'avenir, à la vie que Chelsea et Marc allaient construire ensemble. Ils avaient tant de rêves et d'ambitions. C'était pour cela, me suis-je dit, que Bill et moi avions travaillé si dur et pendant tant d'années à aider à édifier un monde meilleur : pour que Chelsea puisse grandir dans la sécurité et le bonheur et avoir un jour une famille à elle, et pour que tous les autres enfants puissent avoir la même chance. Je me suis souvenue de la phrase de Dai Bingguo quand il avait sorti la photo de sa petite-fille : « C'est pour ça que nous le faisons. » C'était à nous de trouver comment travailler ensemble pour que nos enfants et petits-enfants héritent du monde qu'ils méritaient.

Chapitre 5

Pékin : le dissident

Peu après ma confirmation au poste de secrétaire d'État, une équipe d'ingénieurs a fait une descente dans notre maison, dans le nord-ouest de Washington. Ils ont installé un téléphone sécurisé jaune vif pour que, même aux heures les plus extravagantes de la nuit, je puisse parler de sujets sensibles au président ou à un ambassadeur dans un lointain pays. C'était un rappel constant que les turbulences du monde n'étaient jamais loin de chez nous.

À 21 h 36, dans la soirée du mercredi 25 avril 2012, le téléphone jaune a sonné. C'était mon directeur de la planification politique et directeur de cabinet adjoint, Jake Sullivan, qui appelait de sa propre ligne sécurisée au septième étage du département d'État, où il était rentré en hâte d'une de ses rares nuits de congé. Il m'a expliqué que notre ambassade de Pékin était confrontée à une crise inattendue et avait besoin d'instructions de toute urgence.

Moins d'une semaine plus tôt – nous n'en étions pas du tout informés –, un militant aveugle des droits de l'homme nommé Chen Guangcheng, âgé de 40 ans, s'était échappé de sa résidence surveillée, dans la province du Shandong, en escaladant le mur de sa maison. Il s'était cassé un pied, mais avait réussi à fausser compagnie à la police locale chargée de le garder. Laissant sa famille sur place, il avait gagné Pékin en parcourant des centaines de kilomètres avec l'aide d'un « Chemin de fer clandestin[1] » moderne organisé par d'autres dissidents et leurs partisans. Caché à Pékin, il avait pris contact avec une agente du Service extérieur de l'ambassade américaine liée de

---

1. Voir *supra*, note 1 p. 34.

longue date aux milieux chinois des droits de l'homme. Elle avait aussitôt mesuré la gravité de la situation.

Chen avait acquis une certaine notoriété en Chine. On l'appelait l'« avocat aux pieds nus » : il plaidait pour les droits des handicapés, aidait les ruraux à protester contre les confiscations illégales de terres par des autorités locales corrompues et rendait compte des abus de la politique de l'enfant unique, comme les stérilisations et les avortements forcés. À la différence de beaucoup d'autres dissidents chinois en vue, Chen n'était ni un étudiant d'une prestigieuse université, ni un intellectuel urbain. Il était lui-même villageois, pauvre et autodidacte, et on le percevait comme un authentique homme du peuple. En 2005, il avait été arrêté après avoir déposé une plainte en nom collectif pour des milliers de victimes de la répression de l'État. Un tribunal local l'avait condamné à cinquante et un mois de prison, prétendument pour atteinte aux biens et obstruction de la circulation. C'était un déni de justice manifeste, choquant même dans un pays qui n'avait guère d'état de droit. Il a purgé sa peine jusqu'au bout, puis, dès sa libération, a été placé en résidence surveillée, entouré de gardes armés et coupé du monde extérieur.

À présent, il était blessé, en fuite, et sollicitait notre aide. À l'aube, à Pékin, deux agents de l'ambassade américaine s'étaient entretenus en secret avec Chen. Ayant la sécurité d'État chinoise aux trousses, il leur avait demandé s'il pouvait se réfugier à l'ambassade, au moins le temps de se faire soigner et d'élaborer un nouveau plan. Ils avaient accepté de transmettre sa requête à Washington, où elle avait vite remonté la chaîne hiérarchique. Chen attendait la réponse dans une voiture qui sillonnait les banlieues de Pékin.

Plusieurs facteurs rendaient cette décision particulièrement difficile. D'abord, la logistique. Chen avait le pied cassé et il était recherché. Si nous n'agissions pas rapidement, il allait probablement se faire prendre. Ce qui compliquait les choses, c'était la forte présence de la sécurité chinoise en permanence devant notre ambassade. Si Chen tentait d'entrer à pied par la porte principale, elle allait sûrement s'emparer de lui avant même que nous ayons pu ouvrir le verrou. La seule façon de le faire pénétrer sans danger était d'envoyer une équipe qui le récupérerait discrètement dans les rues de Pékin. Bob Wang, notre chef de mission adjoint dans la capitale chinoise, évaluait à moins de 10 % les chances de succès de Chen s'il essayait d'entrer par ses propres moyens. Elles étaient de plus de 90 % si nous allions le chercher et le faisions entrer nous-mêmes. Mais ce geste ferait certainement monter la tension avec les Chinois.

Un autre facteur était le moment. Je me préparais à partir pour Pékin cinq jours plus tard afin de participer au Dialogue stratégique et économique annuel avec le secrétaire au Trésor, Tim Geithner, et nos homologues chinois. C'était le point culminant d'une année entière de dur travail diplomatique, et quantité de points importants et sensibles figuraient à l'ordre du jour, notamment les tensions en mer de Chine méridionale, les provocations de la Corée du Nord, ainsi que des préoccupations économiques comme la valeur de la monnaie et le vol de propriété intellectuelle. Si nous acceptions d'aider Chen, il y avait un risque réel d'exaspérer les dirigeants chinois au point qu'ils annulent le sommet. Au strict minimum, ils allaient sûrement se montrer beaucoup moins coopératifs sur des problèmes d'une grande importance stratégique.

Il était clair que je devais choisir entre protéger un seul homme, certes emblématique et très sympathique, et protéger nos relations avec la Chine. Il y avait sur un plateau de la balance les valeurs fondamentales de l'Amérique et notre rôle de flambeau de la liberté et de l'égalité des chances, sur l'autre nombre de nos priorités sécuritaires et économiques les plus urgentes.

En pesant cette décision, j'ai pensé aux dissidents qui, dans des pays communistes, avaient cherché refuge dans des ambassades américaines pendant la guerre froide. L'un d'eux, le cardinal hongrois József Mindszenty, y était resté quinze ans. En 1989, les Chinois Fang Lizhi et son épouse, Li Shuxian, physiciens et militants pendant les manifestations de la place Tian'anmen, avaient passé près de treize mois dans notre ambassade à Pékin avant de pouvoir enfin partir aux États-Unis. Ce passé planait sur le cas Chen dès le début.

J'avais aussi à l'esprit un incident beaucoup plus récent. En février 2012, à peine deux mois plus tôt, un chef de la police nommé Wang Lijun était entré au consulat des États-Unis à Chengdu, la capitale de la province du Sichuan, dans le sud-ouest de la Chine, pour solliciter notre aide. Jusqu'à sa disgrâce, Wang avait été le bras droit de Bo Xilai, le puissant patron du parti communiste d'une province voisine. Il avait aidé Bo à gérer un vaste réseau de corruption et de pots-de-vin. Il a fini par révéler qu'il détenait des informations sur le maquillage de l'assassinat d'un homme d'affaires britannique par l'épouse de Bo. Ce dernier était un personnage haut en couleur et une étoile montante du parti communiste national, mais ses abus de pouvoir spectaculaires – on disait notamment qu'il avait mis sur écoute le président Hu Jintao – irritaient ses supérieurs à Pékin. Ils avaient ouvert une enquête à la fois sur Bo et sur Wang. Craignant de finir comme le Britannique empoisonné, Wang s'était réfugié dans notre consulat de Chengdu, la tête remplie d'histoires.

Alors qu'il se trouvait à l'intérieur, des forces de police fidèles à Bo ont encerclé le bâtiment. Ce fut un moment très tendu. Wang Lijun n'était absolument pas un dissident des droits de l'homme, mais nous ne pouvions pas le livrer purement et simplement aux policiers qui se trouvaient à l'extérieur ; c'était, de fait, le condamner à mort, et le maquillage se serait poursuivi. Nous ne pouvions pas non plus le garder éternellement au consulat. Donc, après avoir demandé à Wang ce qu'il souhaitait, nous avons suggéré aux autorités centrales de Pékin qu'il se rende volontairement à elles, si elles s'engageaient à entendre son témoignage. Nous étions loin d'imaginer combien son récit se révélerait explosif et à quel point Pékin le prendrait au sérieux. Nous avons accepté de ne rien dire de cette histoire, et les Chinois nous ont été reconnaissants de notre discrétion.

Bientôt, les dominos ont commencé à tomber. Bo a été destitué, et son épouse inculpée d'assassinat. Même la censure chinoise la plus sévère ne pouvait empêcher l'affaire de devenir un énorme scandale, et elle a ébranlé la confiance dans la direction du parti communiste à un moment sensible. Le président Hu et le Premier ministre Wen devaient remettre le pouvoir à une nouvelle génération de dirigeants au début de l'année 2013. Ils voulaient absolument une transition en douceur, pas un tollé national contre les intrigues et la corruption des hauts responsables.

Voici que, à peine deux mois plus tard, nous étions confrontés à un autre test, et je savais les autorités chinoises plus nerveuses que jamais.

*
* *

J'ai dit à Jake d'organiser une téléconférence avec Kurt Campbell, le secrétaire d'État adjoint, Bill Burns, et la conseillère Cheryl Mills. Kurt était en communication étroite avec notre ambassade à Pékin depuis que Chen avait établi le contact, et il m'a appris que nous avions probablement moins d'une heure pour nous décider. L'ambassade avait réuni une équipe prête à rejoindre un lieu de rendez-vous convenu dès que je donnerais le feu vert. Nous en avons à nouveau discuté dans le détail, puis j'ai dit : « Allez le chercher. »

En fin de compte, la décision n'a pas été si difficile. J'ai toujours pensé que ce sont les valeurs américaines, plus que notre puissance économique et militaire, qui sont la source principale de notre force et de notre sécurité. Ce n'est pas simplement de l'idéalisme ; cette idée repose sur une évaluation lucide de notre position stratégique. Les États-Unis parlaient des droits de l'homme en Chine depuis des décennies, sous toutes les administrations, démocrates ou républicaines. À présent, c'était notre crédibilité qui était en jeu, aux yeux des Chinois comme des autres pays, dans la région et dans le monde entier. Si nous n'aidions pas Chen, cela fragiliserait notre position partout.

Je prenais aussi un risque calculé : je supposais que les Chinois, en tant qu'hôtes du sommet qui devait se tenir quelques jours plus tard, avaient investi au moins autant que nous dans son bon déroulement. Enfin, avec le scandale Bo Xilai et la transition imminente aux plus hautes fonctions, ils avaient déjà beaucoup à faire et n'auraient guère d'appétit pour une nouvelle crise. J'étais prête à parier que Pékin ne ferait pas exploser toutes nos relations pour ce seul incident.

J'ai donc donné mon feu vert, après quoi tout est allé très vite. Bob Wang a quitté l'ambassade et s'est dirigé vers le lieu de rendez-vous. Pendant ce temps, Jake a mis au courant la Maison-Blanche. Il a expliqué mon raisonnement et répondu aux questions des sceptiques. Certains collaborateurs du président étaient inquiets : n'allions-nous pas compromettre durablement les rapports sino-américains ? Mais aucun n'était prêt à prendre la responsabilité d'abandonner Chen à son destin en nous recommandant de ne pas l'aider. Ils voulaient simplement que nous nous arrangions, moi et le département d'État, pour évacuer ce problème.

Tandis que Jake discutait à la Maison-Blanche, une action digne d'un roman d'espionnage était en cours dans les rues de Pékin. La voiture de l'ambassade est arrivée au point de rendez-vous, situé à environ quarante-cinq minutes, et Bob a aperçu Chen. Il a aussi vu des membres de la sécurité chinoise dans le quartier. C'était maintenant ou jamais. Poussant prestement Chen dans la voiture, Bob a jeté une veste sur sa tête et a quitté les lieux à bonne vitesse. Depuis le véhicule, il a informé Washington des derniers événements. Nous retenions tous notre souffle, espérant qu'il ne serait pas arrêté avant d'atteindre la sécurité du périmètre de l'ambassade.

Enfin, vers 3 heures du matin, heure de Washington, Bob a rappelé avec de bonnes nouvelles : mission accomplie. Chen était en train d'être examiné par le médecin de l'ambassade.

Les deux jours suivants, Bill Burns, Kurt, Cheryl, Jake et moi avons discuté de ce que nous devions faire. Il fallait d'abord contacter les Chinois, les informer que Chen était avec nous, mais que nous n'avions rien décidé quant à son statut, et leur demander un entretien afin de régler la question avant le début du sommet. Nous pensions que, si nous pouvions les amener à évoquer le problème dans un climat de confiance, celui-ci serait à demi résolu.

Nous devions ensuite discuter avec Chen lui-même. Que voulait-il au juste ? Était-il prêt à passer les quinze prochaines années de sa vie dans l'ambassade, comme le cardinal Mindszenty ?

Une fois la marche à suivre fixée, j'ai dit à Kurt de s'envoler pour Pékin le plus vite possible afin de prendre en charge les négociations en personne. Il partirait le vendredi 27 avril au soir et arriverait le dimanche avant l'aube. Bill le suivrait le lendemain. Nous avons aussi rappelé l'ambassadeur, Gary Locke, qui était en vacances en famille à Bali, et retrouvé la piste du conseiller juridique du département d'État, Harold Koh, ancien doyen de la faculté de droit de Yale, qui voyageait à ce moment-là dans le fin fond de la Chine. Cheryl a pu lui parler et lui a demandé combien de temps il lui faudrait pour atteindre une ligne téléphonique sécurisée : selon lui, au moins quatre heures. « Allez-y, a-t-elle conclu, je vous expliquerai quand vous y serez. »

Quand Kurt a atterri à Pékin, il s'est immédiatement rendu dans les quartiers des Marines, au troisième étage de l'ambassade. La présence de la sécurité chinoise autour du complexe s'était nettement accrue depuis la veille, et à l'intérieur on se sentait assiégé. Chen paraissait fragile et vulnérable. On avait du mal à croire que cet homme frêle avec ses grandes lunettes noires était au cœur d'un incident international en gestation.

J'ai été soulagée d'apprendre qu'au moins une bonne nouvelle attendait Kurt à Pékin : les Chinois avaient accepté une rencontre. Comme il s'agissait d'un de leurs ressortissants que nous étions allés chercher en territoire chinois, c'était prometteur en soi. De plus, Chen semblait avoir déjà noué des liens avec Bob et certains des autres agents qui parlaient le mandarin à l'ambassade, et il se disait fermement décidé à rester en Chine ; il ne voulait pas demander l'asile ou demeurer chez les Marines pour toujours. Il parlait des exactions que lui avaient infligées les autorités locales corrompues du Shandong, et espérait que le gouvernement central de Pékin allait intervenir et faire triompher la justice. Il faisait particulièrement confiance au Premier ministre Wen, qui avait la réputation de se soucier des pauvres et des opprimés. « Grand-père Wen » ne manquerait pas de l'aider s'il apprenait ce qui se passait vraiment.

Nous avions donc quelques raisons d'être prudemment optimistes tandis que nous attendions anxieusement le début des négociations. Ce qui ne nous est pas apparu clairement dès ces premières heures, c'est que Chen allait se révéler imprévisible et irréaliste – et un aussi redoutable négociateur que les dirigeants chinois au-dehors.

*

* *

L'interlocuteur de Kurt du côté chinois était un diplomate expérimenté appelé Cui Tiankai, qui serait nommé plus tard ambassadeur aux États-Unis. Kurt et moi en étions convenus : lors de son premier entretien avec Cui, il procéderait d'abord avec prudence et œuvrerait à établir un certain terrain d'entente. Il n'était pas question de livrer Chen, mais je souhaitais résoudre cette crise rapidement et discrètement afin de protéger les relations sino-américaines et le sommet. Les deux camps avaient besoin d'une issue gagnant-gagnant. Tel était du moins notre plan.

Les Chinois ne l'entendaient pas de cette oreille. « Je vais vous dire comment régler ça, a déclaré Cui. Remettez-nous Chen immédiatement ! Si vous vous souciez vraiment des relations sino-américaines, c'est ce que vous allez faire. » Kurt a répondu avec mesure : il a proposé aux Chinois de venir à l'ambassade parler directement à Chen. Cette offre a mis Cui encore plus en colère. Il s'est lancé dans une diatribe de trente minutes sur la souveraineté et la dignité de la Chine, en parlant de plus en plus fort et avec une ardeur croissante. Nous étions en train de détruire les relations bilatérales, d'insulter le peuple chinois, Chen était un pleutre qui se cachait sous les jupes de l'Amérique... Au fil des heures et des journées suivantes, notre équipe a enduré cinq autres séances de négociations, toutes similaires, dans des salles de cérémonie du ministère des Affaires étrangères. Derrière Cui, la partie chinoise comprenait plusieurs hauts responsables de l'appareil de la sécurité d'État, très crispés. Ils tenaient souvent des conciliabules avec Cui juste avant et juste après les séances de négociations, mais ne s'exprimaient jamais devant les Américains. À un moment, Kurt a été témoin d'une vive dispute entre Cui et un haut responsable de la sécurité, mais il n'a pu entendre les détails. Au bout de dix minutes, Cui, frustré, a chassé son collègue.

À l'ambassade, notre équipe écoutait Chen. Il expliquait qu'il souhaitait faire des études de droit et continuer à agir pour les réformes en Chine même. Il savait bien que les dissidents en exil perdaient leur influence dès qu'ils quittaient le pays pour vivre en sécurité et dans l'obscurité aux États-Unis. Ce n'était pas ce qu'il voulait. Cette préoccupation, Harold Koh était bien placé pour la comprendre. Son père, un diplomate sud-coréen, avait fui Séoul après un coup d'État militaire en 1961 et s'était exilé aux États-Unis. Harold parlait avec émotion des difficultés qui attendraient Chen s'il décidait de partir de Chine.

Harold était l'un des meilleurs juristes de notre pays, mais aussi un excellent administrateur d'université, et c'est cet aspect de son expérience qui est alors passé au premier plan. Il a conçu un plan grâce auquel Chen pourrait quitter l'ambassade, la question passionnelle de l'asile serait esquivée et les Chinois sauveraient la face avant le début du sommet : pourquoi ne pas permettre à Chen de s'inscrire dans une faculté de droit chinoise, loin de Pékin, après quoi, au bout d'un certain temps, deux ans peut-être, on le laisserait poursuivre ses études dans une université américaine ? Harold était très lié avec des professeurs et des administrateurs de l'université de New York, laquelle était en train d'ouvrir un campus à Shanghai. Il a immédiatement réussi à persuader l'université d'offrir à Chen un poste d'enseignant-chercheur. Cela nous a permis de présenter aux Chinois un projet d'accord bien ficelé.

Ces derniers étaient sceptiques, mais ils n'ont pas rejeté d'emblée la proposition. Manifestement, la direction du parti communiste marchait sur la corde raide, prise en tenaille entre, d'un côté, son désir d'engager un travail constructif avec nous et de sauver le Dialogue stratégique et économique, et, de l'autre, sa volonté de répondre aux préoccupations des plus intransigeants au sein des services de sécurité. Finalement, Cui a reçu l'ordre de faire le nécessaire pour résoudre le problème.

Tard dans la soirée du lundi 30 avril, cinq jours après l'appel téléphonique initial, je suis montée dans un jet de l'Air Force qui a décollé de la base d'Andrews pour Pékin. Cela laissait aux négociateurs encore une vingtaine d'heures pour régler les détails. Ce fut le vol le plus tendu dont je me souvienne. Depuis la Maison-Blanche, le président avait envoyé un message clair : « Ne te plante pas ! »

Lentement, les grandes lignes d'un accord se dessinaient. Chen serait d'abord transféré dans un hôpital de Pékin, où les blessures qu'il s'était faites en s'évadant seraient soignées. Il aurait ensuite la possibilité d'exposer aux autorités appropriées les exactions qu'il avait subies pendant sa résidence surveillée dans le Shandong. Puis il retrouverait sa famille, qui avait été constamment harcelée depuis sa fuite. Après quoi il quitterait Pékin pour deux ans d'études dans une autre région de la Chine, études qu'il poursuivrait éventuellement aux États-Unis. L'ambassade américaine resterait en contact avec lui à toutes les étapes. Kurt a présenté une liste de cinq ou six universités chinoises envisageables. Cui l'a examinée et s'est mis à rugir : « L'Université normale de la Chine de l'Est ? Pas question ! Je ne partagerai pas une *alma mater* avec cet homme-là ! » Cela signifiait que nous étions près d'aboutir.

À l'ambassade, Chen lui-même n'en était pas si sûr. Il voulait parler avec sa famille et la faire venir à Pékin avant de prendre des décisions définitives. Kurt appréhendait de présenter une nouvelle demande aux Chinois après toutes les concessions qu'ils avaient déjà faites, mais Chen insistait. Bien entendu, les Chinois n'en ont pas cru leurs oreilles. Ils ont proféré des critiques cinglantes contre Kurt et l'équipe, et ont refusé de bouger. Il était hors de question d'autoriser la femme et les enfants de Chen à le rejoindre à Pékin tant que l'accord ne serait pas finalisé.

Nous devions augmenter la mise. Il est bien connu que les Chinois sont sensibles au protocole et respectueux de l'autorité. Nous avons décidé d'utiliser ces sentiments à notre avantage. Bill Burns était le diplomate de carrière le plus haut placé dans le gouvernement américain, et il avait été un ambassadeur respecté en Jordanie et en Russie. C'est aussi l'une des personnes les plus calmes et les plus posées que j'aie jamais rencontrées, des qualités dont nous avions désespérément besoin à la table des négociations. À son arrivée le lundi, il a donc participé à la séance suivante. Assis face à Cui, il lui a tenu un discours apaisant et persuasif, de diplomate à diplomate : laissez simplement venir la famille et passons au sommet, ainsi tout cet incident sera-t-il derrière nous. Radouci, Cui a accepté de soumettre à nouveau la question à ses supérieurs. À minuit, alors que j'étais encore au-dessus du Pacifique, nous avons appris que la famille serait dans le train du matin en provenance du Shandong. Il suffisait à présent que Chen ouvre la porte et sorte.

*

* *

Quand mon avion a atterri, tôt le matin du 2 mai, j'ai envoyé directement Jake à l'ambassade en lui demandant de transmettre mes encouragements personnels à Chen. Après ce vol marathon, nous avions presque toute la journée libre, le premier événement officiel étant un dîner privé le soir avec mon interlocuteur chinois, le conseiller d'État Dai Bingguo.

Chen était toujours nerveux. Il se sentait en sécurité dans les quartiers des Marines, soigné par un médecin de l'ambassade. Il avait noué des relations chaleureuses avec le personnel, notamment l'ambassadeur Gary Locke, premier Sino-Américain à servir à ce poste. Le grand-père de Gary avait quitté la Chine pour l'État du Washington, où il avait trouvé du travail comme domestique, parfois en échange de cours d'anglais. Gary était né à Seattle, où sa famille possédait une petite épicerie, et il était devenu gouverneur du Washington et secrétaire au Commerce. Il était l'incarnation même du rêve américain, et j'étais fière qu'il soit notre représentant dans cette période délicate.

Gary et Harold ont passé des heures à discuter avec Chen, à lui tenir la main, à apaiser ses craintes et à évoquer avec lui ses espoirs d'avenir. À deux reprises, ils ont fait en sorte qu'il puisse parler au téléphone avec son épouse, alors en route vers Pékin par le train. Enfin, Chen s'est levé d'un bond, déterminé, excité, et il a dit : « Allons-y. » La pièce de théâtre, longue et difficile, semblait enfin parvenir à son dénouement.

Prenant appui sur le bras de l'ambassadeur et agrippant la main de Kurt, Chen est sorti des quartiers des Marines et s'est avancé lentement vers un van qui l'attendait. Lorsqu'il a été bien installé à l'intérieur, Jake a composé mon numéro sur son téléphone portable et lui a passé l'appareil. Après tous ces jours de tension, d'attente et d'inquiétude, nous avions enfin l'occasion de nous parler. « Je voudrais vous embrasser », m'a-t-il dit. À ce moment-là, j'étais dans les mêmes dispositions à son égard.

Le van s'est rendu à un hôpital tout proche, celui du district de Chaoyang, où journalistes et agents de sécurité attendaient en nombre.

Les Chinois ont scrupuleusement respecté leur part de l'accord. Chen a retrouvé sa femme et ses enfants, puis a été emmené pour être traité par une équipe de médecins, accompagnée d'agents de notre ambassade. J'ai publié un communiqué de presse soigneusement formulé, mon premier commentaire public de l'épisode : « Je suis heureuse que nous ayons pu faciliter le séjour de Chen Guangcheng à l'ambassade des États-Unis ainsi que son départ, conformément à ses choix et à nos valeurs. » De leur côté, les Chinois, comme prévu, ont dénoncé l'ingérence américaine dans leurs affaires intérieures, mais ils ont maintenu le sommet sur ses rails et n'ont pas cédé à la tentation d'arrêter immédiatement Chen de nouveau.

Maintenant que Chen était en sécurité à l'hôpital, il était temps d'aller dîner. Dai et Cui nous ont accueillis au Temple de Wanshou, un complexe du XVIe siècle fait de cours tranquilles et de villas décorées et abritant une vaste collection d'antiquités. Dai me l'a fait visiter avec fierté et, tandis que nous admirions les statuettes de jade et les élégantes calligraphies, le soulagement était palpable. Comme Dai et moi aimions à le faire, nous avons beaucoup parlé de l'importance des relations entre les États-Unis et la Chine et des évolutions longues de l'histoire. Les délégations ont dîné, puis Dai et moi nous sommes retirés avec Kurt et Cui dans une petite salle pour une conversation privée. Comme il était loin, le jour où Dai m'avait montré la photographie de sa petite-fille et où nous étions convenus de travailler ensemble pour que les enfants héritent d'un avenir de paix ! Nous venions de subir notre crise la plus dure à cette date, et les liens avaient tenu. Mais Dai n'a pu s'empêcher d'exhaler sa rancœur. Il m'a dit que nous avions commis une grosse erreur en faisant confiance à Chen, qui était, selon lui, un criminel manipulateur. Puis il m'a implorée de ne pas évoquer l'épisode quand je verrais le président Hu et le Premier ministre Wen plus tard dans la semaine. Nous sommes tous deux tombés d'accord : il était temps de nous recentrer sur les préoccupations stratégiques urgentes du sommet, de la Corée du Nord à l'Iran.

*
* *

En ville, une conversation très différente était en cours. Le personnel de l'ambassade avait décidé de laisser à Chen et à son épouse un peu d'intimité après leur longue épreuve. Enfin seuls dans la chambre d'hôpital, le dissident et sa famille ont commencé à s'interroger sur le choix qu'il avait fait. Après tant de mauvais traitements, comment pouvaient-ils faire confiance aux autorités chinoises pour respecter l'accord ? Aux yeux de Chen, la noble idée de rester en Chine et de poursuivre l'action malgré les périls paraissait peut-être moins séduisante maintenant qu'il était dehors, sans la protection des murs de l'ambassade, et aux côtés d'êtres chers qu'il risquait de mettre en danger. Il parlait aussi au téléphone avec des amis de la communauté des droits de l'homme qui s'inquiétaient pour sa sécurité et lui conseillaient vivement de quitter le pays, ainsi qu'avec des journalistes qui s'interrogeaient sur sa décision de rester en Chine. Au fil de la soirée, ses réponses ont commencé à changer.

Au Temple de Wanshou, des dépêches perturbantes sont mises à jaillir sur les BlackBerry de mes collègues. Quand je suis sortie de mon entretien avec Dai, il était clair que quelque chose avait déraillé. Les journalistes citaient Chen : depuis son lit d'hôpital, il disait qu'il ne se sentait plus en sécurité, que les Américains l'avaient abandonné et qu'il ne voulait plus rester en Chine. Il a même nié avoir jamais dit qu'il voulait m'embrasser ! (Il a avoué plus tard à la presse qu'il était « gêné de [m]'avoir parlé en termes si intimes ».) Notre chorégraphie savamment élaborée était en pièces.

Quand nous sommes rentrés à l'hôtel, j'ai convoqué dans ma suite une réunion de crise. Alors que Chen semblait parler sans difficulté à n'importe quel journaliste ou militant, de Pékin à Washington, personne à l'ambassade ne parvenait à le contacter sur les téléphones portables que nous lui avions nous-mêmes donnés ! Nous n'avions encore aucune réaction officielle des Chinois, mais ils lisaient les mêmes dépêches que nous, et la présence policière devant l'hôpital augmentait d'heure en heure. Je ne pouvais qu'imaginer Dai et Cui se préparant à me lancer un homérique : « On vous l'avait bien dit ! »

Courageusement, Kurt m'a offert sa démission si la situation continuait à s'aggraver. Je l'ai aussitôt refusée, et je lui ai dit qu'il nous fallait travailler à une modification du plan. Premièrement, nous allions publier immédiatement un communiqué pour dire clairement que Chen ne nous avait jamais demandé l'asile et que nous ne le lui avions certainement pas refusé, contrairement à ce que prétendaient certaines dépêches hâtives. Deuxièmement, si, le lendemain matin, Chen persistait à dire qu'il voulait aller aux États-Unis, nous devions trouver le moyen de rouvrir un dialogue avec le gouvernement chinois, si pénible et difficile que cela puisse être, et négocier un nouveau compromis. Nous ne pouvions pas laisser cette affaire suppurer en public et éclipser le sommet. Troisièmement, je suivrais le déroulement prévu du Dialogue stratégique et économique comme si de rien n'était, conformément à ce dont j'étais convenue avec Dai. Leurs ordres de marche en main, mes troupes sont sorties de la suite, anxieuses et fatiguées au-delà de toute mesure. Aucun de nous ne dormirait beaucoup cette nuit-là.

*

* *

Le lendemain, nous nous sommes livrés à un exercice surréaliste de *multitasking* diplomatique. Ce matin-là, grâce à des mesures compliquées que le gouvernement avait prises en vue du sommet, notre convoi a traversé Pékin à vive allure dans des rues beaucoup moins embouteillées et une atmosphère beaucoup moins polluée que d'ordinaire. Mais la route qui s'étendait devant nous était loin d'être claire et dégagée. Quantité de choses dépendaient des toutes prochaines heures.

Nous sommes arrivés à Diaoyutai, vaste complexe de « résidences des hôtes » traditionnelles, de jardins et de salles de réunion. C'était là qu'en 1971 Henry Kissinger avait négocié pour la première fois avec Zhou Enlai et posé les bases de la visite historique du président Nixon, de la normalisation et de tout ce qui avait suivi. C'était là aussi que, pendant nos réunions de 2010, la fureur sans borne d'un amiral chinois avait révélé les profonds abîmes de méfiance qui séparaient encore nos deux pays. Compte tenu de la situation épineuse où nous nous trouvions, je me demandais dans lequel de ces deux états d'esprit seraient nos hôtes chinois.

La réponse est venue dès le début des premiers discours officiels. Manifestement, Dai et les autres dirigeants chinois faisaient autant d'efforts que Tim Geithner et moi pour créer un climat de normalité et de calme. Ils ont répété leurs propos habituels sur l'essor harmonieux de la Chine et l'importance de la non-ingérence des autres pays dans ses affaires intérieures – des déclarations certes familières, mais qui prenaient un peu plus de relief à la lumière des derniers événements. Quand mon tour est arrivé, j'ai esquivé le problème Chen et me suis concentrée sur l'Iran, la Corée du Nord, la Syrie et la longue liste d'autres défis sur lesquels nous avions besoin de la coopération chinoise. Mais j'ai ajouté : « Une Chine qui protège les droits de tous ses citoyens sera un pays plus fort et plus prospère, et bien sûr

un partenaire plus solide pour défendre nos objectifs communs. »
Ce matin-là, c'est la seule allusion que j'ai faite à la crise en cours.

Après les discours, nous nous sommes répartis en groupes plus
réduits pour examiner l'ordre du jour en détail. Même si nos pensées
s'échappaient souvent vers la scène qui se jouait dans une chambre
d'hôpital de la ville, nous tenions là une occasion de travailler sur des
problèmes importants et nous ne pouvions nous permettre de la laisser
passer. J'ai donc assisté pendant des heures à des exposés et à des
débats, en posant des questions et en exprimant mes préoccupations.

Kurt, lui, ne cessait de s'excuser pour sortir de la salle et suivre
l'évolution de l'affaire Chen. Les nouvelles n'étaient pas bonnes.
L'ambassade ne parvenait toujours pas à le joindre sur son téléphone
portable et les Chinois limitaient l'accès physique à l'hôpital. Des
manifestants avaient surgi devant l'établissement, certains portant des
lunettes noires comme celles de Chen, en hommage à leur héros, et
la sécurité chinoise se montrait d'heure en heure plus nerveuse. Mais
rien de tout cela n'empêchait Chen de parler à des journalistes américains, lesquels ne cessaient de relayer son désir récemment exprimé
de quitter la Chine pour se rendre aux États-Unis, et se demandaient
si nous en avions fait assez pour l'aider.

Aux États-Unis, où le tumulte politique d'une année électorale
battait son plein, Washington était au comble de l'indignation. Le
président républicain de la Chambre des représentants, John Boehner,
s'est dit « profondément troublé » par les informations indiquant que
Chen « avait subi des pressions pour quitter l'ambassade des États-
Unis contre sa volonté, sur fond de promesses peu fiables et de possibles menaces de violence contre sa famille ». L'ancien gouverneur
du Massachusetts Mitt Romney, candidat républicain à la présidence,
est allé encore plus loin. Il a déclaré que c'était « un jour noir pour la
liberté » et « un jour de honte pour l'administration Obama ». J'ignore
si nos censeurs savaient que, à toutes les étapes, nous avions agi
conformément à ce que Chen disait souhaiter. La Maison-Blanche a
totalement basculé dans la stratégie « limiter les dégâts ». La directive
qui nous était adressée à Pékin était simple : réglez ça !

J'ai demandé à Kurt et à l'ambassadeur Locke de reprendre immédiatement les négociations avec Cui et d'essayer de faire sortir Chen
du pays. C'était plus facile à dire qu'à faire. Les Chinois étaient
abasourdis de nous voir tenter de remettre en cause un accord dont
ils n'avaient pas voulu au départ. Cui s'est contenté de secouer la
tête. Selon lui, Kurt devait « rentrer à Washington et démissionner ».

Pendant ce temps, Chen portait son offensive de communication à un autre niveau. Bien qu'il n'eût toujours parlé à aucun membre de l'ambassade américaine, il s'est arrangé pour téléphoner au Congrès, à Washington, au beau milieu d'une audition. Un militant proche de lui, Bob Fu, présent lors de cette audition, a mis son iPhone sur haut-parleur devant la commission, présidée par le parlementaire Chris Smith. « J'ai peur pour la vie de ma famille », a dit Chen, et il a répété sa demande de pouvoir se rendre aux États-Unis. C'était jeter de l'huile sur un feu politique déjà allumé.

*
* *

Il était temps que j'intervienne. Si Cui refusait de négocier, j'allais cesser de faire semblant et aborder la question directement avec Dai. Nos années d'efforts pour établir des relations allaient-elles payer ? Le vendredi, il était prévu que je rencontre le président Hu et le Premier ministre Wen au Palais de l'Assemblée du peuple, et il était important pour Dai comme pour moi que ces entretiens se passent bien. Nous avions tous deux intérêt à régler ce problème.

Le matin du 4 mai, j'ai rencontré Dai et je l'ai remercié du respect par la Chine de ses engagements dans l'accord. Puis je lui ai exposé la tempête politique en cours aux États-Unis et les difficultés qu'elle nous causait. Dai a paru surpris quand je lui ai décrit le cirque qui s'était déroulé à l'audition du Congrès. Rien de tel ne s'était jamais produit en Chine. Et maintenant, que faire ? J'ai proposé une solution qui, je l'espérais, permettrait de sauver la face. Selon l'accord initial, Chen devait étudier en Chine pendant un certain temps, puis poursuivre dans une université américaine. Modifier ce calendrier ne signifierait pas conclure un accord entièrement nouveau ; ce serait un simple amendement de l'accord existant. Dai m'a regardée dans les yeux sans parler pendant un long moment ; son visage était impénétrable et je me demandais quelles pensées lui traversaient l'esprit. Lentement, il s'est tourné vers Cui, qui était visiblement troublé, et lui a donné instruction d'essayer de régler les détails avec Kurt.

Encouragée, mais pas encore rassurée, je me suis dirigée vers le Palais de l'Assemblée du peuple pour les rencontres prévues avec les hauts dirigeants. Fidèle à ma parole, je n'ai évoqué Chen ni avec Hu ni, plus tard, avec Wen. Ce n'était pas nécessaire. Au cours de nos discussions, ils me sont apparus agréables, mais visiblement préoccupés par autre chose. Nous avons surtout parlé de façon détournée, comme si nous dansions autour des grandes questions touchant à l'avenir de nos relations, tandis que nos assistants se démenaient fiévreusement pour tenter de trouver une issue à notre problème commun. Hu et Wen arrivaient au terme de leur mandat de dix ans, et nous nous dirigions, nous aussi, vers une élection qui pouvait remodeler notre gouvernement. Mais, même si les acteurs changeaient, le jeu resterait fondamentalement identique.

J'ai quitté le Palais de l'Assemblée du peuple et j'ai traversé la place Tian'anmen jusqu'au Musée national de Chine pour une discussion avec la conseillère d'État Liu Yandong, la femme la plus haut placée dans le gouvernement chinois, au sujet des échanges pédagogiques et culturels. Fille d'un ancien vice-ministre de l'Agriculture qui avait de profondes attaches au sein du parti communiste, Mme Liu était devenue l'une des deux seules femmes à siéger au bureau politique. Nous avions développé des rapports chaleureux au fil des ans et j'étais heureuse de voir un visage amical en ces instants tendus.

Le Musée national de Pékin, conçu pour faire pièce au Palais de l'Assemblée qui lui fait face, est immense, mais sa collection ne s'est jamais vraiment remise du transfert à Taïwan par l'armée en retraite du généralissime Tchang Kaï-chek, en 1948, de beaucoup des œuvres d'art et d'artisanat chinoises les plus précieuses. Ce genre de blessure infligé à la fierté nationale met du temps à guérir. Tandis que nous montions le grand escalier, Kurt s'est tourné vers moi et m'a dit : « Pensez-vous que nous ayons bien fait ? » C'était une question sensée, après un tel déploiement de diplomatie à haut risque et tant de vicissitudes nerveusement éprouvantes. Je lui ai retourné son regard et j'ai répondu : « À ce poste, je prends beaucoup de décisions qui me font mal au ventre. Celle-là n'en fait pas partie. C'est un faible prix à payer pour être les États-Unis d'Amérique. » C'était ce que Kurt avait besoin d'entendre, et il se trouve que c'était aussi la vérité.

À l'intérieur du musée, nous avons été accueillis par un groupe nombreux d'enfants chinois et américains qui agitaient des drapeaux et nous saluaient. En haut des marches, un chœur composé d'étudiants des deux pays a chanté deux chansons de bienvenue, l'une en anglais, l'autre en mandarin. Enfin, deux étudiants participant à des programmes d'échange se sont avancés pour évoquer leurs expériences à l'étranger. Une jeune Chinoise qui s'exprimait parfaitement en anglais a parlé de la vie à New York : ce voyage dans une Amérique qu'elle ne connaissait que par ses lectures avait élargi son horizon, lui avait ouvert les yeux et donné de l'ambition. Le jeune Américain a évoqué en mandarin, avec tout autant d'éloquence, ses études en Chine, et a dit combien elles l'avaient aidé à mieux comprendre les relations entre nos deux pays.

De temps à autre, au milieu de tout l'apparat et de tout le protocole diplomatique de ces sommets, avec leurs discours bien préparés et leurs scènes chorégraphiées, se glisse un moment authentiquement humain qui nous rappelle ce que nous faisons là. Ce fut l'un de ces instants. En écoutant ces étudiants exprimer tant d'empathie et d'enthousiasme, je pensais à tous les efforts que nous avions consacrés à ce que certains critiques appellent avec mépris la diplomatie « molle » – les échanges pédagogiques, les tournées culturelles et la coopération scientifique. Envoyer davantage d'étudiants américains en Chine avait été l'une de mes priorités : mon objectif était d'atteindre le chiffre de 100 000 en quatre ans. J'étais persuadée que cela contribuerait à convaincre des dirigeants chinois méfiants que nous étions sérieux quand nous parlions d'élargir notre dialogue avec eux. Peut-être ces programmes retenaient-ils rarement l'attention de la presse, mais ils étaient potentiellement capables d'influencer comme aucune autre initiative ne pouvait le faire la prochaine génération de dirigeants américains et chinois. Si l'on en jugeait par l'exemple de ces étudiants, cela fonctionnait. J'ai regardé Liu, Cui et les autres responsables chinois qui me faisaient face, et j'ai compris qu'ils pouvaient sentir cela aussi.

Quand Cui a retrouvé Kurt et son équipe après le déjeuner pour mettre au point les rebondissements suivants de la saga Chen, il avait nettement changé de ton. Malgré nos différences, nous œuvrions ensemble à sauver nos relations et l'avenir qu'incarnaient ces deux étudiants. Puis Kurt et Jake ont rédigé en toute hâte un bref communiqué formulé avec soin qui, sans parler d'accord explicite, disait clairement qu'on était parvenu à une entente. Chen, en tant que citoyen chinois de bonne renommée, demanderait un visa pour les États-Unis, et le nécessaire serait fait rapidement des deux côtés pour qu'il l'obtienne. Il pourrait alors partir avec sa famille et commencer ses études à l'université de New York.

*

* *

De retour à Diaoyutai, Tim Geithner et moi avons rejoint nos homologues sur l'estrade pour les discours publics de clôture du Dialogue stratégique et économique. Dans mes commentaires, j'ai passé en revue les sujets qui avaient été abordés les jours précédents. J'ai noté qu'il y avait eu plusieurs désaccords de fond, mais que quatre années de dur labeur nous avaient permis de développer un niveau de confiance suffisamment durable pour résister aux perturbations et aux diversions. J'ai cité un court précepte taoïste dont la traduction approximative est : « Pour diriger, il faut avoir une vue d'ensemble. » C'est ce que nous avions essayé de faire au cours de cette crise, en ne perdant de vue ni nos préoccupations stratégiques ni nos valeurs cruciales. Évoquant l'avenir, j'ai dit à l'assistance : « Nous devons construire des relations résilientes qui nous permettent, les uns et les autres, de prospérer et d'assumer nos responsabilités régionales et mondiales sans concurrence malsaine, rivalité ni conflit. Si nous pensons en termes de somme nulle, nous aboutirons à des résultats à somme négative. »

Par principe, les dirigeants chinois refusent de répondre aux questions lors de ces « conférences de presse » de clôture. Aussi, après les déclarations officielles, nous sommes rentrés à notre hôtel, Tim Geithner et moi, pour notre première rencontre en bonne et due forme avec les médias du monde entier depuis notre arrivée à Pékin. La première question, posée par Matt Lee, d'Associated Press, était prévisible : « Madame la Secrétaire, a-t-il commencé, je ne vous surprendrai pas, je pense, en vous posant les questions que je vais vous poser, qui ont toutes à voir avec l'éléphant dans un magasin de porcelaine qui nous a suivis comme un petit chien. » Sa métaphore incohérente m'a fait sourire : « L'éléphant qui nous a suivis comme un petit chien. C'est bien – bon début, Matt. » Les rires ont fait baisser la tension dans la pièce. Juste un peu. Il a poursuivi : « Comment les dirigeants chinois auxquels vous avez parlé, les hauts dirigeants, ont-ils répondu à vos appels en faveur [de Chen] ? Êtes-vous sûre qu'ils vont le laisser quitter le pays pour les États-Unis avec sa famille afin qu'il puisse faire ses études ? Et comment répondez-vous à ceux qui, en Amérique et ailleurs, disent que l'administration Obama a vraiment cafouillé dans cette affaire ? »

L'heure était venue de mettre un point final à la pièce de théâtre. J'ai commencé par le texte préparé avec soin sur lequel nous nous étions mis d'accord avec les Chinois, puis j'ai ajouté quelques réflexions personnelles :

Permettez-moi de dire d'emblée que tous nos efforts avec M. Chen ont été, dès le début, guidés par ses choix et par nos valeurs. Et je suis heureuse qu'aujourd'hui encore notre ambassadeur ait parlé avec lui, que notre personnel d'ambassade et notre médecin aient eu l'occasion de le rencontrer, et il confirme que lui et sa famille veulent à présent se rendre aux États-Unis pour qu'il puisse poursuivre ses études. À cet égard, nous sommes aussi encouragés par la déclaration officielle publiée aujourd'hui par le gouvernement chinois, qui confirme qu'il peut demander à voyager à l'étranger à cette fin. En cours de journée, il y a eu des progrès pour l'aider à avoir l'avenir qu'il souhaite, et nous resterons en contact avec lui tout au long de ce processus. Mais j'aimerais aussi ajouter qu'il ne s'agit pas seulement des militants connus. Il s'agit des droits de l'homme et des aspirations de plus d'un milliard de personnes ici, en Chine, et de milliards d'autres dans le monde. Et il s'agit de l'avenir de cette grande nation et de toutes les nations. Nous continuerons à dialoguer avec le gouvernement chinois au plus haut niveau en mettant ces préoccupations au cœur de notre diplomatie.

Tandis que les appareils photo crépitaient et que les journalistes griffonnaient dans leurs carnets de notes, je me suis sentie satisfaite de la façon dont nous avions réglé les choses. Après la conférence de presse, j'ai invité mon équipe à dîner pour fêter ça : au menu, canard laqué et autres spécialités chinoises. Kurt et Harold ont raconté certaines de leurs mésaventures les plus absurdes de la semaine écoulée, et nous nous sommes enfin détendus suffisamment pour pouvoir rire ensemble. Le lendemain, je me suis rendue à l'aéroport et je suis partie pour Dacca (Bangladesh).

Chen était toujours dans sa chambre d'hôpital, et nous savions tous qu'il y avait un risque réel que ce second accord se délite comme le premier. Aucun de nous ne serait vraiment rassuré tant qu'il ne serait pas en sécurité sur le sol américain. Aux termes de notre entente avec le gouvernement chinois, cela pourrait prendre quelques semaines. Mais la Chine avait respecté sa part de l'accord tout au long de la crise et j'étais persuadée qu'elle continuerait à le faire. En effet, le 19 mai, Chen est arrivé aux États-Unis avec sa famille pour prendre ses fonctions d'enseignant-chercheur à l'université de New York.

*
* *

J'étais immensément fière de mon équipe et de tout le personnel de l'ambassade de Pékin. L'enjeu dans cette affaire dépassait de beaucoup le sort d'un seul homme. Nous avions passé quatre ans à nous préparer pour une crise comme celle-là – en bâtissant le Dialogue stratégique et économique et d'autres mécanismes diplomatiques, en développant des habitudes de confiance entre homologues du haut en bas de l'échelle, en inscrivant les relations sino-américaines dans un cadre d'intérêt et de respect mutuels, tout en posant des marqueurs clairs sur les droits de l'homme et les valeurs démocratiques. Nous marchions sur la corde raide depuis le début, mais, à mon sens, nous avions maintenant la preuve que cela en valait la peine. Nous avions aussi des raisons de croire que nos relations étaient assez fortes pour résister à de futures crises. Étant donné tout ce qui séparait nos visions, nos valeurs et nos intérêts, ces crises étaient inévitables.

L'un des objectifs premiers de la stratégie du pivot était d'accroître notre engagement actif dans les affaires asiatiques de manière à promouvoir nos intérêts dans une région plus ouverte, plus démocratique et plus prospère, sans relâcher nos efforts en vue de construire des relations positives avec la Chine. Les frictions qui surviennent dans nos rapports reflètent à la fois des désaccords sur des problèmes immédiats et des perceptions très différentes de la façon dont le monde, ou du moins l'Asie, doit fonctionner. Les États-Unis veulent un avenir où la prospérité est partagée et où la responsabilité du maintien de la paix et de la sécurité l'est aussi. Le seul moyen de le construire est de développer des mécanismes et des habitudes de coopération, et de pousser la Chine vers plus d'ouverture et de liberté. C'est pourquoi nous nous opposons à la répression chinoise contre la liberté d'Internet, contre des militants politiques comme Chen et contre les minorités tibétaine et musulmane ouïghoure. C'est pourquoi aussi nous demandons un règlement pacifique des rivalités territoriales entre la Chine et ses voisins.

Les dirigeants chinois sont persuadés que nous ne voyons pas le chemin qu'ils ont fait et combien ils ont changé, ou que nous ne comprenons pas qu'ils ont une peur profonde et constante des conflits internes et de la désintégration. Ils n'aiment pas les critiques venues de l'extérieur. Ils clament que les Chinois sont plus libres qu'ils ne l'ont jamais été, libres de travailler, de se déplacer, d'épargner et de s'enrichir. Ils sont fiers, à juste titre, d'avoir fait sortir de la pauvreté plus de personnes, et en un temps plus court, que tout autre pays dans l'histoire. Ils estiment que nos relations doivent reposer sur l'intérêt mutuel et la non-ingérence de chacun de nos deux pays dans les affaires de l'autre.

Ils pensent que, quand nous nous déclarons en désaccord, c'est parce que nous redoutons l'ascension de la Chine sur la scène mondiale et que nous voulons l'endiguer. Nous estimons que le désaccord est une composante normale de nos relations et que, si nous parvenons à gérer nos différences, cela renforcera notre coopération. Nous n'avons aucun intérêt à endiguer la Chine. Mais nous exigeons qu'elle respecte les règles qui s'imposent à toutes les nations.

En d'autres termes, tout reste ouvert. La Chine a quelques choix difficiles à faire, et nous aussi. Nous devons suivre une stratégie qui a fait ses preuves : œuvrer en vue du meilleur résultat, mais se préparer à ce qu'il soit un peu en dessous de nos attentes. Et rester fermes sur nos valeurs. Comme je l'ai dit à Kurt et à Jake pendant cette première nuit critique où Chen cherchait un refuge, notre défense des droits de l'homme universels est l'une des principales sources de la puissance de l'Amérique. L'image de Chen, aveugle et blessé, cherchant au milieu des dangers de la nuit le seul endroit qui, à sa connaissance, défendait la liberté et l'égalité des chances – l'ambassade des États-Unis –, nous rappelle notre responsabilité : faire en sorte que notre pays demeure le flambeau des dissidents et des rêveurs du monde entier.

Chapitre 6

Birmanie : la Dame et les généraux

Elle était mince, et même frêle, mais dotée d'une force intérieure évidente. Elle avait la calme dignité et l'intensité recueillie d'un esprit vif dans un corps longtemps emprisonné. Elle montrait des qualités que j'avais déjà entr'aperçues chez d'autres anciens prisonniers politiques, notamment Nelson Mandela et Václav Havel. Comme eux, elle portait sur ses épaules les espoirs d'une nation.

Lors de ma première rencontre avec Aung San Suu Kyi, le 1er décembre 2011, nous étions toutes deux vêtues de blanc. Cette coïncidence semblait de bon augure. Après tant d'années de lectures et de réflexions sur cette célèbre dissidente birmane, nous nous trouvions enfin face à face. Sa résidence surveillée avait été levée, et j'avais parcouru des milliers de kilomètres pour m'entretenir avec elle des perspectives d'une réforme démocratique dans son pays autoritaire. Nous avons dîné en tête-à-tête sur la terrasse de la résidence du principal diplomate américain à Rangoun, une vieille et charmante demeure coloniale sur le lac Inya. J'ai eu l'impression que nous nous connaissions depuis toujours, même si nous venions de nous rencontrer.

J'avais beaucoup de questions. Elle aussi. Après avoir été pendant des années le symbole du mouvement pour la démocratie, elle se préparait à faire sa première expérience de la démocratie réelle. Comment passe-t-on de la protestation à la politique ? Qu'est-ce que cela fait, de se présenter à des élections et de se mettre en jeu de façon entièrement nouvelle ? La conversation était facile, ouverte, et nous nous sommes vite retrouvées à bavarder, à faire des plans et à rire comme de vieilles amies.

Nous le savions toutes deux : le moment était délicat. Son pays, que les généraux au pouvoir appelaient Myanmar et les dissidents Birmanie, faisait en chancelant ses premiers pas vers un immense changement. (Depuis des années, notre gouvernement avait pour politique officielle d'utiliser uniquement le nom de « Birmanie », mais certains commençaient à employer les deux appellations de manière interchangeable. Dans ce livre, j'écrirai « Birmanie », comme je le faisais à l'époque.) Le pays pouvait facilement retomber dans le bain de sang et la répression, cela s'était déjà vu. Néanmoins, si nous pouvions aider à fixer le bon cap, les perspectives de progrès étaient meilleures que jamais depuis une génération.

Pour les États-Unis, cette occasion d'aider la Birmanie à passer de la dictature à la démocratie et à rejoindre la famille des nations était très attrayante. En soi, ce pays en valait la peine ; ses millions d'habitants méritaient de jouir des bénédictions de la liberté et de la prospérité. Ce changement aurait aussi des conséquences stratégiques considérables. La Birmanie se situait au cœur de l'Asie du Sud-Est, où les États-Unis et la Chine s'efforçaient d'étendre leur influence respective. Le succès d'un vaste processus de réforme pouvait être un jalon important de notre stratégie du pivot, donner un puissant élan aux militants de la démocratie et des droits de l'homme dans toute l'Asie et au-delà, et infliger un revers au mode de gouvernement autoritaire. Mais, en cas d'échec, les effets seraient opposés. Il y avait un risque : peut-être les généraux birmans étaient-ils en train de nous duper ; peut-être espéraient-ils que quelques petits gestes suffiraient à briser leur isolement international sans qu'ils aient à changer grand-chose sur le terrain. Aux États-Unis, beaucoup d'observateurs réfléchis estimaient que je faisais le mauvais choix en tendant la main à un moment où la situation était si peu claire. J'étais lucide sur les risques, mais, quand je prenais en considération tous les facteurs, je ne voyais pas comment nous pouvions laisser passer cette chance.

Nous avons discuté pendant deux heures, Suu Kyi et moi. Elle voulait savoir comment l'Amérique allait réagir aux réformes envisagées par le régime. Je lui ai dit que nous étions décidés à répondre du tac au tac, mesure pour mesure. Nous avions de multiples carottes à offrir, du rétablissement de relations diplomatiques pleines et entières à l'allégement des sanctions et à la stimulation des investissements. Mais nous voulions voir davantage de prisonniers politiques libérés, des élections crédibles, la protection des droits des minorités et des droits de l'homme, la fin des liens militaires avec la Corée du

Nord et l'engagement d'un processus de règlement des vieux conflits ethniques dans les campagnes. Chacune de nos initiatives, lui ai-je assuré, viserait à encourager de nouveaux progrès.

Suu Kyi était lucide sur les défis à venir et sur les hommes qui dominaient le pays. Son père, Aung San, lui-même général, avait dirigé la lutte victorieuse pour l'indépendance de la Birmanie en la libérant des Britanniques et des Japonais, mais il avait été assassiné en 1947 par des adversaires politiques. Suu Kyi avait été emprisonnée pour la première fois en juillet 1989, moins d'un an après être entrée en politique au cours d'un soulèvement démocratique manqué contre les militaires l'année précédente. Depuis, elle alternait les périodes de résidence surveillée et les périodes de remise en liberté. En 1990, lorsque les militaires avaient autorisé des élections, la victoire de son parti avait été retentissante. Les généraux avaient promptement annulé le scrutin. L'année suivante, on lui avait décerné le prix Nobel de la paix, que son mari, le Dr Michael Aris, professeur à Oxford et éminent spécialiste du bouddhisme tibétain, et leurs fils étaient allés recevoir en son nom. Pendant ses années de résidence surveillée, Suu Kyi n'avait pu voir sa famille qu'en de rares occasions et, lorsqu'on avait diagnostiqué à Aris un cancer de la prostate, les dirigeants birmans avaient refusé de lui accorder un visa pour qu'il puisse venir passer ses derniers jours avec elle. Ce serait plutôt à Suu Kyi de quitter le pays, avaient-ils suggéré ; mais elle se doutait que, dans ce cas, son exil deviendrait permanent. Elle avait refusé et n'avait jamais pu lui dire adieu. Aris était mort en 1999.

Suu Kyi avait appris à rester sceptique face aux bonnes intentions et, en dépit de son image d'idéaliste, elle était devenue profondément pragmatique. Elle estimait que la possibilité d'une ouverture démocratique était réelle, mais qu'il fallait la mettre à l'épreuve avec circonspection. Nous avons décidé de nous rencontrer à nouveau le lendemain pour en faire un examen plus détaillé, cette fois chez elle.

Quand nous nous sommes quittées, je me serais presque crue dans un rêve. Lorsque j'étais devenue secrétaire d'État en 2009, qui aurait imaginé qu'une telle visite serait possible ? À peine deux ans plus tôt, en 2007, la planète entière avait vu avec horreur les soldats birmans ouvrir le feu sur des foules de moines bouddhistes en robe safran qui manifestaient pacifiquement contre le régime. Et voici que le pays était à l'aube d'une ère nouvelle. Cela montrait, une fois de plus, combien le monde peut changer rapidement et combien il est important, quand survient le changement, que les États-Unis soient prêts à l'accueillir et à contribuer à l'orienter.

*

* *

La Birmanie est un pays de près de 60 millions d'habitants qui occupe une position stratégique entre le sous-continent indien et la région du delta du Mékong, en Asie du Sud-Est. On la qualifiait autrefois de « bol de riz de l'Asie » ; ses vénérables pagodes et sa beauté luxuriante ont fait rêver des voyageurs et des écrivains comme Rudyard Kipling et George Orwell. Pendant la Seconde Guerre mondiale, elle a constitué un champ de bataille entre les forces japonaises et les forces alliées. Joe Stilwell, dit « Vinegar Joe » (Joe le Vinaigre), un général américain à la langue bien pendue, a aidé à rouvrir la célèbre « route de Birmanie », cruciale pour approvisionner la Chine, et les qualités de dirigeant du père de Suu Kyi pendant la guerre ont contribué à assurer l'indépendance birmane à la fin du conflit.

Des décennies de dictature militaire et de mauvaise gestion économique ont transformé le pays en paria recru de pauvreté. La Birmanie comptait désormais parmi les pires violateurs des droits de l'homme dans le monde. Elle était un foyer d'instabilité et d'hostilité au cœur de l'Asie du Sud-Est. Son narcotrafic en plein essor et ses liens militaires avec la Corée du Nord menaçaient aussi la sécurité mondiale.

Pour moi, la route de Rangoun est partie d'un entretien inhabituel au Capitole en janvier 2009. Je connaissais assez bien Mitch McConnell après huit années passées ensemble au Sénat, et nous étions rarement du même avis. Leader de la minorité républicaine, ce conservateur du Kentucky ne faisait pas mystère de ses intentions : contrer la nouvelle administration Obama sur la quasi-totalité de son programme. (« L'objectif le plus important que nous voulons atteindre, a-t-il dit un jour, c'est que le président Obama ne fasse qu'un seul mandat. ») Mais il y avait un domaine de la politique étrangère où je pensais que nous pouvions peut-être travailler ensemble. Le sénateur McConnell était un ardent défenseur du mouvement pour la démocratie en Birmanie depuis la brutale répression de 1988. Au fil des ans, il avait mené le combat pour obtenir des sanctions contre le régime militaire birman et multiplié les contacts avec la communauté dissidente, notamment Suu Kyi elle-même.

À mon entrée en fonction, j'étais convaincue qu'il nous fallait repenser notre politique birmane, et je me suis demandé si le sénateur McConnell allait être d'accord. En 2008, le régime avait annoncé une nouvelle constitution et fait part de son intention d'organiser des élections en 2010. Après l'échec de celles de 1990, rares étaient les observateurs qui prenaient au sérieux la perspective d'un nouveau scrutin. Suu Kyi avait toujours interdiction d'exercer un mandat public. Aux termes des règles qu'avaient fixées les généraux, l'armée était sûre de conserver au parlement au moins un quart des sièges, et probablement une écrasante majorité. Mais, de la part d'un régime aussi répressif, même le geste le plus modeste dans le sens de la démocratie représentait une intéressante nouveauté.

Certes, de faux espoirs, on en avait déjà connu. En 1995, contre toute attente, le régime avait levé la résidence surveillée de Suu Kyi, et Madeleine Albright, alors ambassadeur des États-Unis à l'ONU, avait pris l'avion pour Rangoun : peut-être les militaires étaient-ils prêts à desserrer leur étreinte ? Elle avait emporté avec elle une affiche de la conférence des Nations unies sur les femmes qui s'était tenue à Pékin, portant de nombreuses signatures, dont la mienne. Mais les réformes ne s'étaient pas concrétisées. En 1996, en visite dans un pays voisin, la Thaïlande, j'avais appelé, dans un discours prononcé à l'université de Chiang Mai, à un « dialogue politique réel entre Suu Kyi et le régime militaire ». Loin de s'engager dans cette voie, les généraux, à partir de 1997, s'étaient mis à restreindre sévèrement la liberté de mouvement de Suu Kyi et ses activités politiques, et, en 2000, l'avaient replacée en résidence surveillée. En hommage à son héroïsme, Bill lui avait décerné la plus haute distinction civile aux États-Unis, la Médaille présidentielle de la liberté, qu'elle n'avait pas pu, bien sûr, venir recevoir en personne. Pour l'instant, nos efforts d'ouverture avaient échoué. Mais, en 2009, on pouvait difficilement soutenir que notre politique d'isolement et de sanctions s'était montrée beaucoup plus efficace. Pouvions-nous suivre une autre voie ?

J'ai dit au sénateur McConnell que je voulais réexaminer d'un œil neuf notre politique birmane, de fond en comble, et que j'espérais qu'il participerait à l'entreprise. Il était sceptique, mais il a finalement accepté. Notre révision critique aurait un soutien bipartisan. Le sénateur m'a fièrement montré, sur le mur de son bureau, une lettre de Suu Kyi qu'il avait encadrée. Manifestement, il avait fait de la Birmanie un problème personnel. J'ai promis de le consulter régulièrement en cours de route.

Il y avait un autre parlementaire que je devais voir : Jim Webb. Ancien combattant décoré du Vietnam et secrétaire à la Marine sous le président Reagan, il était à présent sénateur démocrate de Virginie et président de la sous-commission des relations extérieures du Sénat sur les affaires de l'Asie orientale et du Pacifique. Fougueux et non conformiste, il avait des idées bien arrêtées sur la politique américaine en Asie du Sud-Est. Les sanctions occidentales avaient réussi à appauvrir la Birmanie, m'a dit Jim, mais le régime était devenu encore plus dur et plus paranoïaque. Il craignait aussi que nous ne donnions involontairement à la Chine l'occasion d'étendre son influence économique et politique dans le pays. Partout en Birmanie, des compagnies chinoises investissaient massivement dans des barrages, des mines et des projets énergétiques, notamment un nouveau pipeline d'importance majeure. Jim pensait que réexaminer la politique birmane était une bonne idée, mais progresser à petits pas ne l'intéressait pas. Il m'a incitée à faire preuve d'imagination et de détermination, et m'a promis qu'il agirait de même depuis son perchoir à la sous-commission.

J'ai aussi cherché conseil auprès de l'autre assemblée du Capitole, où mon ami le représentant de New York Joe Crowley était depuis longtemps l'un des principaux défenseurs des sanctions contre le régime. Joe est un gars du Queens à l'ancienne, qui parle franc. Quand j'étais au Sénat et que nous nous rencontrions par hasard dans une soirée à New York, il me chantait des ballades irlandaises. Inspiré par son mentor à la commission des affaires étrangères de la Chambre, le grand et regretté Tom Lantos, il s'était fait le champion des droits de l'homme en Birmanie. Son soutien et ses avis seraient également cruciaux dans notre entreprise.

Lors de mon premier voyage en Asie en février 2009, j'ai consulté des dirigeants de la région pour connaître leur avis sur la Birmanie.

Le plus encourageant a été le président indonésien Susilo Bambang Yudhoyono. Il m'a dit qu'il avait parlé aux généraux birmans et en avait conclu que des progrès étaient possibles. À mes yeux, son opinion avait du poids, car il était lui-même un ancien général qui avait renoncé à son uniforme pour se présenter aux élections. De plus, il m'a rapporté que le régime serait peut-être intéressé par l'ouverture d'un dialogue avec les États-Unis. Nous n'avions pas d'ambassadeur en Birmanie depuis des années, mais il y avait encore des canaux par lesquels nous communiquions à l'occasion. Cette perspective de discussions plus sérieuses piquait notre curiosité.

En mars, j'ai envoyé en Birmanie Stephen Blake, diplomate chevronné et directeur du bureau du département d'État pour l'Asie du Sud-Est continentale. Dans un geste de bonne volonté, le régime lui a proposé une faveur rare : un entretien avec le ministre des Affaires étrangères. En échange, Blake a accepté d'être le premier responsable américain à se rendre de Rangoun à Nay Pyi Taw, la nouvelle capitale, bâtie par l'armée en 2005 dans un coin reculé de la jungle ; à en croire une rumeur fort répandue, le site avait été choisi sur le conseil d'un astrologue. Toutefois, il n'a pas été autorisé à rencontrer Suu Kyi, ni le dirigeant suprême du pays, le vieux général Than Shwe, qui vivait en reclus. Blake est rentré persuadé que le régime était effectivement intéressé par un dialogue et qu'une partie des gouvernants ne se satisfaisaient pas de l'isolement profond du pays. Mais il ne croyait guère que cette situation conduirait à des progrès réels dans un avenir pas trop lointain.

Puis, en mai, s'est produit l'un de ces imprévisibles caprices de l'histoire qui peuvent remodeler les relations internationales. Un ancien combattant du Vietnam âgé de 53 ans et originaire du Missouri, John Yettaw, était fasciné par Suu Kyi : c'était devenu pour lui une obsession. En novembre 2008, il s'était rendu à Rangoun et avait traversé à la nage le lac Inya pour atteindre la maison où elle était emprisonnée. Esquivant les vedettes de la police et les gardes, il avait escaladé une clôture et atteint son but sans se faire repérer. En découvrant sa présence, les domestiques de Suu Kyi avaient été horrifiées. Aucun visiteur non autorisé n'avait le droit d'entrer dans la maison et la présence de Yettaw les mettait toutes en danger. À contrecœur, il a accepté de s'en aller sans avoir vu Suu Kyi.

Mais, le printemps suivant, Yettaw est revenu. Il avait perdu 30 kilos et son ex-épouse craignait qu'il ne fût atteint d'un trouble de stress post-traumatique. Au début du mois de mai 2009, il n'en a pas moins, de nouveau, traversé à la nage le lac Inya. Cette fois, il a refusé de quitter la résidence : il a dit qu'il était épuisé et malade. Suu Kyi l'a autorisé à dormir par terre, puis elle a contacté les autorités. Yettaw a été arrêté vers 5 h 30 du matin le 6 mai, alors qu'il tentait de retraverser le lac à la nage. Suu Kyi et ses domestiques ont été appréhendées la semaine suivante pour violation des règles de la résidence surveillée. Finalement, Yettaw a été condamné à sept ans de travaux forcés, Suu Kyi et ses femmes de ménage à trois ans, peine aussitôt commuée par Than Shwe en dix-huit mois de prolongation de la résidence surveillée. Autant dire que Suu Kyi serait encore emprisonnée pendant que se dérouleraient les élections promises en 2010. « Tout le monde est en colère contre ce maudit Américain. C'est la cause de tous ces problèmes. C'est un imbécile ! » a déclaré à la presse l'un de ses avocats.

Quand j'ai appris la nouvelle, j'ai été furieuse aussi. Suu Kyi et les progrès que nous espérions tant en Birmanie n'auraient pas dû avoir à payer le prix des actes inconsidérés d'un Américain fourvoyé. Néanmoins, c'était un citoyen américain : j'avais donc le devoir de l'aider. J'ai appelé le sénateur Webb et le sénateur McConnell pour élaborer un plan d'action. Jim a proposé d'aller en Birmanie négocier la libération de Yettaw, et j'ai accepté. C'était sûrement à tenter.

À la mi-juin, un autre événement potentiellement explosif s'est produit. La marine américaine a pris en chasse un cargo nord-coréen de 2 000 tonnes que nous soupçonnions, avec nos alliés sud-coréens, de transporter vers la Birmanie du matériel militaire, notamment des lance-roquettes et peut-être des éléments de missiles. Si la chose était avérée, ce serait une violation directe de l'interdiction du commerce d'armement nord-coréen imposée par le Conseil de sécurité de l'ONU en réaction à un essai nucléaire effectué au mois de mai précédent. Nous recevions une avalanche d'informations sur des contacts entre l'armée birmane et une compagnie nord-coréenne spécialisée dans la technologie nucléaire, ainsi que sur des visites secrètes d'ingénieurs et de scientifiques.

Le Pentagone a dépêché un destroyer pour suivre en permanence le cargo nord-coréen, qui naviguait dans les eaux internationales. La résolution de l'ONU nous donnait le droit de fouiller le bateau, mais les Nord-Coréens avaient prévenu qu'ils verraient dans une telle initiative un acte de guerre. Nous nous sommes adressés aux autres pays de la région, Chine comprise, pour avoir de l'aide. Il était crucial que chaque port où ce bateau pouvait s'arrêter sur sa route mette en application la décision de l'ONU et inspecte à fond la cargaison. Le ministre chinois des Affaires étrangères, Yang, pensait aussi que la résolution « devait être appliquée strictement, pour envoyer un puissant message commun à la Corée du Nord ». À la dernière minute, les Nord-Coréens ont flanché ; le bateau a viré de bord et regagné son pays.

En août, le sénateur Webb s'est rendu à Nay Pyi Taw. Cette fois, Than Shwe a accepté une entrevue. Jim avait trois points à aborder. D'abord, il a demandé à pouvoir ramener Yettaw dans son pays pour raisons humanitaires : cet homme refusait de s'alimenter et souffrait de plusieurs maladies. Deuxièmement, il voulait rencontrer Suu Kyi, ce qu'on avait refusé à Blake. Troisièmement, il a exhorté Than Shwe à mettre fin à la résidence surveillée de la dissidente et à la laisser participer au processus politique ; c'était la seule solution pour que les futures élections soient prises au sérieux. Than Shwe l'a écouté attentivement sans rien laisser paraître de ce qu'il pensait. En fin de compte, Jim a obtenu satisfaction sur deux de ses trois requêtes. Il s'est rendu à Rangoun et a rencontré Suu Kyi. Puis il est parti pour la Thaïlande avec John Yettaw à bord d'un jet de l'US Air Force. Quand Jim et moi nous sommes parlé au téléphone, j'ai pu entendre le soulagement dans sa voix. Cependant, Suu Kyi restait prisonnière.

Le mois suivant, j'ai annoncé aux Nations unies, à New York, les résultats du réexamen de notre politique birmane. Nos buts n'avaient pas changé : nous voulions des réformes démocratiques crédibles, la libération immédiate et sans condition des prisonniers politiques, Aung San Suu Kyi comprise, et un dialogue sérieux avec l'opposition et les groupes ethniques minoritaires. Mais nous avions conclu que « "dialogue ou sanctions" était un faux choix ». Nous allions donc, désormais, utiliser les deux outils pour poursuivre nos objectifs, et nous adresser directement aux hauts responsables birmans.

*
* *

L'année suivante a été déprimante : il y a eu fort peu de progrès. Suu Kyi est restée en résidence surveillée, même si on lui a permis deux rencontres avec Kurt Campbell. Elle lui a décrit sa vie solitaire, où l'écoute du BBC World Service et de Voice of America pour savoir ce qui se passait hors de sa prison faisait figure de rituel quotidien. Le journal gouvernemental l'a effacée de la photo de Kurt publiée après sa visite.

Contrairement à ce qui s'était passé en 1990, il n'y a pas eu de raz de marée en faveur de la démocratie aux élections de 2010. Le parti soutenu par les militaires a proclamé sa victoire écrasante, comme on s'y attendait. Les organisations d'opposition et les associations internationales de défense des droits de l'homme se sont jointes aux États-Unis pour condamner l'ampleur de la fraude électorale. Le régime avait refusé d'autoriser les journalistes ou des observateurs extérieurs à contrôler la régularité du scrutin. Tout cela était tristement familier et prévisible. Les généraux avaient manqué une occasion d'engager une transition vers la démocratie et la réconciliation nationale. Et le peuple birman s'enfonçait plus encore dans la pauvreté et l'isolement.

Les résultats des élections avaient donc été décevants. Mais une semaine après le vote, en novembre 2010, les généraux, sans avertissement, ont levé la résidence surveillée de Suu Kyi. Puis Than Shwe a décidé de se retirer et a été remplacé par un autre général de haut rang, Thein Sein, qui était jusqu'alors Premier ministre. Ce dernier a ôté son uniforme et pris la tête d'un gouvernement officiellement civil. À la différence des autres dignitaires du régime, Thein Sein avait voyagé à travers la région ; il était bien connu des diplomates asiatiques et avait vu de ses yeux les voisins de la Birmanie jouir des bienfaits du commerce et de la technologie tandis que son pays stagnait. Rangoun avait été autrefois l'une des villes les plus cosmopolites d'Asie du Sud-Est. Thein Sein savait combien elle était à présent en retard sur Bangkok, Jakarta, Singapour ou Kuala Lumpur. En 2010, selon la Banque mondiale, 0,2 % seulement de la population du pays utilisait Internet. Les smartphones étaient inexistants en raison de l'insuffisance des services de téléphonie mobile. Le contraste avec les pays voisins n'aurait pu être plus tranché.

En janvier 2011, j'ai appelé pour la première fois Aung San Suu Kyi, fraîchement libérée, pour savoir ce qu'elle pensait de ces événements. Quelle émotion d'entendre enfin sa voix ! Elle semblait galvanisée par sa liberté nouvelle. Elle m'a remerciée pour le ferme soutien que les États-Unis et leurs présidents issus des deux partis lui avaient accordé au fil des ans, et m'a posé des questions sur le mariage de ma fille. Son parti politique était en train d'intensifier ses efforts de recrutement pour tester les limites de l'attitude nouvelle adoptée par le gouvernement. Je lui ai dit que nous voulions aider, que nous étions prêts à faire part des leçons d'autres mouvements favorables à la démocratie dans le monde. « J'espère que je pourrai venir vous voir un jour, ai-je conclu, ou mieux : que vous pourrez venir me voir ! »

Au printemps de la même année, Thein Sein est devenu officiellement président de la Birmanie. Et – surprise – il a invité Suu Kyi à dîner dans sa modeste demeure. C'était un geste remarquable de la part de l'homme le plus puissant du pays envers la femme si longtemps redoutée par les militaires comme de leurs pires ennemies. L'épouse de Thein Sein a préparé le repas, qu'ils ont pris sous un tableau représentant le père de Suu Kyi. Ils se rencontreraient à nouveau pendant l'été à Nay Pyi Taw. Les premières conversations avaient été hésitantes. Entre le général et la dissidente, bien sûr, une méfiance mutuelle régnait. Mais il était clair qu'il se passait quelque chose.

Je voulais que les États-Unis jouent un rôle constructif en encourageant les meilleurs instincts du nouveau gouvernement birman, sans l'embrasser prématurément ni perdre le levier que leur conféraient leurs fortes sanctions. Renommer officiellement un ambassadeur eût été faire trop et trop tôt, mais nous avions vraiment besoin d'un nouveau canal diplomatique pour jauger les intentions de Thein Sein. Lors de nos séances de réflexion stratégique, j'ai demandé à Kurt et à son équipe de faire preuve d'imagination en élaborant divers scénarios pour nos prochaines initiatives. Nous avons nommé notre premier représentant spécial pour la Birmanie : ce serait un expert chevronné de l'Asie, Derek Mitchell. Ce poste avait été créé par le Congrès dans une loi votée sur proposition du représentant Tom Lantos en 2007 et promulguée par le président Bush en 2008, mais il n'avait jamais été pourvu. Choisir un représentant spécial en Birmanie ne conférerait pas au régime le prestige que lui aurait apporté l'installation d'un ambassadeur permanent, tout en permettant de mieux communiquer.

*
* *

L'Irrawaddy traverse la Birmanie du nord au sud et a longtemps été au cœur de la culture et du commerce du pays. Il a laissé à George Orwell le souvenir d'un fleuve « scintillant comme le diamant là où il captait le soleil », et bordé de vastes rizières. On y voit flotter des faisceaux de rondins de teck, l'un des produits d'exportation majeurs de la Birmanie, qui descendent des forêts de l'intérieur jusqu'à la mer. Venues des glaciers de l'est de l'Himalaya, les eaux de l'Irrawaddy courent dans une infinité de canaux et de systèmes d'irrigation qui alimentent les fermes et les villages d'amont, d'aval et de son ample delta, large et fertile. Comme le Gange en Inde et le Mékong au Vietnam, l'Irrawaddy est vénéré dans la société birmane. C'est, écrit Suu Kyi, « la grand-route naturelle, source prolifique de nourriture, foyer d'une flore et d'une faune aquatiques très diverses, soutien des modes de vie traditionnels, muse qui a inspiré d'innombrables œuvres de prose et de poésie ».

Tout cela n'a pas empêché une entreprise publique chinoise d'électricité de mettre à profit les relations de longue date entre Pékin et les généraux au pouvoir pour obtenir l'autorisation de construire le premier barrage hydroélectrique sur le haut Irrawaddy. Ce projet colossal risquait de faire de gros dégâts dans l'économie et les écosystèmes locaux, mais il apportait d'importants avantages à la Chine. Avec six autres construits par les Chinois dans le nord de la Birmanie, le barrage Myitsone, comme on l'avait baptisé, fournirait de l'électricité à des villes du sud de la Chine en manque d'énergie. En 2011, des ouvriers du bâtiment chinois casqués ont fondu sur les rives des sources de l'Irrawaddy, dans les montagnes reculées du Nord, où vit un groupe ethnique séparatiste, les Kachin. Ils ont commencé à dynamiter, à creuser des tunnels et à bâtir. Des milliers de villageois qui vivaient dans les environs ont été relocalisés.

Dans un pays longtemps gouverné par des autocrates capricieux, ce type de projet destructeur n'était pas particulièrement surprenant. Ce qui l'a été, c'est la réaction populaire. Dès le départ, les organisations kachin locales étaient opposées au barrage, mais la protestation a vite gagné d'autres régions du pays, et même percé dans les journaux, soumis à une pesante censure. Les militants ont mis la main sur une étude d'impact environnemental de neuf cents pages réalisée par des scientifiques chinois : ils soulignaient les effets préjudiciables aux poissons et à d'autres espèces en aval, relevaient la présence à proximité d'une ligne de faille sismique majeure, et contestaient la nécessité et le bien-fondé du projet. La colère suscitée par les dommages écologiques infligés au fleuve sacré, l'Irrawaddy, se nourrissait du profond ressentiment populaire envers la Chine, principal soutien étranger du régime militaire. Comme nous l'avons constaté dans d'autres États autoritaires, le nationalisme est souvent plus difficile à censurer que la dissidence.

Une vague d'indignation publique sans précédent a commencé à monter dans toute la Birmanie. En août 2011, Suu Kyi, qui était restée assez discrète depuis la levée de sa résidence surveillée, a publié une lettre ouverte contre le barrage. Le nouveau gouvernement officiellement civil paraissait divisé et pris au dépourvu. Le ministre de l'Information, un général à la retraite, a tenu une conférence de presse et s'est engagé, en larmes, à protéger l'Irrawaddy. Mais d'autres hauts dirigeants ont minimisé les préoccupations de l'opinion et affirmé que le barrage serait réalisé comme prévu. Finalement, Thein Sein a soumis la question au parlement. Le gouvernement avait été élu par le peuple, a-t-il déclaré, et il était donc tenu de répondre aux inquiétudes de la population. La construction du barrage controversé a été stoppée.

À cette date, c'était le plus convaincant des indices prouvant que le nouveau gouvernement était peut-être sérieux dans son intention de réformer. C'était aussi une surprenante condamnation officielle de la Chine, où la nouvelle a semé la consternation.

J'ai été émerveillée par le succès de la société civile birmane émergente, que l'on avait si longtemps persécutée et empêchée de s'organiser ou de parler librement. Le choix du barrage Myitsone comme enjeu capable de galvaniser l'opinion m'a rappelé une merveilleuse intuition d'Eleanor Roosevelt : « Où commencent les droits de l'homme universels, après tout ? » avait-elle demandé dans un discours de 1958 aux Nations unies. Puis elle avait donné sa réponse : « Près de chez soi, en des lieux tout proches et tout petits », dans « l'univers personnel de chacun : le quartier où l'on vit ; l'école ou l'université que l'on fréquente ; l'usine, la ferme ou le bureau où l'on travaille. […] Si chacun ne fait pas preuve du civisme nécessaire pour qu'ils soient respectés dans son entourage, il ne faut pas s'attendre à des progrès à l'échelle du monde. » Le peuple de Birmanie s'était vu longtemps refuser de multiples libertés fondamentales. Mais, finalement, ce sont des abus environnementaux et économiques qui ont servi d'étincelle à l'indignation générale, parce qu'ils touchent les gens de façon directe et tangible. Nous assistons à un phénomène semblable avec les protestations contre la pollution en Chine. Ce qui commence comme une revendication prosaïque peut vite devenir bien plus. Une fois que les citoyens exigent et obtiennent que leur gouvernement soit réactif face à leurs préoccupations quotidiennes, ils peuvent hausser leurs attentes et réclamer des changements fondamentaux. C'est l'un des aspects de ce que j'appelle « faire des droits de l'homme une réalité humaine ».

L'arrêt de la construction du barrage semblait avoir ouvert les vannes à une marée d'initiatives nouvelles. Le 12 octobre, le gouvernement a commencé à libérer quelques centaines de prisonniers politiques – il y en avait plus de 2 000. Le 14, il a légalisé la syndicalisation des salariés, pour la première fois depuis les années 1960. Ces initiatives faisaient suite à des mesures plus modestes prises en cours d'année pour assouplir la censure et apaiser des conflits avec des organisations armées issues de minorités ethniques dans les campagnes. Le gouvernement a aussi engagé des discussions avec le Fonds monétaire international sur les réformes économiques. C'est sur un ton de prudent optimisme que Suu Kyi s'est adressée à ses partisans à Rangoun : elle a appelé à libérer davantage de prisonniers et à faire d'autres réformes.

À Washington, nous suivions de près ces événements et nous demandions quelle importance nous devions leur accorder. Il nous fallait mieux sentir ce qui se passait vraiment sur le terrain. J'ai demandé au plus haut responsable chargé des droits de l'homme au département d'État, Mike Posner, d'accompagner Derek Mitchell en Birmanie et de tenter de décrypter les intentions du nouveau gouvernement. Début novembre, Mike et Derek ont rencontré des parlementaires et eu des discussions encourageantes sur la poursuite des réformes, notamment la reconnaissance de la liberté de réunion et l'autorisation des partis politiques. Le parti de Suu Kyi restait interdit, et il ne pourrait pas participer aux élections législatives de 2012 si la loi n'était pas modifiée. C'était l'une des principales préoccupations des dirigeants d'opposition sceptiques avec lesquels Mike et Derek avaient parlé. Ces derniers évoquaient aussi les nombreux prisonniers politiques qui restaient détenus et des informations sur de graves violations des droits de l'homme dans les zones ethniques. Suu Kyi et d'autres opposants nous demandaient de ne pas aller trop vite, d'attendre des preuves tangibles de progrès démocratique avant de lever les sanctions et de récompenser le régime. Cette position me paraissait raisonnable, mais nous devions aussi poursuivre le dialogue avec les gouvernants et encourager ces premiers pas.

*

* *

Début novembre, tandis que Mike et Derek rencontraient des dissidents et des parlementaires en Birmanie, le président Obama et moi préparions activement le passage au niveau supérieur de la stratégie du pivot. Nous savions que le prochain voyage du président en Asie serait notre meilleure occasion de montrer ce que voulait dire le pivot. Nous avons commencé ensemble par les réunions économiques de l'APEC à Hawaii, puis il est parti pour l'Australie. Je me suis arrêtée aux Philippines afin de commémorer le soixantième anniversaire de notre traité de défense mutuelle sur le pont du destroyer *USS Fitzgerald* à Manille, après quoi j'ai retrouvé le président en Thaïlande, autre allié crucial.

Le 17 novembre, le président Obama et moi sommes arrivés tous deux à Bali (Indonésie) pour une assemblée du Sommet de l'Asie orientale et une réunion des dirigeants de l'ASEAN et des États-Unis, le plus important rassemblement annuel des chefs d'État de la région. C'était la première fois qu'un président des États-Unis assistait au Sommet de l'Asie orientale. Sa présence était une preuve de l'engagement du président Obama dans l'élargissement de notre dialogue avec la région, et un résultat direct du travail de terrain que nous avions accompli depuis 2009 en signant le traité d'amitié et de coopération avec l'ASEAN et en faisant de la diplomatie multilatérale une priorité en Asie. Comme au Vietnam l'année précédente, les différends territoriaux en mer de Chine méridionale étaient dans tous les esprits. Et, comme au forum de l'ASEAN à Hanoi, la Chine ne voulait pas aborder la question dans un cadre ouvert et multilatéral, *a fortiori* s'il incluait la présence des États-Unis. « Les forces extérieures ne doivent pas être mêlées à cette affaire, sous aucun prétexte », a déclaré le Premier ministre chinois, Wen Jiabao. Le vice-ministre des Affaires étrangères a été plus direct : « Nous espérons que la mer de Chine méridionale ne sera pas évoquée au Sommet de l'Asie orientale », a-t-il dit aux journalistes. Les petits pays, notamment le Vietnam et les Philippines, n'en étaient pas moins décidés à avoir cette discussion. À Hanoi, nous avions tenté de promouvoir une méthode collaborative pour régler pacifiquement les différends en mer de Chine méridionale, mais, dans les mois qui avaient suivi cet affrontement, Pékin avait campé sur ses positions. Il les avait même durcies.

Dans l'après-midi du 18 novembre, j'ai accompagné le président Obama à la réunion à huis clos des dirigeants, à laquelle participaient dix-sept autres chefs d'État et leurs ministres des Affaires étrangères. Leurs autres collaborateurs et les journalistes n'étaient pas admis. Le président Obama et le Premier ministre Wen ont tous deux écouté en silence tandis que d'autres dirigeants ouvraient la discussion. Singapour, les Philippines, le Vietnam et la Malaisie ont été parmi les premiers à s'exprimer, et tous ont manifesté leur intérêt pour la mer de Chine méridionale. Les chefs d'État ont parlé tour à tour pendant deux heures, et pratiquement tous ont répété les principes dont nous avions discuté à Hanoi : garantir le libre accès et la liberté de navigation, résoudre les différends de manière pacifique et coopérative dans le cadre du droit international, éviter la coercition et les menaces, et soutenir un code de conduite. Il est vite apparu clairement qu'il y avait dans la salle un puissant consensus. Les dirigeants s'exprimaient avec vigueur et sans équivoque, mais aussi sans acrimonie. Même les Russes étaient d'accord pour juger approprié de discuter de cette question importante dans le cadre du sommet.

Enfin, quand seize dirigeants eurent parlé, le président Obama a pris le micro. À ce moment-là, tous les arguments avaient déjà été bien développés. Il s'est donc félicité de ce consensus et a réaffirmé le soutien des États-Unis à l'approche que venaient de formuler les pays de la région : « Bien que nous ne revendiquions rien dans les différends en mer de Chine méridionale et que nous ne prenions pas parti, nous avons puissamment intérêt à la sécurité maritime en général et au règlement du problème spécifique de la mer de Chine méridionale en particulier – en tant que puissance résidente du Pacifique, nation maritime, nation commerçante et garante de la sécurité dans la région Asie-Pacifique. » Lorsque le président eut terminé, il promena son regard sur la salle, y compris sur le Premier ministre Wen, qui était visiblement contrarié. C'était encore pire qu'à Hanoi. Il avait souhaité que la mer de Chine méridionale ne soit pas évoquée du tout, et voici qu'il était confronté à un front uni. À la différence du ministre des Affaires étrangères Yang à Hanoi, le Premier ministre Wen n'a pas demandé une suspension de séance. Il a répondu poliment, mais fermement, en défendant les actes de la Chine et en soulignant à nouveau que ce n'était pas le forum approprié pour ces questions.

Tandis que ce grand spectacle diplomatique était en cours, j'étais tout aussi concentrée sur l'évolution des événements en Birmanie. Dans les semaines qui avaient précédé notre voyage, Kurt avait recommandé de nouvelles initiatives audacieuses pour dialoguer avec le régime et encourager de nouvelles réformes. Je discutais de la Birmanie avec le président Obama et ses conseillers à la Sécurité nationale, qui voulaient être sûrs que nous ne baissions pas la garde et n'allégions pas la pression contre le régime prématurément. J'avais à la Maison-Blanche un allié solide qui m'aidait à préconiser le dialogue : Ben Rhodes, collaborateur de longue date du président et qui était conseiller adjoint à la Sécurité nationale. Ben était d'accord avec moi : nous avions posé les bases, à présent il fallait avancer. Mais, en fin de compte, une seule personne pouvait rassurer le président, et c'était elle qu'il voulait entendre lui dire que c'était le bon moment. J'ai demandé à Kurt et à Jake de parler à Suu Kyi et d'organiser un entretien téléphonique avec le président Obama. Pendant son vol de l'Australie à l'Indonésie dans l'Air Force One, il a eu pour la première fois une conversation avec elle. Elle a souligné le rôle important que pouvait jouer l'Amérique pour aider son pays à évoluer vers la démocratie. Les deux prix Nobel de la paix ont aussi échangé des histoires au sujet de leurs chiens. Après cet appel, le président était prêt à aller de l'avant. Le lendemain, à Bali, je me trouvais à ses côtés quand il est venu annoncer au micro qu'il m'avait demandé d'aller en Birmanie pour étudier personnellement les perspectives d'une réforme démocratique et d'un rapprochement entre nos deux pays. « Après des années d'obscurité, nous avons vu quelques étincelles de progrès », a-t-il déclaré. J'allais être la première secrétaire d'État à me rendre dans ce pays depuis plus d'un demi-siècle.

Sur le vol retour d'Indonésie, mon esprit était déjà entièrement tourné vers le voyage qui arrivait. Ce serait une occasion de jauger Thein Sein par moi-même et de rencontrer enfin Suu Kyi en personne. Pourrions-nous trouver un moyen d'attiser ces petites étincelles de progrès dont parlait le président pour allumer le feu de réformes démocratiques vraiment profondes ?

Nous nous sommes arrêtés au Japon pour faire le plein, sous une pluie battante. Deux agents du Service extérieur stationnés à notre ambassade de Tokyo m'attendaient. Ils connaissaient bien la Birmanie et avaient entendu l'annonce faite par le président. Ils m'avaient donc apporté une pile de livres concernant ce pays et un film sur Suu Kyi intitulé *The Lady*. C'était exactement ce qu'il me fallait. Toute l'équipe, y compris le pool de presse itinérant, a regardé le film tandis que nous survolions le Pacifique vers l'est jusqu'à Washington. Là-bas, j'ai aussitôt commencé à organiser mon voyage en Birmanie.

*
* *

Je suis arrivée à Nay Pyi Taw le 30 novembre 2011 en fin d'après-midi. Le petit aéroport de la lointaine capitale est goudronné, mais pas assez éclairé pour qu'on puisse y atterrir après le coucher du soleil.

Juste avant de quitter Washington, des spécialistes de l'Asie au département d'État avaient adressé à tous ceux qui étaient du voyage une note leur conseillant de ne pas s'habiller en blanc, en noir ou en rouge, à cause de normes culturelles locales. Il n'est pas inhabituel de recevoir ce type de consigne avant un voyage ; il arrive que, dans un pays, certains partis politiques ou groupes ethniques soient associés à des couleurs particulières. J'ai donc passé en revue ma garde-robe pour essayer d'y trouver des vêtements dont les couleurs conviendraient à la Birmanie. Je venais d'acheter une adorable veste blanche légère, parfaite pour les climats très chauds. Ferais-je vraiment preuve d'insensibilité envers la culture en l'emportant ? Je l'ai mise dans ma valise au cas où les experts se seraient trompés. De fait, quand nous sommes descendus de l'avion, nous avons été accueillis par des Birmans portant toutes les couleurs qu'on nous avait demandé d'éviter. J'espérais que ce n'était pas un signe d'incompréhensions plus graves de notre part, mais je pouvais à présent porter sans risque ma veste blanche.

Notre convoi est sorti de l'aéroport dans un paysage de vastes champs ouverts. L'autoroute vide semblait comprendre vingt voies. Nous voyions à l'occasion une bicyclette, mais pas d'autres voitures et très peu de gens. Nous avons dépassé un paysan coiffé d'un chapeau de paille conique traditionnel qui conduisait un chariot chargé de foin et tiré par un bœuf blanc. On avait l'impression de regarder le passé par la fenêtre.

Au loin, nous apercevions les tours des immenses édifices publics de Nay Pyi Taw. La ville avait été construite en secret par les militaires en 2005 et elle était extrêmement fortifiée : ses remparts et ses douves avaient été conçus pour la protéger d'une hypothétique invasion américaine. Peu de gens y vivaient réellement : de nombreux bâtiments étaient vides ou inachevés. Globalement, l'endroit ressemblait à un village Potemkine.

Le lendemain matin, j'ai rendu visite au président Thein Sein dans son bureau de cérémonie, une pièce immense. Nous nous sommes assis sur des trônes d'or, sous un massif chandelier en cristal. Malgré le cadre, Thein Sein était étonnamment simple et modeste, *a fortiori* pour un chef d'État à la tête d'une junte militaire. Petit, légèrement voûté, il avait le crâne dégarni et portait des lunettes. Il ressemblait plus à un comptable qu'à un général. Lorsqu'il était Premier ministre du gouvernement militaire, il apparaissait toujours dans l'uniforme vert très amidonné de l'armée, mais à présent il portait un sarong birman traditionnel de couleur bleue, des sandales et une tunique blanche.

En Birmanie et ailleurs, beaucoup supposaient que l'ancien chef de la junte, Than Shwe, avait choisi le doux Thein Sein comme successeur pour deux raisons : il paraîtrait inoffensif aux yeux du monde extérieur tout en étant assez souple pour servir de façade aux durs du régime. Jusque-là, Thein Sein avait surpris tout le monde en manifestant une indépendance inattendue et un réel cran pour promouvoir son programme naissant de réformes.

Au cours de notre discussion, je me suis montrée encourageante. J'ai exposé les étapes qui pourraient conduire à une reconnaissance internationale et à un allégement des sanctions. « Vous êtes sur la bonne voie, lui ai-je dit. Comme vous le savez, il y aura des choix difficiles à faire et de pénibles obstacles à surmonter, [mais] c'est une occasion pour vous de laisser un héritage historique à votre pays. » Je lui ai aussi remis une lettre personnelle du président Obama qui soulignait les mêmes points.

Thein Sein a répondu avec prudence ; des éclairs de jovialité et la présence d'une ambition, d'une vision, perçaient toutefois à travers ses phrases circonspectes. Les réformes allaient se poursuivre, m'a-t-il dit. Sa détente avec Suu Kyi également. Il était aussi très conscient du paysage stratégique général. « Notre pays est situé entre deux géants », a-t-il rappelé ; il faisait allusion à la Chine et à l'Inde, et il devait prendre des précautions pour ne pas risquer de compromettre ses relations avec Pékin. J'étais en présence de quelqu'un qui avait, manifestement, mené une réflexion longue et sérieuse sur l'avenir de son pays et sur le rôle que lui-même pouvait jouer pour le concrétiser.

Au fil de mes voyages, j'ai rencontré au moins trois types de dirigeants mondiaux : ceux qui partagent nos valeurs et notre vision du monde, et qui constituent des partenaires naturels ; ceux qui veulent bien faire, mais n'ont ni la volonté ni la capacité politique d'aller jusqu'au bout ; et ceux qui jugent leurs intérêts et leurs valeurs fondamentalement antagoniques avec les nôtres et qui vont nous contrer chaque fois qu'ils le pourront. Je me demandais dans quelle catégorie classer Thein Sein. Même si son désir de démocratie était sincère, avait-il suffisamment d'habileté politique pour surmonter une opposition solidement ancrée chez ses collègues militaires et mener effectivement à bien une transformation nationale aussi difficile ?

J'étais encline à soutenir ouvertement Thein Sein, dans l'espoir qu'une reconnaissance internationale renforcerait sa position dans son pays. Mais il y avait des raisons de rester prudente. Avant d'en dire trop, je devais rencontrer Suu Kyi et confronter nos impressions.

Nous étions entrés dans une danse diplomatique délicate et il était essentiel de ne pas faire de faux pas.

Après notre entretien, nous sommes allés déjeuner dans une vaste salle. J'étais assise entre Thein Sein et son épouse. Elle m'a pris la main et a tenu des propos émouvants sur sa famille, ainsi que sur ses espoirs d'améliorer la vie des enfants de Birmanie.

Puis ce fut le parlement et des rencontres avec un éventail représentatif de ses membres – ils avaient été triés sur le volet par les militaires. Ils portaient des vêtements traditionnels aux couleurs vives, notamment des coiffures à cornes et des fourrures brodées. Certains s'enthousiasmaient pour le dialogue avec les États-Unis et la poursuite des réformes dans leur pays. D'autres étaient manifestement sceptiques face à tous les changements qui s'opéraient autour d'eux, et aspiraient à un retour aux vieilles méthodes.

Le président de la Chambre basse, Shwe Mann, lui aussi un ancien général, s'est entretenu avec moi dans une autre salle gigantesque, sous une peinture représentant un luxuriant paysage birman qui semblait s'étendre sur des kilomètres. Il était bavard et débonnaire. « Nous avons étudié votre pays pour essayer de comprendre comment fonctionne un parlement », m'a-t-il confié. Je lui ai demandé s'il avait lu des livres, ou consulté des experts. « Oh non ! a-t-il répondu. Nous avons regardé *À la Maison-Blanche.* » Je lui ai promis en riant de lui fournir encore plus d'informations.

Le soir, de retour à l'hôtel, assise dehors autour d'une grande table avec les journalistes américains, j'ai tenté de résumer ce que j'avais appris ce jour-là. Les mesures prises par le gouvernement civil étaient importantes : assouplissement des restrictions sur les médias et la société civile, levée de la résidence surveillée de Suu Kyi, libération d'environ 200 autres prisonniers politiques, entrée en vigueur de nouvelles lois sur les syndicats et sur les élections. Thein Sein m'avait promis de prendre appui sur ces avancées pour mener à bien des réformes encore plus ambitieuses, et je voulais bien le croire. Mais je savais qu'il est facile d'éteindre les petites étincelles du progrès. « Quand il pleut, recueille l'eau », dit un vieux proverbe birman. Le moment était venu de consolider les réformes et de les verrouiller pour l'avenir, afin qu'elles s'enracinent et deviennent irréversibles. Comme je l'avais dit à Thein Sein dans la matinée, les États-Unis étaient prêts à accompagner les Birmans sur la route de la réforme s'ils choisissaient de poursuivre leur chemin dans ce sens-là.

Le vol vers Rangoun n'a pris que quarante minutes, mais, après la vision surréaliste de la ville fantôme gouvernementale de Nay Pyi Taw, j'ai eu la sensation d'entrer dans un autre monde. Rangoun est une agglomération de plus de 4 millions d'habitants aux rues animées et au charme colonial suranné. Des décennies d'isolement et de mauvaise gestion ont fait leur office sur les façades décrépies et les peintures écaillées, mais on imagine aisément pourquoi ce lieu était autrefois considéré comme un « joyau de l'Asie ». Le cœur de Rangoun est la haute pagode Shwedagon, un temple bouddhiste vieux de deux mille cinq cents ans aux tours d'or étincelantes et aux innombrables bouddhas dorés. Respectant la coutume locale, j'ai ôté mes chaussures et suis entrée pieds nus dans les salles splendides de la pagode. Les agents de sécurité détestent enlever leurs chaussures, car ils se sentent alors moins prêts à réagir en cas d'urgence. En revanche, cela a beaucoup amusé les journalistes américains, qui ont adoré cette occasion de voir le vernis de mes ongles de pied, qualifié par l'un d'eux de « rouge sirène sexy ».

Accompagnée d'une foule de moines et de curieux, j'ai allumé des cierges et brûlé de l'encens devant un grand bouddha. Puis on m'a conduite devant l'une des énormes cloches censées peser quarante tonnes. Le moine m'a remis une baguette dorée et m'a invitée à la frapper trois fois. Ensuite, comme on me le demandait, j'ai versé onze coupes d'eau sur un petit bouddha en albâtre blanc, signe traditionnel de respect. « Puis-je faire onze vœux ? » ai-je demandé. C'était une introduction fascinante à la culture birmane. Mais je faisais plus que du tourisme. En me rendant à la pagode vénérée, j'espérais faire comprendre au peuple de Birmanie que l'Amérique voulait engager le dialogue avec lui autant qu'avec son gouvernement.

Ce soir-là, j'ai enfin rencontré Suu Kyi en personne, dans la villa du bord du lac où vivaient autrefois les ambassadeurs des États-Unis. Je portais ma veste blanche et un pantalon noir ; la note d'avertissement à propos des vêtements était à présent officiellement oubliée. À l'amusement de tous, Suu Kyi est arrivée dans une tenue semblable. Nous avons bu un verre avec Derek Mitchell et Kurt Campbell, puis nous avons dîné en privé, juste nous deux. Son parti politique avait été autorisé en novembre 2011 et, après maintes réunions de ses dirigeants, avait décidé de participer aux élections de 2012. Suu Kyi m'a dit qu'elle serait elle-même candidate au parlement. Après tant d'années de solitude forcée, c'était une perspective redoutable.

Pendant le dîner, j'ai livré mes impressions sur Thein Sein et les autres responsables gouvernementaux que j'avais rencontrés à Nay Pyi Taw. J'ai aussi évoqué certains souvenirs de ma première campagne électorale. Elle m'a posé beaucoup de questions sur la façon dont on se prépare à devenir candidat. Tout cela était pour elle si intensément personnel. L'héritage de son père assassiné, le héros de l'indépendance birmane, pesait sur elle et la dynamisait. Ce patrimoine lui donnait une prise sur l'imaginaire du pays, mais il créait aussi un lien avec ces mêmes généraux qui l'avaient long-temps tenue prisonnière. Elle était la fille d'un officier, une enfant de l'armée, et elle n'avait jamais perdu son respect pour l'institution et pour ses codes. Nous pouvons travailler avec eux, m'a-t-elle dit avec assurance. J'ai pensé à Nelson Mandela embrassant ses anciens gardes de prison après son investiture à la présidence de l'Afrique du Sud : ce fut un geste à la fois d'idéalisme suprême et de réalisme pragmatique. Suu Kyi avait les mêmes qualités. Elle était déterminée à changer son pays et, après des décennies d'attente, elle était prête à passer des compromis, à enjôler, et à faire cause commune avec ses anciens adversaires.

Avant de nous séparer ce soir-là, Suu Kyi et moi avons échangé des cadeaux personnels. J'avais apporté une pile de livres américains qui à mon avis allaient lui plaire et un jouet à mâcher pour son chien. Elle m'a offert un collier d'argent qu'elle avait dessiné elle-même sur un antique modèle birman, en forme de fruit de lotus.

Nous nous sommes à nouveau rencontrées le lendemain matin sur l'autre rive du lac, dans la vieille demeure coloniale de son enfance, avec ses parquets et ses majestueux plafonds. Il était facile d'oublier que cette maison avait aussi été pendant si longtemps sa prison. Elle m'a présenté les vétérans de son parti, des octogénaires qui avaient survécu à de longues années de persécution et avaient du mal à croire aux changements auxquels ils assistaient. Nous nous sommes assis autour d'une grande table ronde en bois et nous avons écouté leurs récits. Suu Kyi a le sens du contact humain. Elle avait beau être une célébrité mondiale et un symbole dans son pays, elle témoignait à ces vétérans le respect et l'attention qu'ils méritaient, et ils l'aimaient pour cela.

Plus tard, nous nous sommes promenées dans ses jardins, qui resplendissaient de fleurs roses et rouges. Les barbelés qui bordaient la propriété étaient un rappel poignant de sa réclusion passée. Nous sommes allées sur la véranda, bras dessus, bras dessous, et nous avons parlé à la foule des journalistes qui s'était rassemblée.

« Vous avez été une source d'inspiration, ai-je dit à Suu Kyi. Vous vous battez pour tous les habitants de votre pays, qui méritent les mêmes droits et libertés que tous les individus partout dans le monde. » J'ai promis que les États-Unis seraient un ami pour le peuple de Birmanie dans sa marche historique vers un avenir meilleur. Elle m'a aimablement remerciée du soutien et des conseils que nous avions fournis au fil des mois et des années. « Ce sera le début d'un nouvel avenir pour nous tous, pourvu que nous puissions le maintenir », a-t-elle conclu. C'était le même mélange d'optimisme et de prudence que nous ressentions tous.

Quand j'ai quitté la maison de Suu Kyi, je me suis rendue dans une galerie d'art voisine. Elle était spécialisée dans les œuvres d'artistes issus des nombreuses minorités ethniques du pays, lesquelles y représentent près de 40 % de la population. Ses murs étaient couverts de photos des multiples visages de la Birmanie. Il y avait de la fierté dans les regards, mais aussi de la tristesse. Depuis que le pays avait obtenu son indépendance en 1948, l'armée birmane n'avait cessé de faire la guerre à des organisations armées séparatistes dans les enclaves ethniques. Des atrocités étaient commises des deux côtés, et les civils étaient pris entre deux feux, mais la grande coupable était l'armée. Ces conflits sanglants constituaient des obstacles majeurs à l'ère nouvelle que nous espérions proche pour la Birmanie, et j'avais souligné auprès de Thein Sein et de ses ministres combien il était important de les régler pacifiquement. Des représentants des principaux groupes ethniques m'ont dit à quel point leurs peuples avaient souffert dans les conflits et espéraient des cessez-le-feu. Certains se demandaient tout haut si les nouveaux droits et libertés de la Birmanie leur seraient octroyés aussi. Cette question allait hanter le processus de réforme.

Les étincelles de progrès étaient réelles. Si Thein Sein libérait davantage de prisonniers politiques, faisait voter de nouvelles lois pour protéger les droits de l'homme, cherchait à conclure des cessez-le-feu dans les conflits ethniques, mettait fin aux contacts militaires avec la Corée du Nord et garantissait des élections libres et équitables en 2012, nous rendrions la pareille en restaurant des relations diplomatiques complètes, avec nomination d'un ambassadeur, en allégeant les sanctions et en intensifiant les investissements et l'aide au développement en Birmanie. Comme je l'avais dit à Suu Kyi, ce serait mesure pour mesure. J'espérais que ma visite avait apporté le soutien international dont les réformateurs avaient besoin pour renforcer leur crédibilité et poursuivre leur travail. Dans les rues de Rangoun, des affiches étaient apparues : c'étaient des photographies de ma promenade avec Suu Kyi dans son jardin. Ses traits étaient rapidement en train de devenir presque aussi familiers que ceux de son père.

En attendant, j'aurais aimé goûter davantage à ce superbe pays : remonter l'Irrawaddy, voir Mandalay. Je me suis promis d'y revenir un jour, assez vite, avec ma famille.

Suu Kyi et moi sommes restées en contact étroit dans les mois suivants, tandis que le processus de réforme avançait, et nous nous sommes parlé cinq fois au téléphone. J'ai été ravie lorsqu'en avril 2012 elle a été élue au parlement, en même temps que plus de quarante membres de son parti : celui-ci avait remporté tous les sièges pour lesquels il avait présenté des candidats, sauf un. Cette fois, les résultats n'ont pas été annulés et on a laissé Suu Kyi siéger. Désormais, elle allait pouvoir faire usage de ses talents politiques.

*
* *

En septembre 2012, Suu Kyi s'est rendue aux États-Unis pour une tournée de dix-sept jours. Je me suis souvenue du souhait que nous avions partagé au cours de notre premier appel téléphonique. Je lui avais rendu visite, et maintenant c'est elle qui venait me voir. Nous nous sommes assises dans un confortable coin-repas, devant ma cuisine, dans le jardin de ma maison de Washington, en tête-à-tête.

Les mois qui s'étaient écoulés depuis ma visite en Birmanie avaient été riches en changements excitants. Thein Sein avait entraîné son gouvernement, lentement mais sûrement, sur la voie que nous avions évoquée à Nay Pyi Taw. Nous nous étions à nouveau rencontrés pendant l'été, lui et moi, lors d'une conférence au Cambodge, et il avait réaffirmé son engagement en faveur de la réforme. Des centaines de prisonniers politiques avaient été libérés, notamment des étudiants qui avaient organisé les manifestations pour la démocratie de 1988 et des moines bouddhistes qui avaient participé aux mouvements de 2007. Un cessez-le-feu fragile avait été signé avec certaines des organisations rebelles qui représentaient les minorités ethniques. Les partis politiques recommençaient à recruter, et des journaux privés seraient bientôt autorisés pour la première fois depuis près d'un demi-siècle.

En réponse, les États-Unis avaient commencé à assouplir les sanctions et fait de Derek Mitchell notre premier ambassadeur depuis des années. La Birmanie rejoignait la communauté internationale et allait présider l'ASEAN en 2014 – c'était l'un de ses objectifs de longue date. Tandis que le Printemps arabe perdait son éclat au Moyen-Orient, la Birmanie donnait au monde de nouvelles raisons de croire à la possibilité concrète d'une transition pacifique de la dictature à la démocratie. Ses progrès confirmaient qu'un mélange de sanctions et de dialogue pouvait être un outil efficace pour dynamiser le changement même dans les sociétés les plus fermées. Si l'on pouvait amener en douceur les généraux birmans à sortir de leur isolement et de leur hostilité grâce à l'attrait du commerce et du respect international, peut-être aucun régime n'était-il irrécupérable.

Réexaminer les idées reçues sur la Birmanie en 2009, puis tenter un dialogue direct contre l'avis de nombreux amis avait été un choix risqué, mais il se révélait payant pour les États-Unis. Dans le sillage de la brillante tournée asiatique du président Obama en novembre 2011, qui a aidé à effacer dans les mémoires les derniers souvenirs de son voyage de 2009 à Pékin, les progrès de la Birmanie ont donné à la stratégie du pivot l'allure d'un succès. Quantité de questions restaient ouvertes sur ce qui allait se passer ensuite, en Birmanie comme dans toute la région, mais en février 2012 le journaliste James Fallows, qui avait une longue expérience de l'Asie, a écrit dans *The Atlantic* un article enthousiaste sur le pivot et sur le voyage du président : « Comme la méthode Nixon avec la Chine, je pense que cette expérience finira par devenir un objet d'étude, pour son habile combinaison de *hard* et de *soft power*, d'incitations et de menaces, d'urgentes pressions et de patience, plus quelques rideaux de fumée délibérés – et efficaces. » Le professeur Walter Russell Mead, qui critiquait souvent l'administration Obama, a vu dans nos efforts « une victoire diplomatique aussi décisive qu'on peut le souhaiter ».

Néanmoins, malgré tous les progrès auxquels nous avions assisté en Birmanie, Suu Kyi semblait inquiète lorsque nous nous sommes rencontrées à Washington. Quand elle est arrivée chez moi, elle a demandé à me parler seule à seule. Elle m'a dit qu'il y avait des problèmes : des prisonniers politiques languissaient encore derrière les barreaux, certains conflits ethniques s'étaient en fait aggravés, et la ruée vers l'or des compagnies étrangères créait de nouvelles occasions de corruption.

Suu Kyi siégeait désormais au parlement, où elle passait des marchés et nouait de nouvelles relations avec d'anciens adversaires, et elle faisait de son mieux pour réagir de façon équilibrée à toutes les pressions qui s'exerçaient sur elle. Shwe Mann, le président de la Chambre basse, prenait de l'envergure, et Suu Kyi avait établi avec lui une relation de travail positive ; elle était sensible à son empressement à la consulter sur les questions importantes. Ce qui compliquait la situation politique, c'est que Thein Sein, Shwe Mann et Suu Kyi étaient tous trois des candidats potentiels à la présidentielle de 2015. Les manœuvres en coulisse, les retournements d'alliance et les rivalités politiques s'intensifiaient. Bienvenue en démocratie !

Thein Sein avait mis en mouvement la Birmanie, mais pourrait-il achever le travail ? Si Suu Kyi retirait sa coopération, tout pouvait arriver. La confiance internationale risquait de s'effondrer, et Thein Sein deviendrait vulnérable aux attaques des éléments intransigeants qui espéraient encore revenir sur des réformes qu'ils détestaient. Nous avons discuté, Suu Kyi et moi, des pressions opposées qui pesaient sur elle. Je sympathisais avec elle, car j'avais connu, moi aussi, les vicissitudes de la vie politique. Et des années de pénibles expériences m'avaient appris combien il peut être difficile de se montrer cordial, et plus encore de coopérer, avec ceux qui ont été vos adversaires politiques. À mon avis, sa meilleure option était claire : serrer les dents, continuer de pousser Thein Sein à tenir ses engagements et maintenir en vie leur partenariat, au moins jusqu'à la prochaine présidentielle.

Je sais que ce n'est pas facile, lui ai-je dit. Mais vous êtes maintenant à une place où ce que vous faites ne sera jamais facile. Vous devez trouver un moyen de continuer à travailler ensemble tant qu'il n'y aura pas d'autre solution. C'est cela, la politique. Vous êtes sur scène, maintenant. Vous n'êtes pas enfermée en résidence surveillée. Vous devez donc incarner de nombreux rôles et intérêts différents à la fois : vous êtes une championne des droits de l'homme, une parlementaire et peut-être une future candidate à la présidence. Tout cela, Suu Kyi le comprenait, mais la pression qui s'exerçait sur elle était énorme. On la vénérait comme une sainte, et voici qu'elle devait apprendre à pratiquer le donnant-donnant comme n'importe quel élu. C'était un équilibre précaire.

Nous sommes passées dans ma salle à manger, où nous avons rejoint Kurt, Derek et Cheryl Mills. Pendant le repas, Suu Kyi a décrit la circonscription qu'elle représentait désormais au parlement. Malgré sa concentration sur la grande scène de la politique nationale, elle était aussi obsédée par les tout petits détails des services à assurer à ses mandants et de la résolution de leurs problèmes. C'était exactement ce que j'avais ressenti, je m'en souvenais, quand les électeurs de New York m'avaient élue au Sénat des États-Unis. Si l'on ne peut pas faire réparer les nids-de-poule, le reste ne compte pas.

J'avais encore un conseil à donner. Le lendemain, elle allait recevoir la médaille d'or du Congrès au cours d'une somptueuse cérémonie dans la rotonde du Capitole. Ce serait une reconnaissance bien méritée pour ses années de leadership moral. « Demain, lui ai-je dit, quand vous recevrez cette médaille d'or du Congrès, je pense que vous devriez avoir un mot aimable pour le président Thein Sein. »

Le lendemain après-midi, je me suis jointe aux dirigeants du Congrès et à environ 500 personnes au Capitole pour honorer Suu Kyi. Quand ce fut mon tour de parler, j'ai évoqué l'expérience de ma rencontre avec elle dans la maison qui avait été sa prison pendant si longtemps, et je l'ai comparée à ma promenade sur Robben Island avec Nelson Mandela des années plus tôt : « Ces deux prisonniers politiques étaient très éloignés dans l'espace, mais ils étaient tous deux marqués par une grâce singulière, une générosité d'esprit et une volonté inébranlable, et tous deux ont compris quelque chose que nous devons, je pense, tous saisir : le jour où ils sont sortis de prison, le jour où la résidence surveillée a été levée, ce jour n'était pas la fin de la lutte. C'était le début d'une nouvelle phase. Pour surmonter le passé, guérir un pays blessé, construire une démocratie, l'icône doit devenir un politique. » J'ai regardé Suu Kyi et je me suis demandé si elle avait réfléchi à ma suggestion de la nuit précédente. Elle était visiblement sous le coup de l'émotion du moment. Puis elle a pris la parole.

« Je suis ici aujourd'hui forte de la certitude d'être parmi des amis qui seront à nos côtés tout au long de notre tâche, celle de construire une nation qui offre à tous ceux vivant sur son territoire la paix, la prospérité et les droits de l'homme fondamentaux protégés par l'état de droit. » Puis elle a ajouté : « Cette tâche a été rendue possible par les mesures de réforme instituées par le président Thein Sein. » J'ai capté son regard et j'ai souri. « Du fond du cœur, je vous remercie, peuple d'Amérique, et vous, ses représentants, de nous avoir gardés dans le cœur et à l'esprit pendant les années noires où la liberté et la justice semblaient hors de notre portée. Il y aura des difficultés sur notre route, mais je suis sûre que nous pourrons surmonter tous les obstacles avec l'aide et le soutien de nos amis. »

Elle m'a demandé plus tard, l'œil étincelant : « C'était comment ? — Oh, c'était magnifique, réellement magnifique ! ai-je répondu. — Eh bien, a-t-elle repris, je vais essayer. Je vais vraiment essayer. »

La semaine suivante, j'ai rencontré Thein Sein à l'Assemblée générale des Nations unies à New York, et je lui ai parlé très sérieusement de nombre des préoccupations que Suu Kyi avait évoquées avec moi. Il semblait mieux tenir la situation en main que lors de notre première conversation à Nay Pyi Taw, et il m'a écoutée attentivement. Thein Sein ne serait jamais un homme politique charismatique, mais il se révélait un dirigeant efficace. Dans son discours à l'ONU, il a fait l'éloge de Suu Kyi pour la première fois dans une enceinte publique : il l'a présentée comme sa partenaire pour la réforme et s'est engagé à poursuivre sa coopération avec elle dans la marche à la démocratie.

*

* *

En novembre 2012, le président Obama a décidé d'aller voir de ses yeux les « étincelles de progrès » en Birmanie. C'était son premier voyage à l'étranger depuis sa réélection, et ce serait le dernier où nous ferions équipe. Après avoir rendu visite ensemble au roi de Thaïlande dans sa chambre d'hôpital de Bangkok, nous avons volé vers la Birmanie, où nous devions faire une halte de six heures avant de nous rendre au Cambodge pour un Sommet de l'Asie orientale. Le président avait l'intention de rencontrer Thein Sein et Suu Kyi, et de s'adresser aux étudiants de l'université de Yangon. Il y avait foule dans les rues sur notre passage. Les enfants agitaient des drapeaux américains. Les gens tendaient le cou pour voir ce qui, encore si récemment, eût été inimaginable.

Moins d'un an s'était écoulé depuis ma visite précédente, et pourtant Rangoun avait l'air d'une ville différente. Les investisseurs étrangers avaient découvert la Birmanie et se précipitaient pour miser sur ce qu'ils voyaient comme la dernière frontière d'Asie. De nouveaux immeubles étaient en construction et les prix de l'immobilier montaient en flèche. L'État avait commencé à assouplir les restrictions sur Internet, et l'accès s'étendait lentement. Les experts du secteur s'attendaient à voir le marché du smartphone en Birmanie passer de pratiquement aucun utilisateur en 2011 à 6 millions en 2017. Et voici que le président des États-Unis lui-même venait dans le pays. « Nous attendons cette visite depuis cinquante ans, a confié à un journaliste un homme au bord de la route. Aux États-Unis, il y a la justice et la loi. Je veux que notre pays soit ainsi. »

Pour faire le trajet depuis l'aéroport, Kurt et moi avions rejoint le président dans la grande limousine présidentielle blindée (appelée affectueusement « la Bête ») que l'on transporte partout où il voyage, et où se trouvait aussi sa proche conseillère Valerie Jarrett. Tandis que nous traversions la ville, le président Obama a vu par la fenêtre la haute pagode dorée de Shwedagon et a demandé ce que c'était. Kurt lui a expliqué son rôle central dans la culture birmane et lui a dit que je m'y étais rendue pour manifester mon respect envers le peuple birman et son histoire. Le président a demandé pourquoi il n'y allait pas aussi. Pendant la préparation du voyage, le Secret Service avait mis son veto : pas question de visiter ce temple très fréquenté. Ses agents craignaient pour la sécurité du président en raison de la foule des fidèles (et il est certain qu'ils ne voulaient pas enlever leurs chaussures !) ; personne ne souhaitait non plus demander la fermeture du site, ce qui aurait gêné tous les autres visiteurs. Comme les préoccupations des agents du Secret Service me sont familières depuis des années, j'ai suggéré qu'ils seraient peut-être d'accord pour un arrêt non prévu, « OTR[1] » ou « hors compte rendu », comme on dit. Personne ne saurait que le président allait venir, ce qui allégerait en partie leurs craintes pour sa sécurité. De plus, quand le président décide d'aller quelque part, il est très difficile de lui dire non. Bientôt, après l'entretien avec le président Thein Sein, nous arpentions l'antique pagode au milieu des moines bouddhistes surpris : jamais un président et un secrétaire d'État n'avaient tant ressemblé à un couple de touristes normaux.

Après notre rencontre avec Thein Sein et notre arrêt impromptu à la pagode, nous sommes allés chez Suu Kyi ; elle a accueilli le président dans la maison qui avait été sa prison et qui était à présent une ruche d'activité politique. Nous nous sommes embrassées, elle et moi, comme les amies que nous étions devenues. Elle a remercié le président pour le soutien de l'Amérique à la démocratie en Birmanie, mais l'a mis en garde : « Le moment le plus difficile dans toute

---

1. Abréviation de *off the record*.

transition est celui où nous pensons que le succès est en vue. Nous devons alors faire très attention de ne pas avoir été trompés par un mirage de succès. »

La fin de l'histoire en Birmanie reste à écrire, et bien des problèmes nous attendent. Les luttes ethniques ont continué, et l'on s'est alarmé à cet égard de nouvelles violations des droits de l'homme. En particulier, le pays a été secoué en 2013 et au début de 2014 par des spasmes de violence populaire contre les Rohingya, une communauté ethnique musulmane. La décision d'expulser Médecins sans frontières de la zone et de ne pas compter les Rohingya dans le prochain recensement a suscité un déluge de critiques. Tout cela risque fort de miner le progrès et d'affaiblir l'appui international. Les élections générales de 2015 seront un test majeur pour la démocratie naissante en Birmanie, et il y a encore beaucoup à faire pour garantir qu'elles seront libres et équitables. Bref, la Birmanie va peut-être continuer à avancer, peut-être retomber en arrière. Le soutien des États-Unis et de la communauté internationale sera crucial.

Il est parfois difficile de résister aux envolées lyriques à propos de la Birmanie. Mais nous devons rester lucides et réalistes sur les défis et les difficultés qui viennent. Certains, dans le pays, n'ont pas la volonté de faire jusqu'au bout le grand voyage de la démocratie. D'autres en ont la volonté, mais ne sont pas outillés. Et la route est longue. Néanmoins, comme l'a dit le président Obama aux étudiants de l'université de Yangon en ce jour de novembre 2012, ce que le peuple birman a déjà accompli est un remarquable témoignage du pouvoir de l'esprit humain et de l'aspiration universelle à la liberté. Pour moi, ces premiers jours de progrès vacillants et d'espoir incertain resteront un grand moment de mon action de secrétaire d'État, et une confirmation du rôle unique que les États-Unis peuvent et doivent jouer dans le monde pour la défense de la dignité et de la démocratie. C'était l'Amérique dans ce qu'elle fait de mieux.

TROISIÈME PARTIE

Guerre et paix

Chapitre 7

Afghanistan-Pakistan : des renforts

Le président Obama a fait un tour de table en demandant à chacun son avis. Devions-nous déployer davantage de soldats dans la guerre qui durait depuis huit ans en Afghanistan ? Si oui, combien ? Quelle devait être leur mission ? Et combien de temps devaient-ils rester avant de rentrer chez eux ? Ces choix comptaient parmi les plus difficiles qu'il aurait à faire en tant que président. Ils seraient lourds de conséquences pour nos hommes et nos femmes en uniforme, nos familles de militaires et notre sécurité nationale – et pour l'avenir de l'Afghanistan.

Il était 20 heures passées, trois jours avant la Thanksgiving 2009. Le président était assis au bout de la longue table de la salle de crise de la Maison-Blanche, aux côtés de son Conseil de sécurité nationale. Je me trouvais à côté du conseiller à la Sécurité nationale Jim Jones, à la gauche du président, et en face du vice-président Joe Biden, du secrétaire à la Défense Bob Gates et du président du Comité des chefs d'état-major interarmées Mike Mullen. Devant nous, la table était couverte de documents et de classeurs. (Ayant vu pendant des mois les gradés du Pentagone venir à nos réunions en salle de crise avec des présentations PowerPoint éclatantes et des cartes aux couleurs vives, j'avais demandé au département d'État d'être plus imaginatif dans ses documents d'information. Il y avait maintenant quantité de cartes et de graphiques colorés à faire circuler.)

C'était ma troisième réunion de la journée à la Maison-Blanche avec le président Obama, et la neuvième fois depuis septembre que les hauts responsables de la sécurité nationale étaient réunis pour débattre de la façon d'avancer en Afghanistan. Nous avons examiné le problème sous tous les angles imaginables. Finalement, nous nous sommes concentrés sur un plan qui prévoyait une forte augmentation de nos effectifs dans le pays : 30 000 soldats américains de plus avant le milieu de l'année 2010, et 10 000 autres envoyés par nos alliés. Ils mettraient en œuvre une nouvelle méthode où l'essentiel serait d'assurer la sécurité dans les villes afghanes, de renforcer l'État et de délivrer des services à la population, et non de mener une guerre d'usure à l'insurrection talibane. Nous procéderions en fin d'année à un examen complet des progrès accomplis, et nous commencerions à retirer des troupes en juillet 2011. Combien et à quel rythme, il faudrait alors en discuter, mais la décision serait probablement dictée par la situation sur le terrain.

L'équipe était divisée sur les mérites de ce plan. Le secrétaire Gates et l'armée le soutenaient avec force. Le vice-président Biden s'y opposait tout aussi fermement. À présent, les principaux arguments avaient été bien étudiés, mais le président voulait entendre la position de chacun, encore une fois.

*

* *

L'Afghanistan, pays enclavé et montagneux situé entre le Pakistan à l'est et l'Iran à l'ouest, a une population d'environ 30 millions d'habitants qui compte parmi les plus pauvres, les moins instruites et les plus éprouvées par la guerre de toute la planète. Le nombre d'armées d'invasion et d'aspirants occupants qui ont succombé dans ses reliefs impitoyables lui a valu le nom de « tombeau des empires ». Dans les années 1980, les États-Unis, l'Arabie Saoudite et le Pakistan avaient soutenu une insurrection contre un régime à la solde des Soviétiques. En 1989, ceux-ci s'étaient retirés et, après cette victoire, les Américains s'étaient totalement désintéressés du pays.

Après une période de guerre civile dans les années 1990, les talibans, un groupe extrémiste aux conceptions culturelles médiévales, ont pris le contrôle de l'Afghanistan sous la direction d'un religieux radical borgne, le mollah Omar. Ils ont imposé aux femmes de dures restrictions au nom de l'islam : elles ont été contraintes de rester hors du regard public – obligées de porter des burqas intégrales, qui les couvraient de la tête aux pieds avec une simple ouverture grillagée pour les yeux – et de ne sortir de chez elles qu'accompagnées par un parent de sexe masculin ; les filles et les femmes ont été exclues des écoles et privées de leurs droits économiques et sociaux. Les talibans infligeaient aux femmes qui violaient leurs règles de terribles châtiments, qui allaient de la torture à l'exécution publique. Les récits qui filtraient hors du pays étaient épouvantables. Je me souviens d'avoir entendu parler d'une femme âgée que l'on avait fouettée avec un câble métallique jusqu'à lui casser la jambe parce qu'elle avait montré un peu sa hanche sous sa burqa. On avait du mal à croire des êtres humains capables d'une telle cruauté, et cela au nom de Dieu.

Écœurée par ce qui se passait, j'avais commencé, en tant que première dame, à m'exprimer haut et fort pour tenter de susciter la condamnation internationale. « Il est probable qu'aujourd'hui les droits fondamentaux des femmes ne sont nulle part foulés aux pieds de façon plus systématique et plus monstrueuse qu'en Afghanistan sous le régime de fer des talibans », ai-je déclaré à l'occasion de la Journée internationale des femmes de l'ONU en 1999.

Les talibans ont aussi procuré un sanctuaire à Oussama Ben Laden et à d'autres terroristes d'Al-Qaida. Beaucoup de ces fanatiques venus de partout s'étaient ancrés dans la région après y avoir combattu les Soviétiques. En riposte aux attentats de 1998 contre nos ambassades en Afrique orientale, l'administration Clinton avait frappé avec des missiles de croisière un camp d'entraînement d'Al-Qaida en Afghanistan : des rapports du renseignement affirmaient que Ben Laden s'y trouvait. Il en a réchappé. Puis il y a eu les attentats terroristes du 11 septembre 2001. Les talibans ayant refusé de livrer Ben Laden, le président Bush a ordonné l'invasion de l'Afghanistan et aidé une organisation rebelle, l'Alliance du Nord, à les chasser du pouvoir.

Leur régime fut promptement renversé, mais à cette victoire éclair succéda une longue insurrection, car les talibans s'étaient regroupés dans des sanctuaires de l'autre côté de la frontière avec le Pakistan. Je me suis rendue trois fois en Afghanistan en tant que sénatrice, d'abord en 2003, où j'ai partagé un dîner de Thanksgiving avec nos soldats à Kandahar, puis en 2005 et en 2007. Je n'oublierai jamais les mots d'un militaire que j'ai rencontré : « Bienvenue sur le front oublié de la guerre contre le terrorisme ! » Profitant de la focalisation de l'administration Bush sur l'Irak, les talibans ont commencé, dans tout l'Afghanistan, à reprendre des territoires qu'ils avaient été au départ contraints de céder. Le gouvernement de Kaboul, que soutenaient les Occidentaux, était manifestement corrompu et incompétent. Les Afghans étaient affamés, écœurés et terrorisés. Les soldats américains n'étaient pas assez nombreux pour sécuriser le pays et l'administration Bush ne semblait avoir aucune stratégie pour mettre un terme à cette dégringolade.

Pendant la campagne de 2008, le sénateur Obama et moi avons tous deux préconisé un recentrage sur l'Afghanistan. J'ai dit qu'il faudrait davantage de soldats, mais aussi une nouvelle stratégie globale qui s'attaquerait au rôle joué par le Pakistan dans le conflit. « Les zones frontières entre le Pakistan et l'Afghanistan comptent parmi les plus importantes et les plus périlleuses du monde, ai-je précisé dans un discours de février 2008. L'un des défauts les plus dangereux de la politique étrangère de Bush a été d'ignorer la réalité de ce qui se passe sur le terrain, en Afghanistan comme au Pakistan. » Les attaques contre les soldats américains et alliés continuaient à se multiplier, et les pertes subies en 2008 ont été les plus lourdes depuis le début de la guerre : près de 300 soldats de la coalition ont été tués au combat.

Quand le président Obama est entré dans le Bureau ovale en janvier 2009, une requête venue du Pentagone l'y attendait : elle demandait des milliers de soldats supplémentaires pour bloquer l'offensive des talibans prévue à l'été et assurer la sécurité de l'élection présidentielle imminente. Nous avons discuté du projet lors d'une de nos premières réunions de sécurité nationale à la Maison-Blanche. Si pendant la campagne l'engagement avait été pris de consacrer davantage de ressources à la guerre d'Afghanistan, on pouvait raisonnablement s'interroger : était-il sensé de déployer plus de soldats avant d'avoir eu le temps d'élaborer une nouvelle stratégie ? Mais la logistique militaire nécessaire pour que ces forces soient déployées en été exigeait une décision rapide.

Le 17 février, le président a approuvé le déploiement de 17 000 soldats. Il a chargé Bruce Riedel, analyste expérimenté de la CIA qui avait une connaissance approfondie du conflit, de diriger un réexamen de la stratégie, qu'il effectuerait avec Michèle Flournoy, troisième dans la hiérarchie du département de la Défense, et Richard Holbrooke, notre représentant spécial pour l'Afghanistan et le Pakistan. Dans le rapport qu'ils ont remis en mars, ils ont recommandé de cesser de voir dans l'Afghanistan et le Pakistan deux problèmes distincts et de les envisager comme un seul et même défi régional – qu'ils désignaient par une abréviation : l'« Af-Pak » ; ils ont aussi conseillé de concentrer davantage nos efforts sur la formation des soldats afghans aux tâches qui étaient accomplies par les troupes américaines et alliées. Le président Obama a réagi en déployant

4 000 formateurs militaires américains supplémentaires pour travailler avec les forces de sécurité nationale afghanes. Le réexamen de Riedel soulignait qu'il fallait utiliser « tous les éléments de notre puissance nationale » dans une campagne de contre-insurrection qui jouirait des ressources nécessaires – « pas seulement d'ordre militaire, précisait-il, mais aussi d'ordre civil ». Il faudrait donc intensifier nos efforts diplomatiques dans la région et accroître le développement économique, l'aide agricole et la construction d'infrastructures. Ces tâches incomberaient en grande partie au département d'État et à l'USAID.

Le président a annoncé sa stratégie militaire et civile pour l'Afghanistan et le Pakistan le 27 mars. Il a fixé à la guerre un objectif étroit : « désorganiser, démanteler et vaincre Al-Qaida au Pakistan et en Afghanistan, et empêcher son retour dans ces deux pays à l'avenir ». En se reconcentrant si spécifiquement sur Al-Qaida, et non sur les insurgés talibans qui livraient l'immense majorité des combats, le président liait à nouveau la guerre à sa source : les attentats du 11-Septembre. Il rendait aussi envisageable un processus de paix et de réconciliation susceptible de faire sortir de la logique du conflit les insurgés qui le souhaiteraient, tout en isolant les extrémistes intransigeants.

Bien qu'il y eût à présent environ 68 000 soldats américains en Afghanistan, les combats de l'été se sont mal passés. L'insurrection talibane continuait à se renforcer et la situation sécuritaire se dégradait. Les rapports indiquaient qu'au cours des trois dernières années les combattants talibans avaient accru leurs effectifs, de 7 000 à 25 000. Quant aux attaques contre les forces de l'OTAN, elles avaient augmenté et fait plus de 260 victimes de juin à septembre, contre moins d'une centaine de morts dans les quatre mois précédents. En mai, le président a démis de ses fonctions le commandant en chef en Afghanistan et l'a remplacé par le lieutenant général Stanley McChrystal. Ce changement était nécessaire, a expliqué le secrétaire à la Défense Gates, pour apporter « une pensée neuve » et « un œil neuf ». Puis, en août, l'élection présidentielle afghane a été entachée de fraudes massives. En septembre, le général McChrystal a demandé au président d'envisager de déployer davantage de troupes. Sans moyens supplémentaires, a-t-il souligné, l'effort de guerre irait probablement à l'échec.

Ce n'était pas ce que la Maison-Blanche souhaitait entendre. Donc, avant même d'étudier la requête du Pentagone, le président a voulu s'assurer que nous avions examiné à fond toutes les options et toutes les éventualités. Il a lancé un second réexamen stratégique global, cette fois sous sa direction personnelle : à partir d'un dimanche de la mi-septembre et tout au long de l'automne, le président Obama a réuni régulièrement ses plus hauts conseillers de sécurité nationale dans la salle de crise de la Maison-Blanche afin de débattre des questions difficiles posées par une guerre qui était bien partie pour devenir la plus longue de l'histoire des États-Unis.

Avec le soutien du général David Petraeus, commandant de l'ensemble des forces américaines dans la région, le général McChrystal a fini par soumettre trois options : déployer une petite force supplémentaire d'environ 10 000 soldats pour stimuler l'entraînement de l'armée afghane ; envoyer 40 000 soldats pour combattre les talibans dans les zones les plus disputées ; en dépêcher plus de 80 000 et sécuriser tout le pays. Les généraux étaient rompus aux guerres bureaucratiques et s'inspiraient souvent du conte *Boucle d'or et les trois ours* : ils répondaient à n'importe quelle question par trois options, en pensant qu'on finirait par préférer celle du milieu.

*
* *

Le général Petraeus s'est révélé un avocat persuasif. Il était lucide, combatif et politiquement astucieux, et ses arguments reposaient sur des leçons durement apprises en Irak. L'héritage tumultueux de cette guerre pesait lourd dans nos débats sur l'Afghanistan.

Au début de l'année 2007, Petraeus avait pris le commandement de l'effort de guerre américain en déconfiture en Irak, où une autre insurrection terrible faisait rage. Il avait présidé au « renforcement », le *surge* : l'envoi de plus de 20 000 soldats américains supplémentaires qui s'étaient déployés dans certaines des régions les plus dangereuses du pays. C'était en janvier 2007, dans un discours télévisé, que le président Bush avait annoncé à un pays sceptique le *surge* en Irak.

Sa décision d'engager davantage de troupes était assez surprenante, car une commission bipartisane respectée, l'Iraq Study Group, venait de publier un rapport qui recommandait de transférer davantage de responsabilités aux forces de sécurité irakiennes, de commencer à retirer des soldats américains et d'intensifier les efforts diplomatiques dans la région. Fondamentalement, le président Bush choisissait de faire l'inverse. S'il mentionnait dans son discours la diplomatie régionale et l'intérêt d'encourager plus activement la réconciliation entre les factions religieuses et politiques irakiennes, il mettait surtout l'accent sur la sécurité qu'allait apporter l'augmentation des effectifs des soldats américains.

À l'époque, je doutais fort que ce fût la bonne décision. Après des années de mauvais choix et d'occasions manquées, on pouvait s'interroger sur l'aptitude de l'administration Bush à faire face à une grande escalade. Le lendemain soir, je suis partie en Irak avec le sénateur de l'Indiana Evan Bayh et le représentant de New York John McHugh, un républicain qui serait plus tard secrétaire à l'Armée de terre sous le président Obama. C'était ma troisième visite dans ce pays en qualité de sénatrice ; la précédente datait de 2005, et je me trouvais alors en compagnie des sénateurs John McCain, Susan Collins, Russ Feingold et Lindsey Graham. Je voulais voir de mes yeux ce qui avait changé et parler à nos soldats et commandants pour savoir ce qu'ils pensaient des défis auxquels nous étions confrontés.

J'avais aussi d'autres raisons d'être sceptique. Je me méfiais de l'administration Bush depuis cet automne 2002 où elle s'était vantée d'avoir des renseignements en béton sur les armes de destruction massive de Saddam Hussein. Après avoir examiné les données et sollicité tous les avis que j'avais pu à l'intérieur comme à l'extérieur de nos institutions de gouvernement, auprès de démocrates comme de républicains, j'avais voté en faveur de la résolution qui autorisait l'action militaire en Irak si les efforts diplomatiques, c'est-à-dire les inspections des Nations unies sur les armes, échouaient.

Plus tard, j'avais amèrement regretté d'avoir accordé au président Bush le bénéfice du doute lors de ce vote. Il avait ensuite affirmé que la résolution lui donnait autorité pour décider seul du moment où il serait mis un terme aux inspections sur les armes. Le 20 mars 2003, il les avait déclarées finies et avait commencé la guerre, alors que les inspecteurs des Nations unies sollicitaient seulement quelques semaines de plus pour achever leur travail. Au fil des années suivantes, beaucoup de sénateurs ont fini par regretter leur vote : ils auraient bien voulu avoir voté contre. J'étais du nombre. Tandis que la guerre traînait en longueur, à chaque lettre que j'envoyais à une famille de New York qui avait perdu un fils ou une fille, un père ou une mère, mon erreur devenait plus douloureuse.

Cinq ans plus tard, le président Bush nous demandait de lui faire à nouveau confiance, cette fois sur son projet de *surge*, et je ne marchais pas. Je ne croyais pas qu'envoyer davantage de troupes suffirait à nous sortir du pétrin où nous étions. Notre armée est la meilleure du monde, et nos soldats se donnent sans compter pour réussir toutes les missions qu'on leur assigne. Mais leur faire porter tout le poids du conflit, sans qu'une stratégie diplomatique vigoureuse contrebalance l'effort militaire, n'était ni juste ni raisonnable. Nous avions besoin de mener ces deux types d'efforts si nous voulions aller au cœur des problèmes sous-jacents – les conflits confessionnels qui déchiraient le pays et les rivalités régionales qui s'exprimaient par la violence en territoire irakien. Il semble que ce type de travail, notamment l'affrontement ou le dialogue avec la Syrie ou l'Iran, n'intéressait pas la plupart des membres de l'administration Bush, alors qu'il s'agissait d'un élément majeur des problèmes de fond auxquels nous étions confrontés en Irak. En 2003, les États-Unis étaient partis en guerre en Irak avec une stratégie bancale, le département d'État de Colin Powell ayant été pratiquement exclu de toute réflexion sur l'après-guerre. Nous n'allions pas nous en sortir comme cela. Plus tard, quand je suis entrée moi-même au département d'État en qualité de secrétaire et que j'ai constaté l'expérience des professionnels qui y faisaient carrière, j'ai été encore plus atterrée par la décision de l'administration Bush de les tenir à l'écart.

Quand Petraeus s'est présenté devant la commission des forces armées du Sénat pour son audition de confirmation à la fin janvier 2007, je l'ai mis sous pression en l'interrogeant sur ces points. Je lui ai rappelé que le manuel de contre-insurrection qu'il avait lui-même rédigé au Command and General Staff College, l'école de guerre de l'armée de terre à Fort Leavenworth, dans le Kansas, soulignait que les progrès militaires étaient liés aux progrès en politique intérieure et que l'on ne pouvait pas réussir les uns sans les autres. Nous avions appris la même leçon lors de nos efforts de paix dans les Balkans. « On vous envoie gérer une politique qui, soyons francs, ne reflète ni votre expérience ni vos conseils, ai-je conclu. Vous avez écrit le livre, général, mais la politique n'est pas conforme au livre. On vous demande la quadrature du cercle : trouver une solution militaire à une crise politique. »

Heureusement, une fois en Irak, Petraeus a suivi une stratégie bien plus proche de celle qu'il avait préconisée dans ses écrits, et que j'avais recommandée pendant l'audition, que de la méthode appliquée jusque-là par l'administration Bush. Sa stratégie globale de contre-insurrection a été baptisée COIN[1]. Elle se concentrait sur

1. Acronyme de *COunter-INsurgency*, « contre-insurrection ».

deux objectifs : protéger les populations civiles et gagner « les cœurs et les esprits » des Irakiens par l'amélioration des relations et les projets de développement. On a résumé cette stratégie par une formule : « Nettoyer, tenir et construire ». La démarche était claire : débarrasser une zone des insurgés, la défendre pour qu'ils ne puissent pas y revenir, et investir dans les infrastructures et la gouvernance pour que ses habitants voient leur vie s'améliorer et commencent à se défendre eux-mêmes. Sous Petraeus, les soldats américains en Irak ont quitté leurs immenses bases hyper-fortifiées et se sont déployés dans les quartiers et les villages, ce qui les a exposés plus directement au danger, mais leur a aussi permis d'assurer la sécurité.

Un autre fait nouveau a été tout aussi important, voire plus lourd de conséquences : un basculement que peu de gens avaient vu venir s'est produit sur le terrain et a bouleversé les règles du jeu. Plusieurs cheikhs sunnites qui soutenaient l'insurrection jusqu'alors en ont eu assez de la brutalité d'Al-Qaida à l'égard des membres de leurs tribus et ont coupé les ponts avec les extrémistes. Au cours de ce qu'on appellerait plus tard le « Réveil sunnite », plus de 100 000 combattants tribaux ont changé de camp et ont fini par être rémunérés par les Américains. Ces événements ont radicalement réorienté le cours de la guerre.

Aux États-Unis, il est certain que la politique intérieure était présente en toile de fond dans le débat sur le *surge*. À cette date, on voyait clairement combien nous nous étions fourvoyés en Irak. La guerre d'Irak avait divisé l'Amérique dès le début, mais en 2006 l'écrasante majorité du peuple américain était contre – et allait l'affirmer nettement en novembre aux élections de mi-mandat. Comme nous l'avions appris au Vietnam, il est très difficile de mener une guerre longue et coûteuse sans le soutien du peuple américain et un esprit de sacrifice partagé. Je ne pensais pas que nous devions entamer une escalade de l'engagement des États-Unis en Irak avec une opposition aussi générale à la guerre dans notre pays.

Pendant mes années passées au Sénat, il y avait plusieurs républicains dont l'avis comptait beaucoup pour moi. L'un d'eux était le sénateur de Virginie John Warner. Ancien secrétaire à la Marine sous le président Nixon, il était le chef de la minorité dans la commission des forces armées du Sénat, où je siégeais. Il avait voté la résolution sur l'Irak en 2002. Lorsque, au retour d'une visite en Irak fin 2006, il a déclaré que la guerre, selon lui, était en train de « déraper », il a envoyé une onde de choc dans l'ensemble de son parti et au-delà.

C'était une litote, mais, venant de John Warner, ce seul mot était à la fois un acte d'accusation et une demande de changement.

Partout où j'allais, j'entendais des adversaires résolus de la guerre, que j'avais donc personnellement déçus. Beaucoup l'avaient été dès le début ; d'autres l'étaient devenus plus tard. Le plus dur, c'étaient les familles de militaires anxieuses qui voulaient que leurs proches rentrent au pays, les anciens combattants inquiets pour leurs camarades restés en Irak, et les Américains de tous les milieux auxquels la perte de nos jeunes, hommes et femmes, fendait le cœur. Ils étaient aussi frustrés par une guerre qui avait affaibli la position de notre pays dans le monde, qui n'était pas financée et qui minait nos intérêts stratégiques dans la région.

Certes, même si je l'avais remis en cause par des paroles ou par des actes, beaucoup n'auraient vu que mon vote de 2002, et rien d'autre. Néanmoins, j'aurais dû exprimer mes regrets plus vite et dans les termes les plus clairs et les plus directs possible. J'avais fait l'essentiel du chemin en déclarant que je regrettais la façon dont le président Bush avait usé de son autorité et que, si nous avions su à l'époque ce que nous avions appris ensuite, il n'y aurait même pas eu de vote. Mais je me suis abstenue de prononcer le mot « erreur ». Ce n'était pas par opportunisme politique. Après tout, les électeurs des primaires et la presse me réclamaient ce mot-là à grands cris. Quand j'avais voté pour autoriser l'emploi de la force en 2002, j'avais dit que c'était « probablement la décision la plus difficile que j'avais jamais dû prendre ». Je pensais avoir agi de bonne foi et avoir pris la meilleure décision que je pouvais compte tenu de l'information dont je disposais. Et je n'étais pas la seule à m'être trompée. Mais je m'étais trompée. Point final.

Dans notre culture politique, dire qu'on a fait une erreur est fréquemment perçu comme une faiblesse, alors que cela peut être un signe de force et de maturité, que ce soit chez une personne ou chez une nation. C'est une autre leçon que j'ai apprise personnellement et dont j'ai fait l'expérience en tant que secrétaire d'État.

Les fonctions de secrétaire d'État me donnaient une part de responsabilité dans la mise en danger d'Américains pour protéger notre sécurité nationale. Quand j'étais première dame, j'avais vu Bill se débattre avec ces graves décisions ; en tant que sénatrice à la commission des forces armées, j'avais étroitement coopéré avec mes collègues et les chefs militaires pour assurer une supervision rigoureuse. Mais rien n'est comparable à une place autour de la table de la salle de crise à la Maison-Blanche, où l'on débat des questions de guerre et de paix, et où l'on fait face aux conséquences imprévues de chaque décision. Et rien ne peut vous préparer à apprendre que ceux que vous avez envoyés servir en des lieux périlleux ne reviendront pas.

Malgré tous mes regrets, je ne pouvais pas changer mon vote sur l'Irak. Mais je pouvais essayer d'aider notre pays à tirer les bonnes leçons de cette guerre et à les appliquer à l'Afghanistan et aux autres défis où nous avions des intérêts de sécurité fondamentaux. J'étais bien décidée à le faire quand je serais confrontée à de futurs choix difficiles, avec plus d'expérience, de sagesse, de scepticisme et d'humilité.

*

* *

Les généraux Petraeus et McChrystal proposaient d'importer la COIN en Afghanistan. Il leur fallait pour cela plus de soldats, comme en Irak. Mais si cette fois il n'y avait pas d'équivalent au « Réveil sunnite » ? Peut-être tirions-nous de l'Irak les mauvaises leçons ?

L'adversaire le plus affirmé des propositions du Pentagone était le vice-président Biden. Pour lui, l'idée de *surge* ne donnerait rien. L'Afghanistan n'était pas l'Irak. Dans un pays où les infrastructures étaient si rares et la gouvernance si faible, un vaste effort pour « construire une nation » n'avait aucune chance d'aboutir. Il ne croyait pas possible de vaincre les talibans, et il était persuadé qu'envoyer davantage de troupes américaines était un moyen sûr de s'enliser dans un autre bourbier sanglant. Le vice-président conseillait au contraire d'alléger l'empreinte militaire et de nous concentrer sur le contre-terrorisme. Le général Jones et Rahm Emanuel exprimaient des préoccupations semblables.

Mais ce raisonnement avait une faille : si les talibans continuaient à étendre leur emprise sur le pays, déployer un contre-terrorisme efficace serait encore plus difficile. Nous n'aurions plus alors les réseaux de renseignement nécessaires pour localiser les terroristes, ni les bases à partir desquelles nous pourrions lancer des frappes à l'intérieur comme à l'extérieur de l'Afghanistan. Al-Qaida disposait déjà de sanctuaires au Pakistan. Il en aurait aussi, à nouveau, en Afghanistan si nous abandonnions aux talibans de vastes régions de ce pays.

L'idée d'envoyer davantage de soldats laissait également sceptique Richard Holbrooke. Nous nous connaissions depuis les années 1990 : il était alors le négociateur en chef de mon mari dans les

Balkans. En 1996, Holbrooke avait proposé que j'aille en Bosnie rendre visite aux dirigeants religieux, aux associations de la société civile et aux femmes, qui avaient supporté tout le poids de la violence. La mission était inhabituelle pour une première dame, mais, comme je n'allais pas tarder à le savoir, Holbrooke perdait rarement son temps avec l'habituel.

Richard Holbrooke était un personnage corpulent et imposant qui débordait de talent et d'ambition. Entré au Service extérieur en 1962 à l'âge de 21 ans, la tête pleine de l'idéalisme de l'ère Kennedy, il était devenu adulte au Vietnam. C'est là qu'il avait appris *de visu* les difficultés de la contre-insurrection. Richard était vite monté dans la hiérarchie. Au milieu de la trentaine, il était devenu sous-secrétaire d'État aux Affaires d'Asie orientale et du Pacifique dans l'administration Carter et avait contribué à normaliser les relations avec la Chine. Il était entré dans l'histoire en discutant pied à pied avec le dictateur serbe Slobodan Milošević en 1995 et en négociant les accords de paix de Dayton qui avaient mis fin à la guerre en Bosnie.

Mes relations avec Richard s'étaient intensifiées au fil des ans. Quand il était ambassadeur aux Nations unies, dans les deux dernières années de l'administration Clinton, nous avions travaillé ensemble sur le sida et sur les problèmes de santé dans le monde. Je m'étais aussi rapprochée de son épouse, Kati Marton, journaliste et écrivain. Richard et Kati organisaient de merveilleux dîners. On ne savait jamais qui on allait y rencontrer – un prix Nobel, une vedette de cinéma, peut-être même une reine. Un soir, il m'avait réservé une surprise. Il m'avait entendue un jour évoquer favorablement l'Armée du Salut ; aussi, en plein dîner, il a fait un signe, les portes à deux battants se sont ouvertes et des membres de la fanfare de l'Armée du Salut sont entrés en chantant au son des trompettes. Richard arborait un sourire jusqu'aux oreilles.

Quand je suis devenue secrétaire d'État, je savais qu'il était très désireux de reprendre du service, et je lui ai donc demandé de se charger du dossier Afghanistan-Pakistan, qui semblait requérir ses talents et sa personnalité hors du commun. Richard avait visité l'Afghanistan pour la première fois en 1971, et ce pays lui avait inspiré une fascination qui n'allait jamais le quitter. Après avoir effectué dans la région des voyages privés en 2006 et 2008, il avait écrit plusieurs articles dans lesquels il conseillait à l'administration Bush d'élaborer une nouvelle stratégie pour la guerre en s'intéressant davantage au Pakistan. Partageant son analyse, je l'ai chargé de réunir une équipe déterminée, avec les meilleurs esprits qu'il pourrait trouver au sein ou hors des institutions de l'État, afin de tenter de mettre en pratique ses idées. Il a rapidement recruté des universitaires, des experts provenant d'organisations non gouvernementales, des éléments prometteurs issus de neuf administrations et ministères fédéraux, et même des représentants de gouvernements alliés. C'était une bande éclectique de personnages originaux, brillants et très dévoués – pour la plupart assez jeunes –, dont je suis devenue proche, notamment après la mort de Richard.

Il fallait s'habituer au style bulldozer de Richard. Quand il avait une idée, il la répétait sans trêve : il téléphonait à de multiples reprises, m'attendait à la porte de mon bureau, faisait irruption dans les réunions sans y avoir été invité ; un jour, il m'a même suivie dans les toilettes pour dames à seule fin de pouvoir expliquer son idée jusqu'au bout – et cela se passait au Pakistan, en plus. Si je rejetais sa suggestion, il attendait quelques jours, faisait comme si rien ne s'était passé, puis revenait à la charge. Finalement, je m'exclamais : « Richard, j'ai dit non. Pourquoi continuer à me poser la question ? » Il me regardait d'un air innocent et répondait : « Je supposais qu'à un certain moment vous alliez comprendre que vous aviez tort et que j'avais raison. » Pour être juste, c'est arrivé quelquefois. C'était justement cette ténacité qui faisait de lui le meilleur choix pour une telle mission urgente.

Au début de l'année 2009, j'ai invité un soir chez moi, à Washington, Richard et Dave Petraeus afin qu'ils puissent faire connaissance. C'étaient des hommes à l'énergie et aux idées inépuisables, et je pensais qu'ils allaient bien s'entendre. Ils sont allés droit aux problèmes politiques les plus épineux, en se donnant mutuellement quantité d'informations. En fin de soirée, tous deux ont dit : « Continuons demain soir. »

Richard partageait l'intérêt de Dave pour une stratégie offensive de contre-insurrection dont l'objectif principal serait de renforcer la crédibilité du gouvernement de Kaboul et d'affaiblir le pouvoir d'attraction des talibans. Mais il n'était pas sûr que des dizaines de milliers de soldats supplémentaires soient nécessaires pour la mener. Avec plus de troupes et plus de combats, n'allions-nous pas nous aliéner les civils afghans, et perdre la sympathie éventuelle que nous aurions acquise en stimulant le développement économique et en améliorant la gouvernance ?

Tirant les leçons de ses expériences dans les Balkans, Richard estimait que, pour mettre fin à la guerre, les clés du succès étaient la diplomatie et la politique. Il voulait conduire une offensive diplomatique pour modifier la dynamique régionale qui ne cessait d'alimenter le conflit, notamment les relations toxiques entre le Pakistan et l'Afghanistan et entre le Pakistan et l'Inde. Il nous exhortait aussi à faire de la réconciliation entre les combattants afghans en guerre une de nos grandes priorités.

Richard a commencé par se rendre dans les capitales de la région en quête d'une ouverture diplomatique, si modeste soit-elle, qui pourrait conduire à une solution politique, et pour inciter vivement les voisins de l'Afghanistan à intensifier le commerce et les contacts transfrontaliers. Il a invité nombre de nos alliés et partenaires à nommer eux aussi des représentants spéciaux afin qu'il ait des homologues directs avec lesquels négocier.

En février 2009, quelques semaines seulement après notre entrée en fonction, il a organisé un « groupe de contact » international sur l'Afghanistan qui réunissait une cinquantaine de pays, ainsi que des représentants de l'ONU, de l'OTAN, de l'Union européenne et de l'Organisation de la coopération islamique. Il voulait que tous les pays et institutions qui envoyaient des troupes, donnaient des fonds ou exerçaient une influence en Afghanistan partagent la responsabilité de l'action en se réunissant souvent pour coordonner leurs interventions. Un mois plus tard, Holbrooke et son équipe ont aidé les Nations unies à préparer une grande conférence internationale sur l'Afghanistan à La Haye, aux Pays-Bas. J'ai même accepté qu'on y invite l'Iran pour voir s'il était possible de coopérer sur des problèmes d'intérêt commun en Afghanistan, par exemple l'amélioration de la sécurité des frontières ou la lutte contre le trafic de drogue. Pendant le déjeuner, Holbrooke a eu un bref échange avec le chef de la délégation iranienne à cette conférence : ce fut l'un des contacts directs de plus haut niveau entre nos deux pays depuis les lendemains immédiats du 11-Septembre.

En Afghanistan même, Holbrooke préconisait un « *surge* civil » qui mettrait en pratique les recommandations du réexamen de Riedel : une augmentation considérable de l'aide pour améliorer les conditions de vie des Afghans et renforcer le gouvernement de Kaboul. Il conseillait de réorienter les opérations antinarcotiques américaines en Afghanistan en les détournant des paysans qui gagnaient leur vie grâce à la culture du pavot et en ciblant plutôt les trafiquants de drogue qui s'enrichissaient et se servaient de leur fortune pour aider à financer l'insurrection. Il essayait de réorganiser les programmes de développement de l'USAID, en Afghanistan comme au Pakistan, à travers des projets phares qui feraient bonne impression à la population, notamment des barrages hydroélectriques dans un Pakistan manquant cruellement d'énergie. Et il se passionnait pour la guerre des propagandes, que les talibans étaient en passe de gagner malgré notre écrasante supériorité financière et technologique. Grâce à leurs émetteurs radio mobiles montés sur des ânes, des motocyclettes et des pick-up, les insurgés répandaient la peur et intimidaient les populations locales sans être détectés par les forces de la coalition. Pour Richard, ce problème était horripilant.

Ce tourbillon d'activité s'accompagnait de quelques dégâts collatéraux. À la Maison-Blanche, certains percevaient ses efforts pour coordonner divers services de l'État comme des intrusions dans leur pré carré. Les jeunes collaborateurs du président levaient les yeux au ciel quand il invoquait des leçons apprises au Vietnam. Les hauts responsables qui travaillaient à la campagne militaire ne comprenaient pas et n'appréciaient pas du tout qu'il se concentre sur des projets agricoles ou des relais de téléphonie mobile. La diplomatie à l'ancienne de Holbrooke – ce mélange d'improvisation, de flatterie et de coups de gueule qui lui avait permis de se montrer plus malin que Milošević – jurait dans une Maison-Blanche résolue à gérer l'élaboration de ses politiques dans le style le plus ordonné et le moins théâtral possible. Il était pénible de voir un diplomate aussi éminent se faire marginaliser et neutraliser. Je l'ai défendu chaque fois que j'ai pu, notamment contre plusieurs tentatives pour le démettre de ses fonctions.

Un jour, des collaborateurs de la Maison-Blanche m'ont demandé sans détour de me débarrasser de Richard. « Si le président veut renvoyer Richard Holbrooke, leur ai-je répondu, il devra me le dire lui-même. » Puis, comme je le faisais souvent sur les problèmes délicats, j'en ai parlé directement avec le président Obama. Je lui ai expliqué pourquoi je pensais que Richard était un atout. Le président a accepté ma recommandation, et Richard a poursuivi son précieux travail.

J'étais persuadée qu'il avait raison sur la nécessité d'une campagne diplomatique majeure et d'un *surge* civil, mais je n'étais pas d'accord quand il soutenait que nous n'avions pas besoin de soldats supplémentaires pour que cela fonctionne. « Comment allons-nous forcer les talibans à venir s'asseoir à la table des négociations si toute la dynamique est de leur côté ? lui demandais-je. Comment aurez-vous un *surge* civil à Kandahar quand la ville sera aux mains des talibans ? »

Au fil de nos réunions régulières en salle de crise, le président semblait se faire à l'idée de déployer les dizaines de milliers de soldats supplémentaires que demandait l'armée, et aussi d'envoyer les nouveaux diplomates et experts en développement que nous recommandions, Richard et moi. Mais il se posait encore bien des questions, dont la principale était : comment éviter de nous engager à perpétuité dans une guerre interminable ? En d'autres termes, où était le dénouement dans cette affaire ?

Nous espérions que l'armée et le gouvernement afghans finiraient par devenir assez forts pour se charger d'assurer la sécurité dans leur pays et de tenir en respect l'insurrection ; à ce moment-là, l'aide américaine ne serait plus nécessaire et nos soldats pourraient commencer à rentrer. C'est pourquoi, en Afghanistan, avec nos alliés, nous entraînions les militaires, modernisions les ministères et traquions les insurgés : il s'agissait d'ouvrir la voie à un transfert des responsabilités aux Afghans. Mais, pour que ce scénario fonctionne, il nous fallait à Kaboul un partenaire crédible, prêt à assumer ses responsabilités ; à l'automne 2009, personne autour de la table n'était sûr que nous en ayons un.

*

* *

Parler à Hamid Karzai, le président afghan, était souvent démoralisant. Il est charmant, érudit et passionnément attaché à ses convictions. Il est aussi fier, têtu et prompt à prendre la mouche au moindre affront qu'il croit percevoir. Mais il n'y avait aucun moyen de le contourner – ou de ne prendre de lui que les composantes qui nous agréaient. Que cela nous plût ou non, Karzai était un pilier central de notre mission en Afghanistan.

Il était issu d'une importante famille pachtoune qui avait une longue histoire dans la politique afghane. En 2001, les Nations unies l'avaient installé en tant que chef d'État de transition après la chute des talibans, puis il avait été choisi comme président par intérim par un grand conseil traditionnel des anciens des tribus, une *loya jirga*. Il avait ensuite obtenu un mandat de cinq ans lors de la première élection présidentielle du pays, en 2004. À la tête d'un pays déchiré par les rivalités ethniques, dévasté par des décennies de guerre et déstabilisé par une insurrection en cours, Karzai avait du mal à assurer la sécurité et les services de base ailleurs qu'à Kaboul, la capitale.

Il excédait régulièrement ses partenaires américains par ses éclats de colère irrépressibles, en face-à-face comme dans la presse. Mais il était aussi une vraie bête politique, qui avait joué avec succès les factions afghanes les unes contre les autres et réussi à nouer des liens personnels forts avec le président George W. Bush. S'il était connu pour ses sautes d'humeur, Karzai était en fait très cohérent sur ses priorités de base : maintenir la souveraineté et l'unité de l'Afghanistan – et son propre pouvoir.

Depuis le 11-Septembre, j'avais fini par connaître assez bien Karzai. En juin 2004, je l'avais emmené à Fort Drum, dans le nord de l'État de New York, afin qu'il puisse remercier les soldats de la 10e division de montagne, l'une des plus massivement déployées de l'armée de terre américaine, pour leur action en Afghanistan. Au fil des ans, j'avais eu le privilège de passer du temps avec les hommes et les femmes de la 10e division de montagne, tant à Fort Drum qu'en Irak et en Afghanistan. Chaque fois que je me rendais dans l'une de ces zones de guerre en qualité de sénatrice, j'essayais de trouver le temps d'aller parler avec les soldats de New York de ce qui se passait vraiment sur le terrain. J'écoutais ainsi des témoignages déchirants sur l'insuffisance des gilets pare-balles[1] et la vulnérabilité des Humvees[2], mais aussi des récits de bravoure et de persévérance. Quand Karzai m'a accompagnée à Fort Drum, il s'est montré aimable et respectueux envers les sacrifices de nos soldats pour son pays. Mais, à d'autres occasions au cours des années, on a eu l'impression qu'il mettait les violences en Afghanistan sur le compte des Américains plus que sur celui des talibans. C'était difficile à avaler.

Néanmoins, nous avions besoin de Karzai, donc je travaillais dur pour avoir un bon contact avec lui. Nous nous entendions bien au niveau personnel et politique. Et, comme pour tant d'autres dirigeants dans le monde, le respect et la courtoisie personnelle faisaient beaucoup. Chaque fois qu'il venait à Washington, j'essayais de faire en sorte qu'il se sente accueilli comme l'hôte honoré qu'il était. C'est dans ces conditions qu'il était le plus productif comme partenaire. Un jour, nous sommes allés nous promener dans la roseraie de Dumbarton Oaks, à Georgetown, puis nous avons pris le thé dans la véranda de cet hôtel particulier. Il a parlé plus franchement qu'à

---

1. Les gilets pare-balles en usage chez les Marines n'étaient pas les plus efficaces et ne les protégeaient que partiellement.
2. Dans ces véhicules non blindés de l'armée de terre américaine, les soldats étaient particulièrement exposés aux « engins explosifs improvisés » disposés au bord des routes.

l'ordinaire des problèmes qui l'attendaient dans son pays, notamment des menaces continuelles en provenance des sanctuaires du Pakistan. Me rendant la politesse pour mes gestes de courtoisie à Washington, il s'est montré particulièrement hospitalier lors de mes visites à Kaboul : il est allé jusqu'à me présenter à son épouse dans les appartements privés de leur famille.

En août 2009, Karzai s'est présenté à la présidentielle pour se faire réélire, et les observateurs internationaux ont constaté une fraude massive. Les Nations unies ont appelé à un second tour entre lui et son rival le mieux placé, Abdullah Abdullah, mais Karzai a refusé d'autoriser ce nouveau scrutin. Il était furieux de ce qu'il voyait comme une ingérence étrangère dans le processus électoral (il était persuadé que Holbrooke complotait pour l'éliminer) et absolument déterminé à éviter de perdre le pouvoir. Il était aussi blessé dans sa fierté qu'on ne l'ait pas déclaré vainqueur au premier tour. En octobre, l'impasse menaçait de priver le gouvernement de Karzai du soutien international et d'anéantir la crédibilité, déjà réduite, dont il pouvait jouir dans le peuple afghan.

« Pensez aux conséquences historiques, pour vous, premier président élu démocratiquement, comme pour votre pays ! » l'ai-je supplié au téléphone pour tenter de négocier un compromis qui préserverait la stabilité du pays et la légitimité du régime de Kaboul. « Vous avez une occasion de sortir de cette situation avec un gouvernement plus fort que vous dirigerez, mais cela dépend des choix que vous allez faire maintenant. »

Karzai a campé sur ses positions. Il a rejeté en bloc les allégations de fraude électorale généralisée. « Comment pouvons-nous dire à la population que son vote était frauduleux ? » a-t-il demandé. Après tout, les électeurs avaient bravé les menaces des talibans pour participer au scrutin. « Des gens ont eu les doigts et le nez coupés, des gens ont été abattus, des jeunes femmes ont fait des sacrifices, vos soldats ont fait des sacrifices – déclarer que tout était faux, tout invalider, ce serait effroyable. » Karzai avait raison sur les sacrifices extraordinaires qu'avaient consentis les Afghans, mais tort sur la façon de leur rendre hommage.

Dans les jours qui ont suivi, nous avons discuté en continu. J'ai expliqué à Karzai que s'il acceptait le second tour, qu'il remporterait très probablement, il s'assurerait la supériorité morale et renforcerait sa crédibilité aux yeux de la communauté internationale comme de ses concitoyens. J'ai été heureuse que le sénateur John Kerry, président de la commission des relations extérieures, ait l'intention de se rendre à Kaboul. Il allait être sur place un allié précieux pour m'aider à convaincre Karzai de s'orienter vers un second tour. Nous l'avons pris en tenaille, Kerry et moi – lui dans la pièce, moi au téléphone dans mon bureau du département d'État –, invoquant nos expériences personnelles à l'appui de notre position. « Je me suis présentée à des élections, tout comme mon mari, ai-je rappelé à Karzai. Je sais ce que c'est de gagner et de perdre. Et le sénateur Kerry aussi. Nous savons combien ces décisions peuvent être difficiles. »

Je sentais que nous avancions ; quand l'heure est venue pour Kerry de rentrer à Washington en raison d'impératifs au Sénat, je lui ai donc demandé de prolonger un peu son séjour à Kaboul. Il m'a dit d'appeler le leader de la majorité au Sénat, Harry Reid, pour le prier de ne procéder à aucun vote avant son retour. Lorsque j'ai eu Reid, il a accepté un délai de grâce d'un seul jour, mais a souligné qu'il avait besoin que Kerry rentre au plus tôt.

Finalement, après quatre jours de pression, Karzai a cédé. Il a admis les constats des observateurs de l'ONU et autorisé l'organisation d'un second tour début novembre. En fin de compte, Abdullah a renoncé à sa candidature et Karzai a été déclaré vainqueur. Ce n'était pas joli, mais nous avions au moins évité le pire – un coup fatal porté à la légitimité globale de Karzai, l'effondrement probable de son régime et l'éveil chez de nombreux Afghans de doutes très profonds sur la démocratie.

À la mi-novembre, j'ai assisté à l'investiture de Karzai à Kaboul. La ville était soumise à des mesures de sécurité exceptionnellement strictes tandis qu'y affluaient des dirigeants du monde entier. Au cours d'un long dîner au palais présidentiel, la veille de la cérémonie, j'ai insisté sur plusieurs points auprès de Karzai. D'abord, j'ai souligné qu'il était temps de commencer à parler sérieusement du transfert des responsabilités en matière de sécurité : elles devaient passer de la coalition internationale dirigée par les États-Unis à l'armée nationale afghane. Nul ne s'attendait à ce que ce changement ait lieu du jour au lendemain, mais le président Obama voulait qu'on lui assure que l'engagement des États-Unis aurait une fin.

J'ai aussi discuté avec Karzai des chances de mettre, un jour, un terme aux combats par un règlement politique. Serait-il possible de convaincre un nombre suffisant de talibans, par la négociation ou des incitations, de déposer les armes et d'accepter l'Afghanistan nouveau ? Ou avions-nous affaire à un groupe d'extrémistes et de jusqu'au-boutistes implacables qui ne transigeraient jamais et n'accepteraient aucune réconciliation ? Les obstacles à ce type de processus de paix paraissaient presque insurmontables. Mais j'ai rappelé à Karzai que nul ne franchirait la porte si elle n'était pas ouverte. Karzai voulait toujours négocier avec les talibans à ses conditions. C'était l'un des problèmes qu'il nous posait : il ne voyait pas les talibans comme son adversaire principal dans la guerre. Il était persuadé que c'était le Pakistan. Il se montrait même réticent à aller voir sur le terrain ses propres forces armées qui combattaient les talibans. Il estimait que l'Afghanistan et la coalition devaient orienter l'essentiel de leurs efforts militaires contre le Pakistan, tandis qu'il négocierait avec ses compatriotes pachtounes chez les talibans. Malheureusement pour lui, les talibans ne voulaient pas lui parler. C'étaient les soldats et les diplomates américains qui allaient devoir faire le travail de base, puis réunir les parties. En attendant, Karzai flirtait avec quiconque prétendait représenter les talibans.

Enfin, je lui ai dit clairement que, après la controverse autour des élections, il était essentiel qu'il en fasse davantage pour réprimer la corruption. Endémique en Afghanistan, elle réduisait les ressources, alimentait une culture de l'illégalité et indignait le peuple afghan. Karzai devait élaborer un plan pour combattre la petite « corruption quotidienne » des bakchichs, partie intégrante de la vie afghane, et la corruption pernicieuse des hauts responsables, qui détournaient régulièrement des ressources massives sur l'aide internationale et les projets de développement pour se remplir les poches. Le pire exemple était le pillage de la Kabul Bank. Nous ne demandions pas que l'Afghanistan devienne la « lumière du monde », mais il était vital pour l'effort de guerre de réduire le vol et l'extorsion à grande échelle.

Le lendemain, Karzai s'est avancé dignement sur un tapis rouge, flanqué d'une garde d'honneur en grand uniforme. À ne voir que ces soldats-là, gants blancs immaculés et bottes resplendissantes, nul n'aurait deviné que l'armée nationale afghane naissante était encore loin d'être prête à se battre seule contre les talibans. Ce jour-là au moins, elle paraissait maîtriser la situation avec assurance.

Karzai aussi. Comme à l'accoutumée, il avait fière allure, avec sa cape caractéristique et son couvre-chef incliné. J'étais l'une des rares femmes présentes, et il m'a fait faire le tour des chefs pachtounes venus, m'a-t-il dit, des deux côtés de la frontière non reconnue avec le Pakistan. Les Pachtounes comptent parmi les personnes les plus séduisantes du monde. Ils ont des traits nets et des yeux perçants, souvent bleus, mis en valeur par des turbans élaborés. C'était de ce peuple qu'était issu Karzai, et il ne l'oubliait jamais.

Karzai a prononcé son discours d'investiture à l'intérieur du palais, entre deux drapeaux afghans, une immense gerbe de fleurs rouges et blanches posée devant lui. Il a dit pratiquement tout ce qu'il fallait. Il s'est engagé avec force à combattre la corruption. Il a annoncé une nouvelle mesure dont nous avions discuté : imposer aux responsables publics de déclarer leurs avoirs pour que les transferts d'argent et les trafics d'influence soient plus faciles à repérer. Il a aussi énuméré des mesures pour améliorer les services de base, renforcer le système judiciaire et élargir les opportunités pédagogiques et économiques. Aux insurgés, il a fait cette offre : « Nous tendons la main et nous fournirons l'aide nécessaire à tous nos compatriotes désabusés qui souhaitent rentrer chez eux, vivre en paix et accepter la constitution », en excluant toutefois Al-Qaida et les combattants directement impliqués dans le terrorisme international. Afin de prouver son sérieux, il s'est engagé à réunir une nouvelle *loya jirga* pour discuter du lancement d'un processus de paix et de réconciliation.

Surtout, Karzai s'est engagé à accélérer ses efforts pour mettre sur pied une force de sécurité nationale afghane capable et efficace, qui pourrait progressivement prendre la relève des troupes américaines et internationales. « Nous sommes déterminés, a-t-il dit, à rendre dans les cinq prochaines années les forces afghanes capables de prendre la responsabilité du maintien de la sécurité et de la stabilité dans tout le pays. » C'était la déclaration que le président Obama attendait.

*

* *

Le 23 novembre, j'ai vu le président Obama, d'abord lors de la réunion du cabinet à la mi-journée, puis en petit comité en fin d'après-midi dans le Bureau ovale avec le vice-président Biden, enfin en séance de nuit du Conseil de sécurité nationale dans la salle de crise de la Maison-Blanche. C'était le point culminant de plusieurs mois de débat.

J'ai rendu compte au président de mon voyage à Kaboul, notamment de mes discussions avec Karzai. Puis j'ai exposé mon analyse, dont la prémisse était que nous ne pouvions pas abandonner l'Afghanistan. Les États-Unis avaient essayé cette option en 1989, après le retrait des Soviétiques, et nous avions douloureusement payé le prix d'avoir laissé ce pays devenir un sanctuaire des terroristes. Le *statu quo* n'était pas acceptable non plus. Des soldats américains perdaient la vie, et le gouvernement de Kaboul perdait du terrain chaque jour. Il fallait quelque chose de neuf.

J'ai soutenu le relèvement des effectifs proposé par l'armée, associé à un *surge* civil et à des efforts diplomatiques en Afghanistan comme dans toute la région, pour mettre fin au conflit. L'augmentation des forces militaires me paraissait cruciale pour trois raisons : elle créerait un espace pour un processus de transition vers l'exercice des responsabilités par les Afghans ; elle assurerait la stabilité et la sécurité nécessaires à la construction et au renforcement de l'État ; elle nous donnerait un levier pour rechercher un règlement diplomatique.

Je partageais la réticence du président à un engagement illimité, sans conditions et sans attentes. C'est pourquoi j'avais tant insisté auprès de Karzai pour qu'il fixe dans son discours d'investiture la perspective d'un transfert aux Afghans des responsabilités en matière de sécurité. Préparer cette transition, et obtenir le soutien actif de la communauté internationale à ce projet, devait désormais être une priorité.

Le président a écouté attentivement tous les arguments avancés autour de la table. Il se faisait tard, et il n'était pas encore prêt à prendre une décision finale. Mais, quelques jours plus tard, après un ultime examen des options militaires avec Gates et Mullen, il l'a prise.

Le président Obama a décidé d'annoncer sa nouvelle politique dans un discours à West Point. Après avoir appelé des dirigeants étrangers et informé des membres du Congrès, je l'ai rejoint à bord du Marine One pour un court trajet en hélicoptère jusqu'à la base aérienne d'Andrews, où nous sommes montés dans l'Air Force One qui nous a conduits au Stewart International Airport de New York. Nous avons alors embarqué dans un autre Marine One jusqu'à West Point. En général, je n'aime pas beaucoup les hélicoptères. Ils sont bruyants, on y est serré et ils ne défient la loi de la gravité qu'au prix d'efforts acharnés et assourdissants. Mais le Marine One, c'est différent. La cabine de l'emblématique hélicoptère présidentiel vert et blanc ressemble plutôt à un petit avion, avec des sièges en cuir blanc, des rideaux bleus et suffisamment d'espace pour une dizaine de passagers. C'est aussi calme qu'un voyage en voiture. Décoller de la pelouse sud de la Maison-Blanche, virer au-dessus du National Mall, passer si près du Washington Monument qu'on a presque l'impression de pouvoir toucher le marbre de la main – l'expérience est exceptionnelle.

Pendant le trajet, j'étais assise à côté de Gates et de Mullen, en face de Jones et du président, qui relisait une dernière fois le texte de son discours. L'une des raisons pour lesquelles il avait été élu président était son opposition à la guerre d'Irak et sa promesse d'y mettre fin. Et voici qu'il allait expliquer au peuple américain pourquoi il accentuait notre engagement dans une autre guerre, en un lointain pays. Le processus de délibération avait été difficile, mais à mon avis le président avait fait le bon choix.

Lorsque nous sommes arrivés à West Point, je me suis assise à côté du secrétaire Gates dans le grand amphithéâtre Eisenhower, face à une mer d'élèves officiers en manteau gris. À la droite de Gates se trouvait le général Eric Shinseki, secrétaire aux Affaires des anciens combattants. Chef d'état-major de l'armée de terre en 2003, il avait d'emblée prévenu l'administration Bush que, pour sécuriser l'Irak après une invasion, il faudrait beaucoup plus de soldats que n'en prévoyait le budget. Sa franchise lui avait valu d'être critiqué, marginalisé, puis mis à la retraite. Et voici que, près de sept ans plus tard, nous discutions à nouveau des effectifs qui étaient vraiment nécessaires pour atteindre nos objectifs.

Le président a commencé par rappeler pourquoi les États-Unis étaient en Afghanistan. « Nous n'avons pas cherché ce combat », a-t-il dit. Quand Al-Qaida a attaqué l'Amérique le 11 septembre 2001 – dans une agression planifiée sous la protection des talibans en Afghanistan –, la guerre nous a été imposée. Puis il a expliqué que la guerre d'Irak avait détourné nos ressources et notre attention de l'effort mené en Afghanistan. Quand le président Obama avait entamé son mandat, il n'y avait dans ce pays qu'un peu plus de 32 000 soldats américains, contre 160 000 en Irak au plus fort du conflit. « L'Afghanistan n'est pas perdu, mais cela fait des années qu'il régresse, a-t-il déclaré. Les talibans montent en puissance. » Le président a répété la nouvelle formulation, plus ciblée, de notre mission : désorganiser, démanteler et vaincre Al-Qaida en Afghanistan et au Pakistan, et lui ôter la capacité de menacer l'Amérique et nos alliés à l'avenir. Pour y parvenir, il enverrait 30 000 soldats américains de plus, aux côtés de contingents supplémentaires de nos alliés. « Dans dix-huit mois, nos soldats commenceront à rentrer aux États-Unis », a-t-il annoncé.

C'était une date limite plus stricte que je ne l'avais espéré, et je craignais qu'elle n'envoie un mauvais signal à nos amis comme à nos ennemis. J'étais tout à fait convaincue qu'il nous fallait un *surge* limité dans le temps et une transition rapide, mais je pensais que nous avions tout intérêt à dissimuler davantage notre jeu. Cela dit, puisque le rythme du retrait n'était pas précisé, il restait assez de flexibilité pour faire le travail.

Le président a souligné combien il était important de stimuler le développement économique en Afghanistan et de réduire la corruption ; il nous a donné pour instruction de concentrer l'aide sur des domaines qui pouvaient avoir un impact immédiat sur la vie du peuple afghan, comme l'agriculture, et de mettre en place de nouvelles normes de responsabilité des autorités et de transparence.

Le secrétaire adjoint Jack Lew était chargé de réunir les personnels et les fonds nécessaires à notre « *surge* civil ». Holbrooke et son équipe, avec notre ambassade à Kaboul, ont défini ses priorités : donner aux Afghans un intérêt direct dans l'avenir de leur pays et apporter des alternatives crédibles à l'extrémisme et à l'insurrection. Au cours de l'année suivante, nous allions tripler le nombre de nos diplomates, experts du développement et autres spécialistes civils en Afghanistan, et multiplier par six, ou presque, notre présence sur le terrain. Lorsque j'ai quitté le département d'État, les Afghans avaient fait des progrès. La croissance économique était en hausse et la production d'opium en baisse. La mortalité infantile avait diminué de 22 %. Sous les talibans, 900 000 garçons seulement, et aucune fille, étaient inscrits dans les écoles. En 2010, il y avait 7,1 millions d'élèves inscrits et près de 40 % étaient des filles. Les Afghanes avaient reçu plus de 100 000 petits prêts personnels qui leur avaient permis de lancer des entreprises et d'entrer dans l'économie officielle. Des centaines de milliers d'agriculteurs avaient été formés et équipés en semences et en techniques nouvelles.

Ce jour-là à West Point, je ne me faisais aucune illusion : inverser le cours de cette guerre serait extrêmement difficile. Mais, à tout prendre, j'étais persuadée que le président avait fait le bon choix et qu'il nous avait mis dans la meilleure position possible pour réussir. Néanmoins, les défis à relever étaient énormes. Je regardais les élèves officiers qui occupaient chaque siège de cet immense amphi. Captivés, ils écoutaient leur commandant en chef parler d'une guerre dans laquelle nombre d'entre eux allaient bientôt combattre. Ces visages jeunes, pleins de promesses et de détermination, se préparaient à affronter un monde dangereux dans l'espoir de rendre l'Amérique plus sûre. J'espérais que nous agissions bien à leur égard. Après son discours, le président est allé serrer des mains dans l'assistance et les élèves officiers se sont levés pour l'entourer.

Chapitre 8

Afghanistan :
mettre fin à une guerre

Richard Holbrooke était un vrai négociateur. Dans son ouvrage passionnant *To End a War*, il raconte comment, dans les années 1990, il a réussi à pousser Slobodan Milošević dans ses retranchements en utilisant tour à tour l'intimidation, la menace, la flatterie, ou en partageant avec lui des bouteilles de whisky jusqu'à ce que le dictateur serbe finisse par céder. Pendant les négociations de paix de Dayton, dans l'Ohio, lors d'une journée particulièrement tendue où Milošević refusait de lâcher du lest, Richard l'a emmené sur la base aérienne militaire de Wright-Patterson afin de lui rappeler la puissance de l'armée américaine. Le message était clair : faites des compromis ou assumez les conséquences. Il s'agissait là d'un coup de maître diplomatique mettant fin à une guerre terrible qui avait paru impossible à résoudre.

Richard espérait pouvoir agir en Afghanistan comme il l'avait fait dans les Balkans, c'est-à-dire en réconciliant les parties et en négociant un traité de paix. Il savait pertinemment que ce ne serait pas facile. Il a confié à ses amis que c'était l'une des tâches les plus délicates de toute sa carrière, laquelle avait pourtant été riche en missions impossibles. Toutefois, il restait persuadé, comme il me l'a dit dès le départ, que cela valait le coup d'essayer. Si l'on parvenait à convaincre les talibans de rompre leurs liens avec Al-Qaida pour se réconcilier avec le gouvernement de Kaboul, alors une paix serait possible et les troupes américaines rentreraient saines et sauves. En définitive, malgré l'influence et l'implication du Pakistan et des États-Unis, entre autres, il ne s'agissait pas d'une guerre entre plusieurs nations, mais d'une guerre entre Afghans pour sceller la destinée de ce pays. Et, comme l'a fait remarquer Richard : « Dans les conflits de ce genre, il y a toujours un moyen de se racheter. »

L'histoire nous a montré que les insurrections aboutissaient rarement à des cérémonies de reddition sur le pont d'un navire de guerre. La plupart du temps, elles s'épuisent en négociations pendant que ceux qui luttent inlassablement pour la paix tentent d'améliorer le quotidien des gens sur le terrain.

Au cours de mes premières conversations avec Holbrooke, alors que nous évoquions une éventuelle résolution politique du conflit, nous avons déterminé deux façons d'aborder le problème : attaquer l'organisation soit par la base, soit par le sommet. La première méthode était plus directe. Nous avions de bonnes raisons de croire que de nombreux petits combattants talibans n'étaient pas réellement animés de convictions idéologiques. C'étaient des paysans ou des villageois qui avaient rallié l'insurrection parce qu'elle leur fournissait un salaire régulier et leur permettait de se faire respecter dans un pays gangrené par la pauvreté et la corruption. Si on leur proposait une amnistie et d'autres avantages, certains d'entre eux déposeraient les armes de leur plein gré pour réintégrer la vie civile, surtout si des pressions constantes de l'armée américaine commençaient à peser sur eux. Si l'on pouvait convaincre un grand nombre de soldats d'agir de la sorte, il ne resterait plus que les extrémistes pour poursuivre l'insurrection. Et le gouvernement de Kaboul pourrait s'occuper d'eux.

La seconde approche était plus ambitieuse, mais pouvait se révéler plus efficace. Les leaders des talibans étaient des fanatiques religieux qui avaient fait la guerre presque toute leur vie. Ils étaient plus proches d'Al-Qaida, entretenaient des liens avec les services secrets pakistanais et étaient des opposants de longue date au régime de Kaboul. Il était peu probable qu'on réussisse à les convaincre de déposer les armes. En revanche, si l'on faisait peser suffisamment de pression sur eux, ils comprendraient peut-être que l'opposition armée était inutile et que la seule façon de retrouver une place dans la société afghane était de prendre la voie des négociations. Malgré la difficulté de la tâche, Richard pensait qu'il fallait engager les deux approches simultanément, et j'étais d'accord avec lui.

En mars 2009, la commission Riedel a appuyé la première stratégie et rejeté la perspective d'une négociation avec les leaders des talibans. Ces derniers, a-t-elle déclaré, n'étaient « pas aptes à négocier et on ne [pouvait] pas passer d'accord avec eux ». Néanmoins, elle a tracé quelques grandes lignes qui pouvaient servir quelle que fût l'approche adoptée. Les insurgés allaient devoir rendre les armes, tourner le dos à Al-Qaida et accepter la constitution afghane. Cette réconciliation ne devait pas se faire aux dépens de l'égalité des sexes et des droits de l'homme, ni mener à un retour des politiques sociales réactionnaires.

Ce point m'a toujours tenu particulièrement à cœur, depuis le jour où je suis devenue première dame et jusqu'à ma prise de fonctions en tant que secrétaire d'État. Après la chute des talibans en 2001, j'ai œuvré avec la première dame, Laura Bush, et d'autres sénatrices à promouvoir un Conseil des femmes afghanes ainsi que d'autres programmes visant à défendre leurs droits sous le régime de Hamid Karzai. Une fois devenue secrétaire d'État, j'ai demandé à ce que tous nos projets de développement en Afghanistan prennent en compte les besoins et les préoccupations des femmes. Créer de nouvelles opportunités pour elles n'était pas seulement une question morale, c'était également une question économique et sécuritaire. Même si la vie des femmes afghanes est restée dure, nous avons assisté à des améliorations encourageantes. En 2001, leur espérance de vie était de seulement 44 ans. En 2012, elle avait grimpé jusqu'à 62 ans. Le taux de mortalité des mères, des jeunes et des enfants de moins de 5 ans a baissé de manière significative. Au cours de cette période, près de 120 000 filles afghanes sont sorties de l'école avec un diplôme en poche et 15 000 d'entre elles se sont inscrites à l'université, tandis que 500 ont accédé aux fonctions de professeur d'enseignement supérieur. Ces chiffres sont surprenants quand on se souvient que, au début du siècle, ils étaient proches de zéro.

Malgré ces progrès, la sécurité et le statut des femmes étaient constamment menacés, et pas seulement par le retour des talibans. Par exemple, en 2009, le président Karzai a signé une nouvelle loi restreignant considérablement le droit des femmes issues de la mino-rité chiite ; elle visait les Hazaras, un groupe ethnique aux traditions conservatrices. Cette loi, dont certains articles légalisaient de fait le viol conjugal et interdisaient aux femmes chiites de sortir sans l'autorisation de leur mari, enfreignait gravement la constitution. Karzai avait appuyé la mesure dans l'espoir de s'attirer le soutien des leaders hazaras, mais ce n'était pas une excuse, bien entendu. J'ai été scandalisée et le lui ai fait savoir.

J'ai appelé Karzai trois fois en l'espace de deux jours pour le pousser à abandonner cette loi. Si l'on pouvait outrepasser la consti-tution et bafouer les droits de cette minorité, alors plus personne

– homme ou femme – n'était en sécurité. Cela allait décrédibiliser son régime au profit des talibans. J'ai également souligné que cette question me tenait à cœur personnellement. Je savais à quel point les relations personnelles et le respect étaient des notions chères à Karzai, et je lui ai expliqué que, s'il laissait passer cette loi inacceptable, les femmes américaines (et notamment les sénatrices du Congrès) auraient beaucoup de mal à continuer de le soutenir. Nous avons trouvé un terrain d'entente. Il a accepté de suspendre la loi et de la renvoyer au ministère de la Justice pour révision. Le texte a été légèrement modifié. Ce n'était pas suffisant, mais c'était un pas dans la bonne direction. Afin de conserver la confiance de Karzai, j'évitais généralement d'ébruiter ce genre de relations diplomatiques à caractère personnel. Je voulais qu'il sache que nous pouvions discuter – et être en désaccord – sans que cela s'étale dans tous les journaux.

Chaque fois que je rencontrais des femmes afghanes, que ce soit à Kaboul ou lors de conférences internationales à travers le monde, elles me répétaient qu'elles voulaient participer à la construction et à l'avenir politique de leur pays ; elles craignaient également que leurs salaires durement gagnés ne soient sacrifiés si les troupes américaines se retiraient ou si Karzai décidait de passer un accord avec les talibans. Un tel scénario serait tragique, non seulement pour elles, mais pour le pays tout entier. C'est pourquoi, chaque fois que j'évoquais la réintégration des insurgés ou la réconciliation avec les talibans, je mettais un point d'honneur à ce qu'on ne troque pas la paix contre les droits des femmes. Car, dans ce cas, ce ne serait plus une paix.

J'ai repris les conditions fixées par la commission Riedel pour la réintégration des soldats talibans (abandon de la violence, rupture avec Al-Qaida, ralliement à la constitution) et j'en ai fait mon leitmotiv diplomatique. Lors de notre première grande conférence internationale sur l'Afghanistan à La Haye, en mars 2009, j'ai proposé à l'assemblée de délégués de distinguer « les extrémistes d'Al-Qaida et les talibans de ceux qui ont rejoint leurs rangs non par conviction, mais par désespoir ». Lors d'une conférence internationale, à Londres, en 2010, le Japon a accepté de verser une contrepartie financière de 50 millions de dollars aux petits soldats qui rendraient les armes. J'ai promis que les États-Unis fourniraient eux aussi des fonds substantiels, et nous avons ainsi persuadé d'autres pays de faire de même.

À Londres, pendant une interview, on m'a demandé si les Américains n'allaient pas « être surpris, voire troublés », d'apprendre que nous tentions de nous réconcilier avec les insurgés alors même que le président Obama envoyait de nouvelles troupes pour affronter les talibans. « On ne peut pas avoir l'un sans l'autre, ai-je répondu. Un accroissement des forces militaires seul, sans effort politique, aboutirait à un échec. [...] Tenter de faire la paix avec notre ennemi sans la force nécessaire pour nous soutenir aboutirait aussi à un échec. Il s'agit donc d'une stratégie combinant les deux aspects, et elle est parfaitement sensée. » C'était la position que j'avais défendue lors des nombreux débats que nous avions eus dans la salle de crise de la Maison-Blanche au sujet de l'envoi de renforts, et j'étais convaincue de son bien-fondé. Je reconnaissais toutefois que, même s'il s'agissait d'une stratégie raisonnable, elle pouvait être difficile à accepter. J'ai donc ajouté : « Je crois que derrière votre question se cache une inquiétude largement partagée. Les gens se disent : "Attendez, ce sont les méchants. Pourquoi discuter avec eux ?" » C'était une question légitime. Mais, à ce stade, nous ne parlions pas de nous réconcilier avec les leaders terroristes ou les talibans qui protégeaient Oussama Ben Laden. J'ai expliqué que nous tentions simplement de détourner les insurgés qui avaient rallié les talibans par appât du gain, non par idéologie.

Jusque-là, au moins, c'était la vérité. En ce qui nous concernait. Karzai, quant à lui, avait annoncé dans son discours d'investiture de 2009 qu'il cherchait la réconciliation en s'adressant directement aux leaders talibans. À l'été 2010, il a réuni les anciens des groupes tribaux de tout le pays afin qu'ils soutiennent son initiative. Puis il a nommé un Haut Conseil de paix, dirigé par l'ancien président afghan Burhanuddin Rabbani, afin de mener d'éventuelles négociations. (Rabbani a trouvé la mort dans un tragique attentat suicide en septembre 2011 ; le kamikaze avait caché une bombe dans son turban. Son fils a accepté de le remplacer au Conseil.)

Ces efforts se sont heurtés à la résistance de certains membres des services secrets pakistanais, l'ISI. Certains membres de l'ISI entretenaient des relations de longue date avec les talibans depuis leur lutte commune contre les Soviétiques dans les années 1980. Ils continuaient de leur offrir refuge au Pakistan et soutenaient l'insurrection afghane afin de déstabiliser Kaboul et d'empêcher l'extension de l'influence indienne dans ce pays. Les Pakistanais ne voulaient pas voir Karzai négocier indépendamment avec les talibans, de peur qu'il ne prenne pas en considération leurs intérêts propres. Et ce n'était là qu'un des nombreux obstacles dressés devant le président afghan. Il devait également composer avec l'opposition de ses alliés au sein de l'Alliance du Nord, dont beaucoup appartenaient à des minorités ethniques, tels les Tadjiks ou les Ouzbeks, et redoutaient que Karzai ne les livre à ses amis pachtounes, ralliés aux talibans. Instaurer une paix durable en tenant compte de tous ces acteurs et intérêts si divers se révélait un véritable casse-tête.

À l'automne 2010, le bruit courait à Kaboul que Karzai avait renoué le dialogue avec les leaders des talibans. Les lieutenants du président ont rencontré à plusieurs reprises un contact venu du Pakistan et que les troupes de la coalition avaient escorté jusqu'à Karzai lui-même dans un avion de l'OTAN. L'homme prétendait être le mollah Akhtar Muhammad Mansour, un haut dignitaire taliban, et se disait prêt à négocier. Des prisonniers talibans avaient apparemment confirmé son identité d'après une photo qu'on leur avait montrée. Voilà qui annonçait des développements intéressants.

En octobre, lors d'un sommet de l'OTAN, on nous a interrogés, le secrétaire Robert Gates et moi, sur ces faits. Nous avons répondu que nous soutenions tout effort crédible en vue d'un apaisement, mais j'ai formulé une mise en garde : « Cette initiative est soumise à de nombreuses pressions, pas toujours légitimes ni vouées à aboutir à une réelle réconciliation. »

Malheureusement, mes doutes étaient justifiés. En Afghanistan, des rumeurs commençaient à se propager. Certains Afghans qui connaissaient Mansour depuis des années affirmaient que ce négociateur ne lui ressemblait en rien. En novembre, le *New York Times* a révélé qu'il s'agissait d'un imposteur et non d'un membre des talibans. Le journal a qualifié l'incident d'« épisode digne d'un roman d'espionnage ». Pour Karzai, la déception était amère.

Tandis que les Afghans s'enfonçaient un peu plus dans l'impasse, Holbrooke et son équipe, où figurait notamment l'éminent universitaire Vali Nasr, se concentraient sur le Pakistan, qui constituait à leurs yeux le rouage susceptible de débloquer la situation. Il fallait impliquer les Pakistanais dans l'avenir de l'Afghanistan et les convaincre qu'ils avaient plus à gagner à la paix qu'à un conflit permanent.

Richard a remis sur la table un vieil « accord d'échange » entre les deux pays qui traînait depuis les années 1960 et qui n'avait jamais abouti. S'il se concrétisait, des frontières qui, ces dernières années, avaient surtout servi à faire entrer des troupes et des armes s'ouvriraient enfin pour laisser transiter des biens de consommation. D'après lui, si les Afghans et les Pakistanais pouvaient commercer ensemble, peut-être parviendraient-ils à unir leurs efforts afin de combattre les extrémistes qui menaçaient leurs deux pays. Par ailleurs, les échanges commerciaux relanceraient l'économie de part et d'autre de la frontière et offriraient aux populations une alternative à l'extrémisme et à l'insurrection. Sans compter que chacun aurait tout intérêt à ce que le voisin réussisse. Richard est parvenu à réunir les deux parties autour de la table des négociations afin de résoudre leurs différends.

En juillet 2010, je me suis rendue à Islamabad, la capitale du Pakistan, afin d'assister à la signature officielle. Les ministres du Commerce des deux pays étaient assis côte à côte, les yeux rivés sur les épais dossiers verts contenant les accords définitifs. Richard et moi nous tenions debout derrière eux, près du Premier ministre, Yousaf Raza Gilani. Les deux ministres ont paraphé l'accord avant de se lever pour échanger une poignée de mains. Tout le monde a salué cette avancée, en espérant qu'elle ne symbolisait pas seulement une nouvelle entente commerciale, mais également un changement d'état d'esprit.

C'était la première pierre de ce que nous avions baptisé la « nouvelle route de la soie », un réseau étendu de relations commerciales et de communications entre l'Afghanistan et ses voisins qui les inciterait à promouvoir la paix et la sécurité. Durant les années qui ont suivi, les États-Unis ont investi 70 millions de dollars pour améliorer les axes majeurs reliant l'Afghanistan au Pakistan, dont la célèbre passe de Khyber. Nous avons aussi encouragé le Pakistan à appliquer à l'Inde la « clause de la nation la plus favorisée », et l'Inde à ouvrir son marché aux investissements et apports financiers pakistanais, deux démarches qui sont toujours en cours. Étant donné la défiance qui règne entre les deux pays, réussir une avancée sur le front indo-pakistanais n'était pas une tâche facile. Les entreprises afghanes se sont mises à importer leur électricité de l'Ouzbékistan et du Turkménistan. Des trains ont commencé à emprunter de nouvelles voies ferrées reliant la frontière ouzbèke à Mazar-e-Sharif, une ville du nord de l'Afghanistan. Un projet de gazoduc a été lancé qui pourrait permettre un jour d'exporter l'équivalent de plusieurs milliards de dollars de gaz naturel du centre vers le sud de l'Asie en transitant par l'Afghanistan. Toutes ces améliorations constituaient des investissements à long terme pour un pays qui aurait retrouvé la paix après de trop longues années de conflits et de rivalités. Le processus était lent, bien entendu, mais même à court terme ces projets faisaient souffler un vent d'optimisme et de progrès sur des régions qui en manquaient cruellement.

Lors de cette visite à Islamabad en juillet 2010 (et de toutes celles qui ont suivi), j'ai insisté pour que les dirigeants pakistanais assument leur part de responsabilité dans la guerre d'Afghanistan. Nous avions besoin d'eux pour empêcher les insurgés de fomenter des attaques mortelles depuis le Pakistan. Comme ne cessait de le répéter Richard, il n'y aurait pas de résolution diplomatique du conflit sans leur appui. Dans une interview télévisée que j'ai accordée à cinq journalistes pakistanais chez notre ambassadeur (et où je me suis volontiers offerte aux critiques des médias afin de montrer à quel point j'étais ferme dans mes engagements), on m'a demandé comment il était possible de poursuivre les négociations alors que nos soldats continuaient de pilonner le pays voisin. « Il n'est pas contradictoire de vouloir vaincre ceux qui sont décidés à combattre tout en ouvrant la porte à ceux qui souhaitent rejoindre le processus de paix », ai-je répondu.

En réalité, Richard et moi nourrissions encore l'espoir qu'un jour les chefs talibans se montreraient prêts à négocier. Et quelques développements paraissaient prometteurs. À l'automne 2009, lors d'une visite au Caire, Richard a appris par de hauts dignitaires égyptiens qu'un certain nombre de représentants des talibans, parmi lesquels un assistant du mollah Omar, leur avaient récemment rendu visite. Début 2010, un diplomate allemand a déclaré avoir lui aussi rencontré cet assistant, cette fois dans le golfe Persique, et a ajouté qu'il paraissait être en contact permanent avec l'insaisissable chef taliban. Le plus intéressant, c'était que cet homme avait manifesté le désir de traiter directement avec nous.

D'après Richard, l'option méritait d'être tentée. Mais certains de nos collègues du Pentagone, de la CIA et de la Maison-Blanche n'étaient pas de cet avis. La plupart partageaient l'opinion de la commission Riedel : les dirigeants talibans étaient des extrémistes qui ne se réconcilieraient jamais avec le gouvernement de Kaboul. D'autres pensaient que l'heure des négociations n'était pas encore venue ; il fallait au préalable que l'idée d'une présence militaire renforcée fasse son chemin dans le pays. D'autres encore ne voulaient pas prendre le risque politique d'engager un dialogue aussi direct avec un adversaire responsable de la mort de soldats américains. Je comprenais leurs réserves, mais j'ai demandé à Richard d'étudier discrètement les options envisageables.

En bon fan de base-ball, il a affublé le contact taliban (que les médias ont plus tard identifié comme étant Syed Tayyab Agha) du nom de code A-Rod[1], et ce surnom est resté. Aux yeux des Allemands et des Égyptiens, A-Rod représentait une vraie chance : c'était un porte-parole du mollah Omar et des chefs de l'organisation. Les Norvégiens, qui avaient des contacts avec les talibans, partageaient cet avis. Quant à nous, nous restions prudents à cause des divers échecs déjà essuyés, mais pensions que cela valait le coup d'être tenté.

À l'automne, tandis que le gouvernement afghan s'enfermait à la suite du scandale de l'imposteur taliban, nous sommes convenus d'une première rencontre qui se tiendrait en Allemagne dans le plus grand secret. Un dimanche après-midi d'octobre, Richard a contacté son adjoint, Frank Ruggiero, pour lui dire de se tenir prêt à aller rencontrer A-Rod à Munich. Ruggiero se trouvait alors dans sa voiture, avec sa fille de 7 ans, et traversait le pont Benjamin Franklin à Philadelphie. Richard lui a conseillé de graver ce moment dans sa mémoire, parce qu'il était peut-être historique. (C'était typique de Holbrooke, qui savait faire dans le dramatique. Il s'imaginait en lutte constante avec l'Histoire... et croyait toujours qu'il pouvait avoir le dessus.)

Le lendemain de Thanksgiving, Richard a donné à Ruggiero ses dernières instructions : « L'objectif le plus important du premier rendez-vous, c'est d'en obtenir un deuxième. Sois diplomate, exprime clairement les lignes rouges tracées par la secrétaire d'État et fais en sorte qu'ils restent dans les négociations. La secrétaire suit ça de près, alors appelle-moi dès que tu as terminé l'entrevue. » Les lignes rouges n'étaient rien d'autre que les conditions que je répétais depuis plus d'un an. Si les talibans voulaient revenir en grâce, ils devaient déposer les armes, rompre avec Al-Qaida et accepter la constitution afghane, notamment la protection des femmes. Ces clauses étaient non négociables. Au-delà, comme je l'avais dit à Richard, j'étais ouverte à toute manifestation de créativité diplomatique qui nous mènerait à la paix.

Deux jours plus tard, Ruggiero et Jeff Hayes, du Conseil de sécurité nationale de la Maison-Blanche, se sont rendus dans une maison située dans un village proche de Munich, mise à disposition par les Allemands. C'est Michael Steiner, l'envoyé spécial allemand pour l'Afghanistan et le Pakistan, qui les a reçus. A-Rod était jeune – la fin de la trentaine –, mais il travaillait pour le mollah Omar depuis plus de dix ans. Il parlait anglais et, contrairement à de nombreux chefs

---

1. A-Rod est le surnom d'Alex Rodriguez, célèbre joueur de base-ball américain.

talibans, avait une expérience en matière de diplomatie internationale. Les participants sont tous convenus qu'il était absolument nécessaire de garder cette rencontre secrète. Aucune fuite n'était possible. Si les Pakistanais en avaient vent, ils risquaient de saper nos efforts, comme ils l'avaient fait précédemment avec Karzai.

Les discussions ont été intenses. Durant six heures, chacun a jaugé son interlocuteur et tenté de se rapprocher du cœur des problèmes. Des ennemis jurés pouvaient-ils réellement trouver un terrain d'entente, mettre un terme à une guerre et reconstruire un pays en ruine ? Après tant d'années de combats, il était difficile ne serait-ce que de discuter face à face, alors la confiance était loin d'être acquise. Ruggiero a exposé nos conditions. La principale inquiétude des talibans concernait manifestement le sort de leurs combattants retenus à Guantánamo et dans d'autres prisons. Lors de toutes nos discussions au sujet des prisonniers, nous demandions la libération du sergent Bowe Bergdahl, capturé en juin 2009. Aucun accord ne serait passé dans ce domaine tant que ce dernier ne serait pas relâché.

Le lendemain, Richard a accueilli Ruggiero à l'aéroport de Dulles. Il avait hâte d'entendre son compte rendu, qu'il devait ensuite me transmettre. Ils se sont installés au Harry's Tap Room, dans l'aéroport, et Ruggiero a commencé à parler tandis que Richard mordait dans un cheeseburger.

*
* *

Quelques jours plus tard, le vendredi 11 décembre 2010, Richard et Ruggiero sont venus nous trouver, Jake Sullivan et moi, dans mon bureau au septième étage du département d'État, afin de discuter de la marche à suivre. Nous parvenions au terme du délai d'un an que le président Obama avait fixé avant de faire le point sur l'envoi des troupes en Afghanistan. Personne ne pouvait prétendre que la situation dans le pays était satisfaisante, mais des améliorations encourageantes pointaient. Les troupes supplémentaires contribuaient à affaiblir les insurgés. Kaboul devenait plus sûre, tout comme des provinces clés telles que Helmand et Kandahar. Nos efforts de développement commençaient à porter leurs fruits sur le plan économique, de même que nos relations diplomatiques avec la région et la communauté internationale.

En novembre, j'avais accompagné le président Obama à un sommet des pays de l'OTAN à Lisbonne. Les membres avaient réaffirmé l'importance d'une mission commune en Afghanistan et étaient convenus d'un plan destiné à transférer la responsabilité de la sécurité du pays aux forces afghanes d'ici à la fin de 2014, accompagné d'un engagement durable de l'OTAN pour assurer la sécurité et la stabilité de la région. Surtout, le sommet avait envoyé un message fort : la communauté internationale était unie derrière la stratégie que le président Obama avait dévoilée à West Point. L'accroissement des forces américaines, rejointes par les troupes de nos partenaires de l'OTAN et de la coalition, permettait de créer les conditions d'une transition politique et économique, ainsi que d'un passage de flambeau en matière de sécurité, tout en jetant les bases d'une offensive diplomatique. La feuille de route était claire : les opérations militaires américaines cesseraient, mais nous continuerions d'apporter l'aide nécessaire au maintien de la démocratie afghane. Désormais, nous disposions d'un contact secret et manifestement fiable avec les dirigeants talibans ; il pouvait aboutir un jour à un processus de paix réel. (Toria Nuland, ma porte-parole, a fort bien résumé les grandes lignes de notre collaboration, avec son sens de la formule habituel : « Combat, discussion, construction ».)

Richard était enthousiaste à l'issue du sommet de Lisbonne et, tandis que nous nous réunissions pour analyser la politique à suivre, il n'a cessé de répéter haut et fort que la diplomatie se devait d'être l'élément central de notre stratégie. Le 11 décembre, il est arrivé en retard à la réunion qui se tenait dans mon bureau ; il a expliqué qu'une discussion avec l'ambassadeur pakistanais avait traîné en longueur, et qu'il avait ensuite été retenu à la Maison-Blanche. Comme d'habitude, il débordait d'idées et d'opinions. Mais, au fur et à mesure que la discussion avançait, il est devenu silencieux, puis son visage a viré au rouge cramoisi. « Richard, qu'est-ce qu'il y a ? » ai-je demandé. J'ai su immédiatement que c'était grave. Il m'a regardée et a répondu : « Il se passe quelque chose d'horrible. » Il paraissait souffrir tellement que j'ai insisté pour qu'il aille consulter l'équipe médicale du département d'État, située à l'étage inférieur. Il a accepté à contrecœur. Jake, Frank et mon assistante Claire Coleman l'ont accompagné.

L'équipe médicale a rapidement décidé de le transférer au George Washington University Hospital, non loin de là. Pour rejoindre le parking et l'ambulance qui allait l'y emmener, il a pris l'ascenseur. Dan Feldman, l'un de ses plus proches associés, est monté avec lui.

Quand ils sont arrivés aux urgences, les médecins ont découvert qu'il souffrait d'une dissection de l'aorte et l'ont immédiatement opéré. L'intervention a duré vingt et une heures. Le pronostic n'était pas bon et les séquelles étaient importantes, mais les médecins ont fait tout leur possible.

J'étais à l'hôpital quand l'opération s'est terminée. Les médecins étaient « prudemment optimistes » et m'ont dit que les heures à venir seraient cruciales. Kati, l'épouse de Richard, ses enfants et ses nombreux amis ont veillé à l'hôpital. Son équipe au département d'État a proposé de se relayer afin de s'occuper du flot de visiteurs et de tout prendre en charge pour soulager Kati. Malgré les longues heures d'attente, personne ne voulait quitter l'hôpital. Le Centre des opérations gérait les nombreux appels de responsables politiques étrangers, inquiets pour l'état de santé de Richard. Le président pakistanais, Asif Ali Zardari, tenait particulièrement à exprimer son inquiétude à Kati. Il a ajouté qu'au Pakistan le peuple priait pour lui.

Le lendemain matin, alors que Richard s'accrochait à la vie, les médecins ont décidé qu'il fallait l'opérer de nouveau afin de stopper l'hémorragie. Nous avons tous prié. Je logeais près de l'hôpital, comme tous ses proches. Vers 11 heures du matin, le président Karzai a téléphoné à Kati : « S'il vous plaît, dites à votre mari qu'on a besoin de lui en Afghanistan. » Durant leur conversation, Kati a reçu un double appel. Il s'agissait du président Zardari, qui lui a promis de rappeler plus tard. Richard aurait adoré voir tant d'illustres personnes parler de lui pendant des heures, et il allait regretter d'avoir manqué ça.

En fin d'après-midi, son chirurgien (qui se trouvait être un Pakistanais originaire de Lahore) a annoncé qu'il « allait un peu mieux », même si son état demeurait critique. Les médecins étaient impressionnés par sa résistance et sa ténacité. Pour nous qui le connaissions et l'aimions, cela n'avait rien de surprenant.

Le lundi après-midi, comme son état n'avait pas évolué, Kati et sa famille ont décidé de se joindre au président Obama et à moi-même, au département d'État, pour une réception prévue de longue date en l'honneur du corps diplomatique. Dans la salle Benjamin Franklin, au huitième étage, j'ai accueilli tout le monde par quelques mots sur notre ami qui se battait pour survivre à quelques rues de là. J'ai répété les paroles des médecins, qui découvraient ce que les diplomates et les dictateurs du monde entier savaient déjà : « Il n'est personne de plus coriace que Richard Holbrooke. »

Quelques heures plus tard, le pire est arrivé. Vers 20 heures, le 13 décembre 2010, Richard Holbrooke est mort. Il avait 69 ans. Ses médecins étaient manifestement émus de ne pas avoir pu lui sauver la vie, mais ils ont déclaré que Richard s'était présenté à l'hôpital avec une dignité remarquable pour quelqu'un qui venait de subir une attaque aussi violente. J'ai rendu une brève visite à sa famille (Kati, ses fils David et Anthony, sa belle-fille et son beau-fils Elizabeth et Chris, ainsi que sa bru Sarah) avant de rejoindre la foule de ses collègues et amis. Tout le monde s'est tenu la main, des larmes dans les yeux, en affirmant la nécessité de poursuivre la tâche à laquelle il s'était entièrement consacré. J'ai lu à haute voix devant l'assemblée la déclaration officielle que je venais de rendre publique : « Ce soir, l'Amérique a perdu l'un de ses combattants les plus farouches et l'un de ses serviteurs les plus dévoués. Richard Holbrooke a travaillé pendant près d'un demi-siècle au service du pays qu'il aimait, représentant les États-Unis dans des zones de guerre éloignées et lors de négociations de paix, avec une intelligence rare et une détermination non moins exemplaire. Il était unique en son genre. C'était un véritable homme d'État, et cela rend sa disparition d'autant plus douloureuse. » J'ai remercié le personnel médical et tous ceux qui avaient prié pour lui et soutenu ses proches durant les derniers jours. « Fidèle à lui-même, Richard s'est battu jusqu'au bout. Ses médecins ont salué sa force et sa volonté, mais, pour ses amis, c'était juste Richard tout craché. »

Tout le monde a commencé à échanger des anecdotes et des souvenirs sur cet homme remarquable. Au bout d'un moment, nous avons pris une initiative que, je crois, Richard aurait approuvée : nous nous sommes dirigés vers le bar du Ritz Carlton Hotel, non loin de là. Pendant les heures qui ont suivi, nous avons tenu une veillée impromptue et célébré la vie de notre ami. Chacun avait de bonnes histoires à raconter et nous avons autant ri que pleuré, parfois en même temps. Il avait formé une génération entière de diplomates, lesquels lui ont rendu un vibrant hommage, soulignant l'importance que ce mentor avait eue dans leurs vies et leurs carrières. Dan Feldman a rapporté que, dans l'ambulance qui le menait à l'hôpital, Richard lui avait confié que ses collaborateurs au département d'État constituaient « la meilleure équipe avec laquelle il lui avait jamais été donné de travailler ».

À la mi-janvier, ses nombreux amis et collègues venus du monde entier se sont réunis au Kennedy Center, à Washington, pour une messe de souvenir. Le président Obama et mon mari ont pris la parole. J'ai parlé en dernier. Devant cette foule qui témoignait du talent de Richard pour l'amitié, j'ai senti qu'il allait cruellement me manquer. « Peu de gens, à n'importe quelle époque, mais peut-être surtout à la nôtre, peuvent dire : j'ai mis fin à une guerre. J'ai fait la paix. J'ai sauvé des vies. J'ai aidé des pays à panser leurs blessures. Richard Holbrooke a fait tout cela. C'est une perte pour chacun d'entre nous et une perte pour notre pays. Nous avons beaucoup à faire, et ce serait mieux s'il était à nos côtés pour nous rappeler notre mission avec sa fougue habituelle. »

*

* *

J'étais bien décidée à poursuivre le travail qui lui avait tellement tenu à cœur. Ses collaborateurs partageaient ce désir. Nous avions évoqué la possibilité d'un grand discours sur les perspectives de paix et de réconciliation en Afghanistan. Il aurait voulu que nous menions à bien cette mission, j'en étais sûre. Nous avons donc mis notre chagrin de côté pour reprendre le travail. J'ai chargé Frank Ruggiero d'endosser le rôle d'envoyé spécial et l'ai dépêché à Kaboul et Islamabad durant la première semaine de janvier 2011 afin d'informer Karzaï et Zardari du contenu de l'allocution que je préparais. Je m'apprêtais à soutenir ouvertement l'idée d'une réconciliation avec les talibans, et ils devaient s'y préparer. Karzaï était à la fois impliqué, encourageant et méfiant. « De quoi discutez-vous réellement avec les talibans ? » a-t-il demandé. Comme les Pakistanais, il redoutait que nous ne passions un accord qui l'exclurait et le mettrait en danger.

Tandis que je finalisais ce discours avec mon équipe à Washington, Ruggiero s'est rendu au Qatar pour une deuxième entrevue avec A-Rod, notre contact taliban. Nous avions encore quelques doutes sur sa légitimité et sa capacité à faire aboutir les discussions. Ruggiero a donc proposé de le mettre à l'épreuve : A-Rod devait demander aux instances de propagande talibanes de faire une déclaration contenant certains termes bien spécifiques. Si elles s'exécutaient, nous serions sûrs qu'il était bien en contact direct avec les talibans. En échange, je m'engageais à ouvrir la porte de la réconciliation dans mon discours officiel, en utilisant un langage plus ferme qu'aucun représentant américain avant moi. A-Rod a accepté et promis de transmettre le message à ses supérieurs, lesquels ont peu après publié une déclaration contenant les termes prévus.

Avant de mettre la dernière touche à mon discours, je devais nommer un successeur à Holbrooke. Il était irremplaçable, mais il nous fallait un diplomate accompli pour diriger son équipe et poursuivre sa mission. Je me suis tournée vers un ambassadeur à la retraite, le très respecté Marc Grossman, que j'avais rencontré lorsqu'il était en poste en Turquie. Calme et effacé, c'était l'exact opposé de son prédécesseur, mais il a exécuté sa tâche avec un talent et une subtilité remarquables.

À la mi-février, je me suis rendue à l'Asia Society de New York, dont Richard avait présidé le conseil d'administration, pour prononcer un discours commémoratif qui allait par la suite devenir une tradition annuelle. J'ai commencé par faire le point sur les interventions civiles et militaires annoncées par le président Obama à West Point. Puis j'ai dévoilé le troisième volet de cette opération : l'axe diplomatique, visant à trouver une solution politique au conflit en brisant l'alliance entre les talibans et Al-Qaida, en mettant un terme à l'insurrection, puis en contribuant à stabiliser l'Afghanistan et toute la région. C'était notre projet depuis le départ, et c'était cette vision que j'avais défendue devant le président Obama en 2009.

S'ils voulaient comprendre notre stratégie, les Américains devaient clairement faire la différence entre les terroristes d'Al-Qaida qui nous avaient attaqués le 11 septembre 2001 et les talibans, ces extrémistes afghans qui se rebellaient contre le pouvoir de Kaboul. En 2001, les talibans avaient choisi de défier la communauté internationale en soutenant Al-Qaida, et ils en avaient payé le prix fort. Aujourd'hui, la pression que nous leur infligions par le biais de notre campagne militaire les mettait de nouveau face à un choix. S'ils répondaient à nos trois critères, ils pouvaient réintégrer la société afghane. « C'est la seule façon de parvenir à une résolution politique et de mettre fin aux actions militaires qui visent leurs chefs et déciment leurs rangs », ai-je déclaré. J'ai apporté une précision tout aussi subtile qu'importante en expliquant qu'il s'agissait là « non de préconditions, mais de l'issue inévitable de toute négociation ». Bien que la nuance fût ténue, j'espérais qu'elle allait mener à la discussion.

J'ai admis, une fois de plus, que cette position allait être dure à avaler pour beaucoup d'Américains après toutes ces années de guerre. Réintégrer les petits combattants était déjà difficile à admettre ; négocier directement avec les chefs, c'était encore une autre histoire. Mais la diplomatie serait aisée si nous ne parlions qu'à nos amis. Ce n'est pas comme ça qu'on fait la paix. Les présidents l'avaient bien compris, tout au long de la guerre froide, quand ils négociaient des accords de contrôle des armes avec les Soviétiques. Selon la formule du président Kennedy : « Il ne faut jamais négocier par peur, mais ne jamais avoir peur de négocier. » Richard Holbrooke en avait fait le principe de son existence ; il avait négocié avec des tyrans comme Milošević parce que c'était le meilleur moyen de mettre un terme à la guerre.

J'ai conclu mon discours en demandant au Pakistan, à l'Inde et à d'autres nations de la région de soutenir le processus de paix qui isolerait Al-Qaida et donnerait à tous un sentiment de sécurité retrouvée. Si les voisins de l'Afghanistan considéraient ce pays comme une arène où ils pouvaient se défouler, alors on n'aboutirait jamais à la paix. Au prix de difficiles tractations diplomatiques, nous devions parlementer à la fois avec les Afghans et avec leurs voisins.

Ce discours a été relayé par quelques médias américains, mais c'est surtout à l'étranger, notamment à Kaboul et à Islamabad, qu'il a eu un réel impact. Tous les acteurs savaient désormais que notre intention d'entamer un processus de paix avec les talibans était sérieuse. Un diplomate de Kaboul a confié qu'il s'agissait d'« un véritable séisme » qui allait pousser toutes les parties à travailler plus activement à une résolution du conflit.

*

* *

Le raid des SEAL[1] qui a tué Oussama Ben Laden dans sa résidence pakistanaise d'Abbottabad en mai 2011 a constitué à la fois une victoire majeure dans notre combat contre Al-Qaida et un nouvel obstacle à notre dialogue déjà difficile avec le Pakistan. À mes yeux, c'était aussi l'occasion de faire de nouveau pression sur les talibans. Cinq jours après le raid, Ruggiero a obtenu un autre rendez-vous avec A-Rod à Munich. Je l'ai prié de lui transmettre le message suivant de ma part : Ben Laden étant mort, c'était le moment pour les talibans de rompre pour de bon avec Al-Qaida, de sauver leur peau et de faire la paix. A-Rod ne paraissait pas ému par la mort de Ben Laden et il s'est montré disposé à négocier avec nous.

---

1. Voir *supra*, note 1 p. 10.

Nous avons évoqué les mesures potentielles que chaque camp pouvait prendre. Les talibans devaient publiquement se dissocier d'Al-Qaida et du terrorisme international pour s'engager à participer au processus de paix aux côtés de Karzai et de son gouvernement. Les talibans réclamaient le droit d'établir un bureau politique au Qatar afin de disposer d'un lieu sûr pour mener de futures négociations. Nous n'étions pas opposés à cette idée, même si elle soulevait bon nombre de problèmes. De nombreux leaders talibans étaient considérés comme des terroristes par la communauté internationale et ne pouvaient s'exposer au grand jour sans risquer des poursuites judiciaires. Par ailleurs, le Pakistan devait leur donner l'autorisation d'aller et venir à leur guise. Et Karzai allait sans doute voir dans cette manœuvre une menace contre sa légitimité et son autorité. Toutes ces difficultés paraissaient surmontables, mais elles nécessitaient de l'habileté, de la prudence et de la diplomatie.

Pour commencer, nous avons, en collaboration avec les Nations unies, œuvré à soustraire certains chefs talibans aux sanctions internationales, parmi lesquelles l'interdiction de voyager. Le Conseil de sécurité de l'ONU a accepté de distinguer les talibans des membres d'Al-Qaida et de les traiter séparément. C'était la position que j'avais appelée de mes vœux, et cela nous a donné une latitude considérable. Les talibans continuaient de réclamer la libération de leurs compatriotes emprisonnés à Guantánamo, mais nous n'étions pas encore disposés à satisfaire cette requête.

À la mi-mai, de hauts responsables afghans ont ébruité nos négociations secrètes (en désignant nommément Agha comme contact), et celles-ci se sont étalées en une du *Washington Post* et du *Spiegel*. Officieusement, les talibans ont reconnu que nous n'étions pas responsables de cette fuite, mais officiellement ils se sont dits scandalisés et opposés à la poursuite des discussions. Les autorités pakistanaises, déjà furieuses à cause du raid contre Ben Laden, se sont senties flouées qu'on ne les ait pas conviées aux discussions. Nous avons dû essayer de recoller les morceaux. Je me suis rendue à Islamabad et j'ai révélé aux Pakistanais l'étendue de nos relations avec les talibans. Je leur ai demandé de ne prendre aucune mesure de représailles contre A-Rod. Ruggiero est parti à Doha afin de transmettre un message aux talibans *via* le Qatar : ils devaient revenir à la table des négociations. Début juillet, les Qataris ont annoncé qu'A-Rod était prêt à revenir.

Nous avons repris les pourparlers à Doha. En août, A-Rod a donné à Ruggiero une lettre du mollah Omar en personne destinée au président Obama. Dans notre camp, certains se demandaient si le mollah Omar était toujours vivant et toujours à la tête de l'insurrection. Que cette lettre eût été écrite par lui ou par un autre leader, son ton était en tout cas encourageant : l'heure était venue pour les deux parties de travailler à la réconciliation et d'arrêter la guerre. Nous avons avancé sur deux idées : la création d'un bureau à Doha et l'échange de prisonniers. Marc Grossman s'est joint à la discussion pour la première fois et a permis de faire bouger les choses.

En octobre, lors d'une visite à Kaboul, Karzai nous a avoué, à notre ambassadeur Ryan Crocker (avec qui il entretenait de bonnes relations) et moi-même, que notre démarche l'enthousiasmait. « Accélérez les négociations », a-t-il ajouté. À Washington, les débats allaient bon train au sujet de la libération des prisonniers, même si le Pentagone n'y était pas favorable et si je n'étais pas sûre de pouvoir réunir les conditions nécessaires à l'ouverture d'un bureau au Qatar. À la fin de l'automne, toutefois, le puzzle paraissait enfin assemblé. Une conférence internationale majeure sur l'Afghanistan était prévue à Bonn pour la première semaine de décembre. Nous avions l'intention d'y annoncer la création du bureau qatari. Ce serait la première preuve tangible de la mise en place d'un processus de paix.

La conférence de Bonn faisait partie de l'offensive diplomatique que j'avais décrite dans mon discours devant l'Asia Society, destinée à mobiliser la communauté internationale pour soutenir l'Afghanistan face aux nombreux défis qui l'attendaient. Grossman et son équipe ont contribué à organiser une série de sommets et de conférences à Istanbul, Bonn, Kaboul, Chicago et Tokyo. Dans la capitale nippone, en 2012, la communauté internationale s'est engagée à verser 16 milliards de dollars en 2015 afin d'aider l'Afghanistan à affronter « une décennie de transformations » où le commerce remplacerait les aides financières. Le financement des Forces de sécurité nationales afghanes, censé débuter en 2015, est estimé à plus de 4 milliards de dollars par an. La capacité des Afghans à sécuriser leur pays était et demeure la condition *sine qua non* de tout projet d'avenir. La conférence de Bonn, en décembre 2011, a viré au fiasco. Karzai, toujours imprévisible, a finalement rejeté l'idée d'un bureau taliban et a formulé des reproches à l'égard de Grossman et de Crocker. « Pourquoi ne m'avez-vous pas tenu informé de ces discussions ? » m'a-t-il demandé, alors qu'il nous avait lui-même poussés, quelques mois plus tôt, à accélérer les négociations. Une fois de plus, il craignait d'être mis à l'écart et floué. En discutant avec les talibans, notre but avait toujours été clair : aboutir à des négociations parallèles entre le gouvernement afghan et les insurgés. C'était ce dont nous étions convenus avec A-Rod et que nous avions exposé à Karzai. Mais voilà que ce dernier exigeait désormais d'être présent lors de nos prochaines rencontres avec les talibans. A-Rod, lui, s'est montré réticent. De son point de vue, nous étions en train de changer les règles du jeu. En janvier 2012, les talibans ont de nouveau suspendu les négociations.

Cette fois, cela n'a pas été aussi facile de les convaincre de revenir. Le processus de paix a été interrompu. Toutefois, d'après un certain nombre de communiqués publiés au cours de l'année 2012, l'organisation était manifestement divisée entre ceux qui voulaient discuter et ceux qui voulaient se battre. Certains représentants ont affirmé publiquement que la négociation était inévitable, mettant derrière eux près de dix ans d'opposition. D'autres, en revanche, soutenaient l'insurrection et la violence. À la fin de 2012, la porte vers la réconciliation demeurait entrouverte, mais le succès était loin d'être assuré.

*

*   *

En janvier 2013, juste avant que je quitte mes fonctions, j'ai invité le président Karzai à dîner, en compagnie de Leon Panetta, secrétaire à la Défense, et de plusieurs autres représentants du département d'État à Washington. Karzai est venu accompagné du directeur de son Haut Conseil de paix et de quelques collaborateurs. Nous nous sommes réunis dans la salle James Monroe, au huitième étage, entourés d'œuvres d'art datant du début de la République américaine, et nous avons parlé de l'avenir de la démocratie afghane.

Cela faisait plus de trois ans que Karzai et moi avions célébré par un dîner son arrivée au pouvoir. Désormais, je m'apprêtais à passer les rênes du département d'État au sénateur John Kerry et une nouvelle élection allait décider du successeur de Karzai. Du moins, c'est ce qui était prévu. Karzai s'était engagé publiquement à se conformer à la constitution et à quitter le pouvoir en 2014, mais beaucoup d'Afghans restaient sceptiques. L'épreuve du passage de flambeau entre un président et son successeur est un test pour toute démocratie et il n'est pas rare que, dans cette partie du monde comme dans d'autres, les dirigeants trouvent des moyens pour prolonger leurs mandats.

Au cours d'un long tête-à-tête précédant le dîner, j'ai demandé à Karzai de tenir sa promesse. Si le gouvernement de Kaboul pouvait gagner en crédibilité aux yeux de ses citoyens, améliorer les services et administrer la justice de façon équitable, il saperait l'insurrection et encouragerait le projet de réconciliation nationale. Pour ce faire, tous les membres du gouvernement, en particulier le président lui-même, devaient respecter la constitution et la loi. De plus, présider à cette transition constitutionnelle permettrait à Karzai d'asseoir son rôle de père d'une nation paisible, sûre et démocratique.

Je mesurais à quel point cela devait être difficile pour lui. La rotonde du Capitole de Washington est ornée de tableaux patriotiques dépeignant les grands moments de notre démocratie débutante, du voyage des pèlerins à la victoire de Yorktown. L'un d'entre eux en particulier m'a toujours paru représenter notre esprit démocratique. Il montre le général Washington tournant le dos à la présidence et donnant sa démission de commandant en chef de l'armée. Après deux mandats de président, il avait décidé de céder sa place. Cet acte désintéressé constitue l'un des symboles de notre démocratie, plus que n'importe quelle victoire électorale ou parade inaugurale. Si Karzai voulait être considéré comme le George Washington de l'Afghanistan, il devait suivre cet exemple et renoncer au trône.

L'autre point dont j'ai discuté avec lui concernait le processus de paix interrompu avec les talibans. Il leur avait tourné le dos en 2011. Je souhaitais qu'il revoie sa position. Si nous attendions que les soldats américains se retirent, nous aurions moins de moyens de pression. Mieux valait négocier tant que nous étions en position de force.

Au cours du dîner, Karzai a formulé un certain nombre d'inquiétudes récurrentes. Comment allions-nous vérifier que les négociateurs talibans parlaient réellement au nom de leurs chefs ? Est-ce que le Pakistan allait tirer les ficelles depuis Islamabad ? Qui, des Américains ou des Afghans, mènerait les discussions ? J'ai répondu à ses questions, l'une après l'autre. J'ai essayé de lui faire comprendre combien il était urgent de relancer le processus de paix et lui ai soumis un nouveau plan, qui consistait à parvenir à une entente sans avoir à céder sur l'ouverture d'un bureau pour les talibans. Tout ce qu'il avait à faire, c'était publier un communiqué officiel acceptant cette idée. Je demanderais ensuite à l'émir du Qatar d'inviter les talibans à réagir. Le but était d'ouvrir ce bureau et d'y organiser sous une trentaine de jours une rencontre entre le Haut Conseil de paix afghan et les porte-parole des talibans, sans quoi le bureau serait fermé. Après une longue discussion, Karzai a accepté.

En juin 2013, quelques mois après que j'eus quitté le département d'État, le bureau de négociations a finalement ouvert ses portes. Mais l'accord qui avait mis des années à se concrétiser est tombé à l'eau en un peu moins d'un mois. Les talibans ont organisé une cérémonie dans leur bureau, dont ils ont proclamé qu'il représentait l'« Émirat islamique d'Afghanistan », nom officiel du pays pendant les années 1990, lorsqu'ils étaient au pouvoir. Nous nous étions mis d'accord dès le départ : utiliser le bureau de cette façon serait inacceptable. Nous avions toujours eu pour objectif de renforcer l'ordre constitutionnel en Afghanistan, et j'ai assuré à Karzai que nous défendions la souveraineté et l'unité de son pays. Il était furieux, naturellement. À ses yeux, il s'agissait davantage du QG d'un gouvernement en exil que d'un lieu propice à la négociation. Tout se passait exactement comme il l'avait redouté.

Les talibans ont refusé de faire marche arrière, les relations se sont interrompues et le bureau a été forcé de fermer.

Assistant à tout cela avec les yeux d'une simple citoyenne, je suis déçue, mais pas surprise. Si parvenir à la paix était facile, nous l'aurions fait depuis bien longtemps. Nos contacts secrets avec les talibans étaient, dès le début, davantage voués à l'échec qu'au succès. Mais cela valait le coup d'essayer. Je crois que nous avons posé les fondations d'un futur effort de paix. Aujourd'hui, il existe plusieurs voies de communication entre les talibans et les Afghans, et nous avons mis au jour au sein de l'organisation des talibans des désaccords qui, avec le temps, ne feront que s'intensifier. Le besoin de réconciliation et de solution politique n'a pas disparu. Il est même plus pressant que jamais. Les pierres que nous avons posées peuvent encore servir de repères.

Je me suis demandé ce que Richard aurait pensé. Jusqu'à la fin, il était resté persuadé que l'on pouvait dénouer les situations les plus critiques grâce au pouvoir de la diplomatie. J'aimerais qu'il soit encore parmi nous pour nous convaincre et nous encourager, et pour rappeler à tous que la meilleure façon de commencer à stopper une guerre, c'est de se mettre à discuter.

Chapitre 9

Le Pakistan et l'honneur national

Au sous-sol de l'aile Ouest de la Maison-Blanche, la salle de vidéoconférence sécurisée était devenue silencieuse. Assis à côté de moi, Bob Gates, secrétaire à la Défense, scrutait l'écran, bras croisés. L'image était floue, mais on ne pouvait pas s'y tromper. L'un des deux hélicoptères Black Hawk avait heurté le mur d'enceinte de la résidence et s'était écrasé au sol. Nos plus grandes craintes étaient en train de se réaliser. Même si le président Obama regardait l'écran sans ciller, nous pensions tous à la même chose : à l'Iran en 1980, quand une mission de sauvetage de nos otages s'était soldée par un crash d'hélicoptère dans le désert, tuant huit Américains. Notre pays et notre armée en avaient été profondément meurtris. Cette opération allait-elle se terminer de la même façon ? À l'époque, Bob était haut fonctionnaire à la CIA. Ce souvenir devait être gravé dans sa mémoire. Et dans celle de l'homme assis de l'autre côté de la table, le président Obama. En donnant cet ordre, il avait mis en danger la vie d'un groupe de soldats et de pilotes d'hélicoptère, sans compter son propre avenir de président, lequel dépendait du succès de l'opération. Tout ce qu'il pouvait faire à présent, c'était regarder les images brouillées qui défilaient devant nos yeux.

Nous étions le 1er mai 2011. Dehors, dans les rues de Washington, c'était un beau dimanche de printemps. À l'intérieur de la Maison-Blanche, la tension était à son comble depuis que les hélicoptères, environ une heure plus tôt, avaient décollé d'une base située dans l'est de l'Afghanistan. Leur cible était une résidence protégée par un mur d'enceinte à Abbottabad, au Pakistan. Là, d'après la CIA, résidait l'homme le plus recherché du monde : Oussama Ben Laden. C'était l'aboutissement de plusieurs années d'un travail acharné mené par les services secrets internationaux, suivies de longs mois de débats intenses au plus haut niveau de l'administration Obama. À présent, tout reposait sur les épaules des pilotes de ces hélicoptères ultra-modernes et des soldats américains qu'ils transportaient.

Le premier test avait été le franchissement de la frontière pakistanaise. Ces hélicoptères étaient équipés d'un système technologiquement avancé leur évitant de se faire repérer par les radars, mais allait-il fonctionner ? Nos relations avec le Pakistan, allié théorique des Américains dans le combat contre le terrorisme, étaient déjà très houleuses. Si l'armée pakistanaise, toujours à l'affût d'une attaque surprise des Indiens, découvrait qu'on s'était introduit dans son espace aérien, elle était susceptible de riposter.

Nous nous étions demandé s'il fallait informer les Pakistanais du raid à l'avance afin d'éviter un tel scénario, qui dégraderait un peu plus nos rapports. Comme nous le rappelait Bob Gates, nous aurions encore besoin d'eux à l'avenir pour renflouer nos troupes en Afghanistan et poursuivre les terroristes à la frontière. Au fil des ans, j'avais consacré un temps et une énergie considérables à renforcer nos relations avec le Pakistan, et je savais à quel point ils seraient vexés qu'on ne les mette pas au courant. Toutefois, je n'ignorais pas non plus que certains membres des services secrets (l'ISI) entretenaient des liens étroits avec les talibans, Al-Qaida et d'autres extrémistes. Nous avions déjà été victimes de fuites par le passé. Le risque de compromettre toute l'opération était trop important.

À un moment, l'un de mes collègues a demandé si l'on ne risquait pas de blesser l'honneur des Pakistanais de façon irrémédiable. Je ne sais si j'étais frustrée du double jeu pratiqué par certains d'entre eux ou si j'avais encore en mémoire les images des ruines fumantes du World Trade Center, mais pour moi il était hors de question de laisser filer notre meilleure chance d'attraper Ben Laden depuis qu'il nous avait échappé à Tora Bora, en Afghanistan, en 2001. « Et le *nôtre*, d'honneur national ? ai-je répliqué, exaspérée. Et *nos* morts ? Ça ne mérite pas qu'on poursuive un homme qui a tué 3 000 personnes ? »

Le chemin qui nous avait conduits jusqu'à Abbottabad était passé par les montagnes d'Afghanistan, par nos ambassades réduites en cendres en Afrique de l'Est, par la coque détruite de l'*USS Cole*, par la dévastation du 11-Septembre et par l'obstination d'une poignée d'agents des renseignements qui n'avaient jamais lâché le morceau. L'opération Ben Laden n'a pas éradiqué le terrorisme ni l'idéologie haineuse qui l'alimente. La lutte n'est pas terminée. Mais elle a marqué un tournant dans la longue bataille de l'Amérique contre Al-Qaida.

*

* *

Le 11 septembre 2001 est gravé dans mon esprit pour toujours, comme dans celui de tous les Américains. Ce que j'ai vu ce jour-là m'a terrifiée et, en tant que sénatrice de l'État de New York, j'avais la lourde responsabilité de soutenir les habitants de cette ville meurtrie. Après une longue nuit blanche à Washington, je me suis rendue à New York en compagnie de Chuck Schumer, mon collègue au Sénat, dans un avion spécial affrété par l'Agence fédérale des situations d'urgence. L'accès à la ville était bloqué et nous étions les seuls à la survoler ce jour-là, en dehors des patrouilles de l'armée de l'air. À l'aéroport LaGuardia, nous sommes montés dans un hélicoptère qui nous a conduits jusqu'à Lower Manhattan.

La fumée s'élevait toujours des ruines du World Trade Center. Tandis que nous survolions Ground Zero, j'ai aperçu, au milieu des poutres arrachées et des morceaux de la structure détruite, les premiers volontaires et des ouvriers de construction qui fouillaient désespérément les décombres en quête de survivants. Les images télévisées que j'avais vues la veille ne traduisaient pas l'horreur de la situation. C'était une scène digne de *L'Enfer* de Dante.

Notre hélicoptère s'est posé dans le West Side, près de l'Hudson River. Chuck et moi avons retrouvé le gouverneur George Pataki, le maire Rudy Giuliani et d'autres hauts fonctionnaires, et nous nous sommes dirigés ensemble vers le site. La fumée âcre nous empêchait de respirer et de voir normalement. Malgré mon masque de protection, j'avais la gorge et les poumons en feu, et les yeux pleins de larmes. De temps à autre, nous croisions un pompier qui sortait de l'antre poussiéreux, épuisé, couvert de suie, une hache à la main. Certains d'entre eux avaient travaillé en continu depuis que les avions avaient percuté les tours, et tous avaient perdu des amis et des collègues. Des centaines de pompiers ont trouvé la mort en tentant de sauver des vies, et davantage encore allaient endurer de graves séquelles. J'avais envie de les prendre dans mes bras pour les remercier et leur dire que tout irait bien. Mais je n'étais pas encore sûre que ce soit vrai.

Lorsque nous sommes arrivés au centre de commandement de fortune installé dans l'enceinte de l'académie de police, sur la 20ᵉ Rue, on nous a briefés sur la situation. C'était dramatique. Les New-Yorkais allaient avoir besoin d'aide pour s'en sortir, et notre devoir était de nous assurer qu'ils soient tous pris en compte. Le soir, je suis montée dans le dernier train en direction du sud, juste avant qu'ils ne ferment Penn Station. À Washington, tôt le lendemain matin, je suis allée voir Robert Byrd, sénateur de la Virginie-Occidentale et légendaire président de la commission des finances de la Chambre des représentants, afin de réclamer une aide financière d'urgence. Après m'avoir écoutée, il m'a répondu : « Considérez-moi comme le troisième sénateur de New York. » Dans les jours qui ont suivi, il a tenu parole.

Cet après-midi-là, Chuck et moi nous sommes rendus à la Maison-Blanche et, dans le Bureau ovale, nous avons annoncé au président Bush que notre État avait besoin de 20 milliards de dollars. Il a immédiatement accepté, et lui aussi nous a soutenus tout au long des démarches nécessaires.

De retour dans mon bureau, les téléphones n'ont pas cessé de sonner. Tout le monde demandait de l'aide ou voulait signaler un proche disparu. Ma fantastique responsable d'équipe, Tamera Luzzatto, ainsi que mes collaborateurs à Washington, DC, et à New York travaillaient vingt-quatre heures sur vingt-quatre, tandis que d'autres sénateurs ont commencé à nous envoyer des assistants pour nous prêter main-forte.

Le lendemain, Chuck et moi avons accompagné le président Bush jusqu'à New York à bord de l'Air Force One. Là, juché sur une pile de débris, il a déclaré devant une foule de pompiers : « Je vous entends et le reste du monde vous entend ! Et ceux qui ont détruit ces tours nous entendront bientôt ! »

Les jours suivants, Bill, Chelsea et moi avons visité un centre pour personnes disparues improvisé, puis un centre d'assistance familiale sur Pier 94. Nous y avons rencontré des familles qui serraient contre elles des photos de leurs proches disparus, espérant et priant pour qu'on les retrouve. J'ai rendu visite à des survivants blessés au St. Vincent's Hospital, puis je suis allée dans un centre de soins du comté de Westchester où l'on avait transporté un certain nombre de grands brûlés. J'ai trouvé là-bas une femme baptisée Lauren Manning. Alors que son corps était brûlé à 82 % et qu'elle n'avait que 20 % de chances de survivre, elle a réussi à s'en sortir grâce à une volonté de fer et au prix d'immenses efforts. Lauren et son mari, Greg, qui ont deux fils, sont devenus porte-parole des familles victimes du 11-Septembre. Parmi ces survivants figurait également Debbie Mardenfeld : elle avait été transportée au New York University Downtown Hospital après que des débris du deuxième avion lui avaient écrasé les jambes, causant de graves blessures. Je lui ai rendu visite plusieurs fois et j'ai fait la connaissance de son fiancé, Gregory St. John. Debbie m'a confié qu'elle voulait pouvoir danser à son mariage, mais les médecins n'étaient même pas sûrs qu'elle survive et puisse marcher. Après plus de trente interventions chirurgicales et une hospitalisation de quinze mois, Debbie a contredit tous les pronostics. Elle a survécu, a retrouvé l'usage de ses jambes et, miraculeusement, a pu danser à son mariage. Elle m'a invitée à lire un texte pendant la cérémonie, et je n'oublierai jamais son visage radieux tandis qu'elle s'approchait de l'autel.

*

* *

Avec autant d'indignation que de détermination, j'ai mis mes années de sénatrice au service des volontaires qui avaient été blessés durant les opérations à Ground Zero et j'ai aidé à créer le fonds de compensation pour les victimes du 11-Septembre ainsi que la Commission du 11-Septembre, dont j'ai mis en pratique les recommandations. J'ai fait mon possible pour soutenir la traque de Ben Laden et d'Al-Qaida, et pour améliorer les efforts de notre pays contre le terrorisme.

Durant la campagne de 2008, le sénateur Obama et moi-même avions tous deux reproché à l'administration Bush de s'être détournée de l'Afghanistan et d'avoir relâché sa vigilance à l'égard de Ben Laden. Après l'élection, nous sommes convenus que combattre Al-Qaida sans relâche était essentiel à notre sécurité nationale. Nous allions redoubler d'efforts pour trouver Ben Laden et l'amener devant les tribunaux.

Nous avions besoin, je crois, d'une nouvelle stratégie concernant l'Afghanistan et le Pakistan, et d'une nouvelle approche du contre-terrorisme à travers le monde, une approche qui mobiliserait l'ensemble des moyens à notre disposition pour affaiblir le financement des réseaux, déjouer leurs techniques de recrutement, exposer leurs lieux de repli, sans oublier leurs combattants et leurs chefs. Il fallait combiner audace militaire, collecte de renseignements, stricte application de la loi et délicatesse diplomatique – en somme, mettre en œuvre un *smart power*.

Tous ces souvenirs me sont revenus en mémoire tandis que je regardais les soldats s'approcher de cette résidence d'Abbottabad. J'ai repensé aux familles que j'avais rencontrées et avec lesquelles j'avais travaillé, des familles qui avaient perdu des proches lors des attentats du 11-Septembre, près de dix ans plus tôt. On les avait privées de justice pendant dix ans. Aujourd'hui, l'heure était peut-être enfin venue de la leur rendre.

*
* *

Notre équipe œuvrant à la sécurité intérieure a pris conscience de l'urgence qu'il y avait à traiter la menace terroriste bien avant que le président Obama ne pénètre dans le Bureau ovale pour la première fois.

Le 19 janvier 2009, la veille de l'investiture, j'ai retrouvé dans la salle de crise de la Maison-Blanche l'équipe chargée de la sécurité intérieure du président sortant et celle de son successeur afin d'envisager l'impensable. Et si une bombe explosait sur le National Mall pendant le discours d'investiture du président ? Est-ce que le Secret Service l'évacuerait de la scène sous les yeux du monde entier ? J'ai compris, à l'expression qui se peignait sur les visages de l'équipe Bush, que personne n'avait de réponse satisfaisante. Pendant deux heures, nous nous sommes demandé comment réagir à la menace terroriste crédible qui planait au-dessus de la cérémonie d'inauguration. D'après les services de renseignement, des extrémistes somaliens ralliés aux Shebabs, une organisation somalienne affiliée à Al-Qaida, tentaient de s'introduire dans le pays par la frontière canadienne dans le but d'assassiner le nouveau président.

Fallait-il procéder à la cérémonie en intérieur ? Ou l'annuler ? Ces deux solutions étaient impossibles. L'investiture devait avoir lieu comme prévu. Le transfert de pouvoir était un symbole trop important pour la démocratie américaine. Tout le monde devait donc redoubler d'efforts pour prévenir une attaque et assurer la sécurité du président.

Finalement, la cérémonie s'est déroulée sans incident, et la menace somalienne s'est révélée une fausse alerte. Mais cet épisode nous a rappelé que, même si nous souhaitions tourner la page sur de nombreux aspects de l'ère Bush, le spectre du terrorisme qui avait défini ces années-là nécessitait une vigilance constante.

Les rapports des services de renseignement décrivaient une situation inquiétante. En 2001, l'invasion de l'Afghanistan par les États-Unis avait renversé le régime taliban de Kaboul et ébranlé ses alliés d'Al-Qaida. Toutefois, les talibans s'étaient remis sur pied pour planifier des attaques isolées contre les troupes américaines et afghanes depuis les régions tribales du Pakistan où ils avaient trouvé refuge. Selon toute probabilité, c'était là que se cachaient aussi les chefs de l'organisation. La région frontalière était devenue l'épicentre du mouvement terroriste. Tant que ces zones de repli existaient, nos troupes basées en Afghanistan ne connaîtraient pas de répit et Al-Qaida pourrait continuer à orchestrer des attaques internationales. C'est la raison pour laquelle j'ai nommé Richard Holbrooke représentant spécial pour l'Afghanistan *et* le Pakistan. De fait, ces zones créaient une grande instabilité au sein du Pakistan lui-même. Une branche locale des talibans avait lancé une insurrection sanglante contre le gouvernement démocratique d'Islamabad, encore fragile. Un retour des extrémistes dans ce pays serait un cauchemar pour la région et pour le monde entier.

En septembre 2009, le FBI a arrêté un jeune immigré afghan de 24 ans, Najibullah Zazi, soupçonné d'avoir été entraîné par Al-Qaida au Pakistan et de planifier un attentat terroriste à New York. Il a admis qu'il avait eu l'intention d'utiliser des armes de destruction massive, de perpétrer des meurtres dans un pays étranger et de fournir du matériel à une organisation terroriste. Raison de plus pour se préoccuper de ce qui se passait au Pakistan.

*
* *

J'ai regardé l'expression peinée d'Asif Ali Zardari, le président du Pakistan, puis la vieille photo qu'il me tendait. Elle avait été prise quatorze ans plus tôt, en 1995, mais les souvenirs qu'elle évoquait étaient toujours aussi intenses. On y voyait sa défunte épouse, l'élégante et intelligente Benazir Bhutto, ancienne Première ministre du Pakistan, vêtue de rouge et un foulard blanc sur la tête, tenant par la main leurs deux jeunes enfants. À côté d'elle, ma fille Chelsea, alors adolescente, avait l'air émerveillée de pouvoir rencontrer cette femme extraordinaire et visiter son pays. Et puis on me voyait, moi, première dame de l'époque, qui venais d'entreprendre mon premier grand voyage à l'étranger sans Bill. Comme j'étais jeune ! J'avais une coiffure et un rôle différents, mais j'étais déjà fière de représenter mon pays dans une région tourmentée, à l'autre bout du monde.

Il s'était passé beaucoup de choses depuis 1995. Le Pakistan avait connu des coups d'État, une dictature militaire, une violente insurrection extrémiste et des difficultés économiques grandissantes. L'événement le plus douloureux avait été l'assassinat de Benazir, perpétré en 2007 alors qu'elle militait pour restaurer la démocratie dans son pays. Nous étions désormais à l'automne 2009, Zardari était le premier président civil à avoir été élu depuis dix ans et il voulait renouveler l'amitié entre nous et entre nos deux pays. Moi aussi. C'est pourquoi je m'étais rendue au Pakistan, cette fois-ci en tant que secrétaire d'État, à un moment où l'antiaméricanisme connaissait une recrudescence dans le pays.

Zardari et moi nous apprêtions à dîner avec des représentants de l'élite pakistanaise. Mais, avant cela, nous avons échangé des souvenirs. En 1995, le département d'État m'avait envoyée en Inde et au Pakistan pour prouver que cette zone turbulente comptait aux yeux des États-Unis, mais également pour soutenir leurs efforts en vue de renforcer la démocratie et la liberté des échanges et pour promouvoir la tolérance et les droits de l'homme, sans oublier ceux des femmes. Le Pakistan, qui s'était séparé de l'Inde à la suite d'une partition mouvementée en 1947, l'année de ma naissance, avait été l'allié des États-Unis durant la guerre froide, mais nos relations restaient distantes. Trois semaines avant mon arrivée en 1995, des extrémistes avaient tué deux employés du consulat américain à Karachi. L'un des principaux instigateurs des attentats de 1993 contre le World Trade Center, Ramzi Yousef, avait été arrêté à Islamabad et extradé vers les États-Unis. C'est pourquoi le Secret Service avait de bonnes raisons de désapprouver mon intention de quitter la résidence présidentielle pour visiter des écoles, des mosquées et des hôpitaux. De son côté, le département d'État jugeait, comme moi, qu'il était nécessaire d'avoir un contact direct avec le peuple pakistanais.

J'avais hâte de rencontrer Benazir Bhutto, qui avait été élue Première ministre en 1988. Son père, Zulfikar Ali Bhutto, avait occupé cette fonction dans les années 1970, avant d'être destitué, puis pendu, à la suite d'un coup d'État militaire. Assignée à résidence pendant des années, Benazir était revenue sur le devant de la scène politique dans les années 1980 en prenant la tête du parti de son père. Son autobiographie, intitulée *Daughter of Destiny* [Fille du destin], raconte de manière fascinante comment la détermination, le travail et l'intelligence politique lui ont permis d'accéder aux sphères du pouvoir dans une société où beaucoup de femmes vivaient encore dans un strict isolement – qu'on appelle la *purdah*. Elles ne pouvaient être vues d'aucun homme en dehors du cercle familial et se voilaient lors de leurs rares sorties. J'avais été témoin de cela quand j'avais rendu visite à la bégum Nasreen Leghari, l'épouse traditionaliste du président Farooq Ahmad Khan Leghari.

Benazir était la seule célébrité pour qui j'avais patienté derrière un cordon de sécurité dans l'espoir de l'apercevoir. Durant des vacances en famille à Londres pendant l'été 1987, Chelsea et moi avions remarqué qu'une foule nombreuse était massée devant le Ritz. On nous avait informées que Benazir Bhutto était sur le point d'arriver. Intriguées, nous avions attendu, jusqu'à ce qu'apparaisse un cortège de voitures. Nous l'avions vue descendre de la limousine, élégamment vêtue de jaune de la tête aux pieds, puis se diriger vers le hall, gracieuse, calme et déterminée.

À peine huit ans plus tard, en 1995, j'étais devenue première dame des États-Unis, et elle Première ministre du Pakistan. Le hasard voulait que nous ayons des amis communs, rencontrés pendant ses études à Oxford et Harvard. Ils m'avaient dit que c'était une femme rayonnante : des yeux brillants, un sourire prompt, un sens de l'humour aiguisé, un esprit vif. C'était vrai. Elle m'a parlé ouvertement des défis politiques qui l'attendaient en tant que femme, et de l'importance qu'avait à ses yeux l'éducation des filles, le savoir étant alors (et toujours) réservé à la classe supérieure aisée. Benazir portait le *shalwar kamiz*, la tenue pakistanaise traditionnelle, constituée d'une longue tunique fluide et d'un pantalon ample à la fois pratique et élégant ; en outre, elle couvrait ses cheveux d'un joli foulard. Chelsea et moi avions été tellement charmées par son style que nous avions adopté le même lors d'un dîner donné en notre honneur à Lahore. Je portais de la soie rouge, tandis que Chelsea avait choisi un vert turquoise. Pendant le dîner, j'étais assise entre Benazir et Zardari. Beaucoup de ragots ont circulé au sujet de leur mariage, mais ce soir-là j'ai assisté à leurs témoignages d'affection et à leurs plaisanteries, et j'ai vu de mes yeux à quel point il la rendait heureuse.

Les années suivantes ont été marquées par la douleur et le conflit. Le général Pervez Musharraf s'est emparé du pouvoir à l'issue d'un coup d'État militaire en 1999, forçant Benazir à l'exil et Zardari à la prison. Elle et moi sommes restées en contact, et elle m'a demandé mon aide pour faire libérer son mari. Celui-ci n'a jamais été jugé pour les accusations portées contre lui, et il est finalement sorti de prison en 2004. Après le 11-Septembre, sous la pression de l'administration Bush, Musharraf s'est rallié aux États-Unis dans la guerre d'Afghanistan. Il ne pouvait pourtant pas ignorer que des membres des services de renseignement pakistanais entretenaient des liens avec les talibans et d'autres extrémistes dans son pays ainsi qu'en Afghanistan, et ce depuis la lutte menée contre l'Union soviétique dans les années 1980. Comme je le disais souvent à mes homologues pakistanais, Musharraf cherchait les problèmes. C'était comme élever des serpents venimeux dans son jardin en espérant qu'ils ne mordraient que vos voisins. Évidemment, l'instabilité, la violence et l'extrémisme se sont accrus, tandis que l'économie dégringolait. Des amis pakistanais que j'avais rencontrés dans les années 1990 m'ont dit : « Tu ne peux pas imaginer à quel point ça a changé. C'est complètement différent. On a peur de se rendre dans certains des plus beaux coins du pays. »

À son retour, en décembre 2007, après huit ans d'exil, Benazir Bhutto a été assassinée lors d'un meeting de campagne à Rawalpindi, non loin du quartier général de l'armée. Après ce meurtre, Musharraf a été poussé par la rue à abandonner le pouvoir ; il a été remplacé par Zardari, qui s'est installé au poste de président alors que la nation était en deuil. Mais son gouvernement a eu du mal à contenir l'insécurité grandissante du pays et à relever les défis économiques auxquels il faisait face, si bien que les talibans pakistanais ont peu à peu étendu leur zone d'influence – jadis circonscrite à la région frontalière – jusqu'au district de Swat, plus peuplé, situé à 150 kilomètres d'Islamabad. L'armée s'est déployée pour combattre les extrémistes, faisant fuir des centaines de milliers d'habitants. Un accord de cessez-le-feu a été passé entre le président Zardari et les talibans en février 2009, mais il a été rompu quelques mois plus tard.

Alors que la situation de leur pays empirait, de nombreux Pakistanais ont reporté leur colère sur les États-Unis, encouragés par des médias turbulents qui véhiculaient d'incroyables théories du complot. Ils nous accusaient de détériorer leurs relations avec les talibans, d'exploiter leur pays à des fins stratégiques et de favoriser leur éternel rival, l'Inde. Et encore, il ne s'agissait là que des critiques les plus rationnelles. Certains sondages annonçaient que 10 % de la population seulement approuvait les États-Unis, en dépit des milliards de dollars que nous avions versés au pays au fil des années. En réalité, le Congrès venait de voter l'octroi d'une aide substantielle au Pakistan, lequel critiquait cette initiative car elle le rendait trop dépendant de nous. C'était exaspérant. Cette colère publique ne facilitait pas la tâche du gouvernement pakistanais dans sa collaboration à la lutte contre le terrorisme et faisait le jeu des extrémistes, qui trouvaient ainsi de nouveaux refuges et de nouvelles recrues. Toutefois, Zardari s'est révélé politiquement plus compétent qu'escompté. Il a trouvé un terrain d'entente avec l'armée, et son gouvernement a été le premier gouvernement démocratiquement élu à avoir terminé son mandat dans toute l'histoire du Pakistan.

À l'automne 2009, j'ai décidé de me rendre là-bas pour prendre la mesure du sentiment antiaméricain. J'ai demandé à mon équipe de programmer de nombreuses visites officielles, ainsi que des rencontres avec les médias et d'autres prises de parole publiques. Mes collaborateurs m'ont mise en garde : « Tu vas devenir un punching-ball. » J'ai répondu en souriant : « Eh bien, qu'ils frappent ! »

Au cours des années, j'ai reçu mon lot de critiques, et j'ai appris qu'on ne pouvait ni les éviter ni les enjoliver. Il y aura toujours des désaccords importants entre les peuples et les nations, cela ne devrait pas nous surprendre. Il est indispensable de prendre en compte les inquiétudes des gens, de les entendre et de leur proposer un dialogue fondé sur le respect. Cela ne les fera pas forcément changer d'avis, mais c'est la seule façon de parvenir à quelque chose de constructif. Dans notre monde hyper-connecté, notre capacité à communiquer avec le public comme avec les gouvernements fait partie intégrante de notre stratégie de sécurité intérieure.

Mes années d'expérience en politique m'ont préparée à cette nouvelle phase de mon existence. On me demande souvent comment je réagis aux critiques que l'on m'adresse. J'ai trois réponses. D'abord, si vous choisissez d'être un personnage public, rappelez-vous le conseil d'Eleanor Roosevelt : construisez-vous une solide carapace. Ensuite, prenez les critiques au sérieux sans pour autant les prendre personnellement. Elles peuvent vous enseigner des leçons plus précieuses que celles de vos amis. J'essaie toujours de distinguer ce qui motive une critique : est-elle partisane, idéologique, commerciale, sexiste ? Je l'analyse pour voir ce que je peux en retenir et ce que je dois laisser tomber. Enfin, en politique, les femmes sont toujours jugées en partie sur d'autres critères (les vêtements, la physionomie et, bien entendu, la coiffure) qui ne doivent pas nous dérouter. Souriez et continuez d'avancer. Je reconnais que ces quelques conseils sont le fruit d'années d'expérience et d'une multitude d'erreurs, mais ils m'ont été d'un grand soutien, tant dans mon pays qu'à l'étranger.

Afin de tenter de mieux raconter l'histoire de l'Amérique et de mieux accepter les critiques, j'ai nommé comme sous-secrétaire d'État à la Diplomatie et aux Affaires publiques l'une des personnalités les plus intelligentes du monde des médias : Judith McHale. Cofondatrice et ancienne directrice de MTV et de Discovery Channel, elle est par ailleurs la fille d'un membre du service diplomatique. Elle nous a aidés à expliquer nos choix à un monde sceptique, à repousser la propagande extrémiste et à inscrire notre communication dans la stratégie du *smart power*. Elle m'a également représentée au Broadcasting Board of Governors, l'agence américaine de contrôle des radios et télévisions, qui gère notamment le service de diffusion international Voice of America. Durant la guerre froide, celui-ci constituait une part importante de notre présence à l'étranger, en particulier derrière le rideau de fer, où il permettait aux populations d'avoir accès à des informations non censurées. Depuis, nous nous étions laissé dépasser par les innovations technologiques ; Judith et moi pensions qu'il était temps de remédier à cela, mais nous n'avons pas réussi à convaincre le Congrès et la Maison-Blanche qu'il s'agissait là d'une priorité.

*
* *

À mes yeux, mon rôle était de pousser le Pakistan à s'engager pleinement dans la lutte contre le terrorisme et de l'aider à renforcer la démocratie ainsi qu'à mettre en place des réformes économiques et sociales qui offriraient aux citoyens une alternative viable au radicalisme. Il me fallait exercer une pression sur le pays, voire le critiquer, sans pour autant mettre en péril sa collaboration dans la lutte qui était cruciale pour notre avenir comme pour le sien.

Peu après mon arrivée à Islamabad, à la fin d'octobre 2009, une voiture piégée a explosé sur un marché fréquenté de Peshawar, une ville située à tout juste 150 kilomètres au nord-ouest de là où nous nous trouvions. Elle a tué une centaine de personnes, des femmes et des enfants pour la plupart. Les extrémistes locaux réclamaient qu'on interdise aux femmes de faire leurs courses au marché. L'attaque visait apparemment celles qui avaient refusé d'obéir. Les écrans de télévision montraient des corps calcinés au milieu de décombres fumants. S'agissait-il d'une coïncidence, ou les extrémistes voulaient-ils m'envoyer un message ? Quoi qu'il en soit, ce voyage déjà délicat devenait d'autant plus tendu.

La première étape de mon parcours était une rencontre avec le ministre pakistanais des Affaires étrangères, Shah Mahmood Qureshi, à quelques encablures de l'ambassade américaine, au cœur du quartier diplomatique cossu d'Islamabad. Cette ville, bâtie dans les années 1960 pour éloigner le gouvernement du centre de Karachi et le rapprocher du quartier général militaire de Rawalpindi, se compose de larges avenues bordées de collines verdoyantes. Même quand l'armée n'est pas au pouvoir, elle joue un rôle prédominant. Dans l'avion, un journaliste qui nous accompagnait m'avait posé une question : étais-je certaine que les militaires et les services de renseignement pakistanais avaient définitivement coupé les liens avec les terroristes ? Non, avais-je répondu.

Pendant des années, la plupart des Pakistanais avaient considéré les troubles qui agitaient leur frontière nord-ouest comme des événements lointains. Le gouvernement n'avait jamais réussi à contrôler totalement cette zone, et les gens étaient bien plus préoccupés par des problèmes immédiats comme la pénurie d'électricité ou le chômage. Toutefois, maintenant que la violence gagnait du terrain, leur attitude commençait à changer.

Durant la conférence de presse qui a suivi notre rencontre, Qureshi, profondément touché par l'attentat, s'est adressé directement aux extrémistes : « Nous ne céderons pas, a-t-il déclaré. Nous nous battrons contre vous. Vous croyez qu'en vous en prenant à des innocents vous allez nous décourager ? Non, messieurs, vous n'y arriverez pas. » J'ai renchéri en condamnant fermement l'explosion : « Je veux que vous sachiez que, dans ce combat, le Pakistan n'est pas seul. » J'ai également annoncé un nouveau programme pour développer l'accès du pays à l'énergie, un problème qui plombait son économie.

Dans la soirée, j'ai poursuivi cette discussion avec des journalistes de la télévision pakistanaise. Dès le départ, ils se sont montrés méfiants et hostiles. Comme beaucoup d'autres personnes rencontrées au cours de cette semaine, ils ont voulu savoir quelles étaient les conditions de cette nouvelle aide financière approuvée par le Congrès. Face à une offre aussi généreuse, qui plus est octroyée dans un contexte de grande difficulté économique pour notre propre pays, on aurait pu s'attendre à plus d'enthousiasme. Au lieu de cela, je n'entendais que de la colère et du scepticisme : pourquoi, me demandait-on, cette contribution n'était-elle pas « sans condition » ? Alors que nous multipliions par trois le montant de notre enveloppe, de nombreux

Pakistanais n'appréciaient pas que nous réclamions en échange une participation militaire accrue dans la lutte contre les talibans. L'armée pakistanaise avait plutôt mal réagi à ce qui me paraissait être une requête raisonnable. Que nous puissions leur dire ce qu'ils pouvaient faire ou non avec notre argent semblait être, aux yeux de beaucoup, une insulte à leur souveraineté et à leur dignité. Le degré de l'hostilité et de l'incompréhension suscitées par cette affaire m'a surprise. Les gens avaient lu attentivement chaque terme du contrat afin d'y déceler des abus potentiels. Très peu d'Américains lisaient nos documents législatifs aussi scrupuleusement. « Votre stratégie offensive de communication et de séduction, a repris le journaliste, cela ne nous pose pas de problème. Vos explications non plus. Mais nous pensons que cette aide financière cache d'autres intentions. » J'ai essayé de ne pas perdre patience. Cet argent était destiné à aider la population, rien de plus. « Je suis vraiment désolée que vous pensiez cela, parce que ce n'était pas du tout notre but, ai-je répondu. Comprenez-moi bien : vous n'êtes pas obligés d'accepter cette aide. Ni celle-ci ni aucune autre de notre part. »

Manifestement, notre aide au développement du Pakistan était mal perçue. Soit nos relations politiques délétères nous avaient décrédibilisés, soit l'argent n'était pas distribué correctement, si bien que les Pakistanais n'en voyaient pas les bénéfices. Il y avait peut-être un peu des deux.

Au moment où j'ai pris mes fonctions de secrétaire d'État, les États-Unis finançaient au Pakistan une centaine de projets, pour l'essentiel assez restreints et ciblés. Certains étaient directement gérés par l'USAID (Agence américaine pour le développement international), mais la plupart étaient sous-traités à des entrepreneurs ou à des associations à but non lucratif, dont des ONG privées, des organismes de charité ou des instituts de recherche. Toutes ces personnes étaient payées, que leur programme réussisse ou non, et même si elles ne promouvaient ni nos intérêts ni nos valeurs. Il y avait tellement de projets financés par les Américains que notre ambassade ne parvenait même pas à les recenser tous. Il n'était pas surprenant que les Pakistanais ne voient pas l'impact de ces aides.

Avant et après mon voyage, j'ai essayé, avec Richard Holbrooke, de remédier à cela. Ces projets avaient besoin d'être redéfinis ; l'USAID devait consolider ses programmes, les rendre plus visibles, s'attirer le soutien des Pakistanais et permettre ainsi à nos deux pays d'en mesurer les retombées. Puisque nous dépensions là-bas dix fois plus d'argent que tous les autres pays réunis, l'objectif ne semblait pas trop ambitieux.

Les choses n'avançaient jamais assez vite pour moi, mais l'USAID a annoncé, en avril 2012, qu'elle avait redéfini sa stratégie d'aide au Pakistan : de 140 programmes financés en 2009, elle passait à 35 pour 2012, ciblant l'énergie, la croissance économique, la stabilisation du pays, la santé et l'éducation. C'était au moins un pas dans la bonne direction.

Au cours de ma visite d'octobre 2009, les Pakistanais ont souligné le prix financier et humain qu'ils payaient dans la lutte contre le terrorisme, dont beaucoup jugeaient que c'était une guerre américaine, imposée par les États-Unis. Valait-elle d'avoir perdu 30 000 civils et soldats ? Ne pouvaient-ils pas, eux, conclure une trêve séparée avec les extrémistes et vivre en paix ? « Vous avez eu le 11-Septembre. Ici, c'est le 11-Septembre tous les jours », m'a dit une femme à Lahore. Je comprenais leurs sentiments et, partout où j'allais, je rendais hommage aux sacrifices du peuple pakistanais. J'essayais aussi d'expliquer l'importance de cette lutte non seulement pour notre avenir, mais pour celui du Pakistan, d'autant plus que les extrémistes gagnaient du terrain. « Je ne connais aucun pays qui puisse rester les bras croisés pendant qu'un groupe de terroristes intimide la population et occupe son territoire », ai-je déclaré devant des étudiants. Je leur ai demandé d'imaginer la réaction des États-Unis si un groupe terroriste traversait la frontière canadienne pour envahir le Montana. Accepterait-on cela sous prétexte que le Montana est une région éloignée et peu peuplée ? Bien sûr que non. Nous ne laisserions jamais un tel scénario se produire chez nous, et c'était tout aussi inadmissible au Pakistan.

On m'a également posé beaucoup de questions sur les drones. Le recours à ces avions pilotés à distance était l'un des éléments les plus efficaces et les plus controversés de la stratégie de l'administration Obama contre Al-Qaida et d'autres terroristes similaires, en particulier dans les régions difficiles d'accès. Le président Obama allait plus tard déclassifier une bonne partie du programme afin d'expliquer sa politique au monde entier, mais, en 2009, tout ce que je pouvais répondre était : « Pas de commentaires. » Néanmoins, personne n'ignorait que de nombreux chefs terroristes avaient été tués sur le champ de bataille et, comme on l'a appris plus tard, les frappes de drones inquiétaient même Ben Laden.

Au sein de l'administration, nous avions longuement débattu des implications légales, éthiques et stratégiques des attaques de drones et œuvré à établir une feuille de route claire, comprenant une surveillance et une distribution bien définie des responsabilités. Après les attentats du 11-Septembre, le Congrès avait légalisé l'usage de la force contre Al-Qaida dans les opérations de contre-terrorisme sur le territoire national, et nous avions également une base légale internationale dans le cadre des lois régissant la guerre et l'auto-défense. Par ailleurs, l'administration avait chargé les commissions du Congrès concernées de gérer toutes les frappes, hormis celles d'Irak et d'Afghanistan. Nous préférions, autant que possible, arrêter, interroger et poursuivre en justice les terroristes. Mais quand nous nous trouvions dans l'incapacité de capturer des individus qui constituaient une menace réelle et immédiate pour le peuple américain, alors les drones se révélaient une alternative non négligeable.

J'étais d'accord avec le président lorsqu'il disait : « Cette nouvelle technologie soulève d'importantes questions – sur les cibles que nous choisissons, sur les victimes humaines et le risque de s'attirer de nouveaux ennemis, sur la légalité de ces frappes d'après le droit américain et international, sur la responsabilité et la morale. » J'avais beaucoup discuté de ces problèmes complexes avec Harold Koh, le conseiller juridique du département d'État, ancien président de la Yale Law School et expert renommé en droit international. Selon lui, comme pour toute nouvelle arme, nous devions mettre en place une méthode d'utilisation transparente et réglementée, en accord avec le droit national et international, et en respectant les intérêts de la sécurité intérieure américaine. L'une des grandes forces de l'Amérique était d'être un État régi par des lois, et la Cour suprême avait clairement établi que la lutte contre le terrorisme ne pouvait s'inscrire dans un « néant juridique ».

Chaque intervention était soumise à un examen juridique rigoureux. Il y a eu des moments où j'ai soutenu telle ou telle frappe parce qu'elle me semblait justifiée et répondait aux critères définis par le président. D'autres fois, j'étais en désaccord ; ainsi, mon ami Leon Panetta, le directeur de la CIA, et moi nous sommes disputés à propos de l'une d'entre elles. Mais, dans tous les cas, il me paraissait crucial que ces frappes prennent place dans une stratégie plus vaste de *smart power* incluant, entre autres outils, la diplomatie, l'application de la loi et les sanctions.

L'administration a fait tout son possible pour qu'aucun civil ne soit tué ou blessé. En dépit de nos efforts, des victimes de drones ont été recensées (pas toujours aussi nombreuses que le prétendaient les rapports), alimentant l'antiaméricanisme. Comme le programme était classé secret, je ne pouvais ni confirmer ni infirmer ces allégations. Je n'avais pas non plus la possibilité d'exprimer mes condoléances au nom de mon pays pour le décès de ces civils, ni d'expliquer en quoi ces mesures demeuraient moins dangereuses pour la population que des moyens plus classiques, comme les missiles ou les bombes, ni encore de rappeler les ravages causés par les terroristes eux-mêmes.

Au Pakistan, l'une des questions récurrentes consistait à demander comment l'Amérique, après avoir soutenu si longtemps Musharraf, pouvait à présent prétendre sérieusement qu'elle voulait promouvoir le développement et la démocratie dans le pays. Un journaliste de télévision nous a accusés de « dérouler le tapis rouge pour un dictateur ». J'ai discuté avec lui de George Bush, de Musharraf et des responsabilités de chacun, et j'ai fini par dire : « Écoutez, on peut se disputer au sujet du passé, c'est toujours amusant à faire, mais on ne peut pas le changer. Ou alors on peut décider de construire un avenir différent. Moi, je choisis cette solution. » Je ne suis pas sûre de l'avoir convaincu, mais à la fin de la session tout le monde semblait un peu plus apaisé.

Après en avoir fini avec les journalistes, l'heure était venue de retrouver Zardari pour notre rencontre et notre dîner. C'est à ce moment-là, avant de rejoindre la salle à manger officielle du palais présidentiel, qu'il a sorti cette photo vieille de quatorze ans sur laquelle je posais avec Chelsea, Benazir et leurs enfants.

Le lendemain, j'ai pris l'avion pour Lahore, une cité historique dotée d'une fantastique architecture moghole. Nous avons traversé la ville escortés par des milliers de policiers. Le long du parcours, j'ai aperçu quelques banderoles accueillantes, mais aussi des foules de jeunes hommes portant des panneaux où il était écrit « Va-t'en, Hillary ! » et « Drones = terrorisme ».

Lors d'une rencontre avec des étudiants, on m'a posé d'autres questions : pourquoi l'Amérique soutenait-elle toujours l'Inde plutôt que le Pakistan ? Que pouvait-elle faire pour régler le problème de la pénurie énergétique et améliorer l'éducation ? Pourquoi l'aide financière était-elle soumise à autant de conditions ? Pourquoi les étudiants pakistanais vivant aux États-Unis étaient-ils toujours pris pour des terroristes ? Comment les Pakistanais pouvaient-ils faire confiance à l'Amérique alors qu'elle les avait si souvent déçus ? J'ai tenté de fournir des réponses complètes et respectueuses. « C'est difficile d'aller de l'avant si l'on regarde toujours derrière soi », ai-je fait remarquer. Dans l'assemblée, l'ambiance était maussade et négative, bien différente de l'enthousiasme que je rencontrais dans les réunions avec des étudiants de par le monde.

À un moment donné, une jeune femme s'est levée. Elle était étudiante en médecine et membre de Seeds of Peace, une organisation que je soutenais depuis longtemps et dont l'objectif était de rassembler les jeunes par-delà les conflits culturels. Elle m'a généreusement remerciée pour avoir inspiré tant de jeunes femmes à travers la planète, puis elle m'a interrogée au sujet des drones. Après avoir rappelé les dommages collatéraux infligés à la population civile pakistanaise, elle m'a demandé pourquoi les États-Unis ne partageaient pas leurs connaissances dans ce domaine avec l'armée pakistanaise pour permettre à cette dernière de mener les frappes. Ce changement de ton m'a légèrement prise de court. Mais je me suis rappelé l'étudiante que j'avais moi-même été, prompte à remettre en question les figures de l'autorité. Les jeunes disent souvent tout haut ce que la plupart d'entre nous pensons tout bas. Si j'étais née au Pakistan, peut-être me serais-je retrouvée exactement à la place de cette jeune femme, qui sait ?

« Eh bien, je ne peux parler de cela dans le détail, ai-je répondu, consciente que je n'étais autorisée à divulguer que des informations limitées au sujet des drones. Mais, d'une façon générale, laissez-moi vous rappeler qu'une guerre est en cours. Et, heureusement, l'armée pakistanaise s'est montrée très professionnelle et très efficace dans ses efforts. J'espère que le soutien des États-Unis allié au courage de l'armée du Pakistan permettra de régler ce conflit. Cela dit, il existera toujours, malheureusement, des gens qui cherchent à faire régner la terreur, mais ils peuvent être neutralisés et affaiblis si la société s'unit contre eux. La guerre que votre pays mène en ce moment est déterminante pour son avenir, j'en suis convaincue, et nous allons continuer d'aider le gouvernement et l'armée afin qu'ils remportent la victoire. »

Je doute que ma réponse l'ait satisfaite. C'était la vérité, mais je ne pouvais pas exprimer le fond de ma pensée : de fait, les Pakistanais, civils et soldats confondus, payaient très cher cette lutte contre l'extrémisme. On devait toujours garder ces sacrifices à l'esprit. Et il était heureux que l'armée pakistanaise intervienne enfin dans des zones comme le district de Swat. Mais, parmi les hauts gradés de l'armée et des services de renseignement, beaucoup étaient trop obsédés par l'Inde pour se préoccuper des talibans, quand ils ne leur prêtaient pas carrément main-forte. Al-Qaida opérait depuis le sol pakistanais apparemment en toute impunité. Le peuple devait donc choisir dans quel genre de pays il voulait vivre et ce qu'il était prêt à faire pour le rendre plus sûr.

J'ai répondu au plus grand nombre de questions possible. Même s'ils n'appréciaient pas mes réponses, je voulais que ces étudiants comprennent que l'Amérique les écoutait et prenait en compte leurs inquiétudes.

L'étape suivante était une rencontre avec des journalistes locaux, et une fois de plus j'ai joué les punching-balls. J'ai entendu les mêmes arguments à propos de l'Amérique bafouant la souveraineté pakistanaise, auxquels j'ai répondu avec le plus d'honnêteté et de respect que j'ai pu. Comme l'a écrit la presse, j'avais plus l'air « d'une conseillère matrimoniale que d'une diplomate ». La confiance et le respect, ça marche dans les deux sens, ai-je rappelé à mes interlocuteurs. J'étais lucide quant au rôle de l'Amérique dans la région et j'étais prête à reconnaître nos responsabilités. Par exemple, les États-Unis avaient quitté l'Afghanistan trop vite après le retrait des Soviétiques en 1989. Les Pakistanais devaient juger leurs propres leaders avec la même lucidité. « Je ne crois pas qu'il soit constructif de se voiler la face », ai-je ajouté.

Après avoir répondu à l'un de mes interlocuteurs, qui demandait pourquoi nous forcions le Pakistan à mener seul notre guerre, j'ai regardé le parterre de journalistes, dont certains étaient si prompts à accuser les États-Unis de tous les maux. « À mon tour de vous poser une question : Al-Qaida dispose de zones de repli au Pakistan depuis 2002. Il me paraît difficile à croire que, dans votre gouvernement, personne ne sache où se trouvent ces chefs terroristes et ne puisse leur mettre la main dessus. [...] Le monde entier a intérêt à les capturer et à les neutraliser, mais, autant que je sache, ils sont sur le sol pakistanais. »

Pendant un instant, le silence s'est abattu sur la pièce. Je venais de formuler à voix haute ce que les représentants américains pensaient tout bas. Selon toute probabilité, Ben Laden et ses lieutenants se cachaient au Pakistan. Quelqu'un devait bien savoir où ils se trouvaient. Ce soir-là, mes propos ont été relayés par tous les médias pakistanais, et le gouvernement s'est empressé de les démentir. À Washington, Robert Gibbs, porte-parole de la Maison-Blanche, s'est entendu adresser la question suivante : « La Maison-Blanche considère-t-elle qu'il était justifié pour la secrétaire d'État Hillary

Clinton d'accuser le Pakistan aussi ouvertement ? » Il a répondu : « Totalement justifié. »

Le lendemain, au cours d'une nouvelle entrevue avec la presse pakistanaise, j'ai enfoncé le clou : « Quelqu'un, quelque part au Pakistan, doit savoir où se trouvent ces gens. »

*
* *

Quelques mois après mon retour du Pakistan, Leon Panetta m'a invitée à lui rendre visite dans ses bureaux de la CIA à Langley, en Virginie. Je les connaissais, lui et sa femme Sylvia, depuis des décennies. Lorsqu'il était directeur du Bureau de la gestion et du budget au sein de l'administration Clinton, il avait joué un grand rôle dans la rédaction et l'adoption du plan économique efficace de Bill. Puis, en tant que secrétaire général de la Maison-Blanche, il avait participé à la difficile transition entre la prise de pouvoir des républicains au Congrès en 1994 et la réélection de Bill en 1996. Fier de son ascendance italo-américaine, Leon est un homme politique malin, haut en couleur et qui ne connaît pas la langue de bois, doté en outre d'un instinct et d'une faculté de jugement exceptionnels. J'étais ravie que le président Obama lui demande de revenir aux affaires, d'abord comme directeur de la CIA, puis comme secrétaire à la Défense. À présent, il tentait de mettre au point une stratégie dans notre lutte contre Al-Qaida. Nos opérations militaires, diplomatiques, et les efforts de nos services de renseignement portaient leurs fruits, mais nous pensions tous deux qu'il était possible d'aller plus loin, de combattre la propagande extrémiste, de bloquer les finances d'Al-Qaida, de stopper ses recrutements de soldats et d'exposer ses zones de repli.

Début février 2010, je me suis donc retrouvée à Langley. Dans le hall d'entrée de la CIA – recréé dans d'innombrables films d'espionnage –, une centaine de petites étoiles ont été gravées dans le marbre, représentant chacune un agent de la CIA mort en accomplissant son devoir, l'identité de certains étant encore tenue secrète. Je me suis rappelé ma première visite à Langley au début de l'année 1993 ; je représentais mon mari lors d'une commémoration en l'honneur de deux agents abattus à un feu rouge, à une rue de là. Le meurtrier, Mir Aimal Kansi, était un immigré pakistanais qui avait réussi à fuir le pays, mais avait ensuite été arrêté au Pakistan, extradé, condamné et exécuté. Alors que j'étais première dame depuis quelques semaines seulement, j'avais été profondément marquée par le dévouement discret de ceux qui servaient la CIA.

Désormais, dix-sept ans plus tard, la CIA était de nouveau en deuil. Le 30 décembre 2009, sept agents avaient été tués lors d'un attentat suicide sur une base située dans l'est de l'Afghanistan. Ils s'apprêtaient à rencontrer un informateur d'Al-Qaida potentiellement important quand ce dernier avait fait sauter sa bombe. C'était un coup dur pour la CIA et pour Leon, qui avait accueilli les cercueils des défunts, recouverts d'un drapeau, à la Dover Air Force Base, dans le Delaware.

Leon avait ensuite publié un article dans le *Washington Post* pour défendre ses agents contre les critiques injustifiées d'« incompétence » dont ils avaient fait l'objet. « Nos agents participaient à une mission importante, dans une région dangereuse. Ils y ont mis leur talent, leur expertise, et ont pris des risques. Voilà comment nous réussissons nos opérations. Et parfois, dans une guerre, cette réussite nous coûte très cher. » Leon avait raison, à la fois au sujet de l'importance qu'il y avait à servir notre pays dans des zones dangereuses et au sujet des risques que cela comportait. La plupart des Américains comprennent que nos troupes sont souvent exposées au pire. Mais cela vaut également pour les agents des services de renseignement, les diplomates et les experts en développement, comme il m'a été donné de le constater, tragiquement, au cours de mes fonctions.

Une fois arrivée à Langley, Leon m'a conduite dans son bureau du septième étage, surplombant les bois, la banlieue tentaculaire et le Potomac. Nous avons bientôt été rejoints par des analystes du centre de contre-terrorisme de la CIA pour un briefing sur la lutte contre Al-Qaida. Nous nous sommes demandé comment le département d'État pouvait travailler main dans la main avec les services de renseignement afin de contrer l'extrémisme violent en Afghanistan, au Pakistan et dans d'autres zones critiques de la planète. L'équipe de la CIA avait notamment besoin de notre aide dans la guerre de l'information qui se déroulait sur Internet et sur les ondes. J'étais d'accord : les reproches des Pakistanais résonnaient encore dans mes oreilles et j'étais furieuse que, comme l'avait dit un jour Richard Holbrooke, nous perdions la bataille de la communication contre des extrémistes qui vivaient dans des grottes. Plus important encore, il nous fallait trouver des moyens d'empêcher la radicalisation de se propager, sans quoi de nouveaux terroristes viendraient prendre la place de ceux que nous éliminions. Il nous fallait également rallier d'autres pays à notre cause, notamment des pays à majorité musulmane, afin de combattre la propagande extrémiste et le recrutement. Leon et moi avons demandé à nos équipes de collaborer pour aboutir à des propositions concrètes que nous pourrions ensuite soumettre au président. Durant les mois qui ont suivi, sous la houlette de mon conseiller en contre-terrorisme, Danny Benjamin, nous avons développé une stratégie en quatre points.

Premièrement, nous devions combattre plus efficacement Al-Qaida sur Internet en ciblant particulièrement les sites et les forums qu'utilisait l'organisation à des fins de propagande et de recrutement. Nous voulions créer un nouveau Centre de liaison stratégique en contre-terrorisme, hébergé par le département d'État et qui s'appuierait sur des experts issus du gouvernement. Ce centre névralgique, basé à Washington, serait en contact avec des équipes de militaires et de civils dans le monde entier et permettrait de décupler le pouvoir de nos ambassades pour prévenir, discréditer et déjouer les plans de la propagande extrémiste. Nous transformerions notre petite « équipe numérique » en un bataillon de spécialistes en communication maîtrisant, entre autres langues, l'ourdou, l'arabe ainsi que le somali, capables de combattre les extrémistes sur Internet et de neutraliser la désinformation antiaméricaine.

Deuxièmement, le département d'État mènerait une offensive diplomatique pour mieux collaborer avec ceux de nos partenaires internationaux partageant nos intérêts dans la lutte contre l'extrémisme. Il était surprenant de noter que, près de dix ans après le 11-Septembre, il n'existait toujours pas de sommet réunissant régulièrement les acteurs clés du contre-terrorisme. Nous envisagions donc la création d'un forum mondial du contre-terrorisme qui réunirait des dizaines de pays, notamment musulmans, afin de mettre en commun nos stratégies et de répondre ensemble à certains problèmes tels que la porosité des frontières et les demandes de rançon de la part des kidnappeurs.

Troisièmement, nous voulions développer la formation de forces étrangères spécialisées dans le contre-terrorisme. Le département d'État travaillait déjà chaque année avec près de sept mille agents dans plus de soixante pays, et nous avions une expérience en matière d'implantation de structures antiterroristes, notamment au Yémen, au Pakistan et dans d'autres États frontaliers. Nous voulions aller encore plus loin.

Quatrièmement, nous voulions mettre en place des programmes de développement ciblés ainsi que des partenariats avec les sociétés civiles locales afin de réduire le taux de recrutement de terroristes dans certaines zones clés. Au fil du temps, nous avions compris que ces recrues venaient en groupe, influencées par la famille ou les réseaux sociaux. Nous n'étions peut-être pas en mesure d'éradiquer la pauvreté et d'apporter la démocratie dans tous les pays du monde, mais il était possible que, en ciblant des quartiers, des villages, des prisons ou des écoles spécifiques, nous puissions briser le cycle de la radicalisation et entraver le recrutement.

Selon moi, ces quatre initiatives, alliées à l'offensive menée par le ministère des Finances pour assécher les réseaux de financement des terroristes, formaient une approche cohérente, un *smart power* capable de renforcer les actions des services de renseignement et de l'armée. J'ai demandé à Danny Benjamin d'exposer notre projet à nos collègues de la Maison-Blanche et de trouver un créneau pour que je puisse présenter cette stratégie au président ainsi qu'au Conseil de sécurité nationale.

Au sein de ce Conseil, certains nous soutenaient, mais d'autres avaient des réserves. Ils craignaient que le département d'État ne cherche à usurper le rôle de la Maison-Blanche consistant à coordonner les activités des diverses agences, particulièrement en termes de communication. Danny a expliqué patiemment que notre projet avait un but très précis : combattre la propagande extrémiste. Afin de clarifier la situation, ce qui s'était déjà révélé nécessaire à plusieurs reprises, j'ai décidé de le soumettre directement au président.

Début juillet, lors d'un de mes rendez-vous réguliers avec le président Obama et ses équipes de sécurité nationale et de contre-terrorisme, j'ai exposé notre stratégie. À l'aide d'une présentation PowerPoint, Danny a détaillé nos idées clés en mentionnant les ressources et les experts dont nous avions besoin pour les mettre en œuvre. Panetta m'a immédiatement soutenue et a dit au président que c'était exactement ce qu'il fallait faire. Le secrétaire Gates a approuvé. Eric Holder, le ministre de la Justice, et Janet Napolitano, la secrétaire à la Sécurité intérieure, se sont également prononcés en faveur du projet. Nous nous sommes alors tournés vers le président, qui paraissait quelque peu mécontent. « Je ne sais pas ce qu'il faut faire ici pour que les gens m'écoutent », a-t-il lâché, exaspéré. C'était mal parti. « Cela fait plus d'un an que je réclame un projet comme celui-ci ! » Nous avions son feu vert. « Nous avons tout ce qu'il nous faut, ai-je déclaré à Danny peu après. Mettons-nous au travail. »

*

* *

« On a une piste. »

Nous étions au début du mois de mars 2011. Leon Panetta et moi déjeunions en tête-à-tête dans une salle à manger privée, au huitième étage du département d'État.

Quelque temps auparavant, à l'issue d'une réunion dans la salle de crise, Leon m'avait prise à part : il avait quelque chose d'important à me dire en privé. Pas de collaborateurs, pas de prise de notes. Je lui avais proposé de venir le voir à Langley, mais, cette fois-ci, il avait insisté pour se déplacer lui-même au département d'État. C'était l'objet de notre déjeuner, et j'avais hâte d'entendre ce qu'il avait à me dire.

Se penchant vers moi, il m'a révélé que la CIA suivait actuellement la piste la plus fiable qu'elle ait eue depuis des années sur la localisation possible d'Oussama Ben Laden. Cela faisait un moment que les agents y travaillaient, discrètement. Leon en avait déjà informé certains membres de l'administration, à commencer par la Maison-Blanche. En décembre, il était allé en avertir Bob Gates au Pentagone. En février, il avait mis au parfum les chefs d'état-major et l'amiral Bill McRaven, commandant du JSOC (Joint Special Operations Command – Commandement des opérations des forces spéciales de l'armée), dont les troupes étaient susceptibles de mener un raid si les preuves se révélaient suffisamment fondées. Il me l'annonçait à présent, parce qu'il voulait que je prenne part à un groupe de discussion sur le sujet à la Maison-Blanche.

Peu après son investiture, le président Obama avait dit à Leon qu'il souhaitait que la CIA recentre ses efforts sur Al-Qaida et la traque de Ben Laden. À Langley et sur le terrain, les agents comme les analystes avaient mis les bouchées doubles et, manifestement, leur travail portait ses fruits. J'avais vu de mes yeux les décombres de Ground Zero près de dix ans plus tôt, et les Américains n'avaient toujours pas obtenu justice. Mais je savais aussi que le domaine du renseignement était toujours incertain et que d'autres pistes avaient échoué par le passé.

Je ne pouvais rien révéler à qui que ce soit au département d'État – ni ailleurs –, ce qui m'a parfois mise mal à l'aise vis-à-vis de mon équipe. Cela fait plus de vingt ans que je ne peux faire le moindre geste sans qu'il soit noté par au moins une dizaine de personnes, mais j'ai réussi à m'en tirer grâce à quelques petites ruses.

Notre groupe s'est réuni plusieurs fois à la Maison-Blanche en mars et en avril. Leon et ses assistants nous ont expliqué comment ils en étaient venus à soupçonner qu'une « cible de grande valeur », peut-être Ben Laden, vivait dans une résidence fortifiée d'Abbottabad, au Pakistan, non loin du centre de formation militaire du pays (équivalant au West Point américain). Certains analystes étaient persuadés de tenir enfin leur homme. D'autres, en revanche, étaient beaucoup plus réservés, en particulier ceux qui avaient vécu l'échec de l'enquête visant à prouver que Saddam Hussein possédait des armes de destruction massive. Nous avons lu les rapports, entendu les experts, pesé les probabilités dans un sens et dans l'autre.

Nous avons également débattu des options qui s'offraient à nous. La première consistait à mettre les Pakistanais au courant afin de mener le raid avec eux, mais nous étions plusieurs à ne plus faire confiance au Pakistan. Le président a tout de suite exclu cette option. La deuxième possibilité était un bombardement aérien de la résidence. Cela ne présentait pas de grand danger pour les troupes américaines, mais pouvait causer des dommages collatéraux importants dans ce quartier très peuplé ; par ailleurs, nous n'aurions aucun moyen de déterminer avec certitude si Ben Laden s'était bel et bien trouvé sur place. Un missile ciblé envoyé, par exemple, depuis un drone pourrait limiter les dégâts, mais ne nous permettrait pas non plus de récupérer et identifier le corps, ni de saisir d'éventuelles preuves sur place. Pis encore, il pouvait manquer complètement la cible. Le seul moyen d'être certains que Ben Laden était bien là et qu'il serait capturé ou tué, c'était d'envoyer un groupe des Forces d'opérations spéciales au Pakistan pour mener le raid. Les troupes de l'amiral McRaven avaient beau être extrêmement professionnelles et expérimentées, cette option était de loin la plus risquée, en particulier si nos hommes se retrouvaient nez à nez avec des soldats pakistanais à des centaines de kilomètres de toute base américaine.

Les conseillers du président étaient divisés au sujet du raid. Leon et Tom Donilon, alors conseiller à la Sécurité nationale, y étaient favorables. Bob Gates, qui avait été pendant des décennies analyste à la CIA, n'était pas convaincu. Il jugeait les preuves non concluantes et redoutait qu'un conflit avec les Pakistanais ne mette en péril la guerre d'Afghanistan. Il gardait un souvenir pénible de l'opération Eagle Claw – la tentative de libération des otages en Iran en 1980 –, qui s'était soldée par un désastre : huit soldats américains étaient morts dans la collision d'un hélicoptère avec un avion de transport. C'était le pire scénario envisageable, et personne ne voulait le voir se reproduire. Selon Bob, un raid était trop risqué. Il préférait l'option du bombardement aérien, même s'il allait plus tard se rallier à notre position. Le vice-président Biden ne cachait pas non plus son scepticisme.

Ces discussions étaient difficiles et chargées d'émotion. Pour une fois, je ne pouvais me tourner vers aucun de mes conseillers ou experts, car ces réunions se tenaient dans le plus grand secret.

C'est un point que je prenais très au sérieux, comme l'a découvert le président Obama lorsque, une fois le raid accompli, avant de l'annoncer à la télévision, il a convoqué les quatre ex-présidents encore en vie pour les en informer. S'adressant à Bill, il a dit : « J'imagine que Hillary vous a mis au courant... » Bill n'avait pas la moindre idée de ce dont il parlait. On m'avait demandé de ne rien dire à personne, et c'est ce que j'avais fait. Plus tard, mon mari m'a lancé en plaisantant : « Maintenant, tout le monde a compris que tu savais garder un secret ! »

Je respectais les réserves de Bob et de Joe au sujet du raid, mais j'ai conclu que les preuves étaient convaincantes et que la possibilité de réussite l'emportait sur les risques. Il fallait simplement nous assurer que tout fonctionnerait comme prévu.

Cela, c'était le rôle de l'amiral McRaven. Cet ancien officier de la marine avait gravi les échelons et même dirigé pendant un temps une équipe des SEAL spécialisée dans la destruction sous-marine. Plus j'apprenais à le connaître en le voyant planifier l'opération, plus j'avais confiance en lui. Quand je lui ai demandé quels étaient les risques d'un raid sur la résidence, il m'a assuré que ses Forces d'opérations spéciales avaient mené des centaines de missions de ce type en Irak et en Afghanistan, parfois même plusieurs d'affilée. L'opération Eagle Claw avait certes échoué, mais les Forces d'opérations spéciales en avaient tiré les leçons. Le plus compliqué serait d'accéder à Abbottabad sans éveiller les soupçons des Pakistanais, mais, une fois ses hommes sur le terrain, ils accompliraient leur mission.

Les SEAL et les « Night Stalkers » – les pilotes du 160ᵉ régiment d'aviation des opérations spéciales – se sont minutieusement entraînés pour cette opération ; en particulier, deux simulations du raid ont été effectuées sur une réplique grandeur nature de la résidence d'Abbottabad, en deux lieux différents du territoire américain, tenus secrets. On pouvait aussi compter sur l'aide de Cairo, un chien de berger spécialement dressé.

Le 28 avril 2011, le président Obama nous a réunis pour la dernière fois dans la salle de crise de la Maison-Blanche. Il a fait un tour de table en demandant à chacun quelles étaient ses recommandations. Étant, comme lui, avocate de formation, j'avais appris avec le temps à comprendre comment fonctionnait son esprit d'analyse très développé. J'ai donc exposé mes arguments méthodiquement, sans oublier d'évoquer les dommages potentiels sur nos relations avec le Pakistan et les risques d'échec. Toutefois, ai-je conclu, la possibilité de capturer Ben Laden valait le coup. Nos rapports avec le Pakistan étaient fondés sur un intérêt mutuel, pas sur la confiance ; j'en avais fait personnellement l'expérience. Ils survivraient. D'après moi, il fallait y aller.

Il restait à discuter le timing et la logistique. Comme le raid devait avoir lieu à la faveur de l'obscurité, l'amiral McRaven a proposé de le lancer au cours de la prochaine nuit sans lune, qui tombait le samedi 30 avril, soit seulement deux jours plus tard. Certains dans l'assemblée ont exprimé une inquiétude inattendue : le dîner annuel des correspondants de la Maison-Blanche était prévu pour ce samedi-là. Cet événement très chic et très mondain était généralement l'occasion pour le président de raconter des blagues devant un parterre de journalistes et de célébrités. Il serait peut-être malvenu que le président se livre à des numéros humoristiques alors qu'on aurait peut-être besoin de lui pour cette opération. S'il annulait la soirée ou partait plus tôt, cela éveillerait des soupçons et pouvait compromettre l'opération secrète. L'amiral McRaven, toujours bon soldat, a proposé de décaler au dimanche, malgré les complications que cela engendrait.

J'avais assisté à bon nombre de conversations absurdes, mais cette fois c'en était trop. Le président allait prendre l'une des décisions de sécurité intérieure les plus importantes de son mandat. La mission était déjà complexe et dangereuse. Si le commandant des opérations spéciales proposait qu'elle ait lieu samedi, alors c'était ce qu'il fallait faire. Je ne me souviens plus des termes exacts que j'ai employés, mais certains médias ont prétendu que je n'avais pas vraiment mâché mes mots en exprimant mon point de vue sur le dîner des correspondants. Je n'ai pas cherché à démentir.

Le président s'est rangé à mon avis. Au pire, a-t-il dit, il pourrait toujours s'éclipser pendant le dîner en prétextant un mal de ventre. En définitive, la météo ayant prévu du brouillard sur Abbottabad le samedi, la mission a été décalée au dimanche de toute façon. Mais, au moins, cela n'a pas été à cause d'un gala donné à Washington.

Après cette dernière réunion, le président a pris le temps de réfléchir. L'équipe était toujours divisée. Il était le seul à pouvoir décider. Et puis il a donné l'ordre. L'opération Neptune Spear a été lancée.

*

*   *

Ce samedi soir-là, j'étais invitée au mariage d'une amie proche de ma fille. La future mariée, une jeune et intelligente experte en stratégie militaire qui parle couramment le mandarin et étudie l'armée chinoise, était entourée de ses amis, des jeunes gens intelligents et enthousiastes. C'était une fraîche soirée de printemps et, durant la réception, qui se déroulait sur un toit surplombant le Potomac, j'ai contemplé le fleuve en me demandant de quoi le lendemain serait fait. De nombreux convives sont venus me parler, si bien que je me suis vite retrouvée au milieu d'une dizaine de personnes. L'une d'elles m'a demandé : « Madame la Secrétaire, est-ce que vous croyez que vous attraperez un jour Ben Laden ? » J'ai failli lui faire répéter sa question, tellement j'étais surprise de l'entendre précisément ce soir-là. « J'espère que oui », ai-je répondu.

À 12 h 30 le lendemain, dimanche 1er mai, j'ai rejoint les membres de l'équipe de sécurité nationale dans la salle de crise de la Maison-Blanche. Le personnel nous avait apporté à manger et tout le monde était habillé de façon décontractée. Deux agents de la CIA qui avaient poursuivi Ben Laden pendant dix ans se sont joints à nous. Ils avaient du mal à croire que leur traque allait peut-être bientôt toucher à sa fin. Nous avons une fois de plus passé en revue tous les détails de l'opération.

À 14 h 30, heure de Washington, deux hélicoptères Black Hawk transportant des Navy SEAL ont décollé d'une base située à Jalalabad, dans l'est de l'Afghanistan, où il était 23 heures. Une fois franchie la frontière avec le Pakistan, ils ont été rejoints par trois gros Chinook, des hélicoptères de renfort.

Les rotors des hélicoptères ont brisé le silence d'Abbottabad pendant deux minutes seulement avant de survoler la résidence. Sur l'écran de la petite salle de conférence jouxtant la salle de crise, nous les avons vus approcher rapidement, à basse altitude, parfaitement visibles. À ce moment-là, l'un des hélicoptères, au lieu de stationner au-dessus de la résidence pour permettre aux soldats de descendre à l'aide d'une corde, comme c'était prévu, a perdu de l'altitude. Le pilote a tenté un atterrissage d'urgence et la queue de l'appareil a percuté le mur d'enceinte. (Plus tard, l'armée a réussi à comprendre le problème : la réplique grandeur nature de la résidence avait une clôture en fer, et non en pierre, ce qui avait modifié les courants d'air et perturbé la course du Black Hawk.) Comme si cela n'était pas déjà assez alarmant, un autre hélicoptère, censé atterrir sur le toit de la résidence pour débarquer les soldats, a improvisé et survolé cette dernière pour se poser à terre.

C'est l'un des moments les plus tendus qu'il m'ait été donné de vivre. Des fantômes me sont revenus en mémoire, non seulement ceux de l'accident tragique en Iran que Bob redoutait depuis le début, mais aussi ceux du tristement célèbre incident baptisé « Black Hawk Down » à Mogadiscio, en Somalie, en 1993, au cours duquel dix-huit soldats américains avaient perdu la vie. Étions-nous sur le point d'assister à un nouveau désastre pour les États-Unis ? J'ai eu une pensée pour les hommes qui étaient en train de risquer leur vie là-bas, dans la nuit, à l'autre bout du monde, et j'ai retenu ma respiration. Il y a une photo prise ce jour-là où l'on me voit les yeux rivés sur l'écran, la main posée sur la bouche. Je ne sais pas exactement à quel moment cette photo a été prise, mais elle traduit exactement ce que je ressentais.

Finalement, nous avons pu respirer : l'hélicoptère endommagé a réussi à se poser et les soldats ont bondi, prêts pour l'assaut. Cela a été le premier acte héroïque de cette soirée, qui en a compté beaucoup. L'amiral McRaven avait raison : son équipe savait s'adapter à toutes les situations.

L'opération a pu se poursuivre.

Sur l'écran, nous avons vu les soldats improviser, se glisser dans la cour, puis dans la résidence, à la recherche de Ben Laden. Contrairement à ce qu'ont annoncé certains journaux et à ce qu'ont montré certains films, nous ne pouvions pas voir ce qui se passait à l'intérieur du bâtiment. Tout ce que nous pouvions faire, c'était attendre que l'équipe sur le terrain nous donne des informations. J'ai jeté un œil au président. Il était calme. Je me suis rarement sentie plus fière de travailler à ses côtés que ce jour-là.

Après ce qui a semblé être une éternité (un quart d'heure en réalité), McRaven nous a avertis que son équipe avait trouvé Ben Laden et qu'il était « E-KIA » – « Enemy Killed in Action ». Oussama Ben Laden était mort.

L'un des hélicoptères de renfort était arrivé pour mettre les soldats en sécurité et récupérer le corps de Ben Laden ainsi que de nombreuses preuves. Mais, avant toute chose, les soldats devaient détruire l'hélicoptère endommagé qu'ils laissaient derrière eux afin que personne ne puisse voler et copier les éléments de technologie avancée qu'il contenait. Tandis que certains le bourraient d'explosifs, d'autres ont réuni les femmes et les enfants vivant dans la résidence – les familles de Ben Laden et les autres – pour les mettre à l'abri derrière un mur qui les protégerait de la détonation. En dépit de tous les dangers et du stress de cette journée, l'humanité de ce geste symbolisait les valeurs de l'Amérique.

*

* *

Une fois les SEAL de retour en Afghanistan et l'identité de Ben Laden confirmée, le président s'est adressé à la nation. Biden, Panetta, Donilon, Mike Mullen, Jim Clapper (le directeur du renseignement national) et moi-même nous sommes dirigés vers le salon Est, une pièce où je m'étais rendue à d'innombrables reprises pour des déclarations, des concerts ou des dîners officiels. Je me trouvais à présent au milieu d'une petite assemblée qui écoutait parler le président. L'émotion et la tension de cette journée m'avaient épuisée, sans parler des semaines et des mois qui nous avaient conduits jusque-là. En écoutant le président décrire l'opération, je me suis sentie à la fois fière et reconnaissante. Alors que nous quittions le salon et longions les colonnes bordant la roseraie, nous avons été surpris d'entendre un brouhaha en provenance de la rue. J'ai alors vu une foule de jeunes gens, pour la plupart des étudiants des universités voisines, rassemblés devant le portail de la Maison-Blanche pour une célébration spontanée ; ils agitaient des drapeaux américains et scandaient : « USA ! USA ! » Beaucoup d'entre eux étaient enfants quand Al-Qaida avait attaqué les États-Unis le 11 septembre 2001. Ils avaient grandi dans l'ombre de la guerre contre le terrorisme. Cela faisait partie de leur vie depuis toujours. Ce jour-là, ils exprimaient le soulagement que ressentait le pays tout entier après avoir attendu pendant tant d'années que justice soit faite.

Je suis restée immobile à écouter ces cris de joie. J'ai pensé aux familles new-yorkaises que je connaissais et qui pleuraient encore leurs proches disparus en ce jour funeste. Trouveraient-elles une forme de réconfort aujourd'hui ? Est-ce que des survivants comme Lauren Manning et Debbie Mardenfeld, qui avaient été si grave-ment blessées, allaient affronter l'avenir avec un optimisme et une confiance renouvelés ? J'ai repensé aux agents de la CIA qui, même après avoir perdu la trace de Ben Laden, n'avaient pas abandonné leurs recherches, ainsi qu'aux soldats et pilotes qui avaient accompli leur tâche avec encore plus de talent que ne l'avait prédit l'amiral McRaven. Et tous étaient rentrés sains et saufs.

*
* *

Des discussions compliquées avec les Pakistanais nous atten-daient. Comme nous pouvions le prévoir, la nouvelle a provoqué là-bas une vague de colère. L'armée était humiliée et les habitants furieux de ce qu'ils considéraient comme une violation de la souve-raineté pakistanaise. Toutefois, quand je me suis entretenue avec le président Zardari, il s'est montré plus philosophe qu'hostile : « Les gens pensent que je suis faible, mais c'est faux. Je connais mon pays et j'ai fait mon maximum. Je ne peux pas nier que l'homme le plus recherché du monde se trouvait au Pakistan. Nous l'ignorions, et c'est la faute de tout le monde. » Il a souligné que l'amitié entre le Pakistan et les États-Unis remontait à plus de soixante ans, et il a évoqué la lutte contre le terrorisme en des termes très personnels : « Je me bats pour moi et pour l'avenir de mes enfants. Je me bats contre ceux qui ont tué leur mère. »

J'ai compati et lui ai annoncé qu'une délégation de représen-tants américains était en route. Quant à moi, je ferais le déplacement quand le temps me le permettrait. Mais je me suis également montrée ferme : « Monsieur le Président, je crois réellement que nous pouvons trouver un terrain d'entente. Si notre collaboration devait se terminer, nous aurions tous les deux beaucoup à perdre. Mais, en tant qu'amie qui vous respecte, je veux vous dire clairement que, pour cela, vous et votre pays devrez faire des choix. Nous voulons une plus grande coopération. »

Durant les mois suivants, j'allais consacrer beaucoup d'énergie à consolider notre fragile relation, tout comme allaient le faire Cameron Munter, notre ambassadeur à Islamabad, et son équipe. Nous avons souvent frôlé la rupture, mais les intérêts fondamentaux que nous partagions et que j'avais décrits à mes collègues lors de nos discussions à la Maison-Blanche ont permis de réconcilier nos deux pays. Même sans Ben Laden, le terrorisme demeurait une menace que personne ne pouvait ignorer. Le Pakistan connaissait toujours une violente insurrection talibane, ainsi que des difficultés économiques et sociales croissantes.

En novembre 2011, six mois après l'opération d'Abbottabad, vingt-quatre soldats pakistanais ont été tués par l'armée américaine lors d'un tragique accident à la frontière afghane. Nous avons très vite exprimé nos condoléances, mais l'émotion était forte dans le pays. En réaction, le Pakistan a coupé les voies d'approvisionnement mises en place par l'OTAN vers l'Afghanistan, et son parlement a demandé une révision des relations avec les États-Unis. Les Pakistanais ont exigé des excuses immédiates, que la Maison-Blanche a refusé de donner. Des convois militaires de marchandises sont restés bloqués pendant des mois, créant des complications logistiques pour nos troupes, alourdissant notre facture (100 millions de dollars supplémentaires par mois) et privant les Pakistanais d'un revenu dont ils avaient cruellement besoin.

Comme il paraissait évident que les voies d'approvisionnement ne rouvriraient pas avant le sommet de l'OTAN qui devait se tenir à Chicago en mai 2012, j'ai proposé au président Obama d'adopter une nouvelle approche pour sortir de l'impasse. Malgré les objections du Conseil de sécurité nationale et du secrétariat à la Défense, il a accepté de me laisser essayer. Certains de ses conseillers, obnubilés par la campagne de réélection, étaient opposés à l'idée de s'excuser auprès du pays qui avait caché Ben Laden. Cependant, si nous voulions aider à approvisionner les troupes de la coalition, nous devions régler ce différend. J'ai assuré le président que j'en assumerais toute la responsabilité.

J'ai rencontré le président Zardari à Chicago et lui ai dit que j'avais besoin de son aide pour débloquer les voies d'approvisionnement, tout comme son gouvernement avait besoin des compensations financières prévues pour laisser les convois traverser le Pakistan. J'ai missionné Tom Nides, secrétaire d'État adjoint et négociateur expérimenté, pour s'entretenir en privé avec le ministre pakistanais des Finances. Dans ce genre de situation, reconnaître ses erreurs n'est pas un signe de faiblesse, mais la mise en œuvre d'un compromis pragmatique. C'est pourquoi j'ai donné à Tom des instructions claires : être discret, raisonnable, et parvenir à un accord.

La rencontre a permis de calmer le jeu. Quand au mois de juin, à Istanbul, j'ai vu Hina Rabbani Khar, le ministre des Affaires étrangères qui avait succédé à Qureshi, j'ai senti que nous étions proches d'une issue. Début juillet, nous avons passé un accord. J'ai reconnu les erreurs qui avaient mené à la mort des soldats pakistanais, avant d'exprimer une nouvelle fois mes condoléances. Les deux parties ont déploré les pertes humaines liées à la lutte contre le terrorisme. Les Pakistanais ont rouvert la frontière, nous permettant de reprendre l'approvisionnement de nos troupes à un coût bien moins élevé. Tom et le ministre des Finances ont poursuivi leur dialogue et même cosigné un article suggérant des pistes de coopération, notamment dans le domaine du développement économique.

Les négociations concernant les voies d'approvisionnement et l'accord qui en est résulté montrent que le Pakistan et les États-Unis peuvent collaborer à l'avenir. Étant donné que les troupes américaines commencent à se retirer d'Afghanistan, la nature de notre relation va changer. Mais nos deux pays partageront toujours des intérêts communs. Nous devrons donc trouver des moyens de travailler ensemble de façon constructive. Les désaccords seront inévitables, mais si nous voulons obtenir des résultats, nous n'aurons d'autre choix que de rester pragmatiques et réalistes.

Al-Qaida avait subi un sérieux revers, mais n'était pas encore vaincue. Grâce à l'opération d'Abbottabad, nos soldats ont rapporté de nouvelles informations concernant le fonctionnement interne de l'organisation. Elles s'ajoutaient à ce que nous savions déjà, notamment sur ses filiales – les Shebabs en Somalie, Al-Qaida au Maghreb islamique en Afrique du Nord et Al-Qaida dans la péninsule Arabique –, qui devenaient chaque jour plus menaçantes. La mort de Ben Laden et d'un bon nombre de ses lieutenants allait sans doute affaiblir la capacité des branches pakistanaises et afghanes à orchestrer de nouvelles attaques en Occident. Mais, dans le même temps, le pouvoir allait changer de main et les filiales gagner en importance, créant une menace d'autant plus diffuse et complexe.

Face à ce nouveau défi, je croyais plus que jamais en la stratégie du *smart power*, que j'avais exposée au président en 2010. Au département d'État, nous avions travaillé à développer les outils et les structures dont nous aurions besoin, et avions notamment transformé notre bureau de contre-terrorisme en un véritable service à part entière, dirigé par un secrétaire d'État adjoint. La collaboration avec le reste du gouvernement pouvait toutefois se révéler terriblement lente. Nous devions nous battre pour le moindre centime de subvention et, malgré l'accord du président en juillet 2010, il a fallu attendre près d'un an pour que la Maison-Blanche publie l'ordre officiel de création du Centre de liaison stratégique en contre-terrorisme. Nous l'avons finalement reçu le 9 septembre 2011. Ce jour-là, j'étais en visite au John Jay College of Criminal Justice, à New York, où j'ai prononcé un discours pour expliquer notre stratégie visant à combiner les efforts civils en matière de contre-terrorisme.

Douze jours plus tard, en marge de l'Assemblée générale des Nations unies, j'ai inauguré le premier Forum global de lutte contre le terrorisme. La Turquie coprésidait l'événement et une trentaine de nations étaient présentes, dont beaucoup de pays du Moyen-Orient et d'autres pays à majorité musulmane. Les premiers résultats obtenus au cours des deux années suivantes ont été encourageants. Les Émirats arabes unis ont accepté de créer un centre international consacré à la lutte contre l'extrémisme violent ; une autre structure devrait ouvrir prochainement à Malte, centrée sur la justice et la loi. Ces institutions formeront des policiers, des éducateurs, des leaders religieux et des législateurs. Elles feront intervenir des experts en communication qui savent comment affaiblir la propagande extrémiste, ainsi que des membres des forces de police qui pourront aider les gouvernements et les communautés à repousser les terroristes. Elles travailleront aussi avec des éducateurs qui promouvront la paix à travers les programmes scolaires et donneront aux enseignants des outils pour protéger les enfants susceptibles d'être recrutés par des extrémistes.

Parmi les premiers points abordés au cours du Forum figurait le kidnapping contre rançon, l'un des procédés les plus utilisés par les filiales d'Al-Qaida en Afrique du Nord et dans le monde, surtout depuis que leurs sources de financement ont été réduites. Le Forum a établi un code de conduite, fortement soutenu par les États-Unis, afin que les nations cessent de céder au chantage de la rançon, puisqu'une telle attitude pousse les extrémistes à commettre de nouveaux kidnappings. Le Conseil de sécurité des Nations unies a validé ce code et l'Union africaine a mis en place des formations pour aider les forces de l'ordre à développer des tactiques alternatives.

Nous avons également fait des progrès sur le plan de la communication. Par exemple, alors que le Printemps arabe balayait les pays du Moyen-Orient, notre nouveau Centre de liaison stratégique en contre-terrorisme a fait son possible pour discréditer Al-Qaida. L'équipe a produit et mis en ligne une petite vidéo dans laquelle on voyait Ayman al-Zawahiri, le nouveau leader de l'organisation, affirmer que les actions non violentes n'apporteraient pas le changement espéré au Moyen-Orient. On voyait ensuite des défilés pacifiques en Égypte et des manifestations de joie après la chute de Moubarak. Cette vidéo a suscité de nombreux commentaires dans la région. « Zawahiri n'a rien à faire en Égypte. On réglera nos problèmes tout seuls », a écrit un commentateur sur le forum égyptien du site.

Ce type de bataille idéologique progresse lentement, mais il est important, parce qu'Al-Qaida et ses filiales ne peuvent pas survivre sans recruter en permanence de nouveaux combattants pour remplacer les terroristes capturés ou tués ; également parce que la propagande non contrôlée peut engendrer de l'instabilité et être à l'origine d'attaques, comme en septembre 2012, quand des extrémistes ont attisé une vague de rage dans le monde musulman après la mise en ligne d'une vidéo sur le prophète Mahomet. De nombreuses ambassades et des consulats américains ont été ciblés en représailles.

Pour prendre un peu de recul, il est important de se rappeler que l'extrémisme radical est lié à presque tous les problèmes internationaux d'aujourd'hui. Il peut s'implanter dans des zones en crise, ravagées par la pauvreté, se développer dans un contexte de répression et d'absence de lois, faire naître la haine entre des communautés qui se côtoient depuis des générations et exploiter les conflits au sein des nations et entre elles. Voilà pourquoi l'Amérique doit s'engager dans les régions du monde qui présentent les défis les plus difficiles à relever.

1 | Le 7 juin 2008, entourée d'amis et de partisans au National Building Museum à Washington, DC, je termine ma campagne présidentielle et annonce mon soutien à Barack Obama après avoir fait «dix-huit millions de fissures» dans «le plus haut et le plus résistant des plafonds de verre».

2 | Après une longue nuit passée à écrire et réécrire, Bill et moi mettons la dernière main à mon discours d'adieu avant de sortir de notre maison de Washington, le 7 juin 2008.

Malgré nos durs affrontements pendant la campagne, Barack et moi bavardons à bâtons rompus dans le bus qui nous emmène, en juin 2008, à notre premier meeting commun, à Unity, dans le New Hampshire – une ville choisie non seulement à cause de son nom, mais aussi parce que nous y avons obtenu exactement le même nombre de suffrages à la primaire. Le rassemblement d'Unity était conçu pour transmettre un message d'une parfaite clarté : la primaire était derrière nous ; désormais, nous ne formions qu'une seule équipe.

5

5 | Le 1ᵉʳ décembre 2008, à Chicago, le président élu Obama annonce qu'il m'a choisie comme soixante-septième secrétaire d'État, en même temps qu'il présente le reste de son équipe de sécurité nationale. Derrière nous : le conseiller à la Sécurité nationale désigné, James Jones, général des Marines à la retraite ; le vice-président élu, Joe Biden ; le secrétaire à la Défense, Robert Gates ; la secrétaire à la Sécurité intérieure désignée, Janet Napolitano ; et le ministre de la Justice désigné, Eric Holder.

6

6 | Le vice-président Biden me fait prêter un serment cérémoniel d'entrée en fonction au département d'État le 2 février 2009; Bill, Chelsea et ma mère, Dorothy, tiennent la Bible. J'avais prêté le serment officiel quelques semaines plus tôt dans mon bureau du Sénat, immédiatement après le vote de confirmation, pour pouvoir me mettre aussitôt au travail.

7 | Quand j'ai traversé le hall du département d'État pour la première fois en qualité de secrétaire le 22 janvier 2009, l'accueil enthousiaste m'a submergée d'émotion et d'humilité.

8 | La cordialité et l'humour du vice-président Biden nous feraient du bien pendant nos longues heures passées dans la salle de crise de la Maison-Blanche. Nous nous efforcions aussi de prendre chaque semaine un petit déjeuner ensemble à l'Observatoire naval, sa résidence officielle.

J'ai eu l'honneur de servir dans le cabinet du président Obama, photographié ici autour du président Barack Obama et du vice-président Joe Biden dans le hall d'entrée de la Maison-Blanche le 26 juillet 2012. Assis, de gauche à droite : le secrétaire aux Transports Ray LaHood, la secrétaire au Commerce par intérim Rebecca Blank, la représentante permanente des États-Unis auprès des Nations unies Susan Rice et le secrétaire à l'Agriculture Tom Vilsack. Debout au deuxième rang, de gauche à droite : le secrétaire à l'Éducation Arne Duncan, le ministre de la Justice Eric H. Holder Jr., la secrétaire au Travail Hilda L. Solis, le secrétaire au Trésor Timothy F. Geithner, le secrétaire général Jack Lew (qui était précédemment mon secrétaire d'État adjoint), moi, le secrétaire à la Défense Leon Panetta, le secrétaire aux Affaires des anciens combattants Eric K. Shinseki, la secrétaire à la Sécurité intérieure Janet Napolitano et le représentant américain au Commerce Ron Kirk. Debout au troisième rang, de gauche à droite : le secrétaire au Logement et au Développement urbain Shaun Donovan, le secrétaire à l'Énergie Steven Chu, la secrétaire à la Santé et aux Services humanitaires Kathleen Sebelius, le secrétaire à l'Intérieur Ken Salazar, l'administratrice de l'Agence de protection de l'environnement Lisa P. Jackson, le directeur par intérim du Bureau de la gestion et du budget Jeffrey D. Zients, le président du Conseil des conseillers économiques Alan Krueger et l'administratrice de l'Administration des petites entreprises Karen G. Mills.

10 | J'avais une équipe extraordinaire, composée d'agents du Service extérieur, de fonctionnaires de carrière et de conseillers.

11 La première dame Michelle Obama et moi avons noué des liens personnels autour de nos expériences communes de premières dames – parfois très drôles.

12 Lors de mon premier jour complet à mon nouveau poste, le président Obama et le vice-président Biden sont venus au département d'État annoncer que Richard Holbrooke était nommé représentant spécial pour l'Afghanistan et le Pakistan, et George Mitchell envoyé spécial pour la paix au Moyen-Orient.

13 Déjeuner rapide à la cafétéria du département d'État. J'essayais de prendre des repas réguliers, mais c'était souvent un vrai défi, surtout en voyage.

14 Mes principaux conseillers – de gauche à droite : Jake Sullivan, Philippe Reines et Huma Abedin – dans notre «chez nous loin de chez nous», un 757 spécial bleu et blanc de l'US Air Force. En quatre ans, nous avons passé au total l'équivalent de quatre-vingt-sept journées de vingt-quatre heures dans les airs !

15 Par une belle journée d'avril 2009, le président Obama a suggéré que nous terminions une réunion à la table de pique-nique devant le Bureau ovale, sur la pelouse sud. Nous essayions de nous entretenir en tête-à-tête au moins une fois par semaine. Je me suis rendue à la Maison-Blanche plus de sept cents fois au cours de mes quatre années au département d'État.

16 Ma première descente d'avion en qualité de secrétaire d'État, à Tokyo, au Japon, le 16 février 2009. Rompant avec la tradition, j'ai réservé mon premier voyage à l'Asie pour signifier que nous «pivotions» vers cette région.

17 J'ai adoré retrouver l'impératrice du Japon Michiko, qui était ravie que j'aie choisi son pays pour ma première halte en tant que secrétaire d'État.

18   En février 2009, j'ai rendu visite à un adorable groupe d'élèves de l'école primaire où le président Obama est allé quand il était enfant à Jakarta, en Indonésie. L'Indonésie est une puissance régionale émergente où se trouve le siège de l'Association des nations d'Asie du Sud-Est (ASEAN), interlocuteur important dans notre dialogue avec l'Asie.

19   En août 2009, Bill a assuré la libération de deux journalistes américaines détenues qui travaillaient pour Current TV, Laura Ling (au centre) et Euna Lee (à droite), après avoir négocié avec le dictateur nord-coréen Kim Jong-il. Leur retour aux États-Unis a été un moment de grande émotion. Les dirigeants de Current TV, Joel Hyatt et l'ancien vice-président Al Gore, sont debout aux côtés de Bill.

20

20 | En juillet 2010, depuis un poste d'observation de la zone démilitarisée (DMZ), le secrétaire
à la Défense Bob Gates et moi scrutons avec des jumelles la Corée du Nord isolée.

21 | Un soldat nord-coréen nous fixe à travers la fenêtre tandis que nous visitons, Bob Gates et moi, un bâtiment de la DMZ, la frontière la plus fortifiée du monde.

22 Voir danser des danseurs indiens traditionnels à la Fondation Kalakshetra à Chennai (Madras), en Inde, en juillet 2011, m'a rappelé combien j'aime l'Inde et sa culture.

23 Ma première rencontre avec le conseiller d'État chinois Dai Bingguo, en février 2009, à Pékin. Un jour, il m'a montré une photo de sa petite-fille et m'a dit : « C'est pour ça que nous le faisons. »

24 Le ministre chinois des Affaires étrangères Yang Jiechi me rend visite au département d'État en mars 2009. L'essor de la Chine est l'une des évolutions stratégiques majeures de notre époque. Nos rapports ne sont pas faciles à classer dans des catégories claires, comme « amis » ou « rivaux », et ne le seront peut-être jamais.

25 | Le président Obama, le secrétaire au Trésor Tim Geithner et moi avec nos homologues chinois à la résidence de l'ambassadeur des États-Unis à Londres, où nous nous trouvions tous pour assister à une réunion du G20 en avril 2009. De gauche à droite : le conseiller d'État chinois Dai Bingguo, le vice-Premier ministre chinois Wang Qishan, le président chinois Hu Jintao, le président Obama, moi et le secrétaire Geithner.

26 | Quand j'ai appris que l'Amérique était l'un des deux seuls pays qui ne participaient pas à l'Exposition universelle de Shanghai, en Chine, j'ai réuni une équipe pour faire en sorte que le pavillon des États-Unis soit un succès. Les meilleurs instants de ma visite de l'Exposition en mai 2010 ont été mes discussions avec les jeunes enfants chinois et américains.

27

Le grand moment de fierté de la MOTB (mère de la mariée) : le mariage de Chelsea, le 31 juillet 2010, à Rhinebeck, dans l'État de New York. Bill et moi avec Chelsea et son mari, Marc, ainsi que ma mère, Dorothy. Il était très important pour Chelsea d'avoir sa grand-mère à ses côtés quand elle a préparé son mariage et épousé Marc.

28   Le dissident chinois Chen Guangcheng sort de l'ambassade des États-Unis à Pékin escorté par (de gauche à droite) le conseiller juridique Harold Koh, l'ambassadeur des États-Unis en Chine Gary Locke et le sous-secrétaire d'État pour les Affaires de l'Asie orientale et du Pacifique Kurt Campbell.

29   J'ai eu l'occasion de rencontrer Chen en décembre 2013 à Washington, DC.

30   Avec le président birman Thein Sein dans son bureau de cérémonie richement orné à
Nay Pyi Taw, à la fin de l'année 2011. J'étais la première secrétaire d'État depuis plus de
cinquante ans à visiter ce pays, jusqu'alors fermé, pour tenter d'encourager ses progrès vers
la démocratie.

31 | Pendant mon voyage à Rangoun, en Birmanie, en décembre 2011, je suis émerveillée par ce qui m'entoure en visitant la splendide pagode Shwedagon.

32 | Lors de ma première rencontre avec la lauréate birmane du prix Nobel de la paix Aung San Suu Kyi, en décembre 2011, nous étions toutes deux vêtues de blanc. Je n'ai pu m'empêcher de rire de cette coïncidence. J'avais l'impression que nous nous connaissions depuis toujours, même si nous venions de nous rencontrer.

33   Lorsque je suis revenue dans la pagode Shwedagon avec le président Obama, j'ai frappé trois fois l'énorme cloche. Nous espérions envoyer un message au peuple de Birmanie pour lui faire comprendre que l'Amérique voulait engager le dialogue avec lui autant qu'avec son gouvernement. (Notez mes pieds nus !)

34   Sous le regard du président Obama, nous nous disons au revoir avec beaucoup d'émotion, Aung San Suu Kyi et moi, en novembre 2012. Suu Kyi est une inspiration pour son pays et pour moi, et notre étroite amitié m'est très chère.

35   Le 1er décembre 2009, assise en face du président Obama et du conseiller à la Sécurité nationale Jim Jones, et à côté du secrétaire à la Défense Bob Gates et du président du Comité des chefs d'état-major interarmées Mike Mullen, à bord du Marine One, l'hélicoptère présidentiel, en route pour West Point, où le président Obama a annoncé sa décision d'envoyer des troupes supplémentaires en Afghanistan.

36   Le général Stanley McChrystal, commandant des Forces de la coalition en Afghanistan, l'ambassadeur Richard Holbrooke et l'ambassadeur des États-Unis en Afghanistan Karl Eikenberry me regardent serrer la main d'un soldat de l'OTAN à mon arrivée à l'aéroport de Kaboul, en Afghanistan, le 18 novembre 2009.

37   Richard Holbrooke parle lors d'une confêrence en avril 2010 à Kaboul, en présence du président afghan Hamid Karzai et du général David Petraeus.

38   Collation avec le président Karzai dans les jardins de Dumbarton Oaks, à Washington, DC, en mai 2010. Je travaillais dur pour avoir un bon contact avec Karzai. Comme pour tant d'autres dirigeants dans le monde, le respect et la courtoisie personnelle faisaient beaucoup.

39   Je rencontre des militantes afghanes à l'occasion d'une conférence internationale à Bonn, en Allemagne, en décembre 2011. Après la chute des talibans en 2001, j'ai commencé à travailler pour aider les femmes afghanes à obtenir plus de droits et davantage de perspectives.

40 | Le lendemain des attentats du 11 septembre, je parcours Lower Manhattan, lieu du désastre, avec le gouverneur de New York George Pataki (à gauche) et le maire de New York Rudolph Giuliani (au centre). Le président Obama et moi pensions que vaincre Al-Qaida était crucial pour notre sécurité nationale et que nous devions redoubler d'efforts pour trouver Oussama Ben Laden et le traduire en justice.

41 | Des étudiants protestent contre ma visite à Lahore, au Pakistan, en octobre 2009. Mon équipe m'avait avertie que je risquais de faire office de punching-ball dans le pays, où l'antiaméricanisme progressait, mais il me semblait important de rencontrer le peuple. « Qu'ils frappent ! » ai-je répondu.

42

42   J'apporte la touche finale à un discours au Pakistan en octobre 2011. J'ai dit aux Pakistanais qu'en soutenant les insurgés talibans ils allaient au-devant de problèmes. C'était comme élever des serpents venimeux dans son jardin en espérant qu'ils ne mordraient que vos voisins. Avec, de gauche à droite, Huma Abedin, l'ambassadeur au Pakistan Cameron Munter, le rédacteur de discours Dan Schwerin, le représentant spécial pour l'Afghanistan et le Pakistan Marc Grossman, la porte-parole Toria Nuland, et Philippe Reines.

43

43   L'une des photos les plus emblématiques – et l'un des moments les plus importants – de ces quatre années : nous assistons au raid contre Ben Laden, le 1er mai 2011. Assis autour de la table (de gauche à droite) : le vice-président Biden, le président Obama, le général Marshall B. «Brad» Webb, le vice-conseiller à la Sécurité nationale Denis McDonough, moi, et le secrétaire Gates. Debout (de gauche à droite) : l'amiral Mike Mullen, chef d'état-major, le conseiller à la Sécurité nationale Tom Donilon, le secrétaire de la Maison-Blanche Bill Daley, le conseiller à la Sécurité nationale pour le vice-président Tony Blinken, la directrice du contre-terrorisme Audrey Tomason, l'adjoint du président pour la sécurité intérieure John Brennan, le directeur du renseignement national Jim Clapper.

44   1ᵉʳ mai 2011 : la fin d'une très longue journée. L'équipe de sécurité nationale écoute le président Obama annoncer au monde qu'Oussama Ben Laden a été traduit en justice. À mes côtés, de gauche à droite : le directeur du renseignement national James Clapper, le conseiller à la sécurité nationale Tom Donilon, le directeur de la CIA Leon Panetta, l'amiral Mike Mullen, chef d'état-major, et le vice-président Joe Biden.

45   Après que le président Obama a annoncé la mort d'Oussama Ben Laden, une foule s'est massée devant la Maison-Blanche en scandant : « USA ! USA ! »

Au département d'État en juillet 2009 avec le secrétaire d'État britannique aux Affaires étrangères David Miliband, un partenaire inestimable et un ami. Lors de notre première conversation téléphonique, il m'a dit que j'étais «la personne qu'il [fallait] pour cette tâche herculéenne».

47 | Le successeur de Miliband au poste de secrétaire d'État aux Affaires étrangères, William Hague, et moi en pleine discussion pendant une réunion du Conseil de sécurité des Nations unies sur la paix et la sécurité au Moyen-Orient, en septembre 2012. Cet homme éloquent allait devenir un proche collaborateur et un bon ami.

48 | J'admire un tableau pendant notre visite du palais de Buckingham, à Londres, en mai 2011. Passer une nuit au palais m'a donné l'impression de pénétrer dans un conte de fées.

49   En gravissant les marches du palais de l'Élysée, à Paris, en janvier 2010, pour aller saluer le président Nicolas Sarkozy, j'ai perdu une chaussure et me suis retrouvée pied nu sous les yeux des caméras. Il m'a gentiment tendu la main pour m'aider à me rechausser. Je lui ai envoyé une copie de la photo avec ces mots : «Je ne suis peut-être pas Cendrillon, mais vous serez toujours mon prince charmant.»

50 | La chancelière allemande Angela Merkel a beaucoup d'humour. Pendant un déjeuner donné en son honneur au département d'État en juin 2011, le vice-président Biden et moi rions tandis qu'elle nous montre la une encadrée d'un journal allemand. La photo nous représente toutes les deux côte à côte, quasiment identiques, mais sans montrer nos visages. Le journal a lancé un défi à ses lecteurs : distinguer qui était qui.

QUATRIÈME PARTIE

Entre espoir et histoire

Chapitre 10

Europe : les liens qui nous unissent

Il y a une chanson scoute que j'ai apprise à l'école primaire :
« Fais-toi de nouveaux amis, mais garde les anciens. Les premiers
sont précieux, les seconds plus précieux que l'or. » Pour l'Amérique,
l'alliance avec l'Europe est plus précieuse que l'or.

Quand les États-Unis ont été attaqués le 11 septembre 2001, les
nations européennes nous ont soutenus sans hésiter. Le journal *Le
Monde* a titré : « Nous sommes tous américains. » Le lendemain,
l'OTAN (Organisation du traité de l'Atlantique Nord) a invoqué pour
la première fois de son histoire l'article V du traité de Washington,
qui stipule qu'une attaque sur l'un des alliés constitue une agression envers tous les alliés. Après que les États-Unis avaient pendant
des décennies, d'Utah Beach à Checkpoint Charlie en passant par
le Kosovo, aidé les Européens, ces derniers étaient là pour nous au
moment où nous en avions besoin.

Malheureusement, par la suite, nos relations se sont détériorées.
La plupart de nos alliés désapprouvaient notre décision d'envahir
l'Irak. Beaucoup n'appréciaient ni la rhétorique de l'administration
Bush (« Soit vous êtes avec nous, soit vous êtes contre nous »), ni
le commentaire du secrétaire d'État Donald Rumsfeld décrivant la
France et l'Allemagne comme la « vieille Europe » au plus fort des
débats sur l'Irak en 2003. En 2009, l'opinion des Européens sur
les États-Unis s'était largement dégradée, passant de 83 % d'opinions positives en Grande-Bretagne et 78 % en Allemagne en 2000
à respectivement 53 et 31 % à la fin de l'année 2008. Manifestement, nous, la nouvelle administration Obama, avions du pain sur
la planche.

Notre plus grand atout dans la reconquête de l'opinion européenne a sans aucun doute été l'« effet Obama ». Aux quatre coins de l'Europe, on s'est enthousiasmé pour notre nouveau président. En juillet 2008, pendant sa campagne, il a galvanisé une foule de 200 000 personnes à Berlin. Le lendemain de son élection, un journal français a proclamé que c'était le « rêve américain ». En réalité, les attentes étaient si grandes qu'y répondre et canaliser toute cette énergie positive a constitué l'un de nos premiers challenges.

Malgré les désaccords nés sous l'ère Bush, nos liens avec l'Europe étaient bien plus solides que nos différends. Nos alliés européens demeuraient nos premiers partenaires dans quasi tous les domaines, et surtout nous partagions les mêmes valeurs de liberté et de démocratie. Les cicatrices des deux guerres mondiales et de la guerre froide avaient beau s'estomper, de nombreux Européens gardaient en mémoire les grands sacrifices qu'avaient consentis les Américains pour les libérer. Rien qu'en France, plus de 60 000 soldats américains étaient enterrés.

La vision d'une Europe unie, libre et pacifique avait été l'objectif constant des différentes administrations américaines depuis la fin de la guerre froide. Elle s'appuyait sur l'idée que les peuples et les nations pouvaient oublier leurs vieilles rivalités pour bâtir un avenir paisible et prospère. Je savais à quel point c'était difficile et combien des sociétés et des générations tout entières pouvaient être emprisonnées par les chaînes de l'histoire. Un jour que je demandais à une représentante d'un pays du sud de l'Europe comment se passaient les choses dans son pays, elle a commencé sa réponse par : « Eh bien, depuis les Croisades… » Dans beaucoup de pays européens, les souvenirs remontaient si loin que les XXe et XXIe siècles n'étaient que la partie émergée de l'iceberg. Même si la mémoire soudait les peuples et les aidait à traverser ensemble des périodes difficiles, elle ravivait aussi d'anciennes rancunes et empêchait les gens de se tourner vers l'avenir. Pourtant, en Europe occidentale, les peuples avaient montré après la Seconde Guerre mondiale qu'on pouvait se libérer du poids du passé en se réconciliant. Nous avions également vu cela à l'œuvre après la chute du mur de Berlin, quand les pays d'Europe centrale et orientale avaient commencé à renouer le dialogue entre eux et avec l'Union européenne.

En 2009, le continent avait bien évolué et nous étions plus proches que jamais de la vision d'une Europe unie, libre et pacifique. Mais celle-ci était plus fragile que ne l'imaginaient les Américains. À la périphérie du continent, certains pays sombraient dans la crise économique ; les cicatrices de la guerre des Balkans n'étaient pas refermées ; la démocratie et les droits de l'homme étaient menacés dans certains États de l'ex-URSS. Sous Vladimir Poutine, la Russie avait envahi la Géorgie, rouvrant ainsi de vieilles blessures. Mes prédécesseurs avaient travaillé à renforcer nos alliances avec l'Europe ainsi que la cohésion des nations. C'était mon tour désormais de reprendre le flambeau et de faire de mon mieux pour renouveler nos liens et régler nos anciens différends.

*
* *

Les relations entre les nations sont fondées sur des intérêts et des valeurs communs, mais aussi sur des personnalités. Dans ce domaine, l'élément personnel compte plus qu'on ne l'imagine, pour le meilleur et pour le pire. Pensez à l'amitié célèbre entre Ronald Reagan et Margaret Thatcher, qui a contribué à leur faire gagner la guerre froide, ou à la querelle entre Khrouchtchev et Mao, qui a contribué à la leur faire perdre. C'est parce que j'avais cela à l'esprit que j'ai consacré ma première journée de secrétaire d'État à joindre les principaux leaders européens. Je connaissais et appréciais certains d'entre eux, que j'avais rencontrés en tant que première dame et sénatrice. D'autres allaient devenir de nouveaux amis. Tous se révéleraient des partenaires précieux dans le travail que nous espérions mener.

J'ai commencé chaque coup de fil par un message rassurant, soulignant que l'Amérique était toujours à leurs côtés. David Miliband, le secrétaire d'État britannique aux Affaires étrangères, m'a fait sourire en disant : « Mon Dieu, vos prédécesseurs vous ont laissé une tonne de problèmes. C'est une tâche herculéenne, mais je crois que vous êtes la personne qu'il faut. » J'étais flattée (c'était le but), mais ce qu'il nous fallait surtout, lui ai-je rappelé, c'était une collaboration renouvelée et une action commune.

David s'est révélé un partenaire inestimable. Il était jeune, énergique, intelligent, créatif, séduisant et souriant. Nos points de vue sur les transformations du monde étaient très proches. Il croyait en l'importance de la société civile et, comme moi, était préoccupé par le taux de chômage croissant chez les jeunes en Europe, aux États-Unis et dans le monde entier. En plus de devenir bons collègues, nous sommes devenus bons amis.

David officiait sous les ordres du Premier ministre travailliste Gordon Brown, lequel avait succédé à Tony Blair et rencontrait des difficultés. Gordon, un Écossais intelligent et expérimenté, a dû faire face à la crise économique qui frappait l'Angleterre. Il partait avec un sérieux handicap, sans parler de la grogne populaire suscitée par la décision de Blair de soutenir l'invasion en Irak. Quand il a présidé la rencontre du G20 à Londres en avril 2009, j'ai compris qu'il était sous pression. Il a finalement perdu l'élection suivante pour être remplacé par David Cameron, un conservateur. Le président Obama et Cameron se sont immédiatement plu lors de la rencontre privée qui les a réunis avant même l'élection de ce dernier. Ils discutaient facilement et s'appréciaient. Cameron et moi, nous nous sommes vus régulièrement au fil des années, avec ou sans le président. Il était curieux et aimait discuter du contexte international, du Printemps arabe naissant à la crise en Libye en passant par le débat opposant austérité économique et croissance.

Au poste de secrétaire d'État aux Affaires étrangères, Cameron a nommé William Hague, ancien leader du parti conservateur et ennemi invétéré de Tony Blair à la fin des années 1990. Avant l'élection, alors qu'il n'était que le porte-parole de l'opposition pour les affaires étrangères, il était venu me voir à Washington. Bien que nous soyons restés sur notre réserve au début, j'ai vite découvert que c'était un homme politique sensé, rationnel et plein d'humour. C'est également devenu un ami. J'étais fan de sa biographie de William Wilberforce, le principal défenseur de l'antiesclavagisme au XIXe siècle en Angleterre. Hague comprenait très bien que, malgré ses lourdeurs et ses aspects parfois fastidieux, la diplomatie était néanmoins absolument indispensable. Lors d'un dîner d'adieu qu'il a donné en mon honneur à l'ambassade du Royaume-Uni à Washington en 2013, il a déclaré, au moment de porter un toast : « Lord Salisbury, le grand secrétaire d'État britannique aux Affaires étrangères devenu ensuite Premier ministre, a dit que les victoires diplomatiques étaient "constituées d'une série de minuscules avancées : une suggestion judicieuse ici, une amabilité là, une sage concession à un moment, une obstination bienvenue à un autre, un tact à toute épreuve, un calme impassible et une patience qu'aucune folie, aucune provocation, aucune bévue ne peut troubler". » Cette description résumait plutôt bien mon rôle de diplomate américaine. Décidément, Hague était aux discours ce que David Beckham était aux terrains de foot !

De l'autre côté de la Manche, j'ai rencontré d'autres collaborateurs mémorables, comme Bernard Kouchner, le ministre français des Affaires étrangères, un médecin socialiste au service d'un président de droite. Bernard est l'un des fondateurs de Médecins sans frontières, qui fournit des soins médicaux dans des zones de conflit et de grande pauvreté. Il a joué un rôle clé après le terrible séisme de janvier 2010 en Haïti. J'ai également travaillé avec son successeur, Alain Juppé, puis avec Laurent Fabius, nommé par le successeur de Nicolas Sarkozy, François Hollande, élu en mai 2012. Bien qu'issus de partis politiques opposés, Juppé et Fabius sont de grands professionnels dont j'ai toujours apprécié la compagnie.

La plupart des leaders se révèlent plus calmes dans la vraie vie que lorsqu'ils sont sur scène. Pas Sarkozy. En personne, il était encore plus survolté, et plus drôle. Être assis à côté de lui dans un meeting, c'était toujours une aventure. Quand il prenait la parole, il s'agitait et faisait de grands gestes théâtraux, que sa courageuse interprète se donnait beaucoup de mal pour retranscrire fidèlement, jusque dans ses intonations. Les discours de Sarkozy, quasiment des soliloques débités sur un rythme effréné, couvraient tous les aspects de la politique étrangère et laissaient peu de place à ses interlocuteurs, mais je ne me suis jamais lassée d'essayer de l'interrompre. Il ne mâchait pas ses mots, disait de tel chef d'État qu'il était fou, infirme ou « accro à la drogue » ; d'un autre qu'il avait une armée « qui ne savait pas se battre » ; d'un autre encore qu'il était issu d'une « longue lignée de brutes ». Il demandait souvent pourquoi les diplomates qu'il rencontrait étaient tous vieux, grisonnants et de sexe masculin. Nous plaisantions, nous débattions et nous nous disputions, mais en définitive nous tombions toujours d'accord sur les décisions à prendre. Sarkozy était résolu à réaffirmer le rôle majeur de la France dans le monde et disposé à partager les responsabilités internationales, comme cela a été le cas en Libye. Et, malgré son exubérance, c'était un vrai gentleman. Un jour glacial de janvier 2010, alors que je gravissais les marches de l'Élysée pour venir le voir, j'ai perdu une chaussure devant les appareils photo de la presse, qui s'est empressée d'immortaliser l'instant. Il m'a gracieusement pris la main pour m'aider à me rechausser. Plus tard, je lui ai envoyé une copie de la photo en écrivant : « Je ne suis peut-être pas Cendrillon, mais vous serez toujours mon prince charmant. »

Toutefois, le chef d'État le plus puissant d'Europe était une femme dotée d'un tempérament quasi opposé à celui de Sarkozy :

la chancelière Angela Merkel. Je l'avais rencontrée pour la première fois à Berlin en 1994, lors d'une visite avec Bill. Elle venait de l'ex-Allemagne de l'Est et occupait déjà le poste de ministre fédéral des Femmes et de la Jeunesse sous le chancelier Helmut Kohl. On m'avait alors dit d'elle : « C'est une jeune femme qui ira loin », ce qui s'est révélé prophétique. Nous sommes restées en contact au fil des ans et avons même fait une apparition ensemble dans une émission télévisée allemande en 2003. En 2005, elle a été élue chancelière ; c'était la première femme à occuper ce poste dans son pays. On vante souvent le progressisme de l'Europe en matière de santé et de changement climatique, mais, parfois, ce continent ressemble à un club pour messieurs respectables ; c'était réjouissant de voir Angela bousculer un peu les choses.

Mon admiration pour elle a grandi durant mon mandat de secrétaire d'État. Elle se montrait résolue, intelligente, directe, et livrait toujours le fond de sa pensée sans détour. Scientifique de formation (elle avait étudié la physique et soutenu une thèse sur la chimie quantique), elle était particulièrement compétente dans des domaines comme le changement climatique et le nucléaire. Elle abordait chaque discussion avec une grande curiosité, armée de questions sur les événements, les gens et les idées, contrairement à certains chefs d'État persuadés de déjà tout savoir.

Quand la chancelière est venue en visite officielle à Washington en juin 2011, j'ai organisé un déjeuner pour elle au département d'État et porté un toast chaleureux en son honneur. En échange, elle m'a offert la une encadrée d'un journal allemand relatant ma récente visite à Berlin. En l'apercevant, j'ai éclaté de rire. La photo nous représentait toutes deux, côte à côte, mais elle était coupée de façon qu'on ne voie pas nos têtes. On ne voyait que deux paires de mains, jointes exactement de la même manière devant deux pantalons noirs identiques. Le journal mettait ses lecteurs au défi de distinguer qui était qui. C'était difficile à dire, je dois l'admettre. Ce cadre est resté accroché dans mon bureau jusqu'à la fin de mon mandat.

Pendant les années les plus sévères de la crise, le leadership d'Angela a été mis à l'épreuve. L'Europe a été frappée de plein fouet et, du fait de sa monnaie unique, s'est retrouvée dans une situation inédite. Les économies les plus faibles (la Grèce, l'Espagne, le Portugal, l'Italie et l'Irlande) ont dû faire face à une dette publique énorme, à une croissance anémique et à un chômage élevé, sans pouvoir compter sur les moyens monétaires classiques dont dispose un pays qui contrôle sa devise. En échange d'une aide d'urgence, l'Allemagne, l'économie la plus forte de la zone euro, a tenu à ce que ces pays prennent des mesures drastiques pour réduire leurs dépenses et réformer leurs budgets.

La crise les plaçait devant un dilemme : si les pays en difficulté ne se remettaient pas à flot, toute la zone euro serait menacée, ce qui déstabiliserait le reste du monde ainsi que notre propre économie. Toutefois, je craignais que trop d'austérité ne ralentisse encore davantage la croissance et n'empêche ces pays (et le reste du monde dans leur sillage) de sortir de l'impasse. Aux États-Unis, le président Obama avait réagi à la crise en soumettant au Congrès un programme d'investissement radical afin de faire revenir la croissance tout en œuvrant à réduire la dette publique à long terme. Il était raisonnable de suggérer à l'Europe de prendre des mesures semblables au lieu de se contenter de restreindre simplement les dépenses, ce qui aurait paralysé d'autant plus l'économie.

J'ai beaucoup discuté de ces questions avec les leaders européens, dont Angela Merkel. Que l'on soutienne ou non sa politique fiscale et budgétaire, on ne pouvait pas manquer d'être impressionné par son inébranlable détermination. Comme je l'ai fait remarquer en 2012, elle « portait l'Europe sur ses épaules ».

*
* *

Le maillon le plus fort de notre chaîne transatlantique, c'était l'OTAN, notre alliance militaire qui incluait également le Canada. (Beaucoup d'Américains considèrent notre relation avec le Canada comme allant de soi, mais notre voisin du nord constitue un partenaire indispensable dans quasiment toutes nos actions internationales.) Créée au début de la guerre froide, l'OTAN a tenu tête à l'Union soviétique et au pacte de Varsovie pendant quarante ans. Une fois la guerre froide terminée, l'alliance s'est préparée à affronter de nouvelles menaces adressées à la communauté transatlantique. Sans garanties de sécurité de la part de l'Occident, presque toutes les anciennes républiques soviétiques (en dehors de la Russie elle-même) se sentaient vulnérables et craignaient que la Russie ne renoue un jour avec sa politique expansionniste agressive. Sous la houlette des États-Unis, l'OTAN a décidé d'ouvrir la porte à tous les pays de l'Est. L'alliance a également établi un réseau de partenariats avec nombre d'entre eux et créé un conseil consultatif avec la Russie. Comme l'administration Clinton l'avait clairement exprimé à l'époque, l'OTAN acceptait de s'ouvrir, mais se réservait le droit d'exclure la Russie si elle venait à menacer de nouveau ses voisins.

En avril 1999, tandis que les forces de l'OTAN se battaient pour ramener la paix au Kosovo, Bill et moi avons célébré le cinquantième anniversaire de l'alliance à travers un sommet rassemblant ses leaders. C'était la plus grande réunion de chefs d'État à s'être jamais tenue à Washington. Tout le monde était très optimiste pour l'avenir de l'Europe et de l'OTAN. Václav Havel, premier président de la République tchèque depuis la fin de la guerre froide et fervent défenseur de la démocratie, a fait remarquer : « C'est le premier sommet de l'OTAN auquel assistent des représentants de [...] pays ayant fait partie du pacte de Varsovie il y a dix ans à peine. [...] Espérons que nous entrons dans un monde où le destin des nations ne sera pas déterminé par de puissants dictateurs, mais par les nations elles-mêmes. » Il aurait pu ajouter : et si ce n'était le cas, préparons-nous à défendre la liberté que nous avons acquise.

En 2004, sept nouveaux États issus du bloc soviétique nous ont rejoints, étendant encore davantage l'influence de l'OTAN. Parmi eux, l'Albanie et la Croatie, entrées dans l'alliance le 1er avril 2009, portant le nombre de ses membres à vingt-huit. D'autres, notamment l'Ukraine, la Bosnie, la Moldavie et la Géorgie, envisageaient la possibilité d'une adhésion future à l'Union européenne et à l'alliance militaire.

À la suite de l'annexion illégale de la Crimée par la Russie début 2014, certains ont affirmé que cette expansion de l'OTAN avait soit causé, soit exacerbé l'agressivité de ce pays. Je ne partage pas cette théorie, et ceux qui la réfutent le mieux sont les peuples et les leaders européens reconnaissants envers l'OTAN de les avoir acceptés comme membres. Cela leur donne davantage confiance en l'avenir, notamment face aux ambitions du président russe Vladimir Poutine. Pour eux, si ce dernier se sent menacé, cela signifie que les relations entre la Russie et l'Occident ne peuvent se fonder sur des intérêts communs, comme le croyaient Boris Eltsine et Mikhaïl Gorbatchev. Ceux qui accordent du crédit à la position de Poutine devraient se demander quel degré aurait atteint cette crise et à quel point il serait difficile de contenir l'expansion de la Russie si les pays d'Europe centrale et orientale n'étaient pas alliés de l'OTAN. La porte des négociations devrait rester ouverte, et nous devrions rester fermes et lucides dans nos discussions avec la Russie.

Au moment de l'investiture du président Obama, l'OTAN était une communauté démocratique regroupant près d'un milliard d'habitants et s'étendant des pays baltes à l'est jusqu'à l'Alaska à l'ouest. Lors de ma première visite au siège de l'OTAN, à Bruxelles, en mars 2009, tout le monde s'enthousiasmait pour le « retour » des Américains. Je partageais ce sentiment et j'ai passé du temps avec les ministres des Affaires étrangères et avec le secrétaire général de l'OTAN, Anders Fogh Rasmussen, ancien Premier ministre du Danemark, un leader expérimenté et talentueux, exactement ce dont l'alliance avait besoin.

Il y a eu quelques heurts, parfois sans gravité. Par exemple, la Bulgarie, qui avait rejoint l'OTAN en 2004, a été un partenaire fidèle en Afghanistan et dans d'autres missions. Pourtant, quand je me suis rendue à Sofia en février 2012, le Premier ministre Boïko Borissov était visiblement nerveux. Je savais que nous avions des problèmes sérieux à aborder et j'espérais que tout allait bien se passer. Après tout, nous étions alliés à présent. « Madame la Secrétaire, j'ai été très inquiet quand je vous ai vue descendre de l'avion dans un reportage télévisé. Mon directeur de cabinet m'a averti que quand vous avez les cheveux attachés, c'est signe de mauvaise humeur. » Mes cheveux étaient effectivement attachés à ce moment-là, ce qui réveillait peut-être chez lui de mauvais souvenirs d'agents du KGB et d'apparatchiks du parti communiste. J'ai regardé cet homme presque chauve et j'ai répondu en souriant : « Ça me prend simplement un peu plus de temps que vous de me coiffer. » Il s'est mis à rire et nous avons pu débuter la réunion, qui s'est révélée très constructive.

La longue guerre d'Afghanistan avait réduit les moyens de l'OTAN et mis au jour des failles dans sa capacité de réaction. Certains alliés avaient drastiquement diminué leur budget de défense, laissant les autres (principalement les États-Unis) faire le travail à leur place. Tout le monde souffrait de la crise économique. Des deux côtés de l'Atlantique, des voix s'élevaient pour remettre en question l'utilité de cette alliance, près de vingt ans après la fin de la guerre froide.

Selon moi, l'OTAN demeurait essentielle pour nous aider à affronter les nouvelles menaces du XXIe siècle. L'Amérique ne peut pas – et ne doit pas – prendre toutes les responsabilités seule ; c'est pourquoi il est capital de construire des partenariats et de partager des intérêts et des objectifs communs. L'OTAN restait de loin notre atout le plus fort, en particulier depuis que ses membres avaient voté d'agir « en dehors de l'espace de l'alliance » pour la première fois en Bosnie en 1995 ; cela revenait à reconnaître que notre sécurité collective pouvait être menacée en dehors de potentielles attaques sur un pays membre. Par ailleurs, certains de nos alliés avaient perdu des soldats en Afghanistan : il ne fallait pas l'oublier.

En 2011, nous avons été en mesure de montrer le nouveau visage de l'OTAN à l'occasion de l'intervention militaire destinée à protéger les civils en Libye. Pour la première fois, l'alliance a travaillé en collaboration avec la Ligue arabe. Quatorze pays membres et quatre partenaires arabes ont contribué à la mission en envoyant des troupes aériennes et navales. Contrairement à ce que prétendent certains, l'opération a été un succès. Les États-Unis ont mis à disposition des moyens inédits tandis que ce sont nos alliés qui ont effectué 75 % des sorties aériennes et pris en charge 90 % des frappes, détruisant plus de 6 000 cibles libyennes. L'équilibre des forces était quasi inversé dix ans plus tôt, quand l'OTAN était intervenue au Kosovo : les États-Unis avaient alors effectué près de 90 % des bombardements sur des bâtiments de l'armée de l'air et des cibles militaires. Et, bien que l'Angleterre et la France aient mené l'opération dans la limite de leurs capacités militaires, l'effort s'est étendu au-delà de ces deux pays. L'Italie a mis à disposition sept bases aériennes hébergeant des centaines de jets alliés. Des avions belges, canadiens, danois, néerlandais et norvégiens, en plus de ceux des Émirats arabes unis, du Qatar et de la Jordanie, ont contribué ensemble à un total de plus de 26 000 sorties aériennes. Les forces navales grecques, espagnoles, turques et roumaines ont aidé à mettre en place l'embargo maritime sur les armes. Cela a été un véritable effort collectif, ce qui est précisément la vocation de l'OTAN.

Si l'OTAN constituait l'une des alliances militaires les plus efficaces de l'histoire, l'Union européenne était l'une des organisations politiques et économiques les plus réussies. En un laps de temps remarquablement court, des pays qui s'étaient affrontés au cours de deux guerres mondiales au xxe siècle s'étaient accordés pour prendre des décisions communes et élire un parlement. Malgré les lourdeurs administratives de l'UE, le fait qu'elle existe et persiste est bel et bien miraculeux.

Ses contributions à la paix et à la prospérité au-delà de ses frontières lui ont valu un prix Nobel de la paix en 2012. Individuellement et collectivement, nos partenaires européens accomplissent de grandes choses dans le monde. La Norvège est leader en matière de santé publique. L'Irlande, jadis ravagée par la famine, mène le combat contre la faim. Les Pays-Bas donnent l'exemple dans le domaine de la lutte contre la pauvreté et du développement durable. Les pays baltes – Estonie, Lettonie et Lituanie – apportent un soutien et une expertise précieux pour tous les défenseurs de la démocratie dans le monde. Les Danois, les Suédois et les Finlandais sont experts en matière de changement climatique. Et la liste ne s'arrête pas là.

Je voulais étendre notre partenariat avec l'Europe, en particulier sur l'énergie et l'économie. Au début du premier mandat du président Obama, j'ai proposé à l'Europe de créer rapidement un conseil de l'énergie UE – États-Unis afin de coordonner les efforts transatlantiques en vue d'aider les pays vulnérables, notamment en Europe centrale et orientale, de développer autant que possible leurs ressources énergétiques et de moins dépendre du gaz russe. Les États-Unis et l'UE ont également commencé à discuter d'un accord économique qui harmoniserait les règles du marché, augmenterait les échanges et stimulerait la croissance des deux côtés de l'Atlantique.

*

* *

Parmi tous les pays européens, nous avions surtout besoin de soigner nos relations avec la Turquie, un pays comptant plus de 70 millions d'habitants, à majorité musulmane, et qui se trouvait à cheval entre l'Europe et l'Asie du Sud-Ouest. La Turquie moderne, créée par Mustafa Kemal Atatürk après la désintégration de l'Empire ottoman au sortir de la Première Guerre mondiale, était censée être une démocratie laïque tournée vers l'Occident. Elle a rejoint l'OTAN en 1952 et s'est révélée un allié fiable durant la guerre froide, envoyant des troupes combattre à nos côtés en Corée et hébergeant les forces américaines pendant des décennies. Toutefois, l'armée turque, qui se considérait comme le garant du projet d'Atatürk, est intervenue un certain nombre de fois au fil des ans pour renverser un gouvernement jugé trop islamiste, trop à gauche ou trop faible. Peut-être était-ce un atout pendant la guerre froide, mais cela a ralenti le processus démocratique.

Malheureusement, les années Bush ont détérioré nos relations et, en 2007, seuls 9 % de l'opinion publique approuvaient les États-Unis. Ce taux était le plus bas de tous les pays sondés cette année-là par l'étude « Global Attitudes Project » du Pew Research Center[1].

---

1. Le Pew Research Center est un *think tank* américain qui étudie les grandes tendances mondiales.

Pendant ce temps, l'économie turque était en plein boom, avec un taux de croissance parmi les plus rapides du monde. Alors que l'Europe vacillait sous le poids de la crise économique et que le Moyen-Orient stagnait, la Turquie, elle, émergeait comme puissance régionale. À l'image de l'Indonésie, elle tentait de conjuguer démocratie, modernité, droits des femmes, laïcité et islam, le tout sous les yeux du Moyen-Orient. Il était dans l'intérêt des États-Unis que cette expérimentation réussisse et que les relations entre nos deux pays se stabilisent.

Je me suis rendue en Turquie à l'occasion de mon premier voyage en Europe en tant que secrétaire d'État. J'ai rencontré les plus hauts dignitaires du pays, dont le Premier ministre Recep Tayyip Erdoğan et le président Abdullah Gül, mais j'ai également communiqué directement avec le peuple turc, comme j'ai essayé de le faire partout ailleurs. C'était particulièrement important dans les pays dont les gouvernements étaient enclins à travailler avec nous, mais où la population se montrait méfiante, voire antiaméricaine. En m'adressant directement aux gens *via* les médias, j'espérais influencer les attitudes et donner ainsi davantage de raisons aux dirigeants de travailler avec nous.

Une émission de télévision intitulée « Haydi Gel Bizimle Ol », soit « Venez vous joindre à nous », m'a invitée sur son plateau. D'un format similaire au talk-show américain « The View », elle était suivie par un grand nombre de Turcs, notamment les femmes. Les présentatrices m'ont posé des questions politiques et des questions plus personnelles. La discussion était chaleureuse, amusante, ouverte.

« La dernière fois que vous êtes tombée amoureuse et que vous avez eu l'impression d'être une femme normale menant une vie normale, c'était quand ? » m'a-t-on demandé. Ce n'était pas le genre de questions qu'on posait souvent à une secrétaire d'État, mais c'était exactement le type de sujets qui pouvait me permettre d'attirer l'attention des téléspectateurs. J'ai raconté la rencontre avec mon mari pendant mes études de droit, comment nous étions tombés amoureux et avions bâti une vie commune. J'ai également évoqué la difficulté d'élever une famille quand on mène une vie publique. « Ce que je préfère, je crois, c'est quand nous sommes ensemble, mon mari, ma fille et moi, et qu'on fait des choses simples. On va au cinéma, on discute, on joue à des jeux de société ou de cartes. On fait de longues promenades. J'essaie de faire ça le plus souvent possible avec mon mari. Ma fille a sa vie à elle maintenant, mais, quand elle peut, elle se joint à nous. Ce n'est pas évident, mais je m'efforce vraiment de profiter de ces moments de calme et d'intimité, où l'on peut simplement être soi-même, avec les gens qu'on aime. Et ça, ce sont les meilleurs moments de ma vie. »

Le public présent sur le plateau a applaudi avec enthousiasme et les échos qu'en a reçus notre ambassade peu après étaient positifs. Pour beaucoup de Turcs qui se méfiaient de l'Amérique et de ses leaders, c'était apparemment une bonne surprise d'entendre une secrétaire d'État s'exprimer comme une personne normale et avoir les mêmes préoccupations que tout un chacun. Peut-être seraient-ils plus attentifs à ce que je pensais de la relation entre les États-Unis et la Turquie.

L'homme qui tenait entre ses mains l'avenir du pays (et de notre bonne entente), c'était le Premier ministre, Erdoğan. (Dans le système turc, le rôle du président est essentiellement symbolique et c'est le Premier ministre qui dirige le gouvernement.) Je l'avais rencontré pour la première fois alors qu'il était maire d'Istanbul, dans les années 1990. C'était un homme politique ambitieux, déterminé, convaincu et efficace. La population l'a d'abord élu en 2002, puis réélu en 2007 et 2011. Aux yeux du Premier ministre, ces réélections étaient autant d'occasions de transformer son pays. Son gouvernement a poursuivi sans relâche les conspirateurs au sein de l'armée, et est parvenu à asseoir son pouvoir plus fermement qu'aucun gouvernement issu de la société civile avant lui. (Le terme « islamiste » renvoie généralement à des gens et des partis qui défendent le rôle de l'islam en politique et au sein des gouvernements. Il couvre un vaste éventail, de ceux qui pensent que les valeurs de l'islam devraient guider les décisions politiques à ceux qui estiment que toutes les lois devraient être jugées conformes à la loi islamique par les autorités islamiques, ou même rédigées par elles. Tous les islamistes ne sont pas identiques. Dans certains cas, des leaders et des organisations islamistes se sont montrés hostiles envers la démocratie, notamment ceux qui ont soutenu des idéologies et des actions radicales, extrémistes et terroristes. Mais il existe dans le monde entier des partis politiques confessionnels – hindous, chrétiens, juifs, musulmans – qui respectent les règles démocratiques, et il est dans l'intérêt des États-Unis d'encourager tous les partis et tous les leaders politiques religieux à adhérer à la démocratie et à rejeter la violence. Laisser entendre que les musulmans ou les adeptes de quelque autre religion ne peuvent pas vivre en démocratie est insultant, dangereux et déplacé. Ils le font chaque jour dans notre propre pays.)

Certains changements intervenus sous le gouvernement Erdoğan se sont révélés positifs. Stimulé par la perspective d'une éventuelle adhésion à l'Union européenne (toujours pas acquise à ce jour), le pays a aboli les tribunaux de sécurité de l'État, réformé le code pénal, étendu le droit de tout citoyen à un avocat et assoupli les restrictions sur l'enseignement et la radiodiffusion en langue kurde. Sur le plan de la politique étrangère, son message était clair : « Pas de problèmes avec nos voisins. » Cette initiative consistant à résoudre de vieux conflits régionaux et à jouer un rôle plus actif au Moyen-Orient était soutenue par Ahmet Davutoğlu, l'un des conseillers d'Erdoğan qui deviendrait ensuite ministre des Affaires étrangères. L'annonce était prometteuse et elle s'est révélée constructive dans de nombreux cas. Mais elle a également poussé la Turquie à signer trop facilement un accord diplomatique inacceptable avec l'un de ses voisins, l'Iran, qui n'avait que faire des préoccupations de la communauté internationale concernant son programme nucléaire.

En dépit des améliorations apportées par Erdoğan, le traitement que le gouvernement réservait aux opposants et aux journalistes inspirait des inquiétudes – voire des craintes – croissantes. Plus la liberté d'expression était bafouée, plus on se demandait dans quelle direction Erdoğan allait mener le pays et s'il défendait vraiment la démocratie. Ses détracteurs craignaient qu'il ne transforme la Turquie en un pays islamique bâillonnant ses opposants ; plusieurs de ses actions confirmaient ces craintes. Son gouvernement a emprisonné un nombre effrayant de journalistes durant ses deuxième et troisième mandats et a durement sanctionné ceux qui contestaient certaines décisions. La corruption demeurait un problème crucial et le gouvernement était incapable de répondre aux attentes de ses citoyens, notamment de la classe moyenne grandissante.

Les questions religieuses et culturelles étaient particulièrement sensibles dans un pays où l'islam et la laïcité avaient toujours difficilement cohabité et où certaines minorités religieuses se sentaient parfois exclues. Au fil des années, j'ai rencontré plusieurs fois le primat de l'Église grecque orthodoxe, Sa Sainteté le patriarche œcuménique Bartholomée ; je respectais sa défense du dialogue interconfessionnel et de la liberté religieuse. Bartholomée considérait Erdoğan comme un partenaire privilégié, mais l'Église orthodoxe attendait encore que le gouvernement lui rende des biens confisqués et rouvre le séminaire de Halki, fermé depuis longtemps. Je soutenais le patriarche dans cette cause et j'ai tenté à plusieurs reprises de faire rouvrir Halki, en vain, malheureusement.

Quand Erdoğan a évoqué la possibilité d'autoriser les étudiantes à porter le foulard à l'université, certains y ont vu une avancée de la liberté religieuse et des choix offerts aux femmes, d'autres au contraire un coup porté à la laïcité et le signe d'une théocratie insidieuse qui aboutirait à la restriction des droits des femmes. Dire que les deux points de vue sont acceptables prouve bien la profonde contradiction qui caractérise la Turquie du XXIe siècle. Erdoğan lui-même était très fier de ses deux filles portant le voile, et il m'a demandé conseil pour l'une d'elles qui souhaitait poursuivre ses études aux États-Unis.

J'ai passé des heures à discuter avec lui, souvent accompagnée uniquement de Davutoğlu, qui servait d'interprète. Ce dernier était un universitaire exubérant devenu diplomate et homme politique, et dont les textes consacrés au retour de la Turquie sur le devant de la scène internationale coïncidaient avec les idées d'Erdoğan. Il accomplissait sa fonction avec passion et érudition, et nous avons développé une collaboration fructueuse et amicale qui ne s'est jamais interrompue, malgré les nombreux points de divergence.

Durant mes quatre années au secrétariat d'État, la Turquie s'est imposée comme un partenaire important, quoique frustrant par moments. Il nous arrivait de tomber d'accord (sur l'Afghanistan, le contre-terrorisme, la Syrie, entre autres), ou non (sur le programme nucléaire iranien).

Le président Obama et moi avons pris le temps et la peine de stabiliser nos relations, mais certains événements extérieurs, notamment les tensions grandissantes avec Israël, posaient problème. Sans compter que, dans le pays, la dissension couvait. Une vague de protestations a éclaté en 2013 contre le pouvoir répressif d'Erdoğan, suivie par une grande enquête sur la corruption visant un certain nombre de ministres. Au moment où j'écris ces lignes, en dépit de son autoritarisme réaffirmé, Erdoğan est toujours soutenu par les forces les plus conservatrices du pays. La direction que va prendre la Turquie est incertaine. Mais ce qui est sûr, c'est qu'elle continuera à jouer un rôle majeur au Moyen-Orient et en Europe. Quant à notre relation, elle restera d'une importance capitale aux yeux des États-Unis.

*
* *

L'objectif d'Erdoğan de s'entendre avec tous ses voisins était ambitieux, notamment parce que la Turquie était en conflit depuis longtemps avec certains d'entre eux. Il y avait la question épineuse de Chypre, que la Turquie et la Grèce se disputaient depuis des décennies. Il y avait également le conflit avec l'Arménie, à l'est. Ces deux exemples montrent à quel point d'anciennes rivalités peuvent empêcher les nations d'aller de l'avant.

Après être devenue un État indépendant, au lendemain de la chute de l'Union soviétique, l'Arménie n'a jamais établi de relations diplomatiques officielles avec la Turquie. Les tensions ont été ravivées dans les années 1990 par la guerre entre l'Arménie et l'Azerbaïdjan, allié de la Turquie, au sujet d'un petit territoire baptisé le Haut-Karabagh. Ce conflit non résolu génère encore de temps en temps des tensions entre les soldats postés des deux côtés de la frontière.

C'est ce qu'on appelle parfois un « conflit gelé », qui dure depuis de nombreuses années et laisse peu d'espoirs de résolution. Quand j'examinais ce genre de situations en Europe et dans d'autres endroits du monde, j'étais moi-même tentée de les considérer comme insolubles. Pourtant, toutes avaient des conséquences stratégiques plus larges. Par exemple, les conflits dans le Caucase compliquaient notre projet d'exporter le gaz naturel de l'Asie centrale vers l'Europe afin de réduire la dépendance de cette dernière envers l'énergie russe. Collectivement, ils constituaient un frein à l'Europe que nous voulions construire. Pour moi, la position turque vis-à-vis de ses voisins laissait penser que l'on pourrait négocier – voire résoudre – certains de ces conflits gelés. C'est pourquoi j'ai demandé à Phil Gordon, mon adjoint aux affaires européennes et eurasiennes, d'étudier la question.

Tout au long de l'année 2009, nous avons travaillé de conserve avec nos partenaires, dont la Suisse, la France, la Russie et l'Union européenne, pour soutenir les négociations entre la Turquie et l'Arménie dans l'espoir d'aboutir à des relations diplomatiques apaisées et d'ouvrir la frontière aux échanges. Je me suis entretenue avec les représentants des deux pays près de trente fois durant les premiers mois de mon mandat et j'ai contacté personnellement Davutoğlu et le ministre arménien des Affaires étrangères, Édouard Nalbandian.

Dans les deux camps, des radicaux refusaient tout compromis et faisaient pression sur les gouvernements pour qu'ils ne cèdent pas.

Toutefois, pendant le printemps et l'été, en grande partie grâce aux efforts des Suisses, ont commencé à voir le jour les termes d'un accord qui projetait l'ouverture de la frontière. On a planifié une cérémonie de signature officielle en Suisse en octobre, après quoi l'accord devait être soumis aux parlements des deux pays pour ratification. Comme la date approchait, le président Obama a appelé le président arménien pour lui dire sa satisfaction. Tout semblait en bonne voie.

Le 9 octobre, je suis allée à Zurich pour assister à la signature, accompagnée des ministres des Affaires étrangères français, russe et suisse, ainsi que du haut représentant de l'Union européenne. Le lendemain après-midi, j'ai quitté mon hôtel pour me rendre à l'université, où se tenait l'événement. Mais il y a eu un problème. Nalbandian, le ministre arménien, avait changé d'avis. Préoccupé par ce que Davutoğlu allait dire durant la cérémonie, il ne voulait maintenant plus quitter son hôtel. Des mois de négociations délicates risquaient d'être réduits à néant. Mon convoi a fait demi-tour pour regagner le Dodler Grand Hotel. Pendant que j'attendais dans la voiture, Phil Gordon et le principal négociateur suisse sont allés trouver Nalbandian pour le convaincre de venir signer. Il a refusé de bouger. Phil est redescendu et m'a rejointe dans la voiture, qui était à présent garée derrière l'hôtel. J'ai sorti les téléphones. Sur le premier, j'ai appelé Nalbandian et, sur le deuxième, Davutoğlu. J'ai discuté avec l'un et l'autre alternativement pendant une heure en essayant de trouver une solution et de convaincre Nalbandian de quitter sa chambre. « C'est trop important, nous devons trouver une solution, on ne peut plus faire marche arrière maintenant », leur ai-je dit.

Finalement, je suis montée voir Nalbandian en personne. Et si nous annulions simplement les discours lors de la cérémonie ? Ils signaient le document, personne ne prenait la parole et c'était terminé. Les deux camps ont approuvé et Nalbandian a fini par sortir. Nous sommes descendus ensemble, il a pris place dans ma voiture et nous nous sommes rendus à l'université. Une fois là-bas, il a fallu encore une heure et demie pour le persuader de monter sur l'estrade. Nous avions trois heures de retard, mais au moins nous étions là. La cérémonie de signature a eu lieu, tout le monde s'est senti soulagé, puis est parti aussi vite que possible. À ce jour, aucun des deux pays n'a ratifié le protocole et le processus est suspendu ; toutefois, lors d'une conférence en décembre 2013, les ministres des Affaires étrangères turc et arménien ont discuté pendant plusieurs heures de cette question, et j'espère encore qu'ils arriveront à la régler.

Alors que je regagnais l'aéroport après la signature, le président Obama m'a appelée pour me féliciter. Ça n'avait pas été très joli, mais nous avions fait un pas en avant dans une région sensible. Plus tard, le *New York Times* a décrit l'épisode comme « de la diplomatie de limousine, sur le fil du rasoir ». Ma voiture n'était pas une limousine, mais à part ça, c'était tout à fait exact.

*

* *

Les guerres des Balkans des années 1990 sont le tragique exemple des vieilles rancœurs qui peuvent resurgir en Europe, avec une violence ravageuse.

Quand je me suis rendue en Bosnie en 2010 dans le cadre d'une visite de trois jours dans les Balkans, j'ai été à la fois heureuse des progrès visibles qu'avait accomplis le pays et consciente de tout ce qu'il restait à faire. Les enfants pouvaient à présent aller à l'école en toute sécurité, et les parents au travail, mais il n'y avait pas assez de bons emplois, les difficultés économiques croissaient et le mécontentement grondait. Les virulentes haines ethniques et religieuses qui avaient alimenté les guerres s'étaient apaisées, mais certains courants sectaires et nationalistes persistaient. Le pays consistait en une fédération de deux républiques, l'une dominée par des Bosniaques musulmans et des Croates, l'autre par des Serbes. Les Serbes de Bosnie avaient systématiquement entravé les initiatives visant à la croissance économique et à la bonne gouvernance, dans l'espoir aveugle de pouvoir un jour rallier la Serbie ou même devenir un pays indépendant. La promesse de stabilité représentée par l'adhésion à l'UE et l'entrée dans l'OTAN demeurait hors de portée.

À Sarajevo, j'ai pris part à un meeting avec des étudiants et des leaders de la société civile dans l'historique Théâtre national, qui avait échappé à la destruction pendant la guerre. Un jeune homme a pris la parole, rapportant qu'il s'était rendu aux États-Unis dans le cadre d'un échange universitaire financé par le département d'État et auquel participaient diverses universités américaines. Il a décrit cela comme « de loin l'une des meilleures expériences » de sa vie et m'a demandé de continuer le financement de telles initiatives. Quand j'ai voulu qu'il explique pourquoi c'était si important à ses yeux, voici ce qu'il m'a répondu : « On nous apprenait surtout à choisir la tolérance plutôt que l'intolérance, à travailler ensemble, à respecter tout le monde. [...] Il y avait aussi des étudiants du Kosovo et de Serbie, et ils se fichaient des problèmes que traversaient leurs pays, parce qu'ils se rendaient compte [...] qu'on était amis, qu'on pouvait dialoguer, qu'on pouvait échanger ; c'est possible si on le veut vraiment. » J'ai beaucoup aimé cette expression toute simple : « choisir la tolérance plutôt que l'intolérance ». Cela résumait à merveille la transition qu'étaient en train de vivre les peuples des Balkans. C'était le seul moyen pour eux – pour tous – de refermer leurs vieilles blessures.

La deuxième étape était le Kosovo. Dans les années 1990, ce territoire appartenait à la Serbie et sa population à majorité albanaise, qui avait subi de brutales attaques, avait été expulsée par les forces de Milošević. En 1999, une campagne aérienne de l'OTAN menée par les États-Unis avait bombardé des troupes et des villes serbes, parmi lesquelles Belgrade, afin de mettre un terme au nettoyage ethnique. En 2008, le Kosovo a proclamé son indépendance et a été reconnu comme nation par une grande partie de la communauté internationale. Mais la Serbie a refusé de reconnaître cette indépendance et a continué à exercer une influence significative dans la région du Nord, où vivaient beaucoup de Serbes. La plupart des hôpitaux, des écoles et même des tribunaux étaient toujours financés par Belgrade, et c'étaient des forces de sécurité serbes qui assuraient la protection des citoyens. Tout cela affaiblissait la souveraineté du Kosovo, exacerbait les divisions internes du pays et créait une tension entre les deux pays voisins. Cette situation entravait le progrès socio-économique dont ces derniers avaient besoin, notamment s'ils voulaient adhérer à l'UE. Mais les vieilles rancœurs étaient difficiles à dépasser. L'un des objectifs de ma visite était d'amener les deux camps à une résolution.

Quand je suis arrivée à Pristina, la capitale du Kosovo, la route partant de l'aéroport était bordée de foules enthousiastes agitant des drapeaux américains, poussant des cris de joie au passage de notre convoi, les adultes portant les enfants sur leurs épaules afin qu'ils puissent voir nos voitures. Quand nous avons atteint la grande place du centre-ville, où est érigée une statue monumentale de Bill, la foule était si dense que notre convoi a dû s'arrêter. Je m'en suis réjouie, parce que je voulais saluer toutes ces personnes. Je suis descendue, j'ai serré des mains et j'ai embrassé des gens. De l'autre côté de la place se trouvait une adorable petite boutique de vêtements portant un nom qui m'était familier : Hillary. La responsable du magasin m'a dit qu'elle lui avait donné mon nom « pour que Bill ne se sente pas seul sur la place ».

Quelques mois plus tard, en mars 2011, des représentants du Kosovo et de la Serbie se sont rencontrés à plusieurs reprises à Bruxelles sous les auspices de l'Union européenne. C'était la première fois qu'ils discutaient face à face de cette façon. Des diplomates américains ont assisté à chaque rencontre, encourageant les deux camps à faire les compromis nécessaires à la normalisation de leurs relations et à une candidature d'adhésion à l'UE. Une telle chose n'était possible que s'ils réglaient le problème de la frontière. Les discussions se sont poursuivies pendant dix-huit mois. Les négociateurs sont parvenus à des accords assez mineurs concernant la liberté de circulation, les douanes, la gestion de la frontière. Même si la Serbie ne reconnaissait toujours pas l'indépendance du Kosovo, elle a accepté que ce dernier participe à des conférences régionales. Parallèlement, j'avais enjoint à l'OTAN de poursuivre sa mission militaire au Kosovo, où environ 5 000 soldats de la paix issus de trente et un pays différents étaient stationnés depuis juin 1999.

Les principaux problèmes n'étaient toujours pas résolus quand un nouveau gouvernement nationaliste a été élu en Serbie au printemps 2012. Catherine Ashton, le premier haut représentant de l'Union pour les affaires étrangères et la politique de sécurité, et moi avons décidé de nous rendre ensemble dans les deux pays pour voir si nous pouvions sortir de l'impasse et parvenir rapidement à une résolution.

Sur ce dossier comme sur beaucoup d'autres, Catherine s'est montrée une partenaire inestimable. En Grande-Bretagne, elle avait occupé les fonctions de leader de la Chambre des lords et lord présidente du conseil sous Gordon Brown. Puis, après un an comme commissaire européen au Commerce, elle avait été élue au poste de haut représentant. C'était une surprise dans la mesure où, comme moi, elle n'avait pas une carrière classique de diplomate, mais c'était une collègue efficace et pleine d'idées. Très pragmatique (en particulier pour une baronne, lui disais-je pour plaisanter) et accessible, nous avons collaboré non seulement sur des questions européennes, mais également sur l'Iran et le Moyen-Orient. Il nous arrivait d'échanger un regard dans les réunions lorsqu'un de nos collègues faisait sans le vouloir – parfois même sans s'en rendre compte – une remarque sexiste.

En octobre 2012, nous avons fait le tour des Balkans ensemble. Nous avons expressément demandé à chaque pays de proposer des mesures concrètes pour normaliser leurs relations. Le Premier ministre kosovar, Hashim Thaçi, nous a dit : « Le Kosovo d'aujourd'hui n'est toujours pas le pays dont nous rêvions. Nous travaillons constamment à bâtir un Kosovo européen, un Kosovo euro-atlantique. Nous sommes conscients que nous devons faire plus d'efforts. » Nous avons également rencontré des représentants de la minorité serbe dans une église orthodoxe de la ville qui avait été incendiée lors des émeutes antiserbes de 2004. Ils s'inquiétaient pour leur avenir dans le Kosovo indépendant. Ils reconnaissaient cependant que le gouvernement avait fait des efforts pour les inclure dans la société et leur offrir des emplois. C'était exactement le genre de réconciliation citoyenne que nous voulions promouvoir. L'impressionnante présidente kosovare, la musulmane Atifete Jahjaga, a elle aussi appelé de ses vœux le changement et la réconciliation au sein de son pays. Comme l'a déclaré Catherine, ces avancées diplomatiques ne servaient pas seulement à normaliser les relations entre deux États, mais à « normaliser la vie en général, de sorte que les gens qui habitent dans le Nord puissent vivre au quotidien en sentant qu'ils appartiennent à cette communauté ».

En avril 2013, grâce au travail acharné de Catherine sur la base de ce que nous avions construit ensemble, le Premier ministre du Kosovo, Thaçi, et le Premier ministre serbe, Ivica Dačić, sont parvenus à un accord historique pour résoudre le conflit à leur frontière, normaliser leurs relations et prendre la voie de l'adhésion européenne. Le Kosovo s'est engagé à donner davantage d'autonomie aux communautés serbes du Nord, et la Serbie à retirer ses forces militaires. Chaque camp est convenu de ne pas entraver le chemin de son voisin vers l'intégration à l'Europe. S'ils mettent tout cela en application, les populations du Kosovo et de la Serbie auront enfin la chance de construire l'avenir pacifique et prospère qu'elles méritent.

*
* *

En décembre 2012, mon dernier voyage de secrétaire d'État m'a une fois de plus ramenée en Irlande du Nord, un pays où les gens ont tourné le dos à la guerre au prix de grands efforts et de beaucoup de souffrances. Protestants et catholiques seraient les premiers à vous le dire : leur travail est loin d'être achevé, et leur plus grand défi est de stimuler l'activité économique afin que les deux communautés s'enrichissent. Toutefois, au cours d'un déjeuner à Belfast, entourée par des amis et des connaissances de longue date, nous nous sommes rappelé le chemin parcouru ensemble.

Quand Bill a été élu président pour la première fois, les troubles en Irlande du Nord duraient depuis des dizaines d'années. Une majorité de protestants voulaient rester intégrés au Royaume-Uni, tandis qu'une majorité de catholiques voulaient rejoindre la république d'Irlande ; après de nombreuses années de violences, les deux camps se trouvaient dans l'impasse. L'Irlande du Nord était une île dans une île. Dans la rue, chaque détail était un indicateur d'identité : l'église que fréquentait telle famille, l'école où allaient les enfants, l'équipe de foot qu'ils soutenaient, le trajet qu'ils effectuaient, l'heure à laquelle ils sortaient. Rien ne passait inaperçu. C'était le quotidien des gens.

En 1995, Bill a nommé l'ancien sénateur George Mitchell envoyé spécial pour l'Irlande du Nord. Plus tard cette année-là, nous nous sommes rendus dans le pays, qui accueillait pour la première fois de son histoire un président américain. Une grande foule s'est réunie pour le voir allumer les illuminations du sapin de Noël, au cœur de Belfast.

J'y suis retournée presque tous les ans jusqu'en 2000 et suis restée activement engagée sur ce dossier pendant mon mandat de sénatrice. En 1998, j'ai aidé à organiser à Belfast la conférence « Vital Voices », à l'initiative de femmes qui militaient pour la paix. Leur cri de ralliement : « Assez ! », devait enfin être entendu. Depuis la scène où j'ai pris la parole, j'ai vu Gerry Adams, Martin McGuinness et d'autres leaders du Sinn Féin, la branche politique de l'IRA (Irish Republican Army), assis au premier rang du balcon. Derrière eux se trouvaient des leaders unionistes qui refusaient tout dialogue avec le Sinn Féin. Leur présence ici, à une conférence donnée par des femmes pour la paix, symbolisait leur ouverture au compromis.

L'accord du Vendredi saint, signé cette année-là, a amorcé le processus de paix et constitué un triomphe diplomatique, en particulier pour Bill et George Mitchell, qui avaient tellement œuvré à réunir les deux camps. Mais, plus que tout, il témoignait du courage du peuple d'Irlande du Nord. C'était l'un de ces moments où, comme l'a écrit le grand poète irlandais Seamus Heaney, « espoir rime avec histoire ». Le chemin était encore long, mais la paix apporterait la relance. Le chômage a baissé, les valeurs immobilières sont reparties à la hausse et le nombre d'entreprises américaines investissant dans le pays a augmenté.

Quand j'y suis retournée en tant que secrétaire d'État en 2009, la crise financière mondiale avait durement frappé le « tigre celtique ». On ne voyait plus de barrages ni de barbelés sur les routes, mais le processus de désarmement et de « dévolution du pouvoir », censé apporter une plus grande autonomie au pays, était menacé. Beaucoup de catholiques et de protestants vivaient toujours séparément dans des quartiers distincts, dont certains étaient encore divisés par des murs baptisés « murs de la paix », dans un esprit très orwellien.

En mars 2009, deux soldats britanniques ont été tués dans le comté d'Antrim et un policier dans le comté d'Armagh. Au lieu de relancer les violences, ces meurtres ont eu l'effet opposé. Catholiques et protestants ont organisé des marches commémoratives, assisté à des célébrations inter-religieuses et affirmé d'une seule voix qu'ils refusaient de revenir en arrière. Ces meurtres auraient pu les faire régresser. Au contraire, ils ont prouvé que le pays avait parcouru du chemin. Lors d'une visite en octobre 2009 et au cours de mes nombreux entretiens téléphoniques avec le Premier ministre nord-irlandais, Peter Robinson, le vice-Premier ministre, Martin McGuin-ness, et d'autres leaders, je leur demandais de finaliser l'accord de désarmement avec les groupes paramilitaires et d'achever le processus de dévolution, en plaçant notamment la police et la justice sous le contrôle d'un gouvernement nord-irlandais.

J'ai fait une allocution devant l'assemblée d'Irlande du Nord : « À de nombreuses reprises au cours du processus de paix, la progression a semblé difficile, toutes les issues paraissaient bloquées et il n'y avait visiblement nulle part où aller. Mais vous avez toujours réussi à trouver le moyen de faire ce que vous jugiez bon pour le peuple d'Irlande du Nord. » Par sa persévérance, « l'Irlande du Nord est un exemple pour le monde. Elle a montré que les ennemis les plus féroces pouvaient dépasser leurs différences et travailler ensemble pour le bien commun. C'est pourquoi je vous encourage à aller de l'avant dans ce même esprit de détermination. Et je vous assure que les États-Unis vous soutiendront jusqu'au bout, jusqu'à ce que vous trouviez enfin la paix et la stabilité ».

Quelques semaines après ma visite, l'explosion d'une voiture piégée a gravement blessé un policier ; il semblait que la paix si fragile allait se briser. Mais, une fois de plus, elle a tenu le coup. En février 2010, les deux camps ont conclu un nouvel accord, l'accord de Hillsborough. Le processus de paix était relancé, malgré les tentatives de sabotage d'extrémistes des deux bords. En juin 2012, nous avons assisté à l'un des signes de changement les plus remarquables : la reine Élisabeth s'est rendue en Irlande du Nord pour échanger une poignée de main avec Martin McGuinness. Un geste inimaginable quelques années auparavant.

En décembre 2012, dix-sept ans après ma première visite à Belfast, j'y suis retournée et suis tombée sur une vieille amie, Sharon Haughey. En 1995, alors âgée de 14 ans, elle avait envoyé à Bill une lettre décrivant l'avenir dont elle rêvait pour elle et son pays. Il en avait lu un extrait devant le sapin de Noël illuminé, à Belfast. « Les deux camps ont été blessés », écrivait-elle. Quelques années plus tard, elle a effectué un stage dans mon bureau au Sénat, où elle a contribué à servir les New-Yorkais, qui comptent une vaste communauté irlandaise. Elle a beaucoup appris à Washington et, une fois rentrée chez elle, a été élue maire de la ville d'Armagh. Quand elle s'est présentée pour ce déjeuner, en 2012, elle portait son insigne officiel de maire et m'a annoncé qu'elle se mariait le mois suivant. J'ai pensé à sa future famille et à tous les enfants qui avaient grandi en Irlande après l'accord du Vendredi saint. Ils avaient la possibilité de mener une existence qui ne serait pas entachée par la violence du conflit. J'espérais qu'ils ne reviendraient jamais en arrière et que leur exemple inspirerait l'Europe et le monde.

Chapitre 11

La Russie :
nouveau départ et retour en arrière

Les hommes déterminés nous mettent face à des choix difficiles et Vladimir Poutine, le président russe, n'échappe pas à cette règle. Admiratif des grands tsars de l'histoire russe, il est animé du désir de contrôler les nations limitrophes et de ne plus jamais laisser son pays paraître faible ou à la merci de l'Occident, comme cela a été le cas, à ses yeux, après la chute de l'Union soviétique. Poutine veut rétablir la puissance de la Russie en dominant ses voisins et en contrôlant leur accès à l'énergie. Il veut également jouer un rôle plus important au Moyen-Orient, accroître l'influence de Moscou dans cette zone et réduire la menace des musulmans rebelles à l'intérieur et à l'extérieur de sa frontière sud. Pour parvenir à ses fins, il cherche à diminuer l'influence des États-Unis en Europe centrale et orientale (ainsi que dans d'autres régions qu'il considère comme dépendantes de la sphère russe) et à contrer, ou du moins affaiblir, nos actions dans les pays ébranlés par le Printemps arabe.

Tout cela explique pourquoi il a, dans un premier temps, poussé le président ukrainien Viktor Ianoukovitch à prendre ses distances vis-à-vis de l'Union européenne fin 2013, puis pourquoi, après la chute du gouvernement Ianoukovitch, il a envahi et annexé la Crimée. S'il ne va pas plus loin et n'envahit pas le reste de l'Ukraine, cela ne signifiera pas qu'il aura perdu sa soif de pouvoir, d'expansion ou d'influence.

Pour lui, la politique est un jeu où il y a toujours un gagnant et un perdant. Quoique dépassé, ce concept demeure dangereux et réclame que les États-Unis se montrent à la fois forts et patients. Afin d'établir de bonnes relations avec les Russes, nous devrions collaborer sur des dossiers spécifiques chaque fois que cela est possible et rallier d'autres nations à notre cause pour qu'elles nous aident à limiter ou à empêcher l'agression russe quand cela est nécessaire. C'est un équilibre difficile à tenir, mais indispensable, comme je l'ai compris pendant mes quatre années au secrétariat d'État.

*

* *

Comme le disait Winston Churchill : « Dans une Europe réellement unie, la Russie doit avoir sa place. » En 1991, quand l'Union soviétique s'est effondrée, le monde avait bon espoir que cette vision se réalise. Je me souviens d'avoir regardé avec excitation Boris Eltsine monter sur un tank à Moscou après avoir déjoué un coup d'État fomenté par d'anciens radicaux soviétiques qui menaçaient la nouvelle démocratie russe. Eltsine était prêt à détourner ses armes nucléaires des villes américaines, à détruire cinquante tonnes de plutonium et à signer un pacte de coopération avec l'OTAN. Mais il a rencontré une vive opposition dans son pays de la part de ceux qui voulaient garder leurs distances avec l'Europe et les États-Unis, maintenir leurs voisins sous contrôle et mater la démocratie.

Après avoir subi une opération du cœur en 1996, Eltsine n'a jamais retrouvé l'énergie ni la capacité de concentration nécessaires pour transformer le système politique russe comme il l'entendait. À la grande surprise du monde entier, il a pris sa retraite le 31 décembre 1999, six mois avant la fin de son mandat, cédant la place au successeur qu'il avait choisi, un ancien officier du KGB peu connu, un certain Vladimir Poutine.

La plupart des gens ont pensé que celui-ci avait été choisi pour sa loyauté et qu'il protégerait Eltsine et sa famille tout en gouvernant avec plus de fermeté. Adepte du judo, discipliné et sportif, il inspirait confiance et espoir aux Russes, encore déstabilisés par de si grands bouleversements politiques et par les difficultés économiques. Mais, avec le temps, on l'a découvert susceptible et autoritaire, peu enclin à admettre la critique. Il a fini par réprimer la contestation et le débat, notamment dans la presse et au sein des ONG.

En juin 2001, quand le président Bush a rencontré Poutine pour la première fois, il a prononcé cette phrase qui est restée dans les annales : « J'ai réussi à le cerner. » Les deux leaders ont fait cause commune dans la « guerre contre le terrorisme ». Poutine en a profité pour aligner sa campagne brutale menée contre les rebelles musulmans en Tchétchénie sur le combat de l'Amérique contre Al-Qaida. Mais les relations n'ont pas tardé à s'envenimer. La guerre en Irak, l'autoritarisme croissant de Poutine et l'invasion de la Géorgie par la Russie en août 2008 ont accru les tensions.

Alors que le pays prospérait grâce aux revenus du pétrole et du gaz, Poutine a concentré les richesses dans les mains d'oligarques politiquement proches de lui, au lieu d'investir largement dans les compétences du peuple russe et dans les infrastructures. Il était guidé par une vision belliqueuse de la « Grande Russie » qui inquiétait ses voisins et rappelait de mauvais souvenirs de l'ère soviétique. Et pour intimider l'Ukraine, entre autres, il a augmenté les prix du gaz naturel à l'exportation et suspendu les exportations une première fois en janvier 2006 et une deuxième fois en janvier 2009.

L'une des attitudes les plus scandaleuses de la nouvelle Russie a concerné la presse. Les journaux, les chaînes de télévision et les blogueurs ont été l'objet d'attaques répétées. Depuis 2000, la Russie est classée au quatrième rang des pays les plus dangereux pour les journalistes ; c'est mieux que l'Irak, mais moins bien que la Somalie ou le Pakistan. Entre 2000 et 2009, près de vingt journalistes ont été tués en Russie et une seule condamnation a été prononcée.

Quand je me suis rendue à Moscou en octobre 2009, j'ai jugé important de défendre la liberté de la presse et de désavouer la campagne officielle d'intimidation. Lors d'une réception à Spaso House, la demeure des ambassadeurs américains dans le pays depuis 1933, j'ai rencontré des journalistes, des avocats et des leaders de la société civile, parmi lesquels un activiste qui m'a dit s'être fait passer à tabac par des inconnus. Tous avaient des amis et des collègues qui s'étaient fait harceler, intimider, voire tuer, et pourtant ils continuaient à travailler, à écrire, à prendre la parole, refusant d'être réduits au silence. Je leur ai assuré que les États-Unis aborderaient publiquement et en privé la question des droits de l'homme avec le gouvernement russe.

Quand on fait une déclaration, le lieu où on la prononce peut avoir autant d'importance que le contenu du discours. Je pouvais discuter avec des activistes à Spaso House autant que je voulais, mais la grande majorité des Russes n'entendraient jamais mes paroles. J'ai donc demandé à l'ambassade de me trouver une radio indépendante qui voudrait bien me recevoir. L'un des candidats, une station de radio baptisée Ekho Moskvy (« Écho de Moscou »), paraissait être davantage un organe de propagande qu'un bastion de la liberté de la presse. Mais nos diplomates sur le terrain m'ont assuré qu'il s'agissait d'une des stations les plus indépendantes, ouvertes et critiques de Russie.

Lors de mon interview en direct, on m'a questionnée sur des dossiers sensibles, notamment la Géorgie et l'Iran, avant d'aborder le thème des droits de l'homme en Russie. « Il ne fait aucun doute pour moi que la Russie aurait tout à gagner à être démocratique, ai-je répondu, à respecter les droits de l'homme, à avoir un système judiciaire indépendant, une presse libre, qui contribueraient à construire un système politique fort, stable et prospère. Nous continuerons de tenir ce discours et de soutenir ceux qui défendent également ces valeurs. » Nous avons parlé de l'emprisonnement, de la torture et du meurtre de journalistes. « Je crois que le peuple veut que son gouvernement s'oppose clairement à cela, qu'il promette d'y mettre fin et de traduire les responsables devant la justice. » La station diffuse toujours, elle est toujours indépendante. Malheureusement, durant la répression de la contestation provoquée par l'invasion de la Crimée en 2014, son site Internet a été temporairement bloqué. Le Kremlin semble décidé à faire taire tous ses opposants.

*

* *

Après huit années au pouvoir, le mandat de Poutine touchait à sa fin et, en 2008, il a échangé son poste avec son Premier ministre, Dmitri Medvedev. À première vue, cette situation ressemblait à une farce, un moyen pour Poutine de rester à la tête du pays, et ce n'était sans doute pas complètement faux. Mais Medvedev a surpris tout le monde en apportant un style nouveau au Kremlin. Il semblait disposé à entendre l'opposition de son pays, conciliant sur le plan international et prêt à diversifier l'économie de la Russie au-delà du pétrole, du gaz et d'autres matières premières.

Quand j'ai pris mes fonctions, j'étais sceptique vis-à-vis de ce duo de dirigeants, mais j'espérais que nous pourrions trouver quelques terrains d'entente. En tant que sénatrice, j'avais souvent critiqué l'autorité de Poutine, mais je savais qu'il était contre-productif pour nous de n'envisager la Russie que comme une menace alors que nous avions des problèmes à régler avec elle.

Doit-on collaborer avec un État sur un dossier quand on est en désaccord sur un autre ? Voilà un débat récurrent en politique étrangère. Les États-Unis devaient-ils interrompre leurs négociations sur le contrôle et la vente des armes sous prétexte qu'ils s'opposaient à l'attitude de la Russie envers la Géorgie ? Ou bien devait-on considérer ces problèmes comme séparés ? De tels dilemmes diplomatiques ne paraissent peut-être pas très nobles, mais ils sont parfois nécessaires.

En 2009, le président Obama et moi avons pensé pouvoir obtenir des résultats concernant les intérêts américains en suivant une stratégie en trois points : déterminer des domaines de coopération où les intérêts de nos deux pays convergeaient, tenir nos positions quand nos intérêts divergeaient et établir un dialogue constant avec le peuple russe. Cette approche a été baptisée le « nouveau départ ».

Quand nous avons présenté cette stratégie devant le département d'État, Bill Burns, qui avait occupé la fonction d'ambassadeur américain en Russie pendant trois ans, a pris la tête du projet ; il connaissait bien les personnalités et les fonctionnements opaques du Kremlin. Le président Obama pensait qu'il pouvait établir une relation personnelle avec Medvedev. Celui-ci était un jeune dirigeant débarrassé du poids de la guerre froide. Poutine, en revanche, avait fait ses armes au KGB dans les années 1970 et 1980. Il s'était formé avec cette guerre. Il détenait encore un grand pouvoir et avait les moyens de compliquer le dialogue. S'il existait des domaines de coopération possibles – et j'étais persuadée que c'était le cas –, nous réussirions en conjuguant nos efforts.

C'est en mars 2009 que j'ai rencontré pour la première fois Sergueï Lavrov, le ministre russe des Affaires étrangères. Richard Holbrooke, qui avait fait sa connaissance alors qu'ils étaient tous deux ambassadeurs de l'ONU à la fin des années 1990, avait dressé de lui le portrait d'un diplomate accompli, remplissant sa fonction avec intelligence, énergie et une arrogance certaine. (Venant de Richard, cela voulait vraiment dire quelque chose !) Lavrov, toujours élégant et bronzé, parlait couramment l'anglais et appréciait le bon whisky ainsi que la poésie de Pouchkine. Ses relations avec mon prédécesseur, Condoleezza Rice, avaient été houleuses, notamment au moment de l'invasion de la Géorgie. Ces tensions étaient toujours palpables, mais, si nous voulions obtenir une avancée sur le contrôle des armes nucléaires, les sanctions envers l'Iran ou l'accès à la frontière nord de l'Afghanistan, il nous fallait coopérer. Une plaisanterie permettrait peut-être de briser la glace.

En politique, il est essentiel d'avoir le sens de l'humour. Vous devez être capable de vous moquer de vous-même. Combien de fois, quand j'étais sénatrice de New York, me suis-je rendue sur le plateau de David Letterman pour raconter une blague ? (La réponse est : trois fois.) Durant la campagne de 2008, j'ai fait une apparition surprise au « Saturday Night Live » avec Amy Poehler, qui m'a imitée de façon hilarante en m'affublant d'un rire tonitruant. Dans les relations diplomatiques, où les conversations ne sont pas spontanées et où il faut toujours trouver un moyen de contourner la barrière de la langue et de la culture, il y a moins de place pour l'humour. Mais, de temps en temps, il se révèle utile. Et, à ce moment précis, il paraissait approprié.

Dans un discours prononcé lors de la Conférence sur la sécurité de Munich en février, le vice-président Biden a déclaré : « Il est temps de prendre un nouveau départ et de revoir nos domaines de coopération avec la Russie. » J'aimais l'idée d'un nouveau départ ; il ne s'agissait pas d'oublier nos différends, mais de les inscrire dans une perspective plus large, qui comptait également de nombreux intérêts communs. Quand j'en ai parlé avec mon équipe avant de rencontrer Lavrov à Genève, nous avons eu une idée : puisque notre nouveau départ signifiait pour nous un véritable redémarrage, pourquoi ne pas présenter au ministre un vrai bouton de redémarrage sur lequel il devrait appuyer, symboliquement[1] ? Cela ferait peut-être rire les gens (lui compris), et à coup sûr notre nouveau départ ferait la une des journaux. Certes, ce n'était pas très conventionnel, mais cela valait le coup d'essayer.

Lavrov et moi nous sommes retrouvés à l'InterContinental Hotel, dans le salon Panorama, ainsi baptisé à cause de la vue panoramique qu'il offre sur Genève. Avant de nous installer, je lui ai tendu une petite boîte verte ornée d'un ruban. Sous l'œil des caméras, je l'ai ouverte et en ai sorti un bouton rouge fixé à un petit socle jaune. Nous avions écrit dessus en russe : *peregruzka*. En riant, nous avons appuyé ensemble sur le bouton. « Nous avons eu du mal à trouver un mot russe adéquat. Est-ce qu'on y est arrivés ? » lui ai-je demandé. Il a regardé plus attentivement. Les autres Américains présents, en particulier ceux qui parlaient russe et avaient choisi ce mot, ont retenu leur souffle. « Pas exactement », a-t-il répondu. Cette plaisanterie était-elle sur le point de virer à l'incident diplomatique ? J'ai continué de rire. Et puis Lavrov m'a imitée, et tout le monde s'est détendu. « Il

---

1. En anglais, la stratégie du nouveau départ est baptisée *reset*, d'où l'idée de ce *reset button*, pour relancer la machine en quelque sorte.

devrait être écrit *perezagruzka*, a-t-il expliqué. Le mot qui est écrit là signifie "surtaxé". — Eh bien, ai-je rétorqué, espérons que ce ne sera pas prémonitoire ! »

Ce jour-là, nous ne nous sommes pas distingués par nos compétences linguistiques. Mais puisque notre intention était de briser la glace et de graver ce « nouveau départ » dans les mémoires, nous avons plutôt réussi. Lavrov a dit qu'il emporterait le bouton chez lui pour le poser sur son bureau. Plus tard dans la soirée, Philippe Reines, un de ceux qui avaient imaginé cette blague, a tenté de corriger la faute d'orthographe. Il s'est approché de l'ambassadeur de Russie en Suisse, qui tenait le bouton entre ses mains, et lui a demandé s'il pouvait changer l'étiquette où était inscrit le mot. « Il faut que j'en parle à mon ministre d'abord », a répondu ce dernier, prudent. « Eh bien, si votre ministre ne nous redonne pas ce bouton, le mien va m'envoyer en Sibérie ! » s'est exclamé Philippe. Je dois admettre que cette idée était tentante.

Lors de la première rencontre entre Obama et Medvedev, à Londres, en avril 2009, les délégations américaine et russe étaient assises face à face dans la salle à manger officielle de Winfield House, la résidence de notre ambassadeur. J'étais la seule femme présente autour de la table. C'était le premier voyage du président Obama à l'étranger depuis sa prise de fonctions. Il devait faire une tournée stratégique en Europe pour assister à une rencontre du G20, à un sommet de l'OTAN, et effectuer quelques visites dans des pays alliés. J'étais heureuse d'être à ses côtés. Nos voyages ensemble, depuis cette première visite à Londres jusqu'à la dernière, historique, en Birmanie à la fin de 2012, nous donnaient l'occasion d'échanger sur des questions stratégiques loin du brouhaha de Washington. Avant l'une de nos réunions, à Prague, lors de cette même tournée européenne, il m'a prise à part et m'a dit : « Hillary, il faut que je vous parle », avant de m'entraîner près de la fenêtre. Je me demandais de quel problème délicat il voulait m'entretenir. Il a alors murmuré à mon oreille : « Vous avez quelque chose entre les dents. » C'était embarrassant, sans aucun doute, mais seul un ami pouvait vous dire ça ; cela montrait qu'on pouvait compter l'un sur l'autre.

Durant cette première rencontre avec les Russes, les deux présidents ont évoqué l'idée d'un nouveau traité visant à diminuer le nombre d'armes nucléaires dans les deux camps et ont essayé de trouver un terrain d'entente sur l'Afghanistan, le terrorisme, le commerce et même l'Iran, en dépit des désaccords sur la défense antimissile et la Géorgie. Medvedev a déclaré que l'expérience des Russes en Afghanistan dans les années 1980 avait été « déplorable » et qu'ils étaient prêts à nous autoriser à traverser leur pays avec un chargement militaire pour approvisionner nos troupes. C'était important, car cela nous donnait un moyen de pression sur le Pakistan, qui jusqu'alors contrôlait notre seule voie disponible pour acheminer nos soldats et notre équipement en Afghanistan. Medvedev m'a également surprise en reconnaissant que la Russie avait sous-estimé le potentiel nucléaire de l'Iran. « Finalement, vous aviez raison », a-t-il lâché. La Russie entretenait une relation compliquée avec l'Iran. Même s'ils vendaient des armes à Téhéran et participaient à la construction d'une nouvelle centrale nucléaire, les Russes ne souhaitaient pas voir les armes nucléaires proliférer dans cette zone, déjà instable. Comme nous le verrons plus tard, la remarque de Medvedev a permis une coopération plus importante sur le dossier iranien et a finalement mené à un vote historique à l'ONU pour imposer de nouvelles sanctions. Le Premier ministre russe n'a toutefois pas changé d'avis à propos de nos projets de défense antimissile en Europe, bien que nous ayons répété que celle-ci était destinée à protéger le continent d'une éventuelle menace iranienne, et non russe.

Le président Obama s'est concentré sur les aspects positifs de la discussion et a promis un nouveau traité sur les armes nucléaires, une coopération plus importante sur l'Afghanistan et le terrorisme, ainsi qu'un appui à la candidature russe à l'entrée dans l'OMC (Organisation mondiale du commerce). En définitive, ils avaient abordé calmement des questions délicates. C'était l'attitude que nous attendions de Medvedev. Apparemment, nous avions bel et bien pris un nouveau départ.

Une équipe de négociateurs du département d'État, chapeautée par la sous-secrétaire d'État Ellen Tauscher et la secrétaire d'État adjointe Rose Gottemoeller, a travaillé pendant un an avec nos homologues russes pour mettre au point le Nouveau Traité de réduction des armes stratégiques (New START), limitant le nombre d'ogives nucléaires russes et américaines sur les missiles et les bombardiers. Après la signature du traité par le président Obama et le président Medvedev en avril 2010, j'ai commencé à défendre le texte auprès de mes anciens collègues du Sénat pour les convaincre de le ratifier, assistée dans cette tâche par mon secrétaire adjoint aux Affaires législatives, Rich Verma ; il avait longtemps collaboré avec le chef de la majorité au Sénat, Harry Reid, et connaissait tous les arcanes de cette institution. J'ai contacté des sénateurs républicains qui m'ont dit qu'ils ne faisaient pas confiance aux Russes et ont objecté qu'on ne pourrait jamais être sûr qu'ils tiennent leurs engagements. Le traité nous garantissait précisément cela, ai-je rétorqué, et, si les Russes ne respectaient pas le contrat, nous pouvions nous retirer. Je leur ai rappelé que même le président Reagan, qui avait pour philosophie de « faire confiance mais vérifier », avait signé des accords de désarmement avec les Soviétiques. Par ailleurs, le temps pressait : l'accord précédent avait expiré, si bien que cela faisait plus d'un an que nous n'avions pas envoyé d'inspecteurs sur le terrain pour vérifier ce que les Russes fabriquaient dans leurs silos. Cette situation ne pouvait pas durer.

Dans les semaines qui ont précédé le vote, je me suis entretenue avec dix-huit sénateurs, quasi tous républicains. En tant que secrétaire d'État, je travaillais sur de nombreux dossiers avec le Congrès, en particulier à la commission du budget, mais c'était la première fois que je parlais de cette façon au nom de la Maison-Blanche depuis que j'avais moi-même quitté le Sénat. Je pouvais m'appuyer sur les relations que j'avais établies au cours de ces huit années passées à rédiger des lois et à assister à des commissions aux côtés de membres de l'opposition. Nous avions également avec nous un expert en la matière, le vice-président Biden, ainsi qu'une équipe de choc (et bipartisane) à la tête de la commission des relations extérieures du Sénat : John Kerry, du Massachusetts, et Richard Lugar, de l'Indiana.

Nous nous approchions du minimum de voix requis par la Constitution pour ratifier un traité (soit deux tiers des votes du Sénat), mais nous avions du mal à convaincre les derniers récalcitrants. La perspective d'un vote favorable s'est éloignée quand, à l'issue des élections de mi-mandat, en novembre 2010, les républicains ont pris la tête de la Chambre, remportant 63 sièges supplémentaires, tandis que la majorité démocrate au Sénat en perdait 6. En dépit de ce revers, le sénateur Lugar m'a demandé de venir en personne défendre ce texte une dernière fois devant les sénateurs. L'adoption de la loi s'annonçait mal, mais j'ai continué de passer des coups de fil et me suis rendue à Capitol Hill pour une ultime tentative. Ce soir-là, le Sénat a voté en faveur du texte et le traité est passé le lendemain, à 71 voix contre 26. C'était une victoire pour le bipartisme, pour les relations entre les Américains et les Russes, et pour la construction d'un monde plus sûr.

Le président Obama et le président Medvedev étaient en bons termes, ce qui a donné lieu à de nouvelles coopérations. Lors d'un long entretien que j'ai eu avec Medvedev près de Moscou en octobre 2009, il a évoqué son projet de bâtir un pôle des industries de pointe en Russie sur le modèle de la Silicon Valley. Quand je lui ai proposé de venir visiter cette dernière, il s'est tourné vers son équipe pour qu'elle organise le voyage. Cette étape en Californie a été ajoutée à sa visite aux États-Unis en 2010, et Medvedev a été impressionné par ce qu'il y a vu. Cela aurait pu constituer son premier pas vers la diversification économique de la Russie... si Poutine l'avait permis.

Ce nouveau départ a d'abord engendré quelques réussites, comme les lourdes sanctions imposées à l'Iran et à la Corée du Nord, l'ouverture d'une voie d'accès pour l'approvisionnement de nos troupes au nord de l'Afghanistan, l'entrée de la Russie dans l'OMC, le soutien de l'ONU à une zone d'exclusion aérienne en Libye et une coopération renforcée en matière de contre-terrorisme. Mais le ton a commencé à changer fin 2011. En septembre, Medvedev a annoncé qu'il ne se représenterait pas à la présidentielle ; Poutine reprendrait ses fonctions en 2012. Cette manœuvre confirmait ce que j'avais prédit quatre ans plus tôt : Medvedev n'avait fait que garder la place au chaud pour Poutine.

En décembre, les élections législatives russes ont été entachées par des allégations de fraude généralisée. Des partis politiques indépendants qui n'avaient pas eu le droit de se présenter ont dénoncé des tentatives de bourrage des urnes, de manipulation des listes électorales et d'autres irrégularités flagrantes. Des observateurs indépendants de la vie politique russe ont été harcelés, et leurs sites Internet victimes de cyber-attaques. Lors d'une conférence internationale en Lituanie, j'ai exprimé de vives inquiétudes : « Le peuple russe, comme tous les peuples du monde, mérite qu'on entende sa voix et qu'on prenne en compte son vote. Pour cela, il lui faut des élections justes, libres et transparentes, ainsi que des dirigeants responsables. » Des dizaines de milliers de Russes partageant cette opinion sont descendus dans la rue pour protester. Quand il a entendu leurs slogans – « Poutine voleur » –, le président s'en est pris directement à moi. « Elle a donné le signal à tous ces gens de descendre dans la rue », a-t-il affirmé. Si seulement j'avais autant de pouvoir ! Quand j'ai revu le président Poutine la fois suivante, je lui ai reproché sa remarque : « J'ai du mal à imaginer que les habitants de Moscou se soient réveillés un beau matin en se disant : Hillary Clinton veut qu'on aille manifester. Ce n'est pas comme ça que ça fonctionne, monsieur le Président. » N'empêche, si cela avait aidé ne fût-ce que quelques personnes à défendre une réelle démocratie, alors tant mieux.

En mai 2012, Poutine a officiellement retrouvé le titre de président ; peu après, il a décliné l'invitation du président Obama à un sommet du G8 à Camp David. Un vent d'est froid soufflait. En juin, j'ai envoyé une note au président Obama pour lui donner mon opinion. Il n'avait plus affaire à Medvedev et devait se préparer à être plus ferme. Poutine « en veut profondément aux États-Unis, dont il se méfie », ai-je expliqué, ajoutant qu'il était décidé à rendre à la Russie son influence dans la région, depuis l'Europe de l'Est jusqu'à l'Asie centrale. Il avait beau qualifier ce projet d'« intégration régionale », en réalité il avait l'intention de reconstruire un empire perdu. Je me trouvais aux côtés du président Obama quand il a rencontré Poutine pour la première fois en sa qualité de président, en marge d'un sommet du G20 à Los Cabos, au Mexique. « Soyez ferme dans la négociation », lui ai-je conseillé, parce que Poutine « ne fera aucun cadeau ».

Assez vite, la Russie s'est braquée sur de nombreux dossiers, en particulier celui du conflit en Syrie, où elle soutenait le régime d'Assad dans sa guerre brutale et avait bloqué toutes les tentatives de réaction internationale initiées par l'ONU. Par ailleurs, le Kremlin a durement réprimé les protestataires, les ONG et les militants LGBT à l'intérieur de ses frontières, tout en continuant de faire pression sur ses voisins.

Pour ceux qui avaient espéré que la Russie et les États-Unis allaient repartir sur de bonnes bases, la déception était amère. Pour ceux d'entre nous qui avaient montré davantage de réserves – qui pensaient que, en se concentrant sur certains problèmes complexes et en modérant son discours, on pouvait aboutir à des progrès ciblés –, ce nouveau départ avait tenu ses promesses. Plus tard, après l'invasion de la Crimée en 2014, certains sénateurs ont reproché à cette stratégie d'avoir enhardi Poutine. D'après moi, ce point de vue trahit une incompréhension tant de Poutine que de la stratégie du nouveau départ telle que nous l'avions pensée. Après tout, il avait envahi la Géorgie en 2008 sans avoir eu à affronter beaucoup de représailles de la part des États-Unis ou du reste du monde. Poutine a envahi la Géorgie et la Crimée pour des raisons qui lui étaient propres, au moment où il le désirait et en réponse à des événements qui s'étaient déroulés dans son pays. Ni la rhétorique rigide de l'administration Bush, caractérisée par la guerre de prévention, ni la préférence de l'administration Obama pour une coopération pragmatique dans des domaines clés n'ont encouragé ni découragé ces actes belliqueux. Le nouveau départ ne constituait pas une récompense ; c'était une preuve que l'Amérique devait défendre ses intérêts stratégiques et sécuritaires du mieux qu'elle le pouvait. Cela demeure vrai à ce jour.

*
* *

Pour comprendre la complexité de nos relations avec la Russie durant cette période et les objectifs que nous tentions d'atteindre, arrêtons-nous sur un seul exemple : l'Asie centrale et le défi que représentait l'approvisionnement de nos troupes sur le terrain.

Après le 11-Septembre, alors que les États-Unis se préparaient à envahir l'Afghanistan, l'administration Bush a loué d'anciennes bases aériennes soviétiques à deux pays d'Asie centrale éloignés, mais dont la situation géographique était stratégique : l'Ouzbékistan et le Kirghizstan. Ces bases étaient utilisées pour transporter des soldats et du matériel jusqu'en Afghanistan. Compte tenu de la dynamique internationale de l'époque, la Russie n'a pas bronché, même si elle considérait ces deux anciennes républiques soviétiques sous-développées comme appartenant à sa zone d'influence. Assez vite, le Kremlin a poussé les gouvernements ouzbek et kirghize à s'assurer que les États-Unis ne s'éterniseraient pas. Pour Poutine, l'Asie centrale constituait l'arrière-cour de la Russie. Il voyait d'un mauvais œil le poids économique grandissant de la Chine dans cette zone, ajouté à la présence militaire américaine.

En 2009, le président Obama planifiait d'envoyer des renforts en Afghanistan avant d'amorcer une phase de retrait, prévue pour débuter en 2011. Cela signifiait que, une fois de plus, l'armée américaine aurait besoin de déplacer une grande quantité de soldats et de matériel hors de ce pays montagneux et difficile d'accès. La voie d'entrée la plus directe passait par le Pakistan, mais elle était sujette à des attaques d'insurgés talibans et au bon vouloir des autorités pakistanaises. Au Pentagone, on cherchait une deuxième voie d'accès terrestre, quitte à ce qu'elle soit plus longue et plus coûteuse, pour s'assurer que nos troupes ne seraient pas livrées à elles-mêmes. Naturellement, l'attention s'est portée sur l'Asie centrale. On pouvait charger des cargaisons dans les ports de la mer Baltique, puis les envoyer par chemin de fer à des milliers de kilomètres de là, à travers la Russie, le Kazakhstan et l'Ouzbékistan, jusqu'à la frontière nord de l'Afghanistan. Pendant ce temps-là, nos troupes pourraient être évacuées par les airs grâce à la base située au Kirghizstan. Ce qu'on a baptisé le Northern Distribution Network – réseau de distribution du Nord – devrait verser de généreuses contreparties à des régimes corrompus, mais cela contribuerait grandement à l'effort de guerre. C'était un cas de figure classique en politique étrangère. Cependant, avant toute chose, nous avions besoin que la Russie nous donne son aval pour traverser son territoire avec du matériel militaire.

Quand le président Obama avait rencontré Medvedev pour la première fois, il avait souligné l'importance de ce réseau pour notre pays. Medvedev s'était déclaré prêt à coopérer (et à toucher les bénéfices de cette transaction). En juillet 2009, quand le président Obama s'est rendu à Moscou, un accord officiel a été signé pour autoriser le transport de matériel militaire à travers la Russie jusqu'en Afghanistan.

L'aval de Medvedev dissimulait toutefois d'autres intentions. Le Kremlin entendait bien défendre jalousement son influence en Asie centrale. Tout en autorisant le transport d'équipements militaires sur son sol, la Russie a œuvré à étendre sa propre influence militaire dans la région en utilisant notre présence comme un prétexte pour renforcer son contrôle sur les régimes en place et affaiblir leurs relations avec Washington. On aurait dit une réactualisation du « Grand Jeu », cette rivalité diplomatique complexe qui s'était jouée au XIXᵉ siècle en Asie centrale entre la Russie et la Grande-Bretagne. La différence, c'était que l'Amérique n'avait que peu d'intérêts dans la région et ne cherchait pas à la coloniser.

Début décembre 2010, je me suis rendue au Kirghizstan, au Kazakhstan et en Ouzbékistan pour rencontrer les dirigeants. Lors d'un meeting avec des étudiants et des journalistes à Bichkek, j'ai répondu à des questions concernant nos relations avec Moscou. « Quelle est la place du Kirghizstan dans votre politique de nouveau départ avec les Russes ? » m'a demandé un jeune homme. J'ai expliqué que, même si nos pays étaient en désaccord sur de nombreux sujets (notamment la Géorgie et les droits de l'homme), notre objectif était de travailler ensemble de façon constructive et de mettre fin à de longues années de méfiance.

L'un des journalistes a enchaîné avec une question sur les conséquences de ce nouveau départ pour le Kirghizstan et l'Asie centrale :

« Y a-t-il une quelconque rivalité entre la Russie et les États-Unis dans cette région, et en particulier au Kirghizstan ? » J'ai répondu que nous tentions d'éviter un tel scénario et que le but était de calmer les tensions entre Washington et Moscou, ce qui devait profiter à des pays comme le Kirghizstan, qui se sentait souvent pris entre deux feux. Il était exact, ai-je ajouté, que le Kirghizstan était une démocratie balbutiante au milieu d'une région constituée d'autocraties. En Russie, la démocratie reculait. Elle était inexistante en Chine, l'autre acteur clé de la région. Cela n'allait donc pas être évident. « Je crois qu'il est important pour vous d'avoir des relations avec tous et de ne dépendre d'aucun, ai-je déclaré. Essayez d'équilibrer tout cela au mieux et d'obtenir le plus d'appuis possible. »

Alors que Poutine se préparait à revenir au pouvoir, il a publié dans un journal russe, à l'automne 2011, un article annonçant son projet de regagner l'influence perdue dans les pays de l'ex-URSS afin de créer « une union supranationale puissante capable de devenir un pôle du monde moderne ». Il a ajouté que cette nouvelle Union eurasienne « changerait la donne géopolitique et géo-économique du continent tout entier ». Certains ont relégué ces propos au rang de fanfaronnade électorale, mais, à mes yeux, ils révélaient les intentions réelles de Poutine, qui comptait bel et bien « re-soviétiser » les pays environnant la Russie. Une union douanière constituerait une première étape.

Les ambitions de Poutine ne se limitaient pas à l'Asie centrale. En Europe, il utilisait tous les moyens de pression pour empêcher les pays de l'ex-URSS de nouer des liens avec l'Occident, notamment en interrompant l'exportation de gaz vers l'Ukraine, en interdisant les importations de vin moldave et en boycottant les produits laitiers lituaniens. Son regard était aussi tourné vers le nord, le cercle arctique, où la fonte des glaces ouvrait de nouvelles routes commerciales et créait de nouvelles opportunités d'exploration pétrolière et gazière. En 2007, un sous-marin russe avait symboliquement planté un drapeau au fond de l'océan, près du pôle Nord. Mais le plus inquiétant, c'était que Poutine rouvrait d'anciennes bases militaires soviétiques dans l'Arctique.

Le président Obama et moi avons discuté de la menace que représentait Poutine et du moyen de la contrer. J'ai également pris la peine de me rendre dans les pays qui se sentaient en danger. En Géorgie, où j'étais allée à deux reprises, j'avais enjoint à la Russie de mettre fin à son « occupation » – un mot qui avait provoqué la consternation à Moscou – et de se retirer des territoires qu'elle avait envahis en 2008.

*

* *

Pour beaucoup d'Américains, la crise en Ukraine et l'invasion de la Crimée ont été des surprises. Une partie du monde qui s'était fait plus ou moins oublier depuis la fin de la guerre froide revenait soudain sur le devant de la scène. Pourtant, loin d'être surprenante, la crise ukrainienne symbolisait les intentions longuement planifiées de Poutine. L'administration Obama et nos alliés européens avaient travaillé pendant des années à réduire l'influence de Poutine et à déjouer ses machinations.

Le 1er janvier 2009, Gazprom, le puissant conglomérat gazier détenu par l'État russe, a suspendu ses exportations de gaz naturel vers l'Ukraine. Cela a créé une restriction énergétique dans toute une partie de l'Europe. Durant les dix premiers jours, onze personnes sont mortes de froid, dont dix en Pologne, où les températures avoisinaient – 25 °C. Ce n'était pas la première fois que cela arrivait. En réalité, le même scénario s'était produit trois ans auparavant, en plein hiver.

L'Ukraine, qui compte une importante minorité russe et russophone, a entretenu des rapports étroits mais conflictuels avec son voisin pendant des siècles. La révolution orange, qui a éclaté à l'issue des élections contestées de 2004, a mis au pouvoir un gouvernement pro-occidental qui a cherché à se rapprocher de l'Union européenne, provoquant la colère de Poutine. Suspendre les exportations de gaz en 2006 était pour ce dernier un moyen d'envoyer un message assez clair aux leaders indépendants de Kiev. En 2009, il a tenté de relever les prix de l'énergie afin de rappeler à tous son influence. Cet épisode a refroidi l'Europe. Une grande partie du continent dépendait du gaz naturel russe ; si l'Ukraine pouvait en être privée, tout le monde était concerné. Au bout de dix-neuf jours, un nouvel accord a été trouvé et, au moment de l'investiture du président Obama, le gaz naturel avait recommencé à alimenter l'Ukraine.

Dans mon discours devant la commission des relations extérieures du Sénat lors de ma prise de fonctions, en janvier de cette même année, au plus fort de la crise, j'ai évoqué l'importance d'un renforcement de l'OTAN et de notre alliance transatlantique ; j'ai également exprimé mon intention de donner « une place beaucoup plus grande dans nos efforts diplomatiques » à la sécurité énergétique. J'ai indiqué que les problèmes touchant l'Europe de l'Est n'étaient que des « exemples récents montrant que la vulnérabilité énergétique limite nos options politiques dans le monde, réduit parfois notre efficacité et peut nous contraindre à certains choix ».

Lors de ma première conversation téléphonique avec le ministre polonais des Affaires étrangères, Radosław Sikorski, une semaine après avoir pris mes fonctions, nous avons discuté de ce défi. « Nous voulons une nouvelle politique et un nouveau fournisseur », a-t-il déclaré. Il souhaitait la construction d'un gazoduc qui traverserait les Balkans et la Turquie afin de permettre à l'Europe d'accéder aux gisements de gaz naturel de la mer Caspienne. Ce « couloir sud », comme nous l'avions baptisé, a constitué l'une de nos plus importantes initiatives sur le plan de l'énergie. J'ai nommé l'ambassadeur Richard Morningstar comme envoyé spécial afin qu'il poursuive les négociations. Le projet était compliqué par le fait que l'Azerbaïdjan, le principal fournisseur de gaz de la mer Caspienne, était depuis longtemps en conflit avec son voisin arménien. Morningstar a développé des relations constructives avec le président azerbaïdjanais, Ilham Aliyev, à tel point que je l'ai recommandé pour le poste d'ambassadeur là-bas. Je me suis rendue en Azerbaïdjan à deux reprises pour promouvoir la paix dans la région, défendre les réformes démocratiques et le projet de gazoduc, et j'ai notamment discuté avec des dirigeants industriels lors des rencontres du Caspian Oil & Gas Show, à Bakou, en 2012. Quand j'ai quitté mes fonctions au département d'État, des contrats étaient en cours ; la construction est censée débuter en 2015, avec une mise en activité fixée à 2019.

Lorsque j'ai rencontré les dirigeants européens en mars 2009, je les ai poussés à faire de l'énergie une priorité. Plus tard, j'ai contribué, avec Catherine Ashton, à créer le Conseil de l'énergie UE-USA. Des équipes américaines composées d'experts en énergie ont sillonné l'Europe pour explorer des alternatives au gaz naturel russe. Quand je me suis rendue en Pologne en juillet 2010, le ministre des Affaires étrangères, Sikorski, et moi avons annoncé une collaboration entre nos deux pays sur l'exploration du gaz de schiste afin de mettre en commun nos compétences et de travailler dans un esprit de sécurité et de respect de l'environnement. L'exploration a d'ores et déjà commencé.

Les ressources croissantes de l'Amérique en gaz naturel ont permis d'affaiblir la mainmise des Russes sur l'énergie européenne ;

non pas parce que nous nous sommes mis à en exporter, mais parce que nous n'avons plus besoin d'en importer. Le gaz jadis destiné aux États-Unis a commencé à être redistribué en Europe. Comme les prix baissaient, Gazprom a dû s'aligner sur la concurrence et arrêter de régir le marché.

Ces avancées n'ont peut-être pas fait les gros titres des journaux américains, mais elles n'ont pas échappé à Poutine. En 2013, alors que l'Ukraine tentait de conclure des accords commerciaux avec l'Europe, il a dû sentir que l'influence de la Russie diminuait. Il a menacé d'augmenter le prix du gaz si l'Ukraine persistait. Cette dernière avait déjà une dette de plus de 3 milliards de dollars envers la Russie et ses finances étaient au plus bas. En novembre, le président ukrainien Ianoukovitch a subitement interrompu les négociations avec l'UE et a ensuite accepté une enveloppe du Kremlin s'élevant à 15 milliards de dollars.

Beaucoup d'Ukrainiens, en particulier ceux qui vivaient à Kiev et dans les régions non russophones du pays, se sont enflammés en voyant ce retournement de situation. Ils avaient rêvé de vivre dans une démocratie européenne, et voilà que la perspective de retourner sous la houlette de Moscou se rapprochait. Des manifestations gigantesques ont eu lieu, qui se sont radicalisées quand le gouvernement a ouvert le feu sur la foule. Sous la pression, Ianoukovitch a accepté de faire des réformes constitutionnelles et d'organiser de nouvelles élections. Un accord a été négocié entre le gouvernement et les leaders de l'opposition grâce à la médiation de diplomates polonais, français et allemands. (Les Russes ont participé aux discussions, mais ont refusé de signer l'accord en définitive.) Dans la rue, toutefois, le peuple a rejeté le compromis et exigé la démission de Ianoukovitch. Ce dernier a alors abandonné son palais et fui Kiev pour se réfugier à l'est, puis en Russie. En réaction, le parlement ukrainien a demandé aux leaders de l'opposition de former un nouveau gouvernement.

Tout cela a inquiété Moscou. Sous couvert de protéger les citoyens russes et les Ukrainiens d'origine russe de ce qu'il qualifiait d'anarchie et de violence, Poutine a envoyé des troupes pour occuper la péninsule de Crimée, au bord de la mer Noire, qui avait fait partie de la Russie jusque dans les années 1950 et comptait de nombreux habitants et installations navales russes. Malgré les mises en garde du président Obama et des leaders européens, le Kremlin a organisé un simulacre de référendum sur la sécession de la Crimée, largement boycotté par les citoyens non russophones. Fin mars, l'Assemblée générale de l'ONU a condamné le référendum à une très ample majorité.

Au moment où ce livre part à l'imprimerie, l'avenir de l'Ukraine est en péril. Le monde entier attend de voir ce qui va se passer, en particulier les pays de l'ex-URSS, qui craignent pour leur indépendance. Depuis 2009, nos efforts pour renforcer l'OTAN et les relations transatlantiques et pour réduire la dépendance de l'Europe vis-à-vis de l'énergie russe nous ont mis en position de force pour affronter ce nouveau défi, même si Poutine a lui aussi de nombreuses cartes en main. Et nous devons continuer à y travailler.

*
* *

Au cours de ces années, j'ai passé du temps à tenter de comprendre Poutine.

Lors d'une visite dans sa datcha, aux abords de Moscou, en mars 2010, nous nous sommes querellés au sujet des échanges commerciaux et de l'Organisation mondiale du commerce. La conversation tournait en rond. Poutine ne cédait pas d'un pouce. Il écoutait à peine. Exaspérée, j'ai essayé une autre tactique. Je savais qu'il était passionné par la conservation de la faune et de la flore, un domaine qui m'intéressait également. De but en blanc, je lui ai demandé : « Monsieur le président Poutine, dites-moi ce que vous faites pour sauver les tigres de Sibérie. » Il a paru étonné. À partir de là, il m'a écoutée.

Il s'est levé et m'a demandé de le suivre. Nous avons laissé nos assistants derrière nous et il m'a entraînée dans un couloir au bout duquel se trouvait son bureau personnel. Nous avons surpris un certain nombre de gardes qui profitaient d'un moment de détente. Ils ont bondi au garde-à-vous à notre passage. Derrière une porte blindée se dressait sa table de travail et, sur l'un des murs, une grande carte de la Russie. Poutine s'est lancé dans un long discours en anglais sur le sort des tigres à l'est, des ours polaires au nord, et d'autres espèces menacées. Ce changement d'attitude était remarquable. Il m'a demandé si mon mari voulait l'accompagner, quelques semaines plus tard, pour marquer les ours polaires sur l'archipel François-Joseph. Je lui ai répondu que j'allais lui poser la question et que, s'il n'était pas disponible, j'essaierais de venir à sa place. Poutine s'est contenté de lever un sourcil. (Finalement, ni Bill ni moi ne l'avons accompagné.)

Nous avons eu une autre conversation inattendue, en septembre 2012, lors de la réunion de la Coopération économique pour l'Asie-Pacifique (APEC), à Vladivostok. Le planning de campagne du président Obama ne lui permettant pas d'être présent, c'était moi qui le représentais. Poutine et Lavrov ont déploré cette absence ainsi que mes prises de position sur le soutien de la Russie à Bachar el-Assad en Syrie. Poutine n'a accepté de me recevoir que quinze minutes avant le début du dîner. Toutefois, le protocole exigeait que le représentant du pays où s'était tenue la réunion l'année précédente (les États-Unis) soit assis à côté de celui du pays d'accueil (la Russie). Nous étions donc installés côte à côte.

Nous avons discuté de ce qui le préoccupait, de la longue frontière avec la Chine à l'est aux États musulmans agités plus au sud. J'ai raconté à Poutine ma récente visite d'un mémorial des victimes du nazisme durant le siège de Saint-Pétersbourg (alors baptisée Leningrad), un siège qui avait duré de 1941 à 1944 et fait plus de 600 000 morts. L'aspect historique ne le laissait pas indifférent. Il a entrepris de me raconter l'histoire de ses parents, que je n'avais jamais entendue ou lue nulle part auparavant. Pendant la guerre, le père de Poutine était rentré chez lui à l'occasion d'une brève permission. En arrivant près de l'immeuble où il vivait avec sa femme, il avait vu empilés dans la rue un tas de corps que des hommes chargeaient sur des camions. Quand il s'est approché, il a aperçu les jambes d'une femme, chaussée de souliers qui appartenaient à son épouse. Il a demandé à récupérer le corps. Au bout d'un moment, les hommes ont accepté et le père de Poutine a pris sa femme dans ses bras. En l'examinant de plus près, il s'est rendu compte qu'elle était toujours en vie. Il l'a portée jusqu'à chez eux et l'a soignée jusqu'à ce qu'elle recouvre la santé. Huit ans plus tard, en 1952, leur fils Vladimir voyait le jour.

J'ai rapporté cette anecdote à notre ambassadeur américain à Moscou, Mike McFaul, un expert sur la Russie, qui l'entendait lui aussi pour la première fois. Bien évidemment, je n'ai aucun moyen de vérifier l'authenticité de ce récit, mais j'y ai souvent repensé. À mes yeux, il donne un éclairage sur l'homme qu'est devenu Poutine et sur le pays qu'il gouverne. Poutine vous met toujours à l'épreuve, teste toujours vos limites.

En janvier 2013, alors que je m'apprêtais à quitter le département d'État, j'ai rédigé pour le président Obama une dernière note concernant la Russie et Poutine. Notre « nouveau départ » avait eu lieu quatre ans plus tôt ; depuis, nous avions progressé sur le contrôle des armes nucléaires, les sanctions contre l'Iran, l'Afghanistan et d'autres dossiers majeurs. Je pensais toujours qu'il était dans l'intérêt de l'Amérique sur le long terme de bâtir une relation constructive avec la Russie, autant que possible. Mais nous ne devions pas nous voiler la face sur les intentions de Poutine, le danger qu'il représentait pour ses voisins ou l'ordre mondial, et il nous fallait définir notre politique en fonction de cela. Je l'ai dit au président sans détour : l'avenir s'annonçait difficile et notre relation avec Moscou était susceptible de se dégrader plutôt que l'inverse. Certes, Medvedev avait pris soin d'établir une bonne entente avec l'Occident, mais Poutine s'imaginait que nous avions plus besoin de la Russie que la Russie n'avait besoin de nous. Il considérait les États-Unis avant tout comme un concurrent. Et il était déstabilisé par l'opposition dans son pays et la chute des autocraties au Moyen-Orient, notamment. Cela ne pouvait pas conduire à une bonne relation.

En réfléchissant à tous ces éléments, j'ai proposé que nous nous engagions dans une nouvelle direction. Le nouveau départ nous avait permis de récolter quelques fruits sur le plan de la coopération bilatérale. Et il n'y avait aucune raison de remettre en question nos décisions communes sur l'Iran ou l'Afghanistan. Mais il fallait stopper momentanément les autres dossiers. Ne pas paraître trop enclins à travailler avec la Russie. Ne pas flatter Poutine en lui accordant toute notre attention. Décliner son invitation à un sommet présidentiel à Moscou en septembre. Et affirmer clairement que l'intransigeance de la Russie ne nous empêcherait pas de mener à bien nos projets en Europe, en Asie centrale, en Syrie et dans d'autres lieux clés. La force et la détermination étaient les seuls langages qu'il entendait. Nous lui ferions comprendre que ses actes avaient des conséquences tout en assurant à nos alliés que nous les soutenions.

À la Maison-Blanche, tout le monde ne partageait pas mon analyse radicale. Le président a accepté l'invitation de Poutine à un sommet bilatéral à l'automne. Mais plus l'été avançait, plus les choses prenaient une mauvaise tournure, notamment sur le dossier Edward Snowden, l'employé de la NSA (National Security Agency) qui avait livré des informations secrètes aux médias et s'était réfugié en Russie. Le président Obama a annulé le sommet de Moscou et a commencé à se montrer plus ferme envers Poutine. En 2014, avec la crise ukrainienne, les relations entre nos deux pays étaient franchement mauvaises.

Au-delà de la Crimée et d'autres conséquences internationales des décisions de Poutine, la Russie elle-même est devenue l'exemple d'un potentiel gâché. Des gens compétents quittent le pays, ainsi que des capitaux. Ce n'est pas une fatalité. La Russie n'est pas seulement riche de ressources naturelles, elle possède aussi une main-d'œuvre qualifiée. Comme j'en ai discuté avec Poutine, Medvedev et Lavrov au fil des années, leur pays pourrait envisager un avenir paisible et prospère au sein de l'Europe plutôt que d'être son ennemi. Imaginez le nombre de contrats commerciaux que pourrait conclure la Russie si elle changeait d'attitude. Au lieu d'intimider l'Ukraine et ses voisins, elle pourrait coopérer avec l'UE et ses partenaires américains dans les domaines de la science, de l'innovation et de la recherche technologique, en vue de construire son propre centre de développement technologique, comme l'imaginait Medvedev. Pensez aussi aux intérêts stratégiques que pourrait développer le pays si Poutine n'était pas focalisé sur la reconstruction d'un empire soviétique et la répression de toute contestation. Ce dernier se rendrait peut-être compte que, en s'alliant à l'Europe et aux États-Unis, il aurait davantage de pouvoir pour mater les extrémistes à la frontière sud et négocier avec la Chine à l'est. Il pourrait considérer l'Ukraine comme ce qu'elle aspire à devenir : un pont entre l'Europe et la Russie qui accroîtrait la prospérité et la sécurité de tous. Malheureusement, pour l'instant, la Russie de Poutine demeure figée entre un passé auquel elle ne veut pas tourner le dos et un avenir qu'elle refuse.

Chapitre 12

L'Amérique latine :
démocrates et démagogues

Voici une question dont la réponse vous surprendra peut-être : vers quelle partie du monde les États-Unis exportent-ils plus de 40 % de leur production ? Ce n'est pas la Chine, qui ne représente que 7 % des exportations. Ce n'est pas l'Union européenne, qui en représente 21 %. Ce sont les Amériques. En réalité, nous exportons principalement vers nos voisins les plus proches : le Canada et le Mexique.

Si vous l'ignoriez, vous n'êtes pas les seuls. Beaucoup d'Américains ont une vision datée de ce qui se passe sur notre continent. Nous considérons toujours l'Amérique latine comme une terre de rébellions et de crimes plutôt que comme une région où l'économie de marché fleurit et où les gens circulent librement ; nous la voyons comme le lieu d'origine des immigrés et de la drogue plutôt que comme un partenaire d'échanges et d'investissement.

Nos voisins du Sud ont fait des progrès remarquables ces vingt dernières années, sur les plans politique et économique. Les trente-six pays et territoires d'Amérique latine (quasi tous démocratiques) représentent près de 600 millions d'habitants ; leur classe moyenne et leurs ressources énergétiques ne cessent de se développer et leur produit intérieur brut cumulé s'élève à plus de 5 billions de dollars.

Du fait de leur proximité, l'économie américaine et celle de nos voisins sont historiquement liées entre elles. Les voies de communication quadrillent la région, les réseaux familiaux, sociaux et culturels traversent les frontières. Certains voient cela comme une menace pour la souveraineté ou l'identité des États, mais pour ma part je considère cette interdépendance comme un avantage, en particulier quand la croissance intérieure doit être stimulée. Nous avons de grandes leçons à tirer de la transformation de l'Amérique latine et de ce qu'elle représente pour les États-Unis et le reste du monde, surtout si nous voulons tirer le meilleur parti de cette « force de proximité » dans les années à venir.

*
* *

Nos idées erronées sur l'Amérique latine sont nées d'un siècle d'histoire difficile. Cette zone a été le lieu d'une compétition idéologique entre les États-Unis et l'Union soviétique. Cet affrontement a été symbolisé par Cuba, mais des combats similaires se jouaient de part et d'autre de l'hémisphère.

La chute de l'URSS et la fin de la guerre froide ont fait basculer la région dans une ère nouvelle. Des guerres civiles longues et brutales se sont résolues. Des élections ont porté au pouvoir de nouveaux gouvernements démocratiques. La croissance économique a commencé à tirer les populations de la pauvreté. En 1994, mon mari a convié toutes les démocraties de la région au premier Sommet des Amériques, à Miami, où les participants se sont engagés à se retrouver tous les quatre ans afin de poursuivre cette intégration économique et cette collaboration politique.

Ce sommet ne représentait qu'une des nombreuses initiatives de l'administration Clinton pour mettre en place des partenariats solides avec nos voisins. Les États-Unis ont versé une aide substantielle au Mexique et au Brésil durant leurs crises financières. Avec le soutien unanime du Congrès, nous avons développé et financé le plan Colombie, une campagne ambitieuse destinée à défendre la plus ancienne démocratie sud-américaine contre les narcotrafiquants et les groupes de guérilla. En Haïti, nous avons contribué à stopper le coup d'État et à restaurer la démocratie constitutionnelle. Ce qui montre à quel point la région s'est développée, c'est que beaucoup d'autres démocraties latino-américaines ont fourni des soldats à la mission de l'ONU en Haïti. D'après le Pew Research Center, la cote de popularité des États-Unis en Amérique latine s'élevait en 2001 à 63 %.

Ancien gouverneur du Texas, le président George W. Bush était respecté dans la région comme un homme ayant encouragé les échanges et la réforme de l'immigration. Il était en très bons termes avec le président mexicain Vicente Fox et avec son successeur, Felipe Calderón. L'administration Bush a appuyé et renforcé le plan Colombie, puis lancé l'initiative de Mérida afin d'aider le Mexique à combattre les cartels de la drogue. Toutefois, son approche générale de la politique étrangère ne lui a pas valu beaucoup d'amis dans la région. Pas plus que sa tendance à considérer le continent à travers le prisme du bien et du mal, vestige de la guerre froide. En 2008, seuls 24 % des Mexicains et 23 % des Brésiliens avaient une opinion favorable des États-Unis. D'après l'institut Gallup, la moyenne dans la région s'élevait à 35 %. Quand l'administration Obama a pris ses fonctions début 2009, nous savions tous que l'heure était venue de prendre un nouveau départ.

Le président a exposé notre idée d'un « partenariat égal » dans un discours au Sommet des Amériques, à Trinité-et-Tobago, en avril 2009. Il a assuré qu'il n'y aurait plus « un aîné et un cadet » ; au lieu de cela, les peuples d'Amérique latine pouvaient s'attendre à « un engagement fondé sur le respect mutuel, des intérêts partagés et des valeurs communes ». Comme il l'avait fait à de nombreuses reprises, le président a souligné la nécessité de dépasser les « débats stériles » et les « choix biaisés », ici « entre des économies rigides, étatiques, et un capitalisme débridé et dérégulé ; entre les para-militaires de droite et les insurgés de gauche ; entre l'application de politiques inflexibles envers Cuba et l'absence de droits de l'homme pour les Cubains ». Sur Cuba en particulier, il a promis une nouvelle approche. Première étape de la modernisation d'une politique qui « n'avait pas donné au peuple cubain plus de liberté ni de perspectives d'avenir », les États-Unis allaient autoriser les Américains d'origine cubaine à se rendre sur l'île et à envoyer de l'argent à leurs familles. Le président s'est également dit prêt à dialoguer directement avec le gouvernement cubain sur un grand nombre de problèmes, parmi lesquels l'instauration de réformes démocratiques, la collaboration sur la lutte contre le trafic de drogue et les questions d'immigration, tant que ces discussions menaient à un réel progrès. « Je ne suis pas venu ici pour débattre du passé, a-t-il annoncé. Je suis venu pour imaginer l'avenir. »

C'est à moi qu'il reviendrait de mettre en pratique cette promesse présidentielle, avec l'aide d'un groupe d'experts du département d'État. J'ai décidé de commencer par un geste fort afin de montrer que nous étions déterminés à changer la donne. Le meilleur endroit pour le faire, c'était le Mexique, notre voisin direct, carrefour des Amériques et qui en incarnait à la fois la promesse et les dangers.

*
* *

Les États-Unis et le Mexique partagent une frontière longue de plus de 3 200 kilomètres ; nos économies et nos cultures, en particulier de part et d'autre de cette frontière, sont intimement liées. Après tout, une grande partie de nos États du Sud-Ouest appartenaient jadis au Mexique, et des décennies d'immigration n'ont fait que renforcer les liens familiaux et culturels qui nous unissent. Ma première expérience directe dans la région a eu lieu en 1972, quand le comité national du parti démocrate m'a envoyée dans la vallée du Rio Grande, au Texas, pour convaincre les électeurs dans le cadre de la campagne présidentielle de George McGovern. Certaines personnes (on peut les comprendre) se sont méfiées de cette blonde venue de Chicago et qui ne parlait pas un mot d'espagnol. Mais, bientôt, les gens m'ont ouvert leurs portes, et des communautés qui comptaient beaucoup de citoyens d'ascendance mexicaine se sont montrées désireuses de participer pleinement à notre démocratie.

J'ai franchi la frontière en compagnie de mes nouveaux amis pour aller dîner et danser. C'était beaucoup plus facile de faire cela, à l'époque. J'ai fini par travailler avec un garçon de Yale avec qui je sortais et qui s'appelait Bill Clinton. Après la défaite cuisante de McGovern à l'élection, Bill et moi avons décidé de décompresser dans une petite station balnéaire de la côte pacifique, et nous avons tellement aimé le Mexique que nous n'avons eu de cesse d'y retourner au fil des années, notamment pour notre lune de miel à Acapulco en 1975.

À cause des débats houleux qui caractérisent toujours les échanges sur l'immigration, beaucoup d'Américains s'imaginent encore que le Mexique est un pays pauvre que ses habitants rêvent de fuir pour gagner le nord. Mais la vérité, c'est que son économie a prospéré ces dernières années, que sa classe moyenne s'est développée et que le pays s'est clairement inscrit dans une lignée démocratique. J'ai été impressionnée, par exemple, par le fait que, sous la présidence de Felipe Calderón, le Mexique a construit 140 universités d'enseignement gratuit afin de répondre aux besoins de son économie en pleine croissance.

Au début de l'administration Obama, l'un des principaux obstacles entravant le développement démocratique et économique du Mexique était la violence endémique liée au trafic de drogue. Des cartels s'affrontaient entre eux et combattaient les forces de l'ordre, faisant souvent de nombreuses victimes civiles. Après sa prise de fonctions en décembre 2006, le président Calderón a déployé l'armée pour contrer les cartels. La violence a redoublé. En dépit des efforts du gouvernement, les cartels ont continué d'opérer. Quand je suis devenue secrétaire d'État, les gangs s'étaient transformés en véritables organisations paramilitaires et des milliers de personnes perdaient la vie chaque année. Même si le taux de criminalité était en baisse dans certains quartiers épargnés par le trafic de drogue, dans les secteurs où les cartels étaient présents les voitures piégées et les kidnappings étaient devenus monnaie courante, et des villes frontalières comme Tijuana et Ciudad Juárez commençaient à ressembler à des zones en guerre. La violence menaçait de s'étendre à El Paso et à d'autres communautés américaines toutes proches.

En 2008, des hommes ont attaqué le consulat américain de Monterrey avec des armes de poing et des grenades. Heureusement, personne n'a été blessé. En mars 2010, cependant, trois personnes liées à notre consulat de Ciudad Juárez ont été assassinées. Une employée américaine du consulat, Lesley Enriquez, a été abattue dans sa voiture avec son mari, Arthur Redelfs. Quasi au même moment, à l'autre bout de la ville, l'époux mexicain d'une employée du consulat, Jorge Alberto Salcido Ceniceros, a lui aussi été abattu. Ces meurtres nous rappelaient les risques encourus par les hommes et les femmes qui représentaient notre pays dans le monde entier, et pas seulement en Irak, en Afghanistan ou en Libye. Ils ont aussi souligné la nécessité d'aider le Mexique à restaurer l'ordre et la sécurité.

Ces cartels rivalisaient entre eux pour exporter la drogue vers les États-Unis. Environ 90 % de la drogue présente sur le territoire américain passait par le Mexique et environ la même proportion des armes utilisées par les cartels provenait des États-Unis. (L'interdiction des armes d'assaut signée par Bill en 1994 a expiré dix ans plus tard sans être renouvelée, ce qui a provoqué une recrudescence du trafic d'armes à la frontière.) En analysant ces données, on parvenait rapidement à la conclusion que les États-Unis avaient la responsabilité d'aider le Mexique à stopper la violence. En mars 2009, au cours d'un de mes premiers voyages de secrétaire d'État, je me suis rendue à

Mexico afin de voir dans quelle mesure nous pouvions étendre notre collaboration au milieu de cette violence grandissante.

J'ai rencontré Calderón et sa secrétaire d'État aux Affaires étrangères, Patricia Espinosa, une diplomate de carrière qui est rapidement devenue l'une de mes interlocutrices préférées et une bonne amie. Ils m'ont dit qu'ils avaient notamment besoin d'hélicoptères Black Hawk afin de répondre à des cartels toujours mieux armés. Calderón voulait tout mettre en œuvre pour faire cesser les violences perpétrées contre sa population ; c'était un homme passionné qui en avait fait une affaire personnelle. L'impunité des cartels le choquait et affaiblissait ses projets de développement dans les secteurs de l'éducation et de l'emploi. Il était également en colère contre les États-Unis, qui, disait-il, lui envoyaient des signaux contradictoires. Comment puis-je espérer freiner les trafiquants alors que vous les laissez acheter des armes de l'autre côté de la frontière et que certains de vos États commencent à légaliser l'usage de la marijuana ? Pourquoi mes citoyens, mes policiers ou mes militaires mettraient leur vie en danger dans ces conditions ? Ces questions étaient embarrassantes, mais fondées.

J'ai répondu à Calderón et Espinosa que nous allions étendre l'initiative de Mérida mise en place par l'administration Bush afin qu'elle inclue la police. Nous avons réclamé au Congrès plus de 80 millions de dollars pour fournir des hélicoptères, des lunettes infrarouge, des protections pare-balles et d'autres équipements. Nous avons également demandé un financement pour renforcer la présence douanière de notre côté de la frontière afin de stopper le trafic d'armes et de drogue. Tous mes collègues ont uni leurs efforts, notamment la secrétaire d'État à la Sécurité intérieure, Janet Napolitano, le procureur général, Eric Holder, et John Brennan, le conseiller du président pour la sécurité intérieure et la lutte antiterroriste.

Après notre réunion, Espinosa et moi avons donné une conférence de presse commune. J'ai expliqué que, pour l'administration Obama, le trafic de drogue était « un problème partagé » et que nous reconnaissions qu'il fallait réduire l'afflux de drogue aux États-Unis et mettre un terme au trafic illégal d'armes à la frontière avec le Mexique. Le lendemain, j'ai pris l'avion pour Monterrey, située plus au nord. Dans un discours à l'université TecMilenio, j'ai réitéré mon engagement. « Les États-Unis reconnaissent que le trafic de drogue n'est pas uniquement un problème mexicain, ai-je dit aux étudiants.

C'est aussi un problème américain. Et nous, aux États-Unis, avons la responsabilité de vous aider à le régler. »

J'enfonçais une porte ouverte. C'était une vérité que nul ne pouvait nier. C'était également l'un des axes majeurs de la nouvelle approche que l'administration Obama comptait adopter en Amérique latine. Mais je savais que ce genre de discours pouvait me coûter cher aux États-Unis. Certains médias allaient peut-être monter au créneau et prétendre que je cherchais à « m'excuser pour le compte de l'Amérique ». La diplomatie n'est pas exempte de préoccupations politiques ; les États-Unis sont plus forts quand ils sont réellement unis ; c'est pourquoi acquérir et garder le soutien de l'opinion publique dans son propre pays est tellement important. Mais, dans ce cas précis, j'étais prête à encaisser les critiques pour pouvoir faire ce qui me paraissait juste et cohérent avec notre politique. Évidemment, le *New York Post* a titré : « Hillary : le choc de la drogue ». Cela faisait bien longtemps que je ne prenais plus ces critiques personnellement ; si nous voulions réellement améliorer notre réputation dans le monde et résoudre les problèmes, il fallait dire de dures vérités et ôter ses œillères.

Peu de temps après, notre coopération renforcée a commencé à donner des résultats. Le Mexique a extradé plus d'une centaine de fugitifs vers les États-Unis en 2009. Plus d'une vingtaine de trafiquants de drogue importants ont été capturés ou tués grâce à des enquêtes ciblées. L'administration Obama a multiplié par trois les financements destinés à réduire la demande de drogue aux États-Unis, portant le montant de l'enveloppe à 10 milliards de dollars par an, et le FBI a multiplié les arrestations de trafiquants opérant au nord de la frontière. Nous avons participé à la formation de milliers de policiers, de juges et de procureurs mexicains, et créé de nouveaux partenariats en Amérique centrale et dans les Caraïbes afin de faire de la protection des citoyens une priorité de notre action en Amérique latine.

Nos relations se sont tendues en 2010 quand des comptes rendus secrets émanant de notre ambassadeur à Mexico, Carlos Pascual, ont été publiés par WikiLeaks. Quand je suis retournée au Mexique en janvier 2011, Calderón était furieux. Le *New York Times* a rapporté qu'il avait été particulièrement énervé par le document « qui citait M. Pascual se demandant si l'armée mexicaine était vraiment disposée à utiliser les renseignements collectés par les Américains au sujet d'un certain leader de cartel ». Calderón a affirmé à la presse que ces fuites « dégradaient profondément » les relations de son pays avec les

États-Unis. Il s'est plaint au *Washington Post* : « C'est difficile de voir tout à coup le courage de l'armée [remis en question]. Ils ont perdu environ 300 soldats [...] et voilà que quelqu'un à l'ambassade américaine raconte que les soldats mexicains ne sont pas assez courageux. » Espinosa m'a conseillé de prendre rendez-vous avec le président pour m'expliquer et m'excuser. Quand je l'ai fait, Calderón m'a informée qu'il ne voulait plus travailler avec Carlos et que nous devions le remplacer. C'est l'une des réunions les plus difficiles qu'il m'ait été donné de vivre. Après quoi, j'ai annoncé à Carlos que je n'avais d'autre choix que de le renvoyer aux États-Unis, mais je l'ai assuré que j'allais lui trouver un poste à la hauteur de ses compétences et de son expérience. Il a officiellement démissionné de ses fonctions en mars et, peu après, a pris la tête de notre nouveau bureau d'études sur les questions d'énergie. Espinosa et moi avons travaillé dur pour réparer les dégâts et notre coopération s'est poursuivie.

*
* *

Un bon exemple prouvait que des initiatives ambitieuses comme celles auxquelles s'attelait le Mexique pouvaient payer : la Colombie. Ce pays me fascinait depuis longtemps, depuis que mon frère Hugh y avait servi dans les Peace Corps, dans les années 1970. Il y avait vécu, selon ses dires, la meilleure expérience de sa vie, et en rentrant il nous avait régalés d'anecdotes sur ses aventures. Bill pensait qu'elles avaient l'air tout droit sorties de son roman préféré, *Cent ans de solitude*, de Gabriel García Márquez, mais Hugh jurait qu'elles étaient vraies. Malheureusement, dans les années 1990, la Colombie était devenue l'un des pays les plus dangereux du monde, déchiré par des trafiquants de drogue et des guérillas qui contrôlaient de vastes zones et pouvaient frapper dans les villes à n'importe quel moment. Les experts étrangers la considéraient volontiers comme un État perdu.

Bill a collaboré avec le président Andrés Pastrana afin d'accorder plus d'un milliard de dollars à la campagne colombienne contre les cartels de la drogue et contre le groupe rebelle d'extrême gauche connu sous le nom de FARC. Durant la décennie suivante, le successeur de Pastrana, Álvaro Uribe, dont le père avait été tué par les FARC dans les années 1980, a étendu le plan Colombie, avec le soutien de l'administration Bush. Malgré les progrès réalisés par le gouvernement, l'inquiétude grandissait au sujet des droits de l'homme bafoués, des violences perpétrées contre des organisations de défense des travailleurs, des assassinats ciblés et des atrocités commises par des groupes paramilitaires d'extrême droite. Quand l'administration Obama a pris ses fonctions, nous avons décidé de poursuivre le soutien bipartisan au plan Colombie, mais nous avons élargi notre partenariat avec le gouvernement à d'autres domaines que la sécurité, comme la gouvernance, l'éducation et le développement.

Quand je me suis rendue à Bogotá en juin 2010, la violence avait baissé de façon significative, l'insurrection perdait du terrain et les citoyens jouissaient d'une prospérité et d'une sécurité inédites dans le pays. Le hasard de nos emplois du temps voulait que Bill soit également en Colombie à ce moment-là dans le cadre de la fondation Clinton. Nous nous sommes retrouvés dans un restaurant de Bogotá pour dîner avec des amis et des collaborateurs, et nous avons célébré les progrès de la Colombie. En nous promenant ensuite dans les rues, nous nous sommes émerveillés du chemin parcouru par ce pays. Une promenade tranquille comme celle-ci, le soir, aurait été impensable ne fût-ce que quelques années plus tôt.

Avec le président Uribe, nous avons abordé les problèmes de sécurité qui subsistaient, mais ils n'ont représenté qu'une partie de la discussion. Le reste du temps, nous avons parlé du travail que la Colombie et les États-Unis pouvaient mener ensemble au sein du Conseil de sécurité de l'ONU sur des questions internationales, ainsi que de la façon de multiplier nos échanges commerciaux et de préparer le prochain Sommet des Amériques. Uribe était un dirigeant intraitable et pragmatique. La fin de son mandat approchant, il s'est remémoré le long parcours de son pays. « Vous savez, quand j'ai été investi il y a huit ans, la cérémonie n'a pas pu se dérouler à l'extérieur à cause des attaques, des snipers, des bombes. On a fait tellement de chemin depuis. »

Le successeur d'Uribe, Juan Manuel Santos, qui avait étudié aux États-Unis dans les années 1980 grâce au programme Fulbright, a consolidé ces progrès et, en 2012, a entamé des négociations avec ce qui restait des FARC. Ces discussions apportaient la promesse d'une paix durable en Colombie. J'ai téléphoné au président Santos pour le féliciter. « C'est très important et symbolique. J'espère que ce processus trouvera sa résolution », a-t-il répondu.

Il faut rendre au courageux peuple colombien le mérite de cette transformation. Mais je suis fière du rôle joué par les États-Unis sous trois administrations successives pour aider le pays à inverser le processus de désintégration, à renforcer les droits de l'homme et l'état de droit, et à promouvoir le développement économique.

*

* *

Après ma remarque de mars 2009 au Mexique sur la responsabilité partagée et le discours du président Obama en avril à Trinité-et-Tobago sur un partenariat égal, il semblait que nous avions écrit les premières lignes d'un nouveau chapitre dédié à notre engagement dans cette partie du monde. Nous ignorions que le mois de juin allait mettre notre volonté à l'épreuve d'une façon assez inattendue.

Début juin, je me trouvais dans le plus petit pays d'Amérique centrale, le Salvador, pour assister à l'investiture du nouveau président et participer à une conférence régionale pour la promotion du développement économique et la réduction des inégalités. Ces deux événements représentaient la promesse et le potentiel que nous espérions voir se développer en Amérique latine.

La puissance économique de tous les pays latino-américains réunis était presque trois fois plus importante que celle de l'Inde ou celle de la Russie, et juste derrière celle de la Chine et celle du Japon. La région pouvait espérer une sortie rapide de la crise économique mondiale, avec un taux de croissance de 6 % en 2010 et un chômage qui atteindrait son score le plus bas depuis vingt ans en 2011. D'après la Banque mondiale, la classe moyenne d'Amérique latine avait augmenté de 50 % depuis 2000, notamment de 40 % au Brésil et de 17 % au Mexique. Cela se traduisait par une prospérité accrue pour les pays concernés et par l'émergence de plus de 50 millions de consommateurs susceptibles d'acheter des biens et services américains.

Nous avons donc travaillé dur pour améliorer et ratifier des traités d'échanges commerciaux avec la Colombie et le Panama, et avons encouragé le Canada ainsi que le groupe qu'on a surnommé l'Alliance du Pacifique (Mexique, Colombie, Pérou, Chili – des économies de marché démocratiques désireuses de prospérer) à se joindre à nos négociations avec l'Asie autour du TPP (Accord de partenariat transpacifique). L'Alliance contrastait fortement avec le Venezuela, doté de politiques plus autoritaires et d'une économie étatique.

Malgré tous ces efforts, les inégalités économiques étaient encore criantes en Amérique latine. Des développements rapides dans certaines zones n'empêchaient pas que d'autres soient toujours marquées par la grande pauvreté. Durant la conférence au Salvador, organisée dans le cadre d'une initiative régionale lancée par l'administration Bush et baptisée Pathways to Prosperity (les Chemins vers la prospérité), j'ai démontré que l'un des plus grands défis de l'Amérique latine dans les années à venir allait être de partager les produits de la richesse économique afin que les citoyens en reçoivent les bénéfices concrets. « Plutôt que de définir le développement économique simplement en termes de marges de profit et de PIB, notre critère de jugement doit être la qualité de vie. » D'après moi, nous devions mesurer « si les familles ont assez à manger, si les jeunes ont accès à l'éducation depuis la maternelle jusqu'à l'université, si les salariés touchent un salaire correct et travaillent dans des conditions décentes ».

Un certain nombre de pays latino-américains, dont le Brésil, le Mexique et le Chili, avaient déjà réussi à réduire les inégalités et à sortir les gens de la pauvreté par le biais de programmes efficaces comme les « transferts conditionnels en espèces ». Dans les années 1990, sous la houlette du président Fernando Cardoso, le Brésil a commencé à verser régulièrement de petites sommes à des millions de familles pauvres, en échange de quoi elles devaient envoyer leurs enfants à l'école. Plus tard, le président Luiz Inácio Lula da Silva a étendu cette mesure, y incluant des examens médicaux réguliers ainsi que des cours sur la nutrition et la prévention des maladies. Ces initiatives ont donné plus de pouvoir aux femmes, fait reculer l'absentéisme scolaire, amélioré la santé des jeunes enfants et relancé la croissance économique. Plus le programme s'est élargi, plus il a porté ses fruits. Au Brésil, le pourcentage de la population vivant en dessous du seuil de pauvreté a chuté de 22 % en 2003 à seulement 7 % en 2009. Ce programme a été repris dans d'autres pays d'Amérique latine.

L'un des domaines de coopération particulièrement importants à mes yeux était l'énergie. Plus de 50 % de l'énergie américaine provenait du continent américain. Étendre notre coopération aux questions d'énergie et de changement climatique pouvait permettre de construire de nouveaux ponts entre les nations, créer des opportunités économiques et améliorer l'environnement. Mon équipe a travaillé sur un projet de partenariat énergie-climat pour les Amériques afin de soutenir l'innovation et de mettre en avant les atouts de la région. Nous ne manquions pas d'exemples dont nous inspirer. Le Brésil était leader sur les biocarburants. Le Costa Rica produisait presque toute son électricité à partir de l'énergie hydraulique. La Colombie et le Pérou développaient des énergies propres pour les transports. Le Mexique fermait des décharges en recyclant le méthane pour créer du courant et améliorait la qualité de l'air à Mexico en promouvant la pratique des murs végétaux et en plantant un nombre significatif d'arbres. La Barbade étudiait le potentiel du chauffe-eau solaire, et des îles comme Saint-Christophe-et-Niévès ou la Dominique développaient leurs ressources géothermiques.

Dans les années à venir, nous allions bâtir sur ces fondations et relier entre eux les réseaux électriques nationaux et internationaux depuis le nord du Canada jusqu'à la pointe sud du Chili, sans oublier les Caraïbes, dont les factures d'électricité étaient parmi les plus lourdes du monde. Parce que ces coûts sont si élevés, les Caraïbes pourraient devenir autonomes en énergie solaire, éolienne et en biocarburants sans aucune subvention si les gouvernements avaient la volonté de troquer l'importation de pétrole contre l'exploitation d'énergies renouvelables sur leur territoire. La même chose valait pour l'Amérique centrale. Tout cela était d'autant plus important que 31 millions de personnes sur le continent n'avaient pas encore d'accès permanent et abordable à l'électricité. (À l'échelle mondiale, ce chiffre s'élève à 1,3 milliard de personnes.) Cela ralentissait considérablement le progrès. Comment, au XXIe siècle, diriger une entreprise florissante ou une école sans électricité ? Plus l'accès à l'énergie est facilité, plus les gens ont de chances de sortir de la pauvreté, d'éduquer leurs enfants et de se maintenir en bonne santé. Nous avons donc inscrit parmi nos objectifs d'apporter l'électricité à tous dans la région d'ici à 2022.

L'autre événement qui s'est déroulé durant ma visite au Salvador en juin 2009 a été l'investiture du nouveau président, Mauricio Funes. Cela m'a donné l'occasion de réfléchir aux profondes transformations politiques qu'avait connues l'Amérique latine depuis la fin de la guerre froide. Des démocraties constitutionnelles s'étaient implantées dans des pays jadis dominés par des dictatures militaires de droite et des démagogues de gauche. En 2013, l'ONG Freedom House a déclaré que les Amériques, qui incluent également les États-Unis et le Canada, « se plaçaient juste derrière l'Europe occidentale en matière de liberté et de respect des droits de l'homme ».

Les réussites politiques et économiques de la région (en dépit de quelques exceptions) ont fait d'elle un modèle pour d'autres démocraties émergentes à travers la planète, notamment au Moyen-Orient.

De plus, à ma grande satisfaction, l'Amérique latine voyait également apparaître des leaders femmes. Dans cette partie du monde souvent réputée pour son machisme, des femmes puissantes et accomplies ont dirigé l'Argentine, le Brésil, le Chili, le Costa Rica, la Guyane, la Jamaïque, le Nicaragua, le Panama et Trinité-et-Tobago, ou ont gouverné par intérim, comme en Équateur et en Bolivie.

*

* *

J'ai quitté le Salvador pour le Honduras afin d'assister à la réunion annuelle de l'Organisation des États américains, l'OEA. Le Honduras, dont la superficie équivaut à peu près à celle de l'État du Mississippi, a une population d'environ 8 millions d'habitants qui comptent parmi les plus pauvres d'Amérique latine. Son histoire est marquée par une succession de discordes et de désastres. Le président, Manuel Zelaya, était une caricature de l'homme fort latino-américain, avec son chapeau de cowboy blanc, sa moustache noire et son admiration pour Hugo Chávez et Fidel Castro.

Le 2 juin, je me suis levée tôt pour me préparer à l'une de ces longues journées de diplomatie multilatérale qui peuvent parfois, à cause des discours officiels et de tout le protocole, se révéler mortellement ennuyeuses. Cette journée-là, toutefois, promettait d'être riche en rebondissements. Plusieurs nations devaient proposer une résolution pour lever la suspension de 1962 concernant l'adhésion de Cuba à l'OEA. Traditionnellement, l'Organisation fonctionnait par consensus, ce qui signifiait que le refus d'un seul pays pouvait bloquer la décision. Mais, techniquement, il suffisait d'obtenir une majorité des deux tiers pour faire passer une résolution. D'après les indicateurs de vote, la plupart des pays membres se prononceraient en faveur de la levée de cette suspension, qu'ils considéraient comme un vestige de la guerre froide ; d'après eux, établir des relations avec Cuba et l'intégrer à leur famille de nations constituait le meilleur moyen d'encourager les réformes dans l'île. Quelques pays comme le Venezuela, le Nicaragua, la Bolivie et l'Équateur étaient plus sévères, affirmant que cette suspension symbolisait la tyrannie des Américains ; la lever était pour eux un moyen de narguer les États-Unis et d'affaiblir la norme démocratique qui s'étendait dans la région. Cela m'inquiétait. En 2001, l'OEA avait adopté une charte fondée sur des principes démocratiques forts, laquelle symbolisait un abandon de son passé dictatorial. Nous ne pouvions pas laisser Chávez et ses amis saccager cette charte.

Pour la nouvelle administration Obama, c'était un premier test. Nous pouvions nous en tenir à nos principes et refuser l'entrée de Cuba sous prétexte qu'une dictature n'avait pas sa place au sein d'une association de démocraties, mais nous risquions de nous attirer les foudres de nos voisins, ce qui nous laisserait assez isolés dans la région. Ou bien nous pouvions admettre qu'en effet cette mesure était un reliquat de la guerre froide, mais cela risquait de décrédibiliser les efforts démocratiques des autres pays et de déclencher une levée de boucliers chez nous. Aucune de ces deux options n'était satisfaisante.

Tandis que je me préparais dans ma chambre d'hôtel, j'ai vu un reportage sur CNN racontant l'histoire d'un père cubain vivant et travaillant aux États-Unis et qui n'avait pas vu son bébé pendant un an et demi à cause des restrictions sur les déplacements imposées aux Cubains. Grâce aux mesures prises par l'administration Obama, ce père pouvait désormais revoir son fils. À la suite de ces mesures, nous avions entamé des pourparlers avec Cuba afin de restaurer un service de courrier postal régulier et une coopération sur les processus d'immigration. Cuba avait accepté dans les semaines précédant le sommet au Honduras. En somme, les États-Unis tenaient leur parole et tentaient de prendre un nouveau départ. Mais rouvrir la porte de l'OEA à Cuba sans la garantie de réformes démocratiques majeures, c'était tout simplement impossible.

Pendant cinquante ans, Cuba avait été gouverné par Fidel Castro, un dictateur communiste. Son régime avait privé son peuple des libertés fondamentales, négligé les droits de l'homme, réprimé la contestation, gardé la mainmise sur l'économie et exporté la « révolution » à l'étranger. Malgré son âge et sa santé déclinante, Fidel, assisté de son frère Raúl, continuait de régner en maître sur Cuba.

Les États-Unis maintenaient un embargo sur l'île depuis les années 1960 dans l'espoir de destituer Castro, mais celui-ci s'en était servi pour nous rendre responsables de tous les problèmes économiques. À la fin de l'année 1995, l'administration Clinton a proposé à Castro de discuter calmement pour trouver un moyen d'améliorer les relations. Ces discussions étaient en cours quand, en février 1996, un avion de la Cuban Air Force a abattu deux petits avions non armés, tuant quatre membres d'équipage. Ces appareils appartenaient à des Cubains exilés à Miami, les Brothers to the Rescue (Frères à la rescousse), lesquels envoyaient régulièrement des avions pour lâcher des tracts anticastristes sur Cuba. Mon mari a qualifié cet incident de « violation flagrante de la loi internationale ». Le Conseil de sécurité de l'ONU a condamné les actions de Cuba et le Congrès américain a passé une loi, avec une large majorité bipartisane dans les deux chambres, visant à renforcer l'embargo sur Cuba et interdisant toute modification du texte sans l'aval du Congrès. Cette expérience m'avait appris qu'il fallait garder la tête froide quand il s'agissait de négocier avec les Castro.

Puisque les frères Castro étaient farouchement opposés aux principes démocratiques inscrits dans la charte de l'OEA et ne cachaient pas leur mépris pour cette institution, il était difficile d'imaginer en quoi les y accepter serait bon pour la démocratie ou pour l'OEA. En réalité, comme la tradition voulait que l'on décide par consensus, cela aurait donné à Cuba un droit de veto sur des questions régionales importantes.

Les frères Castro n'étaient pas présents au Honduras pour défendre leur cause. Ils n'avaient même pas exprimé le moindre désir de rejoindre l'OEA. C'est le Venezuela, en la personne de son président Hugo Chávez, qui s'en est chargé (largement soutenu par d'autres). Chávez, un dictateur qui aimait se donner de l'importance et qui représentait davantage une contrariété qu'une réelle menace (sauf envers son propre peuple), protestait et complotait contre les États-Unis depuis des années tout en tentant de renverser la démocratie dans son pays et chez ses voisins. Il incarnait à bien des égards l'histoire négative sur laquelle la région essayait de tourner la page. Il avait bâillonné la contestation et la presse vénézuéliennes, nationalisé l'industrie et saisi ses bénéfices, dilapidé la richesse pétrolière du pays, et il travaillait à faire du Venezuela une dictature.

En avril, le président Obama l'avait croisé au Sommet des Amériques. À ce moment-là, Chávez avait eu l'air ravi d'échanger une poignée de main avec le président des États-Unis et il s'était donné en spectacle en lui offrant un cadeau en témoignage de sa bonne volonté. C'était un livre sur l'impérialisme et l'exploitation américains en Amérique latine. Pas vraiment un cadeau, tout compte fait.

Je critiquais régulièrement Chávez et défendais ceux qui, au Venezuela, tentaient de s'opposer à lui. Mais j'essayais aussi de ne pas lui donner de bonnes raisons de se glorifier aux yeux des pays voisins et de monter sur ses grands chevaux en fustigeant la tyrannie américaine. À la télévision vénézuélienne, il avait amusé le public en chantant : « Hillary Clinton ne m'aime pas... et moi non plus », sur l'air d'une chanson populaire. C'était difficile de le contredire là-dessus.

Ma journée au Honduras a débuté par un petit déjeuner en compagnie des ministres des Affaires étrangères des Caraïbes. Nous avions de nombreux sujets à aborder, notamment la recrudescence de la violence liée à la drogue et le renforcement de notre coopération dans le domaine de l'énergie. La plupart des pays des Caraïbes étaient à la fois pauvres en ressources naturelles et soumis aux effets du changement climatique, comme l'élévation du niveau de la mer et les intempéries. C'est pourquoi ils étaient enclins à discuter avec nous afin de trouver des solutions. Bien entendu, la conversation a aussi tourné autour de Cuba. « Nous espérons vraiment qu'un jour Cuba pourra entrer dans l'OEA, ai-je assuré aux ministres. Mais nous croyons que cette adhésion implique certaines responsabilités. Nous devons, les uns vis-à-vis des autres, respecter cette norme de gouvernance démocratique qui a apporté tant de bénéfices à notre continent. Il ne s'agit pas de revivre le passé ; il s'agit d'être tourné vers l'avenir et de respecter les principes fondateurs de cette organisation. »

Après le petit déjeuner est venue l'heure de l'assemblée générale de l'OEA.

Le secrétaire général, José Miguel Insulza, diplomate chilien, et le président Zelaya du Honduras, pays d'accueil de la réunion, nous ont reçus dans le hall et ont proposé que tous les ministres posent pour une « photo de famille ». Parmi eux, combien allaient nous soutenir dans la défense des principes démocratiques de l'Organisation ?

Le Brésil jouait un rôle primordial. Sous la gouvernance du président Luis Inácio Lula da Silva, ce pays avait émergé comme un acteur international majeur. Lula, un ancien syndicaliste charismatique élu en 2002, incarnait un Brésil moderne et plein de vitalité, doté d'une des économies les plus dynamiques du monde et d'une classe moyenne grandissante. Peut-être plus encore que dans le cas d'autres pays, la montée du Brésil symbolisait la transformation de l'Amérique latine et ses promesses d'avenir.

Quand je m'étais rendue pour la première fois dans ce pays en tant que première dame, en 1995, il était encore relativement pauvre, avec un système démocratique fragile et d'énormes disparités économiques. Les dictatures militaires et les insurrections avaient cédé la place à des gouvernements civils faibles qui n'avaient guère produit de résultats positifs pour la population. Le Brésil a commencé à se moderniser avec le président Fernando Henrique Cardoso, qui avait été élu quelques mois avant ma visite. Il a relancé l'économie, et sa femme Ruth, sociologue, a créé une agence spécialisée dans la diminution de la pauvreté et les transferts conditionnels en espèces afin d'améliorer le niveau de vie des femmes et des familles pauvres. C'est le populaire Lula qui a succédé à Cardoso, poursuivant ses réformes économiques, élargissant la sécurité sociale pour combattre la pauvreté et réduisant la destruction de la forêt amazonienne de 75 % par an.

En même temps que son économie croissait, Lula prenait de l'assurance sur le plan international. Il envisageait le Brésil comme une future puissance mondiale, et ses décisions ont donné lieu à une coopération constructive tout en engendrant de la frustration. Par exemple, en 2004, Lula a envoyé des troupes pour mener la mission de paix de l'ONU en Haïti, où elles ont réussi à maintenir l'ordre et la sécurité dans des conditions difficiles. Mais, d'un autre côté, il a insisté pour discuter avec la Turquie d'un accord parallèle avec l'Iran sur les armes nucléaires qui ne répondait pas aux critères de la communauté internationale.

Toutefois, je me réjouissais de l'influence grandissante du Brésil et de sa capacité à régler certains problèmes. Plus tard, j'apprécierais de travailler avec Dilma Rousseff, la protégée de Lula, devenue directrice de cabinet, puis finalement présidente. Le 1ᵉʳ janvier 2011, j'ai assisté à son investiture lors d'une journée pluvieuse mais festive à Brasilia. Sa Rolls Royce de 1952 s'est avancée dans la rue, où des dizaines de milliers de gens s'étaient massés pour voir la première présidente de l'histoire du pays. Elle a prêté serment, avant d'accepter la traditionnelle écharpe vert et or remise par son mentor, Lula, en promettant de continuer son travail et d'éradiquer la pauvreté et l'injustice. Consciente qu'elle vivait un moment historique, elle a déclaré : « Aujourd'hui, toutes les femmes brésiliennes devraient se sentir fières et heureuses. » Dilma est une grande dirigeante que j'admire et que j'apprécie. Dans les années 1970, alors qu'elle appartenait à un groupe de guérilleros d'extrême gauche, elle a été emprisonnée et torturée par la dictature militaire. Elle ne possède peut-être pas le panache de Lula ni l'expertise de Cardoso, comme l'ont fait remarquer certains observateurs, mais elle est intelligente et courageuse, deux qualités indispensables à un leader en ces temps difficiles. Elle a démontré son courage en 2013 quand les Brésiliens sont descendus dans la rue, frustrés par le ralentissement de la croissance, l'augmentation des prix et le sentiment que le gouvernement se préoccupait davantage de grands événements comme la Coupe du monde de football de 2014 ou les Jeux olympiques de 2016 que de la qualité de vie de ses citoyens. Au lieu de fustiger, battre ou emprisonner les contestataires, comme d'autres pays l'auraient fait (par exemple le Venezuela), Dilma les a rencontrés, a entendu leurs inquiétudes et leur a proposé de travailler main dans la main avec le gouvernement pour résoudre les problèmes.

Sur le dossier cubain, je savais qu'il allait être difficile de convaincre le Brésil. Lula voterait pour la levée de la suspension. Mais je me demandais si son ambition de devenir un acteur de la région ne pouvait pas jouer en notre faveur et nous aider à trouver un compromis. J'allais devoir tâter le terrain auprès de son ministre des Affaires étrangères, Celso Amorim, pour déterminer si c'était possible.

L'autre acteur important était le Chili. Comme le Brésil, le Chili était une vraie *success story* latino-américaine. Il avait opté pour la démocratie dans les années 1990 après la dictature militaire brutale du général Augusto Pinochet. Le rôle des États-Unis dans le coup d'État de 1973 qui avait porté Pinochet au pouvoir et notre soutien ultérieur à ce régime d'extrême droite constituent un chapitre sombre de notre histoire dans cette région, mais, plus récemment, nous avions développé des relations fortes et constructives avec ce pays. Michelle Bachelet, première femme présidente élue en 2006, avait une formation de pédiatre. Comme Dilma Rousseff au Brésil, elle avait été persécutée sous le régime autoritaire chilien et avait fui son pays. Elle était revenue après la chute de Pinochet et avait commencé à gravir les échelons de la classe politique. En tant que présidente, elle œuvrait à unir le pays et à réparer les abus du passé en inaugurant un musée de la Mémoire ainsi qu'un Institut national pour les droits de l'homme. Sa défense des femmes lui a valu une reconnaissance internationale et a mené en 2010, à l'issue de son mandat présidentiel, à sa nomination à la tête de la nouvelle Entité des Nations unies pour l'égalité des sexes et l'autonomisation des femmes, surnommée ONU Femmes. Elle et moi sommes devenues amies et alliées dans la lutte constante pour les droits des femmes et des filles. Elle est ensuite retournée au Chili, où elle a remporté l'élection présidentielle pour la deuxième fois fin 2013.

Le Chili défendait la réintégration de Cuba et réclamait que les États-Unis lèvent l'embargo. Début 2009, Michelle Bachelet s'est rendue à La Havane, où aucun dirigeant chilien n'était allé pendant des décennies, pour rencontrer les frères Castro. Peu après, Fidel a publié un article prenant le parti de la Bolivie dans un conflit territorial qui oppose ce pays au Chili depuis les années 1870, en critiquant l'« oligarchie chilienne » qui exploitait les Boliviens. Cela nous rappelait à quel point il pouvait se montrer capricieux et désagréable. J'espérais que le Chili allait choisir de défendre la démocratie et nous aider à désamorcer la crise.

Mon principal conseiller sur l'Amérique latine était le secrétaire d'État adjoint aux Affaires de l'hémisphère Ouest, Tom Shannon, un agent très respecté du Service extérieur américain qui avait travaillé pour cinq administrations différentes. Tom occupait déjà cette fonction à l'époque de la secrétaire d'État Rice et je l'avais gardé à ce poste jusqu'à ce qu'on puisse le nommer ambassadeur au Brésil. Il m'a exposé le pour et le contre d'une éventuelle adhésion de Cuba à l'OEA et m'a expliqué que notre situation diplomatique était délicate ; dès lors, nous nous sommes creusé la tête pour trouver une issue à la crise, jusqu'à ce qu'une résolution commence finalement à se dessiner.

Étant donné les propos du président Obama sur la nécessité d'oublier les débats stériles de la guerre froide, il était hypocrite de notre part de continuer à refuser l'entrée de Cuba dans l'OEA sous prétexte qu'il en avait été exclu en 1962 en raison de son soutien au « marxisme-léninisme » et de son alignement avec le « bloc communiste ». Il était plus pertinent de se focaliser sur les violations des droits de l'homme perpétrées par Cuba, incompatibles avec la charte de l'OEA. Pourquoi ne pas accepter de lever la suspension à la condition que Cuba entreprenne des réformes démocratiques afin de répondre aux critères de la charte ? Et, pour montrer à quel point les frères Castro méprisaient l'OEA, pourquoi ne pas exiger qu'ils formulent une demande de réintégration officielle ? Peut-être que le Brésil, le Chili et d'autres seraient prêts à accepter ce compromis. Nous n'avions pas nécessairement besoin de convaincre les plus récalcitrants, comme le Venezuela, parce que maintenir le *statu quo* serait déjà une victoire en soi. Mais s'ils voyaient leurs voisins accepter un compromis, peut-être changeraient-ils d'avis eux aussi.

Après l'ouverture officielle du sommet en grande pompe, j'ai convié plusieurs ministres des Affaires étrangères à une réunion et leur ai présenté notre proposition de compromis, laquelle a provoqué la surprise générale ; elle s'inscrivait dans une ligne politique bien différente de celle que les États-Unis avaient suivie jusque-là, même si, à mes yeux, le résultat était le même. Tom et moi avons commencé à faire le tour des ministres en les prenant à part pour promouvoir notre vision des choses. À midi, je me suis adressée à l'assemblée générale en défendant l'idée que les principes démocratiques de l'Organisation et le progrès de l'Amérique latine dans ce sens étaient trop importants pour être abandonnés. J'ai également rappelé à mes collègues que l'administration Obama avait déjà renoué le dialogue avec Cuba.

Les défenseurs de Cuba ont aussi exposé leurs arguments. Zelaya a qualifié le vote original de 1962 de « jour infâme » et a enjoint à l'assemblée de « corriger cette erreur ». Le président du Nicaragua, Daniel Ortega, a quant à lui affirmé que les sanctions étaient « imposées par des tyrans » et, faisant tomber son masque, a ajouté : « L'OEA continue d'être un instrument de domination des États-Unis. » Les Nicaraguayens ont menacé, avec les Vénézuéliens, de soumettre la question au vote, ce qui forcerait chacun à prendre position, ou de quitter l'Organisation.

Les discussions se poursuivaient et l'heure tournait. J'étais censée quitter le Honduras en début de soirée pour aller au Caire, où je devais retrouver le président Obama pour son grand rendez-vous avec le monde musulman. Avant mon départ, il me fallait m'assurer que la proposition de réintégrer Cuba sans condition ne remporterait pas les deux tiers des voix. Nous avons répété à qui voulait l'entendre qu'une telle décision n'était pas dans l'intérêt de l'OEA. À un moment donné, le président Obama a même téléphoné directement au président Lula pour le convaincre de soutenir notre compromis. J'ai pris Zelaya à part et lui ai rappelé le rôle et les responsabilités qui étaient les siens en tant que pays d'accueil de la conférence : s'il appuyait notre position, il pouvait contribuer à sauver non seulement ce sommet, mais l'OEA elle-même ; sinon, on se souviendrait de lui comme du leader qui avait présidé à la chute de l'Organisation. Il paraissait assez sensible à ces arguments. En fin d'après-midi, nous étions encore loin d'un consensus, mais les discussions me semblaient avancer dans la bonne direction. Même si notre résolution ne passait pas, celle de l'autre camp ne passerait pas non plus, et je ne croyais pas que l'OEA puisse se dissoudre à cause de ce problème. Je me suis mise en route pour l'aéroport en demandant à Tom de me tenir informée. « Allez jusqu'au bout », lui ai-je dit en montant dans la voiture.

Quelques heures plus tard, Tom m'a informée que nous semblions proches d'un accord. Notre équipe était encore en train de négocier les termes des conditions, mais apparemment notre compromis remportait des voix. À la fin de la réunion, seuls le Venezuela, le Nicaragua, le Honduras et quelques-uns de leurs alliés soutenaient encore une résolution sans condition. Ce n'étaient pas les États-Unis qui étaient isolés, comme nous l'avions d'abord craint, mais Chávez et ses amis, qui devaient faire face à un front uni. D'après certains, Zelaya aurait proposé à Chávez de se plier à la volonté de la majorité et d'accepter le compromis. Quoi qu'il en soit, le lendemain matin ils s'étaient rétractés, et nous avons obtenu un consensus sur cette résolution. Quand elle a été acceptée, les ministres l'ont accueillie par un tonnerre d'applaudissements.

À La Havane, le régime de Castro a réagi vivement, en refusant d'entrer dans l'OEA et d'entreprendre des réformes démocratiques. De fait, la suspension demeurait donc effective. Mais nous avions réussi à replacer un débat archaïque dans une perspective moderne qui allait contribuer à inscrire l'OEA dans une tradition démocratique.

Comme à leur habitude, les frères Castro ont créé de nouveaux problèmes en décembre 2009 en arrêtant un fournisseur de l'USAID, Alan Gross, venu sur l'île pour apporter du matériel informatique à la petite communauté juive vieillissante de La Havane. Après un procès fantoche, les autorités cubaines l'ont condamné à quinze ans de prison. L'un de mes regrets, c'est de ne pas avoir pu le libérer durant mon mandat de secrétaire d'État. Le département d'État et moi sommes restés en contact avec sa femme, Judy, et ses filles. J'ai pris la parole publiquement à ce sujet en demandant leur aide à d'autres pays. Mais, malgré l'intervention d'intermédiaires qui ont discuté directement avec les représentants cubains, ces derniers ont refusé de le libérer si les États-Unis ne libéraient pas de leur côté cinq espions cubains qui avaient été emprisonnés après avoir été jugés. Il est possible que la ligne dure du régime cubain ait profité de l'affaire Gross pour refuser tout rapprochement avec les États-Unis et les réformes démocratiques que cela impliquerait. Si tel est le cas, c'est une double tragédie qui condamne également des millions de Cubains à une sorte d'emprisonnement à vie.

Comme il était impossible d'engager le moindre dialogue avec le régime de Cuba, le président Obama et moi avons décidé de nous adresser directement au peuple. Notre expérience à travers le monde nous avait appris que le meilleur moyen d'apporter le changement à Cuba était de montrer à sa population les valeurs, les informations et le confort matériel dont jouissaient les autres peuples. Isoler le régime n'avait fait que renforcer sa mainmise sur le pays ; donner des idées et du courage au peuple cubain produirait peut-être l'effet opposé. Début 2011, nous avons annoncé de nouvelles mesures destinées à faciliter l'accès à Cuba pour les groupes religieux et les étudiants, et à autoriser les aéroports américains à accueillir des vols de charters. Nous avons augmenté le seuil des sommes que les Cubains vivant aux États-Unis pouvaient envoyer à leurs familles par mandat. Des centaines de milliers d'Américains se rendent désormais sur l'île chaque année. Ils incarnent les États-Unis et les bienfaits d'une société plus ouverte.

À chaque nouvelle mesure, nous avons essuyé les critiques de certains membres du Congrès, qui voulaient confiner Cuba dans son isolement. Mais je demeurais convaincue que ce genre d'échanges de peuple à peuple représentait le meilleur moyen de pousser Cuba à se réformer, ce qui était dans l'intérêt des États-Unis et de la région. C'est pourquoi je me suis réjouie de voir le pays changer petit à petit, malgré les efforts de la ligne dure du régime pour empêcher cette transformation. De plus en plus de voix se sont élevées pour réclamer la liberté, en créant des blogs ou en organisant des grèves de la faim. J'ai été particulièrement impressionnée par le courage et la détermination des femmes cubaines baptisées Damas de Blanco, les « Femmes en blanc ». À partir de 2003, elles ont manifesté tous les dimanches après la messe contre la détention des prisonniers politiques. Elles ont subi des agressions, des passages à tabac et des emprisonnements, mais elles n'ont pas cessé de manifester.

La fin de mon mandat approchant, j'ai demandé au président Obama de reconsidérer notre embargo. Il ne remplissait pas sa fonction et entravait nos projets en Amérique latine. Après avoir observé pendant vingt ans nos relations avec Cuba, je pensais qu'il revenait désormais à Castro d'expliquer pourquoi il continuait de rejeter la démocratie et la paix.

*
* *

Le sommet de San Pedro Sula en juin n'a toutefois pas mis fin au drame. Quelques semaines plus tard à peine, les fantômes du passé trouble de l'Amérique latine ont resurgi au Honduras. Le dimanche 28 juin 2009, la Cour suprême de ce pays a ordonné l'arrestation du président Zelaya ; il était soupçonné de corruption et d'avoir tenté de contourner la constitution afin d'étendre son mandat. Zelaya a été arrêté en pyjama, puis mis dans un avion pour le Costa Rica. Un gouvernement de transition dirigé par le président du Congrès national, Roberto Micheletti, a assuré l'intérim.

J'étais chez moi à Chappaqua, profitant de cette calme matinée dominicale, quand Tom Shannon m'a annoncé la nouvelle. Il m'a donné les éléments dont nous disposions, qui étaient encore peu nombreux, et nous avons évoqué les mesures à prendre. La première était de s'occuper de la femme et des filles de Zelaya, qui avaient demandé à pouvoir se réfugier dans notre ambassade du Honduras. J'ai chargé Tom de s'assurer qu'on s'occupe d'elles jusqu'à ce que la crise soit désamorcée. Je me suis entretenue avec le général Jones et Tom Donilon à la Maison-Blanche, puis j'ai appelé brièvement le ministre espagnol des Affaires étrangères.

L'exil forcé de Zelaya mettait les États-Unis devant un nouveau dilemme. Micheletti et la Cour suprême prétendaient défendre la démocratie hondurienne contre Zelaya, qui s'était arrogé le pouvoir et voulait devenir un nouveau Chávez ou un nouveau Castro. Il était certain que la région n'avait pas besoin d'un dictateur supplémentaire, et beaucoup connaissaient suffisamment Zelaya pour donner crédit aux accusations portées contre lui. Toutefois, il avait été élu par le peuple, et le forcer à s'exiler en pleine nuit jetait un froid en Amérique latine. Personne ne voulait revenir au temps des coups d'État fréquents et des gouvernements instables. Je ne voyais pas d'autre solution que de condamner l'éviction de Zelaya. J'ai publié une déclaration appelant toutes les parties au Honduras à respecter l'ordre constitutionnel et l'état de droit et à s'engager à résoudre les conflits politiques pacifiquement, par le dialogue. Comme le prévoyaient nos textes de loi, notre gouvernement a suspendu ses aides au Honduras jusqu'au rétablissement de la démocratie. D'autres pays de la région, notamment le Brésil, la Colombie et le Costa Rica, partageaient notre avis. Peu après, c'est également la position qu'a officiellement adoptée l'OEA.

Dans les jours qui ont suivi, j'ai discuté avec mes homologues de part et d'autre du continent, notamment avec la secrétaire d'État mexicaine aux Affaires étrangères, Patricia Espinosa. Nous avons mis au point une stratégie pour rétablir l'ordre au Honduras et faire en sorte que des élections libres et démocratiques puissent avoir lieu rapidement, afin de remplacer Zelaya et de donner au peuple une chance de décider de son avenir.

Il nous fallait un homme d'État respecté pour assurer le rôle de médiateur. Mon choix s'est naturellement porté sur Óscar Arias, le président du Costa Rica, un pays qui possède l'un des revenus par habitant les plus élevés et l'une des économies les plus vertes de toute l'Amérique centrale. C'était un leader expérimenté, tenu en haute estime dans le monde entier et lauréat du prix Nobel de la paix en 1987 pour son action contre les conflits violents en Amérique centrale. Après s'être maintenu à l'écart du pouvoir pendant seize ans, il avait été réélu en 2006 et s'était fait le chantre de la gouvernance responsable et du développement durable. Je l'ai appelé début juillet. Nous étions d'accord : les élections devaient se dérouler en novembre, comme prévu. Il voulait bien essayer de parvenir à un accord, mais n'était pas sûr que Zelaya l'accepte comme médiateur ; aussi, il m'a demandé de convaincre le président destitué de lui faire confiance.

Cet après-midi-là, j'ai reçu Zelaya au département d'État. Quand il est arrivé, il paraissait plus en forme que lors de sa dernière apparition publique au Costa Rica. Il avait quitté son pyjama et remis son chapeau de cowboy. Il a même plaisanté au sujet de son exil forcé. « Quelle est la leçon que les présidents latino-américains ont retenue du Honduras ? » a-t-il demandé. J'ai secoué la tête en souriant. « Dormir tout habillé et tenir sa valise prête », a-t-il répondu.

Blague à part, Zelaya était frustré et impatient. Des rapports en provenance du Honduras faisant état d'incidents entre des manifestants et les forces de l'ordre augmentaient encore la tension. Je lui ai dit que nous devions faire notre possible pour éviter un bain de sang et l'ai prié de se joindre au processus de médiation mené par Arias. À la fin de notre conversation, il a accepté. Je savais que Micheletti s'opposerait à cette médiation s'il pensait que Zelaya prenait la main ; c'est pourquoi j'ai préféré annoncer cette nouvelle seule, sans Zelaya à mes côtés. J'ai demandé à Tom d'emmener ce dernier dans un bureau séparé de sorte qu'il puisse s'entretenir avec Arias au téléphone. Pendant ce temps, je me suis empressée de rejoindre la salle de conférence de presse, où j'ai fait une déclaration officielle.

Les jours suivants n'ont guère produit d'avancées. Arias m'a rapporté que Zelaya demandait à reprendre son siège présidentiel, tandis que Micheletti, qui l'accusait d'avoir violé la constitution, refusait de céder la place tant que les élections n'avaient pas eu lieu. Personne ne semblait enclin à faire des compromis, en somme.

« Nous demandons des élections libres, justes et démocratiques, avec un transfert de pouvoir pacifique », ai-je répété à Arias. Comme moi, il voulait rester ferme sur ce point et se sentait frustré par l'intransigeance de ses interlocuteurs. « Ils refusent toute concession », m'a-t-il dit. Puis il a exprimé un sentiment que beaucoup d'entre nous éprouvaient, je pense : « Madame Clinton, j'ai accepté de faire cela et je suis favorable au retour de Zelaya par principe, pas parce que j'apprécie ces gens. [...] Si nous autorisons ce gouvernement autoproclamé à rester au pouvoir, il y aura un effet domino dans toute l'Amérique latine. » C'était une reformulation intéressante de la théorie de l'effet domino, cette hantise de la guerre froide de voir un petit État devenu communiste contaminer tous ses voisins.

Zelaya est revenu au département d'État début septembre pour poursuivre les négociations. Puis, le 21 septembre, il est retourné en secret au Honduras et s'est refugié à l'ambassade brésilienne – une situation potentiellement explosive.

Les négociations se sont étirées en longueur. Fin octobre, il est apparu qu'Arias n'avait guère progressé pour réconcilier les deux parties. J'ai décidé d'envoyer Tom au Honduras pour montrer que notre patience avait des limites. Le 23 octobre, peu après 21 heures, j'ai reçu un appel de Micheletti. « La frustration gagne Washington et s'étend au-delà », l'ai-je averti. Micheletti a essayé d'expliquer qu'ils « faisaient tout [leur] possible pour trouver un accord avec Zelaya ».

Une heure plus tard environ, j'ai contacté Zelaya, toujours réfugié à l'ambassade brésilienne. Je l'ai informé que Tom était en route pour l'aider à régler le problème. Je lui ai promis de rester personnellement engagée dans cette affaire et que nous allions tenter de trouver une issue à cette crise très prochainement. Nous savions que c'était aux Honduriens de résoudre le problème, et de le faire d'une façon qui satisferait les deux camps. C'était beaucoup demander, mais il s'est révélé que ce n'était pas complètement impossible. Le 29 octobre, Zelaya et Micheletti ont fini par signer un accord prévoyant la mise en place d'un gouvernement d'union nationale qui dirigerait le Honduras jusqu'aux prochaines élections et la création d'une commission « vérité et réconciliation » qui enquêterait sur les événements ayant mené à la destitution du président. Ils ont laissé au Congrès le soin de décider si Zelaya pouvait se représenter ou non.

Presque aussitôt, la structure et l'objectif de ce gouvernement d'unité ont donné lieu à controverse. Les deux parties ont menacé de se retirer de cet accord. Puis le Congrès a voté à une écrasante majorité pour ne pas autoriser Zelaya à se représenter, un coup dur inattendu pour lui. Il avait grandement surestimé le soutien dont il bénéficiait dans son pays. À l'issue du vote, il s'est exilé en République dominicaine, où il est resté près d'un an. Les élections ont néanmoins eu lieu. Fin novembre, les électeurs ont choisi comme nouveau président Porfirio Lobo, qui s'était présenté contre Zelaya en 2005. De nombreux pays d'Amérique du Sud n'ont pas accepté ce résultat, si bien qu'il a fallu près d'un an de discussions diplomatiques pour que le Honduras soit réintégré dans l'OEA.

C'était la première fois dans l'histoire de l'Amérique centrale qu'un pays ayant subi un coup d'État et s'étant trouvé au bord d'un conflit civil parvenait à restaurer le processus démocratique constitutionnel grâce à la négociation, sans intervention extérieure.

S'il est une région où il nous faut analyser les tendances profondes sans nous en tenir aux apparences, c'est bien l'Amérique latine. Certes, les problèmes sont encore nombreux et il faudra les régler. Mais la tendance générale est à la démocratie, à l'innovation, à une plus grande égalité des chances et à l'établissement de partenariats positifs entre les pays eux-mêmes et avec les États-Unis. Voilà l'avenir que nous voulons.

Chapitre 13

Afrique :
les armes ou le développement ?

L'avenir de l'Afrique sera-t-il davantage caractérisé par les armes et la corruption, ou par le développement et la bonne gouvernance ? De part et d'autre de cet immense continent se côtoient à la fois une prospérité grandissante et une extrême pauvreté, des gouvernements responsables et l'anarchie la plus totale, des champs et des forêts luxuriants et des zones de sécheresse. Qu'une même région puisse présenter de si grandes disparités, voilà qui fait naître une interrogation qu'au département d'État nous avons toujours gardée à l'esprit : comment pouvons-nous contribuer à soutenir le progrès considérable qui est en cours dans tant de pays d'Afrique tout en permettant à d'autres, encore dominés par le chaos et les privations, d'inverser la tendance ?

Cette question est marquée par le sceau de l'histoire. Sur ce continent, un grand nombre de conflits et de problèmes découlent de décisions prises durant l'ère coloniale, quand on a tracé des frontières sans se préoccuper des différences ethniques, tribales ou religieuses. Après la décolonisation, des gouvernements inefficaces et une mauvaise gestion économique ont creusé les divisions et encouragé la corruption. Les leaders rebelles, comme c'est souvent le cas, savaient se battre, mais pas gouverner. La guerre froide a transformé une grande partie de l'Afrique en un terrain de bataille idéologique – et parfois réel – où s'affrontaient des forces soutenues par l'Occident et d'autres soutenues par l'Union soviétique.

Les défis sont grands, c'est certain, mais l'Afrique émergente du XXI\ᵉ siècle présente aussi un autre visage. Certaines des économies les plus florissantes de la planète se trouvent en Afrique subsaharienne.

Depuis 2000, les échanges entre le continent et le reste du monde ont été multipliés par trois. L'investissement privé étranger a dépassé le montant des aides officielles, et il devrait continuer d'augmenter. Entre 2000 et 2010, les exportations non pétrolières africaines vers les États-Unis ont quadruplé, passant de 1 à 4 milliards de dollars et comprenant notamment des vêtements et objets artisanaux de Tanzanie, des fleurs du Kenya, des patates douces du Ghana et des produits en cuir haut de gamme d'Éthiopie. Durant cette même période, le taux de mortalité infantile a baissé et le taux de scolarisation a augmenté. L'accès à l'eau potable s'est répandu et le nombre de morts violentes dues à des conflits a chuté. L'Afrique compte aujourd'hui plus d'usagers de téléphones portables que les États-Unis ou l'Europe. Les économistes prévoient que les dépenses de consommation en Afrique subsaharienne devraient passer de 600 millions de dollars en 2010 à 1 billion en 2020. Tout cela signifie qu'un avenir différent est possible. Dans de nombreux pays, cet avenir est déjà là.

Le président Obama et moi étions conscients que, en décidant d'aider l'Afrique à rendre les armes et à privilégier le développement, nous n'allions pas faire les gros titres des journaux américains ; toutefois, nous pouvions en retirer des profits non négligeables. C'est pourquoi il s'est rendu en Afrique subsaharienne plus tôt au cours de son mandat que n'importe lequel de ses prédécesseurs, avec un voyage au Ghana en juillet 2009. Dans un discours devant le parlement d'Accra où il a exprimé le soutien des États-Unis à la démocratie et au libre-échange en Afrique, il a prononcé cette phrase mémorable : « L'Afrique n'a pas besoin d'hommes forts. Elle a besoin d'institutions fortes. » Il a également reconnu qu'historiquement l'Occident avait eu trop tendance à considérer l'Afrique comme un continent riche en ressources à exploiter ou comme une noble cause à défendre. Il a dit aux Africains et aux Occidentaux : l'Afrique a besoin de partenariats, pas de charité.

En dépit de tous les progrès déjà accomplis, dans un trop grand nombre de pays africains les salariés gagnaient moins d'un dollar par jour, des mères et des pères mouraient de maladies pourtant curables, les enfants grandissaient au milieu des armes et non des livres, le viol des femmes et des filles constituait une tactique de guerre, et la cupidité comme la corruption étaient monnaie courante.

L'engagement de l'administration Obama dans la région reposait sur quatre piliers : encourager les perspectives et le développement, stimuler l'essor économique, les échanges et l'investissement, promouvoir la paix et la sécurité, renforcer les institutions démocratiques.

Notre approche contrastait fortement avec celle d'autres pays intervenant en Afrique. Des entreprises chinoises, dont beaucoup étaient contrôlées par l'État et devaient répondre à l'énorme demande de ressources naturelles de leur population, achetaient des concessions de mines et de forêts africaines. À partir de 2005, leur investissement direct sur le continent a été multiplié par trente et, en 2009, la Chine était devenue le partenaire commercial privilégié de l'Afrique, éclipsant les États-Unis. C'était toujours le même scénario : des entreprises chinoises arrivaient sur un marché et signaient des contrats juteux afin d'extraire les ressources et de les exporter jusqu'en Chine. En échange, elles construisaient des infrastructures tape-à-l'œil comme des stades de foot et des autoroutes (lesquelles menaient souvent d'une mine détenue par des Chinois à un port lui aussi détenu par des Chinois). Elles ont même bâti un nouveau centre gigantesque pour l'Union africaine, à Addis-Abeba, en Éthiopie.

Il ne fait pas de doute que ces projets ont été applaudis par de nombreux leaders africains et ont permis de moderniser l'infrastructure du continent, où seules 30 % des routes étaient goudronnées. Mais les Chinois préféraient venir avec leur propre main-d'œuvre plutôt que d'embaucher des travailleurs locaux, lesquels avaient besoin d'emplois et de salaires stables ; en outre, ils ne faisaient pas grand cas des questions de santé et de développement qui inquiétaient l'Occident et les organisations internationales. Ils fermaient également les yeux sur les violations des droits de l'homme et les attitudes antidémocratiques. Par exemple, le soutien appuyé de la Chine au régime d'Omar el-Béchir, au Soudan, a considérablement réduit l'efficacité des sanctions internationales, ce qui a conduit certains activistes préoccupés par le génocide au Darfour à appeler au boycott des Jeux olympiques de Pékin en 2008.

Je me faisais de plus en plus de souci à propos des effets négatifs de l'investissement étranger en Afrique, et j'évoquais souvent le problème avec les leaders africains et chinois. Lors d'une visite en Zambie en 2011, un journaliste de la télévision m'a interrogée à ce sujet. « Nous pensons qu'à long terme ces investissements doivent durer et profiter au peuple africain », ai-je répondu. Nous nous trouvions dans un centre médical financé par les États-Unis et qui soignait les enfants atteints du sida. Je venais de rencontrer une jeune maman porteuse du virus mais qui, grâce au traitement qu'elle recevait dans ce centre, avait donné naissance à une petite fille séronégative. Pour moi, c'était un merveilleux exemple de l'investissement américain. Est-ce que nous le faisions pour l'argent ? Non. Nous le faisions parce que nous voulions voir le peuple zambien en bonne santé et prospère, ce qui était aussi dans l'intérêt des Américains. « Les États-Unis investissent dans le peuple zambien, pas seulement dans ses élites, et ils le font à long terme », ai-je déclaré.

Le journaliste a enchaîné par une question sur la Chine en particulier. Le système politico-économique de ce pays pouvait-il servir de modèle aux nations africaines « par opposition à la notion de bonne gouvernance, qui, en Afrique, est largement considérée comme un concept imposé par l'Occident » ? Je suis la première à féliciter la Chine pour avoir sorti des millions de gens de la pauvreté, mais, en termes de bonne gouvernance et de démocratie, son exemple laisse à désirer. Par exemple, en vertu de la non-ingérence dans les affaires d'un pays, la Chine ne sanctionnait pas, voire encourageait, une corruption dont le coût estimé pour les économies africaines s'élevait à 150 milliards de dollars par an, qui rebutait les investisseurs, entravait l'innovation et ralentissait les échanges. Une gouvernance démocratique, responsable et transparente constituait un meilleur modèle. Mais il faut reconnaître aux Chinois qu'ils savent mener à bien de grands projets, dans leur pays comme à l'étranger. Si nous voulions promouvoir le développement et réduire la corruption, il fallait donner aux gens les moyens d'atteindre leurs objectifs.

J'ai abordé certaines de ces questions dans un discours prononcé au Sénégal à l'été 2012. J'ai souligné que l'Amérique privilégiait « un modèle de partenariat durable qui permet d'ajouter de la valeur, pas d'en extraire ». J'espérais que les leaders africains allaient devenir des consommateurs intelligents et donner la priorité aux besoins à long terme de leurs citoyens, et non aux bénéfices à court terme d'un salaire vite gagné.

Dans tout le continent africain, la démocratie était malmenée. Entre 2005 et 2012, le nombre de démocraties en Afrique subsaharienne est passé de vingt-quatre à dix-neuf. C'était toujours mieux que dans les années 1990, où il n'y en avait quasiment aucune, mais ce n'était tout de même pas un résultat encourageant. Pendant mon mandat de secrétaire d'État, nous avons assisté à des coups d'État en Guinée-Bissau, où aucun président élu n'a jamais pu achever son mandat de cinq ans, en Centrafrique, en Côte d'Ivoire, au Mali et à Madagascar.

Les États-Unis ont déployé des efforts diplomatiques considérables pour résoudre ces crises. En juin 2011, je me suis rendue au centre de l'Union africaine, en Éthiopie, où je me suis adressée sans détour aux chefs d'État : « Le *statu quo* est brisé ; les anciennes façons de gouverner ne sont plus admissibles ; il est temps pour les gouvernants de se montrer responsables, de traiter leur peuple avec dignité, de respecter leurs droits et de permettre le développement économique. S'ils ne le font pas, alors il est temps pour eux de se retirer. » J'ai évoqué le soulèvement du Printemps arabe, qui renversait les gouvernements au Moyen-Orient et en Afrique du Nord. Si l'Afrique subsaharienne ne changeait pas, si elle ne proposait pas une perspective positive pour l'avenir, cette vague de contestations pouvait l'atteindre elle aussi.

Quand je me suis rendue au Sénégal, un pays qui était depuis longtemps considéré comme un modèle démocratique n'ayant jamais connu de coups d'État militaires, il sortait tout juste d'une crise constitutionnelle. En 2011, Abdoulaye Wade, ce président si singulier âgé de 85 ans, avait tenté d'enfreindre la constitution et de se représenter pour un troisième mandat, soulevant de vives protestations. Ce problème était récurrent en Afrique : des gouvernants âgés, notamment d'anciens héros des mouvements de libération nationale qui se considéraient comme les pères de leur nation, refusaient de lâcher les rênes le moment venu ou de laisser leur pays avancer sans eux. L'exemple le plus emblématique est celui de Robert Mugabe au Zimbabwe, qui s'accroche au pouvoir tandis que son pays est plongé dans la souffrance.

Au Sénégal, quand Wade a décidé de rester à la tête du pays, un groupe de musiciens et de jeunes militants a lancé un mouvement de masse avec pour seul slogan : « On en a marre. » Johnnie Carson, mon adjoint aux Affaires africaines, a tenté de convaincre Wade de penser d'abord au bien de son pays, mais il ne voulait rien entendre. La société civile sénégalaise a demandé que son président respecte la constitution et se retire. Les citoyens ont entrepris d'inscrire les électeurs et de les informer. Des étudiants ont manifesté dans la rue en criant : « Ma carte d'électeur, c'est mon arme ! » Fidèle à la tradition, l'armée sénégalaise ne s'est pas mêlée de ces affaires politiques.

Lors des élections de février 2012, les électeurs se sont rendus en masse dans les urnes. Les militants se sont déployés dans les 11 000 bureaux de vote pour comptabiliser le nombre de votants et transmettre l'information par texto, accompagnée d'éventuelles irré-gularités à signaler, à un bureau indépendant de Dakar surnommé par les femmes qui le dirigeaient la « salle de crise ». Il s'agissait peut-être du système de surveillance le plus développé qui ait jamais existé lors d'une élection africaine. En définitive, Wade a perdu. Il s'est plié à la volonté des électeurs et a accepté un transfert pacifique du pouvoir. J'ai appelé le nouveau président, Macky Sall, pour le féliciter et lui ai dit : « Plus encore que votre victoire personnelle, ce transfert pacifique du pouvoir est une victoire historique pour la démocratie. » Le lendemain de l'élection, Sall s'est rendu dans la « salle de crise » afin de remercier les militants qui s'étaient battus pour défendre la constitution du Sénégal.

Dans mon discours à Dakar au mois d'août suivant, j'ai félicité le peuple du Sénégal et rappelé que la promotion de la démocratie figurait au cœur de l'engagement américain en Afrique :

« Je sais qu'on entend parfois dire que la démocratie est le pri-vilège des pays riches, que les pays émergents doivent d'abord se préoccuper de leur économie et remettre la démocratie à plus tard. Mais ce n'est pas ce que nous enseigne l'histoire. À long terme, on ne peut avoir de libéralisation économique sans libéralisation politique. [...] Les États-Unis défendent la démocratie et les droits de l'homme même quand il serait plus facile ou plus rentable de fermer les yeux et de continuer à utiliser les ressources disponibles. Tous les partenaires ne font pas ce choix, mais c'est le nôtre, et ça ne changera pas. »

*
* *

Le Liberia incarne la lutte permanente qui traverse de nombreux pays d'Afrique entre un passé douloureux et un avenir prometteur – entre les armes et le développement.

Les Américains déplorent souvent les guerres partisanes qui se jouent à Washington en se demandant pourquoi leurs dirigeants ne parviennent pas à s'entendre. Mais nos querelles au Congrès ne sont rien comparées aux batailles que se livrent les membres du parlement du Liberia. Quand je m'y suis rendue en août 2009, il se compo-sait d'hommes de lois qui avaient littéralement pris les armes pour se combattre les uns les autres pendant des années. On y trouvait la sénatrice Jewel Taylor, ex-femme de l'ancien dictateur du pays, Charles Taylor, qui comparaissait alors à La Haye pour crimes de guerre. Elle côtoyait l'ancien seigneur de la guerre reconverti en sénateur, Adolphus Dolo, connu sur le champ de bataille sous le nom de général Peanut Butter (« Beurre de cacahuète ») – de nombreux généraux libériens étaient affublés de surnoms fantaisistes – et dont le slogan de campagne était : « Laissez-le beurrer votre tartine. » À l'époque de la guerre civile, il aurait été inimaginable de les voir assis côte à côte comme des représentants légitimes d'un pays enfin en paix. Entre 1989 et 2003, près de 250 000 Libériens avaient été tués et des millions avaient fui. Qu'ils aient réussi à clore ce sinistre chapitre de leur histoire est source d'espoir et prouve que, bien souvent, les femmes peuvent (et doivent) œuvrer à la paix, recoudre le tissu social déchiré et travailler main dans la main en vue d'un avenir meilleur.

En 2003, les femmes du Liberia ont commencé à proclamer : « Trop, c'est trop. » Des militantes comme la future lauréate du prix Nobel de la paix Leymah Gbowee ont créé un mouvement pour la paix. Au printemps de cette année-là, des milliers de femmes de tous les horizons, catholiques et musulmanes confondues, sont descendues dans la rue pour manifester, chanter et prier. Toutes vêtues de blanc, elles se sont assises au milieu d'un marché de poisson sous une banderole où était écrit : « Les femmes du Liberia veulent la paix. » Les seigneurs de la guerre ont essayé de ne pas prêter attention à elles. Puis ils ont tenté de les disperser. Mais ces femmes ont refusé de bouger. Finalement, ils ont accepté d'entamer des négociations. Comme les discussions s'éternisaient, un groupe de femmes s'est rendu dans le pays voisin, le Ghana, où se tenait une conférence de paix, et elles y ont organisé un sit-in. Bras dessus, bras dessous, elles ont bloqué l'accès aux portes et aux fenêtres jusqu'à ce que les hommes présents à l'intérieur parviennent à un accord. Cette histoire est racontée dans le documentaire *Pray the Devil Back to Hell*, que je recommande vivement.

Un accord de paix a fini par être signé et le dictateur Charles Taylor a fui. Mais les femmes du Liberia n'en sont pas restées là. Elles ont voulu s'assurer que la paix allait durer, pour leurs familles et l'avenir de leur nation. En 2005, elles ont participé à l'élection de l'une d'entre elles, Ellen Johnson Sirleaf, future prix Nobel, qui est devenue la première présidente du continent africain.

Comme Nelson Mandela, la présidente Johnson Sirleaf était la petite-fille d'un chef. Elle a étudié l'économie et les politiques publiques aux États-Unis et est sortie de la Kennedy School de

Harvard en 1971 avec un master en administration publique. Sa carrière politique au Liberia a été un véritable numéro d'équilibriste. Elle a exercé la fonction de ministre des Finances adjoint avant de fuir le pays en 1980 à la suite d'un coup d'État qui a renversé le gouvernement. Après un passage par la Banque mondiale et la Citibank, elle est retournée dans son pays en 1985 et s'est présentée comme vice-présidente. Mais elle s'est vite retrouvée en prison pour avoir critiqué le régime du dictateur Samuel Doe. Elle a été graciée au milieu d'un concert de protestations internationales, puis a décroché un siège au Sénat, qu'elle a refusé en signe de contestation. Après avoir été une nouvelle fois arrêtée et emprisonnée, elle s'est exilée aux États-Unis en 1986. Elle est revenue au Liberia en 1997, cette fois pour se présenter à l'élection présidentielle contre Charles Taylor. Après un échec assez retentissant, elle s'est de nouveau exilée. Après la fin de la guerre civile et le retrait de Taylor en 2003, Johnson Sirleaf est revenue, a remporté la présidentielle de 2005, puis a été réélue pour un second mandat en 2011.

Sous sa gouvernance, le pays a commencé à se reconstruire. Le gouvernement a adopté une politique financière plus responsable, s'est attaqué à la corruption et a défendu la transparence. Le Liberia a fait des progrès au niveau de l'allégement de la dette et de la réforme territoriale, et l'économie s'est améliorée en dépit de la crise mondiale. L'école est bientôt devenue gratuite et obligatoire pour les enfants, filles incluses. Johnson Sirleaf a œuvré à réformer les forces de l'ordre et à établir un état de droit auquel tous les citoyens puissent se fier.

Quand j'ai pris la parole devant les députés libériens en 2009, j'ai félicité les citoyens, ajoutant que, s'ils continuaient comme ça, leur pays avait les moyens « d'être un modèle non seulement pour le reste de l'Afrique, mais pour le monde entier ».

*

* *

Au mois d'août de cette année-là, je me suis également rendue au Kenya. Accompagnée de Ron Kirk, le représentant américain au Commerce, j'ai atterri à l'aéroport Jomo Kenyatta International, ainsi baptisé en l'honneur du fondateur du Kenya moderne. Quand son pays a vu le jour, le 12 décembre 1963, il a prononcé un discours resté célèbre dans lequel il a demandé aux citoyens de ce nouvel

État indépendant de rester unis, utilisant le terme *harambee* – un mot swahili qui signifie « tous unis ». Ce mot était présent à mon esprit tandis que nous approchions du centre-ville, empruntant des rues bordées de petits commerces familiaux, avec en arrière-plan les tours de Nairobi où se concentraient les bureaux.

Ron et moi étions venus assister à la réunion annuelle pour le commerce et l'investissement prévue par l'African Growth and Opportunity Act (AGOA), un texte de loi adopté par mon mari en 2000 et visant à intensifier les exportations africaines vers les États-Unis. Nous importions des centaines de milliers de barils de pétrole par jour du Nigeria et de l'Angola dans un esprit de transparence et de responsabilité toujours accru. Mais nous souhaitions aussi développer les autres types d'exportation, en particulier pour les petites et moyennes entreprises.

La corruption constituait le frein majeur à la croissance économique dans la plupart des pays du continent. C'est pourquoi j'ai souri en pénétrant sur le campus de l'université de Nairobi, où j'ai été saluée par une foule d'étudiants portant des pancartes de bienvenue dont l'une disait : « Vous entrez dans une zone de non-corruption. » Le débat avec les étudiants et les militants a été animé. C'était le journaliste américain Fareed Zakaria qui le modérait.

L'une des participantes n'était autre que Wangari Maathai, lauréate kenyane du prix Nobel de la paix, à la tête d'un mouvement citoyen incitant les femmes pauvres à planter des arbres dans tout le pays afin de promouvoir la reforestation du continent. J'étais une grande admiratrice et une amie de Wangari, que j'étais ravie de retrouver à cette occasion. J'ai été peinée d'apprendre sa disparition précoce en 2011. À un moment, Zakaria lui a demandé son avis sur l'influence grandissante de la Chine en Afrique à travers ses investissements, précisant qu'elle avait déclaré à la presse que la Chine « était prête à faire des affaires sans respect pour certains principes comme les droits de l'homme ». Wangari a répondu quelque chose que je n'ai jamais oublié depuis : « Nous vivons sur un continent extrêmement riche. L'Afrique n'est pas un continent pauvre. Tout ce dont nous rêvons dans le monde se trouve ici. Les dieux étaient de notre côté quand ils ont créé l'univers, a-t-elle poursuivi sous les applaudissements. Et pourtant, aux yeux du monde, nous faisons partie des peuples les plus pauvres de la planète. Il y a vraiment quelque chose qui ne va pas. » Elle soutenait que les Africains devaient exiger responsabilité et bonne gouvernance de la part de leurs leaders, mais aussi de la part des investisseurs étrangers et des partenaires désireux de conclure des marchés sur le continent.

Je partageais entièrement cet avis et j'ai cité l'exemple positif du Botswana. Au milieu du XXe siècle, ce petit pays situé au nord de l'Afrique du Sud comptait parmi les plus pauvres du monde. Quand la Grande-Bretagne lui a accordé l'indépendance en 1966, on n'y trouvait que trois kilomètres de routes goudronnées et une seule école secondaire publique. L'année suivante, le destin du pays a été bouleversé après la découverte d'une énorme mine de diamants. Le nouveau gouvernement, dirigé par le président Seretse Khama, a dû faire face à l'afflux de nouvelles richesses et l'arrivée d'acteurs extérieurs puissants animés d'intentions pas toujours claires.

De nombreux pays connaissant la même situation ont été frappés par la « malédiction des ressources » et ont dilapidé cette manne potentielle, à cause de la corruption et de la mauvaise gestion. Les gouvernants se sont rempli les poches ou ont préféré les profits rapides aux investissements à long terme. Des gouvernements ou des institutions étrangers ont exploité cette faiblesse, appauvrissant davantage le peuple. Mais pas le Botswana. Ses leaders ont décidé d'investir les revenus du diamant dans les infrastructures et la population. Ainsi, le pays s'est développé. L'USAID et les Peace Corps n'avaient plus qu'à faire leurs valises et à rentrer chez eux. La démocratie s'est implantée, consolidée par des élections libres, justes et régulières, et fondée sur le respect des droits de l'homme. Les autoroutes du pays sont aujourd'hui parmi les meilleures d'Afrique (j'ai pu m'en rendre compte quand j'y suis allée avec Bill en 1998), l'accès à l'école primaire et à l'eau potable est presque généralisé et le pays jouit d'une des espérances de vie les plus élevées du continent. Les dirigeants du Botswana ont répondu aux cinq critères essentiels : démocratie, développement, dignité, discipline et résultats.

Si d'autres pays imitaient le Botswana, l'Afrique pourrait relever un grand nombre de ses défis. Comme je l'ai dit à l'assemblée réunie à Nairobi : « L'avenir de l'Afrique peut être radieux si l'on s'attaque à la question de la gestion des ressources, des profits ainsi générés et de l'utilisation de ces derniers. »

Après d'autres questions concernant les problèmes auxquels l'Afrique était confrontée, Zakaria a abordé un sujet plus léger. Cinq ans plus tôt, un élu kenyan avait envoyé à Bill une lettre dans laquelle il lui proposait 40 chèvres et 20 vaches en échange de la main de notre fille. Alors qu'on annonçait mon arrivée à Nairobi, il avait déclaré dans la presse que la proposition tenait toujours. Pour le plus grand plaisir du public, Zakaria a voulu savoir ce que j'en pensais. J'avais répondu à de nombreuses questions dans le monde entier, mais celle-là, c'était une première. « Eh bien, ma fille fait ses propres choix. Elle est indépendante. Alors je lui transmettrai cette gentille proposition. » Les étudiants ont ri et applaudi.

Si la bonne humeur régnait dans l'université, à l'extérieur l'heure était plutôt à l'incertitude. Les violences survenues à la suite des élections contestées de décembre 2007 avaient mené à des alliances compliquées entre d'anciens opposants, le président Mwai Kibaki et le Premier ministre Raila Amolo Odinga (un poste nouvellement créé). Leur gouvernement comprenait un vice-Premier ministre, Uhuru Kenyatta, qui serait plus tard élu président à son tour malgré les accusations de violence portées contre lui par la Cour pénale internationale.

Le président Kibaki et le Premier ministre Odinga avaient réuni leur cabinet en l'honneur de mon arrivée, et ils espéraient que j'allais leur annoncer une visite prochaine du président Obama. Mais je leur ai dit que nous étions préoccupés par l'élection truquée, la violence politique et la corruption généralisée ; le président attendait davantage d'efforts de leur part. S'est ensuivie une discussion animée durant laquelle j'ai proposé que les États-Unis aident le Kenya à améliorer son système électoral. Les États-Unis comme la Grande-Bretagne ont apporté leur aide pour inscrire les électeurs et comptabiliser électroniquement les voix, un système qui a bien fonctionné lors des scrutins suivants, quand le pays a adopté une nouvelle constitution en 2010, puis élu Kenyatta en 2013. Nous avons également soutenu l'armée kenyane quand elle s'est engagée dans la lutte contre les Shebabs en Somalie, un groupe terroriste proche d'Al-Qaida.

Le Kenya est le carrefour économique et stratégique de l'Afrique orientale ; son influence dépasse donc ses frontières. Améliorer la gouvernance et le développement est la clé de sa stabilité et de sa prospérité ; le développement agricole constitue également l'une de ses priorités. C'est pourquoi je me suis rendue au Kenya Agricultural Research Institute en compagnie de Tom Vilsack, le secrétaire d'État américain à l'Agriculture. Nous avons visité un laboratoire d'analyse des sols et des expositions sur le thème du développement agricole, financés par l'aide américaine. Pendant trente ans, alors que l'agriculture était le premier employeur d'Afrique, les exportations agricoles ont chuté. L'absence de routes, une irrigation irrégulière, de mauvaises conditions de stockage et des pratiques agricoles inefficaces (notamment des graines et des fertilisants de piètre qualité) desservaient les agriculteurs et menaçaient la chaîne alimentaire. Le Kenya et l'Afrique tout entière ne réaliseraient jamais entièrement leur potentiel économique et social tant que ces problèmes perdureraient.

Par le passé, le gouvernement américain avait versé une grande quantité d'aide alimentaire pour combattre la famine dans les pays en développement d'Afrique et du monde. Si donner du riz, du blé et d'autres produits de première nécessité aidait à nourrir des familles, cela réduisait également la valeur marchande de l'agriculture régionale, augmentait la dépendance et ne permettait pas vraiment de trouver des solutions locales et durables. Nous avons décidé d'adopter une approche différente, davantage centrée sur le développement de cultures locales et d'infrastructures reliant le producteur au consommateur. Il en est résulté un programme baptisé Feed the Future, « Nourrir l'avenir ». Plus tard, j'ai découvert des programmes similaires qui avaient porté leurs fruits en Tanzanie, où ils étaient fortement soutenus par le président Jakaya Kikwete, et au Malawi, où le président Joyce Banda avait amélioré la productivité agricole du pays. Le programme Feed the Future a aujourd'hui aidé plus de 9 millions de foyers, et l'aide alimentaire qu'il propose a permis de nourrir plus de 12 millions d'enfants âgés de moins de 5 ans. J'espère qu'un jour les agriculteurs africains (qui comptent une grande majorité de femmes) seront en mesure de produire suffisamment pour nourrir le continent et exporter le reste.

*

* *

Parallèlement à ces initiatives encourageantes, l'Afrique offrait également des exemples édifiants de pays ayant sombré dans le conflit et le chaos. Il n'existait sans doute pas de zone plus sombre sur la carte que le Congo.

En mai 2009, la sénatrice Barbara Boxer, qui défendait de longue date les droits des femmes, a présidé une séance de la commission des relations extérieures du Sénat sur la violence faite aux femmes dans les zones de guerre. Elle s'est arrêtée sur la guerre civile qui faisait rage depuis longtemps en République démocratique du Congo (RDC), où des soldats des deux camps violaient des femmes dans le but de soumettre des communautés entières et de gagner du terrain.

Au moins 5 millions de personnes étaient mortes en quinze années de guerre et des millions de réfugiés avaient fui, déstabilisant toute la région des Grands Lacs, en Afrique centrale. La ville de Goma, située à l'est, hébergeait quantité de réfugiés et était devenue la capitale mondiale du viol. Environ 36 femmes par jour, soit 1 100 par mois, portaient plainte pour viol, et il n'existait aucun moyen de savoir combien gardaient le silence.

Après cette séance, la sénatrice Boxer et deux de ses collègues, Russ Feingold et Jeanne Shaheen, m'ont envoyé une lettre contenant une série de recommandations sur les moyens dont disposaient les États-Unis pour asseoir leur leadership en RDC. Horrifiée par les comptes rendus émanant de Goma et préoccupée par les implications stratégiques plus larges, j'ai demandé à Johnnie Carson si je pouvais espérer, en me rendant sur place, faire bouger les choses. D'après lui, si je parvenais à convaincre le président Joseph Kabila, en difficulté, de réprimer la violence envers les femmes, cela valait le coup de faire le déplacement. Par ailleurs, il n'existait pas de meilleur moyen pour attirer l'attention du monde entier et susciter une réaction forte de la part des institutions internationales et des organismes d'aide. Nous avons donc décidé d'y aller.

En août 2009, j'ai atterri à Kinshasa, capitale de la RDC qui s'étendait le long du fleuve Congo. La star de la NBA Dikembe Mutombo, qui me dépassait de plusieurs têtes, m'a emmenée visiter le service pédiatrique du Biamba Marie Mutombo Hospital, qu'il avait construit et nommé en l'honneur de sa défunte mère.

Au cours d'un meeting à la St. Joseph's School, j'ai décelé de la résignation chez les jeunes de Kinshasa. Ils avaient de bonnes raisons de se sentir désespérés. Le gouvernement était incapable et corrompu, les routes inexistantes ou à peine carrossables, les hôpitaux et les écoles cruellement insuffisants. Pendant des générations, les ressources de leur pays avaient été pillées, d'abord par les Belges, puis par le célèbre dictateur Mobutu (qui, j'ai le regret de le dire, avait détourné l'aide américaine pour se remplir les poches), enfin par les dirigeants qui lui avaient succédé.

Il faisait chaud et l'air était étouffant dans l'auditorium, ce qui ne contribuait pas à alléger l'atmosphère. Un jeune homme s'est levé pour poser une question au sujet d'un prêt controversé octroyé au gouvernement par les Chinois. Nerveux, il parlait d'une voix hésitante. Sa question m'a été traduite dans les termes suivants : « Qu'est-ce que M. Clinton pense par la bouche de Mme Clinton ? » J'avais l'impression qu'il me demandait l'avis de mon mari, non le mien. Dans un pays où de nombreuses femmes étaient victimes d'abus et marginalisées, cette question m'a exaspérée. « Attendez, ai-je répondu d'un ton sec. Vous voulez que je vous dise ce que pense mon mari ? Ce n'est pas mon mari qui est secrétaire d'État. C'est moi. Alors, si vous me demandez mon avis, je vais vous le donner. Je ne parle pas en son nom. » Le modérateur est rapidement passé à une autre question.

Après la discussion, ce jeune homme est venu s'excuser. Il voulait parler du président Obama, pas du président Clinton, et la traduction avait été embrouillée. J'étais désolée de lui avoir répondu si sèchement, notamment parce que l'incident avait fait ensuite les gros titres et éclipsé le message que j'étais venue faire passer : il fallait améliorer la gouvernance et protéger les femmes du Congo.

Le lendemain, j'ai quitté Kinshasa à bord d'un avion de transport de l'ONU et, trois heures plus tard, je me suis posée à Goma. Ma première étape était une visite au président Kabila dans une tente située derrière la maison du gouverneur, au bord du lac Kivu.

Kabila était distrait et incapable de se concentrer, manifestement dépassé par les nombreux problèmes que rencontrait son pays. Parmi eux se posait la question de la rémunération des soldats. Indisciplinés et sous-payés, ils étaient devenus aussi dangereux pour les habitants que les rebelles qui attaquaient depuis la jungle. Verser de l'argent à Kinshasa ne suffisait pas, car il finissait dans les poches des officiers haut gradés, laissant les simples soldats démunis. Je lui ai proposé notre aide pour mettre en place un système de rémunération qui transférerait directement l'argent sur le compte bancaire de chaque soldat. Impressionné par les potentialités de cette technologie moderne, Kabila a accepté. En 2013, ce système a été qualifié de « petit miracle », bien que la corruption demeure généralisée.

Après mon entrevue avec Kabila, je me suis rendue au camp Mugunga accueillant les Congolais déplacés, réfugiés dans leur propre pays. La décennie de guerre avait détruit les villes et les villages, forçant les familles à abandonner leurs maisons et leurs biens pour chercher un refuge relativement sûr. Mais, comme c'est souvent le cas dans les camps de réfugiés, les problèmes étaient nombreux. L'accès à l'eau potable, aux sanitaires et autres services de base était un défi constant. Le personnel de sécurité n'avait pas été payé depuis des mois. Les maladies et la malnutrition touchaient une grande partie des réfugiés.

J'ai d'abord rencontré ceux qui travaillaient là pour le compte d'associations humanitaires afin d'en apprendre un peu plus sur leur expérience dans le camp. Puis un Congolais et une Congolaise qu'on m'a présentés comme les « leaders élus » m'ont montré les lieux, les longues rangées de tentes, le marché, le dispensaire. J'ai ressenti la même chose que dans d'autres endroits de ce type : de l'impatience. Même si j'étais consciente qu'il fallait apporter une aide d'urgence aux populations pendant un conflit ou après une catastrophe naturelle, trop souvent ces lieux se transformaient en camps de prisonniers *de facto*, ravagés par la maladie, la pauvreté et le désespoir.

J'ai demandé à la femme qui me faisait visiter de quoi les gens ici manquaient le plus. « Eh bien, on aimerait que nos enfants aillent à l'école, m'a-t-elle dit. — Quoi ? ai-je rétorqué, abasourdie. Il n'y a pas d'école ? Vous êtes ici depuis combien de temps ? — Presque un an », a-t-elle répondu. Ça me rendait folle. Plus j'en apprenais, plus j'avais de questions sans réponse : pourquoi des femmes se faisaient-elles violer quand elles sortaient chercher du bois ou de l'eau ? Pourquoi le camp ne mettait-il pas en place des patrouilles d'hommes pour les protéger ? Pourquoi des bébés mouraient-ils de diarrhées alors que des soins étaient disponibles ? Pourquoi nous, les pays donateurs, n'arrivions-nous pas à tirer les enseignements de ce genre de situation afin de nous appliquer à mieux aider les réfugiés et les populations déplacées ?

Vêtus de couleurs vives et dotés d'une énergie infatigable, les gens du camp m'ont suivie pendant toute ma visite, m'adressant des signes de la main, des sourires ou des commentaires. Voir une telle endurance face à tant de douleur et de destruction, c'était une grande leçon. Les membres des ONG, les médecins, les psychologues et les représentants de l'ONU faisaient tout leur possible, dans des conditions très difficiles. Chaque jour, ils essayaient de soigner physiquement et psychologiquement les femmes qui avaient été violées, souvent par des gangs et souvent avec une telle violence qu'elles ne pouvaient plus avoir d'enfants, travailler ou simplement marcher. Malgré mes critiques, j'étais admirative devant tant de courage.

Quittant le camp, je me suis rendue à HEAL Africa, un hôpital destiné à soigner les victimes de viols et d'agressions sexuelles. Là, j'ai eu une discussion poignante avec deux femmes qui souffraient terriblement, physiquement et psychiquement, des sévices qu'elles avaient subis.

Si j'ai vu ce qu'il y a de pire dans l'humanité au cours de ce voyage, j'ai aussi vu ce qu'il y a de meilleur, notamment grâce à ces femmes qui, après avoir été battues et violées, étaient retournées dans la forêt afin de sauver d'autres femmes laissées pour mortes. Pendant ce séjour en RDC, j'ai entendu un proverbe africain : « Si longue soit la nuit, le jour finit par se lever. » Ces gens-là faisaient leur maximum pour que le jour se lève plus vite, et je voulais les y aider à tout prix.

J'ai annoncé que les États-Unis allaient allouer plus de 17 millions de dollars à la lutte contre les violences sexuelles en RDC. Cette somme financerait les soins médicaux, l'assistance psychologique et économique ainsi que l'intervention d'avocats pour les survivantes. Près de 3 millions de dollars seraient versés pour recruter et former des agents de police employés à protéger les femmes et les filles, pour enquêter sur les violences sexuelles et pour déployer des experts qui aideraient les femmes et les travailleurs humanitaires à utiliser des téléphones portables afin de signaler et d'enregistrer les agressions.

Depuis les États-Unis, nous avons également proposé une loi régissant l'extraction et la vente des ressources minérales présentes sur les territoires en guerre et qui permettaient aux milices de poursuivre les combats en les aidant à subvenir à leurs besoins. Certains de ces minéraux entraient dans la composition d'outils technologiques comme les téléphones portables.

Un peu plus d'un mois après mon passage à Goma, fin septembre 2009, j'ai présidé une réunion du Conseil de sécurité des Nations unies consacrée aux femmes, à la paix et à la sécurité. J'ai proposé que la protection des femmes et des enfants, notamment dans les cas d'agressions sexuelles comme celles que j'avais vues au Congo, devienne une priorité pour les missions de maintien de la paix de l'ONU dans le monde entier. Les quinze membres du Conseil ont approuvé. Cela ne permettrait pas de régler le problème en un clin d'œil, mais c'était un bon début.

*

* *

Un pays avait fait naître des espoirs d'avenir, mais semblait plombé par son passé : le Soudan du Sud. Il s'agissait du plus jeune État du monde, puisqu'il avait obtenu son indépendance du Soudan en juillet 2011 après des décennies de luttes et de combats. Mais, quand je m'y suis rendue en août 2012, les hostilités avaient repris entre les deux pays.

Le Soudan était déchiré par des divisions religieuses, ethniques et politiques depuis le milieu du XXᵉ siècle. Depuis 2000, le génocide du Darfour et les conflits violents avec les Arabes au nord et les chrétiens au sud au sujet des territoires et des ressources avaient fait plus de 2,5 millions de morts. Les civils, soumis à des atrocités indicibles, avaient pour beaucoup fui dans les pays voisins. Un accord de paix avait finalement été signé en 2005, autorisant la région sud à organiser un référendum sur l'indépendance. Mais, en 2010, les pourparlers avaient été interrompus et l'organisation du référendum retardée. L'accord de paix menaçait de s'effondrer et une reprise du conflit s'annonçait. Appuyées par les États-Unis, l'Union africaine et d'autres membres de la communauté internationale, les deux parties ont trouvé un terrain d'entente. Le référendum a eu lieu en janvier 2011, et en juillet le Soudan du Sud est devenu le cinquante-quatrième pays d'Afrique.

Malheureusement, l'accord de 2005 avait laissé de nombreux problèmes non résolus. Les deux camps réclamaient certaines régions frontalières, qu'ils menaçaient d'occuper. Mais la question cruciale était celle du pétrole. Une bizarrerie géographique voulait que le Soudan du Sud soit doté de généreuses réserves pétrolières, à la différence de son voisin. Toutefois, le Sud, enclavé, manquait de raffineries et de moyens d'exportation, dont disposait en revanche le Nord. Les deux rivaux avaient donc besoin l'un de l'autre et se retrouvaient coincés dans une relation d'interdépendance subie.

À Khartoum, le gouvernement soudanais, qui déplorait toujours la perte de son territoire du Sud, a demandé des sommes exorbitantes pour raffiner et transporter le pétrole de son voisin et, quand celui-ci a refusé de payer, a confisqué le brut. En janvier 2012, le Soudan du Sud a répliqué en stoppant la production. Pendant des mois, chacun a campé sur ses positions. Les deux économies, déjà fragiles, ont dégringolé. L'inflation est repartie à la hausse. Des millions de familles ont été privées de nourriture. Les soldats se sont préparés à reprendre les armes et des heurts ont éclaté dans les zones d'extraction pétrolière. Le pire scénario s'annonçait.

C'est pourquoi, en août, je me suis envolée pour Djouba, la nouvelle capitale du Soudan du Sud, afin d'essayer de trouver une entente. Il avait fallu des années de négociations diplomatiques pour mettre fin à la guerre civile et donner naissance à cette nouvelle nation. Nous ne pouvions pas nous permettre de relâcher nos efforts. Par ailleurs, des discussions internationales étaient en cours pour convaincre les pays importateurs de pétrole de ne plus se fournir en Iran, si bien qu'il n'était pas possible de se passer du marché soudanais.

Mais le nouveau président du Soudan du Sud, Salva Kiir, rejetait tout compromis. Il m'a expliqué en détail pourquoi son pays ne pouvait négocier avec ses voisins du Nord. Derrière les questions de tarifs et de raffinage se cachait une réalité humaine : ces combattants de la liberté, marqués à vie par la guerre, refusaient de tourner le dos aux horreurs du passé, même si cela signifiait priver leur toute jeune nation des ressources nécessaires à son développement. Quand le président s'est interrompu, j'ai décidé de tenter une autre tactique. J'ai sorti la copie d'un article paru dans le *New York Times* quelques jours plus tôt et la lui ai montrée. « Avant que nous allions plus loin, j'aimerais bien que vous lisiez ceci », lui ai-je dit. Il était curieux. Ce genre d'attitude était inhabituel au cours d'une rencontre diplomatique. Il a commencé à lire, puis a écarquillé les yeux. Il a montré le nom de l'auteur de l'article en disant : « Il a combattu avec moi. — Oui, ai-je répondu, et aujourd'hui c'est un homme de paix. Et il se souvient que vous avez combattu pour la liberté et la dignité, pas pour le pétrole. »

L'évêque Elias Taban est l'un des hommes les plus remarquables que j'aie rencontrés. Il est né en 1955 dans la ville de Yei, au Soudan du Sud, lorsque celui-ci était encore une colonie britannique. Ce jour-là, les forces du Nord avaient massacré des dizaines de personnes en ville et la mère d'Elias a fui dans la jungle avec son bébé. Le cordon ombilical venait juste d'être coupé et elle a utilisé des feuilles écrasées pour stopper l'hémorragie. La mère et l'enfant se sont cachés pendant trois jours avant de finalement rentrer chez eux. En grandissant, Elias s'est retrouvé pris dans l'incessante guerre civile qui agitait son pays. À 12 ans, il est devenu enfant soldat aux côtés de son père. Ce dernier a réussi à emmener son fils jusqu'à la frontière avec l'Ouganda et lui a dit de fuir. Elias a été recueilli là-bas par des travailleurs des Nations unies.

En 1978, Elias était de retour dans le sud du Soudan et vivait à Djouba. C'est une rencontre avec un groupe d'évangélistes kenyans qui lui a donné la vocation de devenir un homme de foi. Diplômé en génie civil et en théologie, il a appris l'anglais, le lingala, l'arabe, le bari et le swahili. Quand la guerre a repris dans les années 1980, l'évêque Taban et son épouse, Anngrace, ont tous deux rejoint le Mouvement populaire de libération du Soudan et combattu pour l'indépendance du Sud. Après l'accord de paix de 2005, il a œuvré à promouvoir la réconciliation et le développement durable. Lui et ses disciples ont construit des écoles, des orphelinats, des hôpitaux et des puits d'eau potable.

En juillet 2012, consterné par le conflit persistant entre le Nord et le Sud, l'évêque Taban a publié un appel à la paix. Ce texte m'a profondément marquée. « À un moment, écrit-il, nous devons regarder devant nous et arrêter de nous battre pour des querelles passées afin de pouvoir bâtir un nouvel avenir. » C'est l'une des choses les plus difficiles à accepter, sur le plan personnel comme politique, et pourtant c'est capital dans un monde où tant de sociétés sont freinées par de vieilles inimitiés ou d'anciens conflits.

J'ai observé le président Kiir tandis qu'il lisait les mots de son ancien camarade. Sa méfiance a paru s'atténuer. Peut-être qu'à présent nous pouvions discuter. Je lui ai répété qu'il valait mieux obtenir « un petit quelque chose plutôt que rien du tout ». Finalement, il a accepté de rouvrir les négociations avec le Nord pour tenter de trouver un compromis sur le prix du pétrole. À 2 h 45 le lendemain matin, après une négociation-fleuve en Éthiopie, les deux parties ont conclu un accord afin que le pétrole puisse de nouveau circuler.

C'était un pas dans la bonne direction, mais le bout du chemin était encore loin. Des tensions ont continué à se faire sentir entre les deux pays et au sein même du Soudan du Sud. Fin 2013, des divisions tribales et des querelles personnelles ont explosé en une vague de violence menaçant de déchirer le pays. À ce jour, en 2014, l'avenir du plus jeune État africain est encore incertain.

Avant de quitter Djouba en ce mois d'août 2012, j'ai demandé à rencontrer l'évêque Taban afin de le remercier en personne pour son texte si puissant. Quand lui et sa femme se sont présentés à l'ambassade, ils se sont révélés encore plus dynamiques que je ne l'imaginais et ont adoré m'entendre raconter comment j'avais distribué l'article dans le palais présidentiel.

En septembre 2013, j'ai eu l'honneur d'inviter l'évêque Taban à la réunion de la Clinton Global Initiative, à New York, afin de lui remettre un Global Citizen Award saluant ses efforts pour la paix. Il a déclaré devant l'assemblée que l'engagement américain dans cette guerre du pétrole avait été « une réponse à [leurs] prières » et que, en dépit des nombreux problèmes qui subsistaient dans son pays, la paix, si fragile fût-elle, tenait bon. Ensuite, il a montré un bébé de 8 mois assis sur les genoux de son épouse. Le garçon avait été découvert dans la jungle, près de Yei, en février. La police leur avait demandé leur aide, à lui et Anngrace. Après réflexion, cette dernière avait dit : « Si c'est un message de Dieu, nous n'avons pas le choix. Laisse-les nous apporter le bébé. » La police, d'abord soulagée, a répondu : « Attendez une minute. Le cordon n'est pas coupé. Nous devons d'abord l'emmener à l'hôpital. » L'évêque et sa femme ont interprété cet écho à la propre naissance d'Elias comme un signe et ont ramené Little John chez eux, où ils vivaient déjà avec quatre enfants adoptés, dans un pays qui avait lui aussi connu une naissance difficile et avait du mal à grandir.

*

*   *

Pendant des décennies, la Somalie a été l'un des pays les plus pauvres du monde, rongé par la guerre – un exemple classique d'« État défaillant ». Un conflit permanent entre des chefs de guerre rivaux et des extrémistes, une longue sécheresse, une famine généralisée et des épidémies périodiques avaient laissé environ 40 % de la population en situation d'urgence humanitaire. Pour les Américains, le mot « Somalie » évoque de douloureux souvenirs, ceux de la mission humanitaire périlleuse lancée par le président George H.W. Bush fin 1992 pour s'assurer que l'aide parvenait bien à la population et non aux chefs de guerre. Mon mari a poursuivi cette mission une fois devenu président. Le tragique incident du « Black Hawk Down », en 1993, au cours duquel 18 soldats américains ont perdu la vie à Mogadiscio, est devenu le symbole des dangers encourus par les États-Unis quand ils interviennent dans des régions difficiles. Bill a retiré nos troupes de Somalie et, durant les quinze années qui ont suivi, les États-Unis ont rechigné à envoyer des contingents militaires en Afrique, même si nous restions actifs sur les plans politique et humanitaire.

Toutefois, en 2009, les problèmes avaient pris trop d'ampleur en Somalie pour que nous n'intervenions pas. Le groupe extrémiste violent des Shebabs, proche d'Al-Qaida, représentait une menace grandissante pour toute la région. Les attentats terroristes du 11-Septembre nous avaient montré que des États défaillants pouvaient devenir le terrain d'affrontements violents qui dépassaient leurs frontières. De plus, les pirates basés en Somalie constituaient une menace pour le transport de marchandises dans le golfe d'Aden et dans l'océan Indien, comme lors du détournement, en avril 2009, du *Maersk Alabama*, un épisode porté à l'écran en 2013 sous le titre *Capitaine Phillips*. Les États-Unis et la communauté internationale avaient donc tout intérêt à stopper la course négative de la Somalie et à rétablir un semblant d'ordre et de stabilité dans la corne de l'Afrique. C'était un dossier qui impliquait des conséquences majeures pour notre sécurité et symbolisait le grand dilemme de l'Afrique.

Au printemps et à l'été 2009, les Shebabs sont passés à l'offensive, renversant dans la capitale, Mogadiscio, l'armée du gouvernement de transition, plutôt faible, ainsi que les troupes de l'Union africaine déployées pour le protéger. Les extrémistes se sont enfoncés dans la ville, à quelques encablures du palais présidentiel. J'ai dit à Johnnie Carson : « On ne peut pas laisser le gouvernement somalien perdre et on ne peut pas laisser les Shebabs gagner. » Plus tard, Johnnie m'a confié qu'il avait passé la nuit à se creuser la tête pour trouver un moyen rapide et efficace de riposter face aux terroristes. Le plus urgent, c'était de verser des fonds au gouvernement afin qu'il puisse payer ses troupes et acheter des armes pour se défendre. J'ai poussé Johnnie à utiliser son imagination pour fournir à l'armée assiégée ce dont elle avait besoin. Durant l'été, il a fait en sorte que les fonds soient versés et a embauché des comptables pour suivre le parcours de l'argent. Le département d'État a aussi demandé à un entrepreneur privé d'envoyer quelques avions remplis d'armes et de munitions venues d'Ouganda. Ce n'était pas grand-chose, mais cela a permis aux troupes assiégées de tenir bon et de commencer à repousser les Shebabs.

En août, j'ai organisé une rencontre avec le président du gouvernement de transition somalien, Sheikh Sharif Sheikh Ahmed. Il s'est rendu à l'ambassade américaine à Nairobi. Sheikh Sharif était un érudit musulman traditionaliste qui avait tenté, en vain, de remplacer le gouvernement par un système de tribunaux religieux (mais il avait également été salué pour avoir négocié la libération de deux enfants retenus en otages). Après avoir perdu la guerre des armes, il avait remporté celle des urnes et, pour le moment, paraissait décidé à protéger la démocratie somalienne vacillante et à améliorer la qualité de vie de ses citoyens. Mais tout cela n'aurait plus d'importance si son gouvernement se faisait renverser par les Shebabs.

Sheikh Sharif, un homme de 45 ans à l'air jeune, m'a paru intelligent et droit. Il portait un chapeau de prière musulman et un costume bleu avec, sur le revers, des pin's aux couleurs des drapeaux somalien et américain. À mon sens, ils symbolisaient parfaitement l'équilibre délicat qu'il essayait de trouver. Au cours de notre conversation, il s'est montré lucide vis-à-vis des immenses défis qui se dressaient devant son pays et son fragile gouvernement. Je lui assuré que les États-Unis continueraient d'envoyer des millions de dollars d'aide militaire à ses forces assiégées, que nous pouvions aussi former les soldats et les aider d'autres façons. Mais, en retour, son gouvernement devait promettre de faire de réels efforts pour établir une démocratie qui réconcilierait les factions opposées du pays. Cela nécessitait une volonté politique très ferme de sa part.

Tandis que nous discutions, je me suis demandé : allait-il me serrer la main ? Ce n'était pas une question qui me venait souvent à l'esprit en tant que chef de la diplomatie du pays le plus puissant du monde, malgré le sexisme persistant dans de nombreux endroits de la planète. Même dans les pays les plus conservateurs, où les femmes avaient peu de contacts avec les hommes en dehors de leur famille, on me traitait presque toujours avec respect. Mais ce musulman traditionaliste allait-il risquer de se mettre à dos ses sympathisants en serrant la main d'une femme en public, même s'il s'agissait de la secrétaire d'État américaine ?

Après notre réunion, nous avons tenu une conférence de presse commune, à l'extérieur. J'ai affirmé qu'à mes yeux le gouvernement de Sheikh Sharif incarnait « l'espoir le plus solide » pour l'avenir de la Somalie. (En privé, j'ai dit à Johnnie que nous allions devoir redoubler d'efforts pour aider le pays à se remettre sur pied.) Quand nous nous sommes séparés, à mon grand plaisir, le président somalien m'a donné une vigoureuse poignée de main. Dans l'assemblée, un journaliste somalien a demandé si un tel geste ne contrevenait pas à la loi islamique. Sheikh Sharif s'est contenté de hausser les épaules en continuant de sourire.

Tout au long de l'année 2009, l'administration Obama a renforcé son soutien au gouvernement de transition et aux forces alliées de l'Union africaine. Avec près de 10 millions de dollars d'aide ciblée, nous avons commencé à repousser les Shebabs. Le département d'État et le Pentagone ont travaillé conjointement pour former des milliers de troupes somaliennes en Ouganda avant de les renvoyer à Mogadiscio chargées de vivres, de tentes, d'essence et d'autres produits de première nécessité. Nous avons parallèlement accru notre aide à la formation des soldats de la paix africains qui se battaient aux côtés des Somaliens. Nous avons fait parvenir des renforts directement depuis l'Ouganda, le Burundi, Djibouti, le Kenya et la Sierra Leone.

Afin de combattre les pirates, nous avons monté un corps expéditionnaire avec le département de la Défense et d'autres agences, et avons collaboré avec nos alliés dans le monde entier pour mettre en place une force navale internationale qui patrouillerait les mers les plus dangereuses. Même la Chine, généralement peu encline à joindre ses forces à ce genre d'initiatives, y a participé. En 2011, les attaques de pirates dans la corne de l'Afrique ont chuté de 75 %.

Pour aider ce gouvernement encore relativement faible à se consolider, nous avons détaché des conseillers techniques afin qu'ils supervisent la distribution de l'aide financière accrue. La lumière a fini par revenir dans les rues de Mogadiscio et celles-ci ont recommencé à être nettoyées. Grâce à notre plan humanitaire d'urgence, les Somaliens affamés ont pu survivre et ont retrouvé l'espoir et la force nécessaires pour combattre l'insurrection extrémiste et se lancer dans la reconstruction de leur pays.

Afin de développer les perspectives, nous avons initié une offensive diplomatique destinée à réunir les voisins de la Somalie et la communauté internationale derrière une même feuille de route en vue de la réconciliation politique et de l'établissement d'un gouvernement démocratique permanent représentant tous les clans et toutes les régions du pays. (Le gouvernement « de transition », en place depuis des années, n'avait guère montré de signes d'avancée.)

Dans les années qui ont suivi, la Somalie a traversé plusieurs crises et a progressé pas à pas vers la démocratie et l'application de la feuille de route internationale. À plusieurs reprises, il a semblé que le processus allait s'interrompre, et les Shebabs en ont profité pour remporter quelques victoires sur le champ de bataille. Ils ont continué à fomenter des attentats terroristes, avec notamment en octobre 2011 un attentat suicide à Mogadiscio qui a tué plus de 70 personnes, dont beaucoup étaient des étudiants faisant la queue pour obtenir leurs résultats d'examens. Mais, en septembre 2011, les leaders de toutes les formations politiques du pays, tous bords confondus, se sont engagés à appliquer la feuille de route, à rédiger une nouvelle constitution et à désigner un nouveau gouvernement avant la mi-2012.

Il y avait beaucoup à faire en peu de temps, mais au moins un plan avait été fixé et des engagements pris.

En août 2012, quelques semaines avant les élections prévues, j'ai revu Sheikh Sharif à Nairobi. Nous étions accompagnés des chefs de différents clans et factions somaliens. Je les ai félicités pour les progrès accomplis tout en soulignant l'importance des élections et du transfert de pouvoir. Cela constituerait un symbole fort de l'avancée de la Somalie vers la paix et la démocratie.

En septembre, les Somaliens ont élu Hassan Sheikh Mohamoud président du nouveau gouvernement permanent. Sheikh Sharif, arrivé loin derrière, s'est montré très fair-play.

Notre travail diplomatique en Somalie et notre campagne militaire contre les Shebabs ont également eu des effets indirects dans la région : nous nous sommes rapprochés de certains de nos partenaires d'Afrique orientale et l'Union africaine a appris à apporter des solutions africaines à des problèmes africains.

En août 2012, je me suis rendue sur la base militaire de Kasenyi, près du lac Victoria, en Ouganda, et je me suis entretenue avec les militaires des opérations spéciales américaines chargés de former et de renforcer les troupes africaines. Ils m'ont montré les petits drones de surveillance Raven qui aidaient les soldats de l'Union africaine à poursuivre les Shebabs. Très légers, ceux-ci rappelaient des modèles réduits pour enfants. Pourtant, ils étaient équipés de caméras sophistiquées, et les Ougandais étaient ravis de les avoir.

J'étais contente que la technologie américaine puisse faire la différence dans ce combat important et j'ai dit aux soldats américains et ougandais mon désir d'utiliser cette technologie pour capturer rapidement le célèbre chef de guerre Joseph Kony. Lui et son Armée de résistance du Seigneur (Lord's Resistance Army, ou LRA) semaient la terreur en Afrique centrale depuis des années. Kony kidnappait des enfants dans leurs villages, puis forçait les filles à devenir des esclaves sexuelles et les garçons des soldats dans son armée rebelle. Ses massacres sanglants avaient poussé 10 000 Africains à prendre la fuite et terrorisaient des populations entières. Les atrocités perpétrées par Kony sont devenues tristement célèbres en 2012 grâce à un documentaire diffusé sur Internet et qui a fait grand bruit. Je ressentais depuis longtemps du dégoût pour ce monstre et les sévices qu'il infligeait aux enfants d'Afrique centrale, et j'avais hâte de le voir traîner devant les tribunaux. J'ai demandé à la Maison-Blanche d'aider à coordonner les ressources diplomatiques, militaires, et les informations des services secrets afin de traquer Kony et la LRA.

Le président Obama a décidé de déployer une centaine de soldats des opérations spéciales américaines pour grossir les rangs des forces africaines et entraîner leurs troupes. Pour les épauler, j'ai envoyé des experts du Bureau des conflits et des opérations de stabilisation, une instance nouvellement créée au sein du département d'État pour permettre une meilleure capacité d'intervention dans les zones sensibles. Notre équipe de civils est arrivée sur le terrain quelques mois avant les troupes et a pris contact avec les habitants des communautés locales. Avec ses encouragements, des chefs de village et d'autres leaders ont commencé à promouvoir les défections au sein de la LRA, notamment par le biais d'une nouvelle station de radio que nous les avons aidés à monter. C'était une petite mission, mais qui reflétait bien ce que nous pouvions mettre en œuvre quand soldats et diplomates cohabitaient, partageaient leurs repas et visaient les mêmes objectifs. C'était une mise en pratique du *smart power*. Si nous pouvions utiliser les drones que j'avais sous les yeux pour nous infiltrer dans la jungle dense, nous pourrions peut-être enfin localiser Kony et mettre un terme à ses atrocités. En mars 2014, le président Obama a annoncé l'envoi de nouvelles troupes terrestres et aériennes pour trouver Kony. La communauté internationale devrait poursuivre ses efforts jusqu'à ce qu'il soit capturé et mis hors d'état de nuire.

Pendant ce temps, en Somalie, les Shebabs ont perdu la majeure partie du territoire qu'ils contrôlaient par le passé. Mais ils demeurent une menace sérieuse pour le pays et la région. Nous en avons vu la conséquence tragique en septembre 2013 quand ces terroristes ont attaqué un centre commercial de Nairobi, tuant plus de 70 personnes. Parmi elles se trouvait Elif Yavuz, une infirmière néerlandaise de 33 ans qui travaillait pour la CHAI, la Clinton Health Access Initiative, qui lutte contre le sida et d'autres maladies. Elle était enceinte de huit mois et demi. Son compagnon australien, Ross Langdon, et le bébé qu'elle portait ont eux aussi été tués dans l'attentat. Mon mari avait rencontré Elif lors d'un voyage en Tanzanie six semaines plus tôt et il gardait d'elle le souvenir d'une femme très appréciée par ses collègues. « Cette femme s'est approchée de moi, elle était très belle et très enceinte. Tellement enceinte que je lui ai dit que j'avais vécu un accouchement en tant que père et qu'elle pouvait compter sur moi si besoin était », s'est-il rappelé plus tard. Quand Bill a contacté la mère d'Elif pour lui présenter nos condoléances, celle-ci lui a appris que la famille avait décidé de donner un nom à l'enfant mort *in utero* et avait pensé à un mot swahili signifiant « vie » et « amour ». C'était déchirant pour nous tous, à la fondation, et cela nous rappelait que le terrorisme restait une menace majeure pour notre pays et pour le monde.

*
* *

Comme bien d'autres, Elif Yavuz a consacré sa vie à combattre le fléau du sida et d'autres maladies comme la malaria. Pour l'Afrique, l'enjeu est capital, avec des répercussions à long terme sur le développement, la prospérité et la paix. En 2003, le président George W. Bush a lancé un programme ambitieux, le President's Emergency Plan for AIDS Relief (PEPFAR), un plan d'aide d'urgence pour la lutte contre le sida. Plus de 35 millions de personnes dans le monde vivent avec cette maladie, dont plus de 70 % en Afrique subsaharienne.

Quand je suis devenue secrétaire d'État, j'étais bien décidée à étendre et développer le PEPFAR. J'ai d'abord convaincu le Dr Eric Goosby de chapeauter le programme. Médecin à San Francisco dans les années 1980, il avait alors commencé à traiter des patients atteints d'une mystérieuse maladie qui allait se révéler être le sida. Plus tard, il avait rejoint l'administration Clinton, où il avait dirigé un programme baptisé en l'honneur de Ryan White, un jeune Américain qui avait contracté la maladie à la suite d'une transfusion sanguine.

En août 2009, Eric et moi nous sommes rendus dans une clinique du PEPFAR aux abords de Johannesburg, en Afrique du Sud. Nous y avons rencontré le nouveau ministre de la Santé, le Dr Aaron Motsoaledi. En le nommant à ce poste au mois de mai, le président sud-africain Jacob Zuma avait marqué un changement de direction par rapport à son prédécesseur, qui niait l'importance du fléau dans son pays. Zuma comptait bien prendre des mesures nouvelles et décisives pour combattre et traiter la maladie. Lors de cette première rencontre, Motsoaledi m'a dit que l'Afrique du Sud n'avait pas les moyens d'acheter des médicaments pour traiter les patients de ses neuf provinces. Il nous demandait de l'aide.

C'était un problème que je connaissais bien. Dès 2002, Bill et une équipe de la CHAI menée par Ira Magaziner avaient travaillé avec les laboratoires pharmaceutiques pour réduire le coût des traitements contre le sida et permettre à des millions de personnes d'y avoir accès. En 2014, plus de 8 millions de malades dans le monde en bénéficient à un coût bien moins élevé, en grande partie grâce aux efforts de la CHAI. Et la baisse de coût est substantielle – jusqu'à 90 %.

Pourtant, en 2009, l'Afrique du Sud avait beau fabriquer une grande quantité de génériques, le gouvernement continuait d'acheter majoritairement des médicaments de marque. Le PEPFAR, la CHAI et la fondation Gates ont travaillé avec le pays pour aboutir à une adoption totale des génériques, lesquels constituent à présent une grande majorité des achats sud-africains. L'administration Obama a investi 120 millions de dollars en 2009 et 2010 afin d'aider le pays à privilégier les remèdes moins coûteux. Le nombre de patients traités a ainsi plus que doublé. À la fin de mon mandat, de nombreuses personnes supplémentaires prenaient des traitements rétroviraux en Afrique du Sud, et le gouvernement a réalisé des centaines de millions de dollars d'économies qu'il a pu investir dans les soins médicaux. Quand je suis retournée là-bas en août 2012, le gouvernement s'apprêtait à prendre à sa charge les programmes de lutte contre le sida et à superviser une extension massive du traitement, avec pour objectif de soigner 80 % des patients d'ici à 2016.

Je savais que, à une époque où les budgets d'aide étaient revus à la baisse, il nous fallait continuer les bonnes actions du PEPFAR avec des moyens réduits. Grâce à l'usage des rétroviraux génériques, à l'amélioration des hôpitaux, à une administration et à une distribution plus efficaces, le PEPFAR a économisé plusieurs centaines de millions de dollars, ce qui nous a permis de poursuivre son financement sans avoir à demander au Congrès d'intervenir. Le nombre de patients sous traitement rétroviral financé par le PEPFAR, les investissements du pays et le Fonds mondial de lutte contre le sida, la tuberculose et le paludisme est passé de 1,7 million en 2008 à presque 7 millions en 2013.

Les résultats dépassaient mes espérances. D'après les Nations unies, depuis 2000 le nombre de nouveaux patients infectés par le sida a été presque divisé par deux dans de nombreuses régions de l'Afrique subsaharienne. Les gens vivent plus longtemps et ont davantage accès aux traitements. Le sida, qui tuait 100 % des patients contaminés, n'est plus une maladie mortelle.

Au vu de ces réussites et des progrès de la science, j'ai fixé un objectif ambitieux pour la Journée mondiale de lutte contre le sida en 2011 : celui d'une génération sans sida. Cela signifie une génération où aucun enfant ne naîtra porteur du virus, où les jeunes seront beaucoup moins exposés à l'infection au cours de leur vie et où les porteurs du virus HIV auront beaucoup moins de risques de développer la maladie et de la transmettre. Le HIV sera sans doute encore présent dans les années à venir, mais pas nécessairement le sida.

Pour ce faire, nous devons cibler des populations données, identifier les personnes à risque et leur fournir la prévention et les soins nécessaires le plus rapidement possible. Si nous continuons à faire baisser le nombre d'infections et à accroître le nombre de patients sous traitement, peu à peu celui-ci dépassera le nombre des personnes qui contractent le virus chaque année. À ce moment-là, nous aurons atteint le point de bascule. C'est ainsi qu'on fera du traitement un mode de prévention.

En août 2012, je me suis rendue au centre médical Reach Out Mbuya Health Center à Kampala, en Ouganda. J'y ai rencontré un patient qui s'appelait John Robert Engole. Huit ans plus tôt, après avoir contracté le sida, John Robert était à l'article de la mort ; il avait perdu 45 kilos et attrapé la tuberculose. Il est devenu le premier patient au monde à recevoir un traitement grâce au PEPFAR, et cela lui a sauvé la vie. Miraculeusement, il était toujours de ce monde et en bonne santé, exemple vivant de ce que l'aide américaine pouvait apporter aux peuples de la planète. Et il m'a fièrement présentée à deux de ses enfants.

*
* *

Personne ne symbolise mieux la douleur du passé africain et les promesses de son avenir que Nelson Mandela. Il est à juste titre considéré comme un héros hors du commun. En réalité, c'était quelqu'un de profondément humain et complexe : un combattant de la liberté doublé d'un militant pour la paix, un prisonnier et un président, un homme de colère et de pardon. Madiba, comme le surnommaient son clan, sa famille et ses amis, a passé ses longues années d'incarcération à essayer de réconcilier ces contradictions, et il est devenu le leader dont son pays avait besoin.

La première fois que je me suis rendue en Afrique du Sud, c'était en 1994 pour l'investiture de Mandela. Pour ceux d'entre nous qui ont assisté à la cérémonie, c'était un moment inoubliable. Voici qu'un homme qui avait passé vingt-sept ans comme prisonnier politique devenait président. Et son histoire était encore plus symbolique que cela : elle représentait le long chemin du peuple sud-africain vers la liberté. Son exemple moral a permis de transformer un système fondé sur la violence et la division en une quête de vérité et de réconciliation. Entre les armes et le développement, il a fait son choix.

Ce jour-là, j'ai pris le petit déjeuner avec le président sortant, F.W. de Klerk, dans sa résidence officielle, où je suis retournée ensuite pour déjeuner avec le nouveau président. En l'espace de quelques heures, toute l'histoire du pays avait changé. Au déjeuner, le président Mandela s'est levé pour accueillir les nombreux représentants étrangers présents. Puis il a dit quelque chose que je n'ai jamais oublié (je paraphrase) : « Les trois personnes les plus importantes pour moi dans cette vaste assemblée, ce sont les trois hommes qui étaient mes geôliers à Robben Island. Je voudrais qu'ils se lèvent. » Mandela a prononcé leurs noms, et trois hommes blancs d'âge moyen se sont levés. Il a expliqué que, en dépit des conditions terribles qui avaient été les siennes pendant toutes ces années, ces trois hommes l'avaient toujours considéré comme un être humain. Ils l'avaient traité avec dignité et respect. Ils lui avaient parlé, l'avaient écouté.

En 1997, je suis retournée en Afrique du Sud, avec Chelsea cette fois, et Mandela nous a emmenées à Robben Island. Tandis que nous parcourions les cellules où il avait été enfermé, il nous a dit que, à sa libération, il avait compris qu'il devait faire un choix. Il pouvait garder en lui l'amertume et la haine engendrées par ce qu'il avait subi, et dans ce cas il serait toujours prisonnier. Ou il pouvait choisir de faire la paix en lui-même. Qu'il ait choisi la paix est la grande leçon que nous a transmise Nelson Mandela.

Avant cette visite, j'étais accaparée par toutes les batailles politiques et l'hostilité qui se jouaient à Washington, mais, en écoutant parler Madiba, j'ai pris du recul. Et j'ai adoré l'expression de Chelsea quand elle se tenait à ses côtés. Entre eux se sont tissés des liens qui ont duré jusqu'à la fin de sa vie. Chaque fois que Bill et Madiba se parlaient au téléphone, ce dernier disait aussi quelques mots à Chelsea, et ils sont restés en contact quand elle est partie à Stanford, à Oxford, puis à New York.

Lors de ma première visite en tant que secrétaire d'État, en août 2009, je suis allée voir Madiba dans son bureau, dans la banlieue de Johannesburg. À 91 ans, il était plus fragile que dans mon souvenir, mais son sourire était toujours aussi radieux. Je me suis assise à côté de lui, je lui ai pris la main et nous avons parlé pendant une demi-heure. J'étais ravie de revoir aussi sa remarquable épouse, mon amie Graça Machel. Avant d'épouser Mandela, elle avait été militante politique et ministre dans le gouvernement du Mozambique, mariée avec Samora Machel, le président, qui avait aidé ce pays déchiré par la guerre à trouver la paix. Il était mort dans un accident d'avion suspect en 1986.

Graça et moi avons parcouru toutes les deux le Nelson Mandela Foundation Centre of Memory and Dialogue, où j'ai pu voir certains carnets et lettres de Madiba prisonnier, de vieilles photos, et même sa carte de membre de l'Église méthodiste datant de 1929. Méthodiste moi-même, j'étais frappée par sa volonté de toujours s'améliorer, un sujet qu'il évoquait souvent, et par sa discipline de fer.

Ses successeurs, Thabo Mbeki et Jacob Zuma, ont eu du mal à traduire cet héritage en actions concrètes dans un pays qui demeurait trop violent et trop pauvre. Les deux hommes se méfiaient de l'Occident, un sentiment hérité de l'époque de la guerre froide, quand les États-Unis avaient soutenu l'apartheid pour faire rempart au communisme. Ils voulaient qu'on respecte l'Afrique du Sud, qu'on la considère comme le pays le plus puissant de la région et qu'on la prenne au sérieux sur le plan international. C'était aussi mon souhait, et j'espérais qu'une Afrique du Sud forte et riche constituerait une garantie de paix et de stabilité. Mais le respect se gagne en assumant ses responsabilités.

Sur certains dossiers, l'Afrique du Sud pouvait se révéler un partenaire frustrant. En niant l'ampleur de l'épidémie de sida, le président Mbeki avait commis une grave erreur ; par ailleurs, le pays s'opposait généralement aux interventions humanitaires, même dans des cas critiques, comme en Libye ou en Côte d'Ivoire, où des civils étaient en danger. Il était parfois difficile de comprendre les raisons d'agir de ce gouvernement. Lors de ma dernière visite dans le pays, en avril 2012, les Sud-Africains ont refusé au dernier moment que mon équipe de la Sécurité diplomatique pénètre sur le territoire avec les véhicules et les armes dont elle avait besoin. Mon avion est resté stationné sur la piste de décollage au Malawi pendant que les négociations étaient en cours. Finalement, le différend a été réglé et nous avons pu décoller. J'emmenais avec moi une délégation de patrons américains, dont ceux de FedEx, de Chevron, de Boeing et de General Electric, entre autres, qui cherchaient à investir en Afrique du Sud.

Nous avions organisé ce voyage avec l'aide de la Chambre de commerce américaine dans l'espoir que des échanges accrus entre les États-Unis et l'Afrique du Sud permettent de créer des emplois et d'offrir des perspectives économiques aux deux pays. Plus de 600 entreprises américaines étaient déjà implantées là-bas. En 2011, par exemple, Amazon a ouvert au Cap un nouveau service clients employant 500 personnes et prévoyant d'en embaucher jusqu'à un millier supplémentaire. Une usine spécialisée dans les énergies renouvelables, One World Clean Energy, basée à Louisville, dans le Kentucky, a signé un contrat de 115 millions de dollars pour monter une bioraffinerie en Afrique du Sud qui produira simultanément de l'électricité, du gaz naturel, de l'éthanol et du biodiesel à partir d'éléments naturels. L'usine a été construite aux États-Unis en 2012 avant d'être transportée jusqu'en Afrique du Sud, où elle emploie 250 personnes, en plus de la centaine d'employés qualifiés qui travaillent dans le Kentucky. Les industriels qui m'accompagnaient allaient rencontrer 200 patrons sud-africains avec lesquels ils pourraient lancer des projets d'investissement et partager les bénéfices.

Pour notre dîner à Pretoria, nous avons été accueillis par une averse de neige, un phénomène rare, même si le mois d'août correspond à l'hiver dans l'hémisphère Sud. Certains Africains m'ont affublée du surnom de Nimkita, « celle qui a apporté la neige ». J'avais beaucoup de questions à évoquer avec mon homologue sud-africaine, la ministre des Relations internationales et de la Coopération, Maite Nkoana-Mashabane. C'est une femme forte dotée d'un grand sens de l'humour et d'idées bien arrêtées sur les prérogatives de son pays ; nous sommes devenues amies. Maite a donné un dîner en mon honneur lors de mes deux visites. Les invités étaient essentiellement des femmes haut placées, comme Nkosazana Dlamini-Zuma, qui est devenue la première femme élue à la tête de l'Union africaine. Lors de ma visite en 2012, une chanteuse jazz-pop sud-africaine pleine de talent a enflammé la salle : nous avons dansé, chanté et ri tous ensemble en cette soirée hivernale.

Au cours de ce voyage, j'ai également rendu visite pour la dernière fois à mon vieil ami Madiba, qui vivait dans le village de ses ancêtres, Qunu, dans la province du Cap-Oriental. C'est là qu'il avait passé une grande partie de son enfance et, d'après son autobiographie, vécu ses années les plus heureuses. Quand je suis entrée dans sa modeste maison au milieu des collines, j'ai été fascinée, comme toujours, par son sourire incroyable et sa grâce peu commune. Alors même que sa santé déclinait, Mandela incarnait la dignité et l'intégrité. Il a été, jusqu'à la fin, capitaine de son « âme invincible », comme le dit son poème préféré, « Invictus », de William Ernest Henley.

Je suis repartie revigorée par ce moment passé avec lui et j'ai rejoint l'université du Cap-Occidental, au Cap, pour un discours sur l'avenir de l'Afrique du Sud et du continent. En clôture de ce discours, j'ai rappelé aux jeunes gens qui m'écoutaient le chemin qu'ils avaient – que nous avions tous – parcouru grâce à Mandela. Me remémorant l'humanité avec laquelle celui-ci avait traité ses anciens geôliers, je leur ai demandé de nous aider à créer un monde fondé sur la compréhension mutuelle et la justice, où tous les garçons et les filles pourraient avoir leur chance. Je leur ai dit que, quand on vient d'un pays que le monde entier admire, comme les États-Unis ou l'Afrique du Sud, on est obligé d'avoir des valeurs plus élevées. C'était sa capacité à accepter ce lourd fardeau qui avait toujours distingué Mandela.

Le 5 décembre 2013, Nelson Mandela est mort à l'âge de 95 ans. Comme bien d'autres à travers le monde, j'ai pleuré la disparition d'un des plus grands hommes d'État de notre époque et le décès d'un ami cher. Il avait toujours représenté beaucoup pour notre famille. Le président Obama nous a demandé de l'accompagner aux obsèques, avec Michelle, George W. et Laura Bush. Je me suis jointe à eux tandis que Bill et Chelsea, qui se trouvaient alors au Brésil, nous rejoignaient là-bas.

Pendant le trajet dans l'Air Force One, le président et Mme Obama occupaient la cabine située à la tête de l'avion. Équipée de deux lits, d'une douche et d'une pièce bureau, elle rendait les longs voyages plus confortables pour les familles présidentielles. La famille Bush occupait la cabine généralement réservée à l'équipe médicale. Quant à moi, j'avais pris place dans celle qui était dévolue aux membres du gouvernement. Les Obama nous ont conviés, les Bush et moi, à les rejoindre dans la grande salle de réunion. George, Laura et moi avons discuté de « la vie après la Maison-Blanche » et George a évoqué sa nouvelle passion pour la peinture. Quand je lui ai demandé s'il avait des photos de ses tableaux, il a saisi son iPad pour nous montrer sa dernière réalisation, des crânes d'animaux blanchis qu'il avait trouvés sur son ranch. Il nous a expliqué qu'il s'entraînait à peindre différentes nuances de blanc. Il était clair qu'il possédait un bon coup de pinceau et qu'il avait travaillé dur pour maîtriser la technique. L'atmosphère était agréable et détendue. Indépendamment des convictions politiques, nous avions tous vécu une expérience unique ; trouver le temps de discuter et d'échanger des anecdotes se révélait toujours intéressant et souvent amusant.

La cérémonie funèbre s'est déroulée dans un stade de Soweto sous une pluie battante. D'anciens ou actuels rois, reines, présidents, Premiers ministres et dignitaires du monde entier ont rejoint des milliers de Sud-Africains pour rendre hommage à l'homme que le président Obama qualifiait de « géant de l'histoire ».

Après la cérémonie publique, Bill, Chelsea et moi avons rendu visite à Graça, entourée de sa famille et de ses proches, chez elle à Johannesburg. Nous avons signé un livre de souvenirs dédié à Mandela et nous sommes remémoré certains épisodes de sa remarquable existence. Un autre ami, le rockeur et militant Bono, était également présent à la cérémonie publique. Fervent défenseur de la lutte contre la pauvreté à travers le monde, il avait développé avec Mandela un partenariat et une profonde amitié. De retour à l'hôtel où nous étions descendus, il s'est installé derrière le grand piano blanc et a joué un morceau à la mémoire de Madiba. Je ne suis pas aussi douée que Condoleezza Rice en la matière, mais Bono m'a laissée m'asseoir à côté de lui et jouer quelques notes, au grand plaisir de mon mari, beaucoup plus mélomane que moi.

Je me suis rappelé l'investiture de Madiba en 1994 et l'incroyable chemin que lui et son pays avaient parcouru. Mais j'espérais aussi que l'Afrique du Sud allait profiter de ce triste événement pour renouveler son engagement à poursuivre ce que Mandela avait commencé et construire une démocratie plus forte, plus égalitaire, ainsi qu'une société plus juste, plus équitable et plus humaine. Je souhaitais cela à tous, partout dans le monde. Quand il a accepté le prix Nobel de la paix, Mandela a partagé son rêve d'« un monde démocratique et respectueux des droits de l'homme, un monde libéré des horreurs de la pauvreté, de la faim, des privations et de l'ignorance ». Avec ce genre de vision, tout est possible. L'un de mes espoirs les plus profonds est que l'Afrique du XXIe siècle puisse offrir des perspectives à sa jeunesse, la démocratie à ses citoyens et la paix à tous. Ce serait une Afrique digne du long chemin de Nelson Mandela vers la liberté[1].

---

1. Référence au titre de l'autobiographie de Nelson Mandela, *Un long chemin vers la liberté*, trad. fr. de Jean Guiloineau, Paris, Fayard, 1995.

CINQUIÈME PARTIE

Bouleversement

Chapitre 14

Proche-Orient :
le chemin rocailleux de la paix

Le drapeau palestinien présente trois rayures horizontales, une noire, une blanche et une verte, avec un triangle rouge du côté du mât. Entre la guerre des Six Jours en 1967 et les accords de paix d'Oslo en 1993, le gouvernement israélien l'avait banni de l'ensemble des territoires palestiniens. Certains y voyaient un emblème du terrorisme, de la résistance et de l'Intifada – le soulèvement violent contre la domination israélienne qui a ébranlé les territoires palestiniens à la fin des années 1980. Dix-sept ans après Oslo, ce drapeau restait un symbole controversé et incendiaire aux yeux de certains Israéliens conservateurs. D'où la surprise que j'ai éprouvée à la mi-septembre 2010 lorsque je suis arrivée à Jérusalem, devant la résidence du Premier ministre Benyamin – « Bibi » – Netanyahou, chef du Likoud, le parti de droite : le drapeau noir, blanc, vert et rouge des Palestiniens flottait au vent à côté de celui, bleu et blanc, d'Israël.

Hisser le drapeau palestinien, une démarche que Bibi avait critiquée lorsqu'elle avait été entreprise par son prédécesseur, Ehoud Olmert, quelques années auparavant, était un geste de conciliation de la part du Premier ministre envers son autre invité du jour, Mahmoud Abbas, président de l'Autorité palestinienne. « Je suis heureux que vous soyez venu chez moi », a déclaré Bibi en accueillant Abbas. Le président palestinien s'est arrêté dans l'entrée pour signer le livre d'or du Premier ministre : « Me voici aujourd'hui de retour dans cette maison après une longue absence pour poursuivre les discussions et les négociations, dans l'espoir de parvenir à une paix éternelle dans toute la région, et plus particulièrement à la paix entre les peuples israélien et palestinien. »

Cet échange d'amabilités ne pouvait dissimuler la pression que nous ressentions tous ce jour-là. Au moment où nous nous sommes assis dans le petit bureau privé de Netanyahou pour entamer les discussions, une échéance planait au-dessus de nos têtes. Moins de deux semaines plus tard, un moratoire de dix mois sur la construction de nouvelles colonies israéliennes en Cisjordanie arrivait à expiration. Si nous nous montrions incapables de nous entendre pour prolonger ce gel, Abbas avait clairement fait savoir qu'il se retirerait des négociations directes qui venaient de débuter. Or Netanyahou campait fermement sur ses positions : à ses yeux, dix mois représentaient un délai largement suffisant. Il avait fallu presque deux années de manœuvres diplomatiques difficiles pour obtenir que ces deux dirigeants acceptent de s'entretenir en tête-à-tête en vue de la résolution d'un conflit qui déchirait le Proche-Orient depuis des décennies. Ils avaient enfin décidé de s'attaquer à des questions centrales qui s'étaient dérobées à toutes les précédentes tentatives de paix, parmi lesquelles les frontières d'un futur État palestinien, les mesures de sécurité indispensables à Israël, le problème des réfugiés et celui du statut de Jérusalem, une ville dont chacun des deux camps voulait faire sa capitale. À présent, tout laissait craindre qu'ils ne quittent la table à l'instant décisif, et j'étais loin d'être convaincue que nous trouverions une issue à cette impasse.

*

* *

Je m'étais rendue en Israël pour la première fois en décembre 1981 avec Bill à l'occasion d'un voyage en Terre sainte organisé par notre paroisse. Ayant confié Chelsea à mes parents, à Little Rock, nous avions passé plus de dix jours à explorer la Galilée, Massada, Tel-Aviv, Haïfa et les ruelles pittoresques de la vieille ville de Jérusalem. Nous avions prié dans l'église du Saint-Sépulcre, bâtie à l'endroit où les chrétiens situent l'inhumation et la résurrection de Jésus. Nous étions également allés nous recueillir sur les lieux les plus saints pour les trois religions, chrétienne, juive et musulmane, notamment au mur des Lamentations, à la mosquée Al-Aqsa et au Dôme du Rocher. J'avais adoré Jérusalem. Malgré le poids du passé et des traditions, j'avais découvert une ville vibrante de vie et d'énergie. Et j'avais éprouvé une profonde admiration pour le talent et l'opiniâtreté du peuple israélien. Ces gens-là avaient fait fleurir le désert et fondé une démocratie prospère dans une région regorgeant d'ennemis et d'autocrates.

Quand nous avions quitté la ville pour nous rendre à Jéricho, en Cisjordanie, j'avais pu me faire une idée de ce qu'était la vie sous l'occupation pour les Palestiniens, privés du droit à la dignité et à l'autodétermination, que les Américains considèrent comme un dû. De retour aux États-Unis, nous avions conservé, Bill et moi, un puissant lien affectif avec la Terre sainte et ses peuples. Au fil des ans, nous nous sommes accrochés à l'espoir qu'un jour Israéliens et Palestiniens réussiraient à résoudre leur conflit et à vivre en paix.

J'étais retournée plusieurs fois en Israël au cours des trente années suivantes et je m'y étais fait des amis. J'avais fait la connaissance de plusieurs grands dirigeants de ce pays et collaboré avec eux.

En tant que première dame, j'avais noué une profonde amitié avec le Premier ministre Yitzhak Rabin et son épouse Leah, mais je crains que Yitzhak ne m'ait jamais pardonné de l'avoir condamné à geler sur le balcon de la Maison-Blanche quand il avait voulu griller une cigarette. (Rabin m'ayant accusée de mettre en péril le processus de paix par cette interdiction, j'avais fini par céder : « Bon, lui avais-je dit, si cela peut favoriser les tentatives de paix, je veux bien abroger cette règle, mais uniquement pour vous ! ») La signature des accords d'Oslo et la célèbre poignée de main entre Rabin et Arafat sur la pelouse sud de la Maison-Blanche, le 13 septembre 1993, avaient compté parmi les plus beaux moments de la présidence de Bill. L'assassinat de Rabin, le 4 novembre 1995, avait été l'un des pires. Je n'oublierai jamais le jour où, assise avec Leah, j'ai écouté l'éloge funèbre déchirant que prononçait leur petite-fille Noa à ses funérailles.

Je n'oublierai pas non plus les victimes israéliennes du terrorisme que j'ai rencontrées au fil des ans. Je leur ai tenu la main dans des chambres d'hôpital, j'ai écouté des médecins expliquer combien d'éclats de bombe étaient restés dans une jambe, un bras, une tête. Je me suis rendue dans une pizzeria de Jérusalem où s'était produit un attentat en février 2002, au cours des jours les plus sombres de la deuxième Intifada, qui a fait plusieurs milliers de morts parmi les Palestiniens et près d'un millier chez les Israéliens entre 2000 et 2005. J'ai longé la barrière de sécurité à proximité de Gilo, j'ai parlé à des familles qui savaient qu'une roquette pouvait s'abattre sur leur maison à tout moment. Ces expériences m'accompagneront jusqu'à mon dernier jour.

Je voudrais simplement évoquer l'histoire d'un Israélien dont la vie a croisé la mienne. J'ai fait la connaissance de Yochai Porat en 2002. À 26 ans, il était déjà médecin chef au MDA[1], le service national de secours et d'urgence médicale d'Israël. Il était responsable d'un programme de formation de bénévoles étrangers désireux de travailler comme secouristes en Israël. J'ai assisté à la cérémonie de remise des diplômes à l'issue de cette formation, et je me souviens de la fierté qui éclairait le visage de Yochai alors qu'un nouveau groupe de jeunes gens s'apprêtait à aller sauver des vies. Il était également réserviste dans les Forces de défense israéliennes – l'armée israélienne. Une semaine après notre entrevue, il s'est fait descendre par un sniper près d'un barrage routier, en même temps que d'autres soldats et civils. En son honneur, le MDA a donné son nom au programme international qu'il avait dirigé. Lorsque je suis revenue en 2005, j'ai rencontré la famille de Yochai, qui m'a rappelé en des termes passionnés combien il était important de continuer à soutenir le MDA et sa mission. À mon retour aux États-Unis, j'ai lancé une campagne pour convaincre la Croix-Rouge internationale d'admettre le MDA comme membre à part entière, avec droit de vote, après un demi-siècle d'exclusion. Elle a accepté en 2006.

Je ne suis pas la seule à me sentir aussi personnellement investie dans la sécurité et la réussite d'Israël. De nombreux Américains admirent ce pays, patrie d'un peuple longtemps opprimé et d'une démocratie qui a constamment dû se défendre. À travers l'histoire d'Israël, c'est la nôtre que nous voyons, en même temps que celle de tous les peuples qui luttent pour la liberté et le droit de décider de leur propre destin. Voilà pourquoi, en 1948, le président Harry Truman n'a attendu que onze minutes pour reconnaître le nouvel État israélien. Israël est plus qu'un pays – c'est un rêve, nourri pendant des générations, un rêve qu'ont réalisé des hommes et des femmes qui ont refusé de plier devant des obstacles apparemment insurmontables. Son économie florissante prouve de manière exemplaire que l'innovation, l'esprit d'entreprise et la démocratie peuvent apporter la prospérité, même dans des circonstances impitoyables.

J'ai également été l'une des premières à appeler publiquement à la création d'un État palestinien lors d'une intervention retransmise par satellite au Sommet de la jeunesse du Proche-Orient, « Seeds of Peace », en 1998. J'ai déclaré aux jeunes Israéliens et Palestiniens

---

1. Maguen David Adom, « Étoile rouge de David ».

présents que la création d'un État palestinien ne pouvait que servir « à long terme les intérêts de toute la région ». Mes propos ont été largement repris par les médias. Cela se passait deux ans avant que Bill, alors que la fin de sa présidence approchait, ne propose la création d'un État palestinien dans le cadre d'un plan accepté par le Premier ministre israélien, Ehoud Barak, mais refusé par Yasser Arafat, et trois ans avant que l'administration Bush n'en fasse la politique officielle des États-Unis.

L'administration Obama est arrivée au pouvoir à un moment de grand péril au Proche-Orient. Tout au long du mois de décembre 2008, des militants du Hamas, une organisation palestinienne extrémiste, ont tiré des roquettes à l'intérieur du territoire israélien depuis la bande de Gaza, sur laquelle ce parti exerçait le contrôle depuis l'éviction de la faction palestinienne rivale, le Fatah, en 2007. Début janvier 2009, l'armée israélienne est entrée dans Gaza pour mettre fin aux tirs de roquettes et, au cours des dernières semaines de l'administration Bush, des soldats israéliens ont affronté les terroristes du Hamas dans des combats de rue au milieu de zones densément peuplées. Bien que l'opération « Plomb fondu » ait été considérée comme une victoire militaire d'Israël – le Hamas a subi de lourdes pertes humaines et a été privé d'une grande partie de ses réserves de roquettes et d'autres armes –, elle s'est révélée désastreuse sur le plan de la communication. Plus d'un millier de Palestiniens ont trouvé la mort, et Israël a fait face à une condamnation internationale quasi générale. Le 17 janvier, quelques jours à peine avant l'entrée en fonction du président Obama, Ehoud Olmert, alors Premier ministre, a annoncé un cessez-le-feu qui prendrait effet à minuit, à condition que le Hamas et une autre organisation de Gaza plus radicale, le Jihad islamique, mettent fin aux tirs de roquettes. Les militants palestiniens ont donné leur accord le lendemain. Les combats ont cessé, et pourtant Israël a maintenu un siège de fait autour de Gaza, fermant les frontières à l'essentiel de la circulation et des échanges commerciaux. Le Hamas a immédiatement entrepris de reconstituer son arsenal grâce à des tunnels secrets creusés sous la frontière avec l'Égypte et permettant d'introduire des armes de contrebande. Deux jours plus tard, le président Obama prêtait serment à Washington.

À l'heure où la crise de Gaza focalisait l'attention internationale, mon premier appel téléphonique de secrétaire d'État à un dirigeant étranger a été pour Olmert. Nous nous sommes immédiatement demandé comment préserver le cessez-le-feu, bien précaire, et protéger Israël de nouveaux tirs de roquettes ; il fallait également s'attaquer aux graves problèmes humanitaires à l'intérieur de la bande de Gaza, relancer des négociations susceptibles de mettre fin au conflit plus large avec les Palestiniens et assurer une paix globale pour Israël et toute la région. J'ai déclaré au Premier ministre que le président Obama et moi-même annoncerions un peu plus tard dans la journée la nomination de l'ancien sénateur George Mitchell comme nouvel envoyé spécial au Proche-Orient. Olmert a qualifié Mitchell d'« homme bon » et exprimé l'espoir que nous pourrions collaborer sur les points dont nous avions discuté.

Début mars, en compagnie de représentants d'autres pays donateurs, j'ai participé à une conférence organisée en Égypte pour mobiliser une aide humanitaire au profit des familles de Gaza dans le besoin. Cette démarche était destinée à permettre aux Palestiniens et aux Israéliens traumatisés de tourner la page des violences récentes. Quel que fût le jugement que l'on pouvait porter sur la politique complexe du Proche-Orient, il était impossible d'ignorer les souffrances humaines, particulièrement celles des plus jeunes. Les enfants palestiniens et israéliens ont droit, au même titre que ceux du reste du monde, à une enfance protégée leur assurant une bonne éducation, des soins médicaux et la possibilité de se bâtir un brillant avenir. Et les parents de Gaza et de Cisjordanie partagent les mêmes aspirations que ceux de Tel-Aviv et de Haïfa ; ils souhaitent, comme eux, que leurs enfants puissent avoir un bon emploi, un lieu de résidence sûr et de meilleures perspectives. Il est indispensable de comprendre cette réalité si l'on veut combler les fossés qui divisent la région et jeter les fondations d'une paix durable. Quand j'ai fait cette remarque lors de la conférence en Égypte, des représentants des médias arabes, pourtant généralement hostiles, m'ont applaudie.

À Jérusalem, j'ai eu le plaisir de rencontrer mon vieil ami, le président Shimon Peres, un lion de la gauche israélienne qui avait contribué à l'édification de la défense du nouvel État, participé aux négociations d'Oslo et défendu la cause de la paix après l'assassinat de Rabin. En tant que président, Peres jouait un rôle largement honorifique, mais il n'en incarnait pas moins la conscience morale du peuple israélien. Il croyait toujours passionnément à la nécessité d'arriver à une solution à deux États, tout en reconnaissant que la tâche ne serait pas facile. « Nous ne prenons pas à la légère le fardeau qui repose à présent sur vos épaules, m'a-t-il dit. Mais je crois qu'elles sont solides, et que vous trouverez en nous un partenaire réel et sincère pour défendre le double objectif d'empêcher et stopper la terreur et d'assurer la paix de tous les peuples du Proche-Orient. »

J'ai également discuté avec Olmert et avec sa ministre des Affaires étrangères, l'intelligente et tenace Tzipi Livni, un ancien agent du Mossad, de l'importance de désamorcer les tensions à Gaza et de renforcer le cessez-le-feu. En raison de la poursuite sporadique de tirs de roquettes et de mortiers, un conflit d'envergure risquait apparemment de reprendre à tout moment. Je voulais également rassurer Israël en faisant savoir que l'administration Obama était profondément engagée en faveur de sa sécurité et de son avenir d'État juif. « On ne peut demander à aucun État de laisser sa population et son territoire subir des attaques de roquettes sans réagir », ai-je déclaré. Pendant des années, que les administrations aient été démocrates ou républicaines, les États-Unis s'étaient engagés à aider Israël à préserver un « avantage militaire qualitatif » sur tous ses rivaux de la région. Le président Obama et moi voulions passer à l'étape suivante. Nous nous sommes immédiatement mis au travail pour développer notre coopération avec Israël en matière de sécurité et investir dans d'importants projets de défense communs, parmi lesquels le Dôme de fer, un système de défense aérienne contre les missiles de courte portée destiné à renforcer la protection des villes et des foyers israéliens contre les roquettes.

Olmert et Livni étaient résolus, l'un comme l'autre, à se diriger vers une paix globale dans la région et vers une solution à deux États dans le conflit israélo-palestinien, malgré les nombreuses désillusions qui avaient jalonné des décennies de négociations hésitantes. Mais, au moment de ma visite, ces deux responsables politiques s'apprêtaient à quitter le pouvoir. En butte à des accusations de corruption remontant pour l'essentiel à l'époque où il était maire de Jérusalem, Olmert avait annoncé sa démission. Livni avait pris la direction de leur formation centriste, Kadima, et s'était présentée aux élections contre Netanyahou et le Likoud. Kadima avait bien remporté un siège de plus (28 contre 27) que le Likoud à la Knesset, le parlement israélien, mais Livni n'avait pas pu mettre sur pied une coalition majoritaire viable avec les petits partis indisciplinés qui assuraient l'équilibre du pouvoir. C'est ainsi que Netanyahou avait eu la possibilité de former un gouvernement.

J'avais évoqué avec Livni l'éventualité d'un gouvernement d'union nationale entre Kadima et le Likoud qui aurait peut-être été plus disposé à rechercher la paix avec les Palestiniens. Elle s'y était farouchement opposée : « Non, m'avait-elle dit, je n'entrerai pas dans un tel gouvernement. » Netanyahou avait donc constitué une coalition majoritaire avec les petits partis et, à la fin du mois de mai 2009, il a retrouvé le bureau de Premier ministre, qu'il avait occupé entre 1996 et 1999.

Je connaissais Netanyahou depuis des années. C'est un personnage complexe. Il avait passé une partie de sa jeunesse aux États-Unis, fait ses études à Harvard et au MIT, et même travaillé pendant une brève période, en 1976, au sein du Boston Consulting Group[1] avec Mitt Romney. Netanyahou avait accueilli avec scepticisme la logique d'Oslo de la terre contre la paix et de la solution à deux États, qui accorderait aux Palestiniens un pays à eux sur un territoire qu'Israël occupait depuis 1967. Il est également, ce qui se comprend, obnubilé par la menace iranienne, et plus particulièrement par le risque que Téhéran se dote d'armes nucléaires qu'il pourrait utiliser contre Israël. L'optique très « faucon » de Netanyahou devait beaucoup à sa propre expérience au sein des Forces de défense israéliennes, notamment pendant la guerre du Kippour en 1973, au souvenir de son frère, Yonatan, un commandant très respecté qui avait dirigé l'opération Entebbe en 1976, et à l'influence de son père, Benzion, un historien ultra-nationaliste qui avait, avant même la naissance d'Israël, défendu l'idée d'un État juif englobant toute la Cisjordanie et l'ensemble de la bande de Gaza. Netanyahou père n'avait pas démordu de cette position jusqu'à sa mort en 2012 à l'âge de 102 ans.

En août 2008, après la fin de ma campagne présidentielle, Netanyahou était venu me voir dans mon bureau du Sénat, sur la 3e Avenue, à New York. Après dix années de traversée du désert politique à la suite de sa défaite aux élections de 1999, Bibi avait réussi à regagner le sommet du Likoud et était prêt à reconquérir le poste de Premier ministre. Assis dans ma salle de réunion donnant sur Midtown Manhattan, il avait évoqué ses revers de fortune avec philosophie. Il m'avait confié qu'après son échec il avait reçu du Premier ministre britannique Margaret Thatcher, la Dame de fer en personne, un conseil qu'il se permettait de me donner à son tour : « Attendez-vous toujours à l'inattendu. » Quelques mois plus tard, quand le président élu Obama a pour la première fois prononcé en ma présence les mots de « secrétaire d'État », j'ai repensé à la prédiction de Bibi.

---

1. Cabinet international de conseil en stratégie d'entreprise.

Par la suite, nous avons considéré l'un comme l'autre que cette conversation avait marqué un nouveau départ dans nos relations. Malgré nos divergences politiques, nous avons travaillé ensemble, Netanyahou et moi, en associés et en amis. Nos querelles n'étaient pas rares, et survenaient souvent lors de coups de fil qui duraient plus d'une heure, parfois deux. Mais, même lorsque nous n'étions pas d'accord, nous n'avons jamais remis en cause notre engagement inaltérable en faveur de l'alliance entre nos deux pays. J'avais appris que Bibi montrait les dents s'il se sentait acculé. En revanche, si on le traitait en ami, on avait de bonnes chances de pouvoir faire avancer les choses.

Alors que la région n'était pas encore remise du récent conflit de Gaza et qu'un sceptique avait repris la barre en Israël, les perspectives de parvenir à un accord de paix global paraissaient pour le moins décourageantes.

On avait assisté à près d'une décennie de terreur, conséquence de la deuxième Intifada, qui avait commencé en septembre 2000. Près d'un millier d'Israéliens avaient trouvé la mort et 8 000 avaient été blessés dans des attentats terroristes entre septembre 2000 et février 2005. Quant aux Palestiniens, ils avaient été trois fois plus nombreux à perdre la vie et des milliers à être blessés au cours de la même période. Israël s'était lancé dans la construction d'une longue barrière de sécurité destinée à le séparer matériellement de la Cisjordanie. Grâce à ces mesures de protection, le gouvernement israélien avait enregistré un net déclin des attentats suicides : de plus de 50 en 2002, ils étaient passés à zéro en 2009. C'était évidemment une immense source de soulagement pour les Israéliens, mais, du même coup, la pression qui les incitait à rechercher un accord de paix global afin d'atteindre une plus grande sécurité se faisait moins forte.

Par-dessus le marché, le nombre de colons israéliens en Cisjordanie ne cessait d'augmenter et la plupart d'entre eux manifestaient une hostilité irréductible à l'idée de céder le moindre centimètre carré de terre ou de supprimer la moindre implantation dans ce qu'ils appelaient la « Judée-Samarie », le nom biblique des régions situées sur la rive occidentale du Jourdain. Certains des colons qui s'étaient installés dans ces avant-postes au-delà de la « ligne verte » de 1967 cherchaient simplement à échapper à la crise du logement qui sévissait dans les villes israéliennes, où les prix étaient souvent inabordables. D'autres, en revanche, étaient motivés par le fanatisme religieux et par la conviction que Dieu lui-même avait promis la Cisjordanie aux Juifs. Ces colons formaient la base politique du principal partenaire de Netanyahou dans la coalition, le parti Israel Beitenou, dirigé par Avigdor Lieberman, un émigré russe devenu ministre des Affaires étrangères du nouveau gouvernement. Accepter des concessions dans le cadre de négociations était un signe de faiblesse aux yeux de Lieberman, adversaire de longue date du processus de paix d'Oslo. Bibi et Lieberman estimaient aussi, l'un comme l'autre, que le programme nucléaire iranien constituait une menace plus grave et plus urgente pour la sécurité israélienne à long terme que le conflit palestinien. Tout cela contribuait à rendre les dirigeants israéliens rétifs à l'idée de consentir aux choix difficiles qu'impliquait nécessairement l'établissement d'une paix durable.

*
* *

Après avoir rendu visite à la direction israélienne sortante et à la direction entrante à Jérusalem, début mars 2009, je suis passée en Cisjordanie et me suis dirigée vers Ramallah, où se trouvait le siège de l'Autorité palestinienne (AP). Conformément aux précédents accords, l'AP administrait certaines parties des territoires palestiniens et y entretenait ses propres forces de sécurité. J'ai visité une salle de classe où des élèves palestiniens apprenaient l'anglais grâce à un programme financé par les États-Unis. Ils étaient justement en train d'étudier le « Mois de l'histoire des femmes » et de parler de Sally Ride, la première femme astronaute d'Amérique. Les enfants, les filles surtout, étaient captivés par son destin. Quand je leur ai demandé de définir Sally et ses exploits d'un seul mot, un élève a répondu « *hopeful* » – encourageant. Cet optimisme de la part de jeunes qui grandissaient dans des conditions aussi difficiles m'a effectivement paru encourageant. J'aurais été surprise d'entendre exprimer le même sentiment à Gaza. Cela résumait à mes yeux la divergence de destin entre ces deux territoires palestiniens.

Pendant près de vingt ans, deux factions, le Fatah et le Hamas, ont exercé une influence rivale auprès du peuple palestinien. Quand Yasser Arafat était en vie, son parti, le Fatah, dominait, et son prestige personnel était suffisant pour maintenir, bon an mal an, la paix entre les deux camps. Mais, après sa mort en 2004, le schisme a dégénéré en conflit ouvert. Le Hamas répandait parmi les déçus d'un processus de paix qui n'avait pas su apporter beaucoup de progrès concrets le faux espoir qu'un État palestinien pourrait s'imposer par la violence et par une résistance sans compromis. Au contraire, le successeur d'Arafat à la tête du Fatah et de l'Organisation de libération de la Palestine (OLP), Mahmoud Abbas (également connu sous le nom d'Abou Mazen), défendait un programme de non-violence et exhortait son peuple à continuer d'exiger une solution politique négociée au conflit, tout en mettant sur pied l'économie et les institutions d'un futur État palestinien.

Au début de 2006, le Hamas avait remporté les élections législatives dans les territoires palestiniens – un scrutin soutenu énergiquement par l'administration Bush, malgré les objections de certains membres du Fatah ainsi que des Israéliens. Cette victoire inattendue avait provoqué une nouvelle crise avec Israël et une violente lutte de pouvoir avec le Fatah.

Au lendemain de ces résultats électoraux, j'avais publié depuis mon bureau du Sénat un communiqué condamnant le Hamas : « Tant que le Hamas n'aura pas renoncé à la violence et à la terreur, ainsi qu'à sa position réclamant la destruction d'Israël, il ne me semble pas que les États-Unis, pas plus que n'importe quel autre État au monde, doivent reconnaître le Hamas. » L'issue du scrutin nous rappelait qu'une authentique démocratie ne se limite pas à une victoire électorale et que, si les États-Unis prétendent imposer des élections, nous avons aussi le devoir d'aider à éduquer la population et les parties en présence sur la réalité de ce processus. Le Fatah avait perdu plusieurs sièges parce qu'il avait présenté deux candidats dans certaines circonscriptions, contrairement au Hamas, qui n'en présentait qu'un. Cette erreur lui a coûté cher. L'année suivante, le Hamas a pris la tête d'un coup d'État à Gaza contre l'autorité d'Abbas, lequel continuait à exercer la présidence malgré la défaite électorale de son parti. Le Fatah contrôlant toujours la Cisjordanie, le peuple palestinien était divisé entre deux centres de pouvoir rivaux et deux visions extrêmement différentes de l'avenir.

Cette division ne faisait qu'éloigner davantage la perspective d'une reprise des négociations de paix et renforcer les réticences israéliennes. Cependant, cet arrangement inhabituel a donné aux deux camps l'occasion de mettre à l'épreuve leur conception respective du gouvernement. Les résultats se voyaient quotidiennement dans les rues et les quartiers palestiniens. À Gaza, le Hamas exerçait le pouvoir sur une enclave de terreur et de désespoir en voie d'effondrement. Il constituait des stocks de roquettes tandis que le peuple s'enfonçait dans une misère de plus en plus profonde. Le taux de chômage avoisinait les 40 %, et il était plus élevé encore parmi les jeunes. Le Hamas rejetait toute aide internationale et toute intervention des ONG humanitaires, et ne faisait pas grand-chose pour encourager une croissance économique durable, préférant chercher à détourner l'attention des Palestiniens de son incapacité à gouverner efficacement en attisant de nouvelles tensions avec Israël et en exaspérant la colère populaire.

Pendant ce temps, en Cisjordanie, Abbas et le Premier ministre, Salam Fayyad, un technocrate compétent, obtenaient des résultats très différents en un laps de temps relativement court. Ils avaient entrepris de mettre fin à un passé de corruption et d'établir des institutions transparentes et responsables. Les États-Unis et d'autres partenaires internationaux, tout particulièrement la Jordanie, ont contribué à accroître l'efficacité et la compétence des forces de sécurité de l'Autorité, un point qui constituait une priorité essentielle pour Israël. Les réformes ont commencé à améliorer la confiance de la population dans la justice et, en 2009, les tribunaux ont traité 67 % d'affaires de plus qu'en 2008. Les recettes fiscales arrivaient enfin dans les caisses du trésor public. L'AP a commencé à construire des écoles et des hôpitaux, et à former des enseignants et du personnel médical. Elle s'est même attelée à un programme national d'assurance-maladie. Une politique budgétaire plus responsable, le soutien de la communauté internationale – avec notamment une contribution annuelle de plusieurs centaines de millions de dollars des États-Unis, le plus important donateur bilatéral de l'AP –, l'amélioration de la sécurité et le règne du droit ont entraîné une croissance économique non négligeable. De plus en plus de Palestiniens de Cisjordanie ont trouvé des emplois et créé des sociétés, inversant ainsi la tendance à la stagnation économique qui avait suivi le déclenchement de la deuxième Intifada en 2000. Les chiffres d'inscriptions au registre du commerce en Cisjordanie pour le quatrième trimestre de 2009 ont été supérieurs de 50 % à ceux de la même période en 2008, les Palestiniens créant des entreprises de toutes sortes, depuis des fonds de capital-risque jusqu'à des quincailleries et des hôtels de luxe. Le taux de chômage en Cisjordanie a diminué jusqu'à représenter moins de la moitié de celui de Gaza. Pourtant, malgré ces progrès, il y avait encore beaucoup à faire. Trop de gens demeuraient déçus et sans emploi. Les violences verbales et physiques contre Israël continuaient à poser un problème et nous espérions voir des réformes plus importantes pour endiguer la corruption, instiller une culture de paix et de tolérance parmi les Palestiniens et réduire leur dépendance par rapport à l'aide étrangère. Cependant, il devenait plus facile d'envisager l'existence d'une Palestine indépendante, capable de se gouverner seule, de respecter ses engagements et d'assurer la sécurité de ses citoyens et de ses voisins. En septembre 2010, la Banque mondiale a fait savoir que si l'Autorité palestinienne poursuivait sur sa lancée, en mettant en place des institutions et des services publics, elle serait « en bonne position pour pouvoir constituer un État dans un avenir proche ».

J'ai pu constater par moi-même les progrès accomplis au cours de deux séjours en Cisjordanie, en 2009 et en 2010. Nous avons vu au bord de la route des agents des services palestiniens de sécurité bien équipés, dont un grand nombre avaient été formés grâce à une assistance américaine et jordanienne. En entrant dans Ramallah, j'ai pu admirer les nouveaux immeubles résidentiels et les tours de bureaux qui s'élevaient sur les collines. Cependant, en observant les visages des hommes et des femmes qui sortaient de leurs boutiques et de leurs maisons, il était impossible d'oublier l'histoire douloureuse de ce peuple qui n'a jamais eu d'État à lui. Les progrès économiques et institutionnels sont importants, indispensables même, mais ils ne sont pas suffisants. Il sera impossible de donner satisfaction aux aspirations légitimes du peuple palestinien tant qu'une solution à deux États ne sera pas adoptée, offrant à tous les Palestiniens et à tous les Israéliens la dignité, la justice et la sécurité.

Je resterai toujours convaincue que, à la fin de l'année 2000 et au début de 2001, Arafat a commis une très grave erreur en refusant de suivre l'exemple du Premier ministre Barak et d'accepter les « paramètres Clinton », qui auraient accordé aux Palestiniens un État en Cisjordanie et à Gaza, avec une capitale à Jérusalem-Est. Nous nous engagions à présent dans une nouvelle tentative avec le président Abbas. Cela faisait longtemps qu'il cherchait, par un travail opiniâtre, à réaliser les rêves de son peuple. Il avait compris que ceux-ci ne pourraient aboutir que par la non-violence et la négociation. Et il croyait que l'existence d'une Palestine vivant au côté d'Israël dans la paix et la sécurité était possible, et nécessaire. Il m'est arrivé de penser que, si Arafat avait bénéficié de circonstances favorables à la paix sans pourtant manifester la volonté nécessaire, Abbas, lui, a peut-être eu cette volonté, mais sans bénéficier des circonstances opportunes – même si je dois aussi avouer qu'à certains moments particulièrement exaspérants je me suis interrogée sur la force de sa résolution.

*

* *

Il n'allait pas être facile de convaincre les Israéliens et les Palestiniens de revenir à la table des négociations. Tout le monde avait une idée assez précise des contours d'un accord final de paix et des compromis qu'il faudrait accepter. Le vrai défi consistait à mobiliser la volonté politique des deux parties de consentir aux choix et aux sacrifices nécessaires pour accepter ces compromis et faire la paix. Nos efforts diplomatiques auraient pour principal objectif d'établir la confiance entre les deux camps, d'aider les dirigeants à dégager un espace politique leur permettant de négocier ensemble et de les convaincre que le maintien du *statu quo* n'était viable pour personne.

J'étais persuadée que c'était vrai. Du côté des Palestiniens, plusieurs décennies de résistance, de terrorisme et de soulèvements avaient été impuissantes à leur offrir un État indépendant. Poursuivre sur la même voie n'avait aucune chance de donner satisfaction à leurs aspirations légitimes. Les négociations étaient la seule solution raisonnable, et les atermoiements auraient pour unique résultat de prolonger l'occupation et les souffrances des deux camps.

Du point de vue des Israéliens, l'affaire était plus complexe, car le *statu quo* leur posait moins de problèmes évidents et immédiats. Leur économie était en pleine expansion, l'amélioration des mesures de sécurité avait spectaculairement éloigné la menace du terrorisme et de nombreux Israéliens estimaient que leur pays s'était efforcé de faire la paix pour n'obtenir en retour que chagrin et violence. Ils considéraient qu'Israël avait fait des offres généreuses à Arafat et à Abbas, et que les Palestiniens avaient refusé la main tendue. Sous le Premier ministre Ariel Sharon, Israël s'était retiré unilatéralement de Gaza (sans accord de paix négocié), ce qui avait transformé ce territoire en une enclave terroriste qui faisait pleuvoir des roquettes sur le sud de l'État juif. Lorsque Israël avait quitté le Sud-Liban, le Hezbollah et d'autres groupes extrémistes, soutenus par l'Iran et la Syrie, s'étaient servis de ce territoire pour lancer des attaques contre le nord du pays. Quelles raisons les Israéliens auraient-ils eues de penser parvenir à une vraie paix en cédant davantage de terres ?

Je comprenais parfaitement ces craintes, ainsi que les menaces et les frustrations qui les sous-tendaient. Profondément soucieuse de la sécurité et de l'avenir d'Israël, j'estimais cependant que certaines tendances démographiques, technologiques et idéologiques impérieuses plaidaient en faveur d'une nouvelle tentative sérieuse de paix négociée.

En raison du taux de natalité généralement plus élevé chez les Palestiniens que chez les Israéliens, il fallait envisager que, dans un avenir relativement proche, les Palestiniens seraient majoritaires au sein de la population totale d'Israël et des territoires palestiniens ; or la plupart de ces Palestiniens resteraient considérés comme des citoyens de deuxième classe, privés de droit de vote. Tant qu'Israël s'obstinerait à s'accrocher aux territoires, il lui serait de plus en plus difficile, et pour finir impossible, de continuer à s'affirmer à la fois comme une démocratie et comme un État juif. Les Israéliens devraient, tôt ou tard, choisir entre les deux, ou bien accepter que les Palestiniens possèdent un État à eux.

En même temps, les roquettes qui arrivaient en masse entre les mains du Hamas à Gaza et du Hezbollah au Liban étaient d'une sophistication croissante, leur permettant d'atteindre des communautés israéliennes bien au-delà des frontières. En avril 2010, on a appris que la Syrie livrait au Hezbollah du Liban des missiles Scud à longue portée, capables de toucher toutes les grandes villes d'Israël. Au printemps 2014, Israël a intercepté un navire transportant des roquettes sol-sol M-302 de fabrication syrienne destinées aux extrémistes palestiniens de Gaza. Ces engins étaient en mesure d'atteindre la totalité du territoire israélien. Il n'était pas question pour nous de renoncer à accroître les défenses aériennes d'Israël, mais le meilleur système de défense antimissile serait indéniablement une paix juste et durable. Plus le conflit s'éternisait, plus il risquait de renforcer le pouvoir des extrémistes et d'affaiblir les modérés à travers tout le Proche-Orient.

Pour toutes ces raisons, il m'a paru nécessaire pour la sécurité à long terme d'Israël d'accorder une nouvelle chance à la diplomatie. Je ne me faisais pas d'illusions et savais qu'il ne serait pas plus facile de parvenir à un accord que sous les administrations précédentes, mais le président Obama était prêt à investir dans cette affaire son propre capital politique, ce qui n'était pas rien. Quant à Netanyahou, sa réputation de faucon lui assurait la crédibilité nécessaire auprès de sa population pour conclure un accord s'il était convaincu de servir ainsi les intérêts d'Israël en matière de sécurité – un peu sur le modèle de Nixon quand il s'était rendu en Chine. Abbas prenait de l'âge et personne ne pouvait prédire combien de temps encore il pourrait s'accrocher au pouvoir ; rien ne nous assurait que son successeur, quel qu'il fût, serait aussi engagé que lui en faveur de la paix. Malgré tout son passé politique et ses limites personnelles, Abbas pouvait fort bien représenter le dernier, le meilleur espoir de disposer d'un partenaire palestinien décidé à trouver une solution diplomatique, et suffisamment déterminé pour la faire accepter à son peuple. Certes, replonger dans le bourbier des négociations de paix au Proche-Orient n'était jamais sans risque. Un échec pouvait discréditer les modérés, enhardir les extrémistes et rendre les parties en présence plus méfiantes et plus hostiles que jamais. Mais il était impossible de réussir si l'on n'essayait pas, et j'étais bien résolue à m'y employer.

La première mesure en faveur d'une relance du processus de paix, en janvier 2009, a été la nomination de George Mitchell comme envoyé spécial. Nous espérions qu'il pourrait reproduire le succès de l'accord du Vendredi saint en Irlande du Nord. Ce sénateur du Maine à la voix douce était toujours prompt à mettre le doigt sur les différences entre ces deux conflits, tout en rappelant avec optimisme que, bien qu'on eût jadis jugé le problème de l'Irlande du Nord tout aussi insoluble que celui du Proche-Orient, il avait pourtant été résolu, au terme de laborieuses négociations. « Nous avons connu sept cents jours d'échec et un jour de succès », disait-il souvent. D'un autre côté, quand Mitchell a fait remarquer devant un auditoire à Jérusalem qu'il avait fallu huit siècles de conflit avant que la paix ne revienne enfin en Irlande du Nord, un vieux monsieur avait lancé, railleur : « Une querelle si récente – rien d'étonnant à ce que vous l'ayez réglée ! »

Nous avons estimé, le président Obama et moi, que Mitchell possédait le prestige international, les talents de négociateur et la patience nécessaires pour se charger de cette tâche capitale. J'ai également demandé à Dennis Ross, qui avait été envoyé spécial au Proche-Orient dans les années 1990, de revenir au département d'État pour y travailler sur l'Iran et les questions régionales. Il a tant impressionné le président Obama que celui-ci lui a demandé de le rejoindre à la Maison-Blanche pour être son proche conseiller, notamment sur le processus de paix. S'il a pu y avoir entre Ross et Mitchell quelques tensions, en raison de responsabilités qui se recouvraient partiellement et des enjeux élevés de leur mission, j'appréciais d'avoir ainsi une double perspective, et j'ai été très heureuse d'avoir dans notre équipe deux spécialistes de politique étrangère aussi brillants.

Quelques jours seulement après sa nomination, Mitchell est parti dans la région pour une tournée comprenant plusieurs étapes. Les Israéliens n'ayant pas encore fini de constituer leur nouveau gouvernement, il a fait le tour des capitales arabes. Il avait en effet pour mandat d'œuvrer en faveur de la paix entre Israël et les Palestiniens, mais aussi entre Israël et tous ses voisins. Une éventuelle paix régionale globale avait de bonnes chances de reposer sur le plan qu'avait présenté en 2002 le roi Abdallah d'Arabie Saoudite. Ce plan avait été adopté à l'unanimité en mars 2002 par les membres de la Ligue arabe, dont la Syrie. Dans le cadre de cette « initiative de paix arabe », tous ces pays, ainsi que certains États à majorité musulmane extérieurs à la région, avaient accepté, en échange de la concrétisation d'un accord de paix avec les Palestiniens, de normaliser leurs relations avec Israël, ce qui incluait une coopération dans les domaines de l'économie, de la politique et de la sécurité. Si un tel résultat pouvait être atteint, il aurait des effets profonds sur la dynamique stratégique du Proche-Orient. Israël et un certain nombre d'États arabes, et notamment les monarchies du Golfe, auraient dû être des alliés naturels du fait de leur méfiance commune à l'égard de l'Iran et de leur partenariat d'alors avec les États-Unis. Leurs divergences de vues à propos du conflit palestinien les en empêchaient. Avant la guerre de 2008-2009 à Gaza, la Turquie avait cherché à favoriser des discussions de paix entre Israël et la Syrie. Réussir à détacher la Syrie de son alliance toxique avec l'Iran en échange d'avancées sur le plateau du Golan – le territoire qu'elle avait dû céder à Israël en 1967 – pouvait également avoir des conséquences stratégiques de première importance.

Mitchell a entendu le même son de cloche dans presque toutes les capitales arabes : Israël devait renoncer à construire des colonies sur le territoire qui ferait un jour partie d'un État palestinien. Chaque nouvelle implantation au-delà des anciennes lignes de 1967 rendrait plus difficile d'atteindre un accord final. Cela faisait des dizaines d'années que les États-Unis s'opposaient à l'expansion des colonies, qui compromettait selon eux les efforts de paix. Cette question avait conduit le président George H.W. Bush et son secrétaire d'État, Jim Baker, à envisager de suspendre les garanties de prêt à Israël. Le président George W. Bush avait demandé, dans sa « feuille de route pour la paix », le gel intégral des constructions. Mais les liens politiques de Netanyahou avec les colons laissaient craindre qu'il ne refuse la moindre limitation.

À la suite de ses consultations initiales, Mitchell a suggéré que nous demandions aux trois parties – les Israéliens, les Palestiniens et les États arabes – de prendre des mesures constructives précises pour manifester leur bonne foi et poser les fondements d'un retour à des négociations de paix directes.

S'agissant de l'Autorité palestinienne, nous voulions qu'elle agisse plus efficacement contre le terrorisme et réduise les incitations à l'hostilité contre Israël. Les exemples de provocations ne manquaient pas : avoir rebaptisé une place publique de Cisjordanie du nom d'un terroriste qui avait assassiné des civils israéliens, attiser des théories du complot prétendant qu'Israël prévoyait de détruire des lieux saints musulmans ou encore entreprendre des actes glorifiant et encourageant la poursuite des violences. Quant au Hamas, son isolement durerait tant qu'il n'aurait pas renoncé à la violence, reconnu Israël, et ne se serait pas engagé à respecter les accords précédemment signés. S'il ne prenait pas ces mesures fondamentales, le Hamas ne serait pas autorisé à venir s'asseoir à la table des négociations. Nous avons également demandé la libération immédiate de Gilad Shalit, un soldat israélien enlevé et détenu à Gaza.

Du côté des États arabes, nous espérions des mesures allant dans le sens d'une normalisation de leurs relations avec Israël telle que l'envisageait l'initiative de paix arabe, comprenant l'autorisation du survol de leurs territoires par le transport aérien commercial d'Israël, la réouverture des représentations commerciales et la création de routes postales. Netanyahou avait insisté sur ce point lors d'un dîner organisé au département d'État en mai 2009. Il était particulièrement désireux d'obtenir des actes de la part de l'Arabie Saoudite, dont le rôle de « gardienne des deux saintes mosquées » donnerait au moindre de ses gestes une importance capitale dans la région. En juin 2009, le président Obama s'est rendu à Riyad et a évoqué personnellement cette question avec le roi Abdallah.

S'agissant des Israéliens, nous avons exigé le gel de toute nouvelle construction de colonies, sans exception, dans les territoires palestiniens. Rétrospectivement, force est de constater que notre intransigeance sur la question des implantations n'a pas été efficace.

Israël a commencé par repousser notre requête. Cette querelle, qui s'est déroulée en public, a tourné à l'affrontement personnel entre le président Obama et Netanyahou. La crédibilité des deux chefs d'État étant en jeu, cela rendait très difficile à l'un comme à l'autre d'en rabattre ou d'accepter un compromis. Les États arabes étaient ravis de rester en coulisse et de prendre prétexte de cet accrochage pour justifier leur propre inaction. Quant à Abbas, qui ne cessait depuis des années de réclamer l'arrêt des constructions, il a alors prétendu que cette idée venait de nous et qu'il n'avait pas l'intention de s'asseoir à la table des négociations en l'absence d'un moratoire sur la construction de nouvelles colonies.

Le président et ses conseillers s'étaient demandé s'il était raisonnable de réclamer un gel des implantations. La voix la plus énergique en ce sens était celle de Rahm Emanuel, secrétaire général de la Maison-Blanche. Ancien volontaire civil dans les Forces de défense israéliennes, Rahm s'était beaucoup investi personnellement dans la sécurité d'Israël. S'inspirant des expériences acquises au sein de l'administration Clinton, il jugeait que la meilleure manière de traiter avec le nouveau gouvernement de coalition de Netanyahou était d'adopter d'emblée une position intransigeante. Sinon, disait-il, il finira par nous marcher sur les pieds. Le président approuvait ce point de vue et estimait qu'insister sur le gel des colonies était à la fois une bonne mesure politique et une stratégie astucieuse. Cela permettrait en effet de réaffirmer le rôle de médiateur impartial de l'Amérique dans le processus de paix, tout en corrigeant l'image de partisan indéfectible d'Israël qu'on se faisait de nous. En revanche, Mitchell et moi redoutions de nous enfermer ainsi dans un affrontement dont nous n'avions vraiment pas besoin et de donner aux Israéliens l'impression qu'on leur demandait davantage qu'aux autres parties. Dès lors que nous aurions évoqué publiquement la question, Abbas ne pourrait pas s'engager dans des négociations sérieuses sans avoir obtenu gain de cause sur ce point. Un haut fonctionnaire américain m'a expliqué un jour que, pour les Israéliens, il n'est rien de pire au monde que d'être considéré comme un *freier* – un « pigeon », en argot hébreu. Par exemple, un conducteur israélien préférera se retrouver à l'hôpital plutôt que de laisser quelqu'un lui couper la route, m'a-t-il dit. Bibi lui-même aurait, paraît-il, déclaré un jour : « Nous ne sommes pas des *freiers*. Nous ne donnons pas sans contrepartie. » À la lumière de cette explication, je redoutais que nos demandes de gel des colonies ne soient pas bien reçues. J'étais pourtant d'accord avec Rahm et avec le président pour estimer que, si nous voulions ranimer un processus de paix moribond, il fallait accepter de prendre quelques risques. Aussi, ce printemps-là, ai-je transmis le message du président avec toute la force dont j'étais capable, puis, devant les réactions négatives des deux camps, j'ai cherché à limiter la casse.

En juin 2009, deux discours de première importance ont refaçonné le paysage diplomatique. Tout d'abord, au Caire, le président Obama a présenté une réévaluation ambitieuse et éloquente des relations de l'Amérique avec le monde islamique. Dans cette déclaration de grande ampleur, il a réaffirmé son engagement personnel en faveur de la recherche d'une solution à deux États qui répondrait aux aspirations des Israéliens comme des Palestiniens. Avant cette intervention, nous avions pris le temps, lui et moi, d'aller faire une visite privée de l'immense mosquée du sultan Hassan, l'une des plus grandes du monde. Nous nous étions déchaussés et je m'étais couvert la tête d'un foulard pour contempler, admirative, les chefs-d'œuvre subtils de l'art médiéval, en écoutant les explications d'un historien de l'art égypto-américain. Nous avions passé là un moment de paix charmant qui était venu interrompre agréablement l'agitation inhérente à un voyage présidentiel et au lancement d'une initiative politique majeure. Et j'ai souri, plus tard dans la journée, en entendant le président prononcer ces mots dans son discours : « La culture islamique nous a donné de majestueuses arcades et des flèches élancées, une poésie éternelle et une musique admirable, une calligraphie élégante et des lieux de paisible contemplation. »

Dix jours plus tard, Bibi s'est rendu à l'université Bar-Ilan, à l'extérieur de Jérusalem, et, tout en continuant à rejeter l'idée d'un gel des implantations, il a approuvé, pour la première fois, celle d'une solution à deux États. Cette déclaration marquait un tournant capital : Netanyahou souhaitait manifestement laisser l'image d'un dirigeant capable de prendre des risques audacieux et de conclure un accord historique.

Nous avons passé l'été et le début de l'automne, Mitchell et moi, à travailler avec les Israéliens et les Palestiniens pour tenter de sortir de l'impasse au sujet des implantations – impasse que, en toute honnêteté, nous avions contribué à créer en laissant la question tourner à l'affrontement entre deux volontés. Le président Obama a estimé que le meilleur moyen de progresser était d'insister pour que les deux dirigeants, lorsqu'ils se rendraient à New York en septembre pour l'Assemblée générale des Nations unies, s'assoient ensemble, avec lui. Il ne s'agirait pas de négociations officielles, mais d'une première occasion de dialogue entre eux. Peut-être cette rencontre donnerait-elle l'élan nécessaire pour engager un processus de plus grande ampleur. La réunion de New York n'a pas été très productive ; les deux dirigeants ont réaffirmé brutalement leurs positions et manifesté bien peu de dispositions au compromis, notamment sur la question des colonies. « Nous devons tous prendre des risques pour la paix, leur a dit le président Obama. Il est difficile de nous dépêtrer de l'histoire, mais nous devons le faire. »

Nous sommes sortis de cette réunion sans aucun résultat concret à présenter. Cela ne nous a pas empêchés, Mitchell et moi, de continuer à essayer de convaincre Netanyahou, et celui-ci a fini par accepter de suspendre partiellement l'octroi de permis de construire de nouvelles implantations en Cisjordanie. Restait à déterminer combien de temps durerait ce gel et quels secteurs il concernerait, mais c'était un début important – et une concession plus grande qu'aucun gouvernement israélien précédent n'en avait jamais consenti. Le point de friction serait Jérusalem. Israël s'était emparé de Jérusalem-Est en 1967, en même temps que de la Cisjordanie, et les Palestiniens rêvaient d'y établir un jour la capitale de leur futur État. Les Palestiniens cherchaient donc à mettre un terme aux constructions à Jérusalem-Est. C'était inenvisageable pour Bibi, qui refusait de limiter les nouveaux chantiers de Jérusalem, dans quelque quartier que ce fût.

Début octobre, j'ai discuté avec Ehoud Barak, partenaire de coalition de Netanyahou en même temps que ministre de la Défense. C'était le plus fervent défenseur de la paix au sein du gouvernement. Barak était d'un optimisme indéfectible, bien qu'il eût vécu dans une région où tant de choses semblaient mal tourner. Il était également l'un des héros de guerre les plus décorés d'une nation qui n'en manque pas. Selon la légende, dans les années 1980, il s'était même habillé en femme lors d'une audacieuse attaque de commando contre Beyrouth. Nous nous sommes entendus à merveille. Il m'appelait de temps en temps et me disait : « Hillary, faisons un peu de stratégie. » Suivait un feu roulant d'idées et d'arguments qui partaient dans tous les sens. Il cherchait de toutes ses forces à m'aider à trouver un compromis sur les colonies qui permettrait de faire avancer le processus. « Nous serons prêts à écouter, à nous montrer sensibles et réceptifs », m'a-t-il promis. Les Israéliens ont fini par accepter un gel de toute nouvelle construction pendant dix mois en Cisjordanie, tout en refusant obstinément d'y inclure Jérusalem.

J'ai appelé Abbas pour discuter de l'offre israélienne. La première réaction des Palestiniens a été de la rejeter d'emblée comme insuffisante – « pire qu'inutile ». Il me semblait pourtant qu'ils

LE TEMPS DES DÉCISIONS

n'obtiendraient pas de meilleure proposition et qu'il fallait saisir cette occasion de faciliter l'ouverture de négociations directes. « Je tiens à vous faire savoir, monsieur le Président, que notre politique concernant l'activité de colonisation est et demeurera inchangée, l'ai-je assuré, et que, bien que le moratoire israélien sur les implantations tel que vous l'a exposé George Mitchell soit important et constitue une démarche sans précédent de la part d'un gouvernement israélien, il ne se substituera pas aux engagements israéliens de la feuille de route. » Abbas n'a pas contesté le « sans précédent », mais il n'était pas satisfait de l'exclusion de Jérusalem ni d'autres limitations, et a refusé d'engager des négociations.

Cependant, en gage de bonne foi, il a consenti, lui aussi, une concession. Il a accepté que les Palestiniens repoussent le vote aux Nations unies d'un texte très controversé, le rapport Goldstone, qui accusait Israël de crimes de guerre pendant la guerre de Gaza en 2008. Cette décision a immédiatement valu à Abbas une volée de bois vert de l'ensemble du monde arabe, avec notamment des attaques personnelles implacables diffusées sur Al Jazeera, la chaîne satellitaire d'information appartenant au Qatar. Abbas était dans tous ses états et m'a confié qu'il craignait pour sa sécurité et celle de ses petits-enfants, qui s'étaient fait importuner à l'école. Je l'ai remercié de sa « décision très courageuse et très importante », mais je voyais bien qu'il commençait à flancher. Une semaine plus tard environ, il a effectivement changé d'avis et réclamé un vote des Nations unies sur le rapport Goldstone. Par la suite, en 2011, Richard Goldstone lui-même est revenu sur certaines des accusations les plus incendiaires contenues dans son rapport, dont celle affirmant que l'armée israélienne avait délibérément pris des civils pour cibles. Malheureusement, les dégâts étaient irréversibles.

À la fin du mois d'octobre 2009, je travaillais d'arrache-pied à la mise en place de la proposition de moratoire sur les colonies, dans l'espoir de frayer ainsi la voie à des négociations directes entre les parties. J'ai rencontré Abbas à Abou Dhabi, puis Netanyahou à Jérusalem. Debout au côté de Bibi lors d'une conférence de presse à une heure avancée de la soirée, j'ai présenté le gel des constructions comme une démarche « sans précédent », exactement comme je l'avais affirmé à Abbas. Mais, cette fois, l'expression a provoqué l'indignation des pays arabes, où certains ont estimé que je faisais preuve de trop d'indulgence à l'égard d'une proposition qui n'était que conditionnelle et provisoire, et qui excluait Jérusalem-Est. Ce ne serait ni la première ni la dernière fois que je m'attirerais des ennuis pour avoir dit une vérité qui ne plaisait pas à tous.

De nombreux habitants de la région finiraient par considérer avec une certaine nostalgie ce moratoire si vilipendé. Pour le moment, il s'agissait de désamorcer les tensions et de remettre la région sur les rails de négociations directes. Au cours des jours suivants, j'ai cherché à limiter les dégâts au Maroc et en Égypte. Au Caire, j'ai expliqué en privé au président Hosni Moubarak, ainsi qu'en public, que notre politique officielle sur les colonies n'avait pas changé. Nous étions toujours hostiles à toute construction et aurions préféré un gel total et de plus longue durée. Cependant, je me suis obstinée à présenter cette offre – interrompre toute nouvelle entreprise de colonisation, mettre fin aux expropriations foncières et n'octroyer ni permis ni autorisations – comme « sans précédent ». Car c'était bien ce qu'elle était.

Le gel a pris effet fin novembre et le compte à rebours a commencé. Nous avions dix mois pour convaincre les parties de prendre part à des négociations directes et de se diriger vers un accord de paix global.

*
* *

Les mois se sont écoulés, un à un. Comme ils s'y étaient engagés, les Israéliens ont interrompu toutes les nouvelles constructions en Cisjordanie. Les Palestiniens continuaient cependant à exiger que Jérusalem-Est soit également concernée et refusaient toujours de participer à des négociations directes. Ils ont tout de même accepté ce qu'on appelait des « pourparlers indirects », Mitchell faisant la navette entre les deux camps pour discuter de leur vision des négociations.

En mars 2010, un acte inutilement provocateur des Israéliens est venu apporter de l'eau au moulin palestinien. Le vice-président Biden s'était rendu en Israël pour une visite d'amitié, afin de réaffirmer le soutien indéfectible de l'administration américaine en faveur de la sécurité du pays et de tenter de faire oublier nos frictions à propos des colonies. Alors que Biden se trouvait encore sur place, le ministère israélien de l'Intérieur a présenté un projet de construction de 1 600 nouveaux logements à Jérusalem-Est, une décision qui ne pouvait qu'embraser les susceptibilités palestiniennes. Netanyahou a prétendu n'être pour rien dans le choix du moment de cette annonce, qui venait fort mal à propos, mais beaucoup y ont vu une rebuffade à l'égard du vice-président et des États-Unis.

Fidèle à lui-même, Biden est resté d'humeur égale et a préféré ne pas réagir à cet incident. En revanche, le président Obama et Rahm étaient furieux et m'ont demandé de le faire clairement savoir à Bibi. Au cours d'un long et très vif entretien téléphonique, j'ai dit au Premier ministre que le président Obama considérait cette décision à propos de Jérusalem-Est « comme une insulte personnelle à son endroit, à celui du vice-président et des États-Unis ». Des déclarations bien senties pour un entretien diplomatique. Je n'aimais pas jouer le rôle du méchant flic, mais, après tout, cela faisait partie de mon travail. « Permettez-moi de vous assurer, au président et à vous-même, que le moment choisi était tout à fait involontaire et malencontreux », a répondu Netanyahou, sans accepter pour autant de revenir sur ce projet de construction.

Par pure coïncidence, cet incident s'est produit juste avant la conférence annuelle de l'American Israel Public Affairs Committee (AIPAC)[1], une puissante association pro-israélienne, qui se tenait à Washington. Netanyahou devait se rendre dans la capitale fédérale et prendre la parole devant cette conférence, où j'étais moi-même chargée de représenter le gouvernement. Je suis passée la première. La foule rassemblée dans le Convention Center de Washington s'est peut-être montrée un peu méfiante au début. Les participants avaient très envie de voir comment j'allais aborder cette controverse et si j'allais continuer à critiquer Netanyahou. Je n'allais pas pouvoir me dérober à cette question, je le savais, mais je tenais également à prendre un peu de recul et à expliquer de façon plus générale pourquoi nous considérions qu'une paix négociée était déterminante pour l'avenir d'Israël.

J'ai parlé de mon attachement personnel à la sécurité d'Israël et à la solution à deux États, et j'ai exposé les inquiétudes que nous inspiraient les tendances démographiques, technologiques et idéologiques. Cette allocution représentait, à cette date, mon exposé public de secrétaire d'État le plus ambitieux sur les raisons pour lesquelles le *statu quo* était intenable et la nécessité de la paix incontestable. J'ai ensuite abordé notre différend à propos de Jérusalem-Est. Notre objection ne reflétait pas une blessure d'orgueil, ai-je dit, ni une quelconque prise de position sur le statut définitif de Jérusalem-Est,

---

1. Comité américain pour les affaires publiques israéliennes.

lequel devrait faire l'objet d'une décision prise autour de la table de négociations. Le problème était que la poursuite des constructions à Jérusalem-Est ou en Cisjordanie ne pouvait que compromettre la confiance mutuelle que nous cherchions à établir entre les parties, mettre au jour entre Israël et les États-Unis une faille que d'autres dans la région pourraient chercher à exploiter, et diminuer la capacité unique qu'avait l'Amérique de jouer les médiateurs impartiaux. « Notre crédibilité dans ce processus dépend en partie de notre disposition à faire l'éloge des deux camps quand ils font preuve de courage et, quand nous ne sommes pas d'accord, à le dire, et à le dire sans équivoque », ai-je déclaré.

Mon discours a contribué à apaiser une partie des tensions, dans la salle du moins, mais les relations entre Netanyahou et le président Obama ont continué à se détériorer. Dans l'après-midi, j'ai passé plus d'une heure avec Bibi à son hôtel. Il m'a avertie qu'il avait l'intention de ne pas mâcher ses mots lors du discours qu'il devait tenir le soir même devant la conférence de l'AIPAC, et il a tenu parole. « Jérusalem n'est pas une colonie, c'est notre capitale », a-t-il affirmé d'un ton de défi. (Nous n'avions jamais présenté Jérusalem comme une colonie ; nous avions simplement rappelé que le statut définitif de la ville devrait être déterminé par des négociations de bonne foi et que construire de nouveaux logements pour les Israéliens dans des quartiers palestiniens n'était pas fait pour arranger les choses.) Le lendemain, Netanyahou a assisté à une réunion tendue avec le président à la Maison-Blanche. À un moment, dit-on, le président l'a laissé attendre dans la salle Roosevelt pendant près d'une heure tandis qu'il s'occupait d'autre chose. C'était une attitude pour le moins inhabituelle, mais qui témoignait clairement de son mécontentement. Un des effets positifs de cette mini-crise a été que les Israéliens ont dès lors pris la précaution de nous prévenir avant d'annoncer tout projet potentiellement controversé de construction de logements, et sont devenus beaucoup plus prudents à propos de Jérusalem-Est. Pendant les dix mois du moratoire du moins, il n'y a eu que peu de chantiers supplémentaires, voire aucun, dans cette partie de la ville.

Pour ajouter encore aux tensions au sujet des colonies, la situation s'est aggravée à la fin du mois de mai. Des commandos israéliens ont donné l'assaut contre une flottille de navires venus de Turquie et transportant des activistes pro-palestiniens qui cherchaient à briser le blocus de Gaza imposé par Israël. Neuf citoyens turcs ont été tués, parmi lesquels un Américain qui possédait la double nationalité. J'ai reçu un appel urgent d'Ehoud Barak alors que je défilais pour la Memorial Day Parade annuelle de Chappaqua, une des traditions de notre petite ville que je préfère. « Nous regrettons ce qui s'est passé, mais nous avons été obligés de faire des choix difficiles, m'a-t-il expliqué. Nous n'avons pas pu éviter cela. — Il va y avoir des répercussions imprévues », l'ai-je averti.

La Turquie avait longtemps été l'un des seuls partenaires d'Israël dans la région, mais, à la suite de ce fiasco, j'ai été obligée de convaincre les Turcs, fous de colère, de ne pas prendre de graves mesures de représailles contre Israël. Le lendemain de cette agression, le ministre turc des Affaires étrangères, Ahmet Davutoğlu, est venu me voir et nous avons discuté pendant plus de deux heures. Extrêmement fébrile, il a brandi la menace d'une déclaration de guerre de la Turquie à Israël. « Psychologiquement, cette agression est pour la Turquie l'équivalent du 11-Septembre », m'a-t-il dit. Il exigeait des excuses d'Israël et une indemnisation des victimes. « Comment pouvez-vous rester aussi indifférente ? m'a-t-il demandé. Un des morts était un citoyen américain ! » Je n'étais pas indifférente – loin de là –, mais ma priorité était de le calmer et de l'amener à renoncer à tous ces discours belliqueux et à ses menaces. J'ai ensuite conseillé au président Obama de téléphoner lui-même au Premier ministre turc, Recep Tayyip Erdoğan. Puis j'ai fait part à Netanyahou des inquiétudes et des requêtes de la Turquie. Il m'a répondu qu'il souhaitait se réconcilier avec la Turquie, mais refusait de présenter des excuses publiques. (Mes efforts pour convaincre Bibi de présenter des excuses à la Turquie ont connu des hauts et des bas pendant tout le reste de mes fonctions au secrétariat d'État. En plusieurs occasions, il m'a assuré qu'il allait le faire, avant d'en être empêché par d'autres membres de sa coalition de centre droit. En août 2011, j'ai même demandé à Henry Kissinger de lui exposer les arguments stratégiques en faveur d'une telle démarche. Finalement, en mars 2013, aux côtés du président Obama réélu venu en visite à Jérusalem, Bibi a appelé Erdoğan pour lui demander d'excuser des « erreurs opérationnelles » et lui exprimer ses regrets devant les pertes de vies involontaires qu'elles avaient provoquées. Les Turcs et les Israéliens cherchent encore à rétablir la confiance perdue à la suite de cet incident.)

Mais revenons à l'été 2010. Tandis que la période de dix mois de gel des colonies s'écoulait, l'urgence était de convaincre les parties de revenir à la table des négociations. Mitchell et moi avons recruté la Jordanie et l'Égypte pour faire pression sur les Palestiniens et les persuader de renoncer à leurs conditions préalables. Le président Obama a rencontré Abbas en juin et annoncé une nouvelle généreuse enveloppe d'aide en faveur de la Cisjordanie et de Gaza. Finalement, en août, Abbas a accepté de prendre part à des négociations directes à Washington sur toutes les questions clés du conflit, à condition que le moratoire sur les colonies reste en vigueur. S'il expirait comme prévu fin septembre, il repartirait. Exaspéré, George Mitchell lui a demandé : « Comment se fait-il que quelque chose que vous jugiez pire qu'inutile il y a huit mois soit à présent devenu indispensable ? » Nous comprenions tous qu'Abbas avait une politique difficile à mener, tant avec son propre peuple qu'avec les États arabes, mais la situation n'en était pas moins frustrante.

Il était purement et simplement impensable de résoudre toutes les questions majeures en un mois – Mitchell estimait avec optimisme que les pourparlers dureraient un an. Nous espérions cependant créer un élan suffisant pour que Netanyahou accepte de prolonger le gel ou, dans le cas contraire, pour qu'Abbas ne renonce pas à négocier. Et si nous pouvions progresser suffisamment sur la question des frontières définitives des deux États, cela faciliterait considérablement le règlement de celle des colonies, car tout le monde saurait clairement quelles régions resteraient définitivement rattachées à Israël et lesquelles seraient remises aux Palestiniens. On ne pouvait évidemment pas imaginer une solution aussi simple qu'un retour aux lignes de 1967. L'important développement des implantations le long de la frontière avait en effet voué cette option à l'échec. Il devait toutefois être possible, par le jeu d'échanges de terres, de ne pas toucher aux blocs de colonies et d'offrir aux Palestiniens des superficies à peu près équivalentes ailleurs. Mais, comme toujours, les détails allaient nous donner du fil à retordre.

*
* *

Le 1er septembre, le président Obama a accueilli Netanyahou et Abbas à la Maison-Blanche, en même temps que le roi Abdallah II de Jordanie et le président égyptien Moubarak. Il avait organisé un petit dîner de travail dans l'ancienne salle à manger familiale. Tony Blair, l'ex-Premier ministre britannique, et moi-même les avons rejoints. Blair était là comme envoyé spécial du Quartet, créé en 2002 par les Nations unies, les États-Unis, l'Union européenne et la Russie pour coordonner les efforts diplomatiques en faveur de la paix au Proche-Orient. Nous nous sommes réunis tous les sept autour de la table, sous un élégant lustre en cristal, dans cette pièce jaune vif qui était restée largement inchangée depuis l'époque où j'y avais donné des dîners privés en qualité de première dame. Bibi et Abbas étaient assis l'un à côté de l'autre, encadrés par Blair et moi, en face du président Obama, de Moubarak et du roi.

Le président Obama avait donné le ton avant le dîner en rappelant à tous ces dirigeants : « Vous êtes tous, autant que vous êtes, les héritiers d'artisans de la paix qui ont eu beaucoup d'audace – Begin et Sadate, Rabin et le roi Hussein –, des hommes d'État qui ont vu le monde tel qu'il était, mais l'ont également imaginé tel qu'il devrait être. C'est sur les épaules de vos prédécesseurs que nous nous tenons. C'est leur travail que nous poursuivons. Et maintenant, comme chacun d'entre eux, nous devons nous poser cette question : aurons-nous la sagesse et le courage de suivre la voie de la paix ? »

L'atmosphère était chaleureuse, malgré les longs mois difficiles qui avaient précédé cette rencontre, mais la prudence restait de mise. Tout le monde était conscient des contraintes de calendrier et personne ne voulait se montrer désobligeant à la table du président Obama ; pourtant, les désaccords fondamentaux n'étaient pas faciles à dissimuler.

L'acte suivant de la pièce s'est joué le lendemain au département d'État. J'ai réuni les dirigeants et leurs équipes de négociateurs au huitième étage, dans la salle Benjamin Franklin richement décorée. Le moment était venu de retrousser nos manches et de voir ce que nous pourrions obtenir de concret. « Par votre présence ici aujourd'hui, ai-je dit à Netanyahou et à Abbas, chacun d'entre vous a accompli un pas important pour libérer vos peuples des chaînes d'une histoire que nous ne pouvons pas changer, et pour vous diriger vers un avenir de paix et de dignité que vous êtes seuls à pouvoir créer. Les questions essentielles qui sont au cœur des négociations – territoire, sécurité, Jérusalem, réfugiés, colonies et bien d'autres – ne seront pas moins ardues si nous attendons. Et elles ne se régleront pas toutes seules. L'heure est à un leadership audacieux, à des hommes d'État qui auront le courage de prendre des décisions difficiles. » Assis l'un à ma droite, l'autre à ma gauche, Netanyahou et Abbas se sont dits prêts à relever le défi.

Bibi a évoqué le récit biblique d'Isaac (père des Juifs) et d'Ismaël (père des Arabes), les deux fils d'Abraham qui, malgré leurs différends, se sont retrouvés pour inhumer leur père. « Je ne peux que prier, et je sais que des millions de gens à travers le monde, des millions d'Israéliens, des millions de Palestiniens et de nombreux millions d'autres gens encore prient pour que les souffrances que nous avons connues – vous et nous – au cours du dernier siècle de conflit ne nous réunissent pas seulement pour un moment de paix autour d'une table de paix, ici, à Washington, mais nous permettent de repartir d'ici et de forger une paix stable et durable pour plusieurs générations. »

Abbas a évoqué la célèbre poignée de main entre Rabin et Arafat, et exprimé le vœu de parvenir à « une paix qui mettra fin au conflit, répondra à toutes les revendications et amorcera une ère nouvelle entre les peuples israélien et palestinien ». Les fossés à combler étaient profonds et nous n'avions pas beaucoup de temps, mais au moins tout le monde prononçait les mots qu'il fallait.

Après un long après-midi de négociations formelles, j'ai invité les deux dirigeants dans mon bureau au septième étage. Après avoir discuté un moment avec eux, le sénateur Mitchell et moi les avons laissés seuls. Assis dans deux fauteuils à haut dossier devant la cheminée, ils ont accepté de se revoir en tête-à-tête quinze jours plus tard. Si nous n'avions pas accompli de progrès très substantiels, leurs propos aussi bien que leur langage corporel m'ont paru encourageants. Nous avons vécu ce jour-là quelques heures d'optimisme et d'ambition qui, malheureusement, ne seraient pas suivies d'actions concrètes.

Deux semaines plus tard, nous nous sommes revus sous le soleil de Charm el-Cheikh, en Égypte, une ville balnéaire au bord de la mer Rouge. (Une des ironies de la diplomatie internationale est qu'elle nous conduit souvent dans des lieux comme Charm, Bali ou Hawaii. sans nous offrir un seul instant pour en profiter ni même pour mettre le nez hors des salles de réunion officielles. Je me suis souvent fait l'effet de Tantale, le pauvre diable affamé de la mythologie grecque condamné à contempler éternellement des fruits délicieux et une eau rafraîchissante sans jamais pouvoir y goûter.) Cette fois, nous étions les invités du président Moubarak, un homme qui, tout en gouvernant son pays en autocrate, était un défenseur indéfectible de la solution à deux États et de la paix au Proche-Orient. Les frontières communes de l'Égypte avec Gaza et Israël, et le fait qu'elle ait été le premier État arabe à avoir signé un accord de paix avec Israël dès 1979, faisaient de ce pays un acteur de premier plan. Moubarak entretenait d'étroites relations avec Abbas et avait contribué à convaincre initialement les Palestiniens de s'asseoir autour de la table. J'espérais à présent qu'il réussirait à les y maintenir.

Nous avons commencé la journée, Moubarak et moi, en rencontrant séparément Israéliens et Palestiniens. Puis nous avons réuni Netanyahou et Abbas, qui ont discuté pendant une heure quarante. Les deux camps ont réaffirmé leur volonté de prendre part à des pourparlers en toute bonne foi et avec des objectifs sérieux. Nous avons ensuite entrepris une analyse approfondie de certaines des questions centrales du conflit. Nous progressions lentement – il a fallu consacrer beaucoup de temps, évidemment, à se positionner, à prendre des postures et à jauger l'autre camp –, mais il était satisfaisant d'aborder enfin le cœur du problème. Après plus de vingt mois de faux départs, nous nous attelions aux questions essentielles, dont la solution pourrait peut-être mettre définitivement fin à ce conflit. Après un déjeuner commun, nous avons décidé de poursuivre ces entretiens, et Netanyahou a retardé son départ pour que nous puissions continuer à discuter.

La conversation a repris le lendemain chez Netanyahou, à Jérusalem ; il avait hissé le drapeau palestinien sur sa maison en signe de respect à l'égard d'Abbas. La résidence officielle du Premier ministre, nommée Beit Aghion, avait été construite par un riche marchand dans les années 1930, avant de servir d'hôpital pour les combattants de la guerre israélo-arabe de 1948. Cette demeure est située dans une rue tranquille, partiellement interdite à la circulation, dans le quartier prospère de Rehavia. Sa façade extérieure est recouverte de pierre calcaire de Jérusalem, tout comme le mur des Lamentations et une grande partie de la vieille ville. L'aménagement intérieur est étonnamment confortable. Nous nous sommes entassés tous les quatre – Netanyahou, Abbas, Mitchell et moi – dans le bureau personnel du Premier ministre pour des entretiens directs et animés. Chacun avait à l'esprit l'imminence de la date butoir : si nous ne trouvions pas d'issue, le gel des colonisations expirerait moins de deux semaines plus tard, entraînant la fin des pourparlers. Le tic-tac de cette horloge était assourdissant.

Entre autres questions épineuses, nos discussions ont porté sur la durée du maintien d'une présence militaire israélienne dans la vallée du Jourdain, destinée à constituer la frontière entre la Jordanie et un futur État palestinien. Mitchell et moi avons présenté des propositions qui devaient permettre de concilier le besoin persistant de sécurité d'Israël et la souveraineté palestinienne. Netanyahou tenait à ce que les soldats israéliens restent le long de la frontière pendant plusieurs décennies, sans qu'aucune date précise de retrait soit prévue, de façon que les décisions à venir dépendent des conditions sur le terrain. À un moment, Abbas a affirmé pouvoir accepter un déploiement militaire israélien dans la vallée du Jourdain quelques années encore après l'établissement d'un nouvel État, mais pas davantage. Il tenait également à ce qu'un délai soit fixé et qu'il ne s'agisse pas d'une présence sans limite de durée. Malgré les désaccords évidents, j'y ai vu une ouverture potentiellement importante : si l'on parlait d'années, et non de décennies ni de mois, peut-être un subtil mélange de soutien international en matière de sécurité et de tactiques et technologies de pointe dans le domaine de la protection des frontières réussirait-il à combler le fossé entre les deux positions, à condition bien sûr que les pourparlers continuent.

Ils ont poursuivi leurs échanges de vues tandis que les heures s'égrenaient. Dehors, la presse américaine a commencé à s'impatienter, et un grand nombre de journalistes ont levé le camp pour rejoindre le bar d'un hôtel voisin. À l'intérieur, je ne pouvais que constater avec déception que nous étions loin d'accomplir les progrès que je jugeais indispensables si nous voulions survivre à la fin du gel des colonies. C'est alors que Mitchell, vieux briscard des interminables négociations sur l'Irlande du Nord, nous a apporté une perspective fort utile. « Les négociations là-bas ont duré vingt-deux mois, a-t-il fait observer. Et le processus avait été engagé depuis de longs, très longs mois avant que la moindre discussion sérieuse et de fond ne s'engage sur les questions essentielles qui opposaient les parties. » Or, pour notre part, nous nous étions déjà plongés dans les problèmes les plus difficiles et les plus délicats.

Lorsque la réunion s'est enfin achevée, presque trois heures plus tard, je suis restée pour discuter en tête-à-tête avec Netanyahou. Il ne voudrait certainement pas être responsable de l'interruption de ces pourparlers maintenant qu'ils étaient engagés et approfondissaient des questions clés. Accepterait-il un bref prolongement du moratoire, qui nous permettrait de poursuivre sur cette voie et d'observer les résultats concrets que nous pourrions obtenir ? Le Premier ministre a secoué la tête. Il avait accordé dix mois aux Palestiniens et ceux-ci en avaient gaspillé neuf. Il était prêt à continuer à discuter, mais le gel des colonisations prendrait fin à la date prévue.

Après cette soirée-là à Jérusalem, plus jamais Netanyahou et Abbas ne se sont assis l'un en face de l'autre pour discuter. À l'heure où j'écris, et malgré des efforts énergiques des différentes parties en 2013 et 2014, il n'y a pas eu d'autre entrevue entre les deux dirigeants.

*

* *

Au cours des semaines qui ont suivi, nous avons fait feu de tout bois pour convaincre Bibi de revenir sur sa décision et d'accepter un prolongement du gel. Plusieurs scènes de cet acte se sont déroulées à New York, où tout le monde était réuni une nouvelle fois pour l'Assemblée générale des Nations unies. L'année précédente, le président Obama avait accueilli le premier tête-à-tête entre Netanyahou et Abbas. Nous nous battions désormais pour éviter un effondrement complet des négociations. L'hôtel Waldorf Astoria a servi de cadre à de longues nuits passées à discuter stratégie avec le président Obama et notre équipe, puis à travailler avec les Israéliens, les Palestiniens et les Arabes à la recherche d'une solution. J'ai rencontré deux fois Abbas, j'ai eu une entrevue en privé avec Ehoud Barak, j'ai petit-déjeuné avec un groupe de ministres arabes des Affaires étrangères et parlé au téléphone avec Bibi, expliquant inlassablement que se retirer des négociations, avec ou sans gel des colonisations, ne ferait que retarder la réalisation des aspirations du peuple palestinien. Dans son discours à l'Assemblée générale, le président Obama a demandé un prolongement du moratoire et exhorté les deux camps à rester à la table et à continuer à discuter. « Le moment est venu pour les deux parties de s'entraider pour surmonter cet obstacle. Le moment est venu d'instaurer la confiance – et de se donner du temps – pour réaliser des progrès substantiels. Le moment est venu de saisir cette occasion avant qu'elle ne disparaisse. »

Après les tergiversations initiales, il est apparu que Netanyahou était disposé à discuter d'une éventuelle prolongation, à condition que nous accédions à une liste de revendications qui ne cessait de s'allonger, parmi lesquelles la livraison à Israël d'avions de chasse de la toute dernière génération. Quant à Abbas, il n'en démordait pas : Israël devait « choisir entre la paix et la poursuite des implantations ».

Le soir précédant la date butoir, j'ai rappelé à Ehoud Barak que « la rupture du moratoire serait une catastrophe pour Israël et pour les États-Unis ». Tout comme pour les Palestiniens, m'a-t-il répondu.

Barak a fait tout son possible pour m'aider à trouver un compromis, sans jamais réussir à convaincre Netanyahou ni le reste du cabinet israélien.

La date butoir est arrivée. Les négociations directes ont pris fin, provisoirement. Ce qui ne m'a pas empêchée de poursuivre mon travail. Il me paraissait essentiel de ne pas laisser l'effondrement des pourparlers entraîner celui de la confiance publique – ou provoquer une recrudescence de la violence, comme cela s'était produit par le passé. Dans les derniers mois de 2010, je n'ai pas ménagé ma peine pour éviter que les deux camps ne se livrent à la moindre provocation et pour explorer les moyens de combler certaines des brèches apparues au cours de nos séances de négociations, grâce à des pourparlers indirects et à de nouvelles propositions diplomatiques constructives. « Je suis de plus en plus inquiète pour la suite, ai-je confié à Netanyahou lors d'une conversation téléphonique début octobre. Nous cherchons avec une grande énergie à maintenir les choses sur les rails et à empêcher tout effondrement prématuré. Vous savez combien nous sommes déçus de n'avoir pu éviter que le moratoire prenne fin. » Je l'ai exhorté à faire preuve de réserve lorsqu'il approuverait de nouvelles constructions ou discuterait de projets futurs. Des propos inconsidérés ne feraient que mettre le feu aux poudres. La situation était déjà assez tendue. Bibi m'a promis d'être raisonnable tout en me déconseillant vivement de laisser les Palestiniens « s'engager dans une stratégie de la corde raide ».

Abbas, toujours préoccupé par sa position précaire face à une opinion publique palestinienne divisée et à ses protecteurs arabes, cherchait à restaurer sa crédibilité, durement ébranlée par la fin du gel des colonies. Il envisageait notamment de s'adresser aux Nations unies et de demander le statut d'État. C'était un moyen de contourner les négociations qui aurait mis les États-Unis en difficulté. Nous nous serions sentis obligés d'opposer notre veto sur la question au Conseil de sécurité, mais une mise aux voix aurait risqué de révéler à quel point Israël était désormais isolé. « Je sais que vous en avez plus qu'assez, monsieur le Président, et je suis certaine que vous vous demandez si ce que nous essayons de faire en ce moment aboutira à quelque chose, ai-je dit à Abbas. Je ne vous appellerais pas si je ne pensais pas que ce que nous faisons a une chance de réussir pour nous, en tant que partenaires. Nous travaillons inlassablement et, comme vous l'avez dit vous-même, il n'y a pas d'autre voie vers la paix que celle des négociations. » Il était acculé et ne savait comment s'en sortir, mais nous étions tous responsables, lui comme nous, de cette situation fâcheuse.

Dans toutes mes conversations téléphoniques et lors de toutes mes réunions avec les dirigeants, je cherchais à déterminer s'il serait possible de réduire suffisamment les divergences de vues au sujet des territoires et des frontières pour pouvoir dépasser le problème des colonies. « En supposant que vos besoins en matière de sécurité soient satisfaits, ai-je déclaré à Netanyahou à la mi-octobre, voici la question qui se pose : que pouvez-vous offrir à Abou Mazen à propos des frontières ? Il faut que je le sache avec une certaine précision, parce que les Palestiniens doivent disposer d'un ordre de grandeur. » Netanyahou m'a répondu : « Ce ne sont pas les revendications territoriales d'Abou Mazen qui me préoccupent ; ce que je veux, c'est qu'il comprenne et admette mes besoins de sécurité. [...] Je suis réaliste. Je sais ce qui est indispensable à la conclusion d'un accord. » Notre conversation s'est poursuivie sur ce mode pendant une heure vingt.

En novembre, j'ai passé huit heures en compagnie de Netanyahou au Regency Hotel de New York. Au cours de cette entrevue, le plus long tête-à-tête de ma carrière de secrétaire d'État, nous avons évoqué tous les sujets, à maintes et maintes reprises, y compris les vieilles idées de renouvellement du moratoire sur les colonies en échange de matériel militaire et d'autres types d'assistance dans le domaine de la sécurité. Pour finir, il a accepté de présenter à son cabinet une proposition d'interruption des chantiers de construction en Cisjordanie (mais pas à Jérusalem-Est) pendant quatre-vingt-dix jours. En contrepartie, nous nous sommes engagés à verser une enveloppe de 3 milliards de dollars d'aide à la sécurité et avons promis d'opposer notre veto à toute résolution des Nations unies susceptible de remettre en question les négociations directes entre les parties.

Quand la nouvelle de cet accord a été rendue publique, elle a provoqué une consternation générale. Les membres de droite de la coalition de Netanyahou étaient en colère et, pour les apaiser, il a fait valoir que les constructions se poursuivraient à Jérusalem-Est. Une précision qui, à son tour, a fait exploser les Palestiniens. Aux États-Unis, certains ont également posé plusieurs questions pertinentes, demandant s'il était vraiment raisonnable d'acheter un gel de quatre-vingt-dix jours en échange de négociations qui pouvaient fort bien n'aboutir à rien. Je n'étais pas très satisfaite non plus – j'ai confié à Tony Blair que je trouvais que c'était une « sale affaire » –, mais il me semblait que le sacrifice se justifiait.

Soumis à toutes ces pressions, cependant, l'accord a commencé à prendre l'eau presque immédiatement et, à la fin du mois de novembre, il était littéralement noyé. En décembre 2010, je suis intervenue au forum Saban, qui rassemble des dirigeants et des experts venus de tout le Proche et le Moyen-Orient et des États-Unis. J'ai promis que l'Amérique n'abandonnerait pas et continuerait de faire pression sur les deux camps pour qu'ils s'attaquent aux questions essentielles, même si cela nous obligeait à revenir à des « pourparlers indirects ». Nous pousserions les Israéliens comme les Palestiniens à exposer avec une extrême précision leurs positions sur les points les plus épineux avant de chercher à aplanir les différends, notamment en offrant nos propres idées et propositions de conciliation lorsque c'était opportun. Depuis que mon mari avait présenté les « paramètres Clinton » dix ans plus tôt, les États-Unis avaient hésité à promouvoir des plans précis, ou même un cadre substantiel. « La paix ne peut pas être imposée de l'extérieur », dit-on souvent, et c'est parfaitement vrai. Il n'empêche que nous allions désormais nous montrer plus pugnaces et définir les termes du débat.

Le président Obama a pris le relais au printemps 2011 en déclarant lors d'un discours au département d'État : « Nous pensons que les frontières d'Israël et de la Palestine doivent reposer sur les lignes de 1967 en prévoyant des échanges mutuellement acceptés, de façon que des frontières sûres et reconnues soient établies pour les deux États. »

Manifestant un esprit bien peu coopératif, Netanyahou a jugé bon de se concentrer sur la référence aux « lignes de 1967 » et d'ignorer les « échanges mutuellement acceptés », ce qui a entraîné un nouvel affrontement personnel entre les deux chefs d'État. Pendant ce temps, les Palestiniens ont insisté sur leur volonté de réclamer le statut d'État aux Nations unies. George Mitchell s'est retiré cet été-là, et j'ai passé une grande partie du reste de l'année 2011 à essayer d'empêcher la situation de se détériorer et de tourner au désastre.

Cela n'a pas été facile. À cette date, Hosni Moubarak, le plus fervent défenseur de la paix au sein du monde arabe, avait perdu le pouvoir en Égypte. L'agitation se répandait à travers toute la région. Les Israéliens se trouvaient face à un nouveau paysage stratégique totalement imprévisible. Certains Palestiniens se demandaient s'ils devaient descendre dans la rue pour manifester comme le faisaient les Tunisiens, les Égyptiens et les Libyens. Les perspectives d'un retour à des négociations sérieuses paraissaient plus lointaines que jamais et les possibilités d'évolution apparues au moment de l'investiture du président Obama au début de 2009 semblaient avoir disparu.

Tout au long de ces journées difficiles, il m'est souvent arrivé de repenser à nos longues discussions à Washington, Charm el-Cheikh et Jérusalem. J'espérais qu'un jour les forces favorables à la paix au sein des deux peuples se feraient si puissantes et si bruyantes que leurs dirigeants seraient obligés d'accepter des compromis. Et, dans ma tête, j'entendais la voix grave et ferme de mon ami assassiné, Yitzhak Rabin, nous rappeler que « la paix la plus froide vaut mieux que la guerre la plus chaude ».

Chapitre 15

Le Printemps arabe : une révolution

« Ils sont assis sur une poudrière et, s'ils ne font rien, elle va exploser. » J'étais exaspérée. Cela se passait pendant la première semaine de 2011 et nous préparions un nouveau voyage dans les pays du Proche et du Moyen-Orient. Cette fois, j'avais l'intention d'exposer clairement la nécessité de réformes politiques et économiques, sans me contenter du programme habituel de réunions officielles et de plaidoyers privés à ce sujet. Jeff Feltman, sous-secrétaire d'État adjoint pour le Proche-Orient, mon principal conseiller concernant la région, m'approuvait. Ceux qui poussaient au changement au Proche et au Moyen-Orient pouvaient légitimement avoir l'impression de se cogner la tête contre les murs ; or Jeff faisait cela depuis des années, sous différentes administrations. Il avait été, entre autres fonctions, ambassadeur au Liban pendant une partie de son histoire récente la plus agitée, en particulier au moment de l'assassinat du Premier ministre Rafic Hariri en 2005 – un événement qui était à l'origine de la « révolution du Cèdre » et du retrait des troupes syriennes, et qui avait conduit à la guerre entre Israël et le Hezbollah en 2006. Ces expériences allaient lui être fort utiles au cours des semaines qui ont suivi, alors que nous ferions tout notre possible pour ne pas nous laisser rattraper par la vague d'agitation qui emporterait la région. La période qui nous attendait serait mouvante et déroutante même pour des diplomates chevronnés.

Je me suis tournée vers deux de mes rédacteurs de discours, Megan Rooney et Dan Schwerin. « J'en ai assez de répéter la même chose chaque fois que je vais là-bas, leur ai-je lancé. Cette fois, je voudrais dire quelque chose qui marque vraiment une percée. » La conférence annuelle du Forum pour l'avenir qui devait se tenir sous peu à Doha, la capitale du Qatar, un État aux immenses réserves énergétiques, serait l'occasion de transmettre un message à une foule de têtes couronnées, de responsables politiques, de magnats de l'industrie, d'universitaires et d'activistes de la société civile parmi les plus influents du Proche et du Moyen-Orient. Un grand nombre d'entre eux seraient réunis dans la même salle en même temps. Si je voulais expliquer pourquoi le maintien du *statu quo* dans la région n'était pas une solution viable, c'était l'endroit idéal. J'ai demandé à Megan et Dan de se mettre au travail.

Je n'étais, bien sûr, pas la première responsable américaine à plaider pour la réforme. De passage en Égypte en 2005, la secrétaire d'État Condoleezza Rice y avait fait un aveu remarquable : pendant plus d'un demi-siècle, les États-Unis avaient choisi de rechercher « la stabilité aux dépens de la démocratie » et n'avaient « obtenu ni l'une ni l'autre ». Cela ne serait plus le cas, avait-elle promis. Quatre ans plus tard, dans un discours majeur prononcé au Caire, le président Obama avait, lui aussi, réclamé des réformes démocratiques.

Cependant, malgré toutes les proclamations publiques et les propos encore moins équivoques prononcés en privé, et en dépit des efforts opiniâtres de gens de tous horizons pour assurer plus de prospérité et de liberté à leurs pays, en ce début de 2011 une grande partie du Proche et du Moyen-Orient comme de l'Afrique du Nord restait en proie à la stagnation politique et économique. Bien des pays étaient soumis à la loi martiale depuis des dizaines d'années. La corruption y était endémique à tous les niveaux, surtout au sommet de l'État. Les partis politiques et les groupes de la société civile étaient inexistants ou faisaient l'objet d'étroites restrictions, les systèmes judiciaires étaient loin d'être libres ou indépendants, et les élections, lorsqu'il y en avait, étaient souvent truquées. Cette triste situation avait trouvé une nouvelle illustration spectaculaire en novembre 2010 quand l'Égypte avait organisé des élections législatives entachées d'innombrables irrégularités, qui avaient presque éliminé une opposition politique déjà symbolique.

Une enquête décisive publiée en 2002 par d'éminents spécialistes du Proche et du Moyen-Orient et par le Programme des Nations unies pour le développement avait livré des résultats aussi troublants que révélateurs. Le Rapport sur le développement humain dans le monde arabe dressait un portrait accablant d'une région en déclin. Malgré sa richesse pétrolière et une position géographique commercialement stratégique, le taux de chômage y était plus de deux fois supérieur à la moyenne mondiale. Il était plus élevé encore pour les femmes et les jeunes. Un nombre croissant d'Arabes vivaient dans la pauvreté, s'entassant dans des bidonvilles sans installations sanitaires, sans eau potable ni système d'électricité fiable, tandis qu'une petite élite exerçait un contrôle grandissant sur les terres et les ressources. Il n'était pas vraiment surprenant que la participation des femmes arabes aux activités politiques et économiques soit la plus faible du monde.

Malgré ces problèmes, la plupart des dirigeants et des hommes d'influence de la région ne demandaient visiblement qu'à continuer à gouverner comme ils l'avaient toujours fait. Par ailleurs, en dépit de toutes les bonnes intentions des administrations américaines successives, les réalités quotidiennes de la politique étrangère de notre pays faisaient passer des impératifs pressants en matière de stratégie et de sécurité, comme la lutte contre le terrorisme, le soutien à Israël et la neutralisation des ambitions nucléaires de l'Iran, avant la nécessité à longue échéance d'encourager les réformes intérieures de nos partenaires arabes. Certes, nous faisions pression sur les dirigeants pour qu'ils entreprennent des réformes, car nous étions convaincus que cela apporterait une plus grande stabilité à long terme et une prospérité plus générale. Mais nous collaborions également avec eux sur toute une série de problèmes de sécurité et n'avions jamais envisagé sérieusement de rompre les relations militaires entre nos pays.

C'était un dilemme qu'avaient dû affronter plusieurs générations de décideurs politiques américains. Il est facile de prononcer des discours et d'écrire des livres sur la nécessité de défendre les valeurs démocratiques même lorsqu'elle est en conflit avec nos intérêts de sécurité, mais, face aux compromis concrets du monde réel, les choix sont nettement plus épineux. Faire de la politique requiert inévitablement des talents d'équilibriste. Avec un peu de chance, les choses se passent relativement bien. Mais il y a toujours des choix dont nous nous repentons, des conséquences que nous n'avions pas prévues, d'autres voies que nous regrettons de n'avoir pas empruntées.

Je me suis entretenue avec suffisamment de dirigeants arabes au fil des ans pour savoir que, pour beaucoup d'entre eux, il ne s'agissait pas simplement de se satisfaire de la situation existante ; ils admettaient que le changement se ferait, mais lentement. J'ai cherché à nouer avec eux des relations personnelles et à établir une confiance réciproque, à mieux comprendre les données culturelles et sociales qui influençaient leurs actes, et, chaque fois que cela était possible, à les exhorter à accélérer le changement.

J'avais tout cela à l'esprit au début de 2011, alors que je m'apprêtais à retourner au Proche-Orient. J'avais passé une grande partie de 2009 et de 2010 à travailler avec le président égyptien Hosni Moubarak et le roi Abdallah II de Jordanie pour convaincre les dirigeants israéliens et palestiniens d'engager des pourparlers de paix directs, lesquels s'étaient effondrés au terme de trois séances de négociations substantielles. J'avais dit et répété aux deux camps que le *statu quo* n'était pas tenable et qu'ils devaient faire les choix indispensables en faveur de la paix et du progrès. J'étais désormais parvenue à la même conclusion à propos de toute la région. Si les dirigeants arabes, dont un grand nombre étaient les partenaires de l'Amérique, étaient incapables de comprendre la nécessité du changement, ils risquaient de perdre le contrôle sur leurs populations, de plus en plus jeunes et se sentant de plus en plus rejetées ; ce serait ouvrir la porte à l'agitation, au conflit et aux terroristes. Voilà l'argument que je voulais présenter, en le débarrassant largement des subtilités diplomatiques habituelles qui tendent à édulcorer les messages.

Tandis que nous préparions ce voyage autour des thèmes de la soutenabilité économique, politique et environnementale, les événements qui se sont déroulés sur le terrain ont encore accru les enjeux.

Le régime pro-occidental du Liban était au bord de l'effondrement, soumis aux violentes pressions du Hezbollah, une milice chiite lourdement armée qui exerce une influence non négligeable au sein du gouvernement libanais. Le 7 janvier, j'ai pris l'avion pour New York afin d'aller discuter de la crise avec le Premier ministre libanais Saad Hariri, fils de l'ancien dirigeant assassiné Rafic Hariri, et avec le roi Abdallah d'Arabie Saoudite, tous deux de passage aux États-Unis.

Au même moment, nous commencions à recevoir des rapports faisant état de manifestations dans les rues de Tunisie. Cette ancienne colonie française située sur le littoral méditerranéen d'Afrique du Nord, entre la Libye et l'Algérie, était dirigée depuis des décennies par le dictateur Zine el-Abidine Ben Ali. Pour les nombreux touristes européens qui se prélassaient sur ses plages et dans ses hôtels cosmopolites, il était facile d'ignorer la face obscure de la Tunisie de Ben Ali. Les femmes y jouissaient de davantage de droits que dans beaucoup d'autres États du Proche-Orient, l'économie était plus diversifiée et les extrémistes n'étaient pas les bienvenus. Le régime n'en était pas moins impitoyable, répressif et corrompu, et, au-delà des somptueuses destinations touristiques, bien des gens étaient condamnés à la pauvreté et au désespoir.

Les troubles avaient éclaté à la suite d'un événement navrant survenu le 17 décembre 2010. Un jeune Tunisien de 26 ans, Moha-med Bouazizi, vendait des fruits qu'il transportait dans une petite carriole à Sidi Bouzid, une modeste ville provinciale au sud de la capitale, Tunis. Comme tant d'autres de ses compatriotes, il se livrait à une activité économique souterraine pour gagner tant bien que mal de quoi nourrir sa famille. Bouazizi n'avait pas d'auto-risation officielle pour vendre ses marchandises et, ce jour-là, il a eu avec une policière une altercation dont il est sorti mortifié et désespéré. Plus tard dans la journée, il s'est immolé par le feu devant les bureaux du gouvernement local. Ce geste a provoqué des manifestations dans toute la Tunisie. Les gens sont descendus dans la rue, protestant contre la corruption, les humiliations qu'on leur faisait subir et l'absence de toute perspective d'avenir. Ils se sont mis à échanger sur les réseaux sociaux des récits effroyables sur la corruption de Ben Ali, dont certains s'inspiraient de rapports sur les excès du régime envoyés aux États-Unis depuis des années par des diplomates américains, et que WikiLeaks avait révélés peu avant le début des manifestations.

Le régime a réagi avec une brutalité excessive, qui n'a fait qu'ali-menter encore l'indignation publique. Ben Ali s'est rendu personnel-lement au chevet de Bouazizi à l'hôpital, mais son initiative n'a pas réussi à apaiser l'agitation grandissante, et le jeune homme est mort quelques jours plus tard.

Le 9 janvier, quand j'ai pris l'avion de Washington pour Abou Dhabi, première étape d'un voyage qui devait me conduire des Émi-rats arabes unis (EAU) au Yémen, à Oman et au Qatar, les forces de sécurité tunisiennes s'en sont prises aux manifestants avec une violence accrue. Plusieurs personnes ont été tuées. La plupart des observateurs s'accordaient pour y voir un nouvel exemple d'un cycle familier de répression dans une région insensibilisée à ce genre de crises.

Les EAU sont un tout petit État, mais influent, du golfe Persique. Grâce à leurs vastes réserves en pétrole et en gaz, ils ont acquis une richesse prodigieuse. Le gouvernement dirigé par le prince héri-tier Mohammed ben Zayed al-Nahyane avait décidé d'investir dans l'énergie solaire pour diversifier ses ressources économiques et se protéger contre l'instabilité à venir du marché pétrolier mondial, un rare exemple de prévoyance et de planification judicieuse de la part d'un État pétrolier. À l'institut Masdar de science et de technologie, situé dans le désert, à une trentaine de kilomètres d'Abou Dhabi, j'ai discuté avec un groupe d'étudiants de troisième cycle de la diminution des réserves pétrolières de la région et de la baisse des nappes phréatiques. « Les anciennes stratégies de croissance et de prospérité ne marcheront plus, leur ai-je dit. Pour trop de gens, dans trop d'endroits, le *statu quo* n'est plus viable aujourd'hui. »

Aucun pays de la région ne semblait mieux justifier mes avertissements que le Yémen, situé au pied de la péninsule Arabique. Il était difficile d'imaginer plus vif contraste qu'entre sa capitale médiévale poussiéreuse, Sanaa, et les villes modernes des EAU aux lignes épurées, comme Abou Dhabi et Dubaï. Le Yémen, une société tribale gouvernée depuis 1990 par un homme fort, Ali Abdallah Saleh, devait faire face à de violentes insurrections séparatistes, à un afflux de terroristes liés à Al-Qaida, à un chômage massif, à des réserves d'eau en diminution, à des statistiques de mortalité infantile affligeantes, tout en possédant, contre toute attente, une population en plein essor dont les effectifs devraient doubler au cours des vingt prochaines années. La population du Yémen est l'une des plus lourdement armées et des moins instruites du monde.

Les relations des États-Unis avec le président Saleh offraient une excellente illustration du dilemme au cœur de notre politique au Proche et au Moyen-Orient. Cet autocrate avait beau être corrompu, il n'en était pas moins résolu à combattre Al-Qaida et à assurer la cohésion de son pays divisé. L'administration Obama avait donc décidé de se pincer le nez, d'accroître notre aide militaire au Yémen et notre assistance au développement, et d'élargir notre coopération en matière de lutte contre le terrorisme. Au cours d'un long déjeuner dans son palais, j'ai discuté avec Saleh des moyens de collaborer plus étroitement sur les questions de sécurité, sans négliger pour autant la nécessité de respecter les droits de l'homme et d'entreprendre des réformes économiques. Il avait visiblement beaucoup moins envie de m'écouter que de me montrer le fusil antique que lui avait offert le général Norman Schwarzkopf. Il a également tenu à ce que je visite la vieille ville de Sanaa avant mon départ.

Celle-ci semble tout droit sortie des *Mille et Une Nuits* : c'est un enchevêtrement de bâtiments de brique crue aux façades couvertes de motifs d'albâtre qui les font ressembler à des maisons de pain d'épices. Des masses de badauds nous regardaient passer depuis le seuil des boutiques et des cafés. La plupart des femmes étaient voilées – portant le simple foulard qu'on appelle *hijab* ou le voile intégral couvrant presque tout le visage, le *niqab*. Les hommes arboraient à leur ceinture de grands poignards recourbés, et quelques-uns étaient armés de kalachnikovs. Beaucoup d'entre eux mâchaient des feuilles de khat, la drogue préférée des Yéménites. Je circulais dans un gros 4 × 4 blindé qui avait du mal à passer dans les ruelles étroites. Le véhicule frôlait les murs des boutiques et des maisons de si près que, si les vitres avaient été baissées, j'aurais pu tendre le bras à l'intérieur.

Je me rendais à l'hôtel Mövenpick, situé sur une éminence qui domine la ville. Là, j'ai retrouvé un important groupe d'activistes et d'étudiants, une frange de la société civile très vivante du Yémen. J'ai ouvert le débat par un message destiné non seulement aux Yéménites, mais à toutes les populations du Proche et du Moyen-Orient. « Les Yéménites de la prochaine génération seront avides d'emplois, de soins médicaux, d'alphabétisation, d'instruction et de formation qui les rattacheront à l'économie mondiale, et ils chercheront une gouvernance démocratique réceptive, à l'écoute et au service de ses communautés. » Toute cette région devait pouvoir offrir à sa jeunesse une vision d'avenir riche en perspectives, reposant sur une solide base de stabilité et de sécurité. Mes propos ont suscité un échange d'idées animé et d'une grande liberté avec mon auditoire. Les étudiants qui avaient fait des études à l'étranger ont évoqué avec passion les raisons qui les avaient poussés à rentrer chez eux pour participer à l'édification de leur pays. Malgré la frustration que leur inspiraient la répression et la corruption, ils n'avaient pas renoncé à tout espoir de progrès.

Une toute jeune femme présente dans l'assistance, Nojoud Ali, s'était battue avec succès pour obtenir le divorce alors qu'elle n'avait que 10 ans. Elle avait été obligée d'épouser un homme qui avait plus de trois fois son âge et qui lui avait fait quitter l'école. Ce n'était pas rare au Yémen, mais pour Nojoud c'était une condamnation à la prison à vie. Cherchant désespérément à échapper à un mariage qui avait rapidement tourné à la maltraitance et bien décidée à réaliser son rêve – s'instruire et mener une existence indépendante –, elle avait pris le bus pour se rendre au tribunal local. Là, elle s'était sentie toute petite. Personne ne lui avait accordé d'attention, jusqu'au moment où un juge lui avait demandé ce qu'elle faisait là. Nojoud avait répondu qu'elle était venue réclamer le divorce. Une avocate, Shada

Nasser, lui avait prêté main-forte. Ensemble, elles avaient bouleversé le Yémen et le monde en portant l'affaire devant les tribunaux – et en obtenant gain de cause. J'ai suggéré que l'histoire de Nojoud devait inciter le Yémen à mettre définitivement fin aux mariages d'enfants.

Le lendemain a été encore plus riche en contrastes. Je me suis rendue à Oman, dont le dirigeant, le sultan Qabus ibn Saïd al-Saïd, avait fait des choix judicieux au fil des ans, aidant son pays à se doter d'une société moderne sans renoncer à sa culture ni à ses traditions. « Que le savoir se développe, même à l'ombre des arbres », avait-il proclamé. Dans les années 1970, il n'y avait dans tout le pays que trois écoles primaires fréquentées par moins d'un millier de garçons et par aucune fille. En 2014, le sultanat d'Oman dispose d'un enseignement primaire universel, et les femmes sont plus nombreuses que les hommes à obtenir des diplômes dans les universités du pays. C'est une monarchie, certes, et non une démocratie, mais ce pays a montré ce qui devient possible quand un dirigeant se concentre sur l'éducation, permet aux femmes et aux filles de s'assumer et place la population au cœur de sa stratégie de développement. En 2010, le Programme des Nations unies pour le développement a classé le sultanat d'Oman en tête des pays du monde qui ont réalisé le plus de progrès dans le développement humain depuis 1970.

En ce même 12 janvier, alors que le Premier ministre libanais Hariri se trouvait à Washington et s'apprêtait à rencontrer le président Obama, son gouvernement s'est effondré, miné par les luttes de factions, éternelle malédiction de tous les gouvernements libanais qui ont cherché à concilier les intérêts et les objectifs d'une population partagée entre sunnites, chiites, chrétiens et druzes. Pendant ce temps, la violence redoublait dans les rues de Tunisie. Cela ne ressemblait pas encore à une crise généralisée, mais on ne pouvait s'empêcher d'avoir la nette impression que la région commençait à trembler.

Ma dernière étape était Doha, au Qatar, où je devais prononcer devant la conférence régionale le discours sur lequel nous avions travaillé avec tant d'acharnement. Le 13 janvier au matin, je suis entrée de bonne heure dans une salle de réunion bondée, remplie de dirigeants arabes, et j'ai exposé sans ménagements les problèmes de la région : le chômage, la corruption, un ordre politique sclérosé qui refusait à ses citoyens la dignité et les droits de l'homme universels. « En trop de lieux, de trop de façons, les fondations de la région s'enfoncent dans le sable », ai-je dit, faisant écho aux thèmes sur lesquels j'avais mis l'accent tout au long de ce voyage. Lançant un appel direct aux dirigeants rassemblés, j'ai poursuivi : « Vous *pouvez* contribuer à bâtir un avenir auquel votre jeunesse croira, pour lequel elle restera et qu'elle défendra. » Faute de quoi, « ceux qui s'accrochent au *statu quo* réussiront peut-être à retarder quelque temps toutes les conséquences des problèmes de leurs pays, mais ils ne le pourront pas éternellement ».

Peu de dirigeants arabes ont l'habitude d'entendre des critiques exprimées publiquement et directement. Tout en comprenant leurs sentiments et leurs coutumes, il me semblait essentiel de les aider à prendre toute la mesure de la rapidité avec laquelle évoluait le monde qui les entourait. S'il fallait pour cela que je fasse fi de la diplomatie, eh bien, tant pis. « Affrontons honnêtement cet avenir. Discutons ouvertement de ce qu'il faut faire. Profitons de ce moment pour dépasser la rhétorique, écarter les plans timides et progressifs, et prendre l'engagement de maintenir cette région en mouvement, dans la bonne direction », ai-je dit en guise de conclusion. Après ce discours, les journalistes américains qui m'avaient accompagnée dans ce voyage ont trouvé que je n'y étais pas allée de main morte. Quant à moi, je me demandais si mes propos sauraient entraîner des actes.

Le lendemain, alors qu'en Tunisie les manifestations prenaient encore de l'ampleur, Ben Ali a fui son pays et s'est réfugié en Arabie Saoudite. La contestation, qui avait commencé par une querelle à propos d'une carriole de fruits, s'était transformée en véritable révolution. Je ne m'attendais pas à ce que les faits justifient aussi rapidement ni aussi spectaculairement mes avertissements sur les fondations qui « s'enfoncent dans le sable », mais, désormais, ce message était irréfutable. Cependant, si importants qu'aient été ces événements, aucun de nous ne s'attendait à ce qui s'est passé ensuite.

*
* *

La contestation tunisienne s'est révélée contagieuse. Grâce à la télévision par satellite et aux réseaux sociaux, la jeunesse de tout le Proche et le Moyen-Orient aussi bien que d'Afrique du Nord a suivi de près le soulèvement populaire qui a renversé Ben Ali. Enhardis, les jeunes sont passés de critiques privées à l'égard de leurs gouvernements à des appels publics au changement. Après tout, un certain nombre des motifs qui avaient alimenté la colère en Tunisie, notamment la corruption et la répression, se retrouvaient dans l'ensemble de la région.

Le 25 janvier, au Caire, des protestations contre les brutalités policières ont donné lieu à des manifestations de masse contre le régime autoritaire de Hosni Moubarak. Des dizaines de milliers d'Égyptiens ont occupé la place Tahrir, au cœur de la ville, résistant à toutes les tentatives policières pour les déloger. Le nombre d'occupants grandissait de jour en jour, et ils se sont concentrés sur un unique objectif : chasser Moubarak du pouvoir.

Cela faisait près de vingt ans que je connaissais Moubarak et sa femme, Suzanne. Cet officier de l'armée de l'air avait gravi les échelons et était devenu vice-président sous Anouar el-Sadate, le dirigeant égyptien qui avait mené la guerre du Kippour contre Israël en 1973 et avait signé plus tard les accords de Camp David. Moubarak avait été blessé lors de l'attentat extrémiste qui avait coûté la vie à Sadate en 1981, mais il en avait réchappé, était devenu président et avait sévèrement réprimé les islamistes et les autres dissidents. Il avait gouverné l'Égypte comme un pharaon, exerçant un pouvoir quasi absolu au cours des trois décennies suivantes.

Au fil des ans, j'avais passé du temps en compagnie de Moubarak. J'appréciais son soutien indéfectible aux accords de Camp David et à une solution à deux États pour les Israéliens et les Palestiniens. Il s'était efforcé plus énergiquement que tout autre chef d'État arabe de convaincre Yasser Arafat d'accepter l'accord de paix qu'avait négocié mon mari en 2000. Néanmoins, malgré son partenariat avec les États-Unis sur des questions stratégiques majeures, on ne pouvait que regretter qu'après de si longues années au pouvoir son régime refuse encore au peuple égyptien un grand nombre de libertés fondamentales et de droits de l'homme, et gère aussi mal son économie. Sous le gouvernement de Moubarak, un pays connu des historiens comme le « grenier à blé de l'Antiquité » avait le plus grand mal à nourrir sa population et était devenu le plus gros importateur mondial de blé.

En mai 2009, le petit-fils de Moubarak, âgé de 12 ans, était mort subitement d'une affection gardée secrète. Cette disparition avait, semble-t-il, durement ébranlé le vieux chef d'État. Quand j'avais appelé Suzanne Moubarak pour lui présenter mes condoléances, elle m'avait confié que le petit garçon avait été « le meilleur ami du président ».

La contestation en Égypte plaçait l'administration Obama dans une situation difficile. Si Moubarak était un de nos alliés stratégiques majeurs depuis plusieurs dizaines d'années, il allait de soi que les idéaux américains étaient plus naturellement en phase avec les revendications des jeunes Égyptiens : « Pain, liberté et dignité ». Interrogée par un journaliste sur les manifestations de ce premier jour, j'ai cherché à donner une réponse pondérée reflétant nos intérêts et nos valeurs, en même temps que l'incertitude qui pesait sur la situation. J'ai veillé à ne pas jeter d'huile sur le feu : « Nous soutenons le droit fondamental d'expression et de réunion pour tous, ai-je dit, et exhortons toutes les parties à faire preuve de retenue et à éviter les violences. Nous estimons néanmoins que le gouvernement égyptien est stable et cherche des moyens de répondre aux besoins et aux intérêts légitimes du peuple égyptien. » L'avenir montrerait que le régime était loin d'être « stable », mais peu d'observateurs auraient pu prédire l'ampleur de sa fragilité.

Le 28 janvier, le président Obama a participé à une réunion de l'équipe de sécurité nationale dans la salle de crise de la Maison-Blanche et nous a demandé notre avis sur l'attitude à adopter face aux événements égyptiens. Les échanges de vues autour de la longue table ont été animés. Nous nous sommes plongés, une fois de plus, dans des problèmes qui n'ont cessé de tourmenter les décideurs politiques américains depuis des générations. Quel équilibre établir entre intérêts stratégiques et valeurs fondamentales ? Pouvons-nous influencer avec succès la politique intérieure d'autres États et soutenir la démocratie là où elle n'a encore jamais fleuri, sans en subir des conséquences négatives imprévues ? Que veut dire « être du bon côté de l'histoire » ? Tels étaient les débats qui allaient nous occuper tout au long de ce qu'on a appelé le Printemps arabe.

Comme beaucoup d'autres jeunes gens aux quatre coins du monde, certains conseillers du président Obama à la Maison-Blanche se sont laissé emporter par la tension dramatique et l'idéalisme du moment en voyant à la télévision les images de la place Tahrir. Ils se sentaient proches des jeunes contestataires égyptiens, avec lesquels ils partageaient les aspirations démocratiques et la maîtrise des technologies nouvelles. De fait, des Américains de tous âges et de toutes tendances politiques ont été émus par le spectacle de cette population si longtemps réprimée qui réclamait de pouvoir enfin jouir des droits de l'homme universels, et écœurés par la brutalité excessive avec laquelle les autorités ont réagi. Je partageais ce sentiment. C'était un moment exaltant. Mais, à l'image du vice-président Joe Biden, du secrétaire à la Défense Bob Gates et du conseiller à la Sécurité nationale Tom

Donilon, je ne voulais pas qu'on puisse nous accuser de pousser un partenaire de longue date vers la sortie, laissant l'Égypte, Israël, la Jordanie et toute la région face à un avenir incertain et dangereux.

Les arguments en faveur d'un appui de l'Amérique aux contestataires allaient au-delà de l'idéalisme. Cela fait plus d'un demi-siècle que la défense de la démocratie et des droits de l'homme est au cœur de notre leadership mondial. Il est vrai qu'il nous est arrivé de faire des entorses à ces valeurs pour servir des intérêts stratégiques et de sécurité, notamment en soutenant des dictateurs anticommunistes peu recommandables pendant la guerre froide, avec des résultats inégaux. La nécessité d'un compromis était évidemment plus difficile à défendre en présence d'une population égyptienne qui réclamait précisément les droits et les chances dont tous les peuples, nous l'avions toujours dit, auraient dû jouir. Si nous avions pu par le passé nous ranger aux côtés de Moubarak, qui défendait la paix et la coopération avec Israël et qui traquait les terroristes, il était désormais impossible d'ignorer la réalité : c'était également un autocrate répressif qui présidait un régime corrompu et sclérosé.

Pourtant, un grand nombre des intérêts de sécurité nationale qui avaient incité toutes les administrations précédentes à entretenir des liens étroits avec Moubarak restaient des priorités urgentes. L'Iran cherchait toujours à se doter d'un arsenal nucléaire. Al-Qaida complotait toujours de nouveaux attentats. Le canal de Suez demeurait une voie commerciale vitale. La sécurité d'Israël était plus essentielle que jamais. Moubarak avait été notre allié dans tous ces domaines, malgré les sentiments anti-américains et anti-israéliens de son propre peuple. Son Égypte avait été un pilier de paix dans une région instable. Étions-nous véritablement disposés à renoncer à cette relation après trente ans de coopération ?

Même si nous décidions que c'était la chose à faire, il était bien difficile de dire quelle influence concrète nous pourrions exercer sur le terrain. Contrairement à une conviction très répandue au Proche et au Moyen-Orient, les États-Unis n'ont jamais été une nation toute-puissante capable de tirer toutes les ficelles et d'obtenir tous les résultats qu'elle désire. Que se passerait-il si nous demandions à Moubarak de démissionner, mais qu'il refuse et parvienne à rester au pouvoir ? Que se passerait-il s'il démissionnait pour laisser place à une longue période de désordres dangereux, ou à un gouvernement de succession qui, sans être plus démocratique que le sien, serait farouchement hostile à nos intérêts et à notre sécurité ? En tout état de cause, nos relations ne seraient plus jamais les mêmes et notre influence dans la région s'en trouverait amoindrie. Voyant comment nous avions traité Moubarak, d'autres partenaires perdraient confiance en nous.

L'histoire nous enseigne que les transitions de la dictature à la démocratie présentent de nombreuses difficultés et peuvent aisément très mal tourner. Dans l'Iran de 1979, par exemple, des extrémistes ont récupéré la révolution qui s'était dressée contre le shah, laquelle jouissait d'une large base populaire, pour imposer une théocratie brutale. Si une évolution de ce genre se produisait en Égypte, ce serait une catastrophe tant pour la population égyptienne que pour les intérêts israéliens et américains.

Malgré l'ampleur des protestations de la place Tahrir, celles-ci manquaient largement de direction ; elles reposaient bien plus sur les réseaux sociaux et le bouche-à-oreille que sur un mouvement d'opposition cohérent. Après des années de règne d'un parti unique, les manifestants égyptiens étaient mal préparés à participer à des élections ouvertes ou à instaurer des institutions démocratiques dignes de ce nom. En revanche, les Frères musulmans, une organisation isla-miste créée quatre-vingts ans plus tôt, étaient bien placés pour remplir le vide en cas de chute du régime. Moubarak avait condamné les Frères à la clandestinité, mais ils comptaient des adeptes dans tout le pays et disposaient d'une structure de pouvoir très solide. Renonçant à la violence, ce mouvement s'était efforcé de présenter un visage plus modéré. Il n'en était pas moins impossible de savoir comment il se comporterait et ce qui se passerait s'il arrivait à la tête du pays.

Tous ces éléments me donnaient à réfléchir, et j'ai rejoint le vice-président, Gates et Donilon dans leurs conseils de prudence. Si Moubarak tombe, ai-je dit au président, « tout se passera peut-être bien dans vingt-cinq ans, mais il me semble que la période située entre maintenant et ce moment-là risque d'être d'une grande instabi-lité pour le peuple égyptien, pour la région et pour nous ». Je savais pourtant que le président supportait mal de rester inactif tandis que des manifestants pacifiques se faisaient rouer de coups et tuer dans les rues. Il cherchait une voie qui, tout en encourageant l'Égypte à se diriger vers la démocratie, éviterait le chaos d'un effondrement brutal du régime.

Dans l'émission « Meet the Press » du dimanche 30 janvier, j'ai essayé d'esquisser une approche viable. « La stabilité à long terme exige que l'on réponde aux besoins légitimes du peuple égyptien, et c'est ce que nous souhaitons. » Nous espérions donc, ai-je dit, assister à une « transition pacifique et *en bon ordre* vers un régime démocratique ». L'utilisation de l'expression « en bon ordre », par opposition à « immédiate », était parfaitement intentionnelle de ma part, bien qu'elle eût suscité peu d'enthousiasme dans certaines sphères de la Maison-Blanche. Plusieurs personnes au sein de l'équipe présidentielle auraient voulu, sinon que je réclame le départ de Moubarak, du moins que j'en envisage la possibilité. Il me paraissait essentiel, au contraire, que mon discours et celui d'autres membres de l'administration aident l'Égypte à réaliser les réformes que réclamaient la plupart des manifestants par un atterrissage en douceur plutôt que par un choc brutal.

Quand j'ai parlé cette semaine-là au ministre égyptien des Affaires étrangères, Ahmed Aboul Gheit, j'ai exhorté le gouvernement à manifester de la retenue et à prouver qu'il était réceptif aux revendications populaires. « Le président Moubarak va avoir du mal à convaincre qu'il a entendu le peuple au bout de trente ans s'il n'organise pas des élections libres et équitables, et n'essaie pas de mettre en place sa succession », ai-je expliqué à Aboul Gheit. « Ce n'est pas au programme de demain, m'a-t-il répondu. Le programme de demain est d'apaiser le peuple et de le calmer. » Il a tout de même accepté de transmettre mes préoccupations en haut lieu.

Malheureusement, Moubarak n'écoutait pas. Alors même que l'agitation grandissait et que le pays semblait échapper au contrôle du régime, il a prononcé un discours agressif dans la soirée du 29 janvier, à une heure tardive, décidant de renvoyer plusieurs de ses ministres, tout en refusant de démissionner et même de limiter la durée de son propre mandat.

J'ai recommandé au président Obama d'envoyer un émissaire discuter avec Moubarak ; il fallait le persuader d'annoncer un important train de réformes, et notamment d'annuler la loi répressive sur l'état d'urgence en vigueur depuis 1981, de s'engager à ne pas se présenter aux élections déjà prévues pour septembre et d'accepter de ne pas désigner son fils, Gamal, comme successeur. Ces mesures ne satisferaient peut-être pas tout le monde, mais elles marqueraient des concessions importantes et donneraient aux manifestants la possibilité de s'organiser avant les élections.

J'ai suggéré de confier cette tâche délicate à Frank Wisner, un haut diplomate à la retraite qui avait été notre ambassadeur en Égypte entre 1986 et 1991, et qui avait noué d'étroites relations personnelles avec Moubarak. Ils avaient passé de longues heures ensemble à discuter de la région et du monde. À l'image de son grand ami Richard Holbrooke, Wisner avait fait ses premières armes diplomatiques au Vietnam avant de représenter notre pays dans tous les points chauds du monde. En plus de l'Égypte, il avait été ambassadeur en Zambie, aux Philippines et en Inde, avant de prendre sa retraite en 1997. Selon moi, s'il y avait un Américain capable de faire entendre raison à Moubarak, c'était lui. À la Maison-Blanche, en revanche, certains jugeaient Wisner et sa mission avec scepticisme. Ils étaient prêts à lâcher Moubarak. Malgré son impatience grandissante, le président Obama a fini par se ranger à mon point de vue et a accepté d'accorder une dernière chance à la diplomatie.

Wisner a rencontré Moubarak le 31 janvier et lui a transmis notre message. Moubarak l'a écouté, sans céder d'un pouce pour autant. Il était stressé, peut-être même ébahi, par les événements qui se déroulaient autour de lui, mais n'avait aucune intention de renoncer au pouvoir. Comme tant d'autocrates avant lui, il en était venu à se considérer comme indissociable de l'État. Moubarak était toutefois assez réaliste pour comprendre qu'il ne pouvait pas rester assis dans son palais sans tenir compte de la contestation. Aussi a-t-il envoyé son vice-président récemment nommé, Omar Souleiman, qui avait longtemps été chef des services de renseignement, pour proposer un dialogue national au sujet d'éventuelles réformes. Moubarak avait choisi Souleiman deux jours plus tôt pour occuper le poste de vice-président, vacant depuis de très longues années, dans une tentative un peu tiède pour calmer les protestations. Cependant, ni la promesse d'un dialogue national ni la nomination d'un vice-président n'ont suffi à apaiser les esprits.

Cette nuit-là, l'armée a également publié une remarquable déclaration affirmant qu'elle n'emploierait pas la force contre le peuple égyptien et reconnaissant la légitimité des droits et des revendications des contestataires. Cela ne présageait rien de bon pour Moubarak. Si l'armée l'abandonnait, il ne pourrait en aucun cas se maintenir au pouvoir.

Le 1er février a vu de nouvelles manifestations monstres. Cet après-midi-là, dans la salle de crise de la Maison-Blanche, l'équipe de sécurité nationale s'est demandé, une fois de plus, ce qu'il convenait de faire. Alors que nous étions en pleine discussion, nous avons appris que Moubarak s'apprêtait à s'adresser à la nation à la télévision. Nous nous sommes tournés vers les grands écrans vidéo, curieux d'entendre ce que le dirigeant aux abois avait à dire. Moubarak semblait vieilli et fatigué, mais son ton restait impavide. Il a promis de ne pas se présenter aux élections de septembre, de chercher à réformer la constitution et d'assurer « un transfert du pouvoir pacifique » avant la fin de son mandat. En revanche, il n'a pas abrogé la loi sur l'état d'urgence ni exclu une candidature de son fils, pas plus qu'il n'a proposé de commencer à se démettre d'une partie de ses pouvoirs absolus. Moubarak avait fini par se ranger à l'avis de Wisner sur de nombreux points, mais c'était trop peu et trop tard – aussi bien pour tous ceux qui étaient dans les rues que pour l'équipe de la salle de crise.

« Ça ne va pas suffire », a lancé le président Obama, visiblement déçu. Il a ensuite appelé Moubarak pour lui dire la même chose. Nous nous demandions s'il convenait que le président fasse également une déclaration publique pour affirmer qu'il en avait assez d'attendre que Moubarak prenne les initiatives qui s'imposaient. Une fois de plus, un certain nombre de ministres, dont j'étais, lui ont conseillé la prudence. Nous avons fait valoir qu'une intervention présidentielle trop énergique risquait de se retourner contre nous. Mais d'autres membres de l'équipe ont fait appel une nouvelle fois à l'idéalisme du président, faisant remarquer que les événements sur le terrain évoluaient trop rapidement pour que nous puissions attendre. Il s'est laissé fléchir. Ce soir-là, il s'est présenté devant les caméras dans le hall d'entrée de la Maison-Blanche. « Aucun autre pays n'a pour rôle de choisir les dirigeants de l'Égypte. Seul le peuple égyptien peut le faire, a déclaré le président Obama. [Mais] ce qui est clair – et ce que j'ai fait savoir au président Moubarak ce soir –, c'est que je suis convaincu qu'une transition en bon ordre doit être significative, doit être pacifique et doit commencer *maintenant*. » Interrogé lors de son point de presse du lendemain sur la définition à donner à ce « maintenant », le porte-parole de la Maison-Blanche, Robert Gibbs, a livré une réponse sans équivoque : « Maintenant veut dire hier. »

La situation au Caire s'est aggravée. Des partisans du régime sont sortis en force et se sont violemment heurtés aux manifestants. Des hommes brandissant des matraques et d'autres armes ont traversé la place Tahrir à dos de dromadaires et de chevaux, assenant des coups sur la tête des occupants. J'ai appelé le vice-président Souleiman pour lui faire clairement savoir qu'une telle répression était absolument inadmissible, et la direction égyptienne n'a plus employé cette tactique les jours suivants. Le 4 février, j'ai parlé de nouveau au ministre des Affaires étrangères, Aboul Gheit. Au cours de nos précédentes conversations, je l'avais trouvé confiant et optimiste. Cette fois, il n'a pu dissimuler sa frustration et même son désespoir. Il a reproché aux États-Unis de pousser Moubarak sans ménagements vers la sortie, sans tenir compte des conséquences. Écoutez ce que disent les Iraniens, m'a-t-il lancé : ils attendent avec impatience de profiter de l'effondrement potentiel de l'Égypte. L'idée d'une prise de pouvoir par les islamistes lui inspirait une peur viscérale. « J'ai deux petites-filles, m'a-t-il dit, l'une de 6 ans, l'autre de 8. Je veux qu'elles puissent être un jour des femmes telles que leur grand-mère et vous. Qu'elles n'aient pas à porter un *niqab* comme en Arabie Saoudite. C'est le combat de ma vie. »

J'avais encore ses paroles à l'esprit dans l'avion qui me conduisait en Allemagne, où je devais prendre la parole devant la Conférence sur la sécurité de Munich, une éminente assemblée de responsables politiques et d'intellectuels issus de l'ensemble de la communauté internationale. Que signifiaient concrètement tous nos grands discours sur la nécessité de défendre la démocratie ? Certainement plus que l'organisation d'un seul scrutin. Si les Égyptiennes voyaient leurs droits et leurs chances limités par un nouveau gouvernement, même élu, pourrait-on parler de démocratie ? Et si des minorités comme les chrétiens coptes d'Égypte étaient persécutées ou marginalisées ? Si Moubarak devait quitter la présidence et si l'Égypte devait s'engager sur la voie de la transition, toutes ces questions prendraient une pertinence et une urgence absolues.

À Munich, comme à Doha un mois plus tôt, j'ai plaidé en faveur de réformes politiques et économiques dans l'ensemble des pays du Proche et du Moyen-Orient. « Il ne s'agit pas seulement d'idéalisme, ai-je précisé. C'est une nécessité stratégique. Sans réels progrès vers la mise en place de systèmes politiques ouverts et responsables, le fossé entre les peuples et leurs gouvernements ne fera que grandir, et l'instabilité s'aggraver. » Bien sûr, ces transitions prendraient des tours distincts et se feraient à des rythmes différents selon les pays. Mais aucun État ne pouvait ignorer éternellement les aspirations de sa population.

En même temps, ai-je averti, il fallait être lucide sur les risques inhérents à toute transition. Des élections libres et équitables seraient nécessaires, sans être suffisantes pour autant. Une démocratie fonctionnelle exige le règne de la loi, un système judiciaire indépendant, l'existence d'une presse libre et d'une société civile, le respect des droits de l'homme et des minorités, ainsi qu'une gouvernance responsable de ses actes. Dans un pays comme l'Égypte, longtemps soumise à un régime autoritaire, la mise en place de ces éléments constitutifs d'une démocratie exigerait un leadership fort et consensuel, un effort prolongé de toute la société et un vrai soutien international. Personne ne devait s'attendre à les voir apparaître du jour au lendemain. Mes paroles, ce jour-là, ont peut-être paru en contradiction avec l'espoir et l'optimisme qu'éprouvaient beaucoup de ceux qui suivaient les manifestations du Caire, mais elles reflétaient les difficultés que je voyais devant nous.

Lors de la même conférence de Munich, Wisner, en tant que simple citoyen et ne jouant pas le moindre rôle pour l'administration américaine, est intervenu par satellite pour communiquer son avis sur la situation. Cette déclaration a contrarié la Maison-Blanche, qui pensait avoir obtenu l'assurance qu'il ne discuterait pas de sa mission en public. Wisner a créé des remous en affirmant qu'il serait préférable que Moubarak ne parte pas immédiatement et prenne le temps de mettre en place une transition. Ses propos ont donné l'impression qu'il s'opposait au président, et la Maison-Blanche a été agacée que Frank ait ainsi outrepassé ses attributions. Le président m'a appelée pour me faire connaître son mécontentement à propos des « messages contradictoires » que nous envoyions. C'est une manière diplomatique de dire que je me suis fait tirer les oreilles. Le président savait que les États-Unis n'exerçaient aucun contrôle sur ce qui se passait en Égypte, mais il tenait à agir au mieux de nos intérêts comme de nos valeurs. Moi aussi. J'étais consciente que Moubarak était resté trop longtemps au pouvoir et avait accompli trop peu de choses. Cependant, au-delà de leur volonté de se débarrasser de lui, les occupants de la place Tahrir semblaient n'avoir aucun plan. Ceux d'entre nous qui défendaient la position, qu'on pouvait évidemment juger peu enthousiasmante, d'une « transition en bon ordre » s'inquiétaient de constater que, à part Moubarak, les seules forces organisées du pays étaient les Frères musulmans et l'armée.

Le 10 février, les heurts avec les forces de sécurité avaient déjà causé plusieurs centaines de morts. La violence ne faisait qu'alimenter la colère des manifestants, lesquels réclamaient plus énergiquement que jamais la démission de Moubarak. Des rumeurs prétendaient que celui-ci allait finalement céder aux pressions. Tout le monde espérait beaucoup du nouveau discours que Moubarak devait adresser à la nation. Cette fois, il a annoncé le transfert de certains de ses pouvoirs au vice-président Souleiman, mais s'est obstiné dans son refus de quitter le pouvoir et d'admettre la nécessité d'une transition l'amenant à renoncer à ses fonctions. Les manifestants de la place Tahrir étaient exaspérés.

Le lendemain, 11 février, Moubarak a enfin reconnu sa défaite. Les traits tirés, l'air épuisé, le vice-président Souleiman est apparu à la télévision pour annoncer que le président avait démissionné et remis tous ses pouvoirs aux responsables de l'armée. Un porte-parole de cette dernière a lu une déclaration par laquelle elle s'engageait à « organiser des élections présidentielles libres et équitables » et à répondre aux « revendications légitimes de la population ». Moubarak lui-même ne s'est pas exprimé : il était déjà en train de quitter discrètement Le Caire pour rejoindre sa résidence au bord de la mer Rouge. Contrairement à Ben Ali en Tunisie, il n'a pas fui le pays, fidèle à son serment provocateur : « Je mourrai en Égypte. » Ce dernier acte d'opiniâtreté l'a exposé aux poursuites et aux sanctions judiciaires, et il a passé les années suivantes en résidence surveillée, au tribunal ou à l'hôpital, en raison du déclin manifeste de son état de santé.

Un mois plus tard environ, je me suis rendue au Caire et j'ai traversé moi-même la place Tahrir. Mes gardes du corps se demandaient avec inquiétude où nous mettions les pieds : c'était l'inconnu. Mais lorsque les Égyptiens se sont pressés autour de moi, leur message a été pour l'essentiel un message de chaleur et d'hospitalité. « Merci d'être venue », m'ont dit plusieurs d'entre eux. « Bienvenue dans la nouvelle Égypte ! » criaient d'autres. Ils étaient fiers de la révolution qu'ils avaient gagnée.

J'ai ensuite rencontré un certain nombre des étudiants et des activistes qui avaient joué un rôle majeur dans les manifestations. Je me demandais quels plans ils avaient conçus pour passer de la contestation à la politique, et comment ils pensaient influencer la rédaction d'une nouvelle constitution et disputer les élections à venir. Je me suis trouvée face à un groupe désorganisé qui n'était prêt ni à participer à une élection ni à exercer la moindre influence sur quoi que ce soit. Ils n'avaient aucune expérience de la politique, aucune notion de l'organisation d'un parti, pas plus que de la façon de présenter des candidats ni de mener des campagnes. Ils ne possédaient aucun programme et n'en voyaient pas vraiment la nécessité. En réalité, ils se querellaient entre eux, reprochaient toute une série de péchés aux États-Unis et n'éprouvaient pour la plupart que mépris pour la politique électorale. « Avez-vous envisagé de constituer une coalition politique et de vous rassembler pour défendre des candidats et des programmes ? » leur ai-je demandé. Ils m'ont regardée d'un air ébahi. Je suis repartie inquiète à l'idée qu'ils ne finissent par remettre leur pays aux mains des Frères musulmans ou de l'armée, faute de mieux, et c'est exactement ce qui a fini par se produire.

Le nouveau chef d'État par intérim était l'ancien ministre de la Défense de Moubarak, le maréchal Mohamed Tantaoui, qui avait promis de présider à une transition sans heurt vers un gouvernement civil démocratiquement élu. Quand je l'ai rencontré au Caire, il était dans un tel état d'épuisement qu'il arrivait à peine à tenir sa tête droite. Ses cernes descendaient presque jusqu'à sa bouche. C'était l'archétype du militaire de métier, avec un maintien et une apparence qui m'ont rappelé le général Ashfaq Parvez Kayani du Pakistan. Ces deux hommes étaient des nationalistes convaincus, fidèles aux cultures militaires dont ils étaient issus et supportant aussi mal leur dépendance à l'égard de l'aide américaine que les menaces politiques et économiques qu'ils sentaient peser sur les immenses pouvoirs de leurs armées respectives. En discutant avec Tantaoui de ses projets de transition, j'ai constaté qu'il choisissait ses mots avec précaution. Il se trouvait dans une position difficile, cherchant à sauver l'armée, à laquelle il avait voué sa vie, du naufrage du régime Moubarak, à protéger le peuple, comme l'armée s'était engagée à le faire, et à agir correctement à l'égard de l'ancien dirigeant qui avait soutenu sa carrière. Pour finir, Tantaoui a respecté sa promesse d'organiser des élections. Et lorsque son candidat favori, l'ancien Premier ministre Ahmed Chafik, a été battu de justesse par Mohamed Morsi, issu des Frères musulmans, il a accepté ce résultat.

*
* *

Tout au long de ce délicat processus de transition, les États-Unis se sont livrés à un périlleux numéro d'équilibrisme, défendant leurs valeurs démocratiques et leurs intérêts stratégiques sans prendre parti ni soutenir de candidats ou de factions précis. Cependant, en dépit de nos efforts pour jouer un rôle neutre et constructif, de nombreux Égyptiens se méfiaient de l'Amérique. Les partisans des Frères musulmans nous accusaient d'avoir défendu le régime de Moubarak et nous soupçonnaient d'être prêts à nous associer à l'armée pour les écarter du pouvoir. Leurs adversaires, redoutant la perspective d'un régime islamiste, prétendaient que les États-Unis avaient conspiré avec les Frères pour chasser Moubarak. Je ne comprenais pas très bien comment on pouvait nous accuser tout à la fois d'aider et de contrecarrer les Frères musulmans ; mais il est vrai qu'une bonne théorie du complot ne s'embarrasse jamais de logique.

Quand je suis retournée en Égypte en juillet 2012, j'ai trouvé les rues du Caire en proie à de nouvelles manifestations. Cette fois, elles n'étaient pas dirigées contre le gouvernement – mais contre moi. Une véritable meute s'était massée devant mon hôtel et, quand nous avons rejoint le garage par une entrée latérale, certains ont porté des coups contre nos véhicules. La police égyptienne n'a rien fait pour les en empêcher, et mes agents de la Sécurité diplomatique ont été contraints de repousser eux-mêmes la foule, une tâche qui n'est normalement pas de leur ressort. Une fois dans ma chambre, plus d'une dizaine d'étages plus haut, j'entendais encore le vacarme des slogans antiaméricains furieux. Mes agents de sécurité et mes collaborateurs ont passé une nuit agitée, prêts à évacuer l'hôtel au besoin. Bien qu'on nous eût prévenus que de nouvelles manifestations nous attendaient à Alexandrie, j'ai insisté pour que nous respections notre programme et que nous nous y rendions en avion dès le lendemain pour inaugurer officiellement un consulat américain rénové. Après cette cérémonie, comme nous nous apprêtions à rejoindre nos véhicules, nous avons été obligés de passer à côté de la foule en colère. Toria Nuland, mon intrépide porte-parole, a été touchée à la tête par une tomate, un incident qu'elle a pris avec humour, et un homme a violemment frappé la vitre de ma voiture avec sa chaussure tandis que nous démarrions pour aller à l'aéroport.

Au Caire, parallèlement à des réunions séparées avec Morsi et avec les généraux, j'ai reçu à l'ambassade des États-Unis un groupe de coptes. Ils étaient extrêmement inquiets de ce que l'avenir leur réservait, à eux et à leur pays. Nous avons eu une discussion très intime, chargée d'émotion.

Une des scènes les plus touchantes de la révolution de la place Tahrir a été celle où des manifestants chrétiens ont formé un cercle protecteur autour de leurs camarades musulmans pendant l'appel à la prière. L'inverse s'était produit lorsque les chrétiens avaient célébré une messe. Malheureusement, cet esprit d'unité avait été éphémère. Un mois à peine après la chute de Moubarak, des rapports en provenance de la ville de Qena affirmaient qu'un groupe de salafistes avait coupé l'oreille d'un instituteur copte et incendié sa maison ainsi que sa voiture. D'autres agressions ont suivi, et l'élection de Morsi n'a fait qu'accroître les craintes de la communauté chrétienne.

Au cours de notre réunion, un participant très agité s'est fait l'écho d'une calomnie particulièrement scandaleuse. Il a accusé ma collaboratrice de confiance Huma Abedin, qui est musulmane, d'être un agent secret des Frères musulmans. Cette allégation avait été lancée aux États-Unis par des personnalités de droite du monde de la politique et des médias d'une irresponsabilité et d'une démagogie coupables, dont certains membres du Congrès, et elle était arrivée jusqu'au Caire. Je n'avais pas l'intention de laisser passer ça, et j'ai fait savoir à cet auditeur en des termes sans équivoque qu'il avait tort. Au bout de quelques minutes d'entretien, l'accusateur, très gêné, a présenté ses excuses et demandé pourquoi un membre du Congrès américain irait affirmer de telles choses si elles n'étaient pas vraies. Je lui ai répondu en riant que, malheureusement, un certain nombre de mensonges circulaient au Congrès. À la fin de cette réunion, Huma s'est dirigée vers cet homme, s'est présentée et a proposé de répondre à toutes les questions qu'il pouvait se poser. Ce geste délicat lui ressemblait bien.

Personnellement, les attaques de plusieurs membres ignorants de la Chambre contre Huma m'exaspéraient. Aussi avais-je été très reconnaissante à l'égard du sénateur John McCain, qui avait fini par bien la connaître au fil des années, pour avoir pris la parole au Sénat afin d'exprimer tout le mépris que lui inspiraient ces accusations : « Lorsque quelqu'un, et plus encore un membre du Congrès, lance contre des compatriotes américains des attaques malveillantes et dégradantes qui ne reposent sur rien, sinon sur la crainte de qui ils sont, dans l'ignorance de ce qu'ils représentent, il s'en prend à l'esprit de notre nation et nous en sommes tous appauvris. Notre réputation, notre caractère sont les seules choses que nous laisserons derrière nous lorsque nous quitterons cette terre. Et des actes injustes, qui calomnient l'honneur d'une personne correcte et honorable, ne sont pas seulement répréhensibles, ils sont contraires à tout ce qui nous est cher. »

Quelques semaines plus tard, alors que Huma était assise à côté de lui lors du traditionnel dîner annuel donné à la Maison-Blanche à l'occasion de l'iftar, la fête qui met fin au jeûne du ramadan, le président Obama a lui aussi pris sa défense. « Le peuple américain a une dette de reconnaissance à son égard, a-t-il déclaré, parce que Huma est une patriote américaine, et un exemple de ce dont nous avons besoin dans ce pays – plus de fonctionnaires dotés de son sens de la bienséance, de sa grâce et de sa générosité d'esprit. Nous vous remercions donc infiniment, au nom de tous les Américains. » Le président des États-Unis et l'un des héros de guerre les plus renommés de notre pays font un beau doublé. C'était un remarquable hommage au caractère de Huma.

Au cours de notre réunion avec les responsables coptes, je leur ai déclaré que les États-Unis défendraient énergiquement la liberté religieuse. Tous les citoyens devraient avoir le droit de vivre, de travailler et de rendre un culte comme ils le souhaitent, qu'ils soient musulmans, chrétiens ou d'une autre confession. Aucun groupe, aucune faction ne devrait pouvoir imposer son autorité, son idéologie ou sa religion à autrui. L'Amérique était prête à travailler avec les dirigeants que le peuple égyptien aurait choisis. Mais notre engagement à leurs côtés reposerait sur leur respect des droits de l'homme universels et des principes démocratiques.

Malheureusement, les mois et les années qui ont suivi ont donné raison à mes inquiétudes de la première heure. Les Frères musulmans ont consolidé leur pouvoir, mais se sont montrés incapables de gouverner de façon transparente et impartiale. Le président Morsi s'est souvent heurté au pouvoir judiciaire, il a cherché à marginaliser ses adversaires politiques au lieu d'établir un vaste consensus national, il n'a pas fait grand-chose pour améliorer la situation économique et a autorisé la poursuite de la persécution de minorités, dont celle des chrétiens coptes. Il a tout de même surpris quelques esprits sceptiques en faisant respecter le traité de paix avec Israël et en m'aidant à négocier un cessez-le-feu à Gaza en novembre 2012. Une fois de plus, les États-Unis affrontaient un dilemme familier : fallait-il, au nom de la défense de nos intérêts de sécurité essentiels, traiter avec un dirigeant que nous désapprouvions sur tant de points ? Nous nous retrouvions encore sur la corde raide, contraints d'accomplir un numéro d'équilibrisme sans réponses évidentes et sans possibilités de choix satisfaisantes.

En juillet 2013, alors que des millions d'Égyptiens étaient redescendus dans la rue pour manifester, cette fois, contre les abus du gouvernement Morsi, l'armée, commandée par le successeur de Tantaoui, le général Abdel Fattah el-Sisi, s'est interposée de nouveau. Elle a destitué Morsi et entrepris de réprimer agressivement les Frères musulmans.

En 2014, les perspectives de la démocratie égyptienne ne semblent pas brillantes. Le général Sisi se présente à l'élection présidentielle face à une opposition purement symbolique et paraît suivre le modèle des hommes forts classiques de la région. De nombreux Égyptiens semblent las du chaos et aspirent à un retour à la stabilité. Rien ne permet pourtant de penser qu'un nouveau régime militaire sera plus viable que sous Moubarak. Il faudrait pour cela qu'il soit plus consensuel, plus réceptif aux besoins de la population et, pour finir, plus démocratique. L'avenir nous dira si l'Égypte et d'autres pays du Proche et du Moyen-Orient réussiront à mettre en place des institutions démocratiques dignes de ce nom, respectant les droits de l'ensemble des citoyens tout en assurant la sécurité et la stabilité, malgré les anciennes inimitiés, par-delà les fossés confessionnels, ethniques, économiques et géographiques. Ce ne sera pas facile, comme l'a montré l'histoire récente, mais c'est la seule solution si nous ne voulons pas voir la région s'enfoncer dans le sable une fois de plus.

*
* *

Le roi Abdallah II de Jordanie a su éviter d'être rattrapé par la vague d'agitation qui a emporté d'autres gouvernements de la région au cours du Printemps arabe. La Jordanie a organisé des élections dans les règles et entrepris de lutter contre la corruption, mais son économie restait stagnante, en grande partie parce que c'est un des pays du monde qui manquent le plus de ressources énergétiques. Environ 80 % de son énergie était représentée par le gaz naturel arrivant d'Égypte par pipelines. Or, après la chute de Moubarak en février 2011 et face à l'instabilité grandissante dans le Sinaï, ces pipelines, qui apportaient aussi du gaz en Israël, étaient devenus la cible d'attaques et de sabotages fréquents, interrompant les livraisons d'énergie en Jordanie.

Des subventions gouvernementales coûteuses empêchaient le prix de l'électricité d'échapper à tout contrôle, en conséquence de quoi la dette publique du pays montait en flèche. Le roi se trouvait devant un dilemme épineux : réduire les subventions, laisser grimper les prix de l'énergie et affronter la colère de la population, ou maintenir les subventions et courir le risque d'un effondrement financier.

Une solution évidente semblait se profiler à l'est, en Irak, où les États-Unis aidaient le gouvernement du Premier ministre Nouri al-Maliki à remettre sur pied son industrie pétrolière et gazière en piteux état. Une autre source d'énergie possible, moins évidente et plus controversée, existait à l'ouest, en Israël, qui venait de découvrir d'importantes réserves de gaz naturel en Méditerranée orientale. Les deux pays étaient en paix depuis la signature d'un traité historique en 1994, mais Israël restait extrêmement impopulaire parmi la population jordanienne, dont une majorité était d'origine palestinienne. En raison de tous ses autres problèmes, le roi pouvait-il courir le risque d'attiser le mécontentement en recherchant un nouvel accord commercial majeur avec Israël ? Pouvait-il se permettre de ne pas le faire ? Au cours d'un déjeuner avec le roi au département d'État en janvier 2012, puis lors de discussions ultérieures avec son ministre des Affaires étrangères, Nasser Judeh, je les ai exhortés à entamer des discussions avec les Israéliens – en secret, au besoin.

Avec le soutien des États-Unis, la Jordanie a commencé à négocier à la fois avec l'Irak et avec Israël. Un accord a été signé avec l'Irak en 2013 : grâce à la construction d'un pipeline reliant le sud de l'Irak à Aqaba, sur la mer Rouge, ce pays pourrait fournir à la Jordanie un million de barils de pétrole brut par jour et plus de 250 millions de mètres cubes de gaz naturel. Au terme d'une année de discussions secrètes avec Israël, la conclusion d'un accord a été annoncée au début de 2014 : la Jordanie pourrait utiliser du gaz naturel israélien provenant de Méditerranée orientale pour alimenter une centrale électrique de son côté de la mer Morte. Le roi n'avait pas eu tort d'être prudent – des représentants des Frères musulmans en Jordanie ont descendu en flammes cet accord avec l'« entité sioniste », le présentant comme « une attaque contre la cause palestinienne ». Il promettait cependant à la Jordanie un avenir de plus grande sécurité énergétique et constituait une nouvelle source de coopération entre deux voisins dans une région soumise à des défis colossaux.

*

* *

Le plus périlleux de nos numéros d'équilibrisme au Proche et au Moyen-Orient est peut-être celui auquel nous avons dû nous livrer avec nos partenaires du golfe Persique : Bahreïn, le Koweït, le Qatar, l'Arabie Saoudite et les Émirats arabes unis. Les États-Unis avaient développé des liens économiques et stratégiques étroits avec ces monarchies riches et conservatrices, sans dissimuler pour autant les préoccupations que nous inspiraient leurs graves entorses aux droits de l'homme, notamment le traitement infligé aux femmes et aux minorités, ainsi que l'exportation d'une idéologie extrémiste.

Toutes les administrations américaines s'étaient colletées avec les contradictions de notre politique à l'égard du Golfe. Les choix n'avaient jamais été plus épineux qu'après le 11-Septembre. Les Américains avaient été scandalisés d'apprendre que quinze des dix-neuf pirates de l'air, sans compter Oussama Ben Laden lui-même, étaient originaires d'Arabie Saoudite, un pays que nous avions défendu lors de la guerre du Golfe en 1991. Et l'on ne pouvait qu'être atterré de savoir que de l'argent du Golfe continuait à financer des madrasas extrémistes et des campagnes de propagande dans le monde entier.

En même temps, ces gouvernements partageaient un grand nombre de nos préoccupations majeures en matière de sécurité. L'Arabie Saoudite avait expulsé Ben Laden, et les forces de sécurité du royaume étaient devenues de solides partenaires dans la lutte contre Al-Qaida. La plupart des États du Golfe s'inquiétaient, comme nous, des efforts de l'Iran pour se doter de l'arme nucléaire, ainsi que du soutien agressif que ce pays accordait au terrorisme. Ces tensions s'enracinaient dans une fracture sectaire très ancienne au sein de l'islam : l'Iran est à prédominance chiite alors que les États du Golfe sont essentiellement sunnites. Bahreïn représente cependant une exception. Dans ce pays, comme dans l'Irak de Saddam Hussein, une minorité sunnite élitiste gouverne une majorité chiite. En Syrie, c'est l'inverse.

Pour soutenir nos intérêts de sécurité communs au fil des ans et contribuer à décourager l'agressivité iranienne, les États-Unis vendaient d'importantes quantités de matériel militaire aux États du Golfe. Ils avaient stationné la 5e flotte de la marine de guerre américaine à Bahreïn, installé le Centre d'opérations aériennes et spatiales combinées (Combined Air and Space Operations Center) au Qatar, tout en maintenant une présence militaire au Koweït, en Arabie Saoudite et dans les EAU, ainsi que des bases essentielles dans d'autres pays.

Quand je suis devenue secrétaire d'État, j'ai noué des relations personnelles avec des dirigeants du Golfe, tant individuellement que collectivement par l'intermédiaire du Conseil de coopération du Golfe, une association politique et économique des pays de la région. Nous avons mis sur pied un dialogue entre les États-Unis et ce Conseil pour intensifier notre coopération en matière de sécurité, nos discussions se concentrant essentiellement sur l'Iran et le contre-terrorisme. Mais j'ai également insisté auprès de ces dirigeants sur la nécessité d'ouvrir leurs sociétés, de respecter les droits de l'homme et d'offrir davantage de perspectives à leur jeunesse et à leurs femmes.

Occasionnellement, comme dans un cas extrême de mariage d'enfant en Arabie Saoudite, j'ai pu obtenir quelques avancées. J'avais ainsi entendu parler d'une fillette de 8 ans que son père avait obligée à épouser un homme de 50 ans en échange d'environ 13 000 dollars. Les tribunaux saoudiens avaient rejeté la requête de sa mère demandant l'annulation du mariage et, selon toute évidence, le gouvernement n'avait pas l'intention d'intervenir. Je savais que, en général, mettre dans l'embarras les pouvoirs en place par une condamnation publique risque d'être contre-productif et de les inciter à camper encore plus fermement sur leurs positions. Au lieu de convoquer une conférence de presse pour dénoncer cette pratique et exiger une intervention des autorités, j'ai cherché un moyen de convaincre les Saoudiens de faire ce qu'il fallait tout en leur évitant de perdre la face. Par des circuits diplomatiques discrets, je leur ai fait transmettre un message aussi simple que ferme : « Réglez cette affaire tout seuls et je ne dirai pas un mot. » Les Saoudiens ont nommé un nouveau juge qui s'est empressé de prononcer le divorce. C'est une leçon que j'ai apprise tout autour du monde. Il y a un moment pour monter à la tribune – et j'en ai occupé un certain nombre –, mais, dans certains cas, le meilleur moyen d'obtenir de vrais changements, dans la diplomatie comme dans la vie, c'est d'établir des relations et de savoir quand et comment les utiliser.

J'ai réagi différemment à l'interdiction faite aux femmes de conduire en Arabie Saoudite. En mai 2011, une activiste saoudienne a posté sur Internet une vidéo où on la voyait conduire une voiture, ce qui lui a valu d'être arrêtée et incarcérée pendant neuf jours. En juin, plusieurs dizaines de femmes, d'un bout à l'autre de l'Arabie Saoudite, ont pris le volant en signe de protestation. Au cours d'un entretien téléphonique avec le ministre saoudien des Affaires étrangères, le prince Saoud al-Fayçal, je lui ai fait part de mes préoccupations à ce sujet. Dans ce cas précis, j'ai également pris la parole publiquement, affirmant que ces femmes étaient « courageuses » et exprimant toute l'émotion que m'inspiraient leurs actions. Quand un autre groupe de femmes a protesté contre cette interdiction le 26 octobre 2013, certains adversaires ont prétendu, à tort, que le choix de cette date – le jour de mon anniversaire – prouvait que ces manifestations étaient téléguidées de l'étranger. Malheureusement pour le royaume et pour ses femmes, l'interdiction est toujours en place.

Lorsque je me suis rendue en Arabie Saoudite en février 2010, j'ai organisé mon itinéraire de façon à pouvoir concilier des entretiens avec le roi sur la sécurité et la visite d'une université de femmes à Djeddah. Ces deux événements ont été mémorables, chacun à sa manière.

J'ai été accueillie à l'aéroport de Riyad, la capitale, par le prince Saoud al-Fayçal, un membre de la famille royale âgé de 70 ans. Il avait fait ses études à Princeton et était ministre des Affaires étrangères du royaume depuis 1975. Comme la plupart des Saoudiens que j'ai rencontrés, il portait alternativement d'élégants costumes sur mesure et de longues tuniques flottantes assorties d'un keffieh. J'ai apprécié les moments passés en compagnie du prince, un homme qui comprenait très bien les forces de tradition et de modernité qui rivalisaient dans la région.

Le roi Abdallah, âgé de plus de 80 ans, m'avait invitée à lui rendre visite dans son camp du désert, à une heure de la ville, et m'a envoyé, ce qui était une première pour moi, son car de tourisme personnel pour nous y conduire. Ce véhicule était d'un luxe incroyable, et c'est dans des sièges en cuir somptueux que le prince et moi, assis de part et d'autre de l'allée centrale, avons traversé la campagne. Comme j'apercevais un certain nombre de campements remplis de dromadaires, nous nous sommes lancés dans une conversation très amusante sur la popularité des dromadaires du royaume, qui semble reposer sur des raisons à la fois pratiques et sentimentales. Le prince m'a parlé du long passé des nomades avec leurs dromadaires, et m'a avoué que, personnellement, il ne les aimait pas. Cet aveu m'a surprise – imaginez un Australien qui détesterait les koalas ou un Chinois qui n'éprouverait qu'aversion pour les pandas –, mais il est vrai que je n'ai pas eu moi-même à passer beaucoup de temps en compagnie de ces animaux. Il paraît qu'ils peuvent être terriblement entêtés.

Nous sommes bientôt arrivés à ce qu'on nous avait présenté comme un « camp » dans le désert, et qui était en réalité une immense tente climatisée dressée au-dessus d'un palais aux sols de marbre et aux salles de bains dorées, entouré de caravanes et d'hélicoptères. Le monarque nous attendait, très digne dans sa longue robe noire. Contrairement à certains de mes collègues américains qui aiment aller droit au fait, je préfère engager les conversations officielles par de menus propos, en marque de respect et d'amitié. J'ai donc poursuivi sur le thème des dromadaires. « Il faut que vous sachiez, Votre Majesté, que Son Altesse trouve les dromadaires très laids », ai-je dit en désignant le prince Saoud. Le roi a souri. « Je trouve que Son Altesse s'est montrée injuste à l'égard des dromadaires », a-t-il dit. Nous avons tous trois continué à plaisanter ainsi un moment, puis le roi a invité tout notre groupe, soit près de quarante personnes, y compris la presse, à partager avec lui un déjeuner somptueux. Il m'a fait longer une table de buffet qui m'a paru interminable, deux régisseurs suivant dans notre sillage en portant nos plateaux. Il y avait des dizaines de plats, allant de spécialités locales, comme l'agneau et le riz, au homard et à la paella. Les journalistes et les membres de mon équipe, qui, en voyage, doivent souvent se contenter de manger sur le pouce, étaient aux anges. Des serveurs se tenaient à proximité, prêts à remplir nos assiettes à la demande. Je me suis assise à côté du roi à l'extrémité d'une longue table en U. Entre les deux branches du U trônait un immense écran plat qui permettait au roi de suivre des matchs de football et des courses de véhicules tout terrain pendant qu'il mangeait. Il a monté le volume pour que personne dans la salle bondée ne puisse entendre ce que nous disions. Je me suis penchée vers lui et nous avons commencé à discuter.

Nous avons passé quatre heures ensemble cet après-midi-là à analyser en profondeur les problèmes de la région, abordant aussi bien les questions de l'Iran et de l'Irak que celles des Israéliens et des Palestiniens. Le roi a tenu des propos énergiques sur la nécessité d'empêcher l'Iran de se doter de l'arme nucléaire et nous a exhortés à adopter une ligne plus dure avec Téhéran. Il a exprimé l'espoir qu'un nombre accru de jeunes Saoudiens soient autorisés à faire leurs études aux États-Unis – ce qui était devenu plus difficile depuis le 11-Septembre. Cette réunion a été productive et a révélé la solidité de notre partenariat. Les différences entre nos cultures, nos valeurs et nos régimes politiques sont importantes, mais il était dans l'intérêt de l'Amérique de poursuivre cette coopération dans les domaines où c'était possible.

La journée du lendemain est venue me rappeler à quel point tout cela est compliqué. La mère de Huma, Saleha Abedin, est vice-présidente de Dar al-Hekma, une université de femmes située à Djeddah, où j'avais organisé un débat avec des étudiantes. En entrant dans la salle, je me suis retrouvée devant une assemblée de jeunes femmes dont la chevelure était dissimulée sous des *hijabs*, certaines ayant même le visage entièrement voilé.

En arabe, Dar al-Hekma signifie « la maison de la sagesse », et j'ai expliqué aux étudiantes combien il était sage de veiller à ce que les filles disposent du même accès à l'éducation que les garçons. J'ai cité le poète égyptien Hafez Ibrahim, qui a écrit : « Une mère est une école. Éduquer une mère, c'est éduquer une grande nation. » J'ai aussi évoqué mes propres expériences à Wellesley, une université exclusivement fréquentée par des jeunes femmes. Les étudiantes m'ont bombardée de questions pointues sur tous les sujets, depuis les ambitions nucléaires de l'Iran jusqu'au triste sort des Palestiniens et aux perspectives de réforme du système de santé américain. L'une d'elles m'a demandé ce que je pensais de Sarah Palin et si j'envisageais d'aller m'installer au Canada dans l'éventualité où elle deviendrait présidente. (Non, ai-je répondu, je ne fuirais pas.) Ces femmes avaient peut-être des possibilités limitées de participer publiquement à leur société ultra-conservatrice, mais leur intelligence, leur énergie et leur curiosité, elles, étaient loin d'être limitées.

Tout au long de cette réunion, une des responsables de la sécurité, couverte de noir de la tête aux pieds avec seulement deux étroites fentes pour les yeux, a surveillé attentivement les Américains présents. Il n'était pas question de laisser un homme, membre de mon équipe ou journaliste, approcher de ces étudiantes. Alors que j'étais en train de conclure sur l'estrade, cette femme a abordé Huma et lui a chuchoté en arabe : « Je serais tellement heureuse de me faire photographier avec elle ! » À la fin de mon intervention, Huma m'a prise à l'écart et m'a transmis sa requête. « Voulez-vous que nous allions dans une salle privée pour cela ? » ai-je demandé à cette femme par égard pour sa pudeur. Elle a acquiescé et nous nous sommes esquivées dans un petit bureau. Puis, à l'instant même où la photo allait être prise, la femme a relevé son voile, révélant un immense sourire. Clic-clac, le voile est retombé. Bienvenue en Arabie Saoudite.

Presque un an plus tard jour pour jour, le délicat numéro d'équilibrisme de nos relations dans le Golfe a menacé de partir à vau-l'eau. La vague de protestations populaires qui avait commencé en Tunisie avant de gagner l'Égypte ne s'était pas arrêtée là. Les appels à la réforme politique et au redressement économique se sont répandus à travers tout le Proche et le Moyen-Orient, n'épargnant aucun pays. Le Yémen a été presque déchiré, et le président Saleh a finalement été obligé de quitter le pouvoir. La Libye s'est enfoncée dans la guerre civile. Les gouvernements de Jordanie et du Maroc ont entrepris des réformes prudentes, mais concrètes, tandis qu'en Arabie Saoudite la famille royale ouvrait ses vastes poches pour tenter d'apaiser ses citoyens grâce à des programmes d'aide sociale plus généreux.

Bahreïn, base de la flotte américaine dans le golfe Persique, constituait un cas exceptionnellement complexe pour nous. Dans cette monarchie, la moins riche du Golfe, les manifestations ont pris une tournure sectaire, les chiites majoritaires se dressant contre leurs dirigeants sunnites. À la mi-février 2011, une masse de manifestants réclamant des réformes démocratiques et l'égalité pour tous les Bahreïnis, quelle que fût leur obédience religieuse, s'est rassemblée à un grand carrefour du centre de Manama qu'on appelle le rond-point de la Perle. Les événements de Tunisie et d'Égypte avaient mis les forces de sécurité de toute la région à cran et quelques premiers cas de répression violente à Manama ont fait descendre encore plus de citoyens en colère dans la rue.

Vers 3 heures du matin, le jeudi 17 février, une poignée de contestataires qui campaient sur le rond-point de la Perle ont été tués au cours d'une descente de police, provoquant une indignation générale. Mais, au lieu de considérer ces manifestations largement chiites comme un déferlement populaire en faveur de la démocratie, les dirigeants sunnites de Bahreïn et des pays du Golfe voisins ont prétendu y déceler la main cachée de l'Iran. Ils craignaient que leur grand adversaire de l'autre rive ne fomente ces troubles pour affaiblir leurs gouvernements et améliorer sa propre position stratégique. Au vu des antécédents de l'Iran, cette crainte n'était pas déraisonnable. Mais elle rendait les responsables politiques sourds aux griefs légitimes de leur peuple et précipitait le recours à la force.

J'ai téléphoné au ministre bahreïni des Affaires étrangères, le cheikh Khalid ben Ahmed al-Khalifa, pour lui faire part de l'inquiétude que m'inspiraient ces violences et l'éventualité que la situation échappe à tout contrôle. La journée du lendemain serait déterminante, et j'espérais que son gouvernement prendrait les mesures nécessaires pour éviter tout débordement à l'occasion des funérailles et des prières du vendredi, qui étaient devenues des moments privilégiés de mobilisation dans toute la région. Réagir à des manifestations pacifiques par la force ne pouvait que provoquer de nouveaux troubles. « C'est une mauvaise interprétation du monde où nous vivons, qui devient un environnement de plus en plus compliqué, lui ai-je dit. Je tiens à ce que vous l'entendiez de ma bouche. Nous ne voulons pas de violences qui autoriseraient une ingérence extérieure dans vos affaires intérieures. Pour l'éviter, un effort pour engager de véritables consultations est indispensable. » Nous savions l'un comme l'autre que l'expression « ingérence extérieure » était un langage codé pour désigner l'Iran. Je voulais lui faire comprendre qu'un recours excessif à la force risquait d'entraîner une instabilité que l'Iran chercherait à exploiter, ce qui était exactement ce que son gouvernement souhaitait éviter.

Le ministre des Affaires étrangères m'a paru préoccupé et ses réponses n'ont fait qu'ajouter à mon inquiétude. Il m'a affirmé que l'opération de police n'avait pas été planifiée, a imputé aux manifestants le déclenchement de la violence et m'a assuré que son gouvernement était ouvert au dialogue et à la réforme. « Ces morts sont une catastrophe, a-t-il ajouté. Nous sommes au bord d'un abîme sectaire. » L'expression faisait froid dans le dos. Je lui ai annoncé que j'allais immédiatement envoyer Jeff Feltman à Bahreïn. « Nous viendrons avec des suggestions, en essayant de nous montrer utiles et productifs dans cette période difficile. Je ne dis pas qu'il existe une réponse évidente. Votre situation est particulièrement périlleuse en raison de la situation sectaire que vous affrontez. Je n'ignore pas que vous avez un grand voisin qui porte à cette affaire un intérêt différent de celui des autres pays. »

Poussé à l'action par la crainte d'une recrudescence de la violence et encouragé par Jeff, qui a passé beaucoup de temps sur le terrain, à Manama, au cours des semaines suivantes, le prince héritier de Bahreïn a cherché à instaurer un dialogue national pour répondre à certaines des préoccupations des manifestants et apaiser les tensions qui s'étaient emparées du pays. Le prince héritier était un homme modéré, qui comprenait la nécessité d'une réforme et représentait la meilleure chance de la famille régnante d'arriver à réconcilier les factions rivales. En coulisse, Jeff s'efforçait de négocier un accord entre la famille royale et les dirigeants les plus mesurés de l'opposition chiite. Les protestations ne faisaient cependant pas mine de refluer, bien au contraire, et au mois de mars les manifestants ont commencé à réclamer l'abolition pure et simple de la monarchie. Les heurts avec la police se sont faits plus massifs et plus violents. On avait l'impression que le gouvernement perdait le contrôle de la situation, et certains membres conservateurs de la famille régnante de Bahreïn faisaient pression sur le prince héritier pour qu'il abandonne ses efforts de médiation.

Le dimanche 13 mars, notre attaché de défense à l'ambassade de Riyad a annoncé des mouvements de troupes inhabituels en Arabie

Saoudite qui semblaient se diriger vers Bahreïn. Jeff a appelé le ministre des Affaires étrangères des EAU, le cheikh Abdallah ben Zayed al-Nahyane – AbZ, comme on le surnommait souvent –, lequel a confirmé l'imminence d'une intervention militaire. Le gouvernement de Bahreïn s'apprêtait à inviter ses voisins à l'aider à assurer sa sécurité. Il n'avait pas jugé bon d'en informer les États-Unis, et n'avait pas plus l'intention de nous demander l'autorisation d'agir que de prêter l'oreille à la moindre requête pour l'en dissuader. Le lendemain, plusieurs milliers de soldats saoudiens ont franchi la frontière de Bahreïn avec quelque 150 véhicules blindés. Ils ont été suivis d'environ 500 policiers émiratis.

Cette escalade m'inquiétait, et je craignais un bain de sang si les chars saoudiens entreprenaient de passer dans les rues de Manama, où les manifestants avaient construit des barricades. De plus, le moment n'aurait pu être plus mal choisi. En cet instant précis, en effet, nous étions plongés dans des négociations diplomatiques visant à mettre sur pied une coalition internationale destinée à protéger les civils libyens d'un massacre imminent par le colonel Mouammar Kadhafi. Or nous espérions que les EAU et d'autres États du Golfe pourraient y jouer un rôle clé. Le 12 mars, la Ligue arabe avait voté de demander au Conseil de sécurité des Nations unies d'imposer une zone d'exclusion aérienne au-dessus de la Libye, et une participation active des États arabes à toute action militaire serait vitale pour assurer la légitimité d'une telle opération dans la région. Faute de quoi, la communauté internationale risquait d'être réduite à l'impuissance. Après l'Irak et l'Afghanistan, il n'était pas question de donner l'impression de lancer une nouvelle intervention occidentale dans un pays musulman.

Je me trouvais alors à Paris en même temps qu'AbZ pour des réunions sur la Libye, et nous avons donc décidé de nous retrouver à mon hôtel. Au moment où il entrait, un journaliste l'a interrogé sur la situation à Bahreïn. « Le gouvernement bahreïni nous a demandé hier de réfléchir à des moyens de l'aider à désamorcer les tensions », a-t-il répondu. Je craignais fort qu'on n'aboutisse à la situation inverse. Le lendemain, le roi de Bahreïn a déclaré l'état d'urgence. J'ai parlé au ministre saoudien des Affaires étrangères et l'ai exhorté à ne pas faire usage de la force pour disperser les manifestants. Accordez simplement à Jeff un peu plus de temps pour mener à bien les négociations, lui ai-je demandé. Vingt-quatre heures peuvent suffire à tout changer. Nous étions à deux doigts de parvenir à un accord avec le principal parti politique chiite, lequel était prêt à évacuer les secteurs clés de la ville si le gouvernement acceptait de reconnaître le droit de manifester pacifiquement et engageait un dialogue de bonne foi. Saoud al-Fayçal s'est montré intraitable. Les manifestants devaient rentrer chez eux et la vie reprendre son cours normal, m'a-t-il répondu. On ne pourrait envisager d'accord qu'ensuite. Il a reproché à l'Iran d'attiser les troubles et de soutenir les extrémistes. Il était temps de mettre fin à cette crise et de rétablir la stabilité dans le Golfe, a-t-il conclu.

Le 16 mars, de bonne heure, les forces de sécurité sont intervenues pour faire évacuer le rond-point de la Perle. La police antiémeute appuyée par des chars et des hélicoptères a affronté les manifestants, employant des gaz lacrymogènes pour les chasser de leur campement improvisé. Cinq personnes ont été tuées. L'arrivée des troupes saoudiennes et ces nouvelles mesures de répression ont encore contribué à enflammer l'opinion chiite à travers tout le pays. Les négociations entre l'opposition et le prince héritier n'ont pas résisté aux pressions des irréductibles des deux camps.

Je me trouvais alors au Caire, où je devais rencontrer les autorités égyptiennes de transition, et les récits en provenance de Bahreïn m'ont atterrée. Dans une interview accordée à la BBC, j'ai exprimé franchement mon inquiétude. « La situation à Bahreïn est alarmante, ai-je reconnu. Nous avons demandé à nos amis du Golfe – dont quatre soutiennent les efforts de sécurité de Bahreïn – d'essayer d'imposer une solution politique, pas de s'engager dans une épreuve de force. »

« Quel moyen de pression possédez-vous encore sur des pays comme Bahreïn et l'Arabie Saoudite ? m'a demandé Kim Ghattas, de la BBC. Ils sont vos alliés. Vous entraînez leurs armées. Vous leur livrez des armes. Et pourtant, quand les Saoudiens décident d'envoyer des troupes à Bahreïn – et je crois que Washington a clairement fait comprendre son mécontentement –, ils répondent : "Pas d'ingérence. C'est une affaire interne aux pays du Golfe." » Elle disait vrai, et c'était exaspérant.

« Eh bien, ils n'ignorent pas ce que nous pensons, ai-je répondu. Nous avons l'intention de le faire clairement savoir, en public et en privé, et nous ferons tout ce que nous pourrons pour les empêcher de continuer à faire fausse route, car nous sommes convaincus que cela ne peut que compromettre tout progrès durable à Bahreïn, et pour les remettre sur le droit chemin, c'est-à-dire sur la voie politique et économique. »

Ces propos peuvent paraître raisonnables – et ils l'étaient –, mais j'utilisais là des termes plus directs que ceux que nous employons habituellement lorsque nous nous exprimons publiquement au sujet des pays du Golfe. Mon message a été parfaitement entendu là-bas. À Riyad et Abou Dhabi, nos partenaires étaient irrités et vexés.

Le 19 mars, j'étais de retour à Paris pour mettre la dernière main à la coalition libyenne. Les forces de Kadhafi s'approchant de la place forte rebelle de Benghazi, les opérations aériennes soutenues par les Nations unies étaient imminentes. J'ai parlé une nouvelle fois au téléphone avec AbZ et lui ai rappelé que l'Amérique tenait beaucoup à la poursuite de notre partenariat, et que j'y étais, moi aussi, personnellement attachée. Il y a eu un long silence, puis la ligne a été coupée. En sommes-nous vraiment arrivés à ce point ? me suis-je inquiétée. Finalement, la communication a été rétablie. « Est-ce que vous m'avez entendue ? ai-je demandé. — Je vous écoutais ! a-t-il répondu. — Tant mieux, parce que j'ai parlé, parlé, et puis il y a eu un long blanc et je me suis dit : oh là là, qu'est-ce que j'ai fait ? » Il a ri. Puis il a repris son sérieux pour me porter un coup brutal : « Franchement, nos forces armées sont engagées à Bahreïn et je ne vois pas comment nous pourrions participer à une autre opération si l'intervention de nos forces à Bahreïn est contestée par notre principal allié. » Autrement dit, vous pouvez faire une croix sur une participation arabe à la mission libyenne.

C'était une catastrophe. Il fallait que je trouve une issue, et vite. Mais comment ? Aucune solution n'était satisfaisante. Nos valeurs et nos consciences exigeaient que les États-Unis condamnent la violence contre des civils à laquelle nous assistions à Bahreïn, point final. Après tout, c'était ce principe même qui était en jeu en Libye. Mais, si nous nous obstinions, la coalition internationale laborieusement mise en place pour arrêter Kadhafi s'effondrerait à la onzième heure, et nous risquions d'être incapables d'empêcher des violences bien plus graves – un massacre de grande ampleur.

J'ai déclaré à AbZ que je voulais parvenir à un accord constructif. Il m'a demandé si nous pouvions nous rencontrer personnellement. « Je vous entends, maintenant, a-t-il dit, et nous voulons trouver une issue. Et vous savez que nous sommes tout disposés à participer à l'opération libyenne. » Quelques heures plus tard, un peu après 18 heures à Paris, je me suis assise en face de lui. Je lui ai proposé de rédiger une déclaration qui resterait fidèle à nos valeurs sans être insultante pour eux. J'espérais que cela suffirait à convaincre les Émirats de rejoindre notre mission en Libye. Dans le cas contraire, nous étions prêts à aller de l'avant sans eux.

Le soir même, j'ai tenu une conférence de presse dans la superbe demeure de l'ambassadeur des États-Unis à Paris. J'ai parlé de la Libye, soulignant l'importance d'un leadership arabe dans l'opération aérienne. J'ai ensuite abordé la question de Bahreïn. « Notre objectif est un processus politique sérieux qui puisse répondre aux aspirations légitimes de toute la population de Bahreïn, en commençant par un dialogue avec le prince héritier, auquel devraient participer toutes les parties. » Bahreïn avait le droit d'inviter des forces de pays voisins sur son territoire, ai-je ajouté, et nous avions été heureux d'apprendre que les pays du Golfe lui accordaient une importante enveloppe d'aide au développement économique et social. « Nous avons clairement fait savoir que la sécurité seule ne peut résoudre les difficultés de Bahreïn, ai-je poursuivi. La violence n'est pas et ne peut pas être la réponse. Contrairement au processus politique. Nous avons fait connaître directement nos inquiétudes concernant les mesures actuelles à des responsables de Bahreïn, et nous continuerons de le faire. »

Les différences de ton et de teneur par rapport à ce que j'avais dit au Caire étaient relativement faibles, et j'étais convaincue que nous n'avions sacrifié ni nos valeurs ni notre crédibilité. La grande majorité des observateurs, si ce n'est la totalité, n'ont décelé aucun changement. Bientôt, les jets arabes survolaient la Libye.

Je regrettais que nous n'ayons pas eu de meilleures solutions à Bahreïn, et davantage de moyens de pression pour obtenir un résultat positif. Nous avons continué à nous exprimer franchement au cours des mois suivants, rappelant que les arrestations massives et la force brutale étaient en contradiction avec les droits universels des citoyens de Bahreïn et ne feraient pas taire les appels légitimes à la réforme. Nous avons également continué à collaborer étroitement avec le gouvernement de Bahreïn et ses voisins du Golfe sur toute une série de sujets.

En novembre 2011, dans un discours prononcé au National Democratic Institute de Washington, j'ai abordé un certain nombre des questions qui s'étaient posées à propos de l'Amérique et du Printemps arabe. Une de celles que nous entendions fréquemment était la suivante : pourquoi l'Amérique encourage-t-elle la démocratie d'une manière dans certains pays et d'une autre dans d'autres ? Bref, pourquoi appelions-nous Moubarak à renoncer au pouvoir en Égypte et mobilisions-nous une coalition militaire pour arrêter Kadhafi en

Libye, tout en préservant nos relations avec Bahreïn et d'autres monarchies du Golfe ?

La réponse, ai-je dit, commençait par une considération on ne peut plus pragmatique. Les circonstances variaient énormément d'un pays à l'autre, et « il serait absurde d'adopter une approche unique et de foncer sans tenir compte des conditions sur le terrain ». Ce qui était possible et raisonnable quelque part pouvait ne pas l'être ailleurs. Il faut bien comprendre aussi, ai-je expliqué, que l'Amérique a de nombreux intérêts nationaux majeurs dans la région et qu'ils ne peuvent pas toujours coïncider parfaitement entre eux, malgré tous nos efforts. « Nous serons toujours obligés de faire plusieurs choses en même temps. » C'était certainement le cas à Bahreïn. L'Amérique aura toujours des partenaires imparfaits qui nous considèrent indéniablement comme tout aussi imparfaits, et nous nous trouverons toujours devant des impératifs qui nous pousseront à accepter des compromis imparfaits.

*

* *

J'ai pu m'en convaincre en février 2012 quand je suis retournée en Tunisie, point de départ des convulsions du Printemps arabe. La police antiémeute n'était plus là. L'odeur de lacrymogènes avait disparu. Le vacarme des manifestations s'était tu. Un parti islamiste modéré avait remporté une majorité relative à l'issue d'élections ouvertes, sérieuses, auxquelles s'étaient présentées plusieurs formations. Ses dirigeants promettaient d'assurer la liberté de religion et d'accorder aux femmes des droits complets. Les États-Unis se sont engagés à fournir un soutien financier important et nous avons commencé à chercher à stimuler le commerce et les investissements afin de remettre l'économie sur pied. Le nouveau gouvernement connaissait de nombreuses difficultés et les années à venir risquaient d'être périlleuses, mais nous avions des raisons d'espérer que, en Tunisie du moins, les promesses du Printemps arabe réussiraient à se concrétiser.

Je voulais parler aux jeunes, qui avaient représenté le noyau affectif de la révolution et avaient le plus à gagner à un enracinement de la démocratie en Tunisie. J'en ai rencontré environ deux cents dans le palais du baron d'Erlanger, un bâtiment perché au sommet d'une falaise surplombant la mer et qui abrite le Centre des musiques arabes et méditerranéennes. J'ai évoqué la tâche difficile consistant à opérer la transition vers la démocratie et le rôle que pouvait jouer leur génération. J'ai proposé ensuite de répondre à leurs questions. Un jeune avocat a demandé le micro. « Il me semble que de nombreux jeunes de Tunisie et de toute la région éprouvent une profonde méfiance à l'égard de l'Occident en général et des États-Unis en particulier, a-t-il dit. Un certain nombre d'observateurs expliquent en partie l'essor de l'extrémisme dans la région et en Tunisie par ce scepticisme. Même au sein du courant dominant des jeunes modérés et pro-occidentaux, on note un sentiment de désespoir et de fatalisme quant à la possibilité d'établir un partenariat réel et durable, fondé sur des intérêts mutuels. Les États-Unis sont-ils conscients de ce problème ? Comment pensez-vous que nous puissions nous y attaquer ? »

Il avait mis le doigt sur un des plus grands défis qui nous attendaient. Et je n'ignorais pas que la méfiance que lui-même et tant d'autres éprouvaient était liée aux compromis que nous étions obligés de faire au Proche et au Moyen-Orient.

« Nous en sommes conscients, ai-je répondu. Nous le regrettons. Nous avons le sentiment que cela ne reflète ni les valeurs ni la politique des États-Unis. » J'ai ensuite cherché à expliquer pourquoi l'Amérique avait collaboré pendant si longtemps avec les autocrates de la région, de Ben Ali en Tunisie à Moubarak en Égypte, en passant par nos partenaires du Golfe. « On traite avec les gouvernements en place. Et c'est effectivement ce que nous avons fait. Nous avons traité avec les gouvernements qui étaient en place, comme nous le faisons partout ailleurs. À l'heure actuelle, un grave différend nous oppose à la Russie et à la Chine parce qu'elles refusent la résolution du Conseil de sécurité destinée à prêter assistance aux malheureux de Syrie. Pourtant, nous ne cessons pas de discuter avec la Russie et la Chine sur toute une série de questions sous prétexte que nous avons des désaccords majeurs avec elles. Je crois qu'il s'agit en partie de reconnaître la réalité avec laquelle les gouvernements doivent traiter et de considérer l'ensemble du tableau. »

Je savais que ce n'était pas très satisfaisant, mais c'était la vérité. L'Amérique fera toujours ce qu'il faut pour assurer la sécurité de son peuple et défendre ses intérêts essentiels. Ce qui nous oblige parfois à collaborer avec des partenaires avec lesquels nous avons de profonds désaccords.

Mais la totalité du tableau comporte une autre partie trop souvent négligée, une vérité touchant l'Amérique qu'il est facile de ne pas voir au milieu des gros titres quotidiens au sujet d'une crise ou d'une autre. Les États-Unis ont consenti d'immenses sacrifices en vies humaines et en argent pour aider d'autres peuples du monde à accéder à leur propre liberté. Devant ces jeunes Tunisiens ouverts et engagés, j'ai énuméré rapidement toute une série d'exemples, leur rappelant notamment que l'Amérique avait aidé les peuples d'Europe de l'Est à faire tomber le rideau de fer et encouragé les démocraties à travers toute l'Asie. « Je serai la première à reconnaître que, comme tous les pays du monde, nous avons commis des erreurs. Je serai la première à le dire. Nous avons commis de nombreuses erreurs. Mais je crois que si vous considérez l'ensemble de notre bilan historique, il montre que nous avons été dans le camp de la liberté, que nous avons été dans le camp des droits de l'homme, que nous avons été dans le camp de l'économie de marché et de l'émancipation économique. » Le jeune avocat a hoché la tête et s'est rassis.

Chapitre 16

Libye :
toutes les mesures nécessaires

Mahmoud Jibril était en retard.

Nous étions le 14 mars 2011, soit un peu plus d'un mois après la chute du président égyptien Hosni Moubarak. L'attention s'était déjà portée sur la crise suivante de la région, qui avait cette fois pour cadre la Libye, un pays de quelque 6 millions d'habitants situé entre l'Égypte et la Tunisie, sur la côte méditerranéenne d'Afrique du Nord. Les manifestations contre le régime autoritaire du dictateur libyen en place de longue date, le colonel Mouammar Kadhafi, s'étaient transformées en une véritable rébellion après le recours par ce dernier à des mesures de répression extrêmement brutales. Ce jour-là, Jibril, un spécialiste libyen de sciences politiques titulaire d'un doctorat de l'université de Pittsburgh, avait rendez-vous avec moi au nom des rebelles qui combattaient les forces de Kadhafi.

J'avais pris un avion de nuit qui s'était posé à Paris de bonne heure ce matin-là. Je devais rencontrer les ministres des Affaires étrangères du groupe des huit principaux pays industrialisés, le G8 – la France, l'Allemagne, l'Italie, le Japon, le Royaume-Uni, le Canada, la Russie et les États-Unis –, pour réfléchir aux moyens d'empêcher Kadhafi de massacrer sa propre population. (En 2014, à la suite de l'invasion de la Crimée, la Russie a été expulsée du groupe, qui est ainsi redevenu le G7, comme avant 1998.) Nous avons été rejoints par les ministres de plusieurs pays arabes qui réclamaient une action internationale énergique pour protéger les civils libyens, notamment contre l'aviation de Kadhafi. À mon arrivée, j'ai passé l'essentiel de la journée dans des discussions animées avec des dirigeants européens et arabes inquiets à l'idée que les forces supérieures de Kadhafi s'apprêtent à écraser les rebelles. Au cours de notre entrevue, le président français Nicolas Sarkozy m'a demandé avec insistance que les États-Unis soutiennent une intervention militaire internationale destinée à juguler la progression de Kadhafi en direction de la place forte rebelle de Benghazi, à l'est de la Libye. Je l'ai écouté avec bienveillance, sans être convaincue pour autant. Les États-Unis avaient passé les dix années précédentes enlisés dans des guerres longues et difficiles en Irak et en Afghanistan, et, avant que nous ne décidions de nous engager dans un nouveau conflit, je voulais m'assurer que nous avions pris la mesure de toutes les conséquences éventuelles. La communauté internationale, voisins de la Libye compris, serait-elle unie derrière cette mission ? Qui étaient les rebelles que nous devions aider et étaient-ils prêts à diriger la Libye en cas de chute de Kadhafi ? Quelle serait la fin de partie dans cette situation précise ? Je voulais rencontrer Mahmoud Jibril en tête-à-tête pour débattre de toutes ces questions.

La suite que j'occupais dans le merveilleux hôtel The Westin Paris-Vendôme, rue de Rivoli, donnait sur le jardin des Tuileries et, depuis ma fenêtre, je pouvais voir la tour Eiffel illuminée qui se découpait sur le ciel de Paris. Toute cette beauté et ces couleurs étaient bien loin des horreurs qui se déroulaient en Libye.

Tout avait commencé d'une manière désormais familière. L'arrestation d'un éminent défenseur des droits de l'homme à Benghazi à la mi-février 2011 avait donné lieu à des manifestations qui n'avaient pas tardé à s'étendre à tout le pays. Inspirés par les événements de Tunisie et d'Égypte, les Libyens s'étaient mis à exiger d'avoir leur mot à dire dans leur propre gouvernement. Contrairement à ce qui s'était passé en Égypte, où l'armée avait refusé de tirer contre des civils, les forces de sécurité libyennes avaient employé des armes lourdes. Kadhafi avait lâché des bandes de mercenaires étrangers et de voyous contre les manifestants. Des rapports avaient fait état de violences meurtrières, d'arrestations arbitraires et de tortures. Des soldats avaient été exécutés pour avoir refusé de tirer sur leurs compatriotes. En réaction à cette répression violente, les manifestations s'étaient transformées en rébellion armée, notamment dans les régions du pays qui se rebiffaient depuis longtemps contre l'autorité capricieuse de Kadhafi.

À la fin du mois de février, le Conseil de sécurité des Nations unies, scandalisé par la réaction brutale de Kadhafi, avait réclamé la fin immédiate des violences et approuvé à l'unanimité une résolution imposant un embargo sur les armes à destination de la Libye, le gel des avoirs des principaux coupables de violations des droits de l'homme ainsi que des membres de la famille Kadhafi et le renvoi de l'affaire libyenne à la Cour pénale internationale. La CPI a finalement accusé Kadhafi, son fils Saïf al-Islam Kadhafi et le chef de ses services secrets, Abdallah al-Senoussi, de crimes contre l'humanité. Les États-Unis avaient également imposé des sanctions de leur propre chef et entrepris de fournir une aide humanitaire d'urgence aux Libyens dans le besoin. Fin février, je m'étais rendue devant le Conseil des droits de l'homme des Nations unies à Genève pour rappeler à la communauté internationale qu'il était de sa responsabilité de protéger les droits universels et de réclamer des comptes à ceux qui les violaient. Kadhafi avait « perdu la légitimité de gouverner », avais-je dit, et « le peuple de Libye s'est clairement fait entendre : il est temps que Kadhafi s'en aille – maintenant, sans nouvelles violences ni délai ». Quelques jours plus tôt, dans la même salle du Palais des Nations, la délégation libyenne avait spectaculairement renoncé à son allégeance à Kadhafi et affirmé son soutien aux insurgés. « La jeunesse de mon pays écrit aujourd'hui de son sang un nouveau chapitre de l'histoire de la lutte et de la résistance », avait déclaré un diplomate.

Une semaine plus tard, les rebelles de Benghazi avaient constitué un Conseil national de transition. Des milices armées gagnaient du terrain contre le régime dans tout le pays, même dans les montagnes de l'Ouest. Mais Kadhafi avait alors employé une puissance de feu avec laquelle les insurgés ne pouvaient pas rivaliser. Ses chars étaient entrés dans une ville après l'autre. La résistance avait commencé à s'effriter et Kadhafi avait juré de traquer et d'exterminer tous ceux qui s'opposaient à lui. La situation devenait de plus en plus désespérée. Voilà pourquoi Jibril venait plaider sa cause.

Pendant que je l'attendais, mes pensées se sont tournées vers Mouammar Kadhafi, un des autocrates les plus excentriques, les plus cruels et les plus imprévisibles du monde. Il incarnait sur la scène mondiale un personnage bizarre et parfois glaçant d'effroi, avec ses tenues pittoresques, ses amazones gardes du corps et sa rhétorique délirante. « Ceux qui ne m'aiment pas ne méritent pas de vivre ! » avait-il dit un jour. Kadhafi avait pris le pouvoir en 1969 à la suite d'un coup d'État et avait gouverné la Libye, une ancienne colonie italienne, avec un curieux mélange de « socialisme new age », de fascisme et de culte de la personnalité. Bien que la richesse pétrolière du pays ait maintenu le régime à flot, son mode de gouvernement fantasque avait saigné à blanc l'économie et les institutions libyennes.

À la tête d'un État qui finançait le terrorisme, Kadhafi, protégé de l'Union soviétique et partisan de la prolifération d'armes de destruction massive, était devenu l'un des ennemis jurés des États-Unis dans les années 1980. En 1981, *Newsweek* avait publié sa photo en couverture accompagnée de ce gros titre : « L'homme le plus dangereux du monde ? » Le président Reagan le qualifiait de « chien fou du Proche-Orient » et avait bombardé la Libye en 1986 en représailles à un attentat terroriste perpétré à Berlin, qui avait tué des citoyens américains et avait été planifié par Kadhafi. Ce dernier avait prétendu qu'un de ses enfants était mort dans ces frappes aériennes, ce qui avait encore accru les tensions entre les deux pays.

En 1988, des agents libyens avaient dissimulé la bombe qui avait détruit le vol 103 de la Pan Am au-dessus de Lockerbie, en Écosse, faisant 270 morts. Parmi les passagers tués, 35 étaient des étudiants de l'université de Syracuse, dans le nord de l'État de New York, et j'avais fait la connaissance de plusieurs de leurs familles quand je les avais représentées au Sénat américain. À mes yeux, Kadhafi était un criminel et un terroriste en qui il était impossible d'avoir confiance, un avis que partageaient un grand nombre de ses voisins arabes. La plupart d'entre eux avaient eu maille à partir avec lui au fil des années. À un moment, il avait même comploté l'assassinat du roi d'Arabie Saoudite.

Quand Condoleezza Rice avait rencontré Kadhafi à Tripoli en 2008, elle l'avait trouvé « instable » et avait noté la « fascination légèrement inquiétante » qu'il manifestait envers elle. En 2009, Kadhafi avait provoqué l'émoi lorsqu'il avait pris la parole devant l'Assemblée générale des Nations unies pour la première fois depuis son arrivée au pouvoir, quarante ans plus tôt. Il était venu à New York avec une grande tente de bédouin et s'était vu refuser l'autorisation de la planter dans Central Park. Aux Nations unies, on lui avait accordé quinze minutes de temps de parole, ce qui ne l'avait pas empêché de discourir pendant une heure et demie. Sa diatribe extravagante comprenait des divagations sur l'assassinat de Kennedy et évoquait la possibilité que la grippe porcine soit en réalité une arme biologique élaborée en laboratoire. Il a suggéré qu'Israéliens et Palestiniens vivent ensemble dans un État unique qu'on appellerait « Isratine » et que les Nations unies aillent installer leur siège en Libye pour réduire les effets du décalage horaire et éviter le risque d'attentats terroristes à New York. Bref, un numéro pour le moins bizarre, mais typique de Kadhafi.

Malgré tout, au cours des dernières années, Kadhafi avait cherché à présenter au monde un nouveau visage en renonçant à son programme nucléaire, en se réconciliant avec la communauté internationale et en participant à la lutte contre Al-Qaida. Tout espoir de le voir, dans son grand âge, s'amender réellement et prendre une stature d'homme d'État responsable s'est malheureusement évanoui dès que la contestation a commencé. Elle a en effet marqué le retour sur scène de l'ancien Kadhafi meurtrier.

Tous ces éléments – le dictateur provocateur, les attaques contre les civils, la position périlleuse des rebelles – m'ont incitée à me poser une question qui occupait également l'esprit d'un grand nombre de mes homologues étrangers : le moment était-il venu pour la communauté internationale de dépasser le stade de l'aide humanitaire et des sanctions, et d'intervenir énergiquement pour mettre fin à la violence en Libye ? Et, le cas échéant, quel rôle les États-Unis devaient-ils jouer pour défendre et préserver leurs intérêts ?

Quelques jours plus tôt seulement, le 9 mars, j'avais rejoint le reste de l'équipe de sécurité nationale du président Obama dans la salle de crise de la Maison-Blanche pour discuter de la situation libyenne. L'idée d'une intervention américaine directe ne suscitait guère d'enthousiasme. Robert Gates, le secrétaire à la Défense, estimait que les États-Unis n'avaient pas d'intérêts nationaux majeurs en Libye. Le Pentagone nous a fait savoir que l'option militaire le plus souvent évoquée, une zone d'exclusion aérienne comme celle que nous avions mise en place en Irak dans les années 1990, serait certainement insuffisante pour faire pencher la balance en faveur des insurgés. Les forces terrestres de Kadhafi étaient bien trop puissantes.

Le lendemain, lors d'une déposition devant le Congrès, j'ai affirmé qu'il n'était pas opportun que l'Amérique se précipite unilatéralement dans une situation instable : « Je fais partie de ceux qui pensent que, en l'absence de mandat international, les États-Unis, agissant seuls, s'engageraient dans une situation aux conséquences imprévisibles. Et je sais que notre armée est du même avis. » Souvent, d'autres pays n'étaient que trop prompts à réclamer une action pour se tourner ensuite vers l'Amérique et lui demander d'assumer tous les fardeaux et tous les risques. « Nous avons établi une zone d'exclusion aérienne au-dessus de l'Irak, ai-je également rappelé au Congrès. Cela n'a pas empêché Saddam Hussein de massacrer des gens sur le terrain, et cela ne l'a pas chassé du pouvoir. »

Dans une tribune libre publiée dans le *Washington Post* du 11 mars, le général à la retraite Wesley Clark, un vieil ami qui avait dirigé la guerre aérienne de l'OTAN au Kosovo dans les années 1990, a résumé les arguments contre une intervention : « Quelles que soient les ressources que nous lui affecterions, une zone d'exclusion aérienne serait probablement insuffisante et trop tardive. Nous ferions une fois de plus intervenir notre armée pour imposer un changement de régime dans un pays musulman, sans pouvoir tout à fait nous résoudre à le dire. Reconnaissons franchement que les conditions fondamentales requises pour mener une intervention avec succès ne sont tout bonnement pas réunies, pas encore en tout cas : nous n'avons pas d'objectif clairement énoncé, pas d'autorité juridique, pas de soutien international solide ni de capacités militaires adéquates sur le terrain, et la politique de la Libye ne permet pas de présager une issue évidente. »

Le lendemain même, Le Caire a été le théâtre d'un événement qui a commencé à changer la donne. Au terme de plus de cinq heures de délibérations et de débats, la Ligue arabe, rassemblant vingt et un États du Proche et du Moyen-Orient, a voté de demander au Conseil de sécurité des Nations unies d'imposer une zone d'exclusion aérienne au-dessus de la Libye. La Ligue, qui avait précédemment suspendu l'adhésion du gouvernement de Kadhafi, reconnaissait désormais le Conseil rebelle comme le représentant légitime du peuple libyen. Il s'agissait de mesures de la première importance de la part d'une organisation connue jusque-là comme un cercle d'autocrates et de magnats du pétrole. L'un des principaux responsables de cette motion était le diplomate égyptien Amr Moussa, secrétaire général de la Ligue arabe, qui avait déjà l'œil sur la future élection présidentielle égyptienne. Cette résolution sur une zone d'exclusion aérienne relevait en partie de sa volonté de s'attacher le soutien des factions révolutionnaires qui avaient contribué au départ de Moubarak. Les monarchies du Golfe l'ont suivi, désireuses elles aussi de montrer à leurs propres populations agitées qu'elles étaient du côté du changement. Et puis, bien sûr, tous détestaient Kadhafi.

Si les Arabes étaient disposés à en prendre la tête, peut-être pouvait-on, après tout, envisager une intervention internationale. Une telle initiative ferait certainement pression sur la Russie et sur la Chine, qui risquaient, faute de cela, d'opposer leur veto à toute action soutenue par les Occidentaux au Conseil de sécurité des Nations unies. Toutefois, la déclaration de la Ligue arabe employait l'expression « action humanitaire » et ne faisait pas explicitement mention d'un recours à la force militaire. Je me demandais si Amr Moussa et les autres étaient véritablement prêts à appuyer les mesures nécessaires pour empêcher Kadhafi de massacrer son peuple.

AbZ, le ministre émirati des Affaires étrangères, qui exerçait en coulisse une grande influence au sein de la Ligue arabe, était de passage à Paris à mon arrivée. Nous nous sommes retrouvés à mon hôtel avant le dîner du G8 et je l'ai soumis à un interrogatoire en règle sur la réalité de l'engagement arabe. Accepteraient-ils de voir des avions étrangers larguer des bombes sur la Libye ? Plus important encore, étaient-ils prêts à envoyer eux-mêmes certains de ces avions ? Chose étonnante, la réponse à ces deux questions, en tout cas celle des Émirats, était oui.

Les Européens étaient encore plus remontés. Sarkozy m'a rebattu les oreilles à propos d'une intervention militaire. C'est une personnalité dynamique, d'une énergie exubérante, qui adore être au centre de l'action. La France, ancienne puissance coloniale en Afrique du Nord, avait été proche de Ben Ali en Tunisie, et la révolution qui avait éclaté dans ce pays avait pris Sarkozy par surprise. Les Français n'avaient joué aucun rôle en Égypte. Ils voyaient donc dans la rébellion libyenne l'occasion ou jamais d'entrer en lice en faveur du Printemps arabe et de démontrer qu'ils étaient, eux aussi, dans le camp du changement. Sarkozy était également influencé par Bernard-Henri Lévy, un intellectuel français très médiatique, qui s'était fait transporter dans un camion de légumes depuis la frontière égyptienne pour aller voir par lui-même ce qui se passait en Libye. Ils étaient, l'un comme l'autre, sincèrement émus par les souffrances imposées au peuple libyen par un dictateur brutal et ont présenté un plaidoyer convaincant en faveur d'une intervention.

Quand j'ai rencontré ce soir-là au dîner le ministre britannique des Affaires étrangères, William Hague, il a lui aussi soutenu la cause d'une opération militaire en Libye. J'attachais un grand prix à l'opinion de Hague sur la question, car je savais que, comme moi, il hésitait à prendre ce genre de décisions sans être certain qu'elles étaient justifiées et qu'on avait soigneusement réfléchi aux données stratégiques et aux objectifs ultimes.

De retour à mon hôtel, j'ai rencontré notre ambassadeur en Libye, Gene Cretz, et notre représentant spécial récemment nommé auprès des rebelles libyens, Chris Stevens, qui avait été précédemment chef de mission adjoint et chargé d'affaires à Tripoli. Cretz était un personnage pittoresque, un diplomate impertinent et drôle, originaire du nord de l'État de New York. Quand ses télégrammes secrets adressés à Washington et décrivant les excès de Kadhafi avaient été publiés par WikiLeaks, Cretz avait fait l'objet de menaces et de manœuvres d'intimidation à Tripoli, et, à la fin de décembre 2010, nous avions décidé de le faire revenir à Washington pour sa propre sécurité. À la fin du mois de février 2011, alors que l'agitation révolutionnaire grandissait, nous avions évacué le reste de notre personnel diplomatique. Certains avaient embarqué sur un ferry en partance pour Malte qui avait affronté une mer inhabituellement démontée, mais par bonheur tout le monde était arrivé à bon port.

Stevens était, lui aussi, un diplomate de talent doté d'une longue expérience de la région. Ce Californien blond et charismatique qui parlait aussi bien français qu'arabe avait été en poste en Syrie, en Égypte, en Arabie Saoudite et en Israël. Chris dévorait les vieux livres d'histoire libyenne et les Mémoires, et adorait échanger des anecdotes historiques obscures et raconter des blagues dans le dialecte local. J'ai demandé à Chris de regagner la Libye pour prendre contact avec le Conseil rebelle retranché dans sa place forte de Benghazi. C'était une mission délicate et périlleuse, mais il fallait que l'Amérique ait un représentant sur place. Chris partageait mon avis et il a accepté cette affectation. Sa mère disait souvent qu'il avait les chaussures pleines de sable à force de passer son temps à courir et à travailler en quête de nouveaux défis et de nouvelles aventures d'un bout à l'autre du Proche et du Moyen-Orient. Toutes ces années d'expérience sur le terrain lui avaient appris que les lieux difficiles et dangereux sont ceux où les enjeux sont les plus importants pour les intérêts américains. Aussi est-il absolument essentiel que nous y soyons représentés par une diplomatie compétente et subtile. Plus tard dans le courant du printemps, il est arrivé à Benghazi avec une équipe très restreinte à bord d'un cargo grec, tel un émissaire du XIXᵉ siècle, et s'est immédiatement employé à nouer des relations avec les responsables civils et militaires de la rébellion. Son travail a été tellement remarquable que, plus tard, j'ai demandé au président de le nommer à la succession de Cretz au poste d'ambassadeur des États-Unis en Libye.

Enfin, vers 22 heures, Jibril est arrivé au Westin de Paris, accompagné par Bernard-Henri Lévy, qui avait participé à l'organisation de cette rencontre. Le rebelle et le philosophe formaient un curieux couple. On aurait eu du mal à dire qui était qui. Jibril ressemblait plus à un technocrate qu'à un trublion. C'était un petit homme à lunettes, aux cheveux clairsemés et au maintien sévère. Lévy, au contraire, campait un personnage spectaculaire et de grande classe, avec de longs cheveux ondulés et une chemise ouverte presque jusqu'au nombril. Il paraît qu'il aurait dit un jour : « Dieu est mort, mais mon brushing est parfait. » (À quoi je répondrais : je pense que Dieu est vivant, mais j'aimerais bien que mon brushing soit parfait !)

J'ai trouvé Jibril impressionnant et raffiné, surtout s'agissant du représentant d'un Conseil rebelle au bord de l'anéantissement. Il avait été à la tête du Bureau de développement économique national sous Kadhafi avant de faire défection pour rejoindre la révolution, et semblait ne rien ignorer de l'ampleur du travail indispensable pour rebâtir un pays dévasté par des décennies de cruauté et de mauvaise gestion. Il nous a déclaré que plusieurs centaines de milliers de civils de Benghazi couraient un danger imminent, car les forces du régime marchaient sur la ville, faisant naître les spectres du génocide rwandais et de la purification ethnique dans les Balkans. Il a plaidé en faveur d'une intervention internationale.

Pendant que Jibril parlait, j'ai essayé de prendre sa mesure. Nous avions appris à nos dépens, en Irak et ailleurs, que chasser un dictateur du pouvoir est une chose, et qu'aider un gouvernement compétent et digne de confiance à prendre sa place en est une autre. Si les États-Unis acceptaient d'intervenir en Libye, nous miserions gros sur ce diplômé de sciences politiques et sur ses collaborateurs. En quarante années, Kadhafi avait systématiquement évincé tous ceux qui risquaient de constituer une menace pour son régime et avait réduit à néant les institutions et la culture politique libyennes. Il ne fallait donc pas nous attendre à trouver un George Washington parfait, patientant en coulisse avant son entrée en scène. Tout bien considéré, Jibril et ceux qu'il représentait étaient peut-être ce que nous pouvions espérer de mieux.

Par la suite, j'ai rapporté à la Maison-Blanche ce que j'avais entendu à Paris et les progrès accomplis avec nos partenaires internationaux. Nos alliés de l'OTAN étaient disposés à prendre la tête d'une opération militaire. La Ligue arabe était prête à appuyer celle-ci, et certains de ses membres accepteraient même de participer activement à des combats contre un voisin arabe – un signe qui révélait que Kadhafi avait véritablement dépassé les bornes. Je pensais pouvoir obtenir suffisamment de voix en faveur d'une résolution ferme au

Conseil de sécurité. Nous étions parvenus à rallier les Russes et les Chinois à notre camp et à imposer des sanctions rigoureuses contre la Corée du Nord et contre l'Iran en 2009 et en 2010, et j'espérais que nous pourrions en faire autant à présent. De plus, à la suite de mon entrevue avec Jibril, j'estimais qu'il y avait une chance raisonnable pour que les rebelles se révèlent des partenaires dignes de confiance.

Le Conseil de sécurité nationale restait divisé sur l'opportunité d'une intervention en Libye. Certains, dont notre ambassadrice aux Nations unies Susan Rice et Samantha Power, membre du Conseil, jugeaient que nous avions la responsabilité de protéger les civils et d'empêcher un massacre si nous le pouvions. Gates, secrétaire à la Défense, y était farouchement hostile. Ce vétéran des conflits d'Irak et d'Afghanistan doté d'une vision réaliste des limites du pouvoir américain pensait que nos intérêts en Libye ne justifiaient pas ce sacrifice. Nous savions tous que les conséquences d'une intervention étaient imprévisibles. Mais les troupes de Kadhafi se trouvaient désormais à 150 kilomètres de Benghazi et elles progressaient rapidement. Une catastrophe humanitaire se déroulait sous nos yeux et des milliers de personnes risquaient de se faire tuer. Si nous voulions éviter cela, il n'y avait pas de temps à perdre.

Le président a décidé de commencer par préparer des plans militaires et obtenir une résolution du Conseil de sécurité des Nations unies. Il y avait cependant deux conditions essentielles. *Primo*, puisque le Pentagone nous avait fait savoir qu'une zone d'exclusion aérienne en soi ne constituerait guère qu'un geste symbolique, il fallait nous assurer du soutien des Nations unies à une action militaire plus énergique si le besoin s'en faisait sentir – l'autorisation d'employer « toutes les mesures nécessaires » pour protéger la population civile. *Secundo*, le président voulait que l'engagement américain reste limité, afin d'obliger nos alliés à prendre en charge une grande partie du fardeau et à participer à la plupart des sorties aériennes. Ces conditions exigeraient de nouvelles manœuvres diplomatiques de grande ampleur, mais nous pensions, Susan et moi, que c'était possible, et nous nous sommes immédiatement mises à passer un certain nombre de coups de fil.

Le lendemain, au Conseil de sécurité à New York, les Russes ont proposé une résolution timide réclamant un cessez-le-feu. À mes yeux, c'était un simple stratagème pour noyer le poisson et émousser l'élan qui commençait à se manifester en faveur d'une zone d'exclusion aérienne. Si nous n'arrivions pas à les dissuader d'opposer leur veto à une résolution plus énergique, tout serait perdu. En plus de la Russie, nous nous inquiétions également du vote de la Chine, qui disposait elle aussi d'un droit de veto, ainsi que de celui de certains membres non permanents.

Le 15 mars au matin, j'ai pris l'avion de Paris pour Le Caire. J'y ai rencontré Amr Moussa, à qui j'ai expliqué combien il était important que la Ligue arabe se déclare fermement en faveur d'une intervention militaire et accepte d'y participer activement. Si nous voulions qu'elle soit efficace, il fallait pouvoir faire admettre que cette politique était menée par les voisins de la Libye et non par les Occidentaux. Moussa m'a confirmé que le Qatar et les EAU étaient prêts à mettre des avions et des pilotes à la disposition d'une force d'intervention, ce qui représentait un grand pas en avant. La Jordanie viendrait s'y ajouter plus tard. Je savais que ce soutien nous aiderait à convaincre les membres hésitants du Conseil de sécurité à New York.

Kadhafi nous a encore facilité la tâche en prononçant, le 17 mars, une allocution télévisée dans laquelle il lançait cet avertissement aux habitants de Benghazi : « Nous arriverons cette nuit, et il n'y aura pas de quartier. » Il a juré de passer de maison en maison à la recherche des « traîtres » et a demandé aux Libyens de « capturer les rats ». Je me trouvais alors en Tunisie et j'ai appelé le ministre russe des Affaires étrangères Sergueï Lavrov. Celui-ci m'avait déclaré précédemment que la Russie était absolument opposée à une zone d'exclusion aérienne, mais, depuis, plusieurs membres non permanents du Conseil de sécurité s'étaient ralliés à notre résolution. Il nous fallait absolument faire entendre aux Russes que les choses ne se passeraient pas comme en Irak ou en Afghanistan, et être très clairs sur nos intentions. « Nous ne voulons pas de nouvelle guerre, ai-je déclaré à Lavrov. Nous ne voulons pas envoyer de troupes au sol. » Cependant, ai-je expliqué, « notre objectif est de protéger les civils contre des attaques brutales et aveugles. La zone d'exclusion aérienne est nécessaire, mais insuffisante. Il nous faut des mesures complémentaires. L'heure est grave ».

« J'ai compris que vous ne recherchez pas une nouvelle guerre, m'a-t-il répondu. Ce qui ne veut pas dire que vous y échapperez. » Toutefois, a-t-il ajouté, les Russes n'avaient aucun intérêt à protéger Kadhafi ni à le laisser massacrer son peuple. J'ai expliqué que notre résolution inclurait la proposition russe de cessez-le-feu, mais que son pays devait également autoriser une réaction énergique si Kadhafi refusait d'interrompre sa progression.

« Nous ne pouvons pas voter pour, m'a dit Lavrov. Mais nous nous abstiendrons et elle passera. » Il ne nous en fallait pas davantage. Dans ce contexte, une abstention valait presque un oui. Lors de débats ultérieurs, notamment à propos de la Syrie, Lavrov a prétendu avoir été induit en erreur quant à nos intentions. J'ai trouvé cette allégation d'une fourberie consommée, car Lavrov, ancien ambassadeur aux Nations unies, savait aussi bien que n'importe qui ce que signifiait l'expression « toutes les mesures nécessaires ».

J'ai ensuite appelé Luís Amado, le ministre des Affaires étrangères du Portugal, membre non permanent du Conseil de sécurité. En effet, même si nous évitions un veto, nous devions nous assurer d'obtenir la majorité ; par ailleurs, plus nous rassemblerions de voix, plus le message adressé à Kadhafi serait clair. « Je tiens à répéter que les États-Unis n'ont ni intérêt, ni intention, ni projet d'aucune sorte pour faire usage de troupes au sol ni pour lancer une opération terrestre, ai-je déclaré à Amado. Nous estimons que l'adoption de cette résolution constituera un bon rappel à l'ordre pour Kadhafi et son entourage. Elle pourrait clairement influencer les actions qu'il entreprendra dans les prochains jours. » Il a écouté mes arguments, puis a accepté de voter oui. « Ne vous en faites pas, nous serons là », m'a-t-il dit.

Le président Obama a téléphoné au président d'Afrique du Sud, Jacob Zuma, et lui a présenté le même plaidoyer. Susan a fait pression sur ses homologues de New York. Les Français et les Britanniques ne ménageaient pas leurs efforts non plus. Pour finir, les résultats du scrutin ont été de dix voix pour, zéro contre et cinq abstentions, le Brésil, l'Inde, la Chine et l'Allemagne s'étant rangés du côté de la Russie. Nous disposions désormais d'un solide mandat nous permettant de protéger les civils libyens en employant « toutes les mesures nécessaires ».

Les difficultés et les rebondissements se sont multipliés presque immédiatement.

Le président Obama s'était montré très clair avec notre équipe et nos alliés : les États-Unis prendraient part à une opération militaire pour faire respecter la résolution de l'ONU, mais de façon limitée seulement. La première mesure nécessaire à la mise en place d'une zone d'exclusion aérienne consistait à détruire le système de défense aérienne de Kadhafi, et les États-Unis étaient mieux équipés pour le faire que l'ensemble de nos partenaires. Le président tenait cependant à ce que les forces aériennes alliées prennent la direction des

51 Je reçois mes homologues du G8 à Blair House, à Washington, DC, en avril 2012. De gauche à droite : le Japonais Koichiro Gemba, l'Allemand Guido Westerwelle, le Russe Sergueï Lavrov, le Britannique William Hague, moi, le Français Alain Juppé, le Canadien John Baird, l'Italien Giulio Terzi di Sant'Agata, et Catherine Ashton pour l'Union européenne.

52 | Avec le Premier ministre turc Recep Tayyip Erdoğan au palais de Dolmabahce à Istanbul, en Turquie, en avril 2012. La Turquie était une puissance grandissante dans la région, et Erdoğan et moi avons parlé pendant des heures de divers sujets, de l'Iran à la Libye en passant par la Syrie.

53 | Avec le président turc Abdullah Gül (à gauche) et le ministre turc des Affaires étrangères Ahmet Davutoğlu (à droite), sur les hauteurs d'Istanbul. J'ai développé avec Davutoğlu une relation productive et amicale qui, malgré les tensions occasionnelles, ne s'est jamais brisée.

54 | Avec le Premier ministre russe Vladimir Poutine dans sa datcha aux abords de Moscou, en mars 2010. Pour Poutine, en géopolitique il doit toujours y avoir un gagnant et un perdant. Le président Obama et moi discutions de la menace que représentait Poutine et des moyens d'y répondre.

55 | En juin 2012, en compagnie du ministre russe des Affaires étrangères Sergueï Lavrov, avec une vue sur Saint-Pétersbourg. Nos relations étaient bonnes au moment du «nouveau départ», mais elles se sont dégradées à cause du dossier syrien.

56 | Dans ma voiture devant un hôtel de Zurich, en Suisse, le 9 octobre 2009, avec mon secrétaire d'État adjoint aux Affaires européennes et eurasiennes Phil Gordon, j'essaie de persuader par téléphone le ministre arménien des Affaires étrangères de quitter sa chambre pour aller signer un accord avec la Turquie. Le *New York Times* a décrit ce moment comme « de la diplomatie de limousine, sur le fil du rasoir ».

57 | Je salue la foule de Pristina, au Kosovo, devant une immense statue de Bill, admiré dans le pays pour avoir mis fin à la guerre dans les années 1990. De l'autre côté de la place se trouve une adorable petite boutique de vêtements portant un nom qui m'est familier : Hillary. La responsable du magasin m'a dit qu'elle lui avait donné mon nom « pour que Bill ne se sente pas seul sur la place ».

58 | Je célèbre l'élection de la nouvelle présidente brésilienne Dilma Rousseff le 1er janvier 2011. Elle est intelligente et courageuse, deux qualités indispensables à un leader en ces temps difficiles.

59 Vêtue d'une veste verte, je suis excitée et surprise de voir une baleine s'approcher de notre petit bateau au large de la côte mexicaine, en février 2012, avec d'autres ministres des Affaires étrangères du G20. À côté de moi se trouve celle qui nous recevait, la secrétaire d'État mexicaine aux Affaires étrangères Patricia Espinosa.

60 Je n'ai pas fait que travailler au cours de ces quatre années. Pendant que j'étais à Carthagène, en Colombie, pour le Sommet des Amériques en avril 2012, mon équipe et moi avons fêté l'anniversaire de ma secrétaire d'État adjointe aux Affaires de l'hémisphère Ouest, Roberta Jacobson. Plus tard, la presse a demandé à un porte-parole du département d'État à quel point je m'étais amusée, et il a donné la réponse officielle : « Beaucoup. »

61 Je salue la présidente chilienne Michelle Bachelet à l'aéroport de Santiago après un fort tremblement de terre, début 2010.

62 À Monrovia, au Liberia, je discute avec la présidente libérienne Ellen Johnson Sirleaf au cours d'une visite en août 2009. Première femme à avoir été élue à la tête de son pays, Johnson Sirleaf est une dirigeante impressionnante, dont j'admire la passion et la persévérance.

63 L'un des voyages les plus bouleversants que j'aie effectués en tant que secrétaire d'État : dans un camp de réfugiés à Goma, en République démocratique du Congo, en août 2009. Ici, je fais le tour du camp pour parler avec les réfugiés, qui vivent dans des conditions déplorables et sont victimes de violences sexuelles.

64 | Le président par intérim de la Somalie, Sheikh Sharif Sheikh Ahmed, a surpris de nombreux membres de sa société religieuse conservatrice en me serrant la main après notre rencontre d'août 2009 à Nairobi, au Kenya. Aider son gouvernement à combattre les Shebabs, un groupe terroriste, a constitué l'une de nos priorités en Afrique.

65 | J'ai eu le privilège de rencontrer l'évêque Elias Taban à Djouba, au Soudan du Sud, en août 2012. Son histoire m'a profondément touchée. Un peu plus tôt ce jour-là, j'avais montré une copie de son magnifique article à Salva Kiir, le président du Soudan du Sud.

66 | Le Premier ministre tanzanien Mizengo Pinda et moi faisons quelques plantations dans une coopérative de femmes à Mlandizi, en Tanzanie, en juin 2011, dans le cadre de notre programme Feed the Future.

67 | Je chante et tape dans mes mains avec des femmes malawites au Lumbadzi Milk Bulking Group à Lilongwe, au Malawi, en août 2012. Combattre la famine et l'extrême pauvreté était une cause noble, mais aussi la chose la plus intelligente à faire.

68   Je découvre avec amusement qu'il y a un magasin Hillary Clinton à Karatu, en Tanzanie.

69   Je rends visite à des malades atteints du sida ou porteurs du virus HIV dans un hôpital de Kampala, en Ouganda, en août 2012. J'ai fixé un objectif ambitieux : une «génération sans sida». Le HIV sera sans doute encore présent dans les années à venir, mais pas nécessairement le sida.

70 | Après le service funèbre pour Nelson Mandela en décembre 2013 en Afrique du Sud, nous avons échangé des souvenirs et des anecdotes, en compagnie de notre ami Bono. Ici, on nous voit tous les deux assis au piano. Bill a beaucoup ri en me voyant tenter de jouer quelques notes.

71 | En compagnie du président Obama, je visite la mosquée du sultan Hassan au Caire, en Égypte, en juin 2009. Plus tard dans la journée, le président Obama a prononcé un discours à l'université du Caire, présentant une réévaluation ambitieuse et éloquente des relations entre l'Amérique et le monde islamique.

72 | Lors de ma visite de janvier 2011 à Sanaa, au Yémen, retrouvailles avec Nojoud Ali, une jeune Yéménite qui s'était battue pour obtenir le divorce à l'âge de 10 ans. Au cours d'un débat avec des jeunes et des activistes, j'avais émis l'idée que l'histoire de Nojoud pourrait inciter le Yémen à mettre définitivement fin aux mariages d'enfants.

73   Avec George Mitchell, notre envoyé spécial pour la paix au Proche-Orient, je suis le président Obama qui va prononcer une allocution dans la roseraie de la Maison-Blanche le 1ᵉʳ septembre 2010, au début des pourparlers de paix directs entre Israéliens et Palestiniens.

74   Ce soir-là, le président Obama a organisé un dîner de travail dans l'ancienne salle à manger familiale de la Maison-Blanche. De gauche à droite (les plus proches du photographe) : le roi Abdallah II de Jordanie, le président Obama et le président égyptien Hosni Moubarak. De gauche à droite (les plus éloignés du photographe) : moi, le Premier ministre israélien Benyamin Netanyahou, le président de l'Autorité palestinienne Mahmoud Abbas et l'envoyé spécial du Quartet, Tony Blair.

75 | Le 2 septembre 2010, j'ai accueilli au département d'État la première de trois séries de discussions directes entre le président de l'Autorité palestinienne Mahmoud Abbas et le Premier ministre israélien Benyamin Netanyahou. Je les ai ensuite rejoints avec l'envoyé spécial George Mitchell pour bavarder un moment avec eux dans mon bureau, avant de les laisser en tête-à-tête.

76 | Comme si souvent, je suis la seule femme dans la salle à cette réunion du Conseil de coopération du Golfe de janvier 2011, à Doha, au Qatar. Le lendemain, j'ai lancé cet avertissement aux dirigeants arabes : « En trop de lieux, de trop de façons, les fondations de la région s'enfoncent dans le sable. » Je suis assise entre le ministre émirati des Affaires étrangères Abdallah ben Zayed al-Nahyane et le Premier ministre qatari Hamad ben Jassem.

77 | Debout dans la salle de crise avec le président Obama, le conseiller à la Sécurité nationale Tom Donilon, le secrétaire au Trésor Tim Geithner et le directeur du renseignement national Jim Clapper (tous assis), pendant que nous regardons le président égyptien Hosni Moubarak essayer de répondre aux revendications des contestataires le 1er février 2011. Ses propositions étaient insuffisantes et arrivaient trop tard.

78 | Je serre la main d'une petite fille égyptienne au Caire, place Tahrir, le cœur du printemps arabe, le 16 mars 2011.

79

Après la fuite de Mouammar Kadhafi de Tripoli, j'ai décidé de me rendre en Libye pour apporter le soutien de l'Amérique au nouveau gouvernement de transition et l'exhorter à rétablir la sécurité dès que possible. Je pose avec un groupe de miliciens libyens exubérants après mon arrivée à Tripoli en octobre 2011.

80 | Je fais prêter serment à Chris Stevens, nouvel ambassadeur des États-Unis en Libye, dans la salle des traités du département d'État, le 14 mai 2012, sous les yeux de son père, Jan Stevens. Chris était un serviteur de l'État dévoué qui s'est beaucoup investi dans l'édification d'une nouvelle Libye sur les décombres du régime de Kadhafi.

81 | Des contestataires arrachent le drapeau américain de notre ambassade du Caire le 11 septembre 2012 après qu'une vidéo insultante sur le prophète Mahomet a provoqué la colère de l'ensemble du monde musulman.

82

82   Le président Obama signe un registre de condoléances devant le mur du département d'État
où sont gravés les noms des diplomates morts dans l'exercice de leurs fonctions, le lendemain
des terribles attaques de Benghazi (Libye). Le président s'était rendu au département d'État
pour réconforter les collègues affligés de l'ambassadeur Chris Stevens et de Sean Smith.

83

Avec le président Obama et l'aumônier militaire, le colonel J. Wesley Smith, à la base aérienne d'Andrews, dans le Maryland, le 14 septembre 2012, alors que nous nous apprêtons à accueillir pour un dernier hommage les dépouilles de nos collaborateurs tués à Benghazi.

84 | Je témoigne devant la commission des relations extérieures du Sénat en janvier 2013 à propos de l'attaque de notre représentation diplomatique à Benghazi.

85 | Avec le sultan Qabus d'Oman à Mascate, en octobre 2011. Le sultan nous a aidés à sauver trois randonneurs américains détenus en Iran et à ouvrir une voie diplomatique secrète pour discuter du programme nucléaire iranien.

86 En janvier 2012, à New York, je prends la parole lors de la réunion du Conseil de sécurité des Nations unies sur la crise en Syrie. La Russie a empêché les Nations unies de réagir aux terribles violences qui se déroulaient en Syrie alors même que la situation se dégradait. Le nombre de morts continue d'augmenter et des millions de personnes ont été obligées de quitter leurs maisons.

87 En grande discussion avec le président Obama dans sa suite à Phnom Penh (Cambodge).
Nous nous demandons si je dois partir au Moyen-Orient pour tenter de négocier un cessez-
le-feu entre Israël et le Hamas à Gaza. Derrière nous (de gauche à droite) : mon directeur
de la planification politique Jake Sullivan, le conseiller adjoint à la Sécurité nationale Ben
Rhodes et le conseiller à la Sécurité nationale Tom Donilon.

88 En novembre 2012, au Caire, je négocie avec le président égyptien Mohamed Morsi pour
tenter de mettre fin aux violences à Gaza. Morsi m'a aidée à négocier un cessez-le-feu entre
Israël et le Hamas qui est encore respecté aujourd'hui.

89 À Copenhague, au Danemark, nous nous imposons, le président Obama et moi, dans une réunion lors de la Conférence des Nations unies sur le changement climatique en décembre 2009. Nous avons interrompu les discussions entre le Premier ministre chinois Wen Jiabao, le président brésilien Lula da Silva, le Premier ministre indien Manmohan Singh et le président sud-africain Jacob Zuma, qui, avec leurs adjoints, se serraient autour de la table.

90 Lors de la visite d'un fjord au large de Tromsø, en Norvège, en juin 2012, je discute avec le ministre norvégien des Affaires étrangères Jonas Gahr Støre des impacts du changement climatique, à bord du navire de recherche arctique *Helmer Hanssen*.

91 | En visite à l'exposition de cuisinières anciennes et nouvelles avec le Dr Kalpana Balakrishnan, chercheuse spécialiste des poêles, lors d'un séjour à Chennai [Madras] (Inde), en juillet 2011. J'ai vivement encouragé l'utilisation dans le monde de cuisinières à combustion propre au lieu des modèles traditionnels sales dont les combustibles solides (bois ou autres) produisent des fumées toxiques qui contribuent tous les ans à la mort de millions de personnes, surtout des femmes et des enfants.

92 | Sous une tente à Haïti, quatre jours après le séisme dévastateur de janvier 2010, je discute des secours d'urgence et de la reconstruction d'Haïti avec le Premier ministre haïtien Jean-Max Bellerive, le président haïtien René Préval, l'ambassadeur des États-Unis à Haïti Ken Merten, ma conseillère et chef de cabinet Cheryl Mills, le directeur de l'USAID Raj Shah et le lieutenant général Ken Keen.

93 | Des manifestants m'accueillent à l'aéroport de Port-au-Prince, à Haïti, en juillet 2011, pendant les élections contestées, un an après le séisme. Les Haïtiens avaient tant souffert ; ils méritaient un décompte honnête de leurs votes et un transfert pacifique du pouvoir, ce qu'ils ont finalement obtenu.

94 | Bill et moi entourés de travailleurs haïtiens à la cérémonie d'inauguration du parc industriel de Caracol, à Haïti, en octobre 2012. Le projet de Caracol était la pièce maîtresse de nos efforts pour relancer l'économie d'Haïti, conformément au principe directeur de notre travail de développement dans le monde : nous réorienter pour passer de l'aide à l'investissement.

95 | En janvier 2010, je prononce un discours sur la liberté d'Internet au Newseum de Washington. J'avertis les pays comme la Chine, la Russie et l'Iran que les États-Unis vont promouvoir et défendre un Internet où les droits individuels sont protégés et qui est ouvert à l'innovation, interopérable dans le monde entier, assez sûr pour mériter la confiance des gens et assez fiable pour les aider dans leur travail.

Près de vingt ans après mon discours de septembre 1995 à Pékin lors de la quatrième Conférence des Nations unies sur les femmes, les droits des femmes restent un «travail en cours» au XXIe siècle. En tant que secrétaire d'État, j'ai défendu les libertés consacrées dans la Déclaration universelle des droits de l'homme et je me suis appliquée à les rendre tangibles dans la vie des gens partout dans le monde.

97 | En compagnie de Melanne Verveer après l'avoir nommée première
ambassadrice itinérante en charge de la condition féminine dans le monde.
Melanne m'a aidée à concevoir un «programme de pleine participation»
et à l'intégrer à la politique extérieure des États-Unis.

98 | L'un de nos premiers pas pour faire avancer les droits de l'homme a été de rejoindre le Conseil des droits de l'homme des Nations unies. Je me suis exprimée devant le Conseil à Genève, en Suisse, en décembre 2011, pour plaider en faveur des droits des LGBT dans le monde.

99 En septembre 2012, je regarde Bill prononcer le discours qui lui vaudra d'être qualifié de «ministre de l'explication des choses» à la convention nationale démocrate à Charlotte, en Caroline du Nord. Je suis à 16 000 kilomètres de là, au Timor-Oriental. On ne capte pas CNN et la connexion Internet est très mauvaise, mais nous sommes parvenus à voir un enregistrement vidéo chez notre ambassadeur sur son ordinateur personnel.

100   Le 1ᵉʳ février 2013, dernier jour de mes fonctions, les secrétaires d'État adjoints Tom Nides (à gauche) et Bill Burns et le sous-secrétaire d'État Pat Kennedy (à droite) se sont joints à moi lors de mon discours d'adieu aux hommes et aux femmes extraordinaires du département d'État. Je suis sortie par le même hall où j'avais fait mon entrée quatre ans plus tôt, fière de tout le travail que nous avions accompli.

opérations aussitôt que possible et restait inflexible dans son refus de tout déploiement de troupes américaines. « Pas de godillots sur le terrain » : tel était le mot d'ordre. Toutes ces contraintes imposaient l'existence d'une coalition internationale bien coordonnée et de grande envergure, capable d'intervenir et de prendre le relais dès que les missiles de croisière et les bombardiers américains leur auraient frayé la voie. Je n'ai pas tardé à découvrir qu'il serait plus difficile qu'aucun de nous ne l'avait prévu d'obtenir que tous nos alliés travaillent en équipe sur un tel projet.

Sarkozy souhaitait vivement prendre la tête des opérations. Pendant la période qui avait précédé le vote des Nations unies, il avait été l'avocat le plus éloquent d'une action militaire internationale et voyait à présent l'occasion de réaffirmer le rôle de grande puissance mondiale de la France. Il a invité toute une série d'États européens et arabes à Paris pour un sommet d'urgence le samedi 19 mars afin de discuter de la mise en œuvre de la résolution des Nations unies. Il n'avait cependant pas jugé bon de convier notre alliée de l'OTAN, la Turquie, ce qui n'a pas manqué d'être relevé. Il y avait déjà des tensions entre Sarkozy et le Premier ministre turc Erdoğan en raison des objections de la France à une entrée de la Turquie dans l'UE. Erdoğan avait ensuite fait entendre la voix de la prudence à propos de la Libye, et Sarkozy avait tout fait pour l'exclure de la coalition. Cette rebuffade a évidemment irrité Erdoğan et n'a fait que renforcer son hostilité à toute intervention.

En discutant avec le ministre turc des Affaires étrangères, Davutoğlu, j'ai cherché à panser de mon mieux cette blessure d'amour-propre. « Je tiens avant tout à vous dire que j'ai beaucoup insisté pour que vous soyez invité », ai-je déclaré. Comme je le craignais, Davutoğlu était mortifié. « Nous attendions une action de l'OTAN et, soudain, on organise une réunion à Paris et nous ne sommes pas invités », s'est-il plaint, non sans raison. S'agissait-il d'une croisade française ou d'une coalition internationale ? Je lui ai expliqué que ce sommet avait été organisé par les Français, mais que nous faisions tout ce que nous pouvions pour que l'OTAN prenne la direction de l'opération militaire proprement dite.

À Paris, j'ai transmis le message du président Obama affirmant que nous espérions que les autres prendraient le relais. Juste après avoir atterri, j'ai eu un contact téléphonique avec AbZ. Comme je l'ai indiqué plus haut, cette conversation a été très tendue, car il a menacé de revenir sur la participation des EAU à l'opération libyenne au motif que les États-Unis avaient critiqué leurs actions à Bahreïn.

Ensuite, avant même le début de la réunion officielle, Sarkozy m'a prise à l'écart avec le Premier ministre britannique David Cameron et nous a confié que des avions militaires français avaient déjà décollé en direction de la Libye. Quand le reste du groupe a appris que la France avait ainsi pris les devants, l'émotion a été vive. Le Premier ministre italien Silvio Berlusconi, tout aussi résolu et désireux que Sarkozy d'être sous les feux de la rampe, était particulièrement indigné. Il existe une sorte de conviction tacite voulant que les anciennes puissances coloniales soient en première ligne pour régler les crises dans leurs anciens territoires. Voilà pourquoi, plus tard, c'est la France qui a envoyé des troupes au Mali et en République centrafricaine. Dans le cas de la Libye, ancienne colonie italienne, Berlusconi estimait que c'était à l'Italie de prendre l'initiative – et non à la France. De plus, en raison de son emplacement stratégique faisant saillie dans la Méditerranée, l'Italie offrait une rampe de lancement naturelle pour la plupart des sorties aériennes contre la Libye. Elle avait déjà commencé à ouvrir aux jets alliés un certain nombre de bases aériennes. Furieux de s'être fait voler la vedette par Sarkozy, Berlusconi a alors menacé de se retirer de la coalition et de fermer l'accès aux bases italiennes.

Au-delà des blessures d'ego, Berlusconi et d'autres avaient de bonnes raisons de s'inquiéter. Les Balkans et l'Afghanistan nous avaient appris combien il est compliqué de coordonner une opération militaire multinationale. S'il n'y a pas de lignes de commandement et de contrôle parfaitement claires, et si tout le monde ne travaille pas main dans la main pour appliquer la même stratégie, on a de fortes chances d'aboutir à une dangereuse confusion. Imaginez qu'une dizaine d'États aient envoyé des avions militaires en Libye sans s'entendre sur les plans de vol, les cibles et les règles d'engagement. On aurait assisté à une belle pagaille dans les airs, avec un risque tout à fait concret d'accidents susceptibles d'entraîner des pertes en vies humaines.

Parce que nous étions ceux qui détenaient le plus de capacités, les États-Unis avaient pris la tête dans un premier temps pour assumer les tâches de coordination. En toute logique, l'étape suivante consistait à confier l'organisation de l'intervention à l'OTAN. L'alliance possé-dait déjà un commandement militaire intégré et une expérience de la coordination dans de précédents conflits. Cette idée ne plaisait pas à

Sarkozy. La première raison était qu'elle risquait de ternir la gloire de la France. Mais il craignait également que le fait de confier l'opération libyenne à l'OTAN ne heurte le monde arabe, dont les dirigeants avaient contribué à influencer l'opinion avant le vote des Nations unies. Le Qatar et les EAU s'étaient engagés à envoyer des avions pour faire respecter la zone d'exclusion aérienne ; accepteraient-ils de le faire sous la bannière de l'OTAN ? De plus, l'OTAN fonctionne par consensus, ce qui veut dire qu'un seul membre – la Turquie, par exemple – peut empêcher toute action. Nous avions travaillé d'arrache-pied aux Nations unies pour faire adopter un texte autorisant « toutes les mesures nécessaires » à la protection des civils, ce qui nous permettait de ne pas nous contenter d'empêcher les avions de Kadhafi d'attaquer les villes rebelles – il était essentiel que nous puissions arrêter ses chars et ses troupes au sol avant leur arrivée à Benghazi. Certains réclamaient donc une « zone d'exclusion terrestre ». Or Erdoğan et d'autres refusaient d'aller au-delà d'une zone d'exclusion purement aérienne, sans frappes air-sol. Aussi Sarkozy craignait-il que, en confiant la mission à l'OTAN, nous ne finissions par voir Benghazi à feu et à sang.

La réunion de Paris s'est achevée sans accord sur la poursuite des opérations à l'issue de la première phase d'intervention dirigée par les États-Unis. Cependant, les forces de Kadhafi étant toujours en marche et les jets français dans les airs, il n'était plus question de tergiverser. J'ai donc annoncé devant les caméras : « L'Amérique possède des capacités uniques, et nous les emploierons pour aider nos alliés européens et canadiens ainsi que nos partenaires arabes à mettre fin à toutes nouvelles violences contre des civils, y compris par l'application efficace d'une zone d'exclusion aérienne. » Quelques heures plus tard, des bâtiments de guerre américains stationnés en Méditerranée ont tiré plus de cent missiles de croisière visant les systèmes de défense aérienne à l'intérieur du territoire libyen, ainsi qu'une grande colonne de blindés qui approchait de Benghazi. Le président Obama, en voyage au Brésil, a déclaré : « Je veux que le peuple américain sache que le recours à la force n'est pas notre choix prioritaire et que ce n'est pas un choix que je fais à la légère. » Mais, a-t-il poursuivi, « les actes ont des conséquences, et les décisions de la communauté internationale doivent être appliquées. C'est pour cela que cette coalition a été créée ».

Au cours des soixante-douze heures qui ont suivi, les défenses aériennes de la Libye ont été détruites, et la population de Benghazi sauvée d'un anéantissement imminent. Le président Obama a essuyé par la suite des reproches injustes l'accusant d'avoir dirigé les opérations libyennes « par-derrière ». C'est une expression stupide. Il a fallu diriger bien des choses – par-devant, par le côté et dans toutes les directions possibles – pour réussir à lancer cette mission, l'accomplir et éviter ainsi la perte possible de dizaines de milliers de vies. Personne d'autre n'aurait pu jouer le rôle que nous avons assumé, tant en termes de capacité militaire à porter un premier coup décisif contre les forces de Kadhafi que de capacité diplomatique à former et maintenir une vaste coalition.

Malheureusement, les relations au sein de l'alliance n'ont cessé de se dégrader au cours des journées suivantes. Le lundi, deux jours seulement après le sommet de Paris, des représentants se sont réunis au siège de l'OTAN à Bruxelles pour tenter d'aplanir les différends. Les discussions n'ont pas tardé à prendre un ton acrimonieux, et l'ambassadeur français a quitté la salle, furieux. Les deux camps redoublaient d'efforts. Comme on pouvait le craindre, les Turcs exigeaient de la mission de l'OTAN qu'elle ne dépasse pas un cadre très étroit, tandis que les Français refusaient de renoncer au contrôle de l'opération. Le lundi soir, le président Obama a téléphoné à Erdoğan pour lui expliquer une nouvelle fois combien il était important de prendre « toutes les mesures nécessaires » et pour souligner que celles-ci n'incluraient pas l'envoi de troupes au sol dans le cadre d'une invasion. Il a ensuite parlé à Sarkozy, qui était prêt à laisser l'OTAN se charger de la zone d'exclusion aérienne si les Français, les Anglais et d'autres étaient libres d'appliquer de leur côté l'option plus agressive de la « zone d'exclusion terrestre ». Nous estimions que mener deux opérations en parallèle présentait des difficultés potentielles. Mais nous étions d'accord avec Sarkozy pour admettre qu'il ne fallait pas renoncer à la possibilité de prendre pour cible les forces terrestres de Kadhafi, qui menaçaient d'exterminer les communautés rebelles.

Dans la nuit du lundi au mardi, un incident terrifiant a fait monter les enjeux pour nous tous. Aux alentours de minuit, un chasseur bombardier F-15 Strike Eagle piloté par deux aviateurs américains, le commandant Kenneth Harney et le capitaine Tyler Stark, a été victime d'une panne mécanique au-dessus de l'est de la Libye. Juste après avoir largué une bombe de 500 livres sur leur cible, l'appareil s'est mis en vrille. Les deux aviateurs se sont éjectés, mais une déchirure dans le parachute de Stark l'a fait dévier de sa trajectoire.

Harney a été récupéré peu après par une équipe de sauvetage et de recherche américaine, alors que Stark était porté disparu. J'étais malade d'inquiétude en pensant à ce jeune homme de 27 ans originaire de Littleton, dans le Colorado, perdu au milieu du désert libyen.

Chose surprenante, Stark a été découvert par des rebelles libyens amicaux de Benghazi, qui ont fait venir un professeur d'anglais local pour lui parler. Il se trouve que ce professeur, Boubaker Habib, entretenait des liens étroits avec le personnel de l'ambassade des États-Unis. Ceux-ci avaient quitté le pays, mais Boubaker avait encore leurs numéros de téléphone, ce qui lui a permis de joindre le centre d'opérations du département d'État. Le sauvetage de Stark a pu être organisé grâce à une conversation téléphonique avec le centre, le département d'État transmettant les informations au Pentagone. Pendant ce temps, Boubaker a conduit notre pilote à Benghazi, où des médecins l'ont soigné pour des déchirures de tendons au genou et à la cheville. Boubaker a déclaré plus tard à *Vanity Fair* qu'il avait donné des instructions très claires à la milice libyenne : « Nous avons ici un pilote américain. S'il se fait prendre ou tuer, ce sera la fin de la mission. Débrouillez-vous pour qu'il ne lui arrive rien. » Les Libyens ont chaleureusement remercié Stark, se disant reconnaissants de l'intervention américaine qui les protégeait des troupes de Kadhafi.

À Washington, nous avons tous poussé un immense soupir de soulagement. En même temps, je commençais à distinguer les contours d'un compromis possible pour sortir de l'impasse dans laquelle s'étaient enfermés nos alliés. Si la Turquie acceptait de ne pas opposer son veto à une action destinée à mettre en place une « zone d'exclusion terrestre » – elle n'aurait pas à y participer, il suffisait qu'elle s'abstienne d'y faire obstacle –, nous pourrions convaincre la France d'accorder à l'OTAN le commandement et le contrôle intégraux de l'opération.

Anders Fogh Rasmussen, le secrétaire général de l'OTAN, m'a fait savoir qu'il avait parlé aux Turcs et avait appris que les Arabes ne refuseraient pas de participer à une mission dirigée par l'OTAN, un des principaux sujets de préoccupation de Sarkozy. Il se trouve qu'AbZ était à Ankara, dans le bureau de Davutoğlu, quand Rasmussen avait appelé. Davutoğlu avait passé le combiné au représentant des Émirats, qui avait ainsi pu donner directement son consentement. Les réactions du Qatar et de la Ligue arabe étaient elles aussi positives. « En avez-vous informé la France ? » ai-je demandé à Rasmussen, qui a répondu : « Selon eux, ce que les Arabes disent en privé est une chose, ce qu'ils font en public en est une autre. » Je lui ai annoncé que j'allais parler moi-même à Davutoğlu et voir s'il ne serait pas possible d'obtenir des Arabes une déclaration publique de soutien.

Quand je l'ai eu au bout du fil, j'ai expliqué à Davutoğlu que les États-Unis admettaient qu'il fallait à présent que l'OTAN reprenne le commandement et le contrôle. « Nous voulons que la passation des pouvoirs se fasse le plus souplement possible. Il nous faut un commandement unifié sur un seul théâtre d'opérations. Nous devons veiller à ce que tous les aspects, dont la mission de protection civile, soient intégrés. » Ce qui imposait la mise en place d'une zone d'exclusion terrestre en plus de la zone d'exclusion aérienne. Davutoğlu m'a donné son accord. « Il doit y avoir un seul commandement et contrôle, et il doit être confié à l'OTAN, a-t-il affirmé. C'est important pour le peuple de Libye. Si cela se fait sous l'égide des Nations unies et si c'est l'OTAN qui mène l'opération dans ce cadre, personne ne pourra y voir une croisade ni une campagne Est contre Ouest. »

J'ai également téléphoné au ministre français des Affaires étrangères, Alain Juppé. « Je pense que nous sommes prêts à accepter le compromis à certaines conditions », m'a-t-il dit. Si l'OTAN devait diriger l'opération militaire, la France voulait instituer un comité diplomatique distinct rassemblant tous les États qui envoyaient des forces, pays arabes compris, pour assurer une orientation politique. C'était un geste modeste, ai-je estimé, et nous devions pouvoir accéder à cette demande.

Pour conclure l'affaire, j'ai organisé une téléconférence avec les Français, les Turcs et les Britanniques. « Je crois que nous sommes parvenus à un accord. Mais je tiens à m'en assurer. Il est essentiel que nous soyons sur la même longueur d'onde s'agissant de la responsabilité de l'OTAN pour faire appliquer la zone d'exclusion aérienne et protéger les civils de Libye. » Puis j'ai soigneusement exposé les termes du compromis. À la fin de cet entretien téléphonique, il n'y avait plus la moindre ambiguïté. « Bravo ! » s'est écrié Juppé, et nous avons raccroché.

L'OTAN a rapidement assumé le commandement et le contrôle officiels de ce qui a pris le nom d'opération Unified Protector. Les États-Unis ont continué à assurer des services de renseignement et de surveillance vitaux qui ont contribué à guider les frappes aériennes, ainsi qu'un ravitaillement en vol permettant aux appareils alliés de rester dans le ciel au-dessus de la Libye pendant de longues périodes.

Mais d'autres que nous effectueraient la grande majorité des sorties de combat.

La campagne militaire en Libye a duré plus longtemps qu'aucun d'entre nous ne l'avait espéré ou prévu ; toutefois, nous ne nous sommes jamais engagés sur la pente savonneuse de l'envoi de troupes au sol, comme certains l'avaient redouté. Par moments, la coalition a battu de l'aile et il nous a fallu déployer des trésors d'encouragements et de pressions directes pour maintenir tous nos partenaires dans les rangs. Mais, à la fin de l'été 2011, les rebelles avaient repoussé les forces du régime. Ils se sont emparés de Tripoli dans les derniers jours d'août, tandis que Kadhafi et sa famille se réfugiaient dans le désert. La révolution l'avait emporté, et le dur travail de construction d'un nouveau pays pouvait commencer.

*
* *

À la mi-octobre, alors que Tripoli était libéré mais que Kadhafi courait toujours, j'ai décidé de me rendre personnellement en Libye pour apporter le soutien de l'Amérique au nouveau gouvernement de transition. Le pays étant inondé de missiles sol-air portatifs, il était trop dangereux de voyager dans notre 757 bleu et blanc habituel, arborant du nez à la queue l'inscription « The United States of America » ; l'Air Force nous a donc fourni un avion de transport militaire C-17 équipé de dispositifs de défense pour le vol matinal de Malte à Tripoli.

Juste avant le décollage, une photographe du magazine *Time*, Diana Walker, m'a surprise en train de consulter mon BlackBerry et a appuyé sur son déclencheur. Au grand étonnement de tous, ce cliché a créé le buzz sur Internet plusieurs mois plus tard et a inspiré un « mème » connu sous le nom : « Les textos d'Hillary ». L'idée était simple : un internaute associait la photo où l'on me voyait tenir mon téléphone à une image d'une autre célébrité, elle aussi au téléphone, et ajoutait une légende humoristique reprenant les textos que nous étions censées échanger. Sur le premier de ces posts, on voyait le président Obama allongé sur un canapé, accompagné du texte suivant : « Salut Hil, tu fé quoi ? » Ma réponse imaginaire était : « Je dirige le monde. » J'ai fini par décider de m'amuser un peu, moi aussi. J'ai présenté ma propre version remplie de jargon Internet :

« ROFL@tumblr ! g2g – scrunchie time. ttyl[1] ? », ce qu'on pourrait traduire approximativement par : « J'adore votre site. » J'ai aussi invité les créateurs des « textos d'Hillary », deux jeunes spécialistes en communication de Washington, Adam Smith et Stacy Lambe, à venir me voir au département d'État. Nous avons posé ensemble pour une photo sur laquelle on nous voit consulter nos portables tous les trois en même temps.

Pourtant, au moment où Diana Walker a pris ce cliché, j'étais loin d'avoir envie de m'amuser. Je me préparais à une journée qui promettait d'être éreintante dans une capitale déchirée par la guerre, avec un nouveau gouvernement qui n'avait que peu d'emprise sur le pouvoir et encore moins l'expérience de l'administration d'un pays.

Après un atterrissage sans problème, la porte du C-17 s'est ouverte et, du haut de la passerelle de l'avion, j'ai vu une foule de miliciens armés et barbus qui m'attendaient au pied des marches. Ils venaient de Zintan, une ville marquée par les combats située dans le nord-ouest montagneux de la Libye, qui avait été l'un des principaux points de départ de la révolution. En vertu du difficile partage du pouvoir entre les différentes milices qui contrôlaient désormais Tripoli, la brigade de Zintan avait été chargée de l'aéroport. Mon équipe de sécurité était plus nerveuse que jamais. J'ai pris une profonde inspiration et j'ai commencé à descendre les marches. À ma grande surprise, les miliciens se sont mis à scander « Dieu est grand ! » et « USA ! ». Ils agitaient les bras, poussaient des cris et levaient les mains en esquissant le « V » de la victoire. J'ai été rapidement assiégée par ces montagnards exubérants et en liesse. Plusieurs d'entre eux ont tendu leurs armes automatiques à des camarades pendant qu'ils se bousculaient autour de moi pour être pris en photo ; d'autres me tapaient dans le dos ou me serraient la main. Kurt Olsson, le responsable de mon détachement de sécurité, est resté imperturbable, mais je crains que cet épisode ne lui ait valu quelques cheveux gris supplémentaires.

Les hommes ont ensuite repris leurs fusils et se sont entassés dans des 4 × 4 et des pick-up équipés d'armes lourdes pour accompagner mon cortège à travers la ville, coupant sans scrupule la circulation et agitant énergiquement les bras dès qu'ils se trouvaient à côté de mon véhicule. Les rues de Tripoli étaient couvertes de graffitis révolutionnaires, dont certains brocardaient Kadhafi tandis que d'autres

---

1. « MDR. Fo ke j'y aille. C l'heure 2 mon chouchou. a + ? » – le chouchou faisant allusion à des critiques sur la queue-de-cheval qu'arborait Hillary Clinton à l'époque.

reprenaient des slogans rebelles et célébraient des victoires. Nous avons rapidement atteint le siège de fortune du nouveau gouvernement, installé dans les bureaux d'une grande organisation charitable islamique.

Après avoir rencontré le président du Conseil national de transition de Libye, Moustapha Abdel Jalil, j'ai rejoint le bureau de Mahmoud Jibril, le chef rebelle que j'avais rencontré à Paris et qui était à présent Premier ministre par intérim. Il m'a accueillie avec un grand sourire. « Je suis fière d'être ici, sur le sol d'une Libye libre », lui ai-je dit.

Au cours de plusieurs réunions en compagnie de Jalil et de Jibril, nous avons abordé les nombreux défis qui attendaient le nouveau gouvernement. La menace que continuaient à faire peser Kadhafi et ses fidèles était en tête de leurs préoccupations. Je leur ai assuré que l'OTAN poursuivrait sa mission de protection des civils libyens jusqu'à ce que l'ancien dictateur ait été débusqué et définitivement vaincu. Puis j'ai évoqué un autre sujet d'inquiétude.

La première responsabilité de tout gouvernement est d'assurer la sécurité et le maintien de la loi et de l'ordre. La tâche ne serait pas facile en Libye. Contrairement à l'Égypte, où les forces militaires et les services de sécurité étaient restés largement intacts après la chute de Moubarak, un grand vide régnait désormais dans ce domaine en Libye. Et, si amicaux et enthousiastes qu'aient pu être les miliciens de Zintan à l'aéroport, on ne pouvait pas tolérer durablement la présence d'un aussi grand nombre de groupes armés indépendants dans Tripoli et dans tout le pays. Il fallait absolument réunir toutes les milices en une seule armée placée sous le contrôle d'autorités civiles, établir le règne du droit, éviter les règlements de compte et la justice sommaire, et rassembler toutes les armes dont le pays était inondé. Les États-Unis étaient disposés à aider le nouveau gouvernement sur ces questions, mais, pour que cela puisse marcher, il allait devoir prendre lui-même les choses en main. Jibril et les autres ont hoché la tête en signe d'assentiment et se sont engagés à en faire une priorité.

Après ces réunions, je me suis éclipsée pour participer à un débat avec des étudiants et des activistes de la société civile à l'université de Tripoli. Kadhafi avait fait tout son possible pour décourager l'émergence des associations de bénévoles, des ONG, des médias indépendants et des organes de surveillance qui composent la société civile. J'espérais que tous ces acteurs seraient désireux et capables de jouer un rôle positif dans la prochaine étape de l'histoire de la

Libye. Le passé avait montré à maintes reprises que ce n'était pas tout de se débarrasser d'un tyran. Encore fallait-il mettre en place un nouveau gouvernement qui tienne ses promesses à l'égard de la population. La démocratie affronterait de sérieux défis en Libye. L'avenir de ce pays serait-il déterminé par les armes de ses milices ou par les aspirations de son peuple ?

L'un après l'autre, les étudiants et les activistes se sont levés pour poser des questions pratiques judicieuses sur la façon d'établir une nouvelle démocratie. « Nous n'avons pas de partis politiques », a fait observer une jeune femme qui suivait des études d'ingénieur. Elle m'a demandé comment les Libyens pouvaient « encourager la population à s'engager davantage dans la vie politique, compte tenu du fait qu'[ils auraient] des élections dans deux ans ou moins et [devraient] élire [leurs] parlements et [leur] président ». Une autre jeune femme, étudiante en médecine, a pris la parole : « Cette démocratie est une chose toute nouvelle pour nous, a-t-elle commencé. Quelles mesures pensez-vous que nous puissions prendre pour enraciner la liberté d'expression dans l'identité libyenne ? » Ces jeunes gens n'avaient qu'une envie : vivre dans un « pays normal » ayant accès à l'économie mondiale et à tous les droits dont ils savaient que les populations d'Amérique et d'autres régions du monde jouissaient depuis si longtemps. Et, contrairement à certains de ceux que j'avais rencontrés juste à côté, en Égypte, ils étaient impatients de surmonter leurs différences, de s'ouvrir sur l'extérieur et de participer au processus politique. La Libye libre avait un long chemin à parcourir – elle était obligée de partir littéralement de zéro –, mais ces jeunes m'ont impressionnée par leur sérieux et leur détermination à la bâtir.

Avant de quitter Tripoli, je me suis arrêtée dans un hôpital local pour rendre visite à des civils et à des combattants blessés au cours de la révolution contre Kadhafi. J'ai discuté avec des jeunes gens qui avaient perdu des membres et avec des médecins et des infirmières atterrés par les victimes qu'ils avaient vues. J'ai promis que les États-Unis fourniraient une aide médicale et évacueraient même certains des cas les plus difficiles vers des hôpitaux américains.

Ma dernière visite m'a conduite dans l'immeuble de notre ambassadeur en Libye, Gene Cretz, qui avait été transformé en ambassade de fortune. Pendant la révolution, des vandales proches du régime avaient saccagé et incendié notre véritable ambassade (dont tous les ressortissants américains avaient déjà été évacués), de sorte que les membres de notre personnel diplomatique qui étaient de retour campaient dans le salon de Gene. Je me suis émerveillée de la résistance et de la résolution de ces courageux diplomates américains. Nous entendions des tirs au loin et je me demandais s'il s'agissait de combats ou de réjouissances. Le personnel de l'ambassade semblait s'y être habitué. En serrant la main de chacun d'entre eux, je les ai tous remerciés pour le travail et les sacrifices incroyables qu'ils accomplissaient.

Au départ de Tripoli, notre C-17 a opéré un décollage très raide et très rapide. Il s'était passé tant de choses au cours des neuf mois écoulés depuis que je m'étais rendue à Doha pour avertir les dirigeants du Proche et du Moyen-Orient que, s'ils n'adoptaient pas de réformes, leur région allait s'enfoncer dans le sable.

Les premières élections libyennes ont eu lieu dans le courant de l'été 2012. Au dire de tous, le scrutin a été correctement organisé et entaché de très peu d'irrégularités. Au terme de plus de quarante années durant lesquelles Kadhafi les avait privés de toute participation politique, près de 60 % des Libyens – un large échantillon de la société – se sont rendus aux urnes pour élire leurs députés avant de descendre dans la rue fêter cet événement.

Je craignais que les défis à affronter ne soient accablants, même pour les mieux intentionnés des responsables d'un régime de transition. Si le nouveau gouvernement pouvait consolider son autorité, assurer la sécurité, utiliser les revenus pétroliers pour reconstruire le pays, désarmer les milices et tenir les extrémistes à distance, la Libye aurait d'assez bonnes chances de réussir à édifier une démocratie stable. Dans le cas contraire, elle aurait bien du mal à traduire les espoirs d'une révolution en un avenir libre, sûr et prospère. Et, comme nous n'avons pas tardé à l'apprendre, les Libyens n'allaient pas être les seuls à souffrir si elle échouait.

Chapitre 17

Benghazi : l'attaque

Le 11 septembre 2012, l'ambassadeur Chris Stevens et Sean Smith, chargé de la gestion de l'information, ont été tués lors d'un attentat terroriste contre notre représentation diplomatique à Benghazi, en Libye. Deux agents de la CIA, Glen Doherty et Tyrone Woods, ont subi le même sort quelques heures plus tard à la suite d'une attaque contre les installations de l'Agence, non loin de là.

Sean Smith avait rejoint le département d'État après avoir passé six ans dans l'Air Force et avait travaillé pendant dix ans dans des ambassades et des consulats à Pretoria, Bagdad, Montréal et La Haye.

Tyrone Woods était connu de ses amis des SEAL[1] de la Navy, puis de ses camarades de la CIA, sous le nom de « Rone ». Il avait accompli plusieurs périodes de service en Irak et en Afghanistan. Non content d'être un ancien combattant aguerri, il avait également fait ses preuves comme infirmier diplômé et auxiliaire médical certifié. Sa femme Dorothy et lui avaient trois fils, dont l'un était né quelques mois seulement avant sa mort.

Glen Doherty, surnommé « Bub », était lui aussi un ancien des SEAL et un auxiliaire médical expérimenté. Il avait également été envoyé dans certains des coins les plus dangereux de la planète, dont l'Irak et l'Afghanistan, n'hésitant jamais à risquer sa vie pour assurer la sécurité d'autres Américains. Tyrone et Glen avaient engagé leurs compétences et leur expérience dans la protection du personnel de la CIA en Libye.

---

1. Voir *supra*, note 1 p. 10.

L'ambassadeur Chris Stevens, le seul des quatre hommes que j'ai eu le privilège de connaître personnellement, était un diplomate de talent et un être humain sympathique et extraordinairement chaleureux. Quand je lui avais demandé, au printemps de 2011, de se charger de la dangereuse mission consistant à prendre contact avec la direction rebelle libyenne à Benghazi pendant la révolution, puis de revenir en Libye comme ambassadeur après la chute de Kadhafi, il avait accepté avec empressement. Chris connaissait les risques et n'ignorait rien des difficultés de reconstruction d'un pays détruit, mais il savait que des intérêts de sécurité nationale essentiels de l'Amérique étaient en jeu. Sa longue expérience de la région ainsi que son talent et sa subtilité de diplomate faisaient de lui un candidat évident à ces fonctions.

La perte de ces quatre fonctionnaires intrépides dans l'exercice de leur devoir a été un coup atterrant. En tant que secrétaire d'État, j'étais responsable dans les faits de la sécurité de notre personnel, et je n'ai jamais éprouvé cette responsabilité plus profondément que ce jour-là.

Mettre en péril ceux qui servent notre nation est l'une des décisions les plus difficiles que notre pays et ses dirigeants aient jamais à prendre. Quand je songe à ces années, mon plus grand regret, et de loin, est qu'ils ne soient pas tous rentrés chez eux sains et saufs. Je pense souvent aux familles qui ont perdu des êtres chers au service de notre pays. La gravité de cette mission et la reconnaissance de notre nation peuvent leur apporter quelque réconfort, mais en définitive il n'est rien que quiconque d'entre nous puisse dire ou faire pour combler le vide qu'ils ont laissé derrière eux.

Le meilleur hommage à leur rendre est d'améliorer notre capacité à protéger ceux qui poursuivent leur tâche et d'éviter de nouvelles pertes.

*
* *

Dès le jour de mon entrée en fonction au département d'État, j'étais consciente que des terroristes pouvaient frapper n'importe laquelle de nos plus de 270 missions diplomatiques dispersées à travers le monde. Cela s'était déjà produit trop de fois par le passé, et ceux qui étaient décidés à attaquer l'Amérique n'y renonceraient jamais. En 1979, 52 diplomates américains avaient été pris en otages en Iran et avaient passé 444 jours en captivité. Les attaques du Hezbollah contre notre ambassade et contre la caserne des Marines à Beyrouth en 1983 avaient fait 258 morts américains et plus de 100 autres, appartenant à différentes nationalités. En 1998, Al-Qaida avait organisé des attentats à la voiture piégée contre nos ambassades du Kenya et de Tanzanie, faisant plus de 200 morts, dont 12 Américains. Je me rappelle fort bien m'être trouvée à côté de Bill à la base aérienne d'Andrews lorsque les dépouilles des victimes avaient été rapatriées.

Au total, depuis les années 1970, les terroristes ont tué 66 membres du personnel diplomatique américain, auxquels il faut ajouter plus d'une centaine de contractants et d'employés locaux. Quatre ambassadeurs des États-Unis ont été assassinés au cours d'attentats terroristes pour les seules années 1973 à 1979. Depuis 2001, on a enregistré plus d'une centaine d'agressions contre des représentations diplomatiques américaines à travers le monde, et plus d'une vingtaine d'attaques directes contre du personnel diplomatique. En 2004, des hommes armés ont tué neuf personnes, dont cinq employés locaux, lors d'une attaque contre notre consulat de Djeddah, en Arabie Saoudite. En mai 2009, une bombe déposée au bord de la route en Irak a coûté la vie à Terry Barnich, vice-directeur de notre équipe d'assistance à la transition. En mars 2010, Lesley Enriquez, une employée consulaire de 25 ans, enceinte, en poste à Juarez, au Mexique, a été abattue, en même temps que son mari. En août 2012, l'agent de l'USAID Ragaei Said Abdelfattah a été tué lors d'un attentat suicide en Afghanistan. En 2014, le nombre de diplomates américains ayant perdu la vie au cours de notre histoire alors qu'ils servaient notre pays à l'étranger s'élevait à 244.

Par sa nature même, la diplomatie se pratique souvent dans des endroits dangereux où la sécurité nationale de l'Amérique est en jeu. Nous devons faire la part des choses entre les impératifs de notre sécurité nationale et les sacrifices requis pour la protéger. En tant que secrétaire d'État, j'étais responsable de quelque 70 000 employés, et j'admirais profondément ceux qui étaient prêts à accepter les risques qu'impliquait le fait d'aller porter notre drapeau là où on en a le plus besoin. Chaque jour, quand ils viennent travailler, les hommes et les femmes du département d'État passent devant les noms des 244 diplomates tombés, gravés dans le marbre de l'entrée de l'immeuble Harry S Truman. Cela leur rappelle constamment les dangers qui accompagnent la représentation des États-Unis à travers le monde.

J'avais été réconfortée, sans en être surprise, d'apprendre du département que, après chaque attaque majeure contre les États-Unis, les candidatures à des postes aux affaires étrangères se multipliaient. Les gens veulent servir notre pays, même si cela les met en péril. Rien ne révèle mieux la force de caractère et le dévouement de ceux qui représentent notre pays à travers la planète.

Les événements de septembre 2012 et les choix opérés dans les journées et les semaines qui les ont précédés et suivis mettent fort bien en relief certains des dilemmes les plus cruels de la politique étrangère américaine – et les enjeux humains déchirants de chaque décision que nous prenons. Nos diplomates sont obligés de faire la part des choses entre la nécessité de s'engager dans des environnements difficiles et dangereux, et celle d'assurer leur propre sécurité. En tant que pays, nous devons faire davantage pour les protéger, sans les empêcher d'exercer leurs missions si importantes. Il est nécessaire de rester ouverts au monde en un temps où toute provocation peut entraîner des émeutes antiaméricaines à travers le monde et inciter des organisations terroristes lointaines à continuer à fomenter de nouveaux attentats. En définitive, tous ces défis se résument à celui-ci : sommes-nous prêts à assumer les fardeaux du leadership américain en un siècle de périls ?

Une partie de la réponse nous a été livrée par l'enquête indépendante menée sur les attentats de Benghazi, qui notait que « la suppression totale du risque n'existe pas pour la diplomatie américaine, dans la mesure où le gouvernement des États-Unis doit être présent dans des lieux d'où la stabilité et la sécurité sont souvent intrinsèquement absentes et le soutien du gouvernement hôte parfois minime, voire inexistant ».

Si nous pouvons et devons travailler à réduire le danger, la seule façon de le supprimer intégralement serait de nous retirer complètement et d'accepter les conséquences du vide que nous laisserions derrière nous. Quand l'Amérique est absente, l'extrémisme prend racine, nos intérêts souffrent et notre sécurité intérieure est menacée. Certains estiment que c'est le meilleur choix. Je n'en fais pas partie. Se retirer n'est pas la solution ; cela ne rendra pas le monde plus sûr, et puis ce n'est tout simplement pas dans la nature de notre pays. Face aux revers et aux tragédies, les Américains se sont toujours employés à travailler plus dur et plus intelligemment. Nous nous efforçons de tirer les leçons de nos erreurs et d'éviter de les reproduire. Et nous ne reculons pas devant les défis qui nous attendent. C'est ce que nous devons continuer à faire.

Les événements de ce mois de septembre se sont déroulés au milieu de ce qu'on appelle souvent le « brouillard de la guerre », les informations étant difficiles à obtenir et des rapports contradictoires ou incomplets entravant la compréhension de ce qui se passait réellement sur le terrain, surtout à des milliers de kilomètres de Washington. Si ce brouillard exaspérant s'est maintenu aussi longtemps, c'était en partie à cause de l'agitation persistante qui régnait en Libye. Et, malgré tous les efforts des fonctionnaires en place d'un bout à l'autre de notre gouvernement – à la Maison-Blanche, au département d'État, dans l'armée, dans la communauté du renseignement, au FBI, au sein d'une commission d'enquête indépendante et dans huit commissions du Congrès –, cette tragédie ne sera jamais entièrement élucidée. Il est peu probable qu'on s'entende un jour, fût-ce approximativement, sur ce qui s'est produit exactement cette nuit-là, sur la manière dont cela s'est passé et les raisons pour lesquelles cela s'est passé. Il ne faut cependant pas se méprendre et y voir une absence de volonté de découvrir la vérité ou de la faire connaître au peuple américain. Je suis reconnaissante aux nombreux professionnels dévoués qui se sont efforcés inlassablement de répondre au mieux de leurs compétences à toutes les interrogations.

Le récit que voici associe ma propre expérience personnelle et les informations obtenues au cours des journées, des semaines et des mois qui ont suivi grâce à plusieurs enquêtes approfondies, et notamment au travail de la commission indépendante chargée d'éclairer ce qui s'était passé sans prendre de gants. Malgré la masse regrettable de désinformation, de spéculation – et de tromperie pure et simple – de la part de certains médias, plus d'un an plus tard, des rapports détaillés émanant de sources sérieuses continuent à élargir notre compréhension de ces événements.

*

* *

Si la matinée du 11 septembre 2012 a commencé comme beaucoup d'autres, l'histoire de notre pays connaît peu de dates aussi fatidiques. Depuis 2001, chaque fois que revient le 11 septembre, je repense à cette terrible journée. Quand New York a été dévastée par les attentats contre les tours jumelles, cela faisait moins d'un an que je représentais son État au Sénat. Ce jour-là, qui avait débuté par la fuite éperdue de plusieurs centaines de personnes dévalant les marches du Capitole et s'était achevé par le *God Bless America* entonné par des centaines de membres du Congrès, debout sur ces mêmes marches, dans une émouvante manifestation d'unité, a façonné ma volonté opiniâtre d'aider New York à se remettre et d'assurer sa sécurité contre de futures agressions. C'est avec tous ces souvenirs présents à l'esprit que je suis partie de chez moi pour rejoindre le département d'État.

À mon arrivée au bureau, ma première tâche de la journée a été, comme d'ordinaire, d'assister au briefing quotidien sur les événements touchant le renseignement et la sécurité nationale, et notamment de prendre connaissance des derniers rapports sur les menaces terroristes à travers le monde. Ce briefing a lieu tous les jours et s'adresse aux hauts responsables de l'ensemble du gouvernement. Il est préparé par une équipe dévouée d'analystes professionnels du renseignement, qui travaillent toute la nuit avant de se déployer dans Washington avant l'aube, tous les matins, pour remettre et présenter oralement leurs rapports.

Les mois précédents avaient été agités dans tout le Proche et le Moyen-Orient et en Afrique du Nord. La guerre civile en Syrie s'intensifiait, envoyant des flots de réfugiés vers la Jordanie et la Turquie. En Égypte, l'ascension des Frères musulmans et les tensions avec l'armée conduisaient à s'interroger sur l'avenir du Printemps arabe. Des groupes affiliés à Al-Qaida en Afrique du Nord, en Irak et dans toute la péninsule Arabique continuaient à menacer la sécurité de la région.

Le 8 septembre, une vidéo incendiaire de quatorze minutes se présentant comme la bande-annonce d'un long métrage intitulé *L'Innocence des musulmans* a été diffusée sur une chaîne de télévision satellitaire égyptienne largement disponible dans tout le Proche et le Moyen-Orient. À en croire plusieurs comptes rendus de presse, ce film propose « une caricature grotesque du prophète Mahomet », répétant à son sujet « des insultes souvent proférées par les islamophobes » et allant jusqu'à le comparer à un âne. Un rapport de presse affirme que, dans ce film, le Prophète est « accusé d'homosexualité et de maltraitance d'enfants ». De nombreux téléspectateurs égyptiens ont été scandalisés et, alimentée par Internet, la colère s'est rapidement répandue dans tout le Proche et le Moyen-Orient ainsi qu'en Afrique du Nord. Bien que le gouvernement des États-Unis ait été totalement étranger à cette vidéo, beaucoup de gens en ont imputé la responsabilité à l'Amérique.

L'anniversaire du 11-Septembre ajoutait un autre élément potentiellement explosif et, comme chaque année, il a incité nos services secrets et nos responsables de la sécurité à redoubler de prudence. Néanmoins, la communauté du renseignement, comme elle en a témoigné depuis, n'avait relayé aucune information concrète sur des menaces précises pesant sur l'une ou l'autre des missions diplomatiques américaines à travers le Proche et le Moyen-Orient et l'Afrique du Nord.

Plus tard dans la matinée, je suis sortie de mon bureau et j'ai emprunté le couloir jusqu'à la salle des traités pour faire prêter officiellement serment à Gene Cretz, rentré récemment de son poste en Libye, en tant que nouvel ambassadeur des États-Unis au Ghana. Vers la même heure, à l'autre bout du monde, au Caire, des jeunes gens ont commencé à se rassembler dans la rue devant l'ambassade américaine à l'appel de dirigeants islamistes extrémistes pour protester contre cette vidéo outrageante. Bientôt, 2 000 personnes hurlaient des slogans antiaméricains et agitaient les bannières noires du djihad. Certains manifestants ont escaladé les murs et déchiré un grand drapeau américain, qu'ils ont remplacé par un drapeau noir. La police antiémeute égyptienne a fini par arriver, mais la manifestation s'est poursuivie. Par bonheur, aucun membre de notre personnel n'a été blessé au cours de ces échauffourées. Des journalistes et d'autres personnes présentes utilisant les réseaux sociaux ont fait état de commentaires furieux à propos de la vidéo. Un jeune homme a ainsi déclaré : « C'est une réaction très naturelle contre le tort causé à notre prophète. » Un autre s'est écrié : « Ce film doit être interdit immédiatement et des excuses doivent être présentées. »

Ce n'était pas la première fois que des provocateurs se servaient de documents insultants pour attiser l'indignation populaire dans le monde musulman, avec bien souvent des résultats meurtriers. En 2010, un certain Terry Jones, pasteur en Floride, avait annoncé son intention de brûler le Coran, le texte sacré de l'islam, à l'occasion du neuvième anniversaire du 11-Septembre. Ses menaces avaient été reprises et amplifiées par des extrémistes, donnant lieu à un vaste mouvement de protestation. Sur le moment, j'avais été étonnée qu'un unique fauteur de trouble de Gainesville, en Floride, responsable d'une toute petite paroisse, ait pu provoquer pareil émoi. Mais les conséquences possibles de sa menace n'étaient que trop réelles. Bob

Gates, le secrétaire à la Défense, avait personnellement appelé Jones pour lui expliquer que ses initiatives mettaient en danger la vie de soldats des États-Unis et de la coalition en Irak et en Afghanistan, ainsi que celle de la population civile. Jones avait accepté de renoncer à son action et l'anniversaire s'était déroulé sans incident. Mais voilà qu'en mars 2011 il était revenu sur sa parole et avait brûlé un Coran. Les avertissements de Bob s'étaient révélés tragiquement prémonitoires : en Afghanistan, une foule en colère avait mis le feu à un bureau des Nations unies et tué sept personnes. De nouvelles protestations meurtrières avaient éclaté en février 2012, des soldats américains ayant brûlé par inadvertance des textes religieux sur la base aérienne de Bagram, en Afghanistan. Quatre Américains avaient trouvé la mort. À présent, Jones participait à la promotion de cette nouvelle vidéo qui insultait le prophète Mahomet, et le danger de voir l'histoire se répéter était on ne peut plus concret.

Songeant à l'évolution de la situation au Caire, je me suis dirigée vers la Maison-Blanche pour y retrouver le secrétaire à la Défense, Leon Panetta, et le conseiller à la Sécurité nationale, Tom Donilon. À mon retour au bureau, j'ai passé tout l'après-midi en compagnie de hauts responsables du département d'État à suivre attentivement les rapports de notre ambassade. Notre ambassadrice en Égypte, Anne Patterson, était précisément de retour à Washington pour des consultations et restait en contact constant avec son chef de mission adjoint, passant des heures au téléphone pour exhorter les autorités égyptiennes à prendre le contrôle de la situation. Nous avons tous été soulagés de constater qu'on avait pu éviter de nouvelles violences.

Nous avons appris plus tard que, pendant que ces événements se déroulaient au Caire, dans la Libye voisine l'ambassadeur Chris Stevens s'était rendu dans la deuxième plus grande ville du pays, Benghazi.

Il s'était passé bien des choses en Libye depuis mon séjour à Tripoli en octobre 2011. Deux jours après mon départ, le colonel Mouammar Kadhafi avait été capturé et tué. Les premières élections législatives avaient eu lieu au début du mois de juillet 2012 et, en août, le gouvernement transitoire avait remis le pouvoir à un nouveau Congrès général national au cours d'une cérémonie que Chris présentait comme le plus grand moment de son séjour en Libye. Chris et son équipe collaboraient étroitement avec les nouveaux dirigeants, qui cherchaient à relever les défis considérables inhérents à l'instauration d'un gouvernement démocratique et à la nécessité d'assurer la sécurité et de mettre en place un certain nombre de services dans un pays exsangue au terme de plusieurs décennies de tyrannie. Les miliciens, comme ceux qui m'avaient accueillie à l'aéroport et avaient escorté mon convoi un an plus tôt, allaient devoir se soumettre à l'autorité du gouvernement central. Il faudrait organiser la collecte des armes en liberté un peu partout, organiser des élections et établir des institutions et des processus démocratiques. Le maintien de la loi et de l'ordre restait un problème majeur.

En février 2012, j'avais envoyé le secrétaire d'État adjoint Tom Nides à Tripoli, avant d'accueillir moi-même Abdel Rahim al-Kib, Premier ministre du gouvernement de transition, à Washington en mars. Nous avons proposé d'aider le gouvernement à assurer la sécurité de ses frontières, à désarmer et démobiliser les milices et à réintégrer les anciens combattants dans des services de sécurité ou dans la vie civile. En juillet, Bill Burns, secrétaire d'État adjoint, s'était lui aussi rendu sur place. J'étais restée en contact téléphonique avec les dirigeants du gouvernement libyen, et m'étais notamment entretenue en août avec le président du Congrès général national, Mohammed Magariaf, tandis que nos équipes à Washington et à Tripoli me tenaient régulièrement au courant des efforts de tout le gouvernement américain pour assister le nouveau gouvernement libyen. Nous avions enregistré des amorces de progrès sur la démobilisation, la démilitarisation et la réintégration, ainsi que sur le contrôle et la neutralisation des armes en liberté à travers toute la Libye, mais il restait beaucoup à faire. Des spécialistes du département de la Défense et des experts en sécurité des frontières du département d'État collaboraient étroitement avec leurs homologues libyens. Le 4 septembre 2012, nous avions estimé que la Libye remplissait les conditions requises pour bénéficier du Global Security Contingency Fund[1], une initiative conjointe du département de la Défense et du département d'État visant à mettre en commun des ressources et des compétences afin de faire face aux défis nombreux et variés que connaissait le gouvernement libyen.

Chris était au cœur de toute cette activité, et il connaissait mieux que personne tous les problèmes que la Libye avait encore à régler. Le lundi 10 septembre, il a quitté l'ambassade des États-Unis à Tripoli pour prendre un avion qui lui a fait franchir les quelque 650 kilomètres jusqu'à Benghazi, à l'est du pays, où nous avions

---

1. Fonds de réserve pour la sécurité mondiale, créé en 2012.

installé une représentation diplomatique temporaire avec un personnel tournant. Benghazi est un port méditerranéen qui abrite plus d'un million d'habitants, pour l'essentiel des musulmans sunnites, ainsi que d'importantes minorités africaine et égyptienne. Son architecture diversifiée, mélange de bâtiments dégradés par le temps et de chantiers de construction inachevés, reflète un passé de conquêtes et de conflits sous des dirigeants arabes, ottomans et italiens rivaux, ainsi que les ambitions extravagantes et le long et lent déclin du régime de Kadhafi. Benghazi avait été un foyer de dissidents ; la révolution de 1969 qui avait porté Kadhafi au pouvoir aussi bien que la révolution de 2011 qui l'en avait chassé avaient eu cette ville pour point de départ. Chris connaissait bien Benghazi, car il avait été notre représentant auprès du Conseil national de transition rebelle, qui y avait établi son siège pendant le soulèvement de 2011. Il était très largement apprécié et admiré.

Les ambassadeurs américains ne sont pas tenus de consulter Washington ni d'obtenir son approbation quand ils voyagent à l'intérieur des pays où ils sont en poste, et ils le font rarement. Comme tous les chefs de mission, Chris décidait de ses déplacements en fonction des évaluations de sécurité de son équipe sur le terrain et de son propre jugement. Après tout, personne n'avait plus d'expérience de la Libye et personne ne connaissait mieux ce pays que lui. Il n'ignorait rien de l'anarchie qui régnait à Benghazi, où s'étaient d'ailleurs produits, plus tôt dans l'année, plusieurs incidents contre des intérêts occidentaux. En même temps, il comprenait l'importance stratégique de cette ville en Libye et estimait que la valeur d'une visite l'emportait sur les risques. Il était accompagné de deux agents de sécurité, de sorte qu'il y avait cinq agents de la Sécurité diplomatique (SD) dans notre représentation de Benghazi au moment de l'attaque. En y ajoutant un autre membre du personnel du département d'État, Sean Smith, il y avait au total sept Américains sur place.

Nous apprendrions plus tard qu'à son arrivée à Benghazi Chris avait assisté à un briefing du personnel de la CIA locale, installée dans un autre ensemble de bâtiments, plus vaste, à environ un kilomètre. Son existence et sa mission étaient des secrets soigneusement gardés, mais il était prévu qu'en cas d'urgence une équipe d'intervention rapide de la CIA rejoigne immédiatement les immeubles du département d'État pour assurer une protection supplémentaire. La journée de Chris s'est achevée par un dîner en compagnie de membres du conseil municipal dans un hôtel de la ville.

Le mardi, onzième anniversaire du 11-Septembre, Chris a organisé toutes ses réunions à l'intérieur de notre représentation. En fin d'après-midi, alors que la foule s'était déjà rassemblée devant notre ambassade du Caire, il a rencontré un diplomate turc. Quand il l'a raccompagné à la porte, il n'y avait rien d'anormal à signaler. Vers 21 heures, Chris et Sean se sont retirés pour la nuit.

Environ quarante minutes plus tard, sans le moindre signe avant-coureur, plusieurs dizaines d'hommes armés ont surgi devant la grille de notre représentation. Débordant les gardes libyens locaux, ils se sont précipités à l'intérieur. Ils ont allumé des feux au fur et à mesure de leur progression.

Alec, l'agent de la Sécurité diplomatique de service au centre d'opérations tactiques de la représentation, a repéré les hommes sur son écran de télévision en circuit fermé. Entendant des tirs et une explosion, il a réagi sur-le-champ. Il a activé le système d'alarme des bâtiments, pris contact avec des responsables de la sécurité américaine à l'ambassade de Tripoli et, conformément au protocole établi, prévenu l'équipe solidement armée de la CIA stationnée au voisinage, lui demandant une assistance immédiate.

Les quatre autres agents de la SD ont réagi exactement comme ils avaient été formés à le faire. Scott, le responsable, a conduit Chris et Sean, deux hommes qu'il allait protéger cette nuit-là au péril de sa propre vie, vers une zone refuge fortifiée à l'intérieur de l'immeuble principal de la représentation. Les trois autres agents ont entrepris de rassembler les armes lourdes et l'équipement tactique, mais ils se sont rapidement trouvés coincés ailleurs, dans deux bâtiments différents de la mission.

Scott a fait le guet depuis l'intérieur de la zone refuge, son fusil M4 prêt à faire feu, pendant que Chris lui empruntait son téléphone pour passer un certain nombre de coups de fil à des contacts locaux ainsi qu'à son adjoint, Greg Hicks, à l'ambassade de Tripoli. Ils entendaient des hommes se déchaîner dans le reste du bâtiment et frapper contre la porte d'acier de la zone refuge. Puis, subitement, les agresseurs se sont retirés. Ils ont arrosé le bâtiment de gas-oil et y ont mis le feu. Le combustible a dégagé une épaisse fumée noire et âcre qui a rapidement envahi l'atmosphère. Chris, Sean et Scott n'ont pas tardé à avoir du mal à voir et à respirer.

Leur seul espoir était de rejoindre le toit. Une sortie de secours leur offrait une chance d'évasion. Scott leur a montré le chemin, progressant à quatre pattes. Les yeux et la gorge en feu, il a réussi à atteindre la grille de sortie et à l'ouvrir. Mais, lorsqu'il s'est retourné après l'avoir franchie, il a constaté que Chris et Sean, qui le suivaient encore quelques instants auparavant seulement, n'étaient plus derrière lui. La fumée était si dense qu'ils s'étaient perdus. Aujourd'hui encore, je reste hantée par la pensée de ce qu'ils ont dû éprouver au cours de ces minutes insoutenables dans le bâtiment en feu.

Scott les a cherchés désespérément, regagnant à plusieurs reprises l'intérieur du bâtiment, les appelant, en vain. Finalement, au bord de l'évanouissement, il a gravi une échelle conduisant au toit. Les autres agents de la SD ont entendu sa voix rauque crépiter dans la radio, annonçant un message terrifiant : l'ambassadeur et Sean avaient disparu.

Quand, après avoir mis à sac la majeure partie de la représentation, la bande d'agresseurs armés a entrepris de se replier, les trois agents qui étaient restés coincés ont enfin pu rejoindre le bâtiment principal. Ils ont prodigué les premiers secours à Scott, qui avait inhalé beaucoup de fumée et souffrait d'autres blessures, puis ils ont refait son chemin jusqu'à la zone refuge en passant par la fenêtre. On n'y voyait absolument plus rien à présent à cause de la fumée, mais ils se sont obstinés, tentant à plusieurs reprises de retrouver Chris et Sean en rampant sur le sol et en tâtonnant autour d'eux. Quand l'un d'entre eux a cherché à ouvrir la porte d'entrée du bâtiment, une partie du plafond s'est effondrée.

Dès que les gens de l'antenne de la CIA ont été informés de l'attaque subie par leurs compatriotes, une équipe d'intervention s'est préparée à lancer une opération de sauvetage. Entendant des explosions au loin, ils ont rassemblé à la hâte armes et véhicules, prêts à se déployer. Deux véhicules d'agents en armes ont quitté la base de la CIA pour se rendre à la représentation diplomatique une vingtaine de minutes après le début de l'attaque. Jusqu'à la fin octobre, date à laquelle l'Agence a publiquement reconnu sa présence à Benghazi, l'existence de cette antenne de la CIA avait été tenue secrète, de sorte qu'au lendemain de l'attaque il n'a pas été publiquement fait état de la présence de ces agents. Mais, au département d'État, la réaction de nos collègues de la CIA cette nuit-là nous a inspiré à tous une reconnaissance éperdue.

À son arrivée, l'équipe de la CIA s'est divisée pour sécuriser l'ensemble des bâtiments et a rejoint les agents de la SD pour fouiller l'immeuble en flammes. Ils n'ont pas tardé à faire une affreuse découverte. Sean était mort, apparemment asphyxié par la fumée.

Son corps a été précautionneusement sorti du bâtiment en ruine. Il n'y avait toujours aucune trace de Chris.

C'est vers ce moment-là que j'ai appris ce qui s'était passé. Steve Mull s'est précipité dans le couloir jusqu'à mon bureau depuis le centre d'opérations du département d'État. Steve, un homme extrêmement respecté pour ses compétences diplomatiques et logistiques qui travaillait depuis trente ans au Service extérieur, était pour quelques semaines encore secrétaire exécutif, « Exec Sec », du département et s'apprêtait à rejoindre son poste suivant, celui d'ambassadeur en Pologne. Entre autres responsabilités, l'« Exec Sec » est chargé de gérer le flot d'informations entre Washington et les centaines de missions du département d'État à travers le monde. Ce jour-là, nous avions reçu de nombreux rapports inquiétants en provenance du Proche et du Moyen-Orient. Malgré ce contexte tendu, dès que j'ai vu l'expression du regard de Steve, j'ai compris qu'il s'était produit un événement d'une exceptionnelle gravité. Tout ce qu'il savait pour le moment, c'était que notre représentation à Benghazi avait été attaquée.

Ma première pensée a été pour Chris. Je lui avais personnellement demandé d'accepter le poste d'ambassadeur en Libye, et j'ai frémi à l'idée que lui-même et tous nos employés sur place se trouvaient à présent en grand danger.

Tendant la main vers le téléphone sécurisé posé sur mon bureau, j'ai appuyé sur la touche qui me mettait immédiatement en relation avec la Maison-Blanche et le conseiller à la Sécurité nationale, Tom Donilon. Le président Obama a été informé de l'attaque alors qu'il était en réunion dans le Bureau ovale avec le secrétaire à la Défense, Leon Panetta, et le président du Comité des chefs d'état-major interarmées, Marty Dempsey, un homme connu pour son franc-parler et son bon sens. En apprenant la nouvelle, le président a donné l'ordre de faire tout le nécessaire pour soutenir nos personnels en Libye. Il était impératif de mobiliser sur-le-champ toutes les ressources possibles. L'antenne de la CIA avait déjà réagi, mais le président tenait à ce qu'aucun moyen ne soit négligé pour venir en aide à notre personnel. Quand des Américains sont sous le feu de l'ennemi, ce n'est pas un ordre que le commandant en chef a à répéter. Notre armée fait tout ce qui est humainement possible pour sauver des vies américaines – et elle ferait plus encore si elle le pouvait. Que quiconque ait pu avoir l'audace de suggérer le contraire, voilà une chose que je ne comprendrai jamais.

La nouvelle de cette attaque avait été comme un coup de poing dans l'estomac, mais, en pleine crise, je n'avais pas le temps de traiter ce flot d'émotions – il y avait trop à faire. J'ai demandé à notre équipe d'opérations, dirigée par le sous-secrétaire Pat Kennedy, de collaborer avec l'ambassade de Tripoli pour assurer la sécurité de nos ressortissants et d'enfoncer s'il le fallait les portes du gouvernement libyen pour réclamer un soutien supplémentaire. J'ai également appelé David Petraeus, le directeur de la CIA, sachant que l'Agence disposait d'une puissante force de sécurité à proximité. Il fallait aussi nous préparer à l'éventualité que d'autres agressions se produisent ailleurs. Notre ambassade du Caire avait déjà été visée. Benghazi venait d'être attaqué. Quelle serait la cible suivante ? Cela faisait quarante ans que Pat travaillait au Service extérieur. Il avait exercé ses fonctions sous huit présidents appartenant aux deux partis. Certains prenaient à tort son attitude débonnaire et son penchant pour les cardigans et les pulls sans manches pour un signe de mollesse, mais Pat était un vrai dur. Imperturbable au milieu de la tempête, il m'a assuré qu'on faisait le maximum. Il n'était pas du genre à se laisser prendre de court par des événements imprévisibles, car il avait assisté à certaines des pires attaques contre le personnel et les biens du département d'État et, en tant que jeune agent du Service extérieur, il avait joué un petit rôle pour soutenir les familles des six diplomates américains qui avaient finalement réussi à quitter l'Iran après la prise d'assaut de notre ambassade à Téhéran en 1979 (un épisode qui apparaît dans le film *Argo*).

Un avion a rapidement été affrété à Tripoli et un groupe de sept membres de l'armée et des services secrets s'est apprêté à partir aussitôt pour Benghazi. Il n'y avait pas trente-six solutions. Le Pentagone disposait évidemment de forces d'opérations spéciales à Fort Bragg, en Caroline du Nord, mais il leur aurait fallu plusieurs heures pour se rassembler et elles se trouvaient à plus de 8 000 kilomètres de Benghazi. Nos dirigeants civils et nos commandants militaires – parmi lesquels le président du Comité des chefs d'état-major interarmées et d'autres membres de son équipe – ont témoigné à plusieurs reprises sous serment, lors d'audiences tant publiques qu'à huis clos, que les moyens avaient été immédiatement mobilisés, mais qu'aucun n'était en mesure d'atteindre rapidement la Libye. Certains esprits critiques se sont étonnés que la plus grande force militaire du monde ait été incapable de rejoindre Benghazi à temps pour défendre nos citoyens. Une partie de la réponse est que, malgré la création en 2008 du Commandement africain des États-Unis, l'infrastructure militaire américaine en place sur le continent africain était insuffisante. À la différence de l'Europe et de l'Asie, l'empreinte militaire des États-Unis en Afrique est presque inexistante. En outre, notre armée n'est pas déployée à travers le monde avec pour mission de maintenir des forces prêtes à intervenir pour défendre des représentations diplomatiques. Comme l'ont déclaré sous serment nos responsables militaires, le Pentagone n'a tout simplement pas les moyens d'affecter des forces à plus de 270 ambassades et consulats à l'échelle de la planète. Ce sont les faits, même si tout le monde ne les admet pas et si certains jugent bon de contester à tout propos les actions de notre armée. C'est ainsi que, plusieurs semaines après l'agression, un rapport sensationnel a fait état de l'envoi à Benghazi d'un avion d'attaque au sol américain AC-130, dont la mission aurait ensuite été annulée. Le Pentagone a examiné de près cette allégation. Non seulement il n'y avait pas d'avion d'attaque américain dans les environs, mais il n'y en avait aucun sur l'ensemble du continent africain ou à proximité. Le plus proche se trouvait à 1 500 kilomètres, en Afghanistan. Ce n'est que l'une des nombreuses fausses accusations que portent ceux qui préfèrent la désinformation à la réalité.

Un autre élément qui aurait pu, selon certains détracteurs, faire la différence portait le nom de FEST. Après les attentats contre des ambassades américaines en Afrique orientale en 1998, on avait constitué la Foreign Emergency Support Team (Unité de soutien en cas d'alerte à l'étranger) ; elle était formée et équipée pour contribuer à rétablir des communications sûres, réagir aux risques biologiques et apporter d'autres moyens de soutien aux installations diplomatiques paralysées. Mais il ne s'agissait pas d'une unité d'intervention armée capable de prendre activement part à des combats, et ses membres se trouvaient, eux aussi, à plusieurs milliers de kilomètres de là, à Washington.

Un grand nombre d'Américains et même des membres du Congrès ont appris avec étonnement qu'il n'y avait pas de Marines affectés à notre représentation de Benghazi. En réalité, il n'y a de Marines en poste que dans un peu moins de la moitié de nos missions diplomatiques mondiales, où leur fonction première consiste à protéger, et au besoin à détruire, des documents et des équipements ultra-secrets. De sorte que, si des Marines étaient effectivement stationnés à notre ambassade de Tripoli, où travaillaient presque tous nos diplomates et qui avait la capacité de traiter des documents confidentiels, il n'y en avait pas à Benghazi, dans la mesure où cette représentation n'avait pas à traiter de matériaux secrets.

Il n'y avait pas non plus de transmissions vidéo directes depuis les bâtiments de Benghazi à destination d'un agent posté à Washington. Certaines ambassades plus importantes dans le monde possèdent un tel équipement, mais la représentation de Benghazi était une installation provisoire, sans accès suffisant au haut débit. Elle disposait de caméras en circuit fermé et d'un système d'enregistrement vidéo sur place – un peu comme un enregistreur DVR. Les responsables de la sécurité américaine n'auraient accès à ces films que plusieurs semaines plus tard, lorsque les autorités libyennes auraient récupéré ce matériel et l'auraient remis à des représentants américains. Aussi les employés du Centre de commandement de la Sécurité diplomatique de Virginie qui cherchaient à suivre le déroulement des événements en temps réel ne pouvaient-ils compter que sur une unique ligne téléphonique ouverte pour écouter leurs collègues de Tripoli et de Benghazi. Ils pouvaient entendre une partie de ce qui se passait, mais l'image était affreusement incomplète.

Il existait cependant, pour contribuer à combler cette lacune, un appareil qui pouvait être rapidement mis en action ; en effet, un drone de surveillance sans arme ni équipage était déjà en mission ailleurs au-dessus de la Libye. Le drone a été redirigé vers Benghazi et est arrivé sur zone environ quatre-vingt-dix minutes après le début de l'attaque, offrant aux agents américains de la sécurité et du renseignement un autre moyen de suivre ce qui se déroulait sur le terrain.

À peu près au même moment, le centre d'opérations a fait savoir que les tirs s'étaient calmés à l'intérieur de notre représentation et que nos forces de sécurité cherchaient à localiser les membres du personnel portés disparus. L'expression faisait froid dans le dos. La plupart des agresseurs de la bande étaient repartis, mais pour combien de temps ? Des combattants et des pilleurs grouillaient encore à proximité. L'équipe a décidé que s'attarder sur les lieux risquait de mettre d'autres vies américaines en danger. Malgré tous les efforts en cours pour retrouver Chris, toujours porté disparu dans le bâtiment principal en flammes, il n'y avait pas d'autre solution que d'évacuer et de se replier dans les locaux de la CIA, plus efficacement défendus, à environ un kilomètre.

À contrecœur, les cinq agents de la SD se sont entassés dans un véhicule blindé. Le trajet a été bref – quelques minutes à peine –, mais très pénible. À peine arrivés dans la rue, ils ont essuyé des tirs lourds et nourris, et sont passés sur les chapeaux de roues devant un important groupe de combattants massés autour d'un barrage routier. Deux pneus ont éclaté et le verre blindé s'est brisé, mais ils ont continué à foncer. Craignant d'être pris en chasse par deux véhicules inconnus, ils ont franchi le terre-plein central et se sont retrouvés au milieu de la circulation qui arrivait en sens inverse. Quelques minutes plus tard, ils ont atteint l'antenne de la CIA. Les blessés ont pu être soignés, tandis que les autres se mettaient en position de défense. L'équipe d'intervention de la CIA les a suivis peu après, transportant le corps de Sean Smith. Chris n'avait toujours pas été retrouvé.

Au septième étage du département d'État, tout le monde se démenait. Les fonctionnaires de tout rang s'entretenaient avec leurs homologues de l'ensemble du gouvernement. Les agents américains à Washington et en Libye collaboraient avec les Libyens pour rétablir la sécurité et participer à la recherche de notre ambassadeur. J'ai réuni les plus hauts responsables du département pour faire le point et discuter des mesures à prendre. J'ai également reparlé avec la Maison-Blanche. L'antenne de la CIA était désormais soumise à des tirs d'armes légères et de grenades autopropulsées. Tout le monde s'y préparait à accueillir une nouvelle bande d'agresseurs, mais ceux-ci ne se sont pas matérialisés. Les tirs se sont poursuivis sporadiquement avant de cesser définitivement.

Le centre d'opérations a annoncé qu'une milice islamiste extrémiste, Ansar al-Charia, revendiquait la responsabilité de cette agression, une allégation sur laquelle elle est cependant revenue par la suite. Ce n'était pas une affirmation à prendre à la légère. Dans les jours qui ont suivi, les analystes du renseignement américain ont examiné de très près les attaques pour essayer de déterminer comment elles avaient commencé et qui y avait pris part. En attendant, nous ne pouvions que nous préparer au pire, c'est-à-dire à la possibilité de nouvelles agressions contre les intérêts américains dans la région.

Notre ambassade à Tripoli exerçait toutes les pressions possibles, mais je n'étais pas satisfaite de ce que nous obtenions des Libyens. J'ai téléphoné au président libyen Magariaf et, comme je le ferais dans d'autres conversations cette semaine-là, j'ai insisté dans les termes les plus catégoriques sur le risque de nouvelles attaques. Je tenais à ce que lui, et les autres, comprennent l'urgence de la situation et ne s'imaginent pas que la menace était passée. Magariaf s'est répandu en excuses. Je l'ai remercié de sa sollicitude, tout en lui faisant clairement comprendre que nous ne nous contenterions pas de regrets : il fallait prendre des mesures immédiates pour protéger notre personnel à Benghazi et à Tripoli.

Pendant ce temps, l'avion transportant une équipe de sécurité américaine de renfort en provenance de Tripoli s'est posé sur l'aéroport de Benghazi. Son objectif était de trouver des véhicules et de rejoindre l'antenne de la CIA le plus rapidement possible. Mais l'aéroport fourmillait à présent d'agents de sécurité libyens et de chefs de milices qui ont exigé de rassembler un important convoi blindé pour escorter les Américains. Notre équipe, exaspérée et impatiente de se porter au secours de ses collègues, a été retenue pendant des heures, en attendant que les forces libyennes se sentent suffisamment en confiance pour quitter l'aéroport et se diriger vers l'antenne de la CIA.

À Washington, j'ai organisé une audioconférence avec huit hauts responsables du département et Greg Hicks, chef de mission adjoint à Tripoli. Greg avait été l'une des dernières personnes à parler à Chris avant sa disparition et, en l'absence de l'ambassadeur, il était désormais officiellement responsable de la sécurité de tous les Américains présents dans le pays. La nuit avait été longue, et je me demandais comment notre équipe à Tripoli tenait le coup. Je voulais également lui faire savoir quelles initiatives prenaient Washington, l'armée, la CIA et d'autres services gouvernementaux. Greg m'a annoncé qu'il estimait que, par mesure de précaution, nous ferions bien d'évacuer l'ambassade de Tripoli et de l'installer ailleurs, et je l'ai approuvé. Nous avons parlé des recherches effectuées pour retrouver Chris, que nous aimions tous les deux beaucoup. Les perspectives n'étaient pas bonnes et le chagrin transparaissait dans la voix de Greg. Je lui ai demandé de transmettre mes prières à toute son équipe et de rester en contact étroit avec nous.

Je me suis dirigée vers le centre d'opérations pour une visioconférence sécurisée entre différents services gouvernementaux et la salle de crise de la Maison-Blanche, des membres du Conseil de sécurité nationale, de la CIA, du département de la Défense, du Comité des chefs d'état-major interarmées et d'autres organismes. C'était une réunion d'adjoints à laquelle ne participaient pas les ministres, mais le protocole était le dernier de mes soucis. J'ai transmis à mon groupe la teneur des discussions que j'avais eues avec Greg et avec le président Magariaf, et insisté sur la nécessité de faire sortir nos personnels de Benghazi aussi rapidement que possible et de la manière la plus sûre.

De retour à mon bureau, j'ai annoncé à l'équipe qu'il était temps de faire une déclaration publique. Je n'avais eu jusque-là qu'une idée en tête : coordonner les actions des différents services gouvernementaux et mobiliser des ressources pour nos gens sur le terrain. Mais la presse commençait à s'agiter à propos des événements de Benghazi et le peuple américain méritait d'entendre de ma bouche ce qui se passait, même si nous ne disposions que d'informations limitées. La pratique du département d'État était de se garder de toute déclaration tant que nous n'étions pas en mesure de confirmer le sort de l'ensemble de notre personnel – or nous n'avions toujours pas localisé Chris. Il m'a pourtant paru essentiel de communiquer de la façon la plus claire et la plus rapide possible. J'ai publié une déclaration confirmant la perte d'un de nos agents, condamnant l'agression et promettant de collaborer avec nos partenaires du monde entier pour protéger les diplomates, les missions et les citoyens américains.

Peu après m'avoir parlé, Greg et son équipe de l'ambassade ont reçu un appel téléphonique saisissant. Il provenait du portable qu'avait utilisé Chris pour la dernière fois avant de disparaître dans la zone refuge enfumée. Ce n'était pas Chris. Un homme qui parlait arabe leur a annoncé qu'un Américain inconscient correspondant au signalement de l'ambassadeur se trouvait dans un hôpital local. Il n'a apporté aucune autre information, aucune garantie. Pouvait-il vraiment s'agir de Chris ? Ou cette information était-elle un piège destiné à attirer nos hommes à l'extérieur des locaux de la CIA, en terrain découvert ? Il fallait nous en assurer. Greg a demandé à un contact local de se rendre à l'hôpital pour se renseigner. Chose remarquable, il s'agissait précisément du Libyen qui avait participé au sauvetage de notre pilote abattu un an plus tôt.

Quelques jours plus tard, une vidéo a fait surface sur laquelle on voyait une foule de pilleurs et de badauds errer dans les bâtiments fumants après l'évacuation de notre équipe. Un groupe de Libyens – qui n'ont jamais été identifiés – avait découvert le corps de Chris au milieu de la fumée qui se dissipait et, sans savoir de qui il s'agissait, l'avaient conduit à un hôpital local. Ils étaient, semble-t-il, arrivés au service des urgences peu après 1 heure du matin et les médecins avaient passé trois quarts d'heure à essayer de réanimer Chris, mais, vers 2 heures, ils n'avaient pu que constater son décès par asphyxie. Plus tard, le Premier ministre libyen a appelé Greg à Tripoli pour lui annoncer la nouvelle. Cela avait été, a dit Greg, le plus triste coup de fil de sa vie. Nous avons eu la certitude absolue qu'il s'agissait bien de Chris quand son corps a été remis au personnel américain à l'aéroport de Benghazi, le lendemain matin. Je savais qu'il y avait de très fortes probabilités pour que Chris soit mort, mais, tant que nous n'en avions pas eu confirmation, il restait une chance qu'il ait pu s'en sortir. Désormais, il n'y avait plus d'espoir.

*

* *

Nos agents de la SD étant en sécurité dans les locaux lourdement fortifiés de la CIA et nos renforts de Tripoli se trouvant sur place à l'aéroport, j'ai décidé de quitter mon bureau pour rentrer chez moi, au nord-ouest de Washington, à quelques minutes seulement de Foggy Bottom. Je savais que les jours suivants allaient être éprouvants pour tous, l'ensemble du personnel du département d'État attendant de moi que je les aide à surmonter cette tragédie bouleversante tout en veillant à ce que chacun reste concentré sur les tâches à venir. Quand j'étais devenue secrétaire d'État, le département avait installé dans ma maison tous les équipements de communication sécurisés et autres dispositifs nécessaires pour que je puisse travailler aussi commodément depuis chez moi que dans mon bureau.

J'ai eu le président Obama au téléphone et lui ai fait part des dernières nouvelles. Il m'a demandé comment nos personnels tenaient le coup et a de nouveau insisté : toutes les mesures devaient être prises pour protéger nos diplomates et nos ressortissants en Libye et dans l'ensemble de la région. J'ai acquiescé et lui ai transmis mon évaluation de la situation. À mon avis, la crise n'était pas terminée. Nous devions nous attendre à d'autres problèmes, sinon en Libye, du moins ailleurs.

Notre équipe de renforts de Tripoli a finalement réussi à quitter l'aéroport pour rejoindre la mission de la CIA, ce qui a procuré à leurs collègues épuisés un immense sentiment de soulagement. Il allait être de courte durée.

Quelques minutes après l'arrivée de l'équipe, un tir de mortier s'est fait entendre. Les premiers obus ont manqué leur cible, mais les suivants l'ont atteinte avec une force dévastatrice, tuant les deux agents de sécurité de la CIA, Glen Doherty et Tyrone Woods, et en blessant gravement plusieurs autres, parmi lesquels David, un de nos agents de la SD.

La tragédie de Benghazi venait de s'aggraver au-delà de toute mesure. Il fallait absolument que nous fassions quitter la ville au reste de notre personnel – une bonne trentaine de personnes au total, entre les cinq agents de la SD du département et le personnel de la CIA – avant de subir de nouvelles pertes humaines.

Environ une heure plus tard, les forces de sécurité du gouvernement libyen (qui s'étaient dispersées quand l'antenne de la CIA avait été touchée par les tirs de mortier) sont revenues escorter notre personnel jusqu'à l'aéroport. Un premier avion chargé d'Américains a décollé à 7 h 30. Un deuxième appareil a évacué les autres, en même temps que les dépouilles de Sean Smith, de Glen Doherty et de Tyrone Woods, ainsi que celle de Chris Stevens, qui avait été transportée depuis l'hôpital. Avant midi, tous les Américains présents à Benghazi se trouvaient enfin à Tripoli.

*

* *

À Washington, je ne cessais de penser à l'horreur de ce qui venait de se produire. Pour la première fois depuis 1979, un ambassadeur américain avait été tué dans l'exercice de ses fonctions. Quatre Américains étaient morts. Nos locaux de Benghazi n'étaient plus que ruines fumantes, notre antenne de la CIA était abandonnée. Et personne n'était en mesure de dire ce qui allait se passer à présent, ni où.

J'ai rassemblé toutes mes forces pour la journée à venir. Je savais qu'il fallait absolument que je dirige avec énergie un département en état de choc tout en restant concentrée sur les menaces en cours. Mais, avant tout, je devais appeler les familles de ceux que nous avions perdus. Il fallait qu'elles sachent combien notre département et la nation tout entière honoraient le travail accompli par leurs proches et à quel point leur perte nous brisait le cœur. Ces appels ne seraient pas faciles à passer, mais c'était une responsabilité solennelle.

Après avoir fait un dernier point sur la situation avec le général Dempsey, je me suis assise à mon bureau du département d'État et j'ai appelé la sœur de Chris, Anne Stevens, médecin à l'hôpital pédiatrique de Seattle. Elle était restée debout presque toute la nuit à discuter avec des collaborateurs de Chris au département d'État et à transmettre les nouvelles au reste de la famille Stevens. Malgré son épuisement et son chagrin, elle était parfaitement consciente de ce que son frère aurait voulu. « J'espère que cela ne nous empêchera pas de continuer à soutenir le peuple libyen et à aller de l'avant », m'a-t-elle dit. Anne savait à quel point Chris s'était investi dans l'édification d'une nouvelle Libye après le naufrage du régime Kadhafi et n'ignorait pas non plus l'importance de cette tâche pour les intérêts américains. Son frère était tombé amoureux du Proche-Orient lorsqu'il était un jeune volontaire du Peace Corps[1] parti enseigner l'anglais au Maroc. Il avait ensuite représenté les États-Unis en tant que membre du Service extérieur dans toute la région. Partout où il allait, il épousait les espoirs d'autres populations et gagnait de nouveaux amis pour les États-Unis. J'ai affirmé à Anne qu'il laisserait dans de nombreux États le souvenir d'un héros.

Dans les semaines qui ont suivi, j'ai été impressionnée par l'élégance et la dignité avec lesquelles la famille Stevens a fait face à son deuil et aux projecteurs impitoyables de l'histoire. Lorsque j'ai quitté mes fonctions, nous sommes restés en relation et j'ai été fière de soutenir leurs efforts pour lancer la J. Christopher Stevens Virtual Exchange Initiative, qui utilisera les nouvelles technologies pour établir des liens entre des jeunes et des éducateurs à travers tout le Proche et le Moyen-Orient et aux États-Unis. C'est une excellente manière de rendre hommage à la mémoire de Chris et de poursuivre la mission à laquelle il était si profondément attaché.

J'ai ensuite appelé l'épouse de Sean Smith, Heather, qui vivait aux Pays-Bas avec leurs deux enfants, et je lui ai présenté mes condoléances pour la mort de son mari. Le choc a été terrible. Heather et lui avaient l'intention de partir en vacances à son retour de mission. Comme Chris Stevens, Sean Smith avait défendu énergiquement la présence américaine sur toute la planète et était fier de servir son pays. À la suite de l'attaque de Benghazi, Heather a affirmé, elle aussi, sa conviction que son mari n'aurait pas voulu que l'Amérique se retire du reste du monde ou vive dans la crainte.

C'était un message qu'il était plus qu'utile de garder à l'esprit en ce 12 septembre. Dans le courant de la nuit, des protestations contre la vidéo insultante diffusée sur Internet avaient continué à se répandre depuis l'Égypte dans tout le Proche et le Moyen-Orient. Quelque 200 Marocains en colère s'étaient rassemblés devant notre consulat de Casablanca. En Tunisie, la police avait dû faire usage de gaz lacrymogènes pour disperser la foule massée devant l'ambassade américaine. Au Soudan, en Mauritanie et en Égypte, des manifestations du même genre se déroulaient devant les représentations améri-

---

1. Le Corps de la paix. Cet organisme a pour mission de favoriser la paix et l'amitié entre les différents pays grâce à des groupes de volontaires qui travaillent notamment dans les domaines de l'éducation, de la culture, de la santé, de l'économie et de l'information.

caines. Après ce qui s'était passé la veille à Benghazi, tout le monde était sur les nerfs et nous traitions le moindre incident comme s'il risquait d'échapper à tout contrôle d'un moment à l'autre.

J'ai organisé une nouvelle visioconférence avec l'équipe épuisée, mais déterminée, encore sur place à Tripoli. Ses membres avaient abattu un travail extraordinaire au cours des vingt-quatre heures écoulées, et je tenais à les en remercier personnellement et à leur faire savoir que, même à des milliers de kilomètres de chez eux, ils n'étaient pas seuls.

Je voulais ensuite m'adresser directement au peuple américain et au monde. J'allais devoir, et j'en éprouvais tout le poids, expliquer l'inexplicable à un pays qui avait appris à son réveil qu'un nouveau 11-Septembre sanglant s'était produit. L'émotion était vive. Un certain nombre de mes conseillers qui avaient connu et aimé Chris Stevens étaient en larmes. Je me suis réfugiée un moment dans la solitude de mon bureau pour rassembler mes esprits et réfléchir à ce que j'allais dire. Puis j'ai longé le couloir jusqu'à la salle des traités, où la presse était réunie.

Sous le crépitement des appareils photo, j'ai exposé les faits tels que nous les connaissions – « des extrémistes lourdement armés » avaient donné l'assaut contre nos locaux et tué des Américains – et j'ai assuré à mes compatriotes que nous mettions tout en œuvre pour garantir la sécurité de notre personnel et de nos ressortissants à travers le monde. J'ai également prié pour les familles des victimes et fait l'éloge des diplomates qui servent notre pays et nos valeurs sur toute la planète. Chris Stevens avait risqué sa vie pour mettre fin aux agissements d'un tyran, avant de la donner pour aider à bâtir une Libye meilleure. « Le monde a besoin de plus de Chris Stevens », ai-je dit.

Ayant encore à l'oreille l'appel d'Anne Stevens à poursuivre la mission de Chris pour l'avenir de la Libye, j'ai expliqué au peuple américain que cette attaque était le fait « d'un petit groupe violent – et non du peuple ni du gouvernement libyens », et qu'il n'était pas question de tourner le dos à un pays que nous avions contribué à libérer. J'ai aussi fait clairement savoir que, si nous nous efforcions toujours de déterminer les motivations et les méthodes exactes des auteurs de ces agressions, nous n'aurions pas de cesse qu'ils n'aient été trouvés et déférés à la justice.

Après cette déclaration, je me suis dirigée vers la Maison-Blanche, où le président Obama s'apprêtait à s'adresser lui-même à la nation. Devant le Bureau ovale, nous avons discuté de la possibilité qu'il fasse un saut à Foggy Bottom juste après son allocution afin de réconforter les collègues de Chris et de Sean, douloureusement éprouvés. Je lui ai dit que sa présence serait très importante pour un département encore sous le choc. Nous sommes ensuite sortis dans la roseraie, où le président a déclaré au monde : « Aucun acte de terreur n'ébranlera jamais la résolution de cette grande nation, n'en altérera le caractère ni n'éclipsera la lumière des valeurs que nous défendons. »

Après l'intervention du président, je me suis hâtée de regagner le département d'État. Il m'avait proposé que nous nous y rendions en voiture ensemble, mais je voulais être sûre que tout était en ordre pour cette visite impromptue. En temps normal, on consacre plusieurs semaines à l'organisation d'une visite présidentielle. Celle-ci aurait lieu au pied levé.

À son arrivée, nous avons traversé le vestibule ensemble et je lui ai montré l'endroit où les noms des diplomates tombés dans l'exercice de leurs fonctions sont gravés dans le marbre. Par la suite, il a signé le registre de condoléances pour ceux que nous venions de perdre.

De manière presque spontanée, des centaines d'employés du département d'État s'étaient rassemblés dans la cour intérieure du bâtiment. Un certain nombre d'entre eux travaillaient au Bureau des affaires du Proche et du Moyen-Orient, où Chris avait passé sa carrière, et au Bureau de la gestion des ressources en information, où travaillait Sean Smith. La sonorisation, installée à la va-vite, refusant de fonctionner, j'ai posé le micro par terre et je m'en suis passée pour présenter le président. Celui-ci a prononcé une émouvante allocution de vingt minutes, soulignant l'importance du travail de nos diplomates pour la sécurité nationale de l'Amérique et pour nos valeurs. Il a exhorté les hommes et les femmes du département d'État à honorer la mémoire de ceux que nous avions perdus en redoublant d'efforts pour représenter les meilleures traditions de notre grande nation. Je voyais sur leurs visages à quel point ils étaient touchés par ses paroles ; les nombreux autres employés massés aux fenêtres qui donnaient sur la cour avaient l'air tout aussi émus. Après ce discours, j'ai accompagné le président à la rencontre de plusieurs collaborateurs de Chris aux Affaires du Proche et du Moyen-Orient, des gens qui avaient travaillé presque sans relâche depuis le début de la crise. Plus tard dans l'après-midi, je suis passée dans leurs bureaux et dans celui des collaborateurs de Sean Smith pour leur faire part de mon chagrin et de ma reconnaissance. J'éprouvais une immense fierté à servir ce président, à diriger cette équipe et à faire partie de la grande famille du département d'État.

*
* *

L'agitation continuait à faire rage dans la région. Au cours des journées et des semaines suivantes, nous avons dû affronter des vagues successives de troubles qui ont menacé notre personnel et nos représentations dans une dizaine de pays et provoqué la mort de nombreux manifestants. Par bonheur, nous n'avons pas eu à déplorer de nouvelles pertes américaines.

Le jeudi 13 septembre, des manifestants ont franchi de force les grilles de l'ambassade américaine au Yémen. De nouveaux heurts violents ont eu lieu au Caire. En Inde, on a procédé à 150 arrestations devant notre consulat de Chennai. Le vendredi, les tensions sont encore montées d'un cran. Des milliers de Tunisiens ont assiégé notre ambassade à Tunis, détruit des véhicules et dégradé les bâtiments à l'intérieur desquels le personnel s'était barricadé. Un établissement scolaire situé de l'autre côté de la rue a été incendié et pillé. J'ai appelé le président tunisien, Moncef Marzouki, qui m'a promis d'envoyer ses gardes personnels pour disperser les manifestants et protéger notre personnel, américain et tunisien. À Khartoum, des milliers de Soudanais ont pris d'assaut les murs de notre ambassade et tenté de hisser un drapeau noir. Des manifestants pakistanais sont descendus dans les rues d'Islamabad, de Karachi et de Peshawar. Il y a eu des manifestations jusqu'en Indonésie et aux Philippines. Et même au Koweït, un pays riche que les Américains avaient contribué à libérer lors de la première guerre du Golfe, des individus ont été appréhendés alors qu'ils cherchaient à escalader les murs de notre ambassade. L'étincelle qui s'était embrasée au Caire le 8 septembre s'était répandue comme une traînée de poudre, continuant de s'étendre et de menacer les missions et le personnel américains sur son passage.

Tout au long de ces journées difficiles, mon équipe et moi sommes restées en relation constante avec les gouvernements des pays en butte à des manifestations. J'ai eu des entretiens tendus avec des dirigeants régionaux à qui j'ai dû faire comprendre sans ménagements la gravité de la situation. J'ai également collaboré avec le Pentagone pour veiller à ce que des effectifs supplémentaires de Marines soient envoyés en Tunisie, ainsi qu'au Soudan et au Yémen.

Je n'ignore pas que certains refusent d'admettre qu'une vidéo diffusée sur Internet ait joué un rôle dans ces perturbations. C'est pourtant le cas. Certains manifestants pakistanais brandissaient même une effigie de Terry Jones, le pasteur de Floride lié à ce film. Et, très loin de la politique de Washington, des diplomates américains en ont éprouvé les effets de près.

Et l'attaque de Benghazi ? Au plus fort de la crise, nous n'avions aucun moyen de savoir avec certitude quelle combinaison de facteurs avait motivé cet assaut, ni s'il avait été préparé et, le cas échéant, depuis quand. Je l'ai fait savoir clairement dans ma déclaration le lendemain matin et, dans les jours qui ont suivi, les fonctionnaires de l'administration ont continué à dire au peuple américain que nos informations étaient incomplètes et que nous cherchions encore des réponses. Les théories étaient nombreuses, les preuves rares. Je repassais constamment les événements dans mon esprit, me demandant ce qui avait bien pu se passer et quel mélange de motifs – telle la vidéo – avait bien pu jouer un rôle. Ce film embrasait indéniablement la région et suscitait des manifestations un peu partout. Face à la poursuite de l'agitation, le simple bon sens conduisait à envisager qu'elle ait pu exercer le même effet en Libye qu'ailleurs. Les recherches et les reportages ultérieurs ont effectivement confirmé que la vidéo n'avait pas été étrangère à cette tragédie. Pour le moment, la seule chose dont nous étions absolument sûrs était que des Américains avaient été tués et que d'autres étaient encore en danger. Pourquoi on s'en prenait à nous, qu'avaient pensé ou fait nos agresseurs dans les premières heures de ce jour-là : ces questions n'occupaient pas une place majeure dans nos esprits. Tout ce qui comptait pour nous était de sauver des vies. Rien d'autre n'avait d'importance.

Néanmoins, certains journalistes encore sur le terrain à Benghazi posaient des questions. Le *New York Times* écrivait ainsi : « Interrogés sur les lieux mardi soir, un certain nombre des agresseurs et de leurs partisans se sont dits déterminés à défendre leur foi contre les insultes de la vidéo. » L'agence Reuters avait, elle aussi, un reporter sur place cette nuit-là : « Les agresseurs, a-t-il commenté, faisaient partie d'une foule qui reprochait à l'Amérique un film qui, selon eux, insultait le prophète Mahomet. » Le *Washington Times* a également interviewé des habitants de Benghazi. Voici ce qu'il a rapporté : « Des extrémistes lourdement armés avaient récupéré ce qui était initialement une manifestation pacifique devant la mission diplomatique américaine. Les manifestants protestaient contre un film qui insultait le prophète de l'islam, Mahomet. Ils ont été rapidement rejoints par un groupe d'hommes distinct, armés de grenades autopropulsées. »

Plus d'un an plus tard, en décembre 2013, le *New York Times* a publié le compte rendu le plus complet à ce jour de ce qui s'est passé à Benghazi, fondé sur « des mois d'enquête » et « de longues interviews de Libyens de Benghazi directement informés de l'attaque qui s'y était produite et de son contexte ». Toutes les recherches concluaient que, « contrairement aux allégations de certains membres du Congrès, l'agression [avait] été largement alimentée par la colère suscitée par une vidéo de réalisation américaine dénigrant l'islam ». Le *Times* était convaincu que c'était « la colère contre cette vidéo qui [avait] motivé l'attaque initiale » et écrivait : « Il ne fait pas de doute que la colère provoquée par cette vidéo a animé de nombreux agresseurs. »

Il y avait cette nuit-là plusieurs dizaines d'attaquants, dont les motifs étaient certainement divers. Il est inexact d'affirmer qu'ils réagissaient tous, sans exception, à cette vidéo odieuse. Il est tout aussi inexact d'affirmer que ce n'était le cas d'aucun d'entre eux. Ces deux allégations ne défient pas seulement l'évidence, mais aussi la logique. Comme l'a établi l'enquête du *New York Times*, la réalité « était différente, plus trouble que ne le suggère aucun de ces scénarios ».

En tout état de cause, personne ne pouvait douter que les troubles qui menaçaient d'autres ambassades et consulats américains autour du monde étaient liés à cette vidéo. Aussi, au cours de ces journées difficiles, ai-je fait tout ce qui était en mon pouvoir pour répondre publiquement à la colère générale du monde musulman. Ayant moi-même la foi, je comprends parfaitement qu'il puisse être blessant de voir ses convictions bafouées. Cependant, quelle que soit l'injustice dont on peut se sentir victime, le recours à la violence ne se justifie jamais. Les grandes religions du monde sont suffisamment fortes pour résister aux insultes mesquines, et notre foi individuelle devrait l'être tout autant.

Le 13 septembre au soir, j'ai donné au département d'État la réception annuelle de l'Aïd el-Fitr, qui marque la fin du ramadan, le mois sacré de jeûne de l'islam. En présence d'une assistance nombreuse et diversifiée, j'ai rappelé que nous savions que les assassins de Benghazi n'étaient pas représentatifs des plus d'un milliard de musulmans à travers le monde. L'ambassadeur libyen aux États-Unis s'est ensuite avancé pour prononcer quelques mots. Il a cédé à l'émotion en évoquant son ami Chris Stevens, qu'il avait connu pendant de longues années. Ils avaient joué au tennis et mangé des plats traditionnels libyens ensemble, et avaient passé des heures à discuter de l'avenir. Chris était un héros, a-t-il déclaré, qui n'a jamais cessé de croire que le peuple libyen pourrait sortir de l'ombre de la dictature.

Il n'était pas le seul de cet avis. Des dizaines de milliers de Libyens sont descendus dans les rues de Benghazi pour pleurer Chris, qui était, ils le savaient, un défenseur opiniâtre de leur révolution. Ces images étaient poignantes. Une jeune femme, tête couverte, les yeux hagards de tristesse, brandissait une pancarte manuscrite portant ces mots : « Les voyous et les assassins ne représentent ni Benghazi ni l'islam. » D'autres disaient : « Chris Stevens était l'ami de tous les Libyens », et : « Justice pour Chris. »

À Tripoli, les dirigeants du pays ont publiquement condamné cette attaque et ont organisé un office à la mémoire de Chris. « Il a su gagner la confiance du peuple libyen », a déclaré le président Magariaf à l'assistance. Le gouvernement a mis à pied les hauts responsables de la sécurité à Benghazi et, le 22 septembre, a lancé un ultimatum à Ansar al-Charia et aux autres milices du pays : vous avez quarante-huit heures pour rendre les armes et vous dissoudre, ou vous en subirez les conséquences. Une dizaine d'importants groupes armés ont obtempéré. Prenant les choses en main, la population de Benghazi a donné l'assaut au quartier général d'Ansar al-Charia et un grand nombre de membres de la milice ont fui la ville. « Bande de terroristes, bande de lâches, retournez en Afghanistan ! » scandaient les gens.

*
* *

Tout au long de cette triste période, les familles de nos collègues disparus n'ont pas quitté mon esprit. Je tenais à m'assurer que nous faisions tout ce qui était en notre pouvoir pour les réconforter et leur apporter l'assistance nécessaire. J'ai demandé à Capricia Marshall, directrice du protocole, d'en faire sa mission personnelle. Les choses étaient un peu compliquées par le fait que les véritables emplois de Tyrone Woods et de Glen Doherty à la CIA étaient secrets et le resteraient pendant six semaines encore. Personne n'était autorisé à en parler, même à leurs familles, qu'elles aient su ou ignoré la vérité sur les missions de leurs proches à l'époque.

J'ai demandé au secrétaire d'État adjoint Bill Burns, le plus haut responsable du Service extérieur d'Amérique, qui était alors en déplacement à l'étranger, de rejoindre l'avion transportant les dépouilles de nos victimes et de les accompagner depuis l'Allemagne jusqu'à Washington. Bill est l'un des hommes les plus équilibrés et les plus stoïques qu'on puisse imaginer, mais c'est un voyage que personne ne devrait jamais avoir à faire.

En règle générale, les dépouilles des Américains morts au service de notre pays passent par la base aérienne de Dover, dans le Delaware, où reviennent les victimes d'Irak et d'Afghanistan. Je voulais cependant être certaine que les familles ainsi que nos collaborateurs du département d'État auraient la possibilité d'être présents à leur arrivée, s'ils le souhaitaient. Aussi, avec l'aide de Leon Panetta et de son équipe du Pentagone, avons-nous dérouté l'avion en provenance d'Allemagne vers la base aérienne d'Andrews, dans le Maryland, avant qu'il ne poursuive sa route jusqu'à Dover, exactement comme nous l'avions fait en 1998 après les attentats contre nos ambassades d'Afrique orientale.

Le vendredi après-midi, trois jours après les attaques, le président Obama, le vice-président Biden, le secrétaire à la Défense Panetta et moi-même avons accueilli les familles à Andrews. Sean Smith et Tyrone Woods avaient l'un comme l'autre de jeunes enfants. Voir ces petits en sachant qu'ils étaient condamnés à grandir sans leurs pères a failli avoir raison de mes forces. Ces quatre hommes avaient des proches ravagés par leur disparition soudaine. Dans une telle situation, aucune effusion de sentiments ne saurait apporter beaucoup de réconfort ni de compréhension. Tout ce qu'on peut faire, c'est offrir un peu d'humanité, un mot gentil, une douce étreinte. Plus de soixante membres des familles et proches amis se pressaient dans la salle, et chacun portait le poids personnel de sa peine. Ils étaient unis par l'héroïsme et le sens du devoir de ceux qu'ils aimaient, et par le chagrin qu'ils éprouvaient pour les maris, les fils, les pères et les frères qu'ils avaient perdus.

Nous nous sommes dirigés vers un grand hangar ouvert un peu à l'écart de la piste, où des milliers d'amis et de collaborateurs s'étaient rassemblés sous un gigantesque drapeau américain. Nous avons assisté à une extraordinaire manifestation de soutien et de respect. Chaque membre de l'assistance s'est tenu immobile, sombre et silencieux, pendant que des Marines en uniforme bleu et blanc impeccable portaient les quatre cercueils recouverts d'un drapeau depuis l'avion jusqu'aux fourgons mortuaires avant de saluer les disparus. Un aumônier militaire a dit une prière.

Quand cela a été mon tour de m'exprimer, j'ai rendu hommage au sens du devoir et au sacrifice des quatre patriotes que nous avions perdus et j'ai cherché à faire écho à la fois à la fierté et au chagrin que nous éprouvions tous, leurs collaborateurs et moi. J'ai tenu également à honorer le travail de notre diplomatie, que Chris Stevens avait si remarquablement incarnée, et j'ai parlé des émouvantes scènes de compassion et de solidarité auxquelles nous avions assisté en Libye depuis sa mort. Elles témoignaient de l'influence que Chris y avait exercée. J'ai également lu tout haut une lettre de Mahmoud Abbas, le président de l'Autorité palestinienne, qui avait collaboré étroitement avec Chris quand celui-ci était en poste à Jérusalem et qui évoquait avec affection son énergie et son intégrité. Abbas déplorait son assassinat, qu'il qualifiait d'« acte de terrorisme affreux ». Enfin, tandis que les manifestations se poursuivaient dans toute la région, j'ai abordé une fois de plus le sujet des troubles persistants et de l'antiaméricanisme qui secouaient le Proche et le Moyen-Orient, une agitation qui avait commencé avec la diffusion d'une vidéo avant de prendre un élan irrésistible. « Les peuples d'Égypte, de Libye, du Yémen et de Tunisie n'ont pas échangé la tyrannie d'un dictateur contre la tyrannie de la foule », ai-je dit. Il fallait mettre fin à la violence. Nous pouvions nous attendre à d'autres journées difficiles, mais les États-Unis ne se retireraient pas du monde et ne se déroberaient pas à leurs responsabilités de grande puissance mondiale. Nous allions « essuyer nos larmes, reprendre courage et affronter l'avenir sans nous laisser intimider ».

Le président Obama a ensuite prononcé un éloge funèbre d'une grande sobriété. Quand il s'est tu, j'ai serré sa main très fort et il a passé son bras autour de mes épaules. Le Marine Band[1] a alors joué *America the Beautiful*. Jamais les responsabilités de mes fonctions ne m'avaient paru aussi écrasantes.

*
* *

En qualité de secrétaire d'État, j'étais chargée de la sécurité de quelque 70 000 membres du personnel du département d'État et de

---

1. Formation musicale des Marines chargée de jouer pour le président des États-Unis et pour le commandant du corps des Marines.

l'USAID ainsi que de nos plus de 270 représentations à travers le monde. Quand quelque chose tournait mal, comme cela avait été le cas à Benghazi, c'était ma responsabilité qui était en jeu. Ce qui impliquait d'analyser soigneusement les failles qui s'étaient produites dans les systèmes et les procédures de sécurité du département, et de tout faire pour réduire à l'avenir les risques d'une nouvelle tragédie. Nous avions tiré les leçons de Beyrouth en 1983, du Kenya et de la Tanzanie en 1998, du 11 septembre 2001. Il était temps à présent de tirer celles de la tragédie de Benghazi. Et la première étape était d'essayer de comprendre ce qui ne s'était pas passé comme il l'aurait fallu.

Chaque fois que nous déplorons la mort d'un membre du personnel du département d'État à l'étranger, la loi exige la constitution d'une commission d'enquête indépendante (Accountability Review Board). Depuis 1988, il y a eu dix-neuf enquêtes de ce genre. Thomas Pickering a été choisi pour présider celle qui serait chargée de l'attaque de Benghazi. Pickering est un ancien haut fonctionnaire du Service extérieur dont les états de service sont irréprochables. Il a représenté les États-Unis dans le monde entier, notamment à un certain nombre de postes difficiles, comme le Salvador au moment de la guerre civile qui a ravagé ce pays, Israël au début de la première Intifada et la Russie dans les premières années qui ont suivi la chute de l'Union soviétique. Tom est un homme coriace, intelligent et direct. Pour honorer et protéger le département qu'il aimait, il n'épargnerait pas ses critiques, chaque fois qu'il relèverait des erreurs. Si quelqu'un pouvait mener une enquête digne de confiance et trouver des réponses aux nombreuses questions que nous nous posions, c'était l'ambassadeur Pickering.

Mike Mullen, amiral à la retraite et ancien président du Comité des chefs d'état-major interarmées, un membre de la marine de guerre très respecté et qui n'avait pas l'habitude de mâcher ses mots, devait assister Pickering. Ils ont également bénéficié de la longue expérience de la diplomatie, de l'administration et du renseignement d'un éminent groupe de fonctionnaires. Ce bureau de cinq membres a été chargé d'aller jusqu'au fond des choses.

J'ai annoncé la constitution de cette commission d'enquête le 20 septembre, quelques semaines seulement après les attaques. Cette décision a été prise plus rapidement que dans beaucoup d'autres cas, mais il me paraissait essentiel d'agir sans perdre de temps. J'ai donné ordre à tous les membres du département d'État de coopérer pleinement avec les enquêteurs et j'ai exhorté la commission à remuer ciel et terre. Elle avait librement accès à toutes les personnes et à tous les documents qu'elle estimait utiles à ses recherches, y compris moi-même si elle l'avait souhaité. Alors que la plupart des rapports de précédentes commissions d'enquête n'ont pas été rendus accessibles au public, j'ai tenu à publier le maximum d'éléments possible, sans bien sûr aborder des sujets sensibles sur le plan de la sécurité.

Tandis que l'enquête débutait, j'ai également pris des mesures pour remédier à un certain nombre de points faibles trop urgents pour que nous puissions attendre le rapport officiel. J'ai réclamé un examen immédiat et approfondi de notre situation en matière de sécurité diplomatique à travers le monde. J'ai demandé au département de la Défense de faire équipe avec nous pour former des unités communes d'évaluation de sécurité chargées d'inspecter soigneusement les ambassades et les consulats dans les pays dangereux en envoyant des groupes des Forces spéciales et des spécialistes de la Sécurité diplomatique dans plus d'une dizaine d'États à haut risque. J'ai collaboré avec le général Dempsey et avec le secrétaire à la Défense Panetta pour dépêcher des Marine Security Guards[1] supplémentaires afin de renforcer la sécurité sur des sites particulièrement menacés, et j'ai demandé au Congrès d'assurer le financement de l'envoi de nouveaux effectifs de Marines, d'embaucher de nouveaux agents de la Sécurité diplomatique et de remédier aux failles matérielles de nos installations à l'étranger. J'ai procédé à la nomination du premier secrétaire d'État adjoint assistant chargé des postes hautement menacés au bureau de la Sécurité diplomatique.

Quand la commission d'enquête indépendante a mis la dernière main à son rapport, l'ambassadeur Pickering et l'amiral Mullen m'ont transmis ses conclusions. Ils n'avaient pas pris de gants : leur enquête était sans complaisance et relevait un certain nombre de problèmes systémiques et de défaillances en matière de gestion, tant au bureau de la Sécurité diplomatique qu'à celui des Affaires du Proche et du Moyen-Orient. Ils dénonçaient une mauvaise coordination entre les services chargés de la sécurité diplomatique et ceux qui avaient pour mission d'orienter la politique et les relations avec le gouvernement du pays hôte. La sécurité n'était pas considérée comme « une responsabilité commune », et l'on ne savait pas très bien qui, sur le

---

1. Unités de Marines américains chargées d'assurer la sécurité des missions diplomatiques américaines et d'autres services gouvernementaux américains à l'étranger.

terrain – au-delà de l'ambassadeur lui-même –, avait concrètement le pouvoir de prendre des décisions. Avec plus de 270 missions à travers le monde, dont chacune connaissait ses propres problèmes et exigences techniques, les questions quotidiennes de sécurité étaient rarement transmises aux plus hauts échelons du département. D'où un leadership insuffisant en matière de sécurité.

Malgré un certain nombre de travaux de modernisation des dispositifs de sécurité de notre représentation de Benghazi – on avait ainsi rehaussé le mur extérieur par des parpaings et des barbelés, installé un éclairage extérieur, des barrières d'arrêt des véhicules en béton, des guérites et des emplacements de sacs de sable, renforcé les portes de bois par un blindage, posé de solides verrous et ajouté des équipements de détection d'explosifs –, la commission d'enquête a conclu que ces précautions étaient tout bonnement insuffisantes dans une ville de plus en plus dangereuse. Cette commission et les enquêtes du Congrès ont également cherché à déterminer si des requêtes des responsables de la sécurité sur le terrain en Libye avaient été refusées par leurs supérieurs de Washington. La commission d'enquête a pu établir que le personnel de Benghazi n'avait pas l'impression que ses demandes en matière de sécurité constituaient « une haute priorité pour Washington » et que « l'ambassade de Tripoli n'avait pas adressé à Washington de plaidoyers vigoureux et soutenus en faveur d'un renforcement de la sécurité ». Il régnait, tant à l'ambassade que dans les bureaux et services chargés des questions de sécurité, une « confusion sur l'identité de ceux qui étaient, en fin de compte, responsables des décisions et habilités à les prendre ». Les communications entre Washington et Tripoli se faisaient sous forme d'appels téléphoniques, d'e-mails et de télégrammes. Des millions de documents de ce genre sont envoyés chaque année par les représentations à la direction générale, par la direction générale aux représentations, d'une représentation à l'autre, etc. Ils portent sur les sujets les plus divers, allant du résumé de la situation dans un pays à l'annonce de changements de personnel. Chaque télégramme destiné à la direction générale est envoyé sous couvert de l'ambassadeur et adressé au secrétaire d'État, tandis que chaque télégramme écrit par la direction générale est envoyé, sous couvert du secrétaire d'État, à l'ambassadeur. Ce n'est peut-être pas d'une rationalité irréprochable, mais c'est la pratique en usage au département d'État depuis la nuit des temps. Il va de soi qu'aucun secrétaire d'État ne peut lire ou écrire plus de deux millions de télégrammes par an, et que les ambassadeurs ne rédigent pas tous les câbles qui entrent et sortent de leur ambassade, voire n'ont même pas conscience de leur existence. Une fraction seulement de ces câbles est réellement destinée au secrétaire d'État. La grande majorité s'adresse à d'autres destinataires, plusieurs centaines parfois.

Certains critiques ont pris prétexte de cette bizarrerie de procédure pour prétendre que les requêtes touchant la sécurité se retrouvaient sur mon bureau. Les choses ne se passent pas comme ça. Elles ne sont pas censées se passer comme ça, et ne se sont pas passées comme ça. Les affaires de sécurité sont traitées par les fonctionnaires responsables de la sécurité. Il est rare qu'un télégramme de ce genre aboutisse sur le bureau du secrétaire d'État. Pour commencer, telle n'est pas l'intention de l'expéditeur. Un agent d'Islamabad ne m'écrit pas personnellement pour réclamer davantage de munitions. Ensuite, cela n'aurait aucun sens. Ce sont les professionnels chargés de la sécurité qui doivent prendre les décisions dans ce domaine. Enfin, il est tout bonnement impossible au secrétaire d'un service ministériel, quel qu'il soit, d'assumer pareille tâche. Non seulement pour une simple raison de volume, mais aussi parce que ce n'est pas sa spécialité, pas plus que ce n'était la mienne. Je faisais toute confiance à la Sécurité diplomatique, qui protégeait avec une grande compétence nos missions dans des endroits dangereux du monde entier, y compris des pays extrêmement instables comme l'Afghanistan et le Yémen.

Une autre conclusion majeure de la commission d'enquête était que le département d'État s'appuyait excessivement sur la sécurité libyenne locale. En vertu de la convention de Vienne de 1961 sur les relations diplomatiques, les gouvernements des pays hôtes sont en première ligne pour garantir la sécurité des installations diplomatiques dans leurs pays. Mais, dans la Libye postrévolutionnaire fracturée, le gouvernement disposait de possibilités limitées et des milices assumaient un certain nombre de ses fonctions. Le département d'État avait donc engagé par contrat des membres d'une milice locale approuvée par la CIA, qui devaient assurer une présence constante dans la représentation ; il avait également embauché des agents de sécurité locaux sans armes pour garder les points d'accès. Comme on a pu le découvrir au moment des attaques, les capacités et la volonté de ces hommes d'accomplir leur mission de sécurité contre des compatriotes libyens ont révélé des faiblesses fatales au moment où on en aurait eu le plus besoin.

La commission d'enquête a également noté que le département d'État se livrait à une « lutte pour obtenir les ressources nécessaires à l'accomplissement de sa tâche », une difficulté majeure en un temps de budgets en baisse dans l'ensemble du gouvernement. J'ai passé quatre ans à essayer de faire comprendre au Congrès qu'un financement suffisant de nos diplomates et de nos experts en développement était une priorité de sécurité nationale, et nous avons disposé d'un certain nombre de grands partenaires et de défenseurs convaincus sur la colline du Capitole. Mais c'était un combat de chaque instant. La commission d'enquête a réclamé « une volonté plus sérieuse et plus soutenue du Congrès d'appuyer les besoins du département d'État, lesquels ne représentent au total qu'un faible pourcentage tant du budget général de la nation que des dépenses de sécurité nationale ».

Dans son analyse finale, la commission d'enquête reconnaissait que les membres du « personnel américain présents sur le terrain à Benghazi ont travaillé avec courage et n'ont pas hésité à risquer leur vie pour protéger leurs collègues, dans une situation quasi impossible ». Malgré les failles de nos systèmes de sécurité, l'enquête concluait que « tous les efforts possibles pour sauver et retrouver l'ambassadeur Stevens et Sean Smith [avaient] été faits », et que « le temps [avait] simplement manqué pour que l'avantage militaire américain en matière d'armement ait pu faire la différence ». Le rapport faisait l'éloge de la coordination « opportune » et « exceptionnelle » de l'administration pendant la crise et ne relevait aucun retard dans la prise de décision ni aucun refus de soutien de Washington ni de l'armée. Notre réaction, affirmait-il, avait sauvé des vies américaines, ce qui était la pure vérité.

La commission d'enquête formulait vingt-neuf recommandations précises (dont vingt-quatre n'étaient pas classées secrètes) susceptibles de remédier aux défaillances qu'elle avait relevées dans des domaines tels que la formation, la sécurité contre les incendies, les effectifs et l'analyse des menaces. J'approuvais ces vingt-neuf mesures et je les ai acceptées immédiatement. J'ai demandé au secrétaire adjoint Tom Nides de prendre la tête d'un groupe de travail chargé de veiller à une mise en œuvre rapide et intégrale de l'ensemble de ces recommandations et d'adopter en outre un certain nombre de mesures complémentaires. Il convenait d'analyser dans le détail la façon dont le département d'État prend des décisions à propos du lieu, du moment et de la manière dont notre personnel travaille dans les régions à haut risque, et la façon dont nous réagissons aux menaces et aux crises.

Tom et son équipe se sont mis au travail sur-le-champ, traduisant chacune des recommandations en soixante-quatre mesures concrètes. Celles-ci ont été confiées à des bureaux et à des services avec un calendrier de mise en application parfaitement défini. Nous avons également instauré une évaluation annuelle des représentations à haut risque présidée par le secrétaire d'État, ainsi que des études suivies confiées aux secrétaires adjoints pour veiller à ce que les questions centrales en matière de sécurité remontent aux plus hauts niveaux. Nous avons aussi entrepris de définir des protocoles d'échanges d'informations réguliers avec le Congrès afin que ses décisions dans le domaine des ressources tiennent constamment compte de nos exigences de sécurité sur le terrain.

J'ai promis de ne pas quitter mes fonctions avant que chacune de ces recommandations soit en bonne voie d'être appliquée – un objectif que nous avions effectivement atteint au moment de mon départ. À cette date, le département d'État collaborait avec le Congrès et avec le département de la Défense pour augmenter le nombre de détachements de Marine Security Guards dans les installations diplomatiques américaines, il avait passé en revue et commencé à moderniser les normes des équipements de lutte contre les incendies et de sauvetage à l'étranger, entrepris d'équiper toutes les installations à l'étranger d'un plus grand nombre de caméras de surveillance modernes, créé 151 nouveaux emplois dans la Sécurité diplomatique avec le soutien du Congrès et accru les efforts de formation du département en matière de sécurité.

*
* *

En tant qu'ancienne sénatrice, je comprends et je respecte profondément le rôle de surveillance que doit jouer le Congrès. Au cours des huit années où j'ai travaillé au Capitole, j'ai exercé moi-même cette responsabilité à plusieurs reprises, lorsqu'il me semblait que des questions difficiles méritaient des réponses. Aussi la réceptivité et la transparence à l'égard des législateurs ont-elles été pour moi des priorités absolues aussitôt après les attaques. J'ai décidé de me rendre au Capitole la semaine qui a suivi celles-ci pour informer la Chambre et le Sénat de ce que nous savions à cette date ; j'étais accompagnée du directeur du renseignement national James Clapper, du secrétaire adjoint à la Défense Ashton Carter, du vice-président du

Comité des chefs d'état-major interarmées, l'amiral James « Sandy » Winnefeld Jr., et d'autres hauts fonctionnaires de la communauté du renseignement et des services d'application de la loi. Un certain nombre de membres du Congrès n'ont pas été satisfaits des réponses qui leur ont été faites ce jour-là ; plusieurs étaient franchement en colère. Nous étions nous-mêmes frustrés de n'avoir pas toutes les réponses – mais cela ne nous a pas dissuadés de communiquer ce que nous savions. Bien qu'il ait été prévu que cette intervention ne durerait qu'une heure, je suis restée dans la salle sécurisée du Sénat pendant plus de deux heures et demie, jusqu'à ce que chacun des sénateurs ayant une question à poser ait eu la possibilité de le faire.

Au cours des mois suivants, de hauts fonctionnaires de carrière, dont la plupart étaient des professionnels sans la moindre allégeance partisane, travaillant au département d'État, au département de la Défense, à la CIA, au FBI et dans d'autres services du renseignement, se sont présentés en plus de trente occasions devant huit commissions différentes du Congrès, ont soumis des milliers de pages de documents et répondu aux questions le plus rapidement et le plus intégralement possible.

En janvier, j'ai passé plus de cinq heures à témoigner devant le Sénat et la Chambre des représentants, répondant du mieux que je pouvais, compte tenu de ce que nous savions à l'époque, à probablement plus de cent questions émanant de plusieurs dizaines de membres. Alors que la fin de mon mandat approchait, j'ai déclaré aux sénateurs et aux représentants que j'étais résolue à laisser le département d'État et notre pays plus forts et plus sûrs. Évoquant les attaques de Benghazi, j'ai affirmé : « Comme je l'ai dit bien des fois, j'en assume la responsabilité et personne n'est plus décidé que moi à faire le nécessaire. » Les États-Unis ont un rôle vital à jouer en tant que leader mondial, ai-je rappelé aux législateurs, et quand l'Amérique est absente, notamment dans des régions instables, ce n'est pas sans conséquences. C'était la raison pour laquelle j'avais initialement envoyé Chris Stevens en Libye ; c'était aussi la raison pour laquelle lui-même voulait y être. Il était de notre responsabilité, ai-je poursuivi, de veiller à ce que les hommes et les femmes qui sont en première ligne disposent toujours des ressources dont ils ont besoin, et de faire tout notre possible pour réduire les risques qu'ils courent. L'Amérique ne pouvait pas se retirer et elle ne se retirerait pas.

Certains membres du Congrès ont posé des questions judicieuses destinées à appliquer les cruelles leçons que nous avions tirées des événements et à améliorer les opérations à venir. D'autres restaient obnubilés par des théories du complot qui n'avaient rien à voir avec la manière dont nous pourrions éviter de futures tragédies. Et certains ne sont venus que parce que les caméras étaient présentes. Ils avaient séché les audiences à huis clos qui ne leur donnaient aucune chance de passer à la télé.

Une grande attention s'est portée sur ce que Susan Rice, notre ambassadrice aux Nations unies, a déclaré lors de plusieurs débats télévisés le dimanche 16 septembre, cinq jours après les attaques de Benghazi. En réponse aux questions, Susan a rappelé que les faits qui s'étaient déroulés à Benghazi n'étaient pas encore très clairs et feraient l'objet d'une enquête. Mais, a-t-elle dit, à en croire les meilleures informations disponibles, ces attaques avaient été « initialement une réaction spontanée à ce qui venait de se passer au Caire quelques heures auparavant – presque une imitation des manifestations contre notre représentation du Caire, qui ont été provoquées, évidemment, par la vidéo. Ce qui s'est passé alors à Benghazi, selon nous, est que des éléments extrémistes opportunistes sont venus au consulat au moment même où cela se produisait ».

Les critiques l'ont accusée d'inventer une manifestation qui n'avait jamais eu lieu pour dissimuler la réalité : un attentat terroriste avait réussi alors que le président Obama était aux affaires. Ils cherchaient de manière obsessionnelle à déterminer qui, au sein du gouvernement, avait préparé les « notes de discussion » de Susan ce matin-là et espéraient trouver la preuve de manœuvres politiques maladroites de la Maison-Blanche. Susan s'était contentée d'affirmer ce que la communauté du renseignement croyait alors, à tort ou à raison. Ni elle ni personne ne pouvait faire mieux. À chaque étape, chaque fois qu'on apprenait quelque chose de nouveau, cette information était promptement transmise au Congrès et au peuple américain. Il y a une différence entre commettre une erreur et induire délibérément les autres en erreur – une différence majeure que certains ont ignorée, au point de présenter ceux qui s'étaient trompés comme des menteurs patentés.

Beaucoup faisaient aussi une vraie fixation sur les raisons pour lesquelles je n'étais pas passée à la télé ce matin-là, comme si participer à un débat télévisé était un devoir aussi incontournable que de siéger dans un jury, une obligation à laquelle on ne peut se dérober que pour des raisons impératives. Je ne vois pas pourquoi passer à la télévision le dimanche matin serait plus important qu'en fin de soirée. Il n'y a qu'à Washington que l'on croit ne pouvoir parler aux Américains que le dimanche à 9 heures du matin, comme si les autres jours et les autres moments de la journée ne comptaient pas. Je ne suis pas d'accord.

Le peuple américain doit être informé de ce qui se passe. C'est notre responsabilité. Je voulais que mes compatriotes l'entendent de ma bouche. Voilà pourquoi j'ai pris la parole en public à la première heure le lendemain de l'attaque. Et deux jours plus tard à la base aérienne d'Andrews. Et d'innombrables fois au cours des semaines et des mois qui ont suivi, à travers des déclarations, des interviews et des conférences de presse.

Les volumineuses archives dont nous disposons aujourd'hui révèlent que Susan utilisait des informations émanant de la CIA et approuvées par l'Agence. Les premiers brouillons des notes de discussion rédigés et transmis par l'Agence indiquaient : « En nous fondant sur les informations actuellement disponibles, nous pensons que les attaques de Benghazi ont été inspirées spontanément par les manifestations devant l'ambassade américaine du Caire. » Ce jugement n'émanait pas de collaborateurs politiques de la Maison-Blanche, mais de professionnels de carrière de la communauté du renseignement. Il avait été rédigé par des agents du renseignement à l'intention des membres du House Permanent Select Committee on Intelligence[1] – formé de démocrates et de républicains –, qui avaient demandé à David Petraeus, à la fin d'un briefing sur Benghazi le vendredi 14, quels éléments de ce qu'ils entendaient dire derrière des portes closes ils étaient autorisés à répéter à la télévision. Ces notes n'étaient pas destinées à constituer un compte rendu complet de tous les documents livrés par les services de renseignement ; elles devaient simplement aider des membres du Congrès déjà informés à faire des déclarations publiques sans livrer d'informations classées ou sensibles. Aucun des agents du renseignement qui avaient travaillé sur cette requête n'imaginait que ces notes de discussion seraient reprises deux jours plus tard par Susan. Encore une théorie du complot qui ne résiste pas à l'épreuve des faits – ni de la raison.

On m'a posé d'innombrables questions à ce sujet lors de ma déposition au Congrès. « Je ne m'intéressais pas personnellement aux notes

---

1. Commission permanente placée sous la responsabilité de la Chambre des représentants et chargée de superviser les activités des services de renseignement américains.

de discussion, je m'intéressais à la sécurité de notre personnel », ai-je répondu. À un moment donné, pendant un interrogatoire particulièrement tendancieux, les échanges sont devenus un peu vifs. Par la suite, certains de mes propos ont été sortis de leur contexte pour des motifs politiques. Il me paraît donc nécessaire de répéter l'intégralité de ma réponse ce jour-là :

> Sans vouloir vous contredire, le fait est que quatre Américains sont morts. Était-ce à cause d'une manifestation ? Ou était-ce parce que des types sortis se balader un soir ont décidé d'aller tuer des Américains ? Quelle différence cela fait-il aujourd'hui ? Nous devons essayer de comprendre ce qui s'est passé et faire tout ce que nous pouvons pour éviter que cela ne se reproduise, monsieur le Sénateur. Honnêtement, je ferai de mon mieux pour répondre à vos questions à ce sujet, mais le fait est que des gens ont cherché en temps réel à obtenir les informations les plus sûres. La [communauté du renseignement] a mis en place, si j'ai bien compris, une procédure avec les autres commissions pour expliquer comment ces notes de discussion sont sorties. Mais, pour être claire, de mon point de vue il est moins important rétrospectivement de savoir pourquoi ces extrémistes ont décidé de faire ce qu'ils ont fait que de les trouver et de les déférer à la justice ; alors, peut-être comprendrons-nous ce qui s'est passé entre-temps.

En un autre exemple de la terrible politisation de cette tragédie, certains ont jugé bon de relever ma phrase : « Quelle différence cela fait-il aujourd'hui ? », pour m'accuser de minimiser la tragédie de Benghazi. Ce n'était évidemment pas le cas. Rien ne pourrait être plus éloigné de la vérité. Un grand nombre de ceux qui cherchent à exploiter cette affaire le savent fort bien, mais n'en tiennent aucun compte. Mon idée était simple : si quelqu'un fait irruption chez vous et prend votre famille en otage, allez-vous passer votre temps à vous demander à quoi l'intrus a passé sa journée ou à essayer de trouver les mesures les plus efficaces pour sauver vos proches et éviter que cela ne se reproduise ? Un certain nombre de ces contradicteurs ne cessent de nous rebattre les oreilles avec des questions qui n'ont prétendument pas trouvé de réponse. Il y a pourtant une différence entre des questions auxquelles on ne répond pas et des réponses que l'on n'écoute pas.

Dans l'agitation d'une campagne présidentielle et à deux mois à peine des élections, il était peut-être naïf de ma part d'imaginer que la mort de quatre Américains ne serait pas utilisée à des fins politiciennes. Les considérations politiques n'ont fait que brouiller le contexte et obscurcir un certain nombre de faits. Une des choses que j'ai préférées dans mon rôle de secrétaire d'État a été de pouvoir vivre quatre années dans un lieu où la politique partisane était presque entièrement absente de notre travail.

Ceux qui ne cessent d'exploiter cette tragédie pour servir leur propre programme politique minimisent le sacrifice de ceux qui ont servi notre pays. Je refuse de participer à un affrontement sur le dos d'Américains morts. C'est mal, tout simplement, et c'est indigne de notre grand pays. Que ceux qui tiennent à politiser ce drame le fassent sans moi.

*
* *

Dans mon rôle de secrétaire d'État, j'ai fait la connaissance d'un grand nombre de nos agents de Sécurité diplomatique en poste tout autour du monde ; leur travail et leur professionnalisme m'ont inspiré une immense reconnaissance. Les deux agents à la tête de mon propre détachement de protection rapprochée, Fred Ketchem d'abord, puis Kurt Olsson, se sont montrés imperturbables et infatigables. Ma vie était entre leurs mains.

Bien que les cinq agents en poste à Benghazi le 11 septembre aient dû faire face à des effectifs largement supérieurs en nombre, ils ont accompli un travail héroïque et mis leur propre vie en danger pour protéger leurs collègues. David, l'agent grièvement blessé lors de l'attaque au mortier contre la base de la CIA, a passé plusieurs mois à se remettre au Walter Reed Medical Center. Je lui ai téléphoné pendant son hospitalisation et lui ai annoncé que, dès qu'il serait suffisamment rétabli, je souhaitais le recevoir avec ses collègues pour les remercier en bonne et due forme pour leurs actions.

Le 31 janvier 2013, avant-dernier jour dans mes fonctions de secrétaire d'État, les parents et amis des cinq agents se bousculaient dans la salle des traités. David était encore en fauteuil roulant, mais il avait pu venir. Des membres de la famille de Stevens étaient là, eux aussi, pour montrer à ces hommes qu'ils appréciaient tout ce qu'ils avaient fait pour protéger Chris. J'ai eu l'honneur de rendre hommage à leur bravoure et à leur professionnalisme. Ils incarnaient la force et le courage d'une grande nation. J'ai remis à chacun d'eux la médaille de héros du département d'État. Il y avait des larmes dans les yeux des spectateurs. Cela nous rappelait qu'en cette terrible nuit nous avions vu le meilleur et le pire de l'humanité, exactement comme onze ans auparavant.

Les souvenirs de Benghazi ne me quitteront jamais, et ils influenceront le travail des diplomates américains dans l'avenir. Mais nous devons nous souvenir de Chris Stevens, de Sean Smith, de Glen Doherty et de Tyrone Woods tout autant pour la vie qu'ils ont menée que pour la façon dont ils sont morts. Ils s'étaient tous portés volontaires pour servir leur pays dans des régions où la sécurité était loin d'être assurée, parce que c'était là que les intérêts et les valeurs de l'Amérique étaient le plus en péril et qu'eux-mêmes pouvaient être le plus utiles.

Chapitre 18

Iran : sanctions et secrets

Le sultan d'Oman avait le goût de la mise en scène.

Nous nous trouvions devant un déjeuner somptueux dans un palais dessiné par le sultan en personne à Mascate, capitale d'Oman, près de l'extrémité de la péninsule Arabique, quand j'ai entendu les accents familiers de *Liberty Bell*, la célèbre marche de John Philip Sousa. Le sultan Qabus, vêtu d'une longue tunique flottante avec un poignard de cérémonie à la ceinture et coiffé d'un turban coloré, a souri et levé les yeux. Une partie de l'orchestre symphonique royal d'Oman se trouvait sur un balcon au-dessus de nous, à demi dissimulé derrière un écran. C'était un geste typique d'un dirigeant habile et aimable, qui faisait grand cas de ses relations avec les États-Unis, adorait la musique et avait exercé son pouvoir absolu pour moderniser son pays au cours de ses quarante ans de règne.

Ce que le sultan avait à dire était plus spectaculaire encore. Cela se passait le 12 janvier 2011, quelques jours seulement avant que le Printemps arabe ne vienne bouleverser l'échiquier géopolitique du Proche et du Moyen-Orient. J'arrivais à l'instant du Yémen, le voisin agité d'Oman, au sud, et m'apprêtais à aller assister à une conférence régionale au Qatar pour faire comprendre aux dirigeants que, sans réforme économique et politique, leurs régimes allaient « s'enfoncer dans le sable ». Mais, ce jour-là, c'était l'Iran qui préoccupait le sultan.

Le bras de fer à propos du programme nucléaire clandestin de l'Iran se durcissait et faisait peser une menace urgente sur la sécurité régionale et mondiale. Depuis 2009, l'administration Obama avait mené une stratégie « à deux volets » associant pression et rapprochement, mais les négociations entre l'Iran et les cinq membres permanents du Conseil de sécurité des Nations unies (États-Unis, Russie, Chine, Grande-Bretagne et France) plus l'Allemagne, ce qu'on appelait le P5 + 1, n'aboutissaient à rien. Les risques d'un conflit armé, incluant peut-être une frappe israélienne pour détruire les installations nucléaires iraniennes, à l'image de celles qui avaient été menées contre l'Irak en 1981 et contre la Syrie en 2007, grandissaient.

« Je peux vous aider », m'a déclaré le sultan. C'était l'un des rares dirigeants que tous les camps s'accordaient à considérer comme un médiateur impartial et il entretenait d'étroites relations avec Washington, les pays du Golfe et Téhéran. Il proposait d'accueillir en secret des pourparlers directs entre les États-Unis et l'Iran pour régler la question nucléaire. De précédentes tentatives d'approche avec le régime théocratique iranien avaient échoué, mais le sultan pensait avoir peut-être une chance de faciliter une percée. Le secret serait indispensable pour empêcher les jusqu'au-boutistes des différents camps de faire achopper les discussions avant même qu'elles n'aient pu commencer. Étais-je disposée à examiner cette idée ?

D'un côté, nous n'avions aucune raison de faire confiance aux Iraniens et toutes les raisons de croire qu'ils exploiteraient la moindre occasion de tergiverser et de faire diversion. De nouvelles négociations risquaient de se transformer en un jeu de dupes qui permettrait aux Iraniens de gagner du temps et de se rapprocher de leur but : construire une arme nucléaire qui menacerait Israël, leurs voisins et le monde. Toute concession de notre part dans le cadre de ces pourparlers pouvait réduire à néant plusieurs années de travail méticuleux pour aboutir à un consensus international en faveur de sanctions rigoureuses et de pressions accrues sur le régime de Téhéran. De l'autre côté, la proposition du sultan était peut-être notre meilleure chance d'éviter un conflit ou la perspective intolérable d'un Iran doté de l'arme nucléaire. Refuser la voie diplomatique risquait de désagréger la vaste coalition internationale que nous avions mise sur pied pour imposer des sanctions contre l'Iran et les faire appliquer.

*

* *

Si incroyable que cela puisse paraître au vu de tout ce qui s'est passé depuis, l'Iran avait été un allié des États-Unis au temps de la guerre froide. Le souverain du pays, le shah, était monté sur le trône en 1953 à la suite d'un coup d'État soutenu par l'administration Eisenhower contre un gouvernement démocratiquement élu, jugé procommuniste. C'était une manœuvre classique de la guerre froide que beaucoup d'Iraniens n'ont jamais pardonnée aux Américains. Nos gouvernements ont entretenu d'étroites relations pendant plus de vingt-cinq ans – jusqu'à ce que, en 1979, le shah autocratique soit renversé par une révolution populaire. Des intégristes chiites, dirigés par l'ayatollah Ruhollah Khomeini, n'ont pas tardé à prendre le pouvoir et à imposer au peuple iranien leur version théocratique d'une république islamique. Les nouveaux dirigeants de l'Iran éprouvaient une hostilité implacable envers l'Amérique, qu'ils appelaient le « grand Satan ». En novembre 1979, des extrémistes iraniens avaient donné l'assaut à l'ambassade américaine à Téhéran et pris 52 Américains en otages. La détention de ces derniers avait duré 444 jours. Cette effroyable atteinte au droit international avait été une expérience traumatisante pour notre pays. Je me rappelle avoir regardé le journal télévisé du soir, à Little Rock, en comptant le nombre de jours que les otages avaient passés en captivité, la crise se prolongeant encore et encore, sans issue prévisible. La situation était devenue plus tragique encore quand une mission de sauvetage de l'armée américaine s'était achevée par un accident ; un hélicoptère et un transport de troupes s'étaient écrasés dans le désert, provoquant la mort de 8 soldats.

La révolution iranienne avait entraîné plusieurs décennies de terrorisme soutenu par l'État. L'Iran se servait des Gardiens de la révolution islamique iraniens ainsi que d'organisations terroristes comme le Hezbollah et le Hamas pour perpétrer des attentats à travers tout le Proche et le Moyen-Orient et dans le monde entier. On pouvait lui imputer l'attentat au camion piégé contre l'ambassade américaine à Beyrouth, au Liban, en avril 1983, qui avait fait 63 morts, dont 17 Américains, l'attentat contre la caserne des Marines américains en octobre de la même année, toujours à Beyrouth, qui avait tué 241 Américains, sans oublier l'attentat contre les tours de Khobar, en Arabie Saoudite, en 1996, qui avait fait 19 morts parmi le personnel de l'aviation militaire américaine et plusieurs centaines de blessés. L'Iran prenait également pour cibles des Juifs et des Israéliens, et avait commandité en 1994 un attentat à la bombe contre un centre culturel israélien de Buenos Aires, en Argentine, qui avait fait 85 morts et plusieurs centaines de blessés. Le département d'État désignait régulièrement l'Iran comme « l'État du monde qui soutient le plus activement le terrorisme » et dénonçait, documents à l'appui, son implication dans des attentats à la bombe, des enlèvements, des détournements d'avions et autres actes de terrorisme. Des roquettes, des armes automatiques et des mortiers iraniens étaient également employés pour tuer des soldats américains ainsi que ceux de nos partenaires et des civils en Irak et en Afghanistan.

Au vu de ce passé, la perspective d'un Iran équipé de l'arme nucléaire faisait peser une grave menace sur la sécurité d'Israël, des voisins de l'Iran dans le Golfe et, au-delà, du monde entier. Aussi le Conseil de sécurité des Nations unies avait-il adopté depuis 2006 six résolutions demandant à l'Iran de mettre fin à son programme d'armement et de respecter le traité de non-prolifération des armes nucléaires. Comme plus de cent quatre-vingts autres États, l'Iran a signé ce traité, qui autorise les pays à utiliser l'énergie nucléaire à des fins pacifiques, mais exige de ceux qui possèdent des armes nucléaires de poursuivre leur désarmement et de ceux qui n'en ont pas de renoncer à en acquérir. Permettre à l'Iran de se doter d'un arsenal nucléaire en violation des dispositions de ce traité risquait d'ouvrir la voie à la prolifération, d'abord au Moyen-Orient parmi ses rivaux à direction sunnite, puis à travers le monde.

Nous savions que l'Iran travaillait depuis des années à mettre au point la technologie et les matériaux nécessaires à la fabrication d'une bombe, malgré les condamnations et les pressions de la communauté internationale. Au début de 2003, l'Iran possédait une centaine de centrifugeuses destinées à enrichir l'uranium, un des deux combustibles utilisés pour les armes nucléaires, l'autre étant le plutonium. Les centrifugeuses tournent à des vitesses incroyables, permettant d'enrichir l'uranium à un niveau suffisant pour qu'il puisse servir à la confection d'une bombe. C'est un processus complexe, d'une grande précision, qui exige des milliers de centrifugeuses. Au cours des six années suivantes, en raison des divisions de la communauté internationale et parce que l'Iran refusait à l'Agence internationale de l'énergie atomique (AIEA) l'accès à son territoire et à toute information, ce pays n'avait cessé de développer son programme. Au moment où le président Obama était arrivé au pouvoir, l'Iran possédait environ 5 000 centrifugeuses. Ses dirigeants avaient beau arguer que leur programme nucléaire n'avait que des fins purement pacifiques, scientifiques, médicales et commerciales, ses chercheurs travaillaient en secret dans des bunkers renforcés construits au plus profond des montagnes, enrichissant de l'uranium à des doses et dans des quantités qui conduisaient tous les esprits raisonnables à nourrir des doutes parfaitement fondés sur ses intentions.

Pendant une brève période à la fin des années 1990, on avait pu espérer que l'Iran s'engagerait sur une autre voie. En 1997, les Iraniens avaient élu à la présidence un homme relativement modéré, Mohammad Khatami, qui avait déclaré dans une interview à une chaîne de télévision américaine qu'il voulait abattre le « mur de méfiance entre l'Iran et les États-Unis ». L'administration Clinton, de manière compréhensible, restait sceptique à la suite de l'attentat contre les tours de Khobar, mais Bill avait réagi par de prudentes mesures de réciprocité, mentionnant par exemple l'Iran dans un message vidéo marquant l'Aïd el-Fitr, la fête qui célèbre la fin du mois sacré du ramadan pour les musulmans. « J'espère que le jour viendra bientôt où nous pourrons à nouveau entretenir de bonnes relations avec l'Iran », avait-il déclaré. L'administration avait tâté le terrain diplomatique en plusieurs occasions dans l'espoir d'engager le dialogue, et avait notamment envoyé une lettre transmise par l'intermédiaire de notre ami commun, le sultan d'Oman. En 2000, la secrétaire d'État Madeleine Albright avait tendu un rameau d'olivier de façon plus publique, regrettant officiellement le rôle joué par les États-Unis dans le coup d'État iranien de 1953 et assouplissant certaines sanctions économiques. Mais l'Iran n'avait jamais vraiment donné suite, ne fût-ce que parce que les irréductibles du régime limitaient la liberté d'action de Khatami.

Ce travail préparatoire avait peut-être contribué à encourager Khatami à nous tendre la main après les attentats du 11-Septembre dans l'espoir de coopérer avec les États-Unis en Afghanistan, un pays qui a une frontière commune avec l'Iran. Mais le discours de 2002 du président Bush, dans lequel il qualifiait l'Iran, l'Irak et la Corée du Nord d'« axe du mal », avait enterré pour un temps toute possibilité de poursuite du dialogue entre nos pays. Les Européens avaient alors pris la tête des négociations avec l'Iran à propos de son programme nucléaire. Ces pourparlers avaient cependant été interrompus en 2005, quand Khatami avait été remplacé par Mahmoud Ahmadinejad, un négationniste et un provocateur qui menaçait de rayer Israël de la carte et insultait l'Occident à tout bout de champ.

En tant que sénatrice de New York pendant les années Bush, j'avais vivement conseillé que l'on redouble de pressions sur le régime de Téhéran et sur les groupes derrière lesquels il se retranchait, que l'on vote des sanctions contre l'Iran et que l'on désigne officiellement les Gardiens de la révolution comme une organisation terroriste. Ainsi que je l'avais affirmé à maintes reprises, « nous ne pouvons pas, nous ne devrions pas, nous ne devons pas permettre à l'Iran de fabriquer ou d'acquérir des armes nucléaires ». Cependant, en l'absence d'un vaste consensus international, les sanctions américaines unilatérales n'avaient pas été très efficaces pour freiner les Iraniens.

En 2007, dans un article publié dans la revue *Foreign Affairs*, j'ai déclaré : « L'administration Bush refuse de parler à l'Iran de son programme nucléaire, préférant ignorer sa mauvaise conduite plutôt que de la dénoncer. [...] Si l'Iran ne respecte pas ses propres engagements et la volonté de la communauté internationale, toutes les options doivent rester envisageables. » Sans être précis, le terme d'« options » pouvait inclure une éventuelle intervention militaire ; je soulignais pourtant qu'il fallait accorder la priorité à la diplomatie. Après tout, si les États-Unis avaient pu négocier avec l'Union soviétique au plus fort de la guerre froide alors que ce pays avait des milliers de missiles pointés sur nos villes, nous ne devions pas craindre de discuter avec d'autres adversaires, tel l'Iran, dans des conditions adéquates. C'était un délicat numéro d'équilibrisme – brandir la perspective d'une action militaire tout en poussant à la diplomatie et à la retenue –, mais il n'avait rien de nouveau. Une politique étrangère efficace a toujours imposé le recours alternatif au bâton et à la carotte, et la définition d'un juste équilibre entre les deux relève plus de l'art que de la science.

Dans le feu des primaires de la présidentielle de 2008, j'avais repris au vol dans un débat une affirmation d'Obama, alors sénateur : il s'était engagé à rencontrer les dirigeants de l'Iran, de la Syrie, du Venezuela, de Cuba et de la Corée du Nord « sans condition préalable » dans le courant de la première année d'une nouvelle administration. Revenez à la diplomatie, ai-je dit, nouez des liens avec ces pays, mais ne promettez pas de leur accorder une entrevue présidentielle très médiatisée si nous n'obtenons rien en échange. Son équipe de campagne m'avait alors accusée de suivre la ligne Bush et de refuser d'adresser la parole à nos adversaires. Rien de tout cela n'était particulièrement éclairant pour les électeurs, mais, après tout, c'est le jeu des campagnes électorales. J'avais également provoqué un certain émoi en avril 2008 en avertissant les dirigeants iraniens que s'ils lançaient une attaque nucléaire contre Israël alors que j'étais aux affaires, les États-Unis riposteraient et « seraient capables de les anéantir intégralement », avais-je déclaré. Cet avertissement avait attiré l'attention de Téhéran, et l'Iran avait même protesté officiellement devant les Nations unies.

Après que le président Obama m'eut appelée au département d'État, nous avons commencé à discuter d'une attitude plus efficace à l'égard de l'Iran. Si notre objectif était simple – l'empêcher de se doter d'armes nucléaires –, la voie à suivre pour y parvenir ne l'était certainement pas.

Au début de 2009, l'Iran paraissait en pleine ascension au Moyen-Orient. L'invasion de l'Irak sous l'égide américaine avait éliminé son ennemi juré, Saddam Hussein, et mis en place un gouvernement chiite plus à son goût. La puissance et le prestige américains dans la région étaient au plus bas. Le Hezbollah avait conduit Israël dans une impasse sanglante au Liban en 2006 et le Hamas contrôlait toujours solidement la bande de Gaza après une invasion israélienne de deux semaines en janvier 2009. Les souverains sunnites du Golfe regardaient avec inquiétude l'Iran développer son armée, accroître son influence et menacer de dominer le détroit d'Ormuz, d'une importance stratégique vitale. En Iran même, l'emprise de fer du régime était incontestée et les exportations pétrolières en hausse. Le président iranien Ahmadinejad se conduisait comme un paon belliqueux sur la scène mondiale. Mais la véritable autorité était exercée par le Guide suprême, l'ayatollah Ali Khamenei, qui avait succédé à Khomeini en 1989 et ne faisait pas mystère de la haine qu'il vouait à l'Amérique. Les Gardiens de la révolution purs et durs prenaient également un tel pouvoir à l'intérieur de l'Iran, détenant notamment d'importants intérêts économiques, que le pays semblait se diriger vers une dictature militaire sous une façade de direction cléricale. J'avais fait quelques vagues en relevant cette tendance au cours d'un voyage dans le Golfe.

Face à cette conjoncture difficile, nous étions bien décidés, le président Obama et moi, à manier à la fois les offres de rapprochement et les pressions pour placer les dirigeants iraniens devant un choix limpide : s'ils respectaient les obligations prévues par les traités et prêtaient l'oreille aux préoccupations de la communauté internationale à propos de leur programme nucléaire, ils pouvaient s'attendre à une amélioration de nos relations. S'ils refusaient, ils affronteraient un isolement accru et des conséquences encore plus douloureuses.

Un des premiers gestes du président Obama a été d'adresser à l'ayatollah Khamenei deux lettres privées lui proposant une nouvelle ouverture diplomatique. Il a également enregistré des messages vidéo destinés directement au peuple iranien. À l'image des efforts entrepris par mon mari dix ans plus tôt, ces tentatives d'approche se sont heurtées à un mur du côté de Téhéran. Aucun d'entre nous ne se faisait vraiment d'illusions et n'imaginait que l'Iran allait changer de comportement simplement parce qu'un nouveau président américain était prêt à nouer le dialogue. Nous estimions que cet essai de rapprochement nous mettrait en meilleure posture pour chercher à imposer des sanctions plus rigoureuses dans l'éventualité où l'Iran repousserait nos ouvertures. Le reste du monde constaterait que les intransigeants n'étaient pas les Américains, mais les Iraniens, ce qui l'inciterait sans doute à soutenir un accroissement des pressions contre Téhéran.

Une des premières voies que nous avons explorées a été une coopération possible sur l'Afghanistan. Après tout, en 2001, au tout début de la guerre, il y avait eu quelques discussions préliminaires sur une éventuelle collaboration pour enrayer le trafic de drogue et stabiliser le pays. Depuis, toutefois, l'Iran avait joué un rôle beaucoup moins constructif. Dans la période qui a précédé une importante conférence internationale sur l'Afghanistan organisée par les Nations unies à La Haye fin mars 2009, j'ai dû décider de soutenir ou non l'invitation adressée par les Nations unies à l'Iran. Après avoir consulté nos alliés de l'OTAN, j'ai présenté la conférence à venir comme « une grande réunion sous chapiteau rassemblant toutes les parties qui ont des enjeux et des intérêts en Afghanistan ». Ce qui laissait la porte ouverte à l'Iran ; s'il venait, ce serait notre première rencontre directe.

Téhéran a fini par dépêcher à La Haye le vice-ministre des Affaires étrangères, dont le discours contenait quelques idées positives de collaboration. Je n'ai pas rencontré le diplomate iranien, mais j'ai envoyé Jake Sullivan lui parler et évoquer la perspective d'un rapprochement direct sur l'Afghanistan.

Jake a également remis en mains propres une lettre demandant la libération de trois Américains détenus en Iran : un agent du FBI à la retraite, Robert Levinson, une étudiante de doctorat, Esha Momeni, et une journaliste américaine d'origine irano-japonaise, Roxana Saberi. Roxana avait été arrêtée à Téhéran et accusée d'espionnage quelques jours seulement après ma prise de fonctions, en janvier 2009. À la suite d'une grève de la faim et de pressions insistantes de la part des États-Unis et d'autres pays, elle a été libérée en mai. Elle est venue me voir peu après au département d'État et m'a raconté la terrible épreuve qu'elle avait vécue. Robert Levinson est toujours détenu. Quant à Esha Momeni, libérée sous caution avec interdiction de quitter le pays, elle a finalement été autorisée à regagner les États-Unis en août 2009.

Lors de cette même conférence de La Haye, Richard Holbrooke a eu un bref échange avec le diplomate iranien à l'occasion d'un déjeuner officiel, ce qui n'a pas empêché les Iraniens de nier plus tard la réalité de cette rencontre.

La seconde moitié de 2009 allait être pleine de rebondissements inattendus qui ont spectaculairement remodelé le débat international sur l'Iran.

Il y a d'abord eu l'élection présidentielle iranienne. En juin, Ahmadinejad a été déclaré vainqueur à la suite d'un scrutin qui, au dire de tous, était entaché de sérieuses irrégularités, sinon complètement truqué. La population est descendue en masse dans les rues de Téhéran et de tout le pays pour protester contre ces résultats. Écrivant ainsi une page surprenante de l'histoire, la classe moyenne iranienne s'est mise à réclamer la démocratie que la révolution de 1979 lui avait promise sans jamais l'apporter. Les manifestations ont gagné en ampleur et ont pris le nom de Mouvement vert. Des millions d'Iraniens se sont rassemblés dans les rues, exprimant une opposition sans précédent, certains allant même jusqu'à exiger la fin du régime. Les forces de sécurité ont réagi avec une terrible violence. Des citoyens qui défilaient pacifiquement ont été frappés à coups de matraque et massivement arrêtés. Les autorités ont procédé à des rafles d'adversaires politiques qui ont été maltraités ; il y a eu plusieurs morts. Les spectateurs du monde entier ont été horrifiés par une vidéo sur laquelle on voyait une jeune femme abattue dans la rue. Une telle violence était scandaleuse, mais ces mesures de répression ne faisaient que refléter l'habituel mépris du régime pour les droits de l'homme.

Au sein de l'administration Obama, nous nous sommes demandé comment réagir. « Nous suivons de près la situation iranienne au fur et à mesure de son évolution, mais, comme le reste du monde, nous attendons de voir ce que décide le peuple iranien », ai-je annoncé alors que les manifestations prenaient de l'ampleur, mais avant les pires mesures de répression. « Nous espérons évidemment que le résultat reflétera la volonté et le désir authentiques du peuple iranien. »

Nos contacts en Iran nous exhortaient à faire preuve de la plus extrême discrétion. Ils craignaient que, si les États-Unis prenaient la parole pour soutenir les manifestants ou cherchaient ouvertement à intervenir dans la situation, le régime n'en profite pour présenter les protestations comme le fruit d'un complot étranger. Le jugement d'un grand nombre de nos analystes du renseignement et de nos spécialistes de l'Iran allait dans le même sens. Il n'en était pas moins difficile de résister à la tentation de se lever pour proclamer notre soutien au peuple iranien et le dégoût que nous inspirait la tactique répressive du régime. Protester contre ces excès paraissait relever du rôle naturel de l'Amérique, un rôle conforme à nos valeurs démocratiques.

Après avoir écouté les différents arguments, le président a estimé à contrecœur que nous servirions mieux les aspirations du peuple iranien en nous tenant à l'écart de cette crise. C'était une décision tactique difficile et perspicace. Ce n'était pas, contrairement aux spéculations de certains commentateurs à l'époque, parce que le président était plus soucieux de se rapprocher du régime que de lui tenir tête. L'objectif était d'agir au mieux pour les manifestants et pour la démocratie, rien de plus. En coulisse, mon équipe du département d'État restait en contact constant avec les activistes d'Iran et s'est livrée à une intervention d'urgence pour empêcher une fermeture de Twitter pour maintenance qui aurait privé les manifestants d'un moyen de communication essentiel.

Avec le recul, je ne suis pas sûre que nous ayons fait le bon choix. Notre retenue n'a pas empêché le régime d'écraser impitoyablement le Mouvement vert, offrant au monde un spectacle terriblement douloureux. Des messages plus véhéments de la part des États-Unis n'auraient sans doute pas évité ce résultat et l'auraient peut-être même accéléré, mais il n'y a aucun moyen de savoir si nous aurions pu changer quelque chose. J'en suis venue à regretter que nous ne nous soyons pas exprimés plus énergiquement et n'ayons pas cherché à rallier d'autres voix en ce sens. À la suite de la répression en Iran, j'ai décidé de redoubler d'efforts pour équiper les démocrates militants d'outils et de matériel technologique leur permettant d'échapper à la répression et à la censure gouvernementales. Au cours des années qui ont suivi, nous avons investi des dizaines de millions de dollars et formé plus de 5 000 activistes dans le monde entier.

En septembre, alors que Khamenei et Ahmadinejad avaient repris solidement les commandes à Téhéran, nous nous sommes trouvés devant une nouvelle situation explosive. Depuis plus d'un an, les agences de renseignement occidentales surveillaient attentivement ce que l'on pensait être une usine secrète d'enrichissement d'uranium iranienne en construction sous les montagnes, à proximité de la ville de Qom, au sud-ouest de Téhéran. Après l'erreur de nos services secrets à propos des armes de destruction massive prétendument détenues en Irak, tout le monde hésitait évidemment à tirer des conclusions hâtives concernant l'Iran. Cette information n'en était pas moins extrêmement troublante. L'usine serait achevée quelques mois plus tard et, une fois terminée, grâce à son emplacement protégé, elle accroîtrait la capacité de l'Iran à construire une bombe nucléaire. Quand les Iraniens ont découvert que nous étions au courant de leur supercherie, ils ont fait tout ce qu'ils pouvaient pour étouffer l'affaire. Le 21 septembre 2009, ils ont transmis à l'AIEA une lettre prudente reconnaissant l'existence à proximité de Qom d'un petit projet pilote qu'ils avaient négligé de mentionner auparavant.

Nous avons décidé de faire éclater la vérité à notre façon. Cette semaine-là, les dirigeants du monde se retrouvaient pour la réunion annuelle de l'Assemblée générale des Nations unies à New York. Nous savions qu'une révélation publique de l'existence d'une usine secrète d'enrichissement iranienne près de Qom provoquerait un tollé – que nous espérions exploiter à notre avantage. Le président Obama devait présider une réunion du Conseil de sécurité sur la sécurité nucléaire, et les négociateurs du P5 + 1 étaient sur le point d'engager une nouvelle série de pourparlers avec les Iraniens. Il fallait orchestrer soigneusement cette divulgation avec nos alliés britanniques et français pour avoir le maximum de prise tant sur les Iraniens que sur les pays prédisposés à leur accorder le bénéfice du doute, en particulier la Russie et la Chine. Judicieusement exploitée, cette révélation explosive pouvait faire pencher la balance en défaveur de l'Iran et faciliter l'adoption de sanctions internationales plus sévères.

Nous avons tenu une réunion dans la suite du président Obama à l'hôtel Waldorf Astoria pour définir notre stratégie. Une solution était que le président se livre à une présentation spectaculaire des renseignements collectés sur l'usine de Qom devant le Conseil de sécurité. Une telle initiative aurait éveillé des souvenirs à la fois du fameux affrontement entre l'ambassadeur américain auprès des Nations unies, Adlai Stevenson, et son homologue soviétique au moment de la crise des missiles de Cuba, et de la présentation tristement célèbre du secrétaire d'État Colin Powell sur les armes irakiennes de destruction massive. Deux précédents avec lesquels nous n'avions aucune envie de renouer. Nous voulions par ailleurs veiller à une parfaite coordination avec nos alliés et tenions à avertir à l'avance l'AIEA, les Russes et les Chinois. Aussi avons-nous décidé de renoncer à la voie du Conseil de sécurité.

Dans l'après-midi du 23 septembre, le président Obama, le conseiller à la Sécurité nationale Jim Jones et moi-même nous sommes retrouvés au Waldorf Astoria pour passer une heure en compagnie du président russe Dmitri Medvedev, de son ministre des Affaires étrangères Sergueï Lavrov et de son conseiller à la Sécurité nationale Sergueï Prikhodko. Nous leur avons exposé les preuves dont nous disposions sur l'usine de Qom. Lors de la première rencontre entre les deux présidents au printemps de cette année-là, à Londres, Medvedev avait reconnu que la Russie avait sous-estimé le programme nucléaire iranien, mais ce nouveau témoignage de duplicité iranienne n'en a pas moins choqué les Russes. Au cours de mes quatre années au département d'État, je crois que c'est la seule occasion où j'ai vu l'imperturbable Lavrov visiblement troublé et réduit au silence. Après cela, Medvedev a étonné la presse en tenant sur l'Iran des propos plus énergiques qu'on n'en avait jamais entendu de sa part : « Les sanctions conduisent rarement à des résultats productifs – mais, dans certains cas, les sanctions sont inévitables. » Les journalistes ont bombardé les représentants de la Maison-Blanche de questions sur les causes de cette remarquable évolution de la rhétorique russe, mais nous n'étions pas encore prêts à révéler publiquement les informations de Qom.

Nous avons tout préparé pour procéder à une annonce deux jours plus tard, lors du sommet du G20 à Pittsburgh, où un grand nombre des mêmes dirigeants se rendraient depuis New York. Le moment venu, le président Obama est monté à la tribune en même temps que le Premier ministre britannique Gordon Brown et que le président français Nicolas Sarkozy. « Les dimensions et la configuration de ces installations ne correspondent pas à celles d'un programme pacifique, a déclaré le président Obama. L'Iran viole les règles que toutes les nations doivent respecter. »

Les événements se sont accélérés. Le 1er octobre, des représentants du P5 + 1 ont rencontré une délégation iranienne à Genève. J'ai envoyé le secrétaire d'État adjoint Bill Burns pour représenter les États-Unis et rencontrer en privé le négociateur iranien. Soumis à des pressions internationales croissantes, les Iraniens ont accepté d'autoriser des inspecteurs de l'AIEA à visiter le site secret aux environs de Qom, ce qu'ils ont fait plus tard au cours du même mois.

L'autre point à l'ordre du jour de la réunion de Genève était le réacteur de recherche de Téhéran offert à l'Iran par les États-Unis dans les années 1960 pour produire des isotopes médicaux utilisés dans le diagnostic et le traitement de certaines affections. Dans le courant de l'été 2009, l'Iran avait fait savoir qu'il était à court de barres de combustible nucléaire, nécessaires pour alimenter le réacteur et produire les isotopes. Alors qu'il possédait des réserves d'uranium faiblement enrichi, il ne disposait pas de l'uranium hautement enrichi indispensable aux barres de combustible. Il avait donc demandé à l'AIEA de l'aider à en trouver sur le marché ouvert. Cette requête avait attiré l'attention des experts américains en nucléaire, et notamment celle de Bob Einhorn, du département d'État, qui a commencé à élaborer un plan créatif susceptible de régler plusieurs problèmes d'un coup. Ne pourrait-on pas envisager que l'Iran envoie à l'étranger l'intégralité, ou du moins une partie significative, de ses réserves d'uranium en échange de barres de combustible destinées à alimenter le réacteur de recherche, mais qui ne pourraient pas servir à fabriquer une bombe ? Cette solution satisferait leurs besoins légitimes tout en retardant de plusieurs mois, peut-être d'un an, leur programme d'armement. Si les Iraniens acceptaient, nous aurions le temps de préparer un accord plus complet répondant à toutes nos inquiétudes concernant leur programme nucléaire. En août, j'avais discuté de cette idée avec Lavrov et expliqué qu'un transfert d'uranium faiblement enrichi hors du territoire iranien ferait baisser les tensions dans la région. J'espérais que, si les États-Unis et la Russie manifestaient leur cohésion en travaillant main dans la main, les Iraniens se sentiraient obligés de réagir. Lavrov avait acquiescé. « Il faut examiner cette requête sérieusement, avait-il dit. Nous sommes prêts en principe à marcher avec vous. »

À présent, dans les pourparlers de Genève, le moment était venu de mettre la proposition sur la table et de voir comment les Iraniens réagiraient. Pendant une pause déjeuner, Burns a suggéré au négociateur iranien en chef, Saïd Jalili, un entretien en tête-à-tête, à l'écart du groupe. Jalili ayant accepté, Burns a esquissé les grandes lignes de notre proposition. Jalili avait conscience de se trouver devant une communauté internationale unie, et devant une offre indéniablement équitable et raisonnable. Il ne pouvait qu'accepter. Einhorn et le négociateur iranien adjoint ont passé en revue l'ensemble des détails. Les Iraniens ont tout accepté, à une condition près : qu'aucune annonce publique ne soit faite avant leur retour à Téhéran, où ils présenteraient cet accord à leurs supérieurs.

Lorsque, plus tard au cours de ce même mois, les négociateurs se sont retrouvés à l'AIEA à Vienne, les Iraniens avaient changé de discours. Les discussions de Jalili à Téhéran ne s'étaient pas bien passées. Les irréductibles du gouvernement étaient farouchement hostiles à ce marché. Les Iraniens ne voulaient plus céder qu'une moindre quantité d'uranium faiblement enrichi et exigeaient de la stocker dans une région reculée d'Iran au lieu de l'envoyer à l'étranger, deux mesures parfaitement inacceptables et qui allaient à l'encontre du but poursuivi : les empêcher d'avoir suffisamment d'uranium enrichi pour fabriquer une bombe. L'AIEA les a exhortés, sans succès, à revenir aux termes de l'accord précédent. Les réunions de Vienne se sont achevées sur un échec. Il n'y avait plus d'accord.

Comme le président Obama s'y était engagé pendant sa campagne, nous avions essayé de nous rapprocher de l'Iran. Il a décidé qu'à présent le moment était venu d'accentuer la pression et d'exposer clairement le choix auquel les dirigeants iraniens devaient faire face. Imposer de vraies sanctions exigerait cependant que nous ayons le reste du monde à nos côtés.

Susan Rice, notre ambassadrice aux Nations unies, estimait que nous aurions du mal à rassembler les voix nécessaires pour faire adopter une résolution ferme au Conseil de sécurité. J'entendais le même son de cloche de la part de mes homologues étrangers. « Nous ne pensons pas que le temps soit venu de discuter de sanctions contre l'Iran, m'a ainsi déclaré le ministre chinois des Affaires étrangères, Yang Jiechi, en janvier 2010. Dès que des sanctions seront à l'ordre du jour, il risque d'être difficile de reprendre les pourparlers pendant une très longue période. » Certes, la Chine et la Russie admettaient le principe selon lequel il ne fallait pas autoriser l'Iran à fabriquer ou à posséder des armes nucléaires, mais elles n'étaient pas prêtes à faire grand-chose pour l'en empêcher.

Il me semblait pourtant que, puisque nous avions à présent le vent en poupe, cela valait la peine de chercher à surmonter cette opposition et à imposer de nouvelles sanctions par l'intermédiaire du Conseil de sécurité. Tout au long du printemps 2010, nous avons travaillé d'arrache-pied, cherchant à rallier les voix nécessaires. Je me suis jetée dans cette tâche à corps perdu, multipliant les démarches diplomatiques d'une manière qui me rappelait les négociations en coulisse au Sénat, les marchandages, les pressions directes, les dénombrements de voix, les appels tantôt aux principes, tantôt aux intérêts personnels, et toutes les manœuvres politiques impitoyables qui accompagnent l'adoption de textes de loi majeurs.

Bien que l'attention se concentre d'ordinaire sur les cinq membres permanents du Conseil de sécurité, parce que chacun d'entre nous a le pouvoir d'opposer son veto à n'importe quelle résolution, le Conseil compte en réalité dix autres sièges, affectés à tour de rôle à d'autres États choisis par l'Assemblée générale pour des mandats de deux ans. Pour être adoptée, une résolution du Conseil de sécurité ne doit pas seulement éviter un veto, mais aussi rassembler neuf voix sur un total de quinze membres. D'où l'importance considérable de petits pays disposant de sièges tournants, comme l'Ouganda et le Liban. C'est pour cette raison que, pendant les quatre années que j'ai passées au département d'État, j'ai consacré beaucoup de temps à faire la cour à des États qui ne jouent pas d'ordinaire un rôle majeur dans les affaires internationales – par exemple, le Togo –, mais dont je savais que les voix nous seraient indispensables à des moments déterminants.

Convaincre de nous suivre au moins neuf des quinze membres ombrageux du Conseil n'a pas été une mince affaire. Au cours de l'une de mes nombreuses séances de réflexion stratégique avec le Britannique David Miliband durant cette période, celui-ci m'a fait remarquer qu'il ne suffisait pas de persuader la Chine de renoncer à opposer son veto à la résolution ; il nous fallait un soutien positif afin de rallier d'autres voix encore indécises. « Autrement, selon le dénombrement auquel nous avons procédé, cela paraît risqué, m'a-t-il dit. S'ils s'abstiennent, nous pourrions perdre le Nigeria, l'Ouganda, le Brésil et la Turquie. » J'ai fait mes comptes, moi aussi, et je ne pensais pas que nous perdrions l'Ouganda ni le Nigeria. Quant au Brésil et à la Turquie, c'était une autre affaire. « Reste aussi à savoir si les Russes voteront en faveur de la résolution dans l'éventualité où les Chinois s'abstiendraient, a poursuivi David. — Nous pensons qu'ils le feront, ai-je répondu, mais peut-être au prix d'une résolution plus faible. » La conversation s'est poursuivie sur ce mode.

À la mi-avril, j'ai plaidé ma cause auprès de Yoweri Museveni, le président de l'Ouganda. Ahmadinejad était attendu en Ouganda le lendemain dans le cadre d'une contre-attaque diplomatique iranienne destinée à éviter de nouvelles sanctions. Aussi était-il essentiel que je parle la première à Museveni afin d'obtenir son accord. J'avais pour atout de le connaître depuis 1997, date à laquelle je m'étais rendue dans son pays pour la première fois. Mon mari et moi étions restés en relation avec lui depuis cette époque. Je lui ai rappelé que l'administration Obama avait cherché à se rapprocher de l'Iran et que la communauté internationale avait fait un certain nombre de propositions honnêtes. L'Iran avait rejeté toutes les ouvertures, défié la communauté internationale et continué à enrichir de l'uranium à de hauts niveaux. Je lui ai également fait savoir que, en cas d'échec de la diplomatie, il faudrait envisager une opération militaire, ce que personne ne souhaitait. Cet argument allait convaincre de nombreux pays encore hésitants. « Nous voulons collaborer avec vous pour envoyer le message le plus vigoureux à l'Iran et lui prouver qu'il est encore temps de changer de comportement », ai-je déclaré.

Museveni était circonspect. « Je dirai deux choses [à Ahmadinejad], m'a-t-il répondu. D'abord, que nous soutenons le droit de tous les pays à avoir accès à l'énergie nucléaire pour l'électricité et d'autres usages ; ensuite, que nous sommes tout à fait opposés à la prolifération des armes nucléaires. Voilà le message que j'intégrerai dans mon discours écrit pour le banquet. Je l'encouragerai à ouvrir son pays aux inspections s'il n'a rien à cacher. » J'ai insisté : « Si vous demandez à vos experts d'examiner les rapports de l'AIEA exposant ces problèmes, vous verrez qu'il est difficile de ne pas nourrir de soupçons. — Je suis de votre avis, a-t-il acquiescé. Si l'Iran possède des armes nucléaires, l'Arabie Saoudite et l'Égypte devront en faire autant. Cela nous touche directement et nous ne pouvons pas soutenir cela. J'aurai une discussion franche avec le président. » Finalement, l'Ouganda a voté les sanctions.

Comme l'avait fait fort justement observer Miliband, le vote déterminant était celui de la Chine. Si nous parvenions à convaincre Pékin de changer d'avis, les autres membres du Conseil de sécurité suivraient certainement. À New York, Susan Rice et son équipe travaillaient avec d'autres délégations sur les termes de la résolution sur les sanctions. Les Chinois et les Russes ne cessaient de chercher à les édulcorer. Nous avons accepté quelques concessions, mais nous ne voyions pas l'intérêt d'adopter une nouvelle résolution dénuée de tout poids. En avril, le président Obama a invité des dirigeants du monde entier à Washington à l'occasion d'un sommet sur la sécurité nucléaire. Il en a profité pour passer un moment avec le président chinois Hu Jintao et discuter de l'Iran. J'ai écouté les deux présidents tandis qu'ils allaient et venaient dans une salle latérale, à l'écart de l'étage principal du Convention Center. La Chine entretenait d'étroites relations commerciales avec Téhéran et dépendait du pétrole iranien pour alimenter sa rapide croissance économique. S'il admettait qu'il ne fallait pas que l'Iran acquière d'armes nucléaires, le président Hu se méfiait de toute démarche pouvant paraître trop agressive. Finalement, les deux présidents ont accepté de soutenir des mesures « substantielles », sans préciser vraiment ce que cet adjectif recouvrait.

Peu après, j'ai moi-même discuté avec le conseiller d'État chinois, Dai Bingguo. La Chine s'opposait toujours à des éléments majeurs du projet de résolution sur les sanctions, et plus particulièrement à d'importantes dispositions sur les activités financières et bancaires directement liées aux entreprises nucléaires clandestines de l'Iran. « Je dois dire que, si la réaction de la Chine a évolué dans le bon sens, elle n'est pas encore au niveau de l'effort réciproque que nous attendions de l'entretien du président Hu avec le président Obama, ai-je dit à Dai. Si nous voulons réduire le risque croissant de conflit dans la région et ménager l'espace nécessaire à une solution politique, nous devons agir de manière rapide et cohérente en adoptant une résolution significative. » Je lui ai fait valoir que l'absence d'unité et de détermination internationales compromettrait les intérêts mêmes que la Chine cherchait à protéger, notamment le maintien de la stabilité au Proche et au Moyen-Orient, la stabilisation des prix du pétrole et la poursuite du redressement de l'économie mondiale. « Nous voulons éviter des événements qui risqueraient d'échapper à notre contrôle », ai-je ajouté.

Tout en reconnaissant qu'il n'était pas satisfait non plus, Dai restait optimiste. Pour le moment, je l'étais, moi aussi. Nous avons continué à discuter avec les Chinois et avec les Russes. Les écarts de vues se réduisaient et tout donnait à penser qu'on se rapprochait d'un accord qui imposerait les sanctions les plus strictes de l'histoire.

C'est alors, au moment même où le but paraissait à portée de main, que les événements ont pris une nouvelle tournure inattendue. Le 17 mai 2010, lors d'une conférence de presse qui s'est tenue à Téhéran, les présidents du Brésil, de la Turquie et de l'Iran ont annoncé triomphalement être parvenus à un accord prévoyant l'échange d'uranium iranien faiblement enrichi contre des barres de combustible de réacteur. À première vue, cela ressemblait à s'y méprendre à l'offre que l'Iran avait refusée en octobre précédent. En réalité, cet accord laissait beaucoup à désirer. Il ne tenait pas compte du fait que l'Iran avait continué à enrichir de l'uranium pendant plusieurs mois depuis la proposition initiale ; le transfert de la même quantité d'uranium le placerait désormais à la tête d'importantes réserves. Contrairement à ce que prévoyait le texte d'octobre, les Iraniens resteraient propriétaires de l'uranium qu'ils envoyaient à l'étranger et se réservaient le droit de le récupérer à tout moment. S'y ajoutait un autre élément, plus troublant encore : les Iraniens continuaient à proclamer leur droit à enrichir de l'uranium à des niveaux supérieurs, et ce nouvel accord ne comprenait aucune clause susceptible de les en empêcher ni indiquant qu'ils étaient prêts à en discuter avec l'AIEA ou le P5 + 1. Bref, si cet accord satisfaisait la volonté de l'Iran de se procurer des barres de combustible pour son réacteur médical, il ne répondait guère aux préoccupations mondiales à propos de son programme d'armements illégaux. Le moment choisi m'a persuadée qu'il s'agissait d'une tentative iranienne pour saborder notre demande de sanctions aux Nations unies – une tentative qui avait de bonnes chances d'aboutir.

Depuis que l'accord d'octobre 2009 avait été enterré, la Turquie et le Brésil avaient manifesté l'intention de le remettre à l'étude. Ces deux pays occupaient des sièges tournants au Conseil de sécurité des Nations unies et mouraient d'envie d'exercer une influence accrue sur la scène internationale. Ils constituaient d'excellents exemples de « puissances émergentes » dont la rapide croissance économique nourrissait de grandes ambitions en termes de rôle régional et mondial. Il se trouve qu'ils avaient tous deux à leur tête des dirigeants qui ne manquaient pas d'assurance, Luis Inácio Lula da Silva au Brésil et Recep Tayyip Erdoğan en Turquie, qui se considéraient l'un et l'autre comme des hommes d'action capables de façonner l'histoire à leur guise. Une fois qu'ils s'étaient mis en tête de négocier une solution sur l'Iran, il n'y avait pas grand-chose qui pût les en dissuader, même si leur initiative ne débouchait que sur des résultats peu brillants – voire contre-productifs.

Les États-Unis et les autres membres permanents du Conseil de sécurité ont réagi prudemment aux premières démarches du Brésil et de la Turquie. Après tant de duplicité, nous craignions que l'Iran n'exploite les bonnes intentions de ces deux pays pour préserver son programme nucléaire et provoquer une fracture dans le consensus international de plus en plus large qui se dressait contre lui. Nos préoccupations se sont aggravées lorsqu'il est apparu clairement que les Iraniens n'avaient pas la moindre intention de mettre fin à leurs activités d'enrichissement et proposaient de renoncer à leur uranium par petits contingents au lieu de le remettre en bloc, comme il avait été prévu à l'origine. Bon an mal an, ils auraient toujours eu suffisamment de matériaux nucléaires pour fabriquer une bombe.

J'étais allée rendre visite à Lula à Brasilia au début de mars 2010. Je lui avais exposé en quoi cette issue serait dangereuse et avais cherché à le dissuader de poursuivre sur cette voie, mais Lula s'était montré inflexible. Il avait refusé d'admettre que l'Iran ne cherchait qu'à gagner du temps. Pendant mon séjour, j'avais déclaré publiquement : « La porte est ouverte à la négociation. Nous ne l'avons jamais claquée. Mais nous ne voyons personne s'en approcher, même de très loin. » J'avais poursuivi : « Nous voyons un Iran qui court vers le Brésil, un Iran qui court vers la Turquie, un Iran qui court vers la Chine, racontant des choses différentes à chacun pour éviter les sanctions internationales. »

Le président Obama a ensuite envoyé une lettre à Lula en avril pour souligner nos préoccupations : « L'Iran semble mener une stratégie destinée à donner une impression de souplesse, sans accepter d'accomplir des actes susceptibles de commencer à établir une confiance mutuelle. » Il a transmis le même message à Erdoğan en Turquie. Pendant ce temps, confirmant nos craintes, l'Iran s'est obstiné à continuer à enrichir de l'uranium. Son unique objectif semblait être de faire échouer la campagne en faveur des sanctions aux Nations unies.

Alors que Lula devait se rendre à Téhéran, j'ai téléphoné au ministre brésilien des Affaires étrangères, Celso Amorim, et l'ai exhorté à prendre la vraie mesure des efforts iraniens : ce n'était qu'« une danse élaborée ». Il était pourtant très confiant quant aux résultats. J'ai fini par m'écrier, exaspérée : « Ça ne peut pas continuer comme ça. Il faudra bien qu'ils rendent des comptes un jour ou l'autre. » Selon Amorim, les Iraniens auraient sans doute moins de mal à conclure un accord avec le Brésil et la Turquie qu'avec les États-Unis. Je doutais que le moindre résultat positif pût sortir de cette rencontre et estimais en outre que le moment était particulièrement mal choisi : nous étions enfin à deux doigts d'arriver à un accord avec les Chinois et les Russes sur le texte d'une nouvelle résolution sur des sanctions aux Nations unies. Cette mesure n'enchantait ni Moscou ni Pékin, et je sentais bien que, s'ils voyaient une possibilité d'y renoncer et d'accorder un nouveau délai à l'Iran, ils n'hésiteraient pas un instant.

Telle a été ma préoccupation immédiate quand j'ai appris que Lula, Erdoğan et Ahmadinejad étaient parvenus à un accord. Pour lever tout doute éventuel, Amorim l'a confirmé lors d'une conférence de presse : « Ce plan ouvre une voie au dialogue et retire tout motif de sanctions », a-t-il déclaré.

Quand nous avons discuté par la suite, les ministres brésilien et turc des Affaires étrangères ont cherché à me convaincre des vertus de cet accord. Ils m'ont rendu compte de leurs difficiles négociations, qui avaient duré dix-huit heures, et ont essayé de me faire croire qu'ils avaient obtenu gain de cause. Je pense qu'ils ont été surpris de constater le scepticisme qui accueillait leur triomphe. Ce que je voulais de l'Iran, c'étaient des actes, pas de nouvelles paroles. « Nous avons un proverbe qui dit : C'est au fruit qu'on juge l'arbre, ai-je déclaré à Amorim. — J'admets que l'aspect du fruit est essentiel, a-t-il acquiescé, mais il faut bien en éplucher un à un moment donné et prendre le temps de le goûter. » À quoi j'ai répliqué : « Ça fait maintenant plus d'un an qu'on attend la cueillette. »

À présent, la question urgente était de savoir si la résolution sur les sanctions pouvait résister à cette nouvelle manœuvre. Nous avions conclu un accord de principe avec la Chine et la Russie, ce que je me suis hâtée d'annoncer aussitôt que possible après la conférence de presse de Téhéran. Mais, tant que le vote n'aurait pas eu lieu à New York, rien n'était gravé dans le marbre. Quand Pékin a publié une déclaration prudente accueillant favorablement l'accord Brésil-Turquie, j'ai commencé à sentir que le terrain devenait dangereusement glissant. Par bonheur, je devais me rendre en Chine quelques jours plus tard pour des discussions à haut niveau avec la direction chinoise. L'Iran serait en tête de l'ordre du jour, avec la Corée du Nord et la mer de Chine méridionale.

Au cours d'un long dîner en compagnie de Dai Bingguo à la résidence des hôtes de Diaoyutai, nous avons examiné la question dans le détail. J'ai exposé nos objections à la proposition Brésil-Turquie et rappelé à Dai le long passé de duplicité iranienne, sans oublier la tromperie de Qom. Il était temps de résoudre tous les problèmes encore en suspens à propos du texte de la résolution sur les sanctions, lui ai-je dit. Comme à son habitude, Dai s'est montré réfléchi, mais ferme, considérant tout à la fois la marche de l'histoire et le bilan. La Chine n'aimait pas l'idée de pénalités imposées par la communauté internationale contre des États, sauf dans les cas les plus flagrants, et n'était certainement pas prête à voir le moindre de ses intérêts commerciaux menacé par des sanctions. Pour aggraver ses réticences, cela faisait un an seulement que nous nous étions livrés à un exercice du même genre en cherchant à imposer des sanctions plus strictes contre la Corée du Nord. Nous lui demandions donc de surmonter ses préventions et de nous emboîter le pas pour la seconde fois en deux ans.

J'ai rappelé à Dai que le principal intérêt de la Chine au Proche et au Moyen-Orient était la stabilité, laquelle lui assurait des livraisons régulières de pétrole. Si notre tentative pour imposer des sanctions aux Nations unies échouait, le risque d'un affrontement militaire resterait très présent, ce qui pouvait avoir des conséquences sur le prix du pétrole et porter un préjudice considérable à l'économie mondiale. En revanche, si la Chine décidait de réduire ses liens commerciaux avec l'Iran, nous pourrions l'aider à trouver d'autres sources d'énergie. Pour finir, je n'ai pas mâché mes mots. C'est important pour nous, ai-je déclaré à Dai. Si nous devons établir une relation de coopération, comme les présidents Obama et Hu s'y sont engagés, il faut que la Chine soit à nos côtés au Conseil de sécurité.

À la fin de la soirée, il me semblait avoir remis le processus sur les rails. Cette impression s'est confirmée lors des entretiens des jours suivants avec le président Hu et le Premier ministre Wen. La campagne en faveur de nouvelles sanctions pouvait se poursuivre. « Nous sommes heureux de la coopération que nous avons obtenue. Nous disposons d'un consensus du P5 + 1 », ai-je annoncé après mes entrevues de Pékin. Il ne restait qu'à peaufiner les détails. « La communauté internationale s'accorde à reconnaître que l'accord conclu à Téhéran il y a une semaine entre l'Iran, le Brésil et la Turquie ne l'a été que parce que le Conseil de sécurité était sur le point de publier le texte de la résolution que nous négocions depuis de longues semaines. C'était un stratagème transparent pour éviter une action du Conseil de sécurité. »

Le vote à New York devait avoir lieu le 9 juin. Susan et son équipe étudiaient encore avec les Chinois la liste précise et définitive des entreprises et des banques iraniennes à sanctionner, et nous exercions d'ultimes pressions pour rallier un plus grand nombre de membres non permanents du Conseil de sécurité. Nous préférions encore des abstentions à des votes négatifs.

Entre-temps, je suis partie assister à une réunion de l'Organisation des États américains à Lima, au Pérou. Ce détour s'est révélé opportun. L'ambassadeur de Chine aux États-Unis, Zhang Yesui, était présent lui aussi à cette réunion de l'OEA, et je l'ai invité à venir prendre un verre à mon hôtel. J'espérais que nous pourrions établir la liste de sanctions une fois pour toutes. L'hôtel JW Marriott de Lima est perché au sommet des falaises de la Costa Verde, offrant une vue saisissante sur le Pacifique. Quand l'ambassadeur Zhang est arrivé, je l'ai conduit à une table tranquille du bar pour que nous puissions bavarder paisiblement. J'étais venue avec des membres du service de presse du département d'État, et un certain nombre de journalistes se trouvaient encore au bar à siroter du pisco – une boisson locale préparée à partir d'alcool péruvien, de jus de citron vert, de blancs d'œuf et d'amer. Ils étaient loin d'imaginer que des négociations se déroulaient sous leur nez. À un moment, Mark Landler, du *New York Times*, s'est approché de notre table, très exubérant, avec deux verres de pisco. Qui dit que la diplomatie ne peut pas être tout à la fois efficace et amusante ? J'ai accepté avec un sourire. Zhang m'a poliment imitée. Et c'est ainsi que, devant des cocktails péruviens, nous sommes parvenus à un accord final sur la définition précise des sanctions.

Le Conseil de sécurité des Nations unies a adopté la résolution 1929 par douze voix contre deux. Elle imposait à l'Iran les plus strictes sanctions de l'histoire, visant les Gardiens de la révolution, les ventes d'armes et les transactions financières. Seuls la Turquie et le Brésil, toujours furieux de l'échec de leur manœuvre diplomatique, ont voté contre. Le Liban s'est abstenu après une intervention de dernière minute menée par le vice-président Biden, le secrétaire aux Transports Ray LaHood – un éminent Américain d'origine libanaise – et moi-même. J'avais téléphoné au président libanais Michel Sleiman plusieurs heures auparavant depuis la Colombie et l'avait exhorté à ne pas voter contre la résolution, ce qu'il était tenté de faire en raison d'impératifs de politique intérieure. Je savais qu'il était obligé de louvoyer entre des décisions difficiles, et son abstention m'a fait plaisir.

Si la résolution était loin d'être parfaite – il avait fallu consentir à des compromis pour obtenir l'accord de la Russie et de la Chine –, je n'en étais pas moins fière du résultat. Durant les années Bush, l'Iran avait réussi à jouer les grandes puissances mondiales les unes contre les autres et à éviter de graves sanctions internationales, malgré tous ses crimes. L'administration Obama avait changé cela.

En dépit de notre succès, j'avais conscience que ce n'était qu'un début. La résolution des Nations unies ouvrait la voie à d'autres sanctions unilatérales bien plus énergiques de la part des États-Unis et d'autres pays. Tout au long de ce processus, nous avions travaillé main dans la main avec les responsables du Congrès, et celui-ci a rapidement approuvé une loi destinée à frapper plus durement encore l'économie iranienne. Je discutais également avec nos partenaires européens des nouvelles mesures qu'ils pourraient prendre eux aussi.

Alors même que la pression s'accentuait, nous n'avons pas retiré notre offre de rapprochement. En décembre 2010, je me suis rendue à Bahreïn pour une conférence sur la sécurité dans le golfe Persique. Nous savions qu'une délégation de diplomates iraniens devait également y assister. Malgré les brefs contacts établis lors de précédents sommets par Richard Holbrooke et Jake Sullivan, je n'avais encore jamais été en présence de mon homologue iranien. J'ai décidé de profiter de cette occasion pour faire passer un message. Au milieu du discours que je prononçais lors d'un dîner de gala organisé dans une salle de bal du Ritz-Carlton, je me suis interrompue pour dire : « En cet instant, je souhaite m'adresser directement à la délégation du gouvernement de la République islamique d'Iran présente à cette conférence. » Le silence s'est fait dans la salle. Le ministre iranien des Affaires étrangères, Manouchehr Mottaki, était assis à quelques places de moi. « Il y a près de deux ans, ai-je poursuivi, le président Obama a fait à votre gouvernement une offre sincère de dialogue. Nous maintenons cette offre. Vous avez le droit d'avoir un programme nucléaire pacifique. Mais ce droit s'accompagne d'une responsabilité raisonnable : que vous respectiez le traité que vous avez signé et teniez pleinement compte des préoccupations du monde à propos de vos activités nucléaires. Nous vous exhortons à faire ce choix – pour votre peuple, pour vos intérêts et pour notre sécurité commune. »

À la fin du dîner, au moment où tout le monde échangeait des poignées de main, j'ai hélé Mottaki : « Bonjour, monsieur le Ministre. » Il a marmonné quelques mots en farsi et s'est détourné. Quelques minutes plus tard, nous nous sommes rencontrés par hasard dehors, dans l'allée. Je l'ai à nouveau salué aimablement, et il a refusé, une fois encore, de me répondre. J'ai souri intérieurement. Dans son premier discours d'investiture, le président Obama avait déclaré à l'Iran et aux autres États parias que nous leur « tendrions la main s'[ils étaient] prêts à desserrer les poings ». Mottaki venait de prouver à quel point c'était difficile. Mais, pour être juste, nous venions de mener avec succès une campagne internationale pour imposer à son pays des sanctions paralysantes. Rapprochement et pression. Carottes et bâtons. Telle était la nature de la diplomatie, et nous disputions une longue partie.

*

* *

C'est dans ce contexte qu'en janvier 2011 le sultan d'Oman m'avait proposé d'engager des discussions secrètes directes avec l'Iran. Le rapprochement par le processus du P5 + 1 était dans l'impasse. L'intercession de tiers bien intentionnés avait échoué, elle aussi, tandis que l'Iran ne cessait de faire preuve d'intransigeance et de duplicité. Et pourtant, il y avait des raisons de penser que, malgré tout, le sultan pourrait peut-être obtenir des résultats. Il y était bien parvenu dans le cas des randonneurs américains emprisonnés.

En juillet 2009, trois jeunes Américains avaient été arrêtés par les forces de sécurité iraniennes alors qu'ils randonnaient dans la région frontalière montagneuse entre le nord de l'Irak et l'Iran, et ils avaient été accusés d'espionnage. Joshua Fattal, Shane Bauer et Sarah Shourd vivaient et travaillaient parmi les Kurdes du nord de l'Irak, et il n'y avait aucune raison de les soupçonner d'être des espions. Depuis Washington, il était impossible de savoir exactement ce qui s'était passé, et même si le trio s'était réellement égaré de l'autre côté de la frontière. Mais l'incident faisait écho à l'enlèvement de deux journalistes américains près de la frontière entre la Chine et la Corée du Nord quelques mois auparavant seulement et posait un problème immédiat. Comme avec la Corée du Nord, nous n'entretenions pas de relations diplomatiques avec l'Iran et n'avions aucune ambassade à Téhéran susceptible de prêter assistance à nos ressortissants. Nous étions obligés de passer par la Suisse, notre « puissance protectrice » officielle. Or, les Iraniens ayant refusé dans un premier temps d'accorder un accès consulaire aux diplomates suisses, personne n'était autorisé à rendre visite aux Américains détenus, comme l'exige la convention de Vienne régissant les relations diplomatiques entre les États. J'avais lancé un appel public à la libération des randonneurs, et l'avais réitéré à plusieurs reprises au cours des mois suivants. J'avais également demandé aux Suisses d'envoyer des messages privés.

Nous étions restés en contact étroit avec les familles des randonneurs, évidemment folles d'angoisse, et, en novembre, je les avais invitées dans mon bureau du département d'État pour que nous fassions personnellement connaissance. Il avait fallu des mois pour que l'ambassadeur de Suisse à Téhéran puisse se rendre dans la sinistre prison d'Evin pour voir les trois Américains, détenus sans accusations formelles et sans accès à une représentation juridique. Avec l'aide des Suisses, les mères des randonneurs avaient pu obtenir des visas pour aller en Iran juste après la fête des Mères. Je les avais rencontrées une nouvelle fois avant leur départ et mes prières les avaient accompagnées à Téhéran. On leur avait permis de voir leurs enfants, un moment émouvant, mais elles n'avaient pas été autorisées à les ramener en Amérique. Cette scène avait été exploitée par l'Iran pour se faire un coup de pub.

Tout au long de cette épreuve, j'avais mobilisé l'ensemble des filières informelles que nous avions pu trouver pour persuader les Iraniens de libérer les randonneurs. J'avais demandé à Jake Sullivan de se charger de ce projet. Lors d'une conférence à Kaboul, en Afghanistan, dans le courant de l'été 2010, j'avais envoyé Jake remettre au ministre iranien des Affaires étrangères un message à propos des randonneurs, comme nous l'avions fait l'année précédente à La Haye pour les autres Américains détenus. Mais le contact essentiel était Oman. Un des principaux conseillers du sultan s'était adressé à Dennis Ross, le plus haut conseiller du président sur l'Iran, et avait proposé de jouer les intermédiaires.

Les Omanis avaient tenu parole. En septembre 2010, Sarah Shourd avait été libérée sous caution. Dès son départ d'Iran, j'avais téléphoné au sultan pour le remercier et lui demander ce qu'il était possible de faire pour les deux randonneurs restants (il allait falloir attendre encore un an avant qu'ils ne soient libérés). « Nous sommes toujours prêts à faire ce qu'il faut pour aider », m'avait dit le sultan. Ce commentaire résonnait encore à mes oreilles quand nous nous sommes assis pour discuter en janvier 2011.

Obtenir la libération d'une randonneuse et faciliter des discussions épineuses sur l'avenir du programme nucléaire de l'Iran étaient deux choses bien différentes. Mais le sultan avait prouvé qu'il était capable de parvenir à des résultats. J'ai donc écouté attentivement sa proposition d'ouvrir une nouvelle voie de communication informelle de première importance et lui ai demandé si nous pouvions être assurés que nos interlocuteurs iraniens seraient réellement autorisés à négocier en toute bonne foi. Après tout, nous avions investi beaucoup de temps dans le processus P5 + 1 avant de voir annuler l'accord conclu dans la salle dès le retour des négociateurs à Téhéran. Le sultan ne pouvait me faire aucune promesse, mais il voulait tenter le coup. J'ai admis que, si nous donnions suite, un secret absolu serait indispensable. Autant éviter un nouveau cirque avec gesticulations à destination de la presse et pressions politiques des autorités sur place. Même dans les circonstances les plus favorables, c'était risqué. Cela valait pourtant la peine d'essayer. J'ai annoncé au sultan que j'en parlerais au président Obama et à mes collègues de Washington, mais que nous pouvions dès à présent réfléchir aux moyens de mettre ce plan à exécution.

Nous avons procédé avec la plus extrême prudence pendant les mois qui ont suivi. Nous aurions bien voulu savoir à qui nous allions nous adresser et quelles étaient les motivations de nos interlocuteurs. Bien que sur ses gardes, le président Obama jugeait la démarche intéressante. À un moment donné, il a téléphoné lui-même au sultan pour vérifier la viabilité de la voie diplomatique. Nous avons limité les initiés à un cercle très restreint. Bill Burns, Jake et moi travaillions avec une petite équipe de la Maison-Blanche comprenant Tom Donilon, qui était alors le conseiller du président à la Sécurité nationale, son adjoint Denis McDonough, Dennis Ross, jusqu'à son départ en novembre 2011, et Puneet Talwar, directeur général du personnel de la sécurité nationale chargé de l'Iran, de l'Irak et des États du Golfe. Nous échangions des messages avec les Omanis sur la forme que pourraient prendre ces pourparlers et sur le type de délégation qu'il faudrait envoyer. Personne n'a été surpris de la difficulté qu'il y avait à obtenir des réponses claires de la part des Iraniens, même sur les questions les plus simples.

À l'automne, notre confiance dans la poursuite des négociations a été mise à mal lorsque les services américains chargés du renseignement et de l'application de la loi ont découvert un complot iranien visant à assassiner l'ambassadeur saoudien à Washington. Un ressortissant iranien arrêté à l'aéroport de New York a fait état d'un projet alambiqué qui aurait pu sortir tout droit d'une série comme *24 heures chrono* ou *Homeland*. Il prévoyait de recruter un cartel mexicain de la drogue pour déposer une bombe dans un restaurant fréquenté par l'ambassadeur. Par bonheur, le tueur était un informateur des services américains de lutte contre la drogue. Nous disposions d'indices donnant à penser que ce projet d'attentat avait été conçu, financé et dirigé par de hauts responsables iraniens. Peu après, le responsable de la marine iranienne a semé le trouble sur les marchés mondiaux en annonçant que celle-ci pouvait fermer le détroit d'Ormuz à tout moment, étranglant ainsi une grande partie de l'approvisionnement pétrolier du monde.

À ce moment-là, en octobre 2011, j'ai décidé de retourner à Mascate pour rendre une deuxième visite au sultan. Il était toujours désireux que les discussions s'engagent et a suggéré que nous envoyions quelques hommes en éclaireurs à Oman pour discuter personnellement des questions logistiques, puisque la transmission des messages laissait à désirer. J'ai accepté, à condition que les Iraniens soient sérieux et que le sultan puisse nous fournir des garanties qu'ils s'exprimeraient au nom du Guide suprême. J'ai aussi exhorté le sultan à lancer aux Iraniens un avertissement bien senti à propos du détroit d'Ormuz. À la suite de cette conversation, nous avons commencé à prendre des dispositions secrètes pour envoyer Jake, Puneet et une petite équipe entamer ces pourparlers. Le sénateur John Kerry a également discuté avec un Omani proche du sultan et nous a tenus informés de ce qu'il apprenait.

Pour la première rencontre, si délicate, avec les Iraniens, Jake n'était pas le diplomate le plus expérimenté du département d'État que j'aurais pu choisir, mais il était discret et jouissait de toute ma confiance. Sa présence ferait clairement savoir que je m'investissais personnellement dans ce processus. Au début de juillet 2012, Jake s'est discrètement éclipsé au cours d'un de mes voyages à Paris et a pris un vol pour Mascate. Sa destination était un secret si bien gardé que les autres membres de mon groupe, des collègues qui travaillaient avec lui vingt-quatre heures sur vingt-quatre tant aux États-Unis qu'en déplacement, ont cru à une urgence familiale et se sont fait du souci pour lui. Chose remarquable, ils n'ont appris la vraie nature de sa mission qu'en lisant la presse, plus d'un an plus tard.

Arrivés sur le terrain à Oman, Jake et Puneet ont dormi sur le canapé d'une ambassade vide. L'équipe iranienne chargée de préparer le terrain s'est présentée avec une série de revendications et de conditions préalables dont aucune n'était acceptable. Ils avaient fait le déplacement, ce qui n'était pas rien, mais ils étaient visiblement ombrageux, reflétant peut-être l'ambivalence et les divisions des responsables politiques de Téhéran. Jake avait eu l'impression que les Iraniens n'étaient pas encore prêts à s'engager sérieusement. Nous avons accepté de laisser cette filière ouverte et de voir si la situation s'améliorait.

Pendant cette période, tout en poursuivant cette tentative secrète de rapprochement, nous n'avons cessé de nous efforcer d'accroître la pression internationale sur le régime iranien et de contrer ses ambitions agressives. Une de nos priorités était de développer nos partenariats militaires dans le Golfe et de déployer de nouvelles ressources militaires dans la région afin de rassurer nos partenaires et de décourager toute agression iranienne. Notre coordination avec Israël a été étroite et constante, et nous avons pris des mesures sans précédent pour préserver la supériorité militaire de ce pays sur tout rival potentiel. J'ai demandé à Andrew Shapiro, qui avait longtemps été mon conseiller au Sénat et était désormais secrétaire d'État assistant pour les affaires politico-militaires, de veiller à ce qu'Israël soit équipé de systèmes d'armement de pointe, comme l'avion de chasse F-35 Joint Strike Fighter. Nous avons aidé les Israéliens à élaborer et à mettre en place un réseau de défense aérienne multistratifié comprenant des versions modernisées des missiles Patriot déployés initialement lors de la guerre du Golfe en 1991, de nouveaux radars perfectionnés de détection avancée, des batteries anti-roquettes appelées « Dôme de fer » et d'autres systèmes de protection contre les missiles balistiques connus sous le nom de « Fronde de David » et « Intercepteur flèche 3 ». Au cours du conflit avec le Hamas à Gaza à la fin de 2012, le Dôme de fer s'est montré efficace pour protéger les habitations et les localités israéliennes.

J'ai également passé de longues heures en compagnie du Premier ministre israélien Benyamin Netanyahou pour discuter de notre stratégie à double volet et essayer de le convaincre que des sanctions pouvaient être efficaces. Nous avons admis l'un comme l'autre le poids que pouvait avoir une vraie menace de recours à la force militaire – raison pour laquelle le président Obama et moi-même avions dit et répété que « toutes les options [étaient] sur la table » –, mais nous n'étions pas du même avis sur la masse d'informations à communiquer publiquement. Je lui ai fait savoir que le président Obama était sérieux lorsqu'il affirmait que nous ne laisserions pas l'Iran acquérir de bombe nucléaire et qu'il n'était pas question de mener une politique d'« endiguement ». L'endiguement avait pu fonctionner avec l'Union soviétique, mais, en raison des liens que l'Iran entretenait avec le terrorisme et de l'instabilité de la région, nous ne pensions pas davantage que les Israéliens qu'un Iran doté de l'arme nucléaire pût être acceptable – ou possible à endiguer. Toutes les options étaient donc réellement sur la table, y compris le recours à la force militaire.

Parallèlement au travail mené avec les Israéliens, l'administration Obama a accru la présence maritime et aérienne propre de l'Amérique dans le golfe Persique et resserré nos liens avec les monarchies du Golfe, lesquelles considéraient l'Iran avec une vive inquiétude. J'ai travaillé avec le Conseil de coopération du Golfe pour engager un dialogue de sécurité permanent sur la question et nous avons organisé des manœuvres militaires communes avec les membres du CCG. Nous avons convaincu la Turquie d'accueillir sur son sol une importante installation de radars, ce qui nous a aussi permis d'établir un nouveau système de défense antimissile capable de protéger nos alliés européens d'une éventuelle agression iranienne.

Tout en renforçant nos défenses, nous sommes passés à l'offensive pour accroître la pression sur l'Iran dans l'espoir de convaincre ses dirigeants de revoir leurs calculs. Par des mesures législatives et des actes de l'exécutif, l'administration Obama et le Congrès ont travaillé main dans la main pour imposer des sanctions de plus en plus rigoureuses, durcissant encore les mesures initiales du Conseil de sécurité définies durant l'été 2010. Notre objectif était d'exercer une telle pression financière sur les dirigeants iraniens, et notamment sur le nombre croissant d'entreprises industrielles appartenant à l'armée, qu'ils n'auraient pas d'autre solution que de revenir à la table des négociations avec une offre sérieuse. Nous nous attaquerions à l'industrie pétrolière de l'Iran, à ses banques et à ses programmes d'armement. Et nous enrôlerions les compagnies d'assurance et de navigation, les négociants en énergie, les établissements financiers et bien d'autres acteurs pour isoler l'Iran du commerce mondial. Surtout, je m'étais donné pour mission de convaincre les principaux consommateurs de pétrole iranien de diversifier leurs sources d'approvisionnement et de réduire leurs achats auprès de Téhéran. Chaque accord en ce sens portait un nouveau coup douloureux aux finances iraniennes. Le pétrole était l'élément vital de l'Iran : ce pays était le troisième plus gros exportateur mondial de brut, ce qui lui rapportait des devises fortes dont il avait le plus grand besoin. Nous avons donc fait feu de tout bois pour empêcher l'Iran de faire du commerce, surtout dans le domaine pétrolier.

Dans cette entreprise, les Européens ont été des partenaires de première importance et, lorsque l'ensemble des vingt-sept membres de l'Union européenne a accepté de boycotter intégralement le pétrole iranien, le coup porté à l'Iran a été énorme. Bob Einhorn, l'expert qui avait participé à l'élaboration du plan d'échange initial d'octobre 2009 concernant le réacteur de recherche iranien, et le sous-secrétaire au Trésor David Cohen se sont mis à la recherche des méthodes les plus constructives et les plus efficaces pour imposer l'ensemble de nos nouvelles sanctions. Le gel des avoirs des banques iraniennes a empêché les pétroliers iraniens de s'assurer sur le marché international et a fermé l'accès aux réseaux financiers mondiaux. Les pressions étaient maximales.

En vertu d'une nouvelle loi signée par le président Obama en décembre 2011, d'autres pays devaient, tous les six mois, donner la preuve d'une réduction sensible de leur consommation de pétrole iranien s'ils ne voulaient pas subir eux-mêmes des sanctions. Pour mettre cette mesure en pratique, je me suis adressée à notre tout nouveau Bureau des ressources énergétiques, dirigé par Carlos Pascual. Partout où l'Iran cherchait à vendre son pétrole, notre équipe était là, proposant d'autres fournisseurs et expliquant les risques financiers liés à une transaction avec un paria mondial. Les principaux clients de l'Iran ont été conduits à procéder à des choix difficiles aux conséquences économiques majeures. Par bonheur, un grand nombre d'entre eux ont manifesté un sens des responsabilités politiques et une prévoyance remarquables, profitant de cette occasion pour diversifier leurs portefeuilles énergétiques.

Nous étions tout aussi actifs dans des lieux comme l'Angola, le Nigeria, le Soudan du Sud et le golfe Persique, encourageant les concurrents de l'Iran à pomper et à vendre davantage de leur propre pétrole pour maintenir l'équilibre du marché et éviter une fâcheuse envolée des prix. L'industrie pétrolière renaissante de l'Irak, une priorité américaine de longue date, s'est révélée très précieuse. Mais la nouvelle source d'approvisionnement la plus déterminante est venue de notre propre territoire. Grâce à l'augmentation spectaculaire de la production intérieure de pétrole et de gaz américains que permettaient les nouvelles technologies et de nouveaux forages, nos importations d'énergie se sont effondrées. Cela a fait baisser d'autant la pression sur le marché mondial et rendu plus facile d'exclure l'Iran, les autres États pouvant désormais disposer des réserves dont l'Amérique n'avait plus besoin.

Les plus gros consommateurs de pétrole iranien, et les plus difficiles à convaincre de fermer le robinet, se trouvaient en Asie. La Chine et l'Inde en particulier dépendaient du pétrole iranien pour répondre à leurs besoins énergétiques en rapide expansion. Les économies avancées de la Corée du Sud et du Japon étaient elles aussi largement tributaires des importations pétrolières. Le Japon devait faire face à un problème supplémentaire en raison de la catastrophe de la centrale nucléaire de Fukushima et du moratoire sur l'énergie nucléaire qu'elle avait provoqué. Les Japonais se sont pourtant engagés à réduire significativement leur consommation de pétrole iranien, une promesse courageuse vu les circonstances.

L'Inde, en revanche, a commencé par repousser les démarches occidentales pour l'inciter à réduire sa dépendance à l'égard du pétrole iranien. Lors d'entretiens privés, les dirigeants indiens admettaient l'importance de la paix au Proche et au Moyen-Orient, et étaient parfaitement conscients que les 6 millions d'Indiens qui vivaient et travaillaient dans le Golfe pouvaient être vulnérables à l'instabilité politique ou économique de la région. Cependant, la croissance économique rapide de l'Inde dépendant d'une fourniture régulière d'énergie, ils s'inquiétaient à l'idée que le niveau de leurs besoins énergétiques soit tel qu'ils ne disposent pas de solution viable pour les satisfaire sans le pétrole iranien. Leur réticence s'expliquait aussi par une autre raison, tacite celle-là : l'Inde, qui avait défendu le mouvement des non-alignés pendant la guerre froide et tenait encore beaucoup à son « autonomie stratégique », détestait tout bonnement qu'on lui dise ce qu'elle devait faire. Plus nous l'exhorterions à changer de voie, plus elle risquait de s'obstiner.

En mai 2012, je me suis rendue à New Delhi pour plaider personnellement notre cause. J'ai expliqué qu'un front international uni était le meilleur moyen de convaincre l'Iran de revenir à la table des négociations, de sortir de l'impasse par une solution diplomatique et d'éviter un conflit militaire qui déstabiliserait le monde. J'ai souligné les avantages que présentait une diversification de l'approvisionnement énergétique, et évoqué les sources potentielles disponibles sur le marché qui permettraient à l'Inde de se passer de l'Iran. J'ai également assuré aux Indiens que, s'ils prenaient des mesures positives, nous indiquerions clairement que c'était leur décision personnelle, quelle que soit la façon dont ils les présenteraient. Nous ne tenterions en aucun cas de tirer la couverture à nous, car tout ce qui comptait à nos yeux était le résultat final. Il semble que j'aie été entendue. Quand nous sommes allés parler aux médias, le ministre des Affaires extérieures S. M. Krishna et moi, les journalistes nous ont évidemment interrogés sur la question iranienne. J'ai laissé Krishna répondre le premier. « En raison de notre demande croissante, il est naturel que nous cherchions à diversifier nos sources d'importation de pétrole et de gaz pour répondre à l'objectif de sécurité énergétique, a-t-il déclaré. Puisque vous avez posé une question précise sur l'Iran, celui-ci reste une importante source pétrolière pour nous, bien que sa part dans nos importations soit en baisse, comme chacun sait. En dernier recours, cela dépend des décisions que prennent les raffineries en fonction de considérations commerciales, financières et techniques. » Ces propos me convenaient parfaitement. J'ai promis à Krishna que j'enverrais Carlos et son équipe d'experts à Delhi pour les aider à mettre rapidement en place ces décisions « sans aucun lien avec l'Iran ».

En définitive, nos efforts ont conduit tous les grands clients de l'Iran, même les plus réticents, à accepter de réduire leurs achats de pétrole iranien. Le résultat a été spectaculaire. L'inflation en Iran a augmenté de plus de 40 % et la valeur de la monnaie iranienne a plongé. Les exportations pétrolières sont passées de 2,5 millions de barils de brut par jour au début de 2012 à environ un million, soit une perte de plus de 80 milliards de dollars.

Les pétroliers iraniens restaient au port, sans marchés à rejoindre et sans investisseurs étrangers ni compagnies d'assurance prêts à les soutenir, tandis que les jets iraniens rouillaient dans leurs hangars faute de pièces de rechange disponibles. De grandes multinationales comme Shell, Toyota et Deutsche Bank ont commencé à se retirer d'Iran. Ahmadinejad lui-même, qui avait longtemps prétendu que des sanctions n'auraient aucun effet sur l'Iran, a commencé à se plaindre de cette « agression économique ».

J'avais parlé pendant des années de « sanctions paralysantes », et celles-ci étaient devenues réalité. Bibi Netanyahou m'a dit que cette expression lui plaisait tellement qu'il l'avait adoptée. J'étais fière de la coalition que nous avions mise sur pied et de l'efficacité de nos efforts, mais je n'éprouvais aucun plaisir en songeant aux épreuves que subissait le peuple iranien, pénalisé parce que ses dirigeants avaient choisi de continuer à défier la communauté internationale. Nous avons fait tout notre possible pour veiller à ce que les sanctions ne privent pas la population iranienne de nourriture, de médicaments et d'autres produits de première nécessité. Et j'ai profité de toutes les occasions qui se présentaient pour rappeler que notre différend concernait le gouvernement d'Iran et non ses citoyens – avec notamment une interview diffusée en farsi dans l'émission « Parazit » de Voice of America, l'équivalent iranien de « The Daily Show ». La population iranienne méritait un meilleur avenir, mais cela ne serait possible que si ses dirigeants changeaient d'attitude.

Pendant toute cette période, l'Iran n'a pas renoncé à ses provocations. Il a continué à soutenir de nouveaux complots terroristes dans le monde entier, en Bulgarie, en Géorgie et en Thaïlande. Téhéran a tout fait pour déstabiliser les gouvernements voisins et a fomenté des troubles de Bahreïn au Yémen et au-delà. Il a inondé la Syrie d'argent et d'armes pour soutenir son allié Bachar el-Assad et appuyer la répression brutale du peuple syrien. Il a même fini par envoyer des Gardiens de la révolution et des combattants du Hezbollah au secours d'Assad. Et, évidemment, il a poursuivi son programme nucléaire en violation des résolutions du Conseil de sécurité et a refusé de se rapprocher en toute bonne foi du P5 + 1. En public, nous rappelions, le président Obama et moi, que la voie diplomatique restait ouverte, mais qu'elle ne le resterait pas éternellement. En privé, nous espérions encore que la filière omanie offrirait finalement des possibilités d'avancée. Plus nous faisions monter la pression et plus l'économie iranienne s'effondrerait, plus Téhéran serait poussé à reconsidérer son attitude.

*

* *

C'est exactement ce qui a commencé à se produire vers la fin de 2012, juste au moment où ma mission au département d'État touchait à son terme. L'économie de l'Iran, sa position régionale et sa réputation internationale étaient en ruine. Le second mandat du président Ahmadinejad tournait à la catastrophe et son prestige politique intérieur s'était effondré, en même temps que sa relation jadis étroite avec le Guide suprême et avec d'autres conservateurs et membres du clergé puissants qui tenaient les vrais leviers du pouvoir en Iran. Sur ces entrefaites, les Omanis ont fait savoir que les Iraniens étaient enfin prêts à donner suite aux pourparlers secrets en suspens depuis si longtemps. Ils souhaitaient envoyer un vice-ministre des Affaires étrangères rencontrer mon adjoint, Bill Burns, à Mascate. Nous avons donné le feu vert.

En mars 2013, quelques semaines après la fin de mes fonctions de secrétaire d'État, Bill et Jake sont retournés à Oman pour voir s'il y avait moyen de tirer quelque chose de cette nouvelle ouverture. Le résultat a été, comme toujours, décevant. Les Iraniens semblaient ne pas savoir quoi faire. Certains éléments de leur gouvernement étaient visiblement favorables à un vrai rapprochement, mais d'autres forces, et non des moindres, retenaient les négociateurs. Et notre équipe est rentrée aux États-Unis avec l'impression que le moment d'une réelle percée n'était pas encore venu.

Une fois de plus, des événements sont venus changer la donne. Ce printemps-là, l'Iran se préparait à de nouvelles élections pour désigner le successeur d'Ahmadinejad. On avait peine à croire que quatre années déjà s'étaient écoulées depuis que la population était descendue en masse dans les rues de Téhéran pour protester au lendemain du précédent scrutin. Le régime s'était ensuite montré impitoyable, obligeant l'opposition politique à entrer dans la clandestinité et écrasant toute dissension. Fidèles à elles-mêmes, les autorités ont soigneusement choisi les candidats de l'élection de 2013, écartant tous ceux qui ne leur paraissaient pas assez conservateurs ou dont la loyauté ne leur semblait pas assurée. Elles ont même exclu Ali Akbar Hachemi Rafsandjani, un des chefs de file de la révolution de 1979, ancien président et membre influent du clergé, parce qu'elles le considéraient comme dangereux pour leur pouvoir. Les huit candidats qui avaient réussi l'examen de passage entretenaient tous des liens étroits avec le Guide suprême et possédaient de solides références auprès du régime. Bref, les autorités constituées d'Iran jouaient la sécurité.

Saïd Jalili, un politicien dogmatique, négociateur en chef du dossier nucléaire, était considéré comme le candidat préféré de l'ayatollah, ce qui faisait de lui le favori présumé. Il a fait campagne sur des slogans creux à propos du « développement islamique », évitant de s'étendre sur les problèmes économiques ou de remettre en question la désastreuse politique étrangère de l'Iran. Ces élections ne semblaient guère susciter l'intérêt et encore moins l'enthousiasme de la population, ce qui était précisément le but du régime. L'exaspération était pourtant manifeste. Les médias occidentaux citaient ainsi un garagiste de 40 ans établi près de Qom, la ville des installations nucléaires secrètes démasquées en 2009. Il grognait à propos de l'économie : « J'aime l'islam, mais comment est-ce qu'on peut s'en sortir avec 100 % d'inflation ? Je suis prêt à voter pour n'importe qui, à condition qu'il ait un bon plan, mais jusqu'à présent je n'ai encore trouvé aucun candidat qui ait des idées claires pour l'avenir. »

Et puis, dans les dernières journées précédant le scrutin de juin, il s'est produit un incident remarquable. Au milieu d'une campagne électorale soigneusement orchestrée par le régime, les mécontentements ont éclaté au grand jour, tandis que les contradictions et les échecs de la politique en vigueur étaient soudainement dénoncés devant tout le pays. Lors d'un débat explosif retransmis à la télévision nationale, les adversaires de Jalili s'en sont violemment pris à lui, lui reprochant la mauvaise gestion de la politique nucléaire du pays et ses terribles conséquences économiques. « On peut être conservateur sans être obligatoirement inflexible et obstiné, a déclaré Ali-Akbar Velayati, un ancien ministre des Affaires étrangères pourtant réputé pour être partisan de la ligne dure. Nous ne pouvons pas tout attendre sans jamais rien donner. » Mohsen Rezaï, ancien haut commandant des Gardiens de la révolution islamique, a renchéri, contestant le vieux refrain de résistance contre le monde entier : « Voulez-vous dire que nous devons résister et laisser le peuple avoir faim ? » a-t-il demandé. Jalili a cherché à défendre son obstructionnisme aux derniers pourparlers du P5 + 1. « Ils voulaient échanger un joyau contre un bonbon », a-t-il protesté – et il s'est retranché derrière le Guide suprême. Cela n'a pas suffi à faire cesser les attaques. Hassan Rohani, qui avait lui-même été négociateur en chef du dossier nucléaire et était le candidat de ce scrutin qui ressemblait le plus à un modéré en raison de ses propos sur une « interaction constructive » avec le monde, a vertement reproché à Jalili d'avoir mis l'Iran en position d'être sanctionné par le Conseil de sécurité des Nations unies. « Tous nos problèmes viennent de là, a-t-il lancé. C'est une bonne chose d'avoir des centrifugeuses qui tournent, à condition que les services chargés de pourvoir aux besoins vitaux et à la subsistance de la population tournent aussi. » Les Iraniens assis devant leurs écrans chez eux ont dû être médusés. Ils avaient rarement été autorisés à assister à un débat de ce genre.

Le jour de l'élection, en juin 2013, les Iraniens ont été étonnamment nombreux à se rendre aux urnes et ils ont élu Rohani haut la main. Cette fois, il n'y aurait pas de tentative pour inverser les résultats ou s'approprier l'élection. Des masses de gens sont descendues dans la rue en scandant : « Vive la réforme ! » Rohani a pris ses fonctions en août et s'est immédiatement livré à des déclarations conciliantes à l'égard de la communauté internationale ; il a même tweeté ses bons vœux pour Roch Hachana, le nouvel an juif.

J'étais alors redevenue une citoyenne comme les autres, mais j'ai suivi tous ces événements avec un immense intérêt en même temps qu'une bonne dose de scepticisme. L'intégralité du pouvoir, surtout en matière de programme nucléaire et de politique étrangère, était toujours entre les mains du Guide suprême. Celui-ci avait autorisé l'élection de Rohani et tolérait pour le moment tous ses discours à propos d'une nouvelle orientation, allant même jusqu'à défendre discrètement le nouveau président contre les attaques d'irréductibles déstabilisés. Peut-être comprenait-il à quel point la politique du régime était devenue intenable. Rien ne permettait pour autant de penser qu'il avait décidé de changer fondamentalement de cap sur l'une ou l'autre des questions clés au cœur de la belligérance de l'Iran à l'égard de sa région et d'une grande partie du monde.

Mais, en coulisse, la filière omanie a repris de la vigueur après l'élection iranienne. Le sultan a été le premier chef d'État étranger à rendre visite à Rohani à Téhéran. Le président Obama a envoyé une nouvelle lettre, qui a reçu cette fois une réponse chaleureusement positive. À Mascate, Bill et Jake, devenu à cette date conseiller à la Sécurité nationale du vice-président Biden, ont repris leurs réunions avec des fonctionnaires iraniens, enfin habilités à négocier par les plus hautes instances du pouvoir. Il était plus important que jamais d'entourer ces discussions d'un secret absolu, afin de préserver la fragile crédibilité de Rohani dans son pays. Assez vite, les grandes lignes d'un accord préliminaire ont commencé à prendre forme. L'Iran interromprait toute poursuite de son programme nucléaire et autoriserait de nouvelles inspections pendant six mois en échange d'un modeste allégement des sanctions. Cela ouvrirait la voie à des négociations actives chargées de s'attaquer aux préoccupations de la communauté internationale et de résoudre toutes les questions en suspens. La sous-secrétaire d'État aux Affaires politiques Wendy Sherman, une négociatrice expérimentée et la première femme à occuper ce poste, a participé aux discussions à Oman et contribué à mettre au point tous les détails.

Les équipes ont également évoqué la possibilité d'un face-à-face historique entre les présidents Obama et Rohani à New York à l'occasion de l'Assemblée générale des Nations unies, fin septembre. Au dernier moment, pourtant, les Iraniens n'ont pas donné suite, révélant ainsi les divisions et les hésitations persistantes au sein du régime. En revanche, les deux dirigeants se sont parlé au téléphone tandis que la limousine de Rohani le conduisait à l'aéroport avant qu'il ne rentre chez lui. C'était la première conversation de ce genre depuis 1979. Mon successeur, le secrétaire d'État Kerry, a également rencontré le nouveau ministre iranien des Affaires étrangères, Javad Zarif, et l'administration a commencé à informer nos principaux alliés des progrès accomplis lors des pourparlers secrets. Le Premier ministre israélien Netanyahou, toujours méfiant, a déclaré dans un discours aux Nations unies que Rohani était « un loup déguisé en agneau ».

En octobre, la filière omanie clandestine a commencé à fusionner à Genève avec le processus officiel du P5 + 1 qu'avait dirigé au nom des États-Unis la sous-secrétaire d'État Wendy Sherman. Bill et Jake y ont participé, mais ont été obligés d'user de subterfuges pour échapper aux regards de la presse, descendant dans un autre hôtel et passant systématiquement par les entrées de service.

En novembre, le secrétaire d'État Kerry s'est rendu deux fois à Genève dans l'espoir de faire aboutir les négociations. Il fallait encore régler un certain nombre de problèmes majeurs. L'Iran mettrait-il fin à tout enrichissement d'uranium ou pouvait-on l'autoriser à en enrichir à un niveau largement inférieur à ce qu'exigeait la fabrication d'une bombe ? Préserver un niveau d'enrichissement même faible rendait les choses politiquement beaucoup plus faciles pour Rohani. D'un autre côté, les Israéliens et d'autres estimaient qu'une telle concession créerait un dangereux précédent. Restait également la question de l'ampleur de l'allégement des sanctions. Une fois encore, certains étaient hostiles à l'idée de céder du terrain tant que l'Iran n'aurait pas pris des mesures irréversibles et vérifiables pour démanteler son programme nucléaire. Bibi affirmait, méprisant, que le P5 + 1 s'apprêtait à offrir à l'Iran le « marché du siècle » sur un plateau d'argent.

Kerry et Wendy sont allés énergiquement de l'avant avec le soutien du président Obama et, appuyés par nos partenaires, ils sont parvenus à échafauder un compromis. L'Iran a accepté d'éliminer son stock d'uranium hautement enrichi et de ne continuer à en enrichir qu'à 5 % (un niveau largement inférieur à celui nécessaire pour fabriquer des armes), de débrancher des milliers de centrifugeuses, dont toutes celles de la dernière génération, d'autoriser des inspections poussées et d'interrompre les travaux sur ses nouvelles installations, parmi lesquelles un réacteur au plutonium. En échange, la communauté internationale assurerait pour 7 milliards de dollars d'allégement des sanctions, provenant essentiellement des avoirs iraniens précédemment gelés. Depuis la Maison-Blanche, le président Obama a présenté cet accord comme « un important pas en avant vers une solution générale » et a rendu hommage à des années de manœuvres diplomatiques et de pressions patientes.

Quand nous étions arrivés au pouvoir en 2009, la communauté internationale était divisée, la diplomatie dans l'impasse, et les

Iraniens se dirigeaient à pas réguliers vers l'acquisition de l'arme nucléaire. Notre stratégie à deux volets – rapprochement et pression – avait inversé cette tendance, uni le monde et finalement contraint l'Iran à revenir à la table des négociations. Je continuais à douter que les Iraniens aillent jusqu'à la concrétisation d'un accord d'ensemble final – j'avais vu trop d'espoirs douchés au fil des ans pour me laisser aller à un optimisme excessif. Il s'agissait pourtant de l'évolution la plus prometteuse depuis longtemps, et cela valait la peine de voir ce qu'on pourrait en tirer.

Il avait fallu cinq ans pour parvenir à cet accord initial, mais le plus dur était encore devant nous. Toutes les questions sérieuses qui ont empoisonné les relations de l'Iran avec la communauté internationale n'ont toujours pas trouvé de réponse. Et même si le problème du nucléaire a finalement été réglé de façon satisfaisante par un accord exécutoire, le soutien que l'Iran accorde au terrorisme et son attitude agressive dans la région continuent à faire peser une menace sur la sécurité nationale des États-Unis et de nos alliés.

Les dirigeants de l'Iran – en particulier son Guide suprême – vont devoir faire face à des choix d'avenir concrets. Au moment de la révolution iranienne en 1979, l'économie de l'Iran dépassait celle de la Turquie de près de 40 % ; en 2014, c'est l'inverse. Le programme nucléaire du pays justifie-t-il de réduire à la misère une civilisation illustre et d'appauvrir un peuple fier ? Si l'Iran possédait demain l'arme nucléaire, cela créerait-il ne fût-ce qu'un emploi supplémentaire dans un pays où des millions de jeunes sont au chômage ? Cela enverrait-il un seul Iranien de plus à l'université, cela reconstruirait-il les routes et les ports encore endommagés par la guerre avec l'Irak il y a une génération de cela ? Quand les Iraniens tournent les yeux vers l'étranger, quelle image trouvent-ils la plus attirante ? Celle de la Corée du Nord ou celle de la Corée du Sud ?

Chapitre 19

Syrie : un problème inextricable

« L'histoire est un juge impitoyable – et elle nous jugera tous sévèrement si nous nous révélons incapables de prendre aujourd'hui la bonne direction », a déclaré Kofi Annan en regardant les ministres qui avaient accepté son invitation au Palais des Nations de Genève, à la fin du mois de juin 2012, dans l'espoir de mettre un terme à la guerre civile sanglante qui déchirait la Syrie.

Kofi était habitué aux négociations diplomatiques difficiles. Ce Ghanéen à la voix douce, septième secrétaire général des Nations unies de 1997 à 2006, s'était vu décerner le prix Nobel de la paix.

« Collectivement, vous êtes capables de mobiliser un pouvoir extraordinaire et d'infléchir l'évolution de cette crise, nous a-t-il dit. Votre présence aujourd'hui montre que vous avez l'intention d'assumer ce leadership. » Cependant, Kofi le savait bien, les avis étaient très partagés sur le genre de leadership dont nous avions besoin.

*
* *

La crise a commencé début 2011, quand des citoyens syriens, en partie inspirés par le succès des manifestations pacifiques tunisiennes et égyptiennes, sont descendus dans la rue pour protester contre le régime autoritaire de Bachar el-Assad. Comme en Libye, les forces de sécurité ont riposté par une violence extrême et des arrestations massives, ce qui a finalement incité certains Syriens à prendre les armes pour se défendre et tenter de renverser Assad. Mais c'était une lutte inégale : en juin 2011, le régime avait déjà assassiné presque

1 300 personnes, parmi lesquelles des enfants. (Début 2014, on évaluait à 150 000 au moins le nombre de victimes, mais ce chiffre est probablement sous-estimé.)

Au début de l'année 2010, environ un an avant le déchaînement du maelström en Syrie, j'avais recommandé au président de nommer Robert Ford au poste d'ambassadeur des États-Unis en Syrie, le premier depuis plus de cinq ans. C'était un diplomate expérimenté qui avait beaucoup travaillé au Moyen-Orient, et tout récemment en Irak. Ce n'était pas une décision facile. Les États-Unis avaient retiré leur ambassadeur pour signifier leur désapprobation au régime syrien. En nommer un nouveau pourrait être interprété comme un soutien au régime d'Assad. Mais à l'époque, et aujourd'hui encore, j'étais persuadée qu'il est généralement plus utile d'avoir un ambassadeur sur place, même auprès de régimes auxquels nous nous opposons fermement, afin de pouvoir leur adresser des messages et d'avoir des yeux et des oreilles sur le terrain.

Le président Obama a approuvé ma recommandation et nommé Robert Ford en février 2010. Mais le Sénat a fait traîner les choses, parce qu'il s'opposait, non à Robert personnellement (ses qualifications étaient excellentes), mais au projet d'envoyer un ambassadeur en Syrie. Juste après Noël, le président a usé de son pouvoir constitutionnel l'autorisant à procéder à des nominations pendant les vacances du Congrès pour mettre Robert en poste. Celui-ci est arrivé à Damas en janvier 2011, juste à temps pour s'installer avant que les manifestations ne commencent. Elles se sont amplifiées en mars, et les forces de l'ordre ont ouvert le feu et assassiné des manifestants à Deraa. Assad a fait appel à l'armée. Fin avril, les forces gouvernementales ont assiégé la ville de Deraa, déployé leurs tanks et fouillé les maisons.

Les États-Unis ont fermement condamné toute violence dirigée contre les civils. En réaction, l'ambassadeur Ford et son équipe ont été harcelés et menacés. Un grave incident s'est produit en juin 2011 : des manifestants pro-régime ont ouvert une brèche dans l'enceinte de l'ambassade, brisé des vitres, tagué les murs et attaqué la résidence de Robert.

En dépit du danger, ce dernier s'est rendu à Hama, lieu de l'odieux massacre de 1982, pour rencontrer des manifestants et exprimer la compassion et la solidarité américaines envers ceux qui réclamaient des réformes démocratiques. Quand il a traversé la ville, les habitants ont couvert sa voiture de fleurs. Il a visité un hôpital où étaient soignées les victimes des forces de sécurité, a tenté d'en savoir plus sur les manifestants, sur leurs objectifs, et d'établir un contact permanent avec eux. Ce voyage a installé Robert dans le rôle de principal relais des Américains pour travailler avec l'opposition. De nombreux sénateurs qui avaient bloqué sa nomination ont été si impressionnés par son courage et son intelligence qu'ils l'ont confirmé dans ses fonctions début octobre. Encore un diplomate chevronné qui n'avait pas peur de prendre des risques et de sortir de l'enceinte de son ambassade pour remplir sa mission.

En octobre 2011, malgré le tollé international contre les violences en Syrie, la Russie et la Chine ont opposé leur veto à une modeste résolution du Conseil de sécurité qui condamnait les violations des droits humains par Assad et exigeait que ses opposants soient autorisés à manifester pacifiquement. La Russie entretenait avec la Syrie des relations politiques anciennes, remontant à la guerre froide ; elle possédait une base navale importante sur sa côte méditerranéenne, et il existait des liens religieux entre les Églises orthodoxes russe et syrienne. Elle était déterminée à conserver son influence et soutenait fermement le régime d'Assad.

Bachar el-Assad est le fils de Hafez el-Assad, qui avait pris le pouvoir en Syrie en 1970 et gouverné le pays pendant trente ans, jusqu'à sa mort en juin 2000. Bachar, ophtalmologue de profession, n'a été considéré comme le successeur potentiel de son père qu'à la mort de son frère aîné dans un accident de voiture en 1994. Il est devenu président au décès de son père. Son épouse, Asma, a fait carrière dans la banque d'affaires avant de devenir première dame. En 2005, la presse présentait le couple comme « l'incarnation de la fusion laïque entre le monde arabe et l'Occident ». L'article soulignait toutefois que cette image était un « mirage ». Les grands espoirs placés dans ce nouveau leader s'étaient mués en « fausses promesses, discours agressifs et manœuvres sanguinaires ». Alors que l'agitation se répandait au Moyen-Orient, ces « fausses promesses » et ces espoirs déçus expliquaient beaucoup des revendications du peuple syrien.

Assad et sa clique dirigeante étaient des alaouites, une secte chiite très proche de l'Iran qui régnait sur la majorité sunnite en Syrie depuis des décennies – depuis le mandat français instauré après la Première Guerre mondiale. Les alaouites constituaient 12 % de la population. Les rebelles étaient majoritairement des sunnites, ces derniers représentant plus de 70 % des Syriens, auxquels s'ajoutaient les 9 % de Kurdes. Il y avait aussi 10 % de chrétiens et environ

3 % de druzes, une secte dérivée de l'islam chiite et intégrant des éléments du christianisme, du judaïsme et d'autres croyances. Au cours de la crise, l'un des plus grands défis que nous ayons eu à affronter a été d'aider l'opposition à s'unir malgré ces différences religieuses, géographiques et idéologiques.

En octobre 2011, la Ligue arabe a réclamé un cessez-le-feu en Syrie et demandé au régime d'Assad de retirer ses troupes des grandes villes, de relâcher les prisonniers politiques, de protéger le droit d'accès des journalistes et des travailleurs humanitaires, et d'ouvrir le dialogue avec les manifestants. La plupart des pays arabes à majorité sunnite, notamment l'Arabie Saoudite et d'autres États du Golfe, soutenaient les rebelles et souhaitaient le départ d'Assad. Sous la pression de ses voisins, Assad a feint d'accepter la proposition de la Ligue arabe, mais l'a presque immédiatement bafouée. Les forces du régime ont continué à assassiner des manifestants dans les jours qui ont suivi. En réponse, la Ligue arabe a suspendu l'adhésion de la Syrie.

En décembre, l'organisation régionale a fait une seconde tentative. À nouveau, Assad a accepté son plan. Mais, cette fois-ci, des observateurs arabes ont été envoyés dans les villes syriennes meurtries par le conflit. Malheureusement, même la présence de cette équipe internationale d'observateurs n'a pas enrayé la violence, et on a vite constaté qu'Assad n'avait toujours pas l'intention de tenir parole. Vers la fin du mois de janvier 2012, frustrée, la Ligue arabe a retiré ses observateurs et demandé au Conseil de sécurité de l'ONU d'appuyer son appel en faveur d'une transition politique en Syrie ; Bachar el-Assad devait remettre le pouvoir à un vice-président et un gouvernement d'unité nationale devait être mis en place.

À ce moment-là, l'armée du régime employait des chars d'assaut pour bombarder les banlieues résidentielles de Damas. La détermination des rebelles à résister coûte que coûte s'intensifiait ; certains se radicalisaient et des extrémistes se ralliaient à leur lutte. Des groupes de djihadistes, dont plusieurs avaient des liens avec Al-Qaida, commençaient à utiliser le conflit à leurs propres fins. Des réfugiés franchissaient en masse les frontières pour passer en Jordanie, en Turquie et au Liban. (En 2014, plus de 2,5 millions de personnes avaient fui le conflit syrien.)

À la fin de janvier 2012, je me suis rendue à une séance spéciale du Conseil de sécurité à New York afin d'entendre le rapport de la Ligue arabe et de débattre de la réaction adaptée. « Nous avons tous le choix, ai-je dit au Conseil. Nous pouvons défendre le peuple syrien ou devenir complices de la poursuite des violences dans ce pays. » Une nouvelle résolution en faveur du plan de paix de la Ligue arabe a connu les mêmes déboires que les précédentes. Les Russes étaient absolument opposés à la moindre tentative de pression sur Assad. En 2011, ils s'étaient abstenus lors du vote qui avait décidé d'autoriser une zone d'exclusion aérienne au-dessus de la Libye et de prendre « toutes les mesures nécessaires » pour protéger les populations, et ils s'étaient irrités de voir la mission de protection des civils menée par l'OTAN accélérer la chute de Kadhafi. Cette fois-ci, alors que la Syrie était en plein chaos, ils étaient déterminés à empêcher une autre intervention occidentale. Le régime d'Assad avait pour eux une trop grande importance stratégique. À New York, j'ai dit que la Libye était une « fausse analogie ».

La résolution n'imposait pas de sanctions et ne soutenait pas le recours à la force militaire ; elle insistait sur la nécessité d'une transition politique pacifique. Malgré tout, les Russes n'en voulaient pas.

J'ai discuté au téléphone avec le ministre russe des Affaires étrangères, Sergueï Lavrov, pendant mon vol vers la Conférence sur la sécurité de Munich ; nous nous sommes ensuite rencontrés sur place. Je lui ai dit que la communauté internationale devait envoyer un message cohérent. Moscou souhaitait que la résolution soit plus dure pour les rebelles que pour le régime. Et Lavrov m'a demandé avec insistance ce qui se passerait si Assad refusait de s'y plier. Que ferions-nous alors : interviendrions-nous comme en Libye ? Non, lui ai-je répondu. Nous voulions utiliser cette résolution pour obliger Assad à négocier. « Il ne recevra le message que si le Conseil de sécurité parle d'une seule voix. Nous avons expliqué clairement que nous ne nous trouvions pas dans un scénario similaire à celui de la Libye. Il n'y a pas la moindre autorisation d'usage de la force, d'intervention ou d'action militaire. »

Le discours de la Russie sur le respect de la souveraineté des États et la non-intervention étrangère sonnait particulièrement creux, compte tenu de ses antécédents. En 2008 et en 2014, Vladimir Poutine n'a pas hésité à envoyer des troupes en Géorgie et en Ukraine, violant la souveraineté de ces pays simplement parce que c'était dans son intérêt.

Tandis que Lavrov et moi discutions à Munich, la Syrie a connu une très forte poussée de violence. Les forces du régime ont bombardé Homs, la troisième ville du pays et l'un des berceaux de la rébellion. Il y a eu des centaines de victimes. Ce fut la journée la plus sanglante depuis le début du conflit.

J'ai dit à Lavrov que chaque mot de la résolution avait été longuement débattu. Nous avions fait des concessions, tout en préservant le minimum nécessaire pour mettre fin aux violences et amorcer un processus de transition. À présent, l'heure était venue de voter. La résolution serait mise aux voix le jour même.

« Mais comment cela va-t-il se terminer ? » m'a demandé Lavrov. À ce moment-là, à Munich, je ne pouvais pas prévoir tout ce qui allait se passer, et je savais qu'on aurait eu tort de minimiser les défis que le peuple syrien allait devoir affronter après le départ d'Assad. Mais j'étais sûre d'une chose : si nous n'entamions pas un processus de paix dès maintenant, cela se terminerait effectivement très mal. Il y aurait davantage de sang versé, les familles brutalisées et bombardées se radicaliseraient, et l'on se trouverait alors face à une véritable guerre civile qui attirerait probablement plus d'extrémistes, aboutissant peut-être à un effondrement de l'État, avec des régions contrôlées par différentes factions armées, notamment des groupes terroristes. Chaque jour supplémentaire de répression et de violence rendait plus difficile pour les Syriens de se réconcilier et de reconstruire, et aggravait le risque d'une propagation à toute la région de l'instabilité et des conflits confessionnels.

Quelques heures après mon entretien avec Lavrov, le Conseil de sécurité s'est réuni en vue du vote. J'ai demandé aux journalistes présents à Munich : « Sommes-nous pour la paix, la sécurité et un avenir démocratique, ou allons-nous nous rendre complices de nouveaux bains de sang ? Je sais de quel côté se trouvent les États-Unis ; nous allons bientôt être fixés quant aux autres membres du Conseil de sécurité. » Mais, même après que la Syrie eut connu sa journée la plus sanglante jusqu'à cette date, la Russie et la Chine ont usé de leur droit de veto pour empêcher le monde de condamner unanimement la violence. Bloquer cette résolution revenait à endosser la responsabilité des horreurs sur le terrain. Ainsi que je l'ai déclaré plus tard, c'était abject.

Comme on pouvait s'y attendre, la situation a empiré. Fin février, les Nations unies et la Ligue arabe ont nommé Kofi Annan envoyé spécial pour la Syrie. Sa mission était de convaincre le régime, les rebelles et leurs alliés étrangers respectifs de se mettre d'accord sur un règlement politique du conflit.

Pour soutenir cette nouvelle voie diplomatique, j'ai contribué à organiser une réunion entre les différents pays qui partageaient notre vision du conflit afin de trouver de nouveaux moyens d'intensifier la pression sur le régime syrien et de fournir de l'aide humanitaire aux civils, puisque notre première option avait échoué aux Nations unies. Nous étions pour la diplomatie, mais nous n'allions pas l'attendre sagement. Les pays désireux de passer à l'action étaient de plus en plus nombreux. À la fin du mois de février, en Tunisie, nous étions finalement une soixantaine de nations à former ce qu'on a appelé les « Amis de la Syrie ». Nous avons constitué un groupe chargé de réfléchir aux sanctions envisageables pour interrompre l'accès d'Assad aux financements (bien que les Russes et les Iraniens aient été assez prompts à renflouer ses caisses) ; nous nous sommes engagés à envoyer du matériel de première nécessité aux réfugiés fuyant les violences et à favoriser la formation de leaders de l'opposition civile syrienne.

À Tunis, en coulisse, on évoquait aussi beaucoup la possibilité de procurer des armes aux rebelles afin qu'ils puissent faire jeu égal avec l'armée du régime et ses alliés iraniens et russes. Nos partenaires dans le Golfe assistaient aux massacres de rebelles et de civils sunnites en direct sur la chaîne Al Jazeera, et ils étaient de plus en plus impatients d'agir. Pour le prince Saoud al-Fayçal, ministre saoudien des Affaires étrangères, fournir des armes était « une excellente idée ». Je comprenais sa frustration face à l'évolution de la situation et son désir d'inverser l'équilibre militaire sur le terrain. Mais il y avait aussi des raisons de se méfier d'une militarisation accrue et d'une accélération du processus vers la guerre civile totale. Une fois que les armes seraient entrées dans le pays, il serait difficile de les contrôler et elles pourraient facilement tomber entre les mains d'extrémistes.

Les alliés d'Assad n'avaient pas ces scrupules. Des forces iraniennes issues des Gardiens de la révolution et de leur unité paramilitaire d'élite, la force Qods, se trouvaient déjà en Syrie pour soutenir Assad et son armée. Les Iraniens étaient des conseillers précieux ; ils accompagnaient les forces syriennes sur le terrain et aidaient le régime à créer ses propres unités paramilitaires. Des militants du Hezbollah, le bras armé de l'Iran au Liban, se sont aussi joints à la lutte aux côtés du régime syrien. La présence combinée du Hezbollah et de l'Iran a été cruciale pour le maintien du régime au pouvoir.

Si nous arrivons à convaincre les Russes, ai-je demandé au prince Saoud, pensez-vous qu'Assad acceptera un accord qui mettrait fin aux violences et entamera un processus de transition politique ? Selon lui, la réponse était non : la famille d'Assad ne le lui permettrait jamais. Sous l'emprise de sa mère, il était soumis à une pression constante pour maintenir la suprématie de sa famille et suivre l'exemple brutal de son père en matière de répression des révoltes. En effet, en 1982, Hafez el-Assad avait odieusement détruit la ville de Hama en représailles à un précédent soulèvement.

À la fin du mois de mars, à Riyad, j'ai rencontré le prince Saoud et le roi Abdallah, et participé à une réunion stratégique entre les États-Unis et les six pays du Golfe. Nous nous sommes surtout concentrés sur la menace iranienne, mais nous avons aussi discuté de la nécessité de faire davantage pour venir en aide aux rebelles syriens. Tard dans la nuit, je me suis envolée pour Istanbul, où j'ai retrouvé des représentants de la Turquie, de l'Arabie Saoudite, des Émirats arabes unis et du Qatar. Tous tenaient le même discours : il fallait procurer des armes aux rebelles.

Je me trouvais dans une position difficile. Les États-Unis n'étaient pas disposés à se joindre à des efforts clandestins pour armer les rebelles, mais nous ne voulions pas non plus briser la coalition anti-Assad ni perdre notre influence sur les pays arabes. « Les uns pourront faire certaines choses et les autres des choses différentes, ai-je prudemment déclaré à Riyad. Quand nous parlons d'aide, l'éventail des options est large. Tous les pays n'agiront pas sur le même plan. » C'était tout ce que j'étais publiquement prête à admettre sur ce fait accompli : certains pays allaient augmenter leurs efforts pour procurer des armes aux rebelles, alors que d'autres se concentreraient sur les besoins humanitaires. (En avril 2014, avec plus de 1,7 milliard de dollars d'assistance humanitaire engagés, les États-Unis étaient les plus généreux donateurs d'aide aux réfugiés syriens.)

Mars 2012 a marqué le premier anniversaire de la révolte syrienne, et les Nations unies ont alors estimé le nombre des pertes humaines à plus de 8 000. Kofi Annan rencontrait méthodiquement tous les protagonistes, Assad compris. Il tentait de faire passer le fil de la diplomatie à travers le chas d'une aiguille – de mettre fin au conflit avant qu'on ait à déplorer davantage de victimes. Vers la mi-mars, il a exposé une proposition en six points. Elle était très proche du projet que la Ligue arabe avait soumis six mois plus tôt. Kofi appelait le régime d'Assad à retirer ses forces militaires, à faire taire ses armes lourdes, à autoriser les manifestations pacifiques, à faciliter l'accès des journalistes et de l'aide humanitaire, et à entamer une transition politique qui répondrait aux préoccupations et aux aspirations légitimes du peuple syrien. Pour tenter de gagner le soutien de la Russie, il a proposé de faire ratifier ce plan par le Conseil de sécurité de l'ONU sous la forme d'une « déclaration », qui a moins de poids qu'une résolution en bonne et due forme. Cela a contribué à rassurer Moscou, car dans ces conditions le texte ne pourrait pas servir de base juridique pour justifier une intervention militaire ultérieure. Les puissances occidentales ont suivi, car cela signifiait qu'il existerait enfin un document officiel émanant du Conseil de sécurité. Dans la déclaration, le Conseil appelait à un cessez-le-feu et demandait à Kofi de « faciliter la transition politique dirigée par les Syriens vers un système politique démocratique et pluraliste, [...] à la faveur notamment de l'ouverture d'un dialogue politique général entre le gouvernement syrien et l'ensemble des forces d'opposition syriennes ».

Maintenant que la Russie avait ratifié la déclaration, elle insistait auprès d'Assad pour qu'il accepte les conditions de Kofi. Ce qu'il a fait fin mars. Nous savions que sa parole ne pesait pas très lourd, donc personne ne s'attendait à ce que le cessez-le-feu, fixé au 10 avril, soit respecté. Tandis que la date approchait, les violences ne montraient aucun signe d'affaiblissement. Les forces syriennes ont même ouvert le feu en territoire turc et libanais, ce qui laissait craindre une extension régionale du conflit. Mais, par la suite, cela s'est effectivement calmé. Le cessez-le-feu n'a jamais été complètement respecté, mais on a noté une accalmie dans les combats. Les Nations unies, comme la Ligue arabe avant elles, ont envoyé des équipes d'observateurs pour surveiller ce qui se passait sur place.

Toutefois, malgré ses promesses, Assad n'a jamais fait aucun effort crédible pour mettre en œuvre les autres points de la proposition de Kofi Annan, et bientôt le fragile cessez-le-feu s'est délité. Un mois plus tard, Kofi a rapporté de « graves violations » et, fin mai, plus de 100 villageois de Houla, pour moitié des enfants, ont été massacrés. La Russie et la Chine empêchaient toujours le Conseil de sécurité d'imposer le respect du plan en six points ou d'ajouter une clause mentionnant les conséquences d'une violation. On pouvait maintenant se demander si leur accord initial avait été autre chose qu'un geste pour affaiblir la condamnation internationale.

J'ai commencé à encourager Kofi à changer de cap. Peut-être devait-il organiser une conférence internationale centrée sur la mise en place de la transition ? Si nous ne faisions pas de nouveaux progrès diplomatiques, le cessez-le-feu, déjà en piteux état, se briserait totalement, et nous reviendrions à la case départ. Durant les premières semaines de juin, Kofi m'a rendu visite à Washington, et nous nous sommes beaucoup parlé au téléphone tandis qu'il faisait la navette entre Moscou, Téhéran, Damas et d'autres capitales de la région. Il convenait qu'il était temps de faire un effort diplomatique supplémentaire, et il s'est attelé à organiser un sommet pour la fin du mois.

À la mi-juin, une poussée de violence a obligé les Nations unies à retirer leurs patrouilles d'observation. J'ai accompagné le président Obama au sommet du G20 à Los Cabos, au Mexique. Nous sommes restés assis à côté du président Poutine pendant près de deux heures. La Syrie a été le principal sujet de discussion.

Le président Obama a exprimé clairement notre position. Soit la communauté internationale restait spectatrice et regardait la Syrie être déchirée par la guerre civile et une guerre par procuration, avec toutes les conséquences négatives que cela comportait pour la stabilité régionale, soit la Russie pouvait user de son influence pour encourager une solution politique viable. Poutine a assuré qu'il n'avait aucune tendresse particulière envers Assad, qui lui donnait plutôt des maux de tête. Il a aussi prétendu n'exercer aucune influence réelle sur Damas. Je pense qu'il s'identifiait personnellement au défi qu'affrontait Assad avec son opposition interne ; il nous a mis en garde contre la menace croissante que représentaient les extrémistes au sein des opposants et a rappelé combien les transitions avaient été difficiles en Libye, en Égypte et bien sûr en Irak.

Toutes ces justifications étaient bien commodes pour paralyser l'action internationale tout en continuant à fournir des armes et de l'argent à Assad. Même si les discours et les actes de la Russie ne m'inspiraient aucune confiance, je savais que nous n'avions pas le choix : il fallait épuiser jusqu'à la dernière solution diplomatique. « Allez dire aux Russes que votre équipe va proposer un plan de transition et que la Russie a le choix : participer à la discussion ou rester sur la touche », ai-je conseillé à Kofi après la réunion avec Poutine. La date qu'il suggérait pour la conférence de Genève approchait, et j'ai travaillé étroitement avec lui afin de trouver des éléments de langage qui, nous l'espérions, pourraient permettre d'atteindre un consensus. Dans une tribune publiée par le *Washington Post*, Kofi a levé le voile et exprimé clairement ses attentes. Il souhaitait que les voisins de la Syrie et les grandes puissances mondiales « s'engagent à faire front commun pour mettre fin au massacre et appliquer le plan en six points afin d'éviter une poursuite de la militarisation du conflit ». Il a ajouté : « J'attends de tous ceux qui participeront à la réunion de samedi qu'ils acceptent la nécessité d'un processus de transition mené par les Syriens conformément à des principes et à des directives clairs. »

La veille du premier jour du sommet, j'ai adjuré Kofi de rester ferme sur les principes qu'il proposait. « Je peux admettre de petites modifications ou de petits éclaircissements ici ou là. Ça ne m'empêchera pas de dormir. Mais l'idée principale qui doit ressortir de cette réunion, c'est que la communauté internationale, Chine et Russie comprises, est unie pour mener une transition politique vers un avenir démocratique. Ce point-là est intangible. On peut débattre des détails, mais il ne faut pas transiger sur ce point essentiel. » Kofi pensait que les Russes allaient finir par accepter. « Ils m'ont dit que le changement était possible, mais qu'il devait être ordonné », m'a-t-il confié. J'étais moins optimiste que lui, mais j'étais d'accord pour essayer.

*

* *

Je suis arrivée à Genève le 30 juin, peu après 1 heure du matin. Je venais de Russie, où j'avais assisté à une conférence économique des pays de l'Asie-Pacifique. Lors d'un long dîner à Saint-Pétersbourg, j'avais pressé Lavrov de soutenir les efforts de Kofi et d'en terminer avec ce conflit. Je savais qu'il serait difficile pour les Russes d'appeler explicitement à la démission d'Assad, mais, avec notre aide, Kofi était parvenu à une solution élégante. Il proposait la mise en place d'un gouvernement de transition disposant des pleins pouvoirs exécutifs, ouvert à tous, sauf à « ceux dont la présence continue et la participation pourraient miner la crédibilité de la transition et compromettre la stabilité et la réconciliation ». C'était une façon d'exclure Assad. Les Russes voulaient une formulation qui dissimulerait l'écart existant entre notre vision (Assad doit partir) et la leur (nous ne le forcerons pas à partir), et qui laisserait le peuple syrien décider.

Lavrov a adopté une ligne dure. Il assurait que la Russie souhaitait un règlement politique, mais n'acceptait rien qui puisse le rendre possible. J'ai souligné que, si nous ne parvenions pas à un accord le lendemain à Genève sur la base des propositions de Kofi, les efforts diplomatiques menés par les Nations unies allaient s'effondrer, les extrémistes gagner du terrain et le conflit s'intensifier. Les Arabes et les Iraniens fourniraient plus d'armes. Les tensions confessionnelles et les flux migratoires de réfugiés déstabiliseraient davantage les pays voisins, en premier lieu le Liban et la Jordanie. Je pensais toujours que le régime d'Assad allait finir par tomber, mais il risquait d'entraîner dans sa chute une bonne partie de l'État syrien et toute la région. Un tel scénario n'était pas dans l'intérêt de la Russie et n'aurait pas contribué à préserver son influence. Mais Lavrov ne pliait pas. Alors que je montais à bord de l'avion qui m'emmenait en Suisse, je savais que nous devions continuer à solliciter les Russes et travailler à rassembler tout le monde autour d'un texte.

À Genève, j'ai rencontré William Hague, le chef de la diplomatie britannique, et Laurent Fabius, le ministre français des Affaires étrangères, afin de faire le point sur nos objectifs pour cette conférence. Hague et moi avons discuté avec Hamad ben Jassem, du Qatar, et Ahmet Davutoğlu, ministre turc des Affaires étrangères. Ils nous exhortaient à venir en aide militairement aux rebelles, quelle que fût l'issue de la réunion. Ils savaient que les États-Unis et la Grande-Bretagne n'étaient pas prêts pour cela, mais ils souhaitaient tout de même nous le dire.

Le secrétaire général des Nations unies, Ban Ki-moon, a présidé la séance d'ouverture de la réunion du Groupe d'action pour la Syrie, comme il l'avait nommé (non sans optimisme). Il y avait là les ministres des Affaires étrangères des cinq membres permanents du Conseil de sécurité et ceux de la Turquie, de l'Irak, du Koweït, du Qatar et de l'Union européenne. Ni l'Iran ni l'Arabie Saoudite n'avaient été invités.

Au début de la réunion, Kofi a défini ses objectifs : « Nous sommes ici pour parvenir à un accord sur les directives et les principes d'une transition politique menée par les Syriens, afin de répondre aux aspirations légitimes de ce peuple. Et nous sommes ici pour convenir d'actions que chacun d'entre nous devra conduire pour que ces objectifs se transforment en réalité sur le terrain, y compris les conséquences d'un non-respect de l'accord. » Il a présenté un document qui officialiserait la transition qu'il proposait.

J'ai salué le plan de Kofi en vue d'une transition politique vers la démocratie et d'un « avenir post-Assad ». Les États-Unis partageaient cette vision d'une Syrie démocratique et pluraliste qui défendrait l'état de droit et respecterait les droits universels de tout son peuple et de toutes les communautés, sans distinction d'ethnie, de religion ou de genre. Nous pensions aussi qu'il était important de maintenir l'intégrité de l'État syrien et de ses institutions, tout particulièrement de ses infrastructures de sécurité, pour éviter le chaos que nous avions connu en Irak après la chute de Saddam Hussein et la dissolution de l'armée et de l'État irakiens. Si nous voulions qu'un nouvel accord soit appliqué dans les faits, ai-je dit, il faudrait que le Conseil de sécurité vote une résolution qui « impose des conséquences réelles et immédiates en cas de non-respect ». En outre, les puissances exerçant une influence sur les parties en conflit devraient peser de tout leur poids pour les inciter à accepter et à soutenir la transition. Autrement dit, la Russie devrait user de son influence sur le régime syrien, pendant que les pays arabes et les Occidentaux feraient de même du côté des rebelles.

Nous aurions aimé que Kofi emploie un langage plus ferme sur certains points (par exemple, qu'il fasse plus directement référence au départ d'Assad), mais, pour faire simple et parvenir à un consensus, nous avons accepté le document tel qu'il était rédigé et enjoint aux autres pays de faire de même.

Les séances publiques de ce genre de réunions internationales sont presque toujours écrites à l'avance. Chaque pays ou organisation énonce sa position, et parfois c'est un peu long. En général, l'action commence quand les caméras s'en vont. C'est ce qui s'est passé ce jour-là.

Nous avons quitté le hall d'honneur et nous nous sommes rassemblés dans une longue salle rectangulaire ; Kofi et Ban Ki-moon présidaient et les ministres, chacun accompagné d'un seul assistant, étaient assis de part et d'autre de deux tables qui se faisaient face. L'émotion était à son comble ; à un moment, les ministres se sont hurlé dessus, tapant même du poing sur la table. Puis l'agitation est retombée, laissant place à la joute habituelle entre Lavrov et moi. C'était ce qui se profilait depuis le début.

Finalement, les Russes semblaient sur le point d'accepter une autorité gouvernementale de transition si nous changions de vocabulaire. Lavrov tiquait sur l'expression de Kofi excluant « ceux [qui] pourraient miner la crédibilité de la transition et compromettre la stabilité et la réconciliation ». Je proposais une nouvelle formulation pour sortir de l'impasse. L'autorité gouvernementale de transition inclurait des membres du gouvernement et de l'opposition choisis « sur la base du consentement mutuel ». Les Russes ont fini par accepter.

Il est facile de se perdre dans la sémantique, mais les mots sont le principal outil de travail des diplomates, et je savais qu'ils allaient déterminer la façon dont cet accord allait être reçu dans le monde, y compris sur place, en Syrie. J'ai proposé le « consentement mutuel » comme échappatoire, car, en pratique, il était impossible qu'Assad l'obtienne ; l'opposition ne consentirait jamais à sa présence. Nous avons retenu la mention « pleins pouvoirs exécutifs » pour décrire le mandat de l'autorité gouvernementale de transition, et cela signifiait qu'Assad et sa clique seraient dépouillés de leurs pouvoirs. Pour renforcer notre position, je me suis assurée que l'accord précisait explicitement que les services secrets et de sécurité syriens, avec « toutes les institutions gouvernementales », seraient placés sous le contrôle de l'autorité gouvernementale de transition, et j'ai souligné l'importance d'un « dirigeant en qui le peuple pourra avoir confiance » (encore une condition qu'Assad ne remplirait jamais).

J'ai insisté pour que l'étape suivante se déroule au Conseil de sécurité et consiste dans l'adoption d'une résolution dite « sous chapitre VII », qui autoriserait l'application de sanctions sévères en cas de non-respect. Lavrov était réservé sur ce sujet, mais il a accepté que la Russie use de son influence pour soutenir le plan de Kofi et nous a rejoints pour signer ce que nous venions de négocier. Puis nous sommes tous sortis pour l'annoncer au monde.

Les problèmes sont apparus presque aussitôt. Les journalistes n'ont pas compris l'intention et la signification évidente de l'expression « consentement mutuel » ; ils y ont vu l'acceptation d'un possible maintien d'Assad au pouvoir. Le *New York Times* a publié un sombre compte rendu sous le titre « Résultat des discussions : un plan pour la Syrie, mais pas pour le départ d'Assad ». Lavrov s'employait à encourager cette interprétation. « Il n'y a aucune tentative pour imposer un processus de transition, a-t-il déclaré à la presse. Il n'y a aucune condition préalable au processus de transfert et aucune tentative pour exclure un groupe du processus. » D'un point de vue technique, c'était vrai, mais bien évidemment trompeur.

Kofi a rejeté la rhétorique de Lavrov : « Je doute que les Syriens – qui se sont battus si durement pour leur indépendance afin de pouvoir décider qui les gouvernerait et comment – choisiront quelqu'un qui a du sang sur les mains. » Je l'ai soutenu : « Ce que nous avons fait, c'est dissiper la fiction d'un possible maintien au pouvoir d'[Assad] ou de ceux qui ont du sang sur les mains. Le plan appelle le régime d'Assad à s'effacer devant une nouvelle autorité gouvernementale de transition qui aura les pleins pouvoirs pour gouverner. » Au bout d'un certain temps, l'opposition et les civils syriens ont fini par comprendre le vrai sens du communiqué de Genève : une marche à suivre pour le départ d'Assad.

*

* *

L'été fut mauvais pour la Syrie. Après avoir signé l'accord à Genève, les Russes ont finalement refusé d'appuyer la résolution sous chapitre VII aux Nations unies, et n'ont exercé aucune forme de pression réelle sur Assad. Leur attitude était décevante, mais pas surprenante.

En août, Kofi a démissionné, dégoûté. « J'ai fait de mon mieux, m'a-t-il dit, mais parfois ce n'est pas suffisant. » Je lui ai répondu : « Je ne vois pas ce que vous pouviez faire de plus, étant donné l'intransigeance des Russes au Conseil de sécurité. » Et j'ai ajouté : « Comment aurions-nous pu faire mieux ? À Genève, nous avions au moins un cadre, mais ils étaient vraiment inflexibles. » Pendant ce temps, le nombre de victimes syriennes augmentait et se comptait à présent en dizaines de milliers ; la crise devenait incontrôlable.

Ma frustration était de plus en plus intense, mais j'ai continué mon combat. Puisque les Russes faisaient barrage à l'ONU, j'ai encouragé les solutions hors ONU. J'ai organisé d'autres réunions des Amis de la Syrie, qui rassemblaient alors près de cent pays. Le défi était de convaincre toutes les parties – Assad, ses alliés russes et iraniens d'un côté, les rebelles et les pays arabes de l'autre – qu'une victoire militaire décisive était impossible et qu'elles devaient concentrer leurs efforts sur une solution diplomatique. Cela allait exiger une pression constante et appliquée. Les États-Unis et leurs partenaires durcissaient sans relâche les sanctions envers le régime d'Assad. Nous avons gelé ses avoirs, imposé des interdictions de voyager et restreint les échanges commerciaux. L'économie syrienne était en chute libre. Mais la Russie et l'Iran soutenaient financièrement l'effort de guerre d'Assad, et le conflit continuait, toujours aussi intense.

Assad utilisait de plus en plus sa puissance aérienne, et il a commencé à lancer des missiles Scud pour écraser la rébellion, faisant encore davantage de victimes civiles. L'opposition restait désunie, malgré les efforts des Européens, des pays arabes et des États-Unis. À partir de mars 2012, nous avons apporté aux rebelles une aide « non létale », notamment des équipements de communication et des rations alimentaires ; mais nous refusions toujours de leur fournir des armes et de les entraîner. De nombreuses voix s'élevaient, surtout au sein de l'opposition syrienne, nous conjurant de les aider comme nous avions aidé les insurgés libyens. Mais la Syrie n'était pas la Libye.

Le régime d'Assad était bien plus solide que celui de Kadhafi ; il avait plus de partisans dans des secteurs clés de la population, plus d'alliés dans la région, une véritable armée et des défenses aériennes bien supérieures. Contrairement à la Libye, où le Conseil national de transition rebelle contrôlait de vastes territoires à l'est – notamment Benghazi, la deuxième ville du pays –, l'opposition syrienne était divisée et désorganisée. Elle avait du mal à contrôler des zones et à s'unir autour d'une structure de commandement unique. Et, bien sûr, il y avait une autre différence cruciale : la Russie bloquait toute initiative sur la Syrie aux Nations unies, essentiellement pour éviter une répétition du scénario libyen, qu'elle avait laissé passer à contrecœur.

Aux premiers jours des combats, la chute d'Assad semblait inévitable à beaucoup. Après tout, les anciens dirigeants tunisien, égyptien, libyen et yéménite avaient tous été renversés. On imaginait mal que, après avoir subi un tel bain de sang et goûté à la liberté, le peuple syrien allait se calmer et accepter le retour de la dictature. Pourtant, après deux ans de guerre civile, la possibilité qu'Assad s'accroche au pouvoir paraissait toujours plus probable, dût-il déchirer le pays et fomenter une guerre de religions destructrice. La Syrie était peut-être condamnée à une longue et sanglante impasse. Ou bien elle pouvait devenir un État en faillite, avec une structure gouvernementale en déliquescence et le chaos qui l'accompagne. Plus le conflit durait, plus il risquait de déstabiliser des voisins fragiles, comme la Jordanie et le Liban, et de permettre aux extrémistes de s'organiser et de renforcer leur présence en Syrie.

J'ai commencé à qualifier la Syrie de *wicked problem*, « problème inextricable », un terme utilisé par les experts en planification pour définir les questions particulièrement complexes qui épuisent les approches et les solutions habituelles. En général, il n'y a pas de « bonne solution » aux problèmes inextricables – en fait, si on les qualifie d'inextricables, c'est en partie parce que les solutions sont toutes pires les unes que les autres. C'était de plus en plus le cas de la Syrie. Ne rien faire ? La région subirait un désastre humanitaire. Intervenir militairement ? C'était risquer d'ouvrir la boîte de Pandore et de nous embourber comme en Irak. Fournir de l'aide aux rebelles ? Elle allait finir entre les mains des extrémistes. Persister à chercher une solution diplomatique ? C'était foncer tête baissée vers un nouveau veto russe. Aucune de ces approches n'avait de grandes chances de succès. Mais il fallait continuer.

Quand il est apparu clairement que les accords de Genève étaient dans l'impasse, plusieurs d'entre nous, dans l'équipe de sécurité nationale d'Obama, nous sommes demandé ce qu'il faudrait pour former une armée entraînée de rebelles syriens modérés, triés sur le volet, en qui nous pourrions avoir suffisamment confiance pour leur fournir des armes américaines. Cette démarche présentait des risques réels. Dans les années 1980, les États-Unis, l'Arabie Saoudite et le Pakistan ont armé des rebelles afghans, les moudjahidines, qui ont aidé à mettre fin à l'occupation soviétique du pays. Certains de ces combattants, notamment Oussama Ben Laden, ont ensuite créé Al-Qaida et changé de cible pour viser l'Occident. Personne ne voulait voir l'histoire se répéter.

Cependant, si nous arrivions à choisir et à entraîner efficacement des rebelles, cela pouvait être très utile sur plusieurs plans. D'abord, même un groupe relativement restreint était susceptible de galvaniser l'opposition et d'inciter les alliés d'Assad à envisager une solution politique. Par son intervention dans l'autre camp, le Hezbollah crédibilisait cette thèse : en déployant quelques milliers de combattants ultra-entraînés, il avait contribué à renverser le cours de la guerre en faveur d'Assad.

Ensuite, et dans l'immédiat, notre action – ou inaction – influait sur nos rapports avec nos partenaires régionaux. Ce n'était pas un secret : plusieurs États et personnalités arabes envoyaient des armes en Syrie. Mais ces flux étaient mal organisés, et les divers pays soutenaient des groupes armés différents et parfois concurrents. Un nombre d'armes inquiétant était récupéré par les extrémistes. Comme les États-Unis n'étaient pas engagés dans cet effort, nous n'avions guère les moyens de canaliser et coordonner ces flux de matériel. On me l'avait dit directement lors de discussions difficiles dans divers pays du Golfe. Si l'Amérique acceptait enfin de se joindre à eux, elle pourrait être beaucoup plus efficace pour isoler les extrémistes et renforcer les modérés sur le territoire syrien.

Une des principales difficultés concernant la Syrie – et une des raisons qui en faisaient un problème inextricable – était l'absence d'alternatives viables à Assad sur le terrain. Assad et ses alliés pouvaient dire, comme Louis XV : « Après moi, le déluge. » Le vide politique laissé en Irak par la chute de Saddam Hussein et par la dissolution de l'armée avait été un bon avertissement. Mais si les États-Unis réussissaient à former et à équiper une force rebelle modérée, fiable et efficace, cela pourrait contribuer à unir le pays pendant la période de transition, à protéger les stocks d'armes chimiques et à prévenir les nettoyages ethniques ainsi que les règlements de compte.

Cependant, était-ce possible ? La solution serait de trier sur le volet les combattants rebelles pour nous assurer d'avoir exclu les extrémistes dès le départ, puis de continuer à partager étroitement les renseignements et à coopérer sur le plan opérationnel avec tous nos partenaires.

En Irak et en Afghanistan, les États-Unis ont dépensé beaucoup d'énergie à entraîner des soldats locaux pour tenter de former une armée nationale cohérente, capable d'assurer la sécurité et de vaincre les insurrections. Le général David Petraeus, qui avait commandé l'effort de guerre américain dans les deux pays avant de devenir directeur de la CIA en 2011, était bien placé pour savoir à quel point c'était difficile. Malgré certains succès, les forces de sécurité irakiennes et afghanes avaient toujours du mal à trouver leurs marques. Mais ces expériences lui avaient aussi appris ce qui fonctionnait et ce qui ne fonctionnait pas.

Un samedi de juillet, j'ai invité Petraeus à déjeuner chez moi, à Washington, pour déterminer avec lui s'il était possible de trier, entraîner et armer des combattants rebelles modérés. S'il pensait que ce genre d'effort pouvait être entrepris en Syrie, ce serait un argument de poids pour moi. Il s'était déjà penché sérieusement sur la question et avait même commencé à tracer les contours d'un plan qu'il se préparait à nous présenter.

Les hautes sphères de l'armée, réticentes à une intervention en Syrie, nous faisaient régulièrement parvenir des rapports alarmistes sur les forces qui seraient nécessaires pour vaincre la défense aérienne avancée d'Assad et mettre en place une zone d'exclusion aérienne du type de celle que nous avions imposée en Libye. Mais le secrétaire à la Défense Panetta, aussi frustré que moi par le manque d'options en Syrie, avait appris durant ses années à la tête de la CIA ce que pouvaient faire nos agents secrets.

Vers la mi-août, je suis allée à Istanbul discuter avec le président Abdullah Gül, le Premier ministre Erdoğan et le ministre des Affaires étrangères Davutoğlu. La Turquie était très préoccupée par ce qui se passait de l'autre côté de sa frontière avec la Syrie et tentait de faire face aux flux massifs de réfugiés – j'en avais rencontré certains sur place – et aux incidents périodiques de violence transfrontalière : la Syrie avait notamment descendu un avion de combat turc au-dessus de la Méditerranée. La perte de cet avion nous rappelait à quel point la crise syrienne pouvait dégénérer à tout moment en conflit régional. Lors de mes réunions, j'ai souligné que les États-Unis et leurs alliés de l'OTAN étaient décidés à assurer la sécurité de la Turquie contre l'agression syrienne.

Bien que nous entretenions un dialogue permanent avec la Turquie depuis le début du conflit, je pensais que nos deux armées devaient intensifier leur planification opérationnelle pour préparer des plans d'urgence. Que faudrait-il faire pour imposer une zone d'exclusion aérienne ? Comment réagirions-nous à l'usage ou à la perte d'armes chimiques ? Comment pouvions-nous mieux coordonner le soutien à l'opposition armée ? Les Turcs ont accepté ma proposition et, deux jours plus tard, Davutoğlu et moi avons multiplié les entretiens téléphoniques pour en discuter avec les ministres des Affaires étrangères britannique, français et allemand.

Je suis rentrée à Washington plutôt confiante : si nous décidions d'entraîner et d'armer des rebelles syriens modérés, nous devrions réussir à mettre en place une coordination efficace avec nos partenaires dans la région. À présent, la planification entre services américains battait son plein. Petraeus a présenté le plan au président. Celui-ci l'a écouté attentivement et lui a posé de très nombreuses questions. Il craignait que le fait d'armer les rebelles ne suffise pas à provoquer la chute d'Assad et se demandait si, avec la quantité d'armes déjà fournies par les pays arabes, notre contribution serait vraiment déterminante. Et il fallait toujours prendre en considération les conséquences indésirables. Le souvenir des moudjahidines d'Afghanistan hantait encore les esprits. Le président Obama a prié Petraeus de lui citer des exemples où un soutien américain à une insurrection avait pu être considéré comme un succès.

Ces inquiétudes étaient tout à fait compréhensibles, mais Petraeus et moi avons répondu qu'il y avait une grande différence entre l'envoi massif d'armes par le Qatar et l'Arabie Saoudite, et l'entraînement et l'équipement responsables d'une force rebelle non extrémiste par les États-Unis. L'idée essentielle de notre plan était de parvenir à contrôler ce chaos. De plus, le but n'était pas de créer une force capable de renverser Assad, mais plutôt d'avoir un partenaire sur le terrain avec qui nous pourrions collaborer et qui pourrait en faire assez pour convaincre Assad et ses alliés qu'une victoire militaire était impossible. C'était loin d'être un plan parfait. Ce que je pouvais dire, simplement, c'est que toutes les autres options étaient pires.

Malgré le soutien appuyé du Conseil de sécurité nationale, la Maison-Blanche comptait quelques sceptiques. Après tout, le président avait été élu en s'opposant à la guerre en Irak et en promettant de rapatrier nos soldats. Se retrouver embourbé dans une nouvelle guerre civile et confessionnelle au Moyen-Orient n'était pas du tout dans ses projets lorsqu'il était entré en fonction. Et le président pensait qu'il nous fallait plus de temps pour évaluer l'opposition syrienne avant de nous engager davantage.

L'action et l'inaction étaient aussi risquées l'une que l'autre. Les deux options allaient entraîner des conséquences indésirables. Le président était enclin à garder son cap et à ne pas sauter le pas d'une aide militaire aux rebelles.

Personne n'aime perdre dans un débat, et moi non plus. Mais le choix relevait de l'autorité du président, et je respectais ses réflexions et sa décision. Dès le début de notre collaboration, il m'avait promis de toujours m'écouter attentivement. Il l'a fait. Toutefois, sur ce point, ma position ne l'a pas emporté.

Puisque notre plan pour armer les rebelles avait coulé à pic, j'ai repris mon combat diplomatique afin d'isoler le régime et de faire pression sur lui, tout en m'attaquant au problème de la catastrophe humanitaire. En août 2012, Ban Ki-moon, secrétaire général des Nations unies, a nommé Lakhdar Brahimi, un diplomate algérien chevronné, pour succéder à Kofi Annan. Nous nous sommes souvent rencontrés et entretenus jusqu'à la fin de mes fonctions. Lors d'une réunion des Amis de la Syrie en septembre, j'ai annoncé une aide supplémentaire pour faire parvenir de la nourriture, de l'eau, des couvertures et des services médicaux d'urgence à ceux qui souffraient en Syrie. Je me suis aussi engagée à aider davantage les groupes de l'opposition civile en leur fournissant des ordinateurs connectés par satellite, des téléphones, des appareils photo, et en formant plus de 1 000 militants, étudiants ou journalistes indépendants. Quand certaines régions syriennes se sont libérées du régime, nous avons également aidé des groupes d'opposition locaux à assurer des services essentiels, par exemple rouvrir des écoles ou reconstruire des maisons. Mais toutes ces avancées n'étaient que des pansements. Le conflit continuait à faire rage.

*

*   *

Quand j'ai quitté le département d'État, au début de 2013, des dizaines de milliers de Syriens avaient été tués. Des millions avaient fui. La diplomatie internationale était au point mort. Nos craintes se réalisaient : les extrémistes étaient en train d'éclipser les dirigeants modérés de l'Armée syrienne libre.

En mars 2013, un peu plus d'un mois après mon départ, des rapports préoccupants ont commencé à nous parvenir de la région d'Alep affirmant que le régime d'Assad avait utilisé des armes chimiques pour la première fois. Depuis deux ans, c'était l'une de nos principales inquiétudes. On estimait que la Syrie détenait l'un des plus importants stocks de gaz moutarde, de sarin et d'autres armes chimiques au monde. Tout au long de 2012, nous avions reçu des rapports sporadiques qui indiquaient que les forces du régime déplaçaient et mélangeaient des agents chimiques. En août de cette année-là, le président Obama a déclaré que le déplacement ou l'utilisation d'armes chimiques représentaient pour les États-Unis une ligne rouge. Cela voulait dire que, si le régime la franchissait, nous allions réagir, probablement par une intervention militaire. En 2012, cette menace avait été dissuasive, et Assad avait reculé. Donc, si ces nouvelles informations étaient exactes, le conflit en Syrie venait de prendre un virage très inquiétant.

Le président a répété que l'utilisation d'armes chimiques changerait la donne, mais les services de renseignement américains n'étaient pas encore capables de déterminer avec certitude si une attaque chimique avait bien eu lieu. Une enquête plus poussée était nécessaire. En juin 2013, la Maison-Blanche, dans un communiqué discret, a déclaré qu'en définitive elle était certaine que des armes chimiques avaient bien été utilisées à petite échelle en de multiples occasions et avaient fait jusqu'à 150 morts. Le président a résolu d'intensifier son aide à l'Armée syrienne libre. Officieusement, des responsables de l'administration Obama ont confié à la presse que le gouvernement allait fournir des armes et des munitions aux rebelles pour la première fois, contrairement à ce qu'avait décidé le président l'été précédent.

Puis, en août 2013, les images d'une nouvelle attaque chimique massive dans une banlieue de Damas tenue par l'opposition ont ému le monde entier. On a estimé le nombre de tués à 1 400 hommes, femmes et enfants. C'était une escalade considérable et une violation flagrante de la ligne rouge du président ainsi que des normes internationales en vigueur. La pression est montée immédiatement : il fallait une réponse forte de la part des États-Unis. Le secrétaire d'État, Kerry, a été le premier à condamner l'attaque en la qualifiant de « moralement scandaleuse ». Le président Obama a déclaré : « Nous ne pouvons accepter un monde où les femmes et les enfants, et des civils innocents, sont gazés à une échelle terrible. » Les Américains s'interrogeaient sur l'imminence d'une action militaire.

Certains commentateurs et parlementaires ont demandé pourquoi les armes chimiques faisaient une telle différence pour Obama, alors qu'Assad massacrait tant de personnes avec des armes conventionnelles. Les armes chimiques constituent une catégorie à part. Elles sont interdites par la communauté internationale depuis le protocole de Genève de 1925 et la Convention sur l'interdiction des armes chimiques de 1993 parce qu'elles sont épouvantables, inhumaines, et tuent sans discrimination. « Si nous n'agissons pas, a déclaré le président Obama, le régime d'Assad n'aura aucune raison de cesser d'utiliser des armes chimiques. Avec l'affaiblissement de l'interdiction entourant ces armes, d'autres dictateurs n'hésiteront plus à se procurer des gaz toxiques et à en faire usage. Finalement, nos soldats seraient à nouveau confrontés au risque d'une guerre chimique sur le terrain. Et des organisations terroristes pourraient plus facilement obtenir ces armes et s'en servir pour attaquer des civils. »

Alors que la Maison-Blanche se préparait à passer à l'action, le Parlement britannique a refusé d'autoriser le Premier ministre David Cameron à recourir à la force en Syrie. Deux jours plus tard, le président Obama a annoncé son intention d'ordonner des frappes aériennes pour prévenir ou diminuer l'utilisation des armes chimiques par le régime d'Assad. Mais, à la surprise de beaucoup à Washington, il a fait savoir que, avant d'agir, il demanderait l'autorisation du Congrès, qui était alors en vacances. Le Congrès s'est soudain retrouvé plongé dans un débat houleux sur la question. Certains ont fait le parallèle avec la marche à la guerre en Irak. On a parlé de scénarios catastrophes et de pentes savonneuses. Le projet du président de lancer des frappes ciblées pour protéger une norme mondiale cruciale semblait s'être perdu dans le tumulte. Les jours suivants, l'opinion publique a commencé à se retourner contre la Maison-Blanche. Au Congrès, les observateurs prédisaient la défaite du président, ce qui aurait porté un coup sérieux au prestige et à la crédibilité des États-

Unis. J'ai observé ce retournement avec consternation. La Syrie était plus que jamais un problème « inextricable ». J'ai soutenu les efforts du président au Congrès et pressé les parlementaires d'agir.

Pendant cette période, j'ai discuté avec le secrétaire d'État, Kerry, et le secrétaire général de la Maison-Blanche, Denis McDonough, au sujet des moyens de renforcer la position du président à l'étranger – d'autant plus qu'il devait se rendre, dans le courant de cette semaine-là, à Saint-Pétersbourg pour le sommet du G20, où il allait rencontrer le président Poutine. Ne voulant pas que celui-ci prenne prétexte des débats animés qui agitaient le Congrès pour se placer en position de force face au président, j'ai dit à Denis que la Maison-Blanche devait faire en sorte d'afficher un soutien bipartisan en amont du vote. Je savais que Bob Corker, le leader républicain de la commission des affaires étrangères du Sénat, n'aimait pas du tout Poutine ; j'ai conseillé de faire appel à lui pour nous aider à transmettre le message. L'idée était d'utiliser une audition de routine de la commission pour y organiser un vote sur le recours à la force en Syrie, que le président remporterait. Denis, toujours ouvert aux propositions nouvelles et fin connaisseur du fonctionnement du Congrès, puisqu'il y avait siégé, a accepté. Avec l'aide de Corker, la Maison-Blanche a obtenu ce vote. Ce n'était pas la déclaration la plus impressionnante qui fût, mais elle suffisait à signaler à Poutine que nous n'étions pas aussi divisés qu'il l'espérait. Denis m'a rappelé quelques jours plus tard pour me demander si j'avais d'autres idées et m'annoncer que le président allait me contacter le lendemain. J'ai répondu que, avec tout le travail qu'il avait sur la planche, il ne devait pas prendre cette peine. Mais Denis m'a dit que « POTUS » (President of the United States) allait m'appeler, et en effet nous nous sommes entretenus le lendemain des résultats qu'on pouvait escompter de ses efforts au Congrès et d'autres événements internationaux en cours.

Par une coïncidence fortuite, il était prévu que je me rende à la Maison-Blanche le 9 septembre pour une réunion sur le braconnage et le trafic de faune sauvage. Pendant mon mandat de secrétaire d'État, j'avais appris que les éléphants d'Afrique étaient en voie d'extinction. C'était malheureux en soi, mais c'était la raison sous-jacente de leur disparition qui avait retenu mon attention : des terroristes et des groupes armés comme les Shebabs et l'Armée de résistance du Seigneur utilisaient le trafic illégal d'ivoire pour financer leurs activités criminelles qui déstabilisaient l'Afrique centrale. Lorsque j'ai quitté le gouvernement et rejoint Bill et Chelsea à la fondation Clinton, Chelsea et moi avons commencé à travailler avec les principales associations de protection animale pour organiser une riposte mondiale qui mettrait fin « au massacre, au trafic et à la demande ». En partie grâce à notre insistance, la Maison-Blanche a également pris le problème au sérieux et, à l'été 2013, le président Obama a signé un décret intensifiant les efforts anti-trafic. La Maison-Blanche tenait une conférence pour planifier les prochaines étapes et souhaitait que Chelsea et moi soyons présentes. Bien sûr, le reste du monde ne s'intéressait qu'à la Syrie.

Le matin même, au cours d'une conférence de presse à Londres, on avait demandé au secrétaire d'État Kerry si Assad pouvait faire quelque chose pour empêcher une intervention militaire. « Bien sûr, avait-il répondu. Il pourrait remettre jusqu'à la dernière de ses armes chimiques à la communauté internationale la semaine prochaine – livrer tout son stock, immédiatement, et en permettre une comptabilité pleine et entière. Mais il n'a pas l'intention de le faire, et il ne peut pas le faire, évidemment. » Bien que la réponse de Kerry fît peut-être allusion à des conversations qu'il avait eues avec nos alliés et avec les Russes, le monde n'y a vu qu'une remarque spontanée, et un porte-parole du département d'État a tenté de la minimiser en la qualifiant d'« argument rhétorique ». Les Russes, en revanche, s'en sont aussitôt saisis et l'ont traitée comme une offre diplomatique sérieuse.

Quand je suis arrivée à la Maison-Blanche vers 13 heures, les hauts responsables de l'administration réfléchissaient à une réaction adéquate. On m'a fait part des dernières informations et je suis allée parler au président dans le Bureau ovale. C'était étrange de retourner dans ce bureau où je n'avais pas mis les pieds depuis sept mois, et de débattre à nouveau d'une crise internationale urgente. J'ai dit au président que, s'il était impossible de faire voter l'intervention contre la Syrie au Congrès, il devrait tirer le meilleur parti de la situation en accueillant positivement les ouvertures inattendues de Moscou.

Bien sûr, nous avions des raisons de rester prudents. Ce dernier en date des stratagèmes diplomatiques des Russes pouvait n'être qu'une nouvelle façon de gagner du temps pour maintenir Assad au pouvoir à tout prix. Son gros stock d'armes chimiques était aussi une menace pour eux, puisque leur propre population musulmane s'agitait. Mais la perspective d'éliminer le stock d'armes chimiques d'Assad valait de prendre le risque, d'autant plus que le président était confronté à une impasse potentiellement préjudiciable au Congrès. Cela n'allait pas mettre fin à la guerre civile ni aider les habitants pris entre deux feux, mais cela pourrait éradiquer un grave danger qui menaçait les Syriens, les pays voisins, Israël compris, et les États-Unis eux-mêmes. Plus le conflit allait se durcir et l'instabilité s'intensifier, plus allaient augmenter les risques de voir des armes chimiques utilisées de nouveau contre les civils syriens, transférées vers le Hezbollah ou volées par des terroristes.

J'ai dit au président qu'il me paraissait toujours essentiel de trouver une solution diplomatique à ce conflit. Je savais pertinemment combien ce serait difficile. Je n'avais cessé d'y travailler depuis mars 2011. Mais la feuille de route que nous avions signée à Genève l'année précédente offrait toujours une marche à suivre. Peut-être une coopération sur les armes chimiques pourrait-elle créer une dynamique vers des progrès plus importants. C'était peu probable, mais cela valait la peine d'essayer.

Le président était de mon avis et m'a demandé de faire une déclaration. Sortant du Bureau ovale, je me suis mise dans un coin avec Ben Rhodes, le conseiller adjoint à la Sécurité nationale et l'un des meilleurs rédacteurs de discours de politique étrangère, pour ajouter en toute hâte de nouvelles phrases en tête de mes remarques sur le trafic d'ivoire. Comme Denis McDonough, Rhodes était l'un des assistants du président en qui j'avais appris à avoir confiance et que je respectais. Il s'était aussi rapproché des membres de mon équipe : tous se souvenaient du chemin parcouru depuis les pénibles moments de la campagne des primaires de 2008 et regrettaient de ne plus travailler ensemble. J'étais ravie de profiter à nouveau de ses conseils pour envoyer au monde le bon message.

Quand je suis entrée dans l'auditorium de la Maison-Blanche pour la réunion sur le braconnage, je l'ai trouvé rempli de journalistes et de caméras – sans doute plus que le trafic des éléphants n'en avait jamais attiré. J'ai commencé par la Syrie : « Si le régime livrait immédiatement toutes ses armes chimiques, comme l'ont suggéré le secrétaire Kerry et les Russes, ce serait un grand pas en avant. Mais cela ne saurait servir d'excuse à une nouvelle obstruction ou à un énième délai. La Russie doit soutenir sincèrement les efforts de la communauté internationale, ou elle devra rendre des comptes. » J'ai souligné également que c'était la menace du président d'utiliser la force qui avait poussé la Russie à chercher une porte de sortie.

La Maison-Blanche a décidé de reporter le vote au Congrès pour laisser une chance à la diplomatie. Le secrétaire Kerry s'est rendu à Genève et a élaboré avec Lavrov un plan détaillé de retrait des armes chimiques du pays. À peine un mois plus tard, l'Organisation pour l'interdiction des armes chimiques – l'agence des Nations unies chargée d'exécuter l'accord – s'est vu décerner le prix Nobel de la paix. C'était un vrai vote de confiance. Au moment où j'écris, l'accord tient toujours et les Nations unies démantèlent progressivement l'arsenal chimique d'Assad, malgré le contexte extraordinairement difficile. Il y a eu des retards, mais, fin avril 2014, plus de 90 % du stock avait été retiré.

En janvier 2014, le représentant spécial Brahimi a convoqué une seconde conférence des Nations unies sur la Syrie à Genève afin de faire appliquer l'accord que j'avais négocié en juin 2012. Pour la première fois, des représentants du régime d'Assad se sont assis en face de membres de l'opposition. Mais les discussions n'ont permis aucun progrès. Le régime a refusé de s'engager sérieusement sur la question de l'autorité gouvernementale de transition, comme l'exigeait l'accord originel, et ses alliés russes l'ont fidèlement soutenu. Pendant ce temps, sur le terrain, la guerre se poursuivait sans relâche.

La tragédie humanitaire en cours en Syrie est déchirante. Comme d'habitude, ce sont des femmes et des enfants innocents qui souffrent le plus. Les extrémistes continuent à gagner du terrain, et les renseignements américains et européens estiment qu'ils pourraient étendre leur menace bien au-delà de la Syrie. En février 2014, le directeur de la CIA, John Brennan, s'en inquiétait : « Al-Qaida pourrait se servir de la Syrie pour recruter et pour acquérir la capacité de lancer des attaques non seulement sur le sol syrien, mais aussi en utilisant le pays comme rampe de lancement. » James Clapper, le directeur du renseignement national, a apporté une nouvelle précision : au moins un groupe extrémiste en Syrie avait « l'intention d'attaquer les États-Unis sur leur territoire ». Tant que le pays restera dans une impasse sanglante, ce danger ne cessera de croître, et les États-Unis et leurs alliés ne pourront plus l'ignorer. Les membres modérés de l'opposition syrienne reconnaissent également que la menace extrémiste pourrait détourner leur révolution. Certains ont entrepris de chasser les éléments radicaux du territoire tenu par les rebelles, mais ce sera très difficile et cela représentera des hommes et des armes en moins pour la lutte contre Assad. En avril 2014, on a appris que les États-

Unis allaient entraîner et armer davantage certains groupes de rebelles syriens.

Comme l'a déclaré Kofi Annan lors du premier sommet de Genève, « l'histoire est un juge impitoyable ». Même en simple citoyenne, il est impossible de regarder souffrir la Syrie sans se demander ce que nous aurions pu faire de plus. C'est un autre élément qui fait de la crise syrienne, et plus largement de l'instabilité au Moyen-Orient, un problème aussi inextricable. Mais nous ne devons pas nous laisser paralyser par les « problèmes inextricables ». Nous devons continuer à chercher des solutions, même si elles sont vraiment difficiles à trouver.

Chapitre 20

Gaza : anatomie d'un cessez-le-feu

Le convoi s'est arrêté au bord d'une autoroute poussiéreuse entre Ramallah et Jérusalem. Des agents de sécurité se sont rués hors de leurs véhicules blindés et ont regardé derrière eux la route qui s'enfonçait au cœur de la Cisjordanie. D'autres scrutaient le ciel. Les renseignements israéliens venaient de nous envoyer des informations : une roquette pouvait avoir été lancée par des extrémistes palestiniens depuis la bande de Gaza. Il n'y avait aucun moyen de savoir avec précision dans quelle direction. Les officiels américains qui voyageaient dans un van ordinaire se sont vite tassés dans l'une des voitures blindées, qui protégeaient plus efficacement contre une explosion. Une fois tout le monde installé, le convoi a repris sa route vers Jérusalem.

Nous étions en 2012, peu avant Thanksgiving, et la Terre sainte ressemblait de nouveau à une zone de combat. J'avais quitté un important sommet en Asie et m'étais envolée en direction du Moyen-Orient pour une mission diplomatique d'urgence : éviter qu'un conflit aérien entre Israël et le Hamas à Gaza ne se transforme en une guerre terrestre encore plus meurtrière. Je devais pour cela parvenir à négocier un cessez-le-feu entre des adversaires implacables et méfiants, avec, en toile de fond, une région en pleine ébullition. Après quatre années de diplomatie décevante au Moyen-Orient, ce serait un test crucial pour le leadership américain.

*

* *

Près de quatre ans auparavant, l'administration Obama était entrée en fonction quelques jours à peine après la fin d'un autre conflit à

Gaza, provoqué lui aussi par un tir de roquettes sur Israël. Début janvier 2009, l'armée israélienne avait lancé une offensive terrestre sur Gaza pour stopper les attaques à la roquette des militants situés de l'autre côté de la frontière. Après deux semaines d'intenses combats de rue qui ont fait plus de 1 400 victimes à Gaza, Israël s'est retiré et a repris son siège de l'enclave palestinienne. Dans les années qui ont suivi, une violence transfrontalière modérée a persisté. En 2009 et 2010, on a dénombré plus de 100 roquettes tirées en direction du sud d'Israël ainsi que quelques attaques de mortier. Parfois, Israël répondait par des frappes aériennes. Si cette situation était loin d'être acceptable, il s'agissait pourtant d'une période relativement calme pour la région. Mais, à partir de 2011, alors que les extrémistes se réarmaient et que le Moyen-Orient était balayé par la révolution, la violence s'est intensifiée. Des centaines de roquettes ont frappé Israël cette année-là. Le rythme s'est encore accéléré en 2012. Le 11 novembre, alors que plus de 100 roquettes avaient été tirées en vingt-quatre heures, blessant trois Israéliens, le ministre de la Défense Ehoud Barak a annoncé une possible riposte contre les factions terroristes à Gaza.

Depuis 2007, Gaza était gouvernée par le Hamas, un groupe d'extrémistes palestiniens fondé à la fin des années 1980, lors de la première Intifada, et inscrit par les États-Unis sur leur liste des organisations étrangères terroristes en 1997. Son objectif affiché n'était pas la création d'un État indépendant sur les territoires palestiniens, mais la destruction totale d'Israël et la mise en place d'un émirat islamique du Jourdain à la Méditerranée. Pendant des années, cette organisation a été soutenue financièrement et militairement par l'Iran et la Syrie. À la mort de Yasser Arafat en 2004, elle a disputé le leadership de la cause palestinienne au Fatah, le parti plus modéré de Mahmoud Abbas. Après avoir remporté les élections législatives en 2006, le Hamas a enlevé en 2007 à Abbas et à l'Autorité palestinienne la bande de Gaza, dont il a pris le contrôle, et il y a conservé le pouvoir malgré la guerre de 2009. Le Hamas et ses soutiens étrangers dépensaient leur argent dans le trafic d'armes pour renflouer leurs stocks, tandis que l'économie de Gaza ne cessait de décliner et sa population de souffrir.

Puis le séisme du Printemps arabe a secoué l'échiquier du Moyen-Orient et le Hamas s'est retrouvé dans un paysage différent. En Syrie, son protecteur traditionnel, le dictateur alaouite Bachar el-Assad, a lancé une terrible répression contre sa population majoritairement sunnite. Le Hamas, qui est une organisation sunnite, a quitté son quartier général de Damas. Au même moment, les Frères musulmans, un parti islamiste sunnite lié au Hamas, accédaient au pouvoir dans l'Égypte post-révolutionnaire, à la frontière de Gaza. Pour le Hamas, une porte s'ouvrait tandis qu'une autre se fermait. Pour compliquer encore les choses, le Hamas devait faire face à la montée en puissance d'autres groupes extrémistes, en particulier le Jihad islamique, tout aussi déterminés à combattre Israël, mais n'ayant pas la lourde responsabilité de gouverner Gaza et de servir efficacement sa population.

Israël imposait un blocus maritime à Gaza et contrôlait strictement ses frontières au nord et à l'est. Pour le Hamas, le principal point de réapprovisionnement était la courte frontière avec la péninsule du Sinaï égyptien au sud. Sous Moubarak, l'Égypte luttait assez sévère-ment contre la contrebande et, en général, coopérait bien avec Israël, même si le Hamas avait réussi à creuser sous la frontière des tunnels qui aboutissaient à l'intérieur du territoire égyptien. Après la chute de Moubarak et l'arrivée des Frères musulmans au pouvoir, traverser la frontière de Gaza est devenu plus facile.

Au même moment, les autorités égyptiennes ont commencé à perdre le contrôle de la péninsule du Sinaï. Cette région désertique de 40 000 kilomètres carrés s'avance dans la mer Rouge à l'est du canal de Suez. Le Sinaï est célèbre pour son rôle dans la Bible et pour sa situation stratégique de pont entre l'Afrique et l'Asie. Il a été envahi par Israël à deux reprises, la première fois en 1956, lors de la crise de Suez, et la seconde en 1967, durant la guerre des Six Jours. Aux termes des accords de Camp David de 1979, Israël a rendu le Sinaï à l'Égypte et une force de maintien de la paix inter-nationale qui comprenait des soldats américains s'est installée sur place pour faire respecter la trêve. Le territoire abrite également des tribus bédouines nomades et indociles, marginalisées par Le Caire depuis longtemps. Ces tribus ont profité du chaos provoqué par la révolution égyptienne pour affirmer leur autonomie et réclamer plus de soutien financier de la part du gouvernement et plus de considé-ration de la part des forces de sécurité du pouvoir. Comme le Sinaï sombrait dans l'anarchie, des extrémistes en lien avec Al-Qaida ont commencé à le considérer comme un abri sûr.

Lors d'une de nos premières rencontres, j'ai demandé au nou-veau président égyptien Mohamed Morsi : « Qu'allez-vous faire pour empêcher Al-Qaida et d'autres extrémistes de déstabiliser le pays, en particulier le Sinaï ? — Pourquoi feraient-ils cela ? m'a-t-il répondu. Nous avons un gouvernement islamiste, à présent. » Compter sur la solidarité de terroristes était soit complètement naïf, soit absolument effrayant. « Vous ne serez jamais suffisamment purs, lui ai-je expliqué. Peu importe vos opinions, les extrémistes vous attaqueront. Il vous faudra protéger votre pays et votre gouvernement. » Il ne voulait rien entendre.

En août 2012, la situation du Sinaï constituait une menace indéniable. Un dimanche soir, un groupe d'environ 35 militants masqués et armés a attaqué un avant-poste de l'armée égyptienne près de la frontière avec Israël et assassiné 16 soldats qui étaient en train de dîner. Puis les extrémistes ont volé un véhicule blindé et un camion, ont bourré ce dernier d'explosifs et sont partis en direction d'Israël. Le camion a explosé tandis qu'ils tentaient de forcer les barrières du point de passage de Kerem Shalom. Des frappes aériennes israéliennes ont ensuite détruit le véhicule blindé. L'affrontement n'a duré que quinze minutes, mais il a profondément secoué l'Égypte et Israël. Après la tragédie, avec l'aide des États-Unis, l'Égypte a intensifié ses efforts pour combattre les militants dans le Sinaï, y compris en utilisant l'aviation. Mais la région est restée très instable.

Puis, fin octobre, deux autres événements se sont enchaînés, montrant à quel point la situation était devenue compliquée et fragile.

Le 23 octobre, l'émir du Qatar, Cheikh Hamad ben Khalifa al-Thani, s'est rendu à Gaza à l'invitation du Hamas. Depuis que ce dernier avait pris le pouvoir en 2007, c'était la première fois que l'enclave isolée de Gaza recevait un chef d'État, et les deux parties n'ont pas lésiné sur les symboles. L'émir est arrivé d'Égypte dans un convoi luxueux de cinquante Mercedes-Benz noires et de Toyota blindées. Le Hamas a fait de son mieux pour l'accueillir en grande pompe. Le Premier ministre du Hamas, Ismaël Haniyeh, a déclaré que cette visite mettait fin « au siège économique et politique imposé à Gaza » et a présenté sa femme, qui faisait là sa première apparition publique. De son côté, l'émir s'est engagé à fournir 400 millions de dollars d'aide au développement, plus que ce que Gaza avait reçu de tous ses autres donateurs internationaux réunis. Il était accompagné de son épouse, Cheikha Moza, et de son cousin, Hamad ben Jassem al-Thani, que nous appelions HBJ, Premier ministre et ministre des Affaires étrangères du Qatar.

Pour Haniyeh et le Hamas, c'était une occasion de sortir de l'ombre du président de l'Autorité palestinienne, Mahmoud Abbas, que la communauté internationale reconnaissait toujours comme le dirigeant légitime du peuple palestinien, et de montrer que leurs perspectives d'avenir restaient brillantes, malgré leur prise de distance avec la Syrie et l'Iran. Pour le Qatar, c'était une chance de pouvoir jouir d'une nouvelle influence dans la région et revendiquer le rôle de principal soutien à la cause palestinienne dans le monde arabe. En Israël, on était de plus en plus inquiet. Pour les États-Unis, qui continuaient de considérer le Hamas comme une organisation terroriste dangereuse, le Qatar était un véritable casse-tête, une illustration parfaite de la complexité des rapports avec le Moyen-Orient en cette époque tumultueuse.

Géographiquement, le Qatar ressemble à un petit doigt qui, depuis l'Arabie Saoudite, s'avance dans le golfe Persique. Sa superficie n'est que de 11 000 kilomètres carrés, moins de la moitié d'un État comme le Vermont, mais il a la chance d'abriter de vastes réserves de pétrole et de gaz naturel, et son revenu par habitant est l'un des plus élevés du monde. On ne compte qu'environ 250 000 citoyens qataris, mais le nombre de travailleurs étrangers nécessaires au bon fonctionnement du pays est plusieurs fois supérieur à ce chiffre. En 1995, Cheikh Hamad est devenu émir en déposant son père, et il a vite décidé de renforcer la visibilité du Qatar. Sous sa gouvernance, sa capitale en plein essor, Doha, est devenue un centre de culture et d'échanges qui rivalise avec Dubaï et Abou Dhabi ; sa chaîne de télévision par satellite Al Jazeera est désormais la source d'information la plus influente du Moyen-Orient et sert de tribune à la vision qatarie dans le reste de la région.

À l'image de ses voisins du Golfe, le Qatar n'était pas un modèle en matière de démocratie et de respect des droits de l'homme universels, mais il entretenait des liens stratégiques et sécuritaires étroits avec les États-Unis. Il héberge notamment une base militaire aérienne américaine majeure. Cet équilibrisme a été mis à l'épreuve dans le Golfe durant le Printemps arabe.

L'émir et HBJ ont manœuvré afin de profiter des soulèvements dans la région pour permettre au Qatar de se poser en champion des révolutions. Leur objectif était de faire de leur petit pays une puissance majeure du Moyen-Orient en soutenant les Frères musulmans et les autres groupes islamistes de la zone. Les monarchies du Golfe craignaient que l'instabilité ne se propage à leurs pays, mais le Qatar voyait là une chance d'établir son influence sur les nouveaux acteurs émergents, de promouvoir sa vision culturelle conservatrice et de détourner l'attention du manque de réformes sur son territoire.

À l'aide du *soft power* d'Al Jazeera et de leur carnet de chèques inépuisable, l'émir et HBJ ont financé Morsi en Égypte, fourni des armes aux rebelles islamistes en Libye et en Syrie, et noué de nouvelles relations avec le Hamas à Gaza. Des avions de combat qataris ont aussi participé au maintien de la zone d'exclusion aérienne en Libye. À cette époque-là, le Qatar était omniprésent au Moyen-Orient. Il avait réussi un tour de force diplomatique impressionnant et, parfois, ses efforts rejoignaient les nôtres. Mais les autres pays arabes et Israël considéraient que le soutien du Qatar aux forces islamistes et aux éléments extrémistes faisait peser sur eux une menace croissante. La visite de l'émir à Gaza a cristallisé ce problème. (En 2013, tandis que les islamistes battaient en retraite en Égypte et ailleurs, l'émir a abdiqué en faveur de son fils et HBJ a été remplacé par un ancien vice-ministre de l'Intérieur très discret. Les relations entre les États du Golfe se sont sérieusement dégradées en mars 2014 : l'Arabie Saoudite, Bahreïn et les Émirats arabes unis ont décidé de retirer leurs ambassadeurs du Qatar.)

Quelques heures après la visite de l'émir à Gaza, des explosions ont ravagé une usine d'armement à Khartoum, au Soudan. Les responsables soudanais ont affirmé que quatre avions militaires étaient arrivés de l'est et avaient attaqué l'usine, tuant deux personnes. Ils accusaient directement Israël. Ce n'était pas la première fois. Au cours des quatre années précédentes, les Soudanais avaient imputé à Israël plusieurs attaques aériennes visant des cibles dans leur pays. Au mois de septembre précédent, une cargaison de roquettes et de munitions destinée à Gaza avait été détruite au sud de Khartoum. Les Israéliens ont refusé de commenter l'explosion de l'usine, mais un haut responsable du ministère de la Défense a observé : le Soudan « est soutenu par l'Iran et il sert de route pour le transfert d'armes iraniennes, à travers le territoire égyptien, aux terroristes du Hamas et du Jihad islamique ».

Historiquement, le Soudan a toujours entretenu des rapports complexes avec le terrorisme. Au début des années 1990, il a servi de refuge à Oussama Ben Laden. En 1993, le département d'État l'a inscrit sur la liste des pays soutenant le terrorisme. Le Soudan maintenait aussi des relations étroites avec l'Iran et le Hamas. Peu de temps après l'explosion de l'usine d'armement, deux navires de guerre iraniens sont entrés à Port-Soudan. Khaled Mechaal, le leader du Hamas, s'est rendu à Khartoum quelques semaines plus tard.

Tous ces facteurs régionaux réunis – les tirs de roquettes depuis Gaza, l'instabilité dans le Sinaï, les jeux d'influence du Qatar, l'ingérence iranienne, le trafic d'armes à partir du Soudan – ont créé à l'automne 2012 une situation explosive. En novembre, la marmite a débordé.

*
* *

Le 14 novembre 2012, je me trouvais en Australie, au centre de conférence de Kings Park, qui surplombe la ville de Perth et la rivière Swan. J'étais aux côtés du secrétaire à la Défense Leon Panetta et du général Martin Dempsey, président du Comité des chefs d'état-major, pour des consultations annuelles avec nos alliés australiens. À la fin de notre séance de l'après-midi, on a informé Panetta qu'Ehoud Barak, le ministre israélien de la Défense, cherchait à le joindre de toute urgence. Il s'est alors isolé dans le coin-cuisine pour prendre un coup de fil sécurisé en provenance de Jérusalem. Après quoi, il nous a rejoints, le général Dempsey et moi, dans un patio pour nous rapporter les propos de Barak. Je pouvais lire sur son visage que la situation se compliquait. L'armée israélienne était sur le point de lancer une campagne aérienne majeure contre les militants de Gaza. Le début des raids était imminent.

Dans la paisible ville de Perth, la perspective d'une nouvelle guerre au Moyen-Orient semblait très lointaine (11 000 kilomètres environ) ; pourtant, c'était extrêmement grave. J'ai dit à Panetta et à Dempsey que la réaction des Israéliens était compréhensible. Les roquettes du Hamas étaient de plus en plus sophistiquées et précises, au point qu'elles menaçaient même Tel-Aviv, à plus de 60 kilo-mètres de la frontière. Là-bas, les habitants n'avaient pas connu de menace aérienne depuis la première guerre du Golfe, en 1991, quand Saddam Hussein avait attaqué Israël avec des missiles Scud. Tout pays a le droit de se défendre ; on ne pouvait pas imaginer qu'un gouvernement accepte ce type de provocation sans réagir. Toutefois, la moindre escalade de la violence allait rendre la situation beaucoup plus difficile à contenir, et personne ne voulait que le scénario de guerre totale que nous avions connu à peine quatre ans plus tôt se reproduise.

La première série de raids aériens importants a tué Ahmed Jaabari, un terroriste accusé d'avoir planifié de nombreuses attaques contre les Israéliens ces dernières années. Durant les deux jours qui ont suivi, il y a eu des victimes dans les deux camps. Le 16 novembre, la une du *New York Times* juxtaposait deux photos d'enterrements, l'un à Gaza, l'autre à Jérusalem.

Selon Israël, cette semaine-là, plus de 1 500 roquettes ont été tirées à partir de Gaza. Six Israéliens ont été tués – deux soldats et quatre civils – et plus de 200 ont été blessés. De nombreuses familles du sud d'Israël, proche de Gaza, ont dû quitter leurs maisons sous les tirs de roquettes. Selon certaines sources, des centaines de Palestiniens sont morts lors de cette campagne aérienne israélienne, une opération appelée « Pilier de défense ».

Je recevais des mises à jour régulières de l'ambassadeur Dan Shapiro et de son équipe à notre ambassade à Tel-Aviv, ainsi que de nos experts à Washington. Le secrétaire adjoint Bill Burns, qui avait été le principal responsable du Moyen-Orient au département d'État sous Colin Powell, a une nouvelle fois rassemblé des informations pour moi. Bill et moi étions d'accord : il y avait peut-être une fenêtre d'action diplomatique limitée pour éviter une intensification du conflit.

J'ai appelé le ministre égyptien des Affaires étrangères, Mohamed Amr, pour voir si son pays pouvait faire quelque chose afin de calmer les tensions. « Nous ne pouvons pas accepter cela », m'a-t-il répondu en parlant des attaques israéliennes. Bien que Hosni Moubarak eût été remplacé à la présidence par Morsi, un dirigeant des Frères musulmans, j'espérais que l'Égypte resterait un intermédiaire clé et une voix forte en faveur de la paix. J'ai tenté de jouer sur la corde sensible en parlant à Amr du prestige de l'Égypte. « Je pense que vous avez un grand rôle à jouer et je vous encourage vivement à faire tout ce qui est en votre pouvoir pour engager une désescalade. » J'ai ajouté que l'Égypte devait absolument discuter avec le Hamas et insister pour qu'il cesse de bombarder Israël. Les Israéliens ne faisaient que se défendre, ai-je ajouté, et « aucun pays ne peut rester les bras croisés quand sa population reçoit des roquettes ». Amr a accepté d'essayer. « J'espère qu'ensemble nous pourrons arrêter cette folie, m'a-t-il dit. Nous devons conjuguer nos efforts. »

Tandis que je voyageais à travers l'Australie, de Perth à Adélaïde, puis gagnais Singapour, le président Obama et moi sommes restés en contact permanent pour coordonner les pressions que nous exercions sur nos partenaires au Moyen-Orient. Il a insisté auprès de Morsi et consulté le Premier ministre Netanyahou ainsi que son homologue turc Erdoğan, encourageant chaque partie à œuvrer à un cessez-le-feu. Quand nous avons comparé nos observations, nous nous sommes demandé s'il était utile de s'engager plus directement. Devais-je sauter dans un avion et me rendre sur place pour tenter de mettre fin aux violences ?

Ni lui ni moi n'étions sûrs que cette décision fût la plus sage. D'abord, nous avions des choses importantes à faire en Asie. Après une rapide halte à Singapour, je devais retrouver le président Obama en Thaïlande, puis nous devions nous rendre ensemble en Birmanie pour une visite historique dont l'objectif était de renforcer l'ouverture démocratique naissante dans ce pays. Ensuite, nous devions rejoindre le Cambodge pour un sommet important des dirigeants asiatiques qui allait être dominé par un jeu diplomatique délicat autour de la mer de Chine méridionale. L'investissement personnel compte beaucoup en Asie ; si je quittais le continent maintenant, nous aurions à en payer le prix.

Ce n'était pas tout : comme on peut le comprendre, le président était réticent à l'idée de nous voir tenir à nouveau un rôle de médiateur direct dans un conflit difficile au Moyen-Orient. Si nous tentions de négocier un cessez-le-feu sans y parvenir, ce qui semblait probable, cet échec minerait la crédibilité et le prestige des États-Unis dans la région. Notre engagement direct risquait même de faire reculer la cause de la paix en exacerbant la visibilité du conflit et en radicalisant les positions des deux parties. C'était la dernière chose que nous voulions, lui et moi, et la dernière chose dont les États-Unis avaient besoin.

J'ai continué mon voyage en Asie comme prévu, tout en passant le plus de temps possible au téléphone avec les principaux dirigeants du Moyen-Orient et nos alliés européens inquiets. Chaque fois, je répétais que la meilleure solution était un cessez-le-feu simultané entre Israël et le Hamas.

La tension montait. Le gouvernement israélien avait appelé 75 000 réservistes en prévision d'une possible offensive terrestre dans la bande de Gaza. Comme nous le craignions, la situation ressemblait de plus en plus à la guerre de janvier 2009, qui avait fait énormément de mal à la population de Gaza et à la réputation d'Israël dans le monde. Il fallait impérativement résoudre cette crise avant qu'elle ne devienne une guerre terrestre. La seule bonne nouvelle était que le Dôme de fer, le système de défense aérienne que nous avions aidé à mettre en place pour protéger Israël des roquettes, fonctionnait encore mieux que nous ne l'avions espéré. Selon l'armée israélienne, il avait détruit plus de 80 % des roquettes qu'il avait ciblées. Même si l'estimation était généreuse, ce taux de réussite était incroyable. Mais toute roquette qui atteignait sa cible était déjà une de trop, et les Israéliens étaient déterminés à s'emparer des stocks et des sites de lancement à Gaza.

Quand j'ai rejoint le président Obama à Bangkok le 18 novembre, je lui ai dit que ma diplomatie téléphonique se heurtait à une pénible réalité : personne ne voulait reculer le premier. Il était parvenu à la même conclusion de son côté. C'est pourquoi je continuais à défendre l'idée d'un cessez-le-feu simultané, où les deux parties reculeraient en même temps.

Une heure après mon arrivée à Bangkok, j'ai mis en garde HBJ, du Qatar : « Le Hamas essaie de proposer des conditions préalables à un cessez-le-feu. Mais Israël n'acceptera jamais cela, et il nous reste quarante-huit heures avant une possible offensive terrestre, qui sera dévastatrice. »

Le président et moi avons discrètement rendu une visite privée au roi de Thaïlande, en convalescence dans un hôpital de Bangkok. Puis nous avons fait un tour au célèbre temple Wat Pho, qui abrite la plus grande statue en or de « Bouddha couché » du pays – elle fait plus de 45 mètres. Malgré cet environnement exceptionnel, nous ne parlions que de Gaza. Pour nous, il ne faisait aucun doute qu'Israël avait le droit de se défendre. Mais nous savions aussi qu'une invasion terrestre pourrait être catastrophique pour tout le monde.

Deux jours plus tard, la situation était si désespérée que j'ai à nouveau évoqué avec le président la possibilité de quitter l'Asie pour le Moyen-Orient et d'intervenir personnellement dans le conflit. C'était très risqué, mais, même si nous échouions, le danger d'une propagation de la guerre était trop important pour ne rien faire. Dès le matin, je me suis rendue dans l'élégante suite du président au Raffles Hotel Le Royal de Phnom Penh, au Cambodge. Il était encore sous la douche ; je l'ai donc attendu un moment, puis nous avons discuté de la marche à suivre tandis qu'il buvait son café. Il était toujours circonspect. Quelles étaient les chances que ma venue mette vraiment un terme aux violences ? Aurions-nous l'air de désavouer Israël ? Quelles pourraient être les conséquences imprévues d'une intervention américaine au milieu de ce chaos ? Nous avons discuté de tout cela et de bien d'autres choses. Nous en avons tiré la conclusion que la paix au Moyen-Orient était une priorité de sécurité nationale impérieuse ; il était essentiel d'éviter une autre guerre terrestre à Gaza, et rien ne pouvait remplacer le leadership américain.

Le président n'était pas encore tout à fait convaincu, mais il était d'accord pour que je commence à me préparer à partir. Huma et notre équipe se sont hâtées de mettre en place la logistique nécessaire pour aller du Cambodge à Israël, un itinéraire assez inhabituel. Nous ne savions pas combien de temps l'affaire allait durer et Thanksgiving était dans deux jours ; j'ai donc suggéré aux membres de l'équipe qui devaient rentrer chez eux de repartir aux États-Unis en stop avec le président à bord de l'Air Force One.

Un peu plus tard ce matin-là, le président et moi nous sommes retrouvés une dernière fois dans une « salle de réunion » de fortune à l'intérieur du grand centre de conférence du Palais de la paix, à Phnom Penh. Dans un espace réduit isolé par des rideaux, nous avons à nouveau pesé le pour et le contre. Jake Sullivan, Tom Donilon et Ben Rhodes se sont joints à nous pour faire une dernière fois le tour de la question. Donilon était inquiet. Au fil des ans, il s'était trop souvent brûlé les doigts dans des mésaventures au Moyen-Orient. Mais il en est finalement convenu : je devais y aller. Le président a écouté tous nos arguments et il a pris sa décision. Il était temps d'agir. Nous n'étions pas sûrs de réussir, mais nous allions tout faire pour y arriver.

Le président a dit qu'il appellerait Morsi et Bibi depuis l'Air Force One, sur le vol retour vers Washington, pour tenter de faire progresser la situation avant mon arrivée. Le dernier conseil qu'il m'a donné était un encouragement familier. Comme lorsque je négociais le sort du dissident aveugle Chen Guangcheng, son injonction était claire : « Ne te plante pas ! » Je n'en avais pas l'intention.

*
* *

Durant les onze heures de vol entre le Cambodge et Israël, j'ai réfléchi longuement à la complexité de la crise. On ne pouvait pas comprendre ce qui se passait à Gaza sans considérer également le chemin que suivaient les roquettes avant d'être lancées, de l'Iran au Hamas en passant par le Soudan, et ce que ces relations représentaient pour la sécurité de la région. En outre, il fallait prendre en compte le rôle croissant que jouait la technologie. Les roquettes devenaient de plus en plus sophistiquées, mais les défenses aériennes d'Israël aussi. Des unes et des autres, lesquelles allaient se révéler décisives ? On ne devait pas oublier non plus que le conflit en Syrie provoquait des tensions entre le Hamas sunnite et ses soutiens chiites de longue date à Damas et à Téhéran, au moment où les Frères musulmans sunnites prenaient le pouvoir au Caire et où la guerre civile syrienne se poursuivait. *Quid* de l'instabilité grandissante dans le Sinaï et de la pression qu'elle faisait peser sur le nouveau régime égyptien ? Les élections israéliennes approchaient et la coalition de Netanyahou était loin d'être stable. Comment la politique intérieure d'Israël allait-elle influencer sa position sur Gaza ? Toutes ces questions et bien d'autres constitueraient la toile de fond tumultueuse de mes efforts pour négocier un cessez-le-feu.

Dans l'avion, j'ai contacté Guido Westerwelle, le ministre allemand des Affaires étrangères, qui menait ses propres consultations à Jérusalem. « Je suis dans l'hôtel où vous allez séjourner, m'a-t-il dit. Une alerte à la roquette vient d'être déclenchée et nous avons dû quitter nos chambres. Vous n'imaginez pas à quel point la situation est tendue. »

Le 20 novembre, vers 22 heures, nous avons atterri à l'aéroport international Ben Gourion de Tel-Aviv et nous sommes rendus dans le bureau de Netanyahou à Jérusalem, à trente minutes de route. Je suis montée directement à l'étage pour une réunion avec le Premier ministre et nos quelques conseillers respectifs. Les Israéliens nous ont dit qu'ils avaient entamé des discussions avec les Égyptiens, qui représentaient le Hamas, mais que celles-ci achoppaient sur de vieux problèmes auxquels il était très difficile de trouver une solution : l'embargo d'Israël sur Gaza, la liberté de circulation de la population gazaouite, les droits de pêche au large des côtes et d'autres sujets de tension. Bibi et son équipe étaient très pessimistes sur la possibilité de parvenir à un accord. Ils ont ajouté qu'ils allaient vraiment lancer une offensive terrestre sur Gaza si rien ne changeait. Ils m'accordaient un peu de temps, mais pas beaucoup. Désormais, j'étais dans une course contre la montre.

Au fil des heures, le personnel apportait de la nourriture sur des dessertes – des piles de sandwichs grillés au fromage et de petits éclairs –, un geste réconfortant au milieu de cette situation tendue, même si personne ne regardait sa montre. J'appréciais que Bibi et son équipe ne me cachent rien. Chacun interrompait et contredisait les autres, même le Premier ministre.

Netanyahou subissait une forte pression pour aller vers l'invasion. Les sondages d'opinion en Israël y étaient largement favorables, notamment parmi les électeurs du Likoud. Mais les chefs militaires israéliens prévoyaient de lourdes pertes humaines et Netanyahou s'inquiétait aussi des conséquences que cette décision aurait sur la région. Comment l'Égypte allait-elle réagir ? Le Hezbollah allait-il attaquer à partir du Liban ? Il savait également que, dès les premières heures du pilonnage aérien, les militaires avaient déjà atteint la plupart de leurs objectifs, en particulier la destruction des capacités du Hamas en matière de roquettes à longue portée, et que le Dôme de fer protégeait efficacement la population israélienne. Bibi ne voulait pas d'une guerre terrestre, mais il avait du mal à trouver une porte de sortie qui permettrait à Israël de se désengager sans donner l'impression de reculer devant le geste de défi obstiné du Hamas, ce qui ne ferait qu'entraîner davantage de violence ultérieurement. Moubarak n'était plus là, et les Israéliens ne faisaient pas confiance au nouveau gouvernement des Frères musulmans du Caire. Le rôle des États-Unis était donc encore plus crucial. Un responsable israélien m'a confié plus tard : c'est la décision la plus difficile que Netanyahou ait eu à prendre en tant que Premier ministre.

J'ai dit que j'allais me rendre au Caire le lendemain et que je voulais un document pouvant servir de base à des négociations pour le présenter au président Morsi. Il me semblait que la solution était d'y inclure quelques points sur lesquels les Israéliens étaient prêts à faire des concessions si nécessaire, afin que le président Morsi ait l'impression d'avoir obtenu un bon accord pour les Palestiniens. Nous avons passé en revue tous les détails sans parvenir à trouver une formule qui pourrait fonctionner.

Nous avons interrompu la réunion après minuit ; j'ai ensuite filé vers l'emblématique hôtel King David pour quelques heures de sommeil sans repos. Il était très probable que cette mission diplomatique allait échouer et que les troupes israéliennes allaient bientôt envahir Gaza. Le lendemain matin, je me suis rendue à Ramallah pour discuter avec Abbas. Malgré son influence limitée sur ce conflit, je ne voulais pas l'exclure du processus, et je n'avais aucunement l'intention d'accroître la légitimité du Hamas dans la lutte interpalestinienne pour le pouvoir. Je savais aussi que l'Autorité palestinienne continuait à payer des salaires et des traitements à des milliers de personnes à Gaza, même si l'enclave était gouvernée par le Hamas ; le soutien d'Abbas en faveur d'un cessez-le-feu serait donc utile.

À cette date, je connaissais bien le quartier général de l'Autorité palestinienne à Ramallah. La Mouqataa était un ancien fort construit par les Britanniques dans les années 1920 ; il était devenu célèbre en 2002, quand l'armée israélienne y avait assiégé Yasser Arafat et ses principaux conseillers, et il avait été en grande partie détruit. En 2012, il restait peu de traces de ce passé violent. Le bâtiment avait été reconstruit, et il abrite aujourd'hui le mausolée en calcaire d'Arafat, où une garde d'honneur palestinienne veille, immobile, tandis que les visiteurs viennent se recueillir.

L'année avait été difficile pour Abbas. Sa popularité fléchissait et l'économie ralentissait en Cisjordanie. Après l'expiration du moratoire israélien sur les colonies fin 2010, il s'était retiré des négociations directes et avait décidé de soumettre une demande d'adhésion aux Nations unies pour faire reconnaître la Palestine en tant qu'État indépendant. Abbas avait fondé toute sa carrière politique sur une idée : l'indépendance pouvait être obtenue par des moyens pacifiques – contrairement au Hamas, qui préconisait la lutte armée. L'échec des négociations fragilisait gravement sa position politique. Abbas savait qu'il devait trouver une nouvelle voie non violente s'il voulait conserver le pouvoir et continuer à proposer une alternative viable aux extrémistes. Il était peu probable qu'un vote symbolique des Nations unies améliore beaucoup la vie quotidienne des Palestiniens ; en revanche, fustiger Israël sur la scène internationale et souligner son isolement croissant renforcerait le prestige d'Abbas en Cisjordanie – et, selon l'Autorité palestinienne, obligerait Israël à faire des concessions. Cependant, faire appel aux Nations unies mettait à mal un principe essentiel : la paix ne peut être réalisée que par des négociations entre les parties, avec des concessions des deux côtés. Les actions unilatérales, qu'il s'agisse d'une offensive aux Nations unies pour faire de la Palestine un État ou de la construction de colonies israéliennes en Cisjordanie, fragilisaient les relations de confiance et rendaient les compromis futurs plus difficiles à obtenir.

Tout au long de l'année 2011, nous avons tenté en vain de convaincre Abbas d'abandonner sa demande d'adhésion, tout en nous assurant que, s'il la maintenait, il n'obtiendrait pas assez de voix au Conseil de sécurité pour aller plus loin (nous voulions éviter, si possible, d'avoir à utiliser notre droit de veto). Au même moment, j'ai commencé à travailler avec Cathy Ashton et Tony Blair, de l'Union européenne, à un cadre dans lequel rouvrir les négociations directes sur la base des orientations que le président Obama avait esquissées dans son discours de mai 2011. En septembre, l'Assemblée générale des Nations unies a été le théâtre d'une agitation diplomatique intense, mais celle-ci n'a pas suffi à dissuader Abbas de soumettre sa demande et d'imposer l'examen de la question. Grâce à nos négociations en coulisse, il n'a abouti à rien au Conseil de sécurité. Tout ce qu'Abbas a gagné – en plus d'un durcissement de ses relations avec les États-Unis et Israël –, c'est de devenir membre de l'UNESCO, l'institution culturelle des Nations unies. Il s'est engagé à réitérer sa demande en 2012.

À présent, avec sa résistance à Israël qui faisait les gros titres de la presse, le Hamas éclipsait Abbas en lui prêtant, aux yeux de son peuple, l'image d'un dirigeant faible et fatigué. Je pense qu'Abbas était reconnaissant de ma visite, mais déprimé par sa situation. Au terme d'une discussion un peu décousue, il a accepté de soutenir mes efforts en faveur de la paix et m'a souhaité bonne chance au Caire.

Je suis ensuite retournée à Jérusalem pour une seconde discussion avec Netanyahou. Ses conseillers avaient appelé en pleine nuit pour nous proposer une nouvelle réunion avant mon départ pour Le Caire. Nous avons passé en revue tous les problèmes, mesuré soigneusement jusqu'où les Israéliens étaient prêts à plier sans rompre, en essayant de prévoir comment les choses allaient se passer avec les Égyptiens. À la fin de la réunion, nous avions mis en place une stratégie et je disposais d'une formulation approuvée par les Israéliens à proposer à l'Égypte comme base de négociation.

Je me suis ensuite mise en route vers l'aéroport. En chemin, nous avons appris qu'il y avait eu un attentat : un bus avait explosé à Tel-Aviv, pour la première fois depuis des années. Des dizaines de personnes avaient été blessées. C'était un sinistre rappel de l'urgence de ma mission.

Le 21 novembre, en milieu d'après-midi, je suis arrivée au palais présidentiel du Caire, où j'avais rencontré Moubarak en de si nombreuses occasions. Le bâtiment et le personnel étaient les mêmes, mais à présent les Frères musulmans étaient au pouvoir. Jusque-là, Morsi avait respecté les accords de paix de Camp David signés avec Israël, qui étaient la pierre angulaire de la stabilité dans la région depuis des décennies, mais combien de temps garderait-il cette position si Israël envahissait à nouveau Gaza ? Morsi allait-il chercher à réaffirmer le rôle traditionnel de médiateur et de pacificateur de l'Égypte et se poser en homme d'État d'envergure internationale ? Ou préférerait-il exploiter la colère populaire pour se positionner comme le seul dirigeant du Moyen-Orient capable de faire face à Israël ? C'est ce que nous allions bientôt savoir.

Morsi était un homme politique atypique. L'histoire l'avait projeté de la clandestinité au pouvoir suprême. À bien des égards, il était dépassé : il s'efforçait d'apprendre à gouverner à partir de rien dans une situation très complexe. Manifestement, Morsi appréciait le pouvoir que lui conférait sa nouvelle position et n'était pas un mauvais danseur en politique (avant de s'y brûler les ailes). J'ai été soulagée de constater que, au moins dans le cas de Gaza, il préférait être négociateur plutôt que démagogue. Nous nous sommes réunis dans son bureau, avec quelques-uns de ses conseillers, et nous avons examiné ligne par ligne le document du Premier ministre israélien que j'avais apporté.

J'ai incité Morsi à penser au rôle de l'Égypte dans la région et à son propre rôle dans l'histoire. Son anglais était parfait, puisqu'il avait obtenu un doctorat en science des matériaux à l'université de Californie du Sud en 1982 et avait enseigné à l'université d'État de Californie à Northridge jusqu'en 1985. Il a examiné minutieusement chaque phrase du texte. « Qu'est-ce que cela signifie ? Est-ce traduit correctement ? » demandait-il. Soudain, il s'est exclamé : « Je ne peux pas accepter ça ! — Mais c'est vous qui l'avez proposé au départ, lui ai-je dit. — Ah, vraiment ? OK », a-t-il concédé. À un moment, il est même passé outre à l'avis d'Amr, le ministre des Affaires étrangères, et a suggéré une concession essentielle.

La proposition était brève et directe. À une « heure zéro » qui serait fixée d'un commun accord, Israël mettrait fin à toutes ses attaques terrestres, maritimes et aériennes contre Gaza et les factions palestiniennes cesseraient leurs tirs de roquettes et tout autre acte d'hostilité aux frontières. L'Égypte jouerait un rôle de garant et de surveillant. Le plus compliqué, c'était la suite. À quel moment les Israéliens allaient-ils assouplir les restrictions aux postes frontières pour que les Palestiniens puissent faire entrer de la nourriture et du matériel ? Comment Israël pouvait-il être certain que le Hamas n'était pas en train de reconstituer son arsenal de roquettes ? Nous proposions que ces points épineux soient « traités vingt-quatre heures après le début du cessez-le-feu ». Cette formulation était délibérément vague, car nous pensions que l'Égypte pourrait faciliter des discussions de fond une fois que les combats auraient cessé. Netanyahou m'avait donné une marge de manœuvre pour négocier les sujets précis qui seraient mentionnés dans cette disposition, et j'en avais besoin. Morsi a insisté sur certains points, et nous avons relu la liste ensemble plusieurs fois. Finalement, nous sommes tombés d'accord sur la formulation suivante : « Les points de passage seront ouverts, les déplacements de personnes et les transferts de biens facilités, les restrictions à la liberté de mouvement des habitants levées, et la prise pour cible des résidents dans les zones frontalières cessera dans les vingt-quatre heures suivant le début de la trêve. »

Tout au long des négociations, les Égyptiens se sont entretenus au téléphone avec les dirigeants du Hamas et d'autres factions extrémistes palestiniennes de Gaza, dont certains se trouvaient en réalité dans les bureaux des services secrets égyptiens au Caire. Les conseillers de Morsi, qui n'avaient pas l'habitude de gouverner, étaient hésitants avec les Palestiniens et semblaient répugner à engager un bras de fer avec eux pour obtenir un accord. Nous répétions à ces membres des Frères musulmans qu'ils représentaient maintenant une puissance régionale majeure et qu'ils devaient produire des résultats.

Je tenais très régulièrement le président Obama au courant de la situation, et j'ai parlé à Netanyahou à plusieurs reprises. Morsi et lui refusaient de s'adresser directement la parole. J'ai donc servi d'intermédiaire dans une joute diplomatique et téléphonique cruciale, tandis que Jake et Anne Patterson, notre fabuleuse ambassadrice au Caire, examinaient de près certains des détails les plus épineux avec des conseillers de Morsi.

Netanyahou était déterminé à obtenir l'aide de l'Égypte et des États-Unis pour empêcher de nouvelles livraisons d'armes à Gaza. Il ne voulait pas arrêter les raids aériens et se retrouver dans la même situation intenable un ou deux ans plus tard. Quand j'ai insisté sur ce point auprès de Morsi, il est convenu que c'était aussi dans les intérêts sécuritaires de l'Égypte. Mais, en retour, il exigeait l'ouverture des frontières de Gaza à l'aide humanitaire et aux autres produits le plus tôt possible, ainsi qu'une plus grande liberté de circulation pour les bateaux de pêche palestiniens au large des côtes. Netanyahou acceptait d'être plus souple sur ces points s'il recevait des assurances sur l'arrêt du trafic d'armes et de roquettes. À chaque reprise des discussions, nous nous rapprochions d'un compromis.

Après des heures de négociations intenses, nous sommes parvenus à un accord. Le cessez-le-feu commencerait à peine quelques heures plus tard, à 21 heures, heure locale. (C'était un horaire tout à fait arbitraire, mais nous devions répondre clairement à cette question élémentaire : « Quand les violences allaient-elles se terminer ? ») Cependant, avant de crier victoire, il y avait encore quelque chose à faire. Nous avions décidé que le président Obama appellerait Bibi, à la fois pour lui demander personnellement d'accepter le cessez-le-feu et pour lui promettre un engagement accru des États-Unis dans le démantèlement du trafic d'armes à destination de Gaza. Avait-il besoin d'une couverture politique pour pouvoir dire à son cabinet et à ses électeurs qu'il avait annulé l'invasion parce que l'allié le plus puissant d'Israël l'avait supplié de le faire ? Ou bien tirait-il une satisfaction personnelle du fait d'imposer des contorsions au président ? Quoi qu'il en soit, si c'était nécessaire pour sceller l'accord, il fallait le faire.

Pendant ce temps, mon équipe regardait nerveusement les pendules. C'était la veille de Thanksgiving et, au Caire, il était 18 heures passées. Le repos réglementaire de notre équipe de vol allait bientôt commencer, ce qui voulait dire que nous ne pourrions pas décoller avant le lendemain. Mais si nous partions rapidement, nous serions peut-être rentrés à temps pour que tout le monde puisse passer les fêtes en famille. Au moindre incident, nous aurions bien droit à la traditionnelle dinde, mais ce serait celle de la célèbre salade taco de l'Air Force. Bien sûr, ce n'était pas la première fois que les folles exigences de la diplomatie internationale menaçaient nos vacances, et personne dans mon équipe ne se plaignait ; ils voulaient simplement réussir cette mission.

Enfin, toutes les pièces du puzzle ont été réunies, les coups de fil ont été passés et nous avons reçu le feu vert de Jérusalem et de Washington. Essam al-Haddad, le conseiller à la sécurité nationale de Morsi, a remercié Dieu à genoux. Amr, le ministre des Affaires étrangères, et moi sommes descendus pour une conférence de presse. La salle était pleine à craquer. Nous avons annoncé que nous étions parvenus à un accord de cessez-le-feu. C'était le chaos absolu, l'émotion était très vive. Amr a évoqué la « responsabilité historique de l'Égypte envers la cause palestinienne » ainsi que sa « ferme volonté de mettre fin au bain de sang » et de protéger la stabilité de la région. Jamais le nouveau gouvernement des Frères musulmans n'aurait autant de crédibilité que ce jour-là. J'ai remercié le président Morsi pour sa médiation et me suis félicitée de cet accord, mais j'ai déclaré : « Rien ne peut remplacer une paix durable et juste » qui « ferait progresser la sécurité, la dignité et les aspirations légitimes des Palestiniens et des Israéliens ». Il nous restait beaucoup de pain sur la planche. J'ai ajouté que, « dans les jours à venir, les États-Unis collaboreraient avec leurs partenaires dans la région pour consolider ces progrès, améliorer les conditions de vie du peuple de Gaza et renforcer la sécurité du peuple d'Israël ».

Alors que notre convoi filait dans les rues du Caire cette nuit-là, je me suis demandé combien de temps – ou même si – le cessez-le-feu allait tenir. La région avait connu de si nombreux cycles de violence et tant d'espoirs déçus. Il suffisait de quelques extrémistes et d'un lance-roquettes pour raviver le conflit. Les deux parties devraient travailler dur pour maintenir la paix. Et, même si elles y parvenaient, il restait encore à régler dans les jours à venir de nombreuses questions difficiles que nous avions laissées de côté dans notre accord. Je risquais fort d'être bientôt de retour pour tenter de recoller les morceaux.

Comme convenu, à 21 heures le ciel de Gaza s'est apaisé. Dans les rues, en revanche, des centaines de Palestiniens faisaient la fête. Les dirigeants du Hamas, qui venaient d'éviter de justesse une nouvelle invasion israélienne dévastatrice, criaient victoire. En Israël, Netanyahou, la mine sombre, a déclaré qu'il était encore « très possible » qu'il soit obligé de lancer « une opération militaire beaucoup plus virulente » si le cessez-le-feu n'était pas respecté. Pourtant, malgré ces réactions contrastées, il me semblait que les deux résultats stratégiques essentiels du conflit étaient plutôt de bon augure pour Israël. D'abord, du moins pour l'instant, l'Égypte restait un partenaire pour la paix, ce dont on avait pu sérieusement douter depuis la chute de Moubarak. Ensuite, le succès du Dôme de fer face aux roquettes palestiniennes avait renforcé la « supériorité militaire qualitative » des Israéliens et révélé la futilité des menaces guerrières du Hamas.

Une fois dans l'avion, j'ai demandé à Jake si l'accord tenait toujours. Je ne plaisantais qu'à moitié. Il m'a répondu que oui, et je me suis installée pour le long voyage de retour.

Finalement, le cessez-le-feu a bien mieux tenu que nous ne l'imaginions. En 2013, Israël a connu son année la plus calme depuis dix ans. Plus tard, un haut responsable israélien m'a confié que son gouvernement avait été à quarante-huit heures de déclencher l'invasion terrestre de Gaza et que mon intervention diplomatique avait été le seul obstacle à une confrontation encore plus explosive. Bien sûr, je continue de penser que, sur le long terme, rien ne garantira mieux la sécurité d'Israël en tant qu'État juif et démocratique qu'une paix globale, sur la base du principe « deux États pour deux peuples ».

SIXIÈME PARTIE

L'avenir que nous voulons

Chapitre 21

Le changement climatique : nous sommes tous dans le même bateau

« Non ! non ! non ! » disait le chef de la sécurité chinoise, agitant les bras en travers de la porte. Le président des États-Unis allait faire irruption dans une réunion secrète du Premier ministre chinois, et il n'y avait aucune chance de l'en empêcher.

Quand on est un haut responsable représentant les États-Unis à l'étranger, le moindre de vos déplacements est soigneusement orchestré ; les portes s'ouvrent sur votre passage. Alors, imaginez un président ou une secrétaire d'État ! On s'habitue à fendre des centres-villes engorgés dans un convoi, à contourner les douanes et la sécurité dans les aéroports et à n'avoir jamais à attendre un ascenseur. Mais, parfois, les protocoles s'enraient, la diplomatie se débraille. Il faut alors improviser. Ce fut le cas ce jour-là.

Le président Obama et moi-même cherchions Wen Jiabao, le Premier ministre, au milieu de la grande Conférence internationale sur le climat de Copenhague, au Danemark. En décembre 2009, cette ville charmante était froide, sombre, et l'atmosphère y était extraordinairement tendue. Nous savions que, si nous voulions parvenir à un accord significatif sur le changement climatique, les dirigeants des pays émettant le plus de gaz à effet de serre – en premier lieu la Chine et les États-Unis – devaient se réunir et négocier un compromis. Les choix et marchandages qui nous attendaient étaient difficiles. De nouvelles technologies d'énergie propre et davantage d'économies d'énergie pouvaient nous permettre de réduire les émissions tout en créant des emplois et en ouvrant de nouveaux secteurs industriels excitants, et même d'aider les pays émergents à dépasser rapidement les phases les plus polluantes de leur développement industriel. Mais nous savions bien que combattre le changement climatique allait représenter un véritable défi politique à l'heure où le monde était déjà secoué par une crise financière globale. Nos économies fonctionnent principalement aux énergies fossiles. Changer cela nécessitait un leadership courageux et une coopération internationale.

Or les Chinois nous évitaient. Pis encore : nous avons appris que Wen avait organisé une réunion « secrète » avec les Indiens, les Brésiliens et les Sud-Africains afin de bloquer, ou du moins d'édulcorer, le type d'accord défendu par les États-Unis. Comme les dirigeants de ces pays étaient tous introuvables, nous avons compris que quelque chose se tramait et nous avons demandé à des membres de notre équipe de quadriller le centre de conférence. Ils ont finalement découvert le lieu de la réunion.

Après avoir échangé un regard – « Tu penses ce que je pense ? » –, le président et moi-même nous sommes lancés dans le long couloir du gigantesque centre des congrès scandinave, escortés par une cohorte d'experts et de conseillers qui avaient du mal à nous suivre. Après coup, nous avons ri de ce « convoi » piéton, mais sur le moment j'étais concentrée sur le défi politique qui nous attendait au bout du couloir. Nous voilà donc partis, montant les escaliers quatre à quatre, rencontrant des responsables chinois étonnés qui tentaient de faire diversion en nous orientant dans la direction opposée. Nous ne nous sommes pas démontés. *Newsweek* nous a décrits plus tard comme « les Starsky et Hutch de la politique ».

Quand nous sommes arrivés devant la salle de réunion, il y a eu une mêlée d'assistants en colère et d'agents de sécurité. Robert Gibbs, l'attaché de presse de la Maison-Blanche, s'est retrouvé enchevêtré à un agent chinois. Au milieu de toute cette agitation, le président s'est glissé par la porte et a crié : « Hé ! monsieur le Premier ministre ! » – si fort qu'il a attiré l'attention de tout le monde. Les agents de sécurité chinois ont de nouveau tenté de bloquer la porte avec leurs bras, mais j'ai réussi à entrer en me faufilant en dessous.

Dans une salle de réunion de fortune dont les baies vitrées avaient été tendues de draps pour se protéger des regards indiscrets, nous avons trouvé Wen, coincé entre le Premier ministre indien, Manmohan Singh, le président brésilien, Luiz Inácio Lula da Silva, et le président sud-africain, Jacob Zuma. Tous ont écarquillé les yeux en nous voyant débarquer.

« Vous êtes prêts ? » a lancé le président Obama avec un grand sourire. À présent, les vraies négociations pouvaient commencer.

LE CHANGEMENT CLIMATIQUE

*

* *

Ce moment avait nécessité une année de préparation. En 2008, durant nos campagnes respectives, le sénateur Obama et moi avions souligné que le changement climatique était un défi urgent pour notre pays et pour le monde. Nous avons proposé des solutions pour faire baisser les émissions, améliorer l'efficacité énergétique et développer les technologies d'énergie propre. Nous avons essayé d'être honnêtes avec le peuple américain à propos de la difficulté des engagements à venir, tout en évitant d'opposer à tort économie et environnement.

N'en déplaise aux sceptiques, les problèmes posés par le réchauffement climatique étaient évidents. Il existait une montagne de données scientifiques accablantes sur les effets néfastes du dioxyde de carbone, du méthane et des autres gaz à effet de serre. Treize des quatorze années les plus chaudes depuis qu'on collecte des statistiques ont été recensées après 2000. Le nombre de phénomènes météorologiques extrêmes comme les inondations, les incendies, les vagues de chaleur et les sécheresses augmente sensiblement. Si cela continue, des défis supplémentaires vont émerger : des déplacements de populations, des rivalités accrues autour de ressources rares comme l'eau douce, et une déstabilisation des États fragiles.

Une fois au gouvernement, le président Obama et moi sommes convenus que le réchauffement climatique était une réelle menace pour la sécurité nationale et un vrai défi pour le leadership américain. Nous savions que les Nations unies allaient organiser une grande conférence sur le climat à la fin de notre première année à la tête du pays ; ce serait l'occasion de lancer une vaste dynamique d'action internationale. Nous avons donc entamé un travail préparatoire.

Cette démarche s'inscrivait dans une vision plus large : nous devions changer notre façon d'aborder la politique internationale. Durant la guerre froide, les secrétaires d'État se concentraient exclusivement sur les problèmes liés à la guerre et à la paix, comme le contrôle des armes nucléaires. Au XXIe siècle, nous devons également prêter attention aux défis émergents et globaux qui nous affectent tous dans ce monde interdépendant : maladies pandémiques, contagion financière, terrorisme international, réseaux criminels transnationaux, trafic d'espèces sauvages et d'êtres humains – et, bien sûr, le changement climatique.

L'offensive sur le front intérieur a démarré dès 2009, lorsque la nouvelle administration Obama a commencé à travailler avec le Congrès sur l'ambitieuse législation de « plafonnement et échange » qui devait créer un marché des droits d'émission de carbone pour permettre de leur fixer un prix, de les acheter et de les vendre, tout en menant des actions directes grâce à des agences fédérales comme l'EPA[1] et en faisant voter une loi qui inciterait à produire davantage d'énergie solaire et éolienne. Nous étions très excités quand la Chambre, en juin, grâce à un élu de Californie, Henry Waxman, et à un représentant du Massachusetts, Ed Markey, a adopté le projet de loi ; mais celui-ci s'est vite enlisé au Sénat.

À l'international, nous avions aussi du pain sur la planche. Dès le départ, j'ai compris que nous devions user d'une diplomatie imaginative et persévérante pour créer un réseau de partenaires disposés à s'attaquer ensemble au problème du changement climatique. Construire ce type de coalition, alors que les choix politiques nécessaires sont si difficiles à faire, est quasi mission impossible. Le premier pas était de se rallier au processus de négociations internationales appelé Convention-cadre des Nations unies sur les changements climatiques, qui donne l'occasion à tous les pays participants de débattre de ce défi commun dans un lieu unique. Le but était de rassembler tout le monde à Copenhague en décembre 2009 et de tenter de parvenir à un accord entre pays développés et pays en développement.

Pour mener cet effort, j'avais besoin d'un négociateur expérimenté, doté d'une grande expertise dans les domaines de l'énergie et du climat. J'ai donc demandé à Todd Stern d'accepter le poste d'envoyé spécial sur le changement climatique. Je le connaissais depuis 1990, lorsqu'il négociait les accords de Kyoto – défendus par le vice-président Al Gore et signés par Bill, mais jamais ratifiés par le Sénat. Sous des abords placides, Todd est un diplomate passionné et tenace. Durant les années Bush, il a travaillé assidûment sur les problèmes d'énergie et de climat au Center for American Progress[2]. À présent, il allait devoir mobiliser toutes ses compétences pour persuader des nations réticentes de se joindre à la table des négociations et de parvenir à un compromis. Je voulais lui donner une bonne longueur d'avance : je l'ai donc emmené avec moi lors de mon premier voyage en Asie.

---

1. Environmental Protection Agency : l'Agence de protection de l'environnement des États-Unis.
2. Institut de réflexion progressiste basé à Washington.

Si nous n'arrivions pas à convaincre la Chine, le Japon, la Corée du Sud et l'Indonésie d'adopter de meilleures politiques sur le climat, il serait presque impossible d'aboutir à un accord international crédible.

À Pékin, Todd et moi avons visité la centrale thermique Taiyang-gong, qui n'utilise qu'un tiers de l'eau nécessaire à une centrale au charbon tout en émettant deux fois moins de dioxyde de carbone. Après avoir jeté un œil aux turbines ultra-modernes fabriquées par General Electric, j'ai parlé à des auditeurs chinois des opportunités économiques offertes par la lutte contre le changement climatique. Leur gouvernement avait commencé à investir massivement dans l'énergie propre, en particulier le solaire et l'éolien, mais il refusait de s'engager sur un accord international concernant les émissions. À cette occasion et par la suite, Todd a passé de nombreuses heures à tenter de le faire changer d'avis.

Notre intérêt précoce pour la Chine n'était pas dû au hasard. L'incroyable croissance économique de ce pays durant la dernière décennie l'a rapidement placé en tête des émetteurs de gaz à effet de serre. (Les officiels chinois sont toujours prompts à rappeler que leur taux d'émission par habitant reste beaucoup plus faible que celui des pays industrialisés, et des États-Unis en particulier – mais ils nous rattrapent vite sur ce plan-là également.) La Chine est aussi le membre le plus grand et le plus influent d'un nouveau groupe de puissances mondiales qui comprend aussi le Brésil, l'Inde, l'Indonésie, la Turquie et l'Afrique du Sud. Leur ascension sur la scène internationale doit plus à leurs économies en expansion qu'à leur force militaire, et leur coopération serait indispensable pour parvenir à un accord mondial.

Tous ces pays, chacun à sa façon, se débattaient avec les conséquences de leur montée en puissance et en influence. La Chine, par exemple, a fait sortir des centaines de millions de personnes de la pauvreté depuis que Deng Xiaoping l'a ouverte sur le monde en 1978. Néanmoins, en 2009, 100 millions d'habitants vivaient encore avec moins de 1 dollar par jour. Le parti communiste, qui s'était engagé à augmenter les salaires et à réduire la pauvreté, comptait pour cela s'appuyer sur la croissance de la production industrielle, ce qui créait un profond dilemme. La Chine pouvait-elle combattre le changement climatique alors qu'une grande partie de sa population souffrait toujours de la pauvreté ? Pouvait-elle emprunter un nouveau chemin de développement en misant sur les énergies propres tout en diminuant la pauvreté ? Ce n'était pas le seul pays où le problème se posait.

Les gouvernants des États où la misère et les inégalités sont très fortes, on le comprend, se disent qu'ils ne peuvent pas se permettre de freiner la croissance pour la simple raison que d'autres puissances industrielles, aux XIXe et XXe siècles, ont trop pollué la planète pour s'enrichir. Si l'Inde avait la possibilité d'améliorer les conditions de vie de millions de ses citoyens en accélérant sa croissance industrielle, comment pourrait-elle s'abstenir de le faire ? Bref, ces pays étaient-ils d'accord pour prendre part à la lutte contre le changement climatique alors qu'ils ne l'avaient pas eux-mêmes causé ? La réponse à cette question serait la clé de la réussite ou de l'échec de notre diplomatie.

C'est ce que Todd et moi avions en tête au cours de notre voyage en Inde à l'été 2009. Après nous avoir fait visiter l'un des immeubles les plus éco-responsables de Delhi et m'avoir offert une guirlande de fleurs, le ministre de l'Environnement Jairam Ramesh nous a surpris lors de son discours public en nous lançant un défi rhétorique. Il a déclaré que la responsabilité de prendre des mesures pour combattre le changement climatique incombait à des pays riches comme les États-Unis, et non à des pays émergents comme l'Inde, qui avaient des défis intérieurs plus urgents à relever. Au cours de nos conversations privées, Ramesh nous a répété que les émissions de l'Inde par habitant étaient plus faibles que celles des pays développés ; il n'y avait donc aucune raison légitime, selon lui, de mettre le gouvernement indien sous pression à l'approche de Copenhague.

Pourtant, on ne pouvait nier qu'il serait impossible de stopper la hausse des températures si les pays à croissance rapide refusaient de changer les règles et continuaient d'envoyer des doses massives de carbone dans l'atmosphère. À supposer que les États-Unis réduisent leurs émissions à zéro dès demain, le volume total de gaz à effet de serre resterait très supérieur à celui requis si la Chine, l'Inde et d'autres pays n'arrivaient pas à maîtriser les leurs. De plus, les populations pauvres que le ministre indien disait vouloir aider seraient justement les plus vulnérables aux effets du changement climatique. Dans ma réponse, j'ai garanti que les États-Unis apporteraient leur contribution au développement des énergies propres : celles-ci conduiraient à la croissance économique et combattraient la pauvreté tout en réduisant les émissions. Mais j'ai souligné qu'il était crucial pour le monde entier de considérer cette entreprise comme une mission et une responsabilité communes. Ce débat allait se poursuivre dans les mois qui suivraient ; il définirait les positions respectives des pays réunis à Copenhague pour la conférence des Nations unies sur le climat au mois de décembre de cette année-là, et provoquerait la réunion secrète à laquelle le président et moi allions nous inviter.

*
* *

Copenhague est une ville très pittoresque, pleine de rues pavées et de parcs. Mais quand je suis arrivée en plein cœur de l'hiver, dans le tourbillon d'une tempête de neige, le 17 décembre 2009 vers 3 heures du matin, il faisait un froid de canard, et les négociations étaient elles aussi complètement gelées. Dans deux jours, cette conférence serait terminée, et il semblait que le monde était sur le point de laisser cette occasion d'agir lui filer entre les doigts.

D'un côté, il y avait les puissances émergentes, que je commençais à considérer plutôt comme des « pollueurs émergents » compte tenu de leur participation croissante aux émissions de dioxyde de carbone. La plupart d'entre elles cherchaient à éviter de s'engager dans un accord qui limiterait leur croissance. De l'autre côté, les Européens espéraient prolonger le protocole de Kyoto, qui était très restrictif pour les pays riches, mais donnait carte blanche aux grands États en développement, comme l'Inde et la Chine. Beaucoup de pays petits ou pauvres, notamment les nations insulaires, voulaient à tout prix un accord qui leur permettrait d'écarter, ou au moins d'atténuer, les effets du changement climatique dont ils souffraient déjà.

Les États-Unis préconisaient une issue que nous jugions réaliste : un accord diplomatique approuvé par les chefs d'État (plutôt qu'un traité juridique ratifié par les parlements et imposé par la loi) qui obligerait tous les pays, développés et émergents, à faire des efforts pour diminuer substantiellement leurs émissions de carbone et à rendre compte de leurs progrès de façon transparente. Rien de tout cela n'avait jamais été fait. Nous n'espérions pas que tous les pays seraient également efficaces, ou qu'ils réduiraient leurs émissions dans les mêmes proportions, mais nous recherchions un accord qui demanderait à chaque pays d'assumer une part de responsabilité dans la réduction des émissions.

À Copenhague, une de mes premières initiatives fut de rencontrer l'Alliance des petits États insulaires. Au cours du XXe siècle, la hausse du niveau de la mer a été estimée à 17 centimètres. Mais la fonte de la calotte glacière arctique l'accélère, ce qui compromet jusqu'à l'existence de ces petits pays. En 2012, lors de ma visite aux îles

Cook pour une réunion du Forum des îles du Pacifique, les chefs d'État m'ont déclaré que le changement climatique était le seul danger immédiat menaçant leurs pays.

Les îles et les pays de basses terres sont en première ligne, mais les autres ne sont pas loin derrière. Environ 40 % de l'humanité vit à moins de 100 kilomètres des côtes. Les villes tentaculaires aux abords de deltas comme ceux du Mississippi, du Nil, du Gange ou du Mékong sont particulièrement exposées. Il faut se projeter un peu dans le futur et se demander ce qui va se passer si le niveau de la mer continue de s'élever. Que vont devenir ces milliards de personnes si leurs maisons et leurs villes deviennent inhabitables ? Où vont-elles aller ? Qui leur portera secours ? Imaginez la violence que pourraient entraîner des sécheresses plus terribles que celles que nous connaissons déjà, ou de graves pénuries d'eau et de nourriture dans des États fragiles. Si les fermes et les infrastructures sont détruites par des ouragans ou des inondations, quel va être l'impact sur le commerce mondial ? Si le fossé entre les riches et les pauvres se creuse davantage, quels vont être les effets sur les échanges internationaux et sur la stabilité ? Quand, à Copenhague, j'ai rencontré le Premier ministre éthiopien, Meles Zenawi, qui s'était fait le porte-parole de certains des pays les plus vulnérables au changement climatique et les moins capables d'y faire face, il m'a dit que le monde attendait beaucoup de nous et que c'était le moment pour l'Amérique de prendre les rênes.

Malgré les grands espoirs que nous avions placés dans cette conférence, et peut-être dans une certaine mesure à cause d'eux, les choses se sont d'emblée mal passées. Il y a eu des confrontations d'intérêts, les nerfs étaient à vif, et tout compromis a vite paru hors d'atteinte. Il fallait changer de dynamique. Dès le matin du 17 décembre, j'ai donc convoqué une conférence de presse. Notre équipe sur place a trouvé une grande salle avec des gradins et, quand je suis arrivée, des centaines de journalistes venus du monde entier s'étaient réunis là, impatients d'entendre le moindre indice d'une possible sortie de l'impasse. J'ai annoncé à l'assistance que les États-Unis étaient prêts à prendre la tête d'un effort collectif des pays développés pour rassembler 100 milliards de dollars par an de fonds publics et privés, à partir de 2020, afin d'aider les nations les plus pauvres et les plus vulnérables à atténuer les effets du changement climatique – à condition que nous parvenions également à un accord général sur la limitation des émissions.

L'idée venait des Européens, plus précisément du Premier ministre britannique, Gordon Brown, qui avait fait une proposition similaire pendant l'été. Avant mon arrivée à Copenhague, Todd et Mike Froman, conseiller adjoint à la Sécurité nationale, m'avaient suggéré de la garder sous le coude pour le cas où il faudrait relancer les négociations. En offrant un engagement concret, j'espérais apporter un nouveau souffle aux débats, obliger la Chine et les autres pollueurs émergents à réagir, et gagner le soutien des pays en développement qui avaient besoin de cette aide. Les journalistes et délégués ont immédiatement réagi : la plupart d'entre eux étaient ravis. Le Premier ministre danois a noté ce changement d'ambiance : « Les négociateurs sentent que c'est le moment de se mettre au travail. Nous devons nous assouplir et essayer de notre mieux d'obtenir de vrais compromis. »

Mais l'optimisme est vite retombé. L'impasse fondamentale demeurait. Cette nuit-là, le président Obama n'étant pas encore sur place, j'ai retrouvé les autres dirigeants mondiaux dans une petite pièce surchauffée pour un débat houleux qui s'est prolongé très tard. Les Chinois ne reculaient pas d'un millimètre, pas plus que les Indiens et les Brésiliens. Certains Européens oubliaient que le mieux est l'ennemi du bien – et du possible. Nous sommes sortis fatigués et frustrés vers 2 heures du matin, toujours sans accord. Les présidents et Premiers ministres affamés et épuisés se sont précipités vers la sortie pour se retrouver face à un énorme embouteillage de voitures officielles et de sécurité. Nous sommes restés plantés là, dans la file d'attente de taxis la plus improbable du monde. Nous commencions vraiment à perdre patience. Jusque-là, aucune conférence sur le climat n'avait rassemblé autant de chefs d'État et de gouvernement, et pourtant nous n'avions encore abouti à rien de concret. Finalement, à bout, Nicolas Sarkozy, le président français, a levé les yeux au ciel et déclaré en anglais : « Je veux mourir ! » Nous comprenions tous ce qu'il voulait dire.

*

* *

Parfois, un nouveau jour se lève et tout peut changer. Assise à côté du président Obama, dans la petite réunion de chefs d'État où nous nous étions invités de force, j'espérais que nous allions arriver à quelque chose. J'ai observé Wen Jiabao, puis les dirigeants de l'Inde, du Brésil et de l'Afrique du Sud. Ils représentaient environ 40 % de la population de la planète, et leur présence à cette table était le symbole d'un profond changement dans la répartition de l'influence dans le monde. Des pays qui, il y a quelques dizaines d'années, étaient des acteurs de second rang dans les affaires internationales prenaient à présent des décisions cruciales.

À observer le langage corporel de ces chefs d'État, je me réjouissais que le président Obama ait décidé de venir au Danemark. Il était prévu qu'il atterrisse à Copenhague le vendredi matin, dernier jour de la conférence. Nous espérions parvenir à un compromis avant son arrivée, mais les négociations au point mort avaient rendu la chose impossible. À la Maison-Blanche, ses conseillers étaient de plus en plus tendus : avec des discussions à ce point bloquées, cela valait-il même la peine que le président se déplace ? C'est une autre de ces situations où il m'a paru qu'il valait mieux « être surpris en train d'essayer ». J'ai appelé le président Obama pour lui dire que je pensais que sa présence pouvait donner l'impulsion nécessaire pour sortir de l'impasse. Il s'est dit d'accord, et bientôt l'Air Force One se posait sur le sol gelé de Copenhague.

Nous en étions donc là, engagés dans un ultime effort. Si les nations s'accordaient pour diminuer leurs émissions, comment allait-on contrôler et imposer ces engagements ? C'était l'un des points de friction. Les Chinois, toujours allergiques aux inspecteurs étrangers, refusaient les obligations d'information trop contraignantes et les mécanismes sérieux de vérification. Les Indiens étaient plus souples. Leur Premier ministre, Manmohan Singh, repoussait en douceur les objections des Chinois. Jacob Zuma, le président sud-africain, qui avait été l'un de nos critiques les plus virulents lors des premières réunions, se montrait également plus constructif et conciliant.

Dans la salle, nous avons senti que le vent tournait, et nous n'étions pas les seuls. Au cours d'un épisode surprenant, un des membres de la délégation chinoise – un diplomate talentueux avec qui nous avions toujours eu des rapports très cordiaux – s'est bruyamment emporté contre son Premier ministre, bien plus élevé que lui dans la hiérarchie. L'idée qu'un accord était à portée de main semblait beaucoup le perturber. Wen, embarrassé, a prié son interprète de ne pas traduire. Tentant de remettre la réunion sur les rails, le président Obama, avec son calme habituel, a demandé à Wen ce que le diplomate chinois avait dit. « Rien d'important », nous a-t-il répondu.

Au bout du compte, à force de persuasion, de débats et de compromis, les chefs d'État présents sont parvenus à un accord qui, s'il était loin d'être parfait, a cependant évité la débâcle et nous a mis sur la voie de progrès futurs. Pour la première fois, les principales puissances économiques, développées et émergentes réunies, ont accepté de s'engager ensemble pour faire baisser les taux d'émission d'ici à 2020 et de rendre compte de leurs progrès de façon transparente. Le monde commençait à dépasser l'opposition entre pays développés et pays en développement qui avait défini les accords de Kyoto. C'était une base sur laquelle nous pourrions construire.

Voilà ce que nous avons ensuite rapporté à nos amis européens. Tassés dans une autre salle exiguë, Brown, Sarkozy, Angela Merkel (Allemagne), Fredrik Reinfeldt (Suède), Lars Rasmussen (Danemark) et José Manuel Barroso, de la Commission européenne, ont écouté attentivement le président Obama. Ils voulaient que Copenhague débouche sur un traité juridique et n'approuvaient pas notre compromis. Malgré tout, ils ont accepté de le soutenir, puisqu'il n'existait aucune autre solution viable. Les Européens avaient raison : nous n'avions pas atteint tous nos objectifs à Copenhague. Mais c'est bien là, par définition, ce qu'implique un compromis.

Dans les mois qui ont suivi, des dizaines de pays ont effectivement proposé des projets de limitation des émissions. Il semble qu'ils soient en train d'essayer de les mettre en œuvre. Nous avons continué à travailler sur cette base durant les quatre années suivantes, à Cancún, Durban et Doha. Tout cela doit déboucher sur une réunion à Paris en 2015, avec l'espoir de parvenir à un nouvel accord vigoureux, applicable à tous.

*

* *

Après Copenhague, j'ai cherché des solutions pour continuer à avancer, même si l'opposition politique au Congrès ainsi que nos désaccords avec la Chine et d'autres pays rendaient difficilement réalisables le genre de réformes radicales nécessaires pour combattre le changement climatique. Lorsque j'étais petite fille dans l'Illinois, j'ai beaucoup joué au *softball*[1], et j'ai retenu cette leçon : si l'on ne tente que des *home run*[2], on a plus de chances de perdre la balle,

---

1. Version adoucie du base-ball.
2. Au *softball* comme au base-ball, le *home run* ou « coup de circuit » consiste à faire d'un seul coup le tour de toutes les bases.

alors qu'en avançant d'une ou deux bases à la fois, même sans courir, on arrive peu à peu à un résultat encore meilleur.

C'est l'idée que j'avais en tête, en février 2012, quand j'ai annoncé la Coalition pour le climat et l'air pur, qui avait pour objectif la réduction de ce qu'on appelle les super-polluants. Plus de 30 % de la pollution est due à ces particules, dont font partie le méthane, le carbone noir et les hydrofluorocarbures (HFC), qui sont produites entre autres par les déchets d'origine animale, les décharges urbaines, les climatiseurs, les brûlis, les feux de cuisson, la production de pétrole et de gaz. Ces polluants sont aussi à l'origine de graves problèmes respiratoires. La bonne nouvelle, c'est que ces gaz à effet de serre se dissolvent plus rapidement dans l'atmosphère que le dioxyde de carbone ; un effort énergique pour les réduire pourrait donc ralentir plus fortement le rythme du changement climatique. Selon une étude, « une diminution nette des émissions de polluants à courte durée de vie à partir de 2015 pourrait contrebalancer jusqu'à 50 % de la hausse des températures d'ici à 2050 ».

Cela laisserait au monde un temps précieux pour développer les nouvelles technologies et mobiliser la volonté politique nécessaire pour s'attaquer aux problèmes plus graves que pose le carbone. J'ai donc commencé à discuter de solutions possibles avec des pays partageant cette vision, en particulier les Scandinaves. Nous avons décidé de créer un partenariat public-privé composé d'États, d'entreprises, de scientifiques et de fondations. J'ai organisé une réunion au département d'État pour lancer la Coalition pour le climat et l'air pur, avec les ministres de l'Environnement du Bangladesh, du Canada, du Mexique, de la Suède, l'ambassadeur du Ghana et Lisa Jackson, l'administratrice de l'EPA. En 2014, on dénombre trente-sept pays partenaires et quarante-quatre partenaires non étatiques ; la Coalition fait de grands progrès dans la réduction des émissions de méthane causées par la production de pétrole et de gaz, ainsi que de celles de carbone noir, dues entre autres aux vapeurs de diesel. Améliorer la gestion des déchets dans certaines villes, du Nigeria à la Malaisie, réduire les émissions de carbone noir des briqueteries en Colombie et au Mexique, limiter les émissions de méthane au Bangladesh et au Ghana : ce sont des initiatives qui peuvent passer inaperçues. Pourtant, des avancées comme celles-là font une différence dans la lutte mondiale contre le réchauffement climatique.

Un de mes partenaires dans cet effort a été le ministre norvégien des Affaires étrangères, Jonas Gahr Støre. Il m'a invitée à visiter son pays pour constater les premiers effets du changement climatique sur la fonte des glaciers arctiques. Je suis arrivée dans la pittoresque ville de Tromsø, située au nord du cercle polaire, en juin 2012. L'été, les températures dépassaient les 4 °C et la lumière du jour subsistait presque toute la nuit. Jonas et moi avons embarqué à bord du navire de recherche *Helmer Hanssen* pour remonter un fjord et voir de plus près la glace en train de fondre. L'air était pur et frais, c'était irréel. Les montagnes, encore presque entièrement recouvertes de neige, semblaient surgir de l'eau gelée. Jonas, d'un air inquiet, a pointé du doigt le glacier en recul. Les fontes d'été laissaient à présent dépourvues de glace certaines étendues de l'océan Arctique pendant plusieurs semaines consécutives. En fait, les glaciers reculent presque partout dans le monde – dans les Alpes, l'Himalaya, les Andes, les Rocheuses, en Alaska et en Afrique.

L'Alaska se réchauffe deux fois plus vite que le reste des États-Unis, et l'érosion, la fonte du permafrost et la montée des eaux obligent certaines communautés proches des côtes à se déplacer vers l'intérieur des terres.

En 2005, je me suis jointe au sénateur McCain et à deux autres sénateurs républicains, Lindsey Graham et Susan Collins, pour un voyage à Whitehorse, au Canada, et à Barrow, en Alaska – le point le plus septentrional des États-Unis. Nous avons rencontré des scientifiques, des dirigeants locaux et des anciens des Premières Nations pour qu'ils nous parlent des effets du changement climatique. En survolant les vastes forêts de conifères du Yukon, j'ai aperçu de grandes taches brunes : il s'agissait d'épicéas morts, tués par une invasion de scolytes qui avaient migré vers le nord à cause de la hausse des températures, en particulier pendant l'hiver. Ces arbres morts favorisent les feux de forêt, lesquels, à en croire les Canadiens, sont de plus en plus fréquents. Nous pouvions voir de la fumée monter en volutes d'un incendie tout proche.

Pratiquement tous ceux à qui j'ai parlé lors de ce voyage ont vécu une prise de conscience personnelle de ce qui se passait. Un ancien d'une tribu m'a raconté qu'il était retourné au bord d'un lac où il pêchait lorsqu'il était enfant et l'avait trouvé à sec. J'ai rencontré des personnes qui ont participé pendant toute leur vie à des courses de chiens de traîneau, et elles m'ont dit qu'à présent elles n'avaient même plus besoin de porter de gants. À Barrow, autrefois, la mer gelait jusqu'au pôle Nord à partir du mois de novembre. Aujourd'hui, les habitants nous disent qu'il n'y a plus de glace, mais de la neige fondue.

Au Kenai Fjords National Park, des gardes forestiers nous ont montré les marques du rétrécissement des glaciers. C'est devenu si grave que, depuis le centre de vacances construit quelques dizaines d'années auparavant pour permettre d'admirer la vue, on ne voyait plus la glace.

Sept ans plus tard, en Norvège, j'ai eu de nouvelles preuves de la progression constante du changement climatique. J'appréciais Jonas, et j'admirais la ferveur avec laquelle il essayait de protéger le précieux écosystème de son pays. Malheureusement, la Norvège ne pouvait pas tout faire seule. Il s'est donc lancé dans une diplomatie intensive afin de réunir toutes les puissances arctiques. Nous avons discuté de nos efforts communs au Conseil de l'Arctique, l'organisation internationale chargée de convenir des règles destinées à protéger la région. Son siège permanent se situe à présent à Tromsø. Tous les acteurs clés y sont représentés : les États-Unis, le Canada, le Danemark, la Finlande, l'Islande, la Norvège, la Russie et la Suède. Je partageais l'attachement de Jonas au Conseil et, en 2011, j'ai été la première secrétaire d'État américaine à me rendre à l'une de ses réunions officielles, qui avait lieu à Nuuk, la lointaine capitale du Groenland. Lisa Murkowski, sénatrice républicaine de l'Alaska, était l'une de mes alliées pour préconiser un engagement américain plus important dans le Conseil. Elle était du voyage, avec Ken Salazar, secrétaire à l'Intérieur, et moi. J'ai signé le premier accord international juridiquement contraignant entre les huit pays de l'Arctique : celui-ci mettait en place des missions de recherche et de secours pour les navires en détresse. C'était un début, mais avec un peu de chance cela ouvrira la voie à une future coopération sur le changement climatique, l'énergie et la sécurité.

La fonte des glaces a offert de nouvelles opportunités pour le transport et l'exploitation du pétrole en Arctique, ce qui a déclenché une foire d'empoigne autour des ressources et des droits territoriaux. Certaines réserves d'énergie pourraient être considérables. Le président russe, Vladimir Poutine, avait un œil sur la région et avait demandé à son armée de réoccuper plusieurs anciennes bases soviétiques de l'Arctique. En 2007, un sous-marin russe avait même planté un drapeau au fond de l'océan près du pôle Nord. Ces initiatives ont accru les risques d'une course aux armements dans la région ainsi que la « militarisation » des relations arctiques. Stephen Harper, le Premier ministre canadien, a déclaré que, pour « défendre [s]a souveraineté nationale » dans l'Arctique, son pays avait besoin « de troupes sur terre, de navires sur mer et d'une surveillance adaptée ». La Chine aussi désire vivement accroître son influence dans la région. Elle est intéressée par les ressources énergétiques et excitée par la perspective de nouvelles voies maritimes qui pourraient rapprocher de plusieurs milliers de kilomètres les ports de Shanghai et de Hong Kong des marchés européens. Elle a conduit plusieurs expéditions scientifiques dans l'Arctique, construit son propre centre de recherche en Norvège, augmenté ses investissements dans les pays nordiques, signé un accord avec l'Islande et obtenu un siège de conseiller au Conseil de l'Arctique.

Comment empêcher que cette nouvelle ruée vers l'or n'accable le fragile écosystème de l'Arctique et n'accélère le changement climatique ? Nous en avons discuté, Jonas et moi. L'expansion de l'activité économique était inévitable, et elle pouvait être réalisée de façon responsable, si nous étions attentifs. Mais davantage de bateaux, de forages et de forces militaires dans la région ne feraient qu'accélérer les dommages environnementaux. Imaginez une seconde les effets d'une marée noire comme celle qu'a connue le golfe du Mexique en 2010. Si nous laissons l'Arctique se transformer en Far West, nous mettons en danger la santé de la planète et notre propre sécurité.

J'espère que, dans le futur, le Conseil de l'Arctique sera capable de parvenir à un accord pour réglementer la protection et l'exploitation de la région. Ce défi ne mobilise peut-être pas l'attention publique aujourd'hui, mais c'est un des problèmes de long terme les plus graves auxquels nous ayons à faire face.

*

* *

Bien que le président Obama ait appelé à une action énergique dans son second discours d'investiture, une opposition intérieure bien ancrée continue d'entraver toute réaction globale au changement climatique. La récession nous a peut-être aidés à réduire nos émissions, mais elle a aussi rendu plus difficile la mobilisation des politiques sur ce sujet. Quand l'économie est touchée et que la population a besoin d'emplois, de nombreux autres problèmes sont éclipsés. Et la fausse dichotomie entre création d'emplois et protection de l'environnement refait surface. La transition rapide du charbon au gaz naturel pour produire de l'électricité a constitué une exception. Bien que la production de gaz naturel comporte d'autres risques, sa combustion génère moitié moins de gaz à effet de serre que celle du charbon, à condition qu'il n'y ait pas de fuite de méthane dans les puits. Pour tirer profit de nos vastes ressources en gaz naturel, les États et le gouvernement fédéral devront mettre en place une réglementation plus efficace, plus transparente et rigoureusement appliquée.

J'aurais aimé accomplir davantage pour combattre le changement climatique durant les quatre premières années de l'administration Obama. La perte du Congrès nous a considérablement retardés. En effet, dans son programme, la majorité républicaine, contrairement aux partis conservateurs d'autres pays, nie en bloc le changement climatique et s'oppose aux solutions même lorsqu'elles sont économiquement intéressantes. Mais il ne faut pas se laisser décourager par l'ampleur du problème et l'obstination de l'opposition. Nous devons continuer à avancer de façon fonctionnelle et pragmatique. Lors de notre rencontre à Copenhague, le Premier ministre éthiopien m'a dit que le monde comptait sur les États-Unis pour mener le combat contre le changement climatique. Je pense que c'est à la fois une responsabilité que nous devons accepter et une opportunité à saisir. Après tout, nous sommes toujours la première économie mondiale et le deuxième plus gros émetteur de dioxyde de carbone. Plus les effets du changement climatique seront graves, plus il sera important d'être à la tête du combat. Il est très probable que les innovations cruciales qui nous aideront à relever le défi – nouvelles énergies propres, techniques de piégeage du carbone, amélioration de notre efficacité énergétique – viendront de nos scientifiques et sortiront de nos laboratoires. Et changer notre mode de production et de conservation de l'énergie peut contribuer grandement à notre économie.

Malgré leur position intransigeante dans les réunions internationales, les dirigeants chinois investissent dans les énergies renouvelables sur leur territoire et commencent à lutter contre leurs problèmes environnementaux. Au fil des ans, nous avons noté parmi les Chinois une prise de conscience populaire sur les questions de pollution, de qualité de l'air et de propreté de l'eau. En janvier 2013, à Pékin et dans des dizaines d'autres grandes villes, la pollution a atteint des pics si élevés – dans la capitale, vingt-cinq fois le niveau considéré comme sûr dans les villes américaines – que les habitants ont parlé d'une « airpocalypse ». Notre ambassade a joué un rôle important en informant la population à ce sujet, notamment sur les niveaux de pollution en temps réel *via* Twitter. La situation était tellement critique que le gouvernement chinois a commencé à regarder la pollution comme une menace contre la stabilité du pays, à l'étudier et à publier ses propres évaluations sur la qualité de l'air.

En juin 2013, le président Obama et le président Xi ont signé un accord pour travailler ensemble à l'élimination des « super-polluants » et des hydrofluorocarbures – qui proviennent essentiellement des climatiseurs. C'était la première fois que les États-Unis et la Chine parvenaient à un accord pour agir contre le changement climatique sur un point précis. Si ces avancées portent leurs fruits, elles aideront peut-être à convaincre la Chine qu'une action concertée et globale sur le changement climatique est dans son intérêt à long terme. Une entente entre les États-Unis et la Chine sera essentielle pour arriver à un accord mondial.

La prochaine étape internationale importante se déroulera à Paris en 2015 : le processus entamé à Copenhague aboutira, nous l'espérons, à un nouvel accord juridique sur les émissions et leur atténuation, applicable à tous les pays du monde. Atteindre ce but ne sera pas facile, nous en avons fait l'expérience, mais nous avons là une vraie chance de progrès.

La capacité de l'Amérique à être leader sur ce terrain dépend de ce que nous sommes disposés à faire chez nous. Aucun pays ne nous suivra simplement parce que nous l'exigeons. Tous veulent que nous prenions nous-mêmes des mesures significatives – et nous devrions le vouloir aussi. L'échec de la grande loi sur le climat au Sénat en 2009 a rendu notre travail de négociation à Copenhague bien plus difficile. Pour réussir à Paris, nous devons être capables de montrer de vrais résultats sur notre territoire. Le Plan d'action pour le climat proposé par le président Obama en juin 2013 est un grand pas dans la bonne direction. Et, malgré l'impasse au Congrès, le président prend des mesures exécutives fortes. Depuis 2008, nous avons presque doublé notre production d'énergie propre – solaire, éolienne, géothermique –, amélioré l'efficacité de nos véhicules et, pour la première fois, commencé à mesurer les émissions de nos plus importantes sources de gaz à effet de serre. En 2012, les émissions de carbone des États-Unis étaient tombées à leur plus bas niveau depuis vingt ans. Toutefois, il reste beaucoup à faire. Construire un vaste consensus national sur l'urgence de la menace du changement climatique et l'impératif d'une réaction courageuse et globale ne sera pas facile, mais c'est essentiel.

Ceux qu'il faut écouter en priorité sur ces questions, ce sont les gens dont la vie et les moyens de subsistance sont le plus menacés par les bouleversements climatiques : les anciens des tribus en Alaska qui voient leurs lieux de pêche s'assécher et la terre sur laquelle sont bâtis leurs villages s'éroder ; les dirigeants des nations insulaires qui tentent de tirer la sonnette d'alarme avant que leurs maisons ne soient submergées à jamais. Il faut écouter aussi les planificateurs militaires et les analystes du renseignement qui se préparent aux conflits et aux crises que provoquera le changement climatique dans le futur, ainsi que ceux dont les familles, les entreprises, les communautés ont subi des catastrophes météorologiques. En 2009, à la conférence de Copenhague, les plaidoyers les plus convaincants ont été prononcés par les dirigeants des petites nations insulaires, confrontées à la perte de leurs territoires à cause de la montée des eaux. « Si tout continue comme avant, a dit l'un d'eux, nous n'allons pas vivre, nous allons mourir. Notre pays va disparaître. »

Chapitre 22

Emplois et énergie : égaliser le terrain

L'Algérie est un de ces pays complexes qui obligent les États-Unis à mettre en balance leurs valeurs et leurs intérêts. Elle a été un allié de poids dans la lutte contre Al-Qaida et une force stabilisatrice potentielle en Afrique du Nord alors que la Libye et le Mali sombraient dans le chaos. Mais son bilan en matière de droits de l'homme était mauvais et son économie relativement fermée.

Les États-Unis cherchaient à encourager une progression des droits de l'homme et une ouverture accrue de l'économie en Algérie, à la fois pour maintenir la coopération sécuritaire et parce que c'était juste. Quand le gouvernement algérien a décidé de lancer des appels d'offres internationaux pour construire des centrales électriques et moderniser son secteur de l'énergie, j'y ai vu une occasion de promouvoir la prospérité en Algérie et de créer des opportunités pour les entreprises américaines. General Electric était dans la course pour un contrat de plus de 2,5 milliards de dollars. On a vu trop souvent des entreprises américaines frileuses refuser d'investir sur des marchés émergents ou difficiles, et se faire piquer des contrats et des profits par des entreprises européennes ou asiatiques. Les entreprises à propriété ou à contrôle publics étaient des adversaires particulièrement coriaces. Elles jouaient selon leurs propres règles, leurs ressources étaient illimitées et elles se moquaient bien de violer les normes internationales sur les pots-de-vin et la corruption. Nous avions encore une croissance intérieure trop faible et un taux de chômage trop élevé pour nous permettre de laisser filer de belles opportunités ou de tolérer une concurrence déloyale. La décision d'entrer en lice sur le marché algérien était une initiative courageuse de la part de

General Electric, ce fleuron de l'industrie américaine ; elle pouvait rapporter des profits économiques sur notre territoire et des bénéfices stratégiques en Afrique du Nord.

En octobre 2012, je suis retournée à Alger pour inciter vivement le gouvernement à poursuivre les réformes politiques, à intensifier notre coopération sécuritaire au Mali et à prendre en considération la proposition de GE. Le président Abdelaziz Bouteflika m'a accueillie sur un tapis rouge devant le palais d'El Mouradia, une gigantesque villa blanche aux arcades mauresques. Derrière lui se tenaient des rangées de cavaliers au garde-à-vous, en pantalon vert et tunique rouge – leur costume traditionnel. Après avoir passé en revue la garde d'honneur et être entrés dans le palais, le président, âgé de 75 ans, et moi avons discuté pendant trois heures et abordé de nombreux sujets, des effets du changement climatique aux menaces posées par Al-Qaida. Je me suis aussi renseignée sur GE et, quand j'ai quitté Alger, j'étais plutôt optimiste ; l'entreprise aurait des chances équitables de remporter le contrat.

Moins d'un an plus tard, GE a effectivement été retenu pour participer à la construction de six centrales électriques au gaz naturel : celles-ci allaient augmenter d'environ 70 % la capacité de production d'électricité en Algérie. Dans les années à venir, l'entreprise va fabriquer pour ces centrales des générateurs et des turbines géantes à Schenectady, dans l'État de New York, et à Greenville, en Caroline du Sud, assurant des milliers d'emplois industriels. « Cela prouve au monde que nous sommes toujours le numéro un dans la fabrication d'équipements électriques de haute qualité », a déclaré au *Times-Union* un représentant syndical de Schenectady. Pour moi, cela confirmait également une idée qui a guidé une grande partie de notre travail au département d'État au cours des quatre années précédentes : puisque l'économie et l'énergie tiennent une place croissante au cœur de nos défis stratégiques, elles doivent aussi être au cœur de la diplomatie américaine.

Quand j'ai été nommée secrétaire d'État en 2009, je me suis surtout posé deux questions essentielles sur l'économie mondiale. Pouvions-nous maintenir ou créer de bons emplois chez nous, et accélérer notre reprise, en nous ouvrant de nouveaux marchés pour augmenter les exportations ? Et allions-nous laisser la Chine, et d'autres économies relativement fermées, continuer à réécrire les règles de l'économie mondiale, très probablement en défaveur de nos travailleurs et de nos entreprises ? Les réponses détermineraient en grande partie si l'Amérique allait garder sa place de leader économique du monde et si elle arriverait à rétablir la prospérité de son peuple.

Traditionnellement, le commerce, l'énergie et l'économie internationale ne sont pas les priorités des secrétaires d'État. Après tout, il existe un représentant au Commerce et des secrétaires au Commerce, à l'Énergie et au Trésor. Mais la crise financière a changé la donne : cette séparation est devenue impraticable. Il était clair que la puissance économique de l'Amérique et son leadership mondial allaient de pair. Nous n'aurions jamais l'un sans l'autre.

J'ai appelé nos efforts la « diplomatie de l'économie », et insisté auprès de nos diplomates pour qu'ils en fassent une priorité partout. Nous avions des représentations diplomatiques dans plus de 270 villes du monde, la plupart avec des attachés économiques en résidence. Je voulais utiliser ces ressources pour créer de nouvelles opportunités de croissance et de prospérité partagée. Pendant les quatre années qui ont suivi, nous avons combattu le protectionnisme et le mercantilisme, nous sommes intervenus en faveur des travailleurs et des entreprises américaines, nous avons cherché à attirer plus d'investissement direct étranger dans notre pays et nous avons œuvré à tirer parti de la révolution énergétique qui contribuait à dynamiser notre reprise intérieure et à restructurer le paysage stratégique mondial.

*
* *

L'Amérique travaillait depuis des décennies à créer une économie mondiale de commerce et d'investissement libres et justes, ouverts et transparents, avec des règles claires qui bénéficient à tous.

Le système commercial mondial actuel ne satisfait pas totalement à ces critères. Il est distordu, non seulement par des barrières à l'entrée dans les économies émergentes et en développement, mais aussi par la puissance d'intérêts particuliers dans les pays développés, notamment aux États-Unis. S'il est injuste que des pays interdisent l'accès de leurs marchés à nos biens et services, ou exigent, pour l'autoriser, des pots-de-vin ou le vol de notre propriété intellectuelle, il est tout aussi injuste d'utiliser nos lois sur les brevets pour refuser des médicaments génériques vitaux aux populations pauvres dans les pays à faibles revenus. (Les efforts de la Clinton Health Access Initiative pour faire baisser les prix et accroître le volume des médicaments contre le sida montrent qu'il y a des moyens de sauver des vies tout en protégeant des intérêts économiques légitimes.) Afin de rendre le commerce plus juste et plus libre, les pays en développement doivent faire mieux pour augmenter leur productivité, améliorer les conditions de travail et protéger l'environnement. Et, aux États-Unis, nous devons faire mieux pour donner de bons emplois à ceux qui les ont perdus lors des délocalisations.

En ce moment, les États-Unis sont en train de négocier des accords exhaustifs avec onze pays d'Asie et d'Amérique du Nord et du Sud, ainsi qu'avec l'Union européenne. Nous devons surtout nous efforcer de mettre fin à la manipulation des devises, à la destruction de l'environnement et aux conditions de travail misérables dans les pays en développement, et d'harmoniser les normes avec l'Union européenne. Nous devons aussi éviter certaines dispositions sollicitées par des entreprises, dont les nôtres ; par exemple, il ne faut pas leur permettre, à elles ou à leurs investisseurs, de poursuivre en justice les gouvernements d'autres pays pour affaiblir leurs lois sanitaires et environnementales, comme Philip Morris essaie déjà de le faire en Australie. Les États-Unis doivent plaider pour un terrain égal et juste, pas pour des traitements de faveur.

Ce système commercial plus ouvert – en dépit de tous ses problèmes – a fait sortir plus de gens de la pauvreté ces trente-cinq dernières années qu'à n'importe quelle autre période comparable dans l'histoire. Et nos échanges sont moins déséquilibrés lorsque nous avons des accords, comme avec le Canada ou le Mexique, que lorsque nous n'en avons pas, comme avec la Chine. L'amélioration d'un système ouvert aidera plus de gens que ne le feront jamais le capitalisme d'État, le pétrocapitalisme, la manipulation des devises et les transactions corrompues.

En attendant, j'étais déterminée à faire tout mon possible pour aider les entreprises et les travailleurs américains à saisir plus souvent les opportunités légitimes déjà disponibles. Nous nous heurtions à une forte résistance de la part des pays qui souhaitaient un système complètement différent.

La Chine était devenue la principale représentante d'un modèle économique appelé « capitalisme d'État », où des entreprises possédées ou soutenues par l'État utilisaient des fonds publics pour dominer les marchés et promouvoir des intérêts stratégiques. Le capitalisme d'État, ainsi que toute une palette de nouvelles formes d'entraves protectionnistes « appliquées après la frontière » – réglementations déloyales, discrimination contre les entreprises étrangères et transferts forcés de technologies –, menaçaient de plus en plus la capacité des entreprises américaines à agir sur des marchés essentiels. Ces pratiques étaient tout à fait contraires aux valeurs et principes que nous avions œuvré à implanter dans l'économie mondiale. Nous soutenions qu'un marché libre, ouvert, transparent et juste, avec des règles claires, bénéficierait à tous.

La Chine était la grande coupable de ces nouvelles formes de protectionnisme et de « capitalisme d'État », mais elle n'était pas la seule. En 2011, les fonds souverains, possédés et gérés par des États et souvent abondés par les revenus des exportations de gaz naturel et de pétrole, ont étendu leurs activités jusqu'à contrôler près de 12 % des investissements mondiaux. De plus en plus, les entreprises publiques ou soutenues par l'État n'opéraient plus uniquement sur leur marché intérieur, mais aussi dans le monde entier, parfois dans le secret, souvent sans la transparence et la responsabilité assurées par les réglementations et les actionnaires. Des compagnies hybrides, comme Gazprom en Russie, se faisaient passer pour des acteurs commerciaux alors qu'elles étaient en fait contrôlées par un État et visaient des objectifs stratégiques.

En tant que sénatrice, j'avais souligné que nous devions convaincre la Chine, membre de l'Organisation mondiale du commerce, « de respecter les règles du marché mondial ». Je craignais que l'administration Bush, avec sa philosophie du laisser-faire, ne réagisse pas. En 2004, j'ai été approchée par les dirigeants d'une célèbre entreprise new-yorkaise, Corning Glass ; ils faisaient face à un problème qui illustre bien les défis auxquels nous sommes confrontés. Fondée en 1851, Corning est une entreprise de fabrication de verre dont le siège est situé à Corning, dans l'État de New York. Elle a connu le succès grâce au Gorilla Glass, un verre résistant aux rayures, utilisé dans la fabrication de plus de trente-trois grandes marques de smartphones, de tablettes et de micro-ordinateurs portables, notamment les iPhone d'Apple. Elle produisait également des écrans à cristaux liquides très avancés pour les ordinateurs et les télévisions, des fibres optiques et des câbles pour l'industrie des communications, des filtres à particules pour les moteurs diesel et toute une gamme d'autres produits innovants. Elle consacrait plus de 700 millions de dollars par an à la recherche. Sa technologie et ses produits étaient si performants que ses concurrents chinois ont estimé nécessaire de disposer d'un avantage déloyal pour rester dans la course. Ils ont donc demandé à leurs amis du gouvernement chinois soit d'interdire carrément l'importation des produits de Corning sur leur territoire, soit de taxer de façon éhontée ses fibres optiques. Il y a eu aussi des tentatives flagrantes de vol de la propriété intellectuelle de la compagnie.

C'était injuste et cela menaçait l'avenir d'une entreprise qui employait des milliers de New-Yorkais. En avril 2004, j'ai invité l'ambassadeur de Chine dans mon bureau au Sénat et j'ai adressé une lettre énergique au ministre chinois du Commerce. J'ai aussi tenté par tous les moyens d'obtenir le soutien de l'administration Bush. Comme je n'arrivais pas à me faire entendre de la Maison-Blanche, j'ai soumis le problème de Corning au président Bush en personne à l'occasion de l'inauguration de la bibliothèque présidentielle de mon mari à Little Rock, dans l'Arkansas. « Une grande entreprise américaine est menacée, lui ai-je dit. Votre administration doit m'aider à trouver une solution. » Le président Bush a accepté d'examiner la question, et il l'a fait. En décembre, la Chine a supprimé ses droits de douane discriminatoires. Avec des règles du jeu équitables, les affaires de Corning ont prospéré.

D'autres entreprises américaines affrontaient des défis similaires. En octobre 2009, de nouvelles lois chinoises concernant les services postaux sont entrées en vigueur. Elles exigeaient que les entreprises de livraison exprès disposent de permis pour exercer leurs activités. On a pensé qu'il s'agissait d'un moyen pour le gouvernement chinois de développer le service de livraison exprès de la poste chinoise, contrôlée par l'État. Les principales entreprises de livraison américaines, FedEx et UPS, travaillaient en Chine depuis des années. Avant 2009, FedEx était autorisé à opérer dans cinquante-huit localités et UPS dans trente. Les deux entreprises craignaient qu'on ne leur délivre des permis très restrictifs. Nos ambassadeurs à Pékin, Jon Huntsman, puis Gary Locke (qui, en tant qu'ancien secrétaire au Commerce, mesurait toute l'importance de l'enjeu), ont discuté de la question avec le gouvernement chinois, sans succès. Fred Smith, le PDG de FedEx, m'a appelée à l'aide.

J'ai évoqué la question avec Wang Qishan, le vice-Premier ministre responsable de l'économie, que je connaissais et respectais. Le secrétaire au Commerce, John Bryson, et moi avons ensuite écrit une lettre commune. Après tous ces efforts, les Chinois ont informé FedEx qu'ils lui avaient octroyé des licences, mais seulement dans huit villes, et à peine cinq pour UPS. C'était un début, mais c'était loin d'être suffisant. J'ai envoyé un nouveau message au vice-Premier ministre Wang. Finalement, les Chinois se sont engagés à accorder de nouveaux permis dans les villes restantes sur une période intérimaire de trois ans. Au dire de notre ambassade, les officiels chinois étaient surpris que ces affaires mobilisent autant le gouvernement américain à un si haut niveau. Aujourd'hui, ces deux compagnies opèrent toujours en Chine et ont maintenu leurs activités. Les Chinois ont tenu parole et délivré les nouvelles licences, mais les deux entreprises sont toujours inquiètes quant à leur potentiel de croissance à l'avenir.

J'étais prête à continuer à me battre pour des entreprises américaines au cas par cas, mais, étant donné l'échelle du problème, nous devions voir plus grand. À l'été 2011, j'ai décidé d'annoncer clairement que les États-Unis allaient lutter pour un système économique mondial juste. Je me suis rendue à Hong Kong, îlot de capitalisme de libre entreprise rattaché à l'économie étatisée, encore en évolution, de la Chine. C'était le lieu idéal pour préconiser une égalisation du terrain et le respect d'une série de règles économiques mondiales communes. J'avais visité la ville pour la première fois dans les années 1980, alors que j'accompagnais Bill dans des missions commerciales pour promouvoir les entreprises et les exportations de l'Arkansas. Cette fois-ci, j'essayais de vendre bien plus que du soja. Je vendais le modèle américain de la liberté des marchés et des personnes. Il avait pris une bonne raclée aux yeux du monde lors de la crise financière, et beaucoup de pays réexaminaient le modèle chinois de capitalisme d'État autoritaire, qui continuait à produire sur son territoire une croissance économique impressionnante. À l'hôtel Shangri-La de Hong Kong, devant de nombreux chefs d'entreprise venus de toute la région, j'ai fait valoir mon point de vue.

« Nous devons commencer par la tâche la plus urgente, ai-je déclaré : réaligner nos économies au lendemain de la crise financière mondiale. Cela implique de suivre une stratégie plus équilibrée pour la croissance mondiale. » Les pays développés comme les États-Unis devaient produire davantage sur leur territoire et exporter plus (pour créer des emplois, relancer leur économie et ainsi favoriser la croissance dans le reste du monde), alors que les pays en développement rapide d'Asie ou d'ailleurs, qui avaient beaucoup épargné, devaient acheter davantage – et renforcer et mettre à jour leurs politiques financières et commerciales afin d'assurer un terrain plus égal et une plus grande stabilité des marchés mondiaux.

Je connaissais les défis auxquels devaient faire face les économies en développement, qui avaient encore des millions de personnes à sortir de la pauvreté. La Chine a souvent déclaré que cet impératif pesait plus lourd que l'obligation de respecter les règles internationales qui régissent les affaires, les droits des travailleurs et les droits de l'homme. Mais je rétorquais que la Chine et les autres économies émergentes avaient grandement bénéficié du système international que les États-Unis avaient contribué à mettre en place, notamment de leur participation à l'OMC, et qu'aujourd'hui elles devaient prendre leur part de responsabilité dans son maintien. De plus, c'était le meilleur moyen de garantir une croissance et une prospérité continues et de permettre à davantage de personnes vivant dans la pauvreté de se hisser jusqu'à la classe moyenne dans les pays développés et en développement.

Après tout, les industriels malaisiens voulaient accéder aux marchés extérieurs autant que leurs homologues américains. Les entreprises indiennes souhaitaient, elles aussi, un traitement égal dans leurs investissements à l'étranger. Les artistes chinois réclamaient que leurs œuvres soient protégées du vol. Toutes les sociétés qui cherchaient à développer un secteur fort de la recherche et de la technologie avaient besoin de protections de la propriété intellectuelle, car sans elles l'innovation était plus risquée et moins rentable. J'ai rejeté expressément l'idée qu'il pourrait y avoir un jeu de règles pour les grandes économies industrialisées comme les États-Unis et un autre pour les marchés émergents comme la Chine. « Le commerce mondial avec les pays en développement est assez important pour que leur exemption des règles rende le système impraticable, ai-je expliqué. Au final, cela appauvrirait tout le monde. »

Malheureusement, ce jour-là, toute l'attention se portait, non sur le commerce, mais sur l'affrontement théâtral qui se déroulait à des milliers de kilomètres de là, à Washington : il menaçait de miner mes arguments ainsi que la confiance du reste du monde dans le leadership économique américain.

À la mi-mai 2011, le gouvernement américain avait atteint son plafond d'emprunt ; le Congrès et le président devaient le relever en très peu de temps, faute de quoi ils risquaient de se retrouver en défaut de paiement sur la dette publique, ce qui aurait des conséquences catastrophiques pour le pays et pour l'économie mondiale. Malgré les enjeux élevés, c'était un problème que beaucoup avaient du mal à comprendre. De nombreux Américains s'imaginaient que le Congrès se demandait s'il allait se donner l'autorisation de dépenser beaucoup d'argent et de contracter de nouvelles dettes. Mais ce n'était absolument pas cela. La vraie question était en fait : le Congrès allait-il décider de payer des dettes qu'il avait déjà contractées dans un budget qu'il avait déjà voté ? La grande majorité des pays ne procèdent pas de cette façon et n'ont pas ce vote supplémentaire ; il était donc difficile à comprendre à l'étranger.

Quelques-uns au Congrès n'hésitaient pas à affirmer qu'il fallait refuser, pour la première fois dans l'histoire, de payer nos dettes et laisser notre pays se mettre en défaut, en dépit des conséquences que cela aurait pour l'économie mondiale, de même que pour la crédibilité et le leadership de l'Amérique. Sur tous les continents, les dirigeants étrangers se disaient très préoccupés. La Chine, qui avait investi plus de 1 000 milliards de dollars en bons d'État américains, était particulièrement nerveuse. Le journal d'État *Xinhua* faisait écho au climat général en écrivant : « Étant donné le statut des États-Unis, première économie mondiale et émetteur de la principale monnaie internationale de réserve, cette politique du bord du gouffre à Washington est dangereusement irresponsable. » Quand ce scénario s'est reproduit en 2013, les Chinois sont allés plus loin. Ils ont parlé d'un « monde désaméricanisé » et ont suggéré qu'il était temps de chercher une nouvelle monnaie de réserve, à côté du dollar. Bien sûr, comme ils comptaient parmi nos principaux créanciers, ils étaient bien placés pour rendre ce dénouement possible.

Quand je suis arrivée à Hong Kong, la crise était à son apogée. À mon réveil, le journal anglophone local titrait : « Les débats sur la dette américaine parviennent à la date limite, et les partis continuent à se battre. » Au palais du gouvernement de Hong Kong, le chef de l'exécutif, Donald Tsang, m'a accueillie avec son grand sourire et son nœud papillon habituel, mais il m'a posé les questions qui étaient sur toutes les lèvres en Asie et dans le monde : que se passe-t-il à Washington ? Peut-on toujours avoir confiance dans l'économie américaine ? Des chefs d'entreprise m'avaient posé les mêmes lors d'une réception avant mon discours.

Ma réponse, bien sûr, était oui. J'ai dit que j'étais certaine que nous allions parvenir à un accord. En privé, je croisais les doigts pour que ce soit le cas.

Cette expérience a montré combien le monde observe de près nos prises de décision internes et à quel point la puissance économique des États-Unis et leur détermination politique sont essentielles à leur leadership mondial. La solvabilité et la bonne foi[1] des États-Unis ne devraient jamais être un objet de doute ; le secrétaire d'État ne devrait

---

1. *Full faith and credit*, « pleine foi et crédit », expression utilisée en droit américain.

pas avoir à répéter que nous allons payer nos dettes pour rassurer publiquement les gens dans les autres pays. Un point, c'est tout.

Pourtant, le plus dur était à venir. J'ai traversé le pont jusqu'à la province chinoise de Shenzhen pour rencontrer mon homologue, le conseiller d'État Dai Bingguo. Les Chinois posaient sur notre dysfonctionnement politique un regard perplexe, inquiet et curieux. Bien sûr, ils ne souhaitaient pas que quelque chose de vraiment grave se produise, parce qu'ils savaient à quel point nos économies étaient liées. Mais plus les États-Unis avaient l'air paralysés, plus la Chine gagnait de la prestance aux yeux du monde. Les Chinois pouvaient dire à leurs partenaires potentiels : « Les Américains ne sont pas fiables, mais vous pouvez compter sur nous. » Dai était ravi de s'étendre sur les déboires fiscaux de l'Amérique, évoquant d'un ton moqueur notre impasse politique. Ça ne prenait pas avec moi. « Nous pourrions aussi parler pendant des heures des problèmes intérieurs de la Chine », lui ai-je répondu. J'ai quitté Dai encore plus convaincue que les États-Unis devaient rompre avec leur tendance à se tirer une balle dans le pied et remettre de l'ordre chez eux.

Malgré la comédie en cours à Washington, j'ai utilisé mon discours de Hong Kong pour prendre date au sujet de l'importance du respect d'un code de la route économique accepté au niveau mondial. Mais les belles paroles ne suffisaient pas. Dans son discours sur l'état de l'Union de 2012, le président Obama a déclaré : « Je ne vais pas rester les bras croisés si nos adversaires ne respectent pas les règles. » Déjà, son gouvernement avait porté deux fois plus de plaintes contre la Chine pour non-respect des lois commerciales que l'administration Bush. Il y aurait désormais une nouvelle unité chargée d'enquêter sur les pratiques commerciales déloyales chaque fois qu'elles menaçaient nos intérêts ou le bon fonctionnement du marché libre. Si des entreprises étrangères recevaient un financement déloyal de leur gouvernement pour leurs exportations, les États-Unis offriraient un soutien semblable à leurs compagnies.

*

* *

De nombreux emplois américains dépendaient d'un marché équitable où s'appliquent des règles claires et justes. En moyenne, un milliard de dollars d'exportations assurent de 5 000 à 5 400 emplois, mieux rémunérés (de 13 à 18 % de plus) que les postes qui ne sont pas liés à l'export. En 2010, le président Obama s'est fixé pour objectif de doubler nos exportations au cours des cinq années suivantes. Son administration a travaillé dur pour améliorer et faire ratifier des accords commerciaux avec la Corée du Sud, la Colombie et Panama qui avaient été négociés sous la présidence de George W. Bush. Elle a aussi lancé de nouvelles discussions commerciales avec de nombreux pays du bassin du Pacifique et avec l'Union européenne.

J'ai fait de la promotion de nos exportations une mission personnelle. Il arrivait souvent lors de mes voyages que je fasse l'article d'une entreprise ou d'un produit américain, comme General Electric en Algérie. Par exemple, en octobre 2009, je me suis rendue au Boeing Design Center de Moscou parce que Boeing tentait d'obtenir un contrat avec les Russes pour de nouveaux avions. J'ai expliqué que les jets Boeing fixaient les normes d'excellence mondiales, et après mon départ notre ambassade a continué le travail. En 2010, les Russes ont acheté une cinquantaine de 737 pour près de 4 milliards de dollars, ce qui s'est traduit en milliers d'emplois américains. Et nous n'intervenions pas seulement pour de grandes compagnies comme Boeing ou GE ; nous prenions aussi la défense de PME qui, partout aux États-Unis, souhaitaient se mondialiser.

Nous avons fait preuve de créativité et lancé des initiatives comme Direct Line, qui permettait à nos ambassadeurs de communiquer directement par téléphone ou visioconférence avec des chefs d'entreprise américains impatients de pénétrer sur de nouveaux marchés. Par exemple, notre ambassadeur en Espagne a organisé une réunion virtuelle avec trente entreprises pour débattre de la protection de la propriété intellectuelle, pendant que notre ambassadeur au Chili en animait une sur les opportunités créées dans ce pays par les énergies vertes.

Le département d'État a travaillé de concert avec le département du Commerce ainsi qu'avec des agents locaux ou d'État dans un programme appelé SelectUSA, lancé par le président Obama en juin 2011 afin de stimuler dans notre pays l'investissement direct étranger, qui finançait déjà plus de 5 millions d'emplois américains, dont 2 millions dans la production manufacturière. Les premiers résultats ont été encourageants. En octobre 2013, le président Obama s'est félicité de la création de 220 nouveaux emplois dans une usine de pièces automobiles fondée par une compagnie autrichienne à Cartersville, en Géorgie, et des 600 millions d'euros d'investissement de l'entreprise canadienne Bombardier à Wichita, dans le Kansas.

La diplomatie du département d'État en matière d'aviation était un outil discret, mais efficace. Durant mes quatre années en fonction, nos experts ont négocié quinze accords « ciel ouvert » avec des pays du monde entier, ce qui a porté leur nombre total à plus d'une centaine. Ces accords ouvraient de nouvelles routes aux transporteurs aériens américains. Selon une estimation indépendante, la liaison directe entre Memphis et Amsterdam rapporte 120 millions de dollars par an à l'économie du Tennessee et finance plus de 2 200 emplois locaux. Depuis qu'American Airlines a inauguré une liaison directe avec Madrid, celle-ci rapporte 100 millions de dollars par an à l'économie de Dallas-Fort Worth.

Depuis 2009, les exportations américaines ont augmenté de 50 % ; elles ont donc crû quatre fois plus vite que l'économie dans son ensemble. Les ventes à l'étranger ont contribué à hauteur de 700 milliards de dollars à notre produit total et représentent un tiers de notre croissance économique, ce qui assure environ 1,6 million d'emplois dans le secteur privé. Même si des millions d'Américains n'ont toujours pas de travail, ces résultats sont significatifs.

Nous avons consacré une grande partie de notre énergie à abaisser les barrières à l'accès des entreprises américaines, mais aussi à relever les normes des marchés étrangers en matière de droit du travail, de protection environnementale, de comportement des entreprises d'État et de propriété intellectuelle. Les entreprises américaines appliquaient déjà des normes élevées, mais ce n'était pas le cas des firmes de nombreux pays. Il fallait donc aplanir le terrain et, par la même occasion, améliorer les conditions de vie de beaucoup de personnes dans le monde. Trop longtemps, nous avons vu des entreprises quitter les États-Unis pour produire à moindre coût à l'étranger : là-bas, elles n'étaient pas obligées de payer un salaire décent à leurs employés ni de respecter les normes environnementales américaines. Le recours à la diplomatie et aux négociations commerciales pour relever les normes à l'étranger pouvait aider à changer cette logique.

L'amélioration des conditions de travail dans le monde me tenait particulièrement à cœur. Au fil des ans, j'ai rencontré des employés, dont beaucoup étaient des femmes, voire des enfants, qui travaillaient dans des conditions très difficiles. Le plus révoltant était de voir les victimes de la traite d'êtres humains et du travail forcé, lequel n'est rien d'autre qu'un esclavage moderne.

Un jour de juillet 2012, j'ai rencontré un petit groupe de travailleuses et de militantes à Siem Reap, au Cambodge ; il y avait aussi un représentant local du Solidarity Center, que l'AFL-CIO finance partiellement pour améliorer les droits des travailleurs dans le monde. Les Cambodgiennes m'ont parlé des multiples défis qu'elles devaient affronter. De trop nombreux employeurs usaient de diverses formes de coercition pour les obliger à travailler sans interruption, durant de longues heures, dans des conditions parfois dangereuses. Beaucoup d'enfants étaient toujours contraints de travailler aux champs, de cuire des briques ou de mendier dans la rue. Les gamins des campagnes faisaient l'objet d'un trafic ; on les envoyait dans des villes où ils étaient exploités sexuellement, le plus souvent par des étrangers prêts à payer des milliers de dollars pour de jeunes filles vierges ou pour s'adonner à d'autres formes de tourisme pédophile. Trop de policiers, à tous les niveaux, étaient mal formés – voire pas du tout – pour faire face à ce problème ou protéger les rescapés. De nombreux responsables des forces de l'ordre feignaient de ne rien voir ou, pis, tiraient profit de la traite.

Quand je me suis rendue à Siem Reap en 2010, j'ai visité un centre d'accueil et de rétablissement pour les victimes du trafic d'êtres humains. Il était tenu par Somaly Mam, une femme courageuse. Petite fille, elle avait été envoyée de force dans un bordel où elle avait été violée et maltraitée de façon répétée avant de parvenir à s'échapper. En 1996, elle a créé un mouvement pour porter secours aux petites filles victimes de la traite et les aider à se reconstruire, comme elle l'avait fait elle-même. En 2010, son organisation, financée en partie par le département d'État, s'occupait de trois structures au Cambodge pour protéger, soigner et réhabiliter socialement et professionnellement les victimes de la traite.

Les petites filles que j'ai rencontrées avaient l'air si jeunes que c'était un choc terrible de savoir qu'elles avaient subi des crimes si affreux. Mais j'ai remarqué que les soins et l'amour qu'elles recevaient allumaient une étincelle dans leurs yeux. Certaines m'ont fait visiter le refuge ; d'autres, plus timides, observaient avec attention toute cette agitation.

La traite d'êtres humains ne se limite pas au Cambodge ni à l'Asie du Sud-Est. Environ 30 millions de personnes dans le monde subissent cet esclavage moderne sous une forme ou une autre, qu'elles soient forcées de se prostituer, de travailler dans les champs, les usines ou sur les bateaux de pêche. Les États-Unis ne sont pas épargnés. En 2010, six « recruteurs » ont été inculpés à Hawaii pour la plus importante affaire de trafic d'êtres humains jamais jugée dans l'histoire des États-Unis. Ils avaient soumis 400 Thaïlandais au travail forcé dans une exploitation agricole en leur confisquant leur passeport et en les menaçant d'expulsion s'ils se plaignaient.

En tant que secrétaire d'État, j'ai nommé Lou CdeBaca, un ancien procureur fédéral décoré, pour intensifier nos efforts contre la traite au niveau mondial et rédiger des rapports sur l'application des lois anti-traite dans 177 pays. J'ai aussi demandé à Lou de jeter un œil à ce qui se passait dans notre propre pays, ce que le département d'État n'avait jamais fait ; je jugeais important d'être aussi exigeant envers nous-mêmes qu'envers les autres. En vertu de la loi, ces rapports déclenchaient des sanctions contre les pays qui ne faisaient pas de progrès ; ils sont donc devenus un outil diplomatique précieux pour encourager des mesures concrètes.

En plus de la traite, j'avais aussi des inquiétudes concernant les patrons peu scrupuleux, voire criminels, qui, avec la complicité et le soutien de gouvernements, exploitaient leurs ouvriers, adultes et enfants. C'est une des raisons pour lesquelles je soutiens ardemment le droit des travailleurs à se syndiquer. Aux États-Unis, après des dizaines d'années de lutte, les travailleurs ont constitué des syndicats assez forts pour protéger leurs droits et préserver leurs avantages, comme la journée de huit heures et le salaire minimum. Ces succès ont favorisé la création et le maintien de la classe moyenne américaine.

Mais, dans de nombreux pays du monde, les syndicats sont toujours réprimés et les travailleurs ont peu de droits, ou aucun. C'est injuste pour eux, et aussi pour les travailleurs américains, car cela crée une concurrence déloyale qui fait baisser les salaires pour tous. Contrairement à ce que pensent certains gouvernements et patrons, les recherches prouvent que le respect des droits des travailleurs a des conséquences positives sur l'économie à long terme ; par exemple, il favorise l'investissement direct étranger. Attirer plus de travailleurs dans l'économie officielle et leur offrir la protection qu'ils méritent a de nombreuses répercussions bénéfiques sur la société. Les inégalités déclinent et le niveau de vie augmente. On paie des impôts. Les États et les collectivités locales sont plus forts et davantage capables de répondre aux espoirs et aux aspirations de leur population. L'inverse est tout aussi vrai : refuser leurs droits aux travailleurs coûte très cher à la société en termes de productivité, d'innovation et de croissance. Cela mine l'état de droit et sème les germes de l'instabilité. Et, si les travailleurs étrangers sont trop pauvres pour acheter des produits américains, ce n'est pas bon pour nous.

En 1999, j'avais abordé ces questions dans un discours à la Sorbonne, à Paris, intitulé « La mondialisation au prochain millénaire ». Une plus grande interdépendance économique conduirait-elle à plus de croissance, de stabilité et d'innovation pour la population mondiale ? Ou bien à un nivellement par le bas pour des milliards de personnes ? Allait-elle offrir davantage d'opportunités à tous, ou profiter uniquement à ceux d'entre nous qui avaient déjà la chance de détenir les compétences adaptées à l'ère de l'information ? J'ai suggéré qu'il était temps de s'attaquer aux « pires effets du capitalisme débridé » et de « donner un visage humain à l'économie mondiale, en permettant aux travailleurs, partout, de profiter de son succès, en les dotant de la capacité d'en récolter les bénéfices », tout en offrant des « filets de sécurité sociaux aux plus vulnérables ». Dix ans plus tard, l'urgence de ces questions n'avait fait que croître.

Cela faisait très longtemps qu'il existait au département d'État un bureau dédié à la démocratie, aux droits de l'homme et au travail, mais le dernier de ces termes avait parfois été négligé. Je voulais que cela change, et Michael Posner, mon secrétaire adjoint, également. Il avait été un militant actif des droits de l'homme et avait participé à la création de la Fair Labor Association dans les années 1990. À son initiative, les États-Unis se sont investis dans des programmes de formation et des ateliers sur les normes internationales de travail s'adressant aux syndicalistes, aux employeurs et aux agents de l'État. Nous avons parrainé des échanges internationaux entre experts du travail et du syndicalisme afin qu'ils partagent leurs connaissances, aidé la police et les procureurs à s'attaquer au trafic d'êtres humains et au travail forcé, entamé de nouveaux dialogues diplomatiques avec les ministères du Travail et signé des accords bilatéraux avec des partenaires cruciaux tels que le Vietnam et la Chine pour leur offrir une assistance technique sur de nombreux problèmes, de la sécurité dans les mines aux assurances sociales.

En mai 2012, lors d'une réunion publique à Dacca, au Bangladesh, une militante syndicale m'a demandé ce que pouvaient faire les Bangladais pour améliorer les droits des travailleurs et les conditions de travail, en particulier dans le textile, en plein essor dans leur pays. « Nous sommes en butte à de nombreuses obstructions de la part de la police, d'hommes de main, de malfrats, et à de faux témoignages devant la justice, m'a-t-elle dit. Un de nos leaders, Aminul Islam, a été sauvagement assassiné. »

C'est un problème dont j'ai discuté énergiquement avec le gouvernement bangladais, car il me semblait que l'assassinat d'un responsable syndical était un vrai test pour le système judiciaire du pays et pour l'état de droit. Dans ma réponse, j'ai évoqué la question générale du droit du travail dans les pays en développement :

> Des forces puissantes s'opposent à la syndicalisation des travailleurs. Cela existe aussi chez nous. Au xixe ou au xxe siècle, lorsque les syndicats commençaient à peine à se former, il y avait des voyous, des assassinats, des révoltes, les conditions étaient terribles. Au début du xxe siècle, nous avons promulgué des lois contre le travail des enfants et les journées de travail trop longues, mais cela a pris du temps. Développer une volonté politique afin de résoudre un problème prend du temps. Vous en êtes au début, et c'est une lutte très importante. [...] Vous faites un travail essentiel. Ne vous laissez ni décourager ni intimider. Vous méritez le soutien de votre société et de votre gouvernement.

Puis j'ai expliqué les efforts que nous déployions dans le monde entier pour promouvoir le droit du travail :

> De la Colombie au Cambodge, nous avons travaillé avec des propriétaires d'usines et d'autres entreprises pour les aider à comprendre comment ils pouvaient continuer à réaliser de très beaux profits tout en traitant leurs employés correctement. [...] C'est comme cela qu'on devient un pays de classe moyenne. Les travailleurs méritent d'être traités de façon juste et d'être payés correctement. Les propriétaires des usines méritent de recevoir ce qui leur est dû, c'est-à-dire une journée de travail honnête au prix convenu. Il est possible de satisfaire ces intérêts, nous l'avons vu, et nous pouvons continuer de travailler avec vous pour y arriver.

*
* *

Un domaine où l'économie et la géopolitique se rejoignent très puissamment – et où le leadership américain est le plus nécessaire – est celui de l'énergie. Beaucoup des problèmes internationaux que j'ai dû affronter durant ces quatre années ont été causés directement ou indirectement par la soif insatiable d'énergie dans le monde – et la dynamique mouvante créée par les nouvelles sources d'approvisionnement qui se profilent. Voyez le nombre d'événements évoqués dans ce livre où l'énergie tient une place centrale : l'âpre querelle entre le Soudan et le Soudan du Sud autour du pétrole ; les revendications rivales en mer de Chine méridionale et orientale – à propos des ressources sous-marines, mais aussi du commerce en surface ; le vaste effort pour sanctionner les importations de pétrole iranien ; et, bien sûr, l'engagement international pour réduire les émissions de gaz à effet de serre et faire face au changement climatique.

L'énergie a toujours été un facteur majeur des affaires internationales, mais des faits nouveaux lui ont donné encore plus d'importance ces dernières années : en Chine, en Inde et dans d'autres marchés émergents, des économies en croissance ont engendré une nouvelle demande gigantesque ; des innovations technologiques ont ouvert des sources de pétrole et de gaz naturel jusque-là inaccessibles et rendu rentables des énergies renouvelables comme l'éolien et le solaire, ce qui a fait apparaître de nouveaux acteurs énergétiques capables de rivaliser avec les pétropuissances traditionnelles comme la Russie ou l'Arabie Saoudite ; et l'urgence de combattre le changement climatique a donné l'impulsion pour développer des alternatives propres aux énergies fossiles et augmenter l'efficacité énergétique.

La ruée vers les nouvelles sources d'énergie peut soit accroître les conflits, soit encourager la coopération dans le monde. Je pensais que, avec la stratégie et les outils adéquats, les États-Unis pourraient contribuer à orienter la planète vers la seconde option. Pour nous aider à le faire efficacement, j'ai créé au département d'État un bureau consacré à la diplomatie de l'énergie, et j'ai proposé à l'ambassadeur Carlos Pascual de le diriger. Son équipe et lui ont travaillé en lien étroit avec le département de l'Énergie, qui avait une expertise technique inestimable, mais moins de présence au niveau mondial. Notre diplomatie de l'énergie s'est concentrée sur cinq grands problèmes.

Premièrement : aider à résoudre les conflits entre des pays qui pouvaient soit revendiquer les mêmes ressources, soit être obligés de coopérer pour les utiliser. Par exemple, le Soudan du Sud possède d'immenses réserves de pétrole, alors que son voisin du Nord n'en a pas. Mais ce dernier possède des raffineries et des infrastructures de transport qui n'existent pas au Sud. Cela signifie que, malgré le conflit persistant, les deux pays doivent travailler ensemble.

Deuxièmement : décourager les pays d'utiliser leurs ressources énergétiques pour en dominer ou intimider d'autres. On en a un bel exemple lorsque la Russie menace l'Ukraine et d'autres pays européens d'augmenter outrageusement les prix du gaz naturel ou d'interrompre toute livraison.

Troisièmement : mettre en œuvre les sanctions visant l'industrie pétrolière iranienne et aider nos partenaires du monde entier à réduire sensiblement leurs importations de pétrole brut iranien et à développer de nouvelles sources ailleurs.

Quatrièmement : promouvoir les sources d'énergie propre, comme le solaire, l'éolien, l'hydroélectricité, le géothermique et le gaz naturel (qui n'est pas parfait, mais qui est plus propre que le charbon), pour nous aider à ralentir les effets du changement climatique.

Cinquièmement : prévenir ou affaiblir les effets de la « malédiction des ressources » en encourageant la transparence et la responsabilité dans les industries d'extraction, et en aidant des gouvernements partenaires à investir leurs revenus de façon responsable et à éviter la corruption. Aucun pays n'a plus souffert de la malédiction des ressources que le Nigeria. Lors de mes visites en 2009 et 2012, j'ai souligné combien il était urgent pour les Nigérians de s'attaquer à la corruption et d'investir leurs revenus en vue d'améliorer la vie de millions de gens, et non de gonfler des fortunes personnelles. Le Nigeria pourrait être un membre du G20 et exercer une influence mondiale s'il faisait le choix difficile de briser la malédiction.

Alors que nous entreprenions tous ces efforts à l'étranger, des avancées intéressantes se produisaient aussi chez nous. L'innovation américaine était en première ligne pour déverrouiller de nouvelles sources d'énergie : du pétrole ou du gaz naturel jusque-là hors d'atteinte, ou des énergies renouvelables de pointe. Selon une étude, en 2013 les États-Unis avaient dépassé l'Arabie Saoudite et la Russie comme premier producteur mondial de pétrole et de gaz. Et la production d'électricité d'origine solaire et éolienne a plus que doublé entre 2009 et 2013.

Le boom de notre production intérieure d'énergie, en particulier de gaz naturel, a engendré des opportunités économiques et stratégiques majeures pour notre pays.

L'expansion de la production d'énergie a créé des dizaines de milliers de nouveaux emplois, des forages pétroliers du Dakota du

Nord aux usines d'éoliennes de Caroline du Sud. Le gaz naturel peu onéreux et abondant a contribué à réduire les coûts des entreprises gourmandes en énergie et a donné un avantage compétitif énorme aux États-Unis sur le Japon et l'Europe, où les prix de l'énergie sont bien supérieurs. Selon les projections des chercheurs, l'ensemble des retombées de notre révolution énergétique intérieure pourraient créer 1,7 million d'emplois permanents à l'horizon 2020 et ajouter de 2 à 4 % à notre PIB annuel. Le passage au gaz naturel nous permet également de diminuer nos émissions de carbone, car il est plus propre que le charbon, et de réduire notre dépendance au pétrole étranger, nous allégeant d'un fardeau stratégique majeur. Il libère aussi des ressources énergétiques ailleurs, ce qui peut aider nos alliés européens à restreindre leur dépendance à l'égard de la Russie.

Les nouvelles pratiques d'extraction et leurs répercussions sur l'eau, les sols et l'air environnants soulèvent des préoccupations légitimes, liées au changement climatique. Les fuites de méthane dans la production et le transport du gaz naturel sont particulièrement inquiétantes. Il est donc très important de mettre en place des réglementations intelligentes et de les faire appliquer, notamment en interdisant les forages quand les risques sont trop élevés.

Si nous relevons ce défi de façon responsable et faisons les bons investissements dans les infrastructures, les technologies et la protection de l'environnement, l'Amérique pourra être la superpuissance des énergies propres au XXIᵉ siècle. Pour cela, il faut créer un environnement favorable aux innovations et aux prises de risque pour le secteur privé : des incitations fiscales ciblées, un engagement dans la recherche-développement et des politiques qui encouragent la transition vers les énergies propres renouvelables au lieu de la rendre plus difficile. Cela implique aussi d'investir dans des infrastructures d'avenir, notamment une nouvelle génération de centrales électriques pour produire de l'énergie plus propre, des réseaux plus intelligents pour la transporter plus efficacement, et des immeubles plus écologiques pour mieux l'utiliser. La Chine et d'autres pays se sont déjà lancés dans des paris ambitieux sur les énergies renouvelables. Nous ne pouvons pas nous permettre de céder la première place dans ce domaine, d'autant plus que l'innovation américaine détient la clé de la prochaine génération des progrès technologiques, et notre capacité à les mettre en œuvre sur notre territoire et notre continent est pratiquement sans limite. Notre reprise économique, nos efforts pour lutter contre le changement climatique et notre position stratégique dans le monde : tout cela s'améliorera si nous parvenons à construire un pont vers une économie d'énergie propre.

*
* *

Quand on étudie certaines de ces grandes tendances énergétiques et économiques mondiales, il est facile d'oublier à quel point elles affectent la vie quotidienne de familles et d'individus partout dans le monde. L'exemple qui m'a ouvert les yeux était simple, mais sous-estimé : les feux de cuisson. Ils posaient à la fois des problèmes énergétiques, environnementaux, économiques et de santé publique au niveau local. Et ils montraient comment une vision créative, digne du XXIᵉ siècle, de la « diplomatie du développement » peut résoudre des problèmes et améliorer les conditions de vie par des moyens surprenants.

Si vous avez déjà allumé un feu de camp ou essayé de cuisiner dehors, vous savez probablement ce que cela fait quand le vent change de direction et vous emplit les poumons de fumée noire. Cela peut vous faire monter les larmes aux yeux. Maintenant, imaginez que cela ne vous arrive pas occasionnellement à l'extérieur, mais tous les jours dans votre maison. C'est le cas pour les 3 milliards de personnes dans le monde qui se réunissent quotidiennement autour de foyers ouverts ou de cuisinières inefficaces dans de petites cuisines ou des maisons mal ventilées. Les femmes travaillent autour de ces foyers durant des heures, en portant souvent des enfants en bas âge sur leur dos, sans compter le temps passé à réunir le bois pour le feu. La nourriture est différente sur chaque continent, mais l'air respiré est partout le même : un mélange toxique d'agents chimiques dégagé par la combustion du bois ou d'autres matériaux à des doses qui peuvent dépasser jusqu'à 200 fois le plafond de sécurité de l'EPA. Tandis que les femmes cuisinent, elles respirent la fumée et les toxines les empoisonnent, elles et leurs enfants. Le carbone noir, le méthane et d'autres « super-polluants » présents dans ces fumées contribuent également au changement climatique.

Les conséquences d'une exposition quotidienne sont dévastatrices. En mars 2014, l'Organisation mondiale de la santé a révélé des informations alarmantes : la pollution à l'intérieur des maisons a provoqué 4,3 millions de morts prématurées en 2012, plus de deux fois le nombre de décès causés par la malaria et la tuberculose réunies. Ces fumées sales comptent donc parmi les pires risques sanitaires dans les pays en développement. Bien que l'humanité cuisine sur des foyers ouverts et dans des fours sales depuis le début de son histoire, nous savons aujourd'hui qu'ils tuent à petit feu des millions de gens.

J'ai donc demandé à Kris Balderston, mon représentant spécial pour les partenariats mondiaux, de s'attaquer à ce problème si important et considérablement négligé. Et, en septembre 2010, lors de la réunion annuelle de la Clinton Global Initiative, j'ai lancé la Global Alliance for Clean Cookstoves (Alliance mondiale pour des cuisinières propres) avec dix-neuf partenaires fondateurs rattachés à des États, à des institutions internationales, à des universités et au monde philanthropique. L'Alliance a décidé de suivre une approche de marché : convaincre les entreprises de fabriquer des cuisinières et des combustibles propres, efficaces et abordables. Nous nous sommes fixé un objectif ambitieux : équiper 100 millions de foyers de cuisinières et de combustibles neufs et propres d'ici à 2020. Nous savions combien ce serait difficile, sur les plans technique – concevoir une cuisinière bon marché, sûre et propre –, logistique – la distribuer dans le monde entier – et social – convaincre les utilisateurs de l'adopter. Mais nous espérions que les percées technologiques et l'engagement croissant du secteur privé nous permettraient de réussir. Au nom du gouvernement américain, j'ai annoncé un engagement de 50 millions de dollars pour lancer la dynamique.

J'ai été ravie de la rapidité et de l'ampleur des progrès que nous avons faits à travers le monde. En 2012, nous avons distribué plus de 8 millions de cuisinières propres, deux fois plus qu'en 2011 et bien au-delà des projections pour atteindre notre objectif initial (100 millions de foyers équipés d'ici à 2020). À la fin de l'année 2013, l'Alliance s'était étendue à plus de huit cents partenaires, et le gouvernement des États-Unis avait porté son investissement à 125 millions de dollars.

Depuis mon départ du département d'État, j'ai poursuivi mon travail avec l'Alliance en tant que présidente d'honneur. Elle a lancé des projets au Bangladesh, en Chine, au Ghana, au Kenya, au Nigeria et en Ouganda, et elle entame également des efforts en Inde et au Guatemala. Aujourd'hui, l'Alliance soutient treize centres d'essais à travers le monde et a été le fer de lance de nouvelles normes mondiales pour les cuisinières en donnant aux fabricants, aux distributeurs et aux acheteurs des lignes directrices en matière de sécurité, d'efficacité et de propreté. C'est un pas essentiel dans la construction d'un marché viable qui proposera des cuisinières propres à des consommateurs qui les utiliseront vraiment.

*

* *

En cette période économique difficile, il existe une tension intrinsèque entre notre volonté d'aider les populations du monde entier à sortir de la pauvreté pour entrer dans les classes moyennes et celle de protéger notre propre classe moyenne, soumise à une forte pression. Si l'économie mondiale était un jeu à somme nulle, l'émergence de nouveaux marchés et la croissance des autres pays se feraient toujours à nos dépens. Mais ce n'est pas nécessairement le cas. Je crois que notre propre prospérité dépend de l'existence de partenaires commerciaux et que notre destin est inextricablement lié à celui du reste du monde. Et je suis convaincue que, si la compétition est loyale, plus grande sera la part de la population mondiale qui sortira de la pauvreté et rejoindra la classe moyenne, mieux l'Amérique se portera.

Chez moi, cette croyance s'enracine dans mon vécu de petite fille de la classe moyenne américaine. Après la Seconde Guerre mondiale, mon père, Hugh Rodham, a ouvert une petite entreprise de tissus. Il travaillait énormément et employait parfois des ouvriers à la journée. Il nous embauchait régulièrement, ma mère, mes frères et moi, pour l'aider à la sérigraphie. Mes parents croyaient à l'indépendance et au travail, et ils ont fait en sorte que leurs enfants connaissent la valeur d'un dollar et sachent apprécier le travail bien fait.

En dehors du baby-sitting, j'ai eu mon premier emploi rémunéré à l'âge de 13 ans. Je travaillais pour le Park Ridge Park District trois matinées par semaine à surveiller un petit parc à quelques kilomètres de chez moi. Comme papa partait travailler tôt le matin dans notre unique voiture, je devais me rendre au travail à pied en tirant, à l'aller et au retour, une charrette remplie de balles, de battes, de cordes à sauter et d'autres matériels. Par la suite, j'ai toujours eu des jobs d'été, de vacances ; ils m'ont aidé à financer ma formation secondaire et mes études de droit. J'étais reconnaissante des sacrifices qu'avaient faits mes parents pour m'offrir les chances qu'ils n'avaient pas eues. Bill et moi avons fait de notre mieux pour transmettre beaucoup de ces valeurs à Chelsea, notamment une solide éthique du travail. Nous pensions que c'était d'autant plus important pour elle, qui grandissait dans un environnement si particulier, d'abord dans une résidence de gouverneur, puis à la Maison-Blanche. Si mes parents étaient encore là, ils seraient très fiers de la jeune femme forte, droite et travailleuse que leur petite-fille est devenue. Moi, je le suis.

Le monde a beaucoup changé depuis mon enfance, mais la classe moyenne américaine reste la plus belle machine économique de l'histoire et le cœur du rêve américain. Son succès se fonde sur un pacte essentiel : si tu travailles dur en respectant les règles, tu prospéreras ; si tu innoves, fabriques et construis, il n'y a pas de limite à ce que tu pourras accomplir. La classe moyenne s'est toujours définie autant, si ce n'est plus, par les valeurs et les aspirations qu'elle partage que par les biens qu'elle achète.

Mon passage au département d'État a coïncidé avec la naissance d'une autre classe moyenne, mais cette fois à l'étranger, où des centaines de millions de personnes se sont hissées hors de la pauvreté. Les projections sont incroyables. On estime qu'en 2035 la classe moyenne aura doublé dans le monde et atteint les 5 milliards de personnes. On pense que les deux tiers des Chinois, 40 % des Indiens et la moitié de la population brésilienne y accéderont. Pour la première fois dans l'histoire, en 2022 il y aura dans le monde plus de personnes appartenant à cette classe sociale que de pauvres.

Cette croissance explosive pose des questions quant à la capacité de la planète à supporter le niveau de consommation que nous associons traditionnellement à la classe moyenne, en particulier en termes d'automobiles, d'énergie et d'eau. Le changement climatique, les ressources rares et la pollution locale vont nous obliger à modifier considérablement nos modes de production et de consommation. Mais, si nous nous y prenons bien, ces changements vont créer de nouveaux emplois, de nouvelles entreprises et une meilleure qualité de vie. Autrement dit, l'apparition d'une classe moyenne planétaire sera bénéfique pour le monde. Elle sera bonne aussi pour les Américains. Si les salaires et les revenus augmentent partout ailleurs, il y aura davantage de consommateurs pour nos biens et services, et il sera moins avantageux pour les entreprises de délocaliser nos emplois. Après des années de stagnation des revenus et de baisse de la mobilité économique et sociale, nous en avons bien besoin.

Les classes moyennes dans le monde vont aussi, probablement, partager plus volontiers nos valeurs. En général, les gens ont partout les mêmes aspirations : une bonne santé, un travail décent, une communauté sûre et la possibilité d'éduquer leurs enfants. Ils sont attachés à la dignité, à l'égalité des chances et à un système judiciaire juste. Quand des populations accèdent à la classe moyenne et sont moins étranglées par des problèmes de survie au quotidien, elles exigent un gouvernement responsable, des services efficaces, une meilleure éducation, un meilleur service de santé, un environnement propre, ainsi que la paix. Et, la plupart du temps, elles résistent davantage aux séductions de l'extrémisme. La classe moyenne mondiale est un soutien naturel de l'Amérique. Il est dans notre intérêt de la voir grandir et rassembler de plus en plus de personnes. Nous devons faire tout notre possible pour la développer aux États-Unis et dans le monde.

Chapitre 23

Haïti : désastre et développement

Quatre jours après le tremblement de terre à Haïti, une hyper-activité désordonnée régnait sur la seule piste d'atterrissage utilisable de l'aéroport de Port-au-Prince. Quand je suis descendue de l'avion-cargo C-130 des gardes-côtes américains, des palettes de vivres étaient posées là, intactes, sur le tarmac. Des avions chargés d'aide d'urgence tournaient en rond dans le ciel en attendant leur tour d'atterrir. Le terminal lui-même était sombre et abandonné, les vitres étaient brisées, des éclats de verre éparpillés sur le sol. Des familles traumatisées s'étaient réfugiées sur les terrains de l'aéroport. Après le séisme, les Haïtiens ne voulaient pas rester à l'intérieur des maisons, car les répliques continuaient, et il n'y avait pas assez d'infrastructures sûres dans le pays pour abriter tous ceux qui venaient de perdre leur toit – ils étaient plus d'un million.

Le tremblement de terre qui a dévasté Haïti le 12 janvier 2010 était de magnitude 7,0. Il a fait plus de 230 000 morts et au moins 300 000 blessés, dans un pays qui compte 10 millions d'habitants. Haïti était déjà le pays le plus pauvre des Amériques. À présent, il devait faire face à une catastrophe humanitaire d'une ampleur sans précédent. La double nécessité d'apporter une aide d'urgence et d'assurer la reconstruction à long terme allait mettre à l'épreuve nos capacités de secours et montrer l'importance d'inaugurer une nouvelle approche du développement international au XXIe siècle.

Ce jour-là, à Haïti, j'avais à mes côtés Cheryl Mills, mon infatigable conseillère et directrice de cabinet, et le Dr Raj Shah, nommé à la tête de l'Agence des États-Unis pour le développement international (USAID) à peine neuf jours plus tôt. Cela faisait un an que Cheryl menait une analyse critique de notre politique en Haïti et, quand le tremblement de terre a frappé, elle s'est tout de suite activée pour organiser une réponse forte de l'ensemble du gouvernement américain. Le département d'État a mis en place un groupe de crise fonctionnant vingt-quatre heures sur vingt-quatre au Centre d'opérations afin de se maintenir à flot dans le déluge d'informations, de demandes d'aide et d'offres d'assistance. Les officiers consulaires ont travaillé sans relâche pour retrouver la trace des 45 000 citoyens américains qui se trouvaient à Haïti à ce moment-là. Ils ont répondu à plus de 500 000 requêtes d'amis et de parents inquiets.

Au milieu de cette première nuit, nous avons appris que la mission des Nations unies à Haïti ne parvenait pas à localiser un grand nombre de ses membres. Au matin, on nous a annoncé le décès du chef de mission, de son premier adjoint et de 101 autres agents des Nations unies, une perte tragique pour nous tous et qui réduisait considérablement la capacité de la communauté internationale à organiser et à coordonner sa réaction au désastre.

Durant les premières quarante-huit heures, pratiquement personne n'a pu pénétrer en Haïti. Le monde entier faisait la queue pour offrir son aide et il n'y avait aucun moyen de la faire entrer, ou de la distribuer une fois sur place. La destruction du port de Port-au-Prince obligeait les cargos à accoster à plus de 160 kilomètres de la capitale. La route qui reliait la République dominicaine à Haïti était bloquée ; dans tout le pays, les autres axes de circulation étaient également impraticables. Il ne restait qu'un petit nombre de contrôleurs aériens dans l'aéroport en ruine pour gérer le flux d'avions qui tentaient d'apporter de l'aide. C'était le chaos.

Quand j'ai appris la nouvelle du tremblement de terre, j'étais à Hawaii, en partance pour une tournée qui devait m'emmener dans quatre pays d'Asie. Dès que j'ai compris l'étendue des dégâts, j'ai annulé mon voyage et je suis rentrée à Washington pour superviser les secours humanitaires. Certains dirigeants asiatiques ont été déçus, mais tous ont compris l'urgence de la crise, et quelques-uns ont proposé de nous aider par tous les moyens à leur disposition.

J'avais de nombreux souvenirs d'Haïti. J'y avais fait escale avec Bill pour la première fois en 1975, pendant notre lune de miel. Nous avions ressenti le contraste entre la beauté du lieu – les gens, les couleurs, la nourriture, l'art – et la pauvreté ainsi que la faiblesse de ses institutions. L'une des expériences les plus fortes de ce voyage avait été notre rencontre avec Max Beauvoir, un prêtre vaudou local.

À notre grande surprise, il avait étudié au City College de New York ainsi qu'à la Sorbonne, et était diplômé en chimie et en biochimie. Il nous avait invités à l'une de ses cérémonies. Nous avions vu des Haïtiens « possédés par des esprits » marcher sur des braises, arracher des têtes de poulets vivants avec leurs dents, mâcher du verre et le recracher sans verser une goutte de sang. À la fin de la cérémonie, les fidèles avaient affirmé que les mauvais esprits étaient partis.

Nous avons vu également les odieuses forces de sécurité du dictateur « Bébé Doc » Duvalier se pavaner dans les rues de la ville avec leurs lunettes de soleil réfléchissantes et leurs armes automatiques. Nous avons même aperçu Bébé Doc lui-même : il passait en voiture en direction de son palais – le même palais qui serait détruit trente-cinq ans plus tard par le séisme.

Quand je suis rentrée à Washington juste après le tremblement de terre, j'ai pensé qu'un déplacement personnel immédiat à Port-au-Prince n'était pas une bonne idée. Au fil des ans, j'avais assisté et participé à de nombreuses actions d'aide d'urgence après des catastrophes naturelles ; si j'avais appris une chose, c'est que la première responsabilité des représentants officiels est d'essayer de ne pas se mettre en travers du chemin des premiers intervenants et des secours. Nous ne voulions pas peser sur les structures déjà submergées d'Haïti ni détourner la moindre de ses ressources si limitées pour financer une visite de haut niveau quand le souci premier était de sauver le plus de vies possible.

Mais, deux jours après le séisme, Cheryl a parlé au président haïtien René Préval. Il lui a assuré que la seule étrangère en qui il avait confiance, c'était moi. « J'ai besoin d'Hillary, a-t-il dit. D'elle, et de personne d'autre. » Cela montre à quel point les relations personnelles sont importantes, même au plus haut niveau de la diplomatie et de l'État.

Le samedi 16 janvier, je me suis envolée pour Porto Rico, où m'attendait un avion-cargo des gardes-côtes. Il serait plus adapté à un atterrissage difficile dans l'aéroport endommagé que mon 757. Quand nous sommes arrivés à Port-au-Prince, Ken Merten, notre ambassadeur, m'attendait sur le tarmac.

Son équipe à l'ambassade faisait un travail incroyable. L'une des infirmières, dont la maison avait été détruite, travaillait sans interruption depuis près de quarante-huit heures dans une unité de chirurgie-traumatologie de fortune pour soigner les centaines d'Américains gravement blessés qui étaient venus chercher secours à l'ambassade.

Un responsable de la sécurité, aidé de gardes locaux, était parti à la recherche des membres du personnel américain disparus et avait retrouvé deux collègues blessés dont la maison avait été engloutie dans un profond ravin. Ils les avaient portés à pied, pendant six heures, sur une civière bricolée à partir d'échelles et de tuyaux d'arrosage jusqu'à l'unité de soins de l'ambassade.

Mais nous avions perdu plusieurs employés de notre mission diplomatique et des membres de leurs familles en Haïti, notamment Victoria DeLong, attachée aux affaires culturelles, ainsi que la femme et les jeunes enfants d'Andrew Wyllie, un agent du département d'État décoré qui travaillait avec les Nations unies.

Notre personnel à l'ambassade coopérait étroitement avec notre équipe à Washington pour coordonner les offres d'aide. Nous avons testé avec succès une idée innovante : un partenariat avec Google et plusieurs entreprises de télécommunications pour collecter et cartographier les requêtes d'aide d'urgence – un grand nombre nous parvenaient par SMS *via* une hotline –, dont nous faisions ensuite part aux équipes sur le terrain.

Des experts venus de toutes les branches du gouvernement américain tentaient de se rendre en Haïti pour apporter leur aide. L'Agence fédérale de gestion des situations d'urgence (FEMA) est tout de suite passée à l'action ; elle a dépêché des médecins et des spécialistes de santé publique de l'USAID, du département de la Santé et des Services humanitaires, ainsi que des Centres américains pour le contrôle et la prévention des maladies (CDC). L'Administration fédérale de l'aviation (FAA) a envoyé une tour de contrôle portable. Six équipes de recherche et de sauvetage composées de pompiers, de policiers et d'ingénieurs sont venues de Californie, de Floride, de New York et de Virginie.

Sur le tarmac, à côté de l'ambassadeur Merten, se tenait le lieutenant général Ken Keen, commandant adjoint du Southern Command[1], qui était en visite officielle à Haïti quand le tremblement de terre avait frappé. Ils se trouvaient ensemble dans la véranda de la résidence de l'ambassadeur lorsque la terre avait commencé à trembler. Heureusement, la maison a été en grande partie épargnée ; et elle est vite devenue un lieu de rassemblement du personnel de l'ambassade et des ministres du gouvernement haïtien, mais aussi le centre

---

1. Le Commandement du Sud, basé à Miami, en Floride, est responsable de toutes les actions militaires des États-Unis en Amérique centrale, en Amérique du Sud et aux Caraïbes.

de communication du général Keen avec le Southern Command de Miami pour gérer la mission des forces armées américaines.

Les gardes-côtes ont été les premiers Américains à fouler le sol haïtien. Au total, plus de 20 000 de nos personnels civils et militaires ont été directement impliqués dans la recherche et le sauvetage ; ils ont réhabilité les aéroports et les ports, prodigué les premiers secours et les soins médicaux, et contribué à assurer la survie quotidienne des Haïtiens. Le navire-hôpital USNS *Comfort* a soigné des centaines de blessés. Les forces armées ont été très chaleureusement accueillies et acclamées ; la population et le gouvernement les ont suppliées de ne pas partir. Les soldats qui servaient en Haïti entre de multiples déploiements en Irak et en Afghanistan s'émerveillaient de se sentir tant aimés à l'étranger : quel agréable changement !

J'ai reconnu un autre visage familier sur la piste : le secrétaire général du Conseil de sécurité nationale, Denis McDonough. La veille, il avait sauté dans un avion militaire pour aider à coordonner les missions complexes des secours humanitaires. Il était littéralement trempé de sueur, en polo et treillis ; il aidait à diriger le trafic sur le tarmac. Sa présence ici en disait long sur la dimension personnelle de l'engagement du président Obama envers Haïti. J'étais avec lui deux jours plus tôt à la Maison-Blanche quand il avait annoncé publiquement l'aide des États-Unis. C'était la première fois que je le voyais avoir tant de mal à contrôler ses émotions.

Ma première initiative a été d'aller parler au président Préval. Nous nous sommes rencontrés sous une tente, dans l'enceinte de l'aéroport. J'ai tout de suite compris pourquoi Cheryl pensait qu'il était si important que je vienne en personne. La destruction de son pays et la souffrance de son peuple étaient gravées sur le visage du président.

Au moment où le tremblement de terre avait commencé, Préval et sa femme atteignaient leur domicile privé, à flanc de colline. Leur maison s'était écroulée sous leurs yeux. Le bureau du président au palais était également très endommagé. Il était sans nouvelles de certains de ses ministres, d'autres étaient gravement blessés ou morts. Selon les dépêches, 18 % des fonctionnaires de Port-au-Prince avaient péri, 28 des 29 bâtiments institutionnels s'étaient effondrés, et des membres du cabinet ainsi que des parlementaires étaient portés disparus ou déclarés morts. La situation était catastrophique et le gouvernement était amputé.

Lorsque Préval a été élu président pour la première fois, il avait très peu d'expérience, mais, au moment où le séisme a frappé, il était devenu un expert de la culture politique haïtienne de négociation. Malgré cela, étant de nature réservée, il a eu du mal, après la catastrophe, à aller à la rencontre du peuple, qui avait besoin de le voir, de le toucher, de lui parler.

Assis avec lui sous la tente, j'essayais de jauger sa capacité à affronter une situation aussi dramatique. Nous avions des affaires urgentes à gérer. L'aide humanitaire était bloquée dans le goulet d'étranglement de l'aéroport. J'ai proposé que l'armée américaine prenne le plus vite possible le contrôle des opérations pour que l'aide commence à circuler. Préval hésitait. Comme tous les pays, Haïti attachait beaucoup d'importance à sa souveraineté. Et, même dans une situation d'urgence, les souvenirs des précédentes interventions militaires américaines n'étaient pas faciles à oublier. Je lui ai assuré que nos troupes n'auraient pas pour mission de patrouiller dans les rues ou de remplacer les forces des Nations unies destinées à rétablir l'ordre, mais simplement de permettre à l'aéroport de fonctionner à nouveau, pour que les avions puissent atterrir et les secours être distribués. Cheryl et notre équipe avaient rédigé un accord juridique que Préval devait signer pour céder la responsabilité temporaire de l'aéroport et du port à l'armée américaine. Nous l'avons examiné ensemble ligne après ligne. Il admettait qu'Haïti avait besoin du maximum d'aide possible, mais il savait aussi qu'on risquait de lui reprocher de s'être « vendu » aux Américains. C'était l'une des nombreuses décisions difficiles qu'il allait devoir prendre dans les jours à venir.

Préval a signé l'accord. C'était à moi autant qu'à mon pays qu'il faisait personnellement confiance. Il m'a regardée dans les yeux et m'a dit : « Hillary, il faut que vous soyez Haïti pour Haïti, car en ce moment nous n'en sommes pas capables nous-mêmes. » Je lui ai répondu qu'il pouvait compter sur l'Amérique, et sur moi. « Nous serons là aujourd'hui, demain et à l'avenir, aussi longtemps que vous voudrez de nous. » Bientôt, avec l'aide américaine, l'aéroport et le port ont géré dix fois plus de marchandises, et l'aide a commencé à parvenir à ceux qui en avaient le plus besoin.

Lors d'une deuxième réunion plus large avec les associations humanitaires américaines et internationales, Préval s'est montré moins coopératif. Il refusait d'organiser de vastes camps pour accueillir les centaines de milliers d'Haïtiens sans abri, comme on le lui recommandait. Il avait une crainte, qui s'est révélée justifiée : si l'on construisait ces camps, Haïti n'arriverait jamais à s'en débarrasser. Il préférait que nous offrions des tentes et des bâches pour que les habitants restent dans leurs quartiers. Mais l'équipe des Nations unies a expliqué qu'il serait beaucoup plus difficile de distribuer de l'eau et de la nourriture à une population dispersée. Les camps étaient bien plus pratiques ; c'est pourquoi ils faisaient partie du plan d'action international habituel après une catastrophe naturelle.

En quittant l'île plus tard dans la journée, nous avons fait monter dans l'avion autant de gens que nous avons pu et sommes ainsi parvenus à mettre en lieu sûr une vingtaine d'Haïtiens-Américains. Cheryl et moi avons discuté du travail qui nous attendait. Si nous voulions tenir la promesse faite à Préval, et devenir Haïti pour Haïti, il ne s'agissait pas simplement d'offrir une aide d'urgence rapide. Il nous fallait être prêts à tenir la distance.

*
* *

En situation d'urgence, le premier instinct de l'Amérique est de porter secours. Ceux qui ont connu les sombres lendemains des attentats du 11-Septembre n'oublieront jamais les longues files d'attente pour des dons de sang dans tout le pays. Nous avons vu la même générosité à l'œuvre après l'ouragan Katrina, quand des familles de Houston et d'autres localités ont ouvert leurs portes pour accueillir les réfugiés de La Nouvelle-Orléans. Et, après Sandy, les gens se sont mobilisés pour aider le New Jersey et New York. Quand le séisme a frappé Haïti, le département d'État a collaboré avec une société technologique, mGive, pour permettre aux Américains de faire des dons par texto à la Croix-Rouge. Cette initiative a permis de récolter plus de 30 millions de dollars en moins de trois semaines auprès de 3 millions d'Américains. Au total, après le tremblement de terre, la contribution américaine pour aider les Haïtiens s'est élevée à un milliard de dollars.

Pour notre pays, offrir son aide en situation d'urgence n'est pas simplement une bonne action, c'est aussi une stratégie intelligente. Au lendemain d'un désastre comme le tsunami de 2004 en Asie, où nous avons déployé une aide humanitaire très importante, nous avons également acquis un précieux capital sympathie. En Indonésie, épicentre des ravages du tsunami, environ huit habitants sur dix ont déclaré que notre aide humanitaire d'urgence avait amélioré leur opinion de l'Amérique, et la cote de popularité des États-Unis est passée de 15 % au pire moment de la polémique autour de l'intervention en Irak en 2003 à 38 % en 2005. Nous avons observé le même phénomène en 2011, quand nous sommes immédiatement intervenus après le « triple désastre » – séisme, tsunami et catastrophe nucléaire – qui a frappé le Japon. Notre cote de popularité est passée chez les Japonais de 66 à 85 % – un niveau plus élevé que dans tout autre pays.

Bien que beaucoup d'entre nous réagissent aux besoins urgents en situation de crise, il est souvent plus difficile de mobiliser les volontés pour répondre à des tragédies de fond, telles la pauvreté, la faim dans le monde et la maladie, que pour affronter des événements tragiques et spectaculaires comme un tsunami. Aider Haïti au lendemain du séisme dévastateur, nous y étions prêts. Mais qu'en était-il avant, lorsque Haïti connaissait la pire pauvreté de toutes les Amériques ? Et qu'en serait-il après, quand le pays devrait faire face à des années de reconstruction laborieuse ? Quel rôle les États-Unis devaient-ils jouer dans ces efforts ?

Les Américains ont toujours été charitables. Aux premières heures de notre nation, Alexis de Tocqueville avait remarqué les « habitudes du cœur » qui rendaient possible notre démocratie et rassemblaient des familles de pionniers pour construire des granges et coudre des couvertures. Ma mère a fait partie des dizaines de milliers d'Américains qui ont envoyé des colis d'urgence aux familles européennes affamées après la Seconde Guerre mondiale. On y trouvait des produits de première nécessité comme du lait en poudre, du bacon, du chocolat et de la viande en conserve. Je suis toujours impressionnée par l'esprit philanthropique qui anime la génération du Millénaire. Selon une étude récente, en 2012 près des trois quarts de la jeunesse américaine ont participé bénévolement à une association humanitaire.

Pourtant, dans les débats sur l'aide aux pays étrangers, surtout lorsqu'on évoque l'assistance de fond plutôt que des efforts ponctuels d'urgence, de nombreux Américains demandent pourquoi nous devrions nous montrer généreux hors de nos frontières quand nous avons tant à faire chez nous, dans notre pays. À une époque où les budgets sont serrés et nos problèmes intérieurs importants, il est certain qu'il y a des choix difficiles à faire. Mais il est utile de rappeler les faits. Les sondages montrent que les Américains surestiment le pourcentage du budget fédéral alloué à l'aide internationale. En novembre 2013, une enquête de la Kaiser Family Foundation a découvert qu'en moyenne les Américains pensaient que 28 % du budget fédéral était consacré à l'aide extérieure. Plus de 60 % des sondés jugeaient que c'était trop. Or, en réalité, moins de 1 % de notre budget va à l'aide internationale. Quand les personnes interrogées connaissent les vrais chiffres, l'opposition baisse de moitié.

Depuis des décennies, notre approche du développement international est marquée par une tension philosophique. Notre assistance à l'étranger doit-elle être purement altruiste et soulager les souffrances là où c'est le plus nécessaire ? Ou fait-elle partie d'une stratégie plus large pour gagner les cœurs et les esprits dans de vastes conflits idéologiques comme la guerre froide ? Ou encore pour combattre le désespoir et l'aliénation qui nourrissent le radicalisme et les insurrections actuels ? Le président Kennedy a inspiré toute une génération avec son appel à servir dans « une lutte contre les ennemies communes de l'humanité : la dictature, la pauvreté, la maladie et la guerre elle-même », ainsi qu'il l'avait écrit dans son discours d'investiture. Malgré tout, il ne perdait jamais de vue les intérêts stratégiques. L'idée du Peace Corps était née à l'occasion d'un bref discours de campagne prononcé à 2 heures du matin à l'université du Michigan en octobre 1960. « Combien de ceux qui parmi vous seront bientôt médecins sont disposés à aller pratiquer au Ghana ? avait-il demandé à la foule d'étudiants rassemblés en pleine nuit pour l'entendre. Je pense que c'est de cette disposition, non seulement à servir pendant un an ou deux, mais à donner une partie de votre vie à votre pays, que va dépendre la capacité d'une société libre à tenir le choc. » Même à 2 heures du matin, il réfléchissait au rôle éventuel du développement pour promouvoir les intérêts des États-Unis.

J'ai toujours pensé que l'opposition entre « aider pour répondre à un besoin » et « aider en poursuivant des fins stratégiques » était un peu hors sujet. Les deux sont nécessaires. Le président Obama et moi étions décidés à élever le développement, aux côtés de la diplomatie et de la défense, au statut de pilier porteur de la puissance américaine ; pourtant, au sein de l'administration, les mêmes débats revenaient. Quand la Maison-Blanche a commencé à rédiger sa première « directive présidentielle » sur le développement, j'ai insisté pour que nous établissions un lien clair entre notre travail d'aide humanitaire et la sécurité nationale des États-Unis. Quelques professionnels du développement n'étaient pas d'accord. Mais le président a finalement accepté de postuler que les catastrophes naturelles, la pauvreté et les maladies qui sévissent à l'étranger sont aussi des menaces pour les intérêts stratégiques des États-Unis.

Haïti était un exemple parfait. Il fallait aider le pays à se relever pour des raisons humanitaires et stratégiques.

Il était impossible de rester insensible à la détresse des Haïtiens pauvres, entassés dans les bidonvilles de Port-au-Prince, gouvernés par une succession de dictatures corrompues et capricieuses, et se voyant offrir si peu d'opportunités économiques ou pédagogiques. Le peuple haïtien est extrêmement talentueux et persévérant, mais la pauvreté accablante et les déceptions qu'il a dû endurer briseraient le courage de quiconque. Nous devrions avoir honte que des enfants grandissent dans des conditions aussi terribles si près de nos côtes.

Laisser se perpétuer un bastion de pauvreté, de trafic de drogue et d'instabilité politique à seulement 1 000 kilomètres des côtes de la Floride – à peine plus que la distance qui sépare Washington d'Atlanta – est une option très périlleuse. Chaque année, des vagues de réfugiés fuient Haïti et tentent de rejoindre les États-Unis sur des radeaux ou de frêles embarcations à travers des eaux dangereuses et infestées de requins. Si on la compare aux coûts d'une intervention militaire et de la prise en charge massive de réfugiés désespérés, une aide au développement intelligente peut être considérée comme une bonne affaire.

Même avant le tremblement de terre, Haïti était pour moi une priorité. Quand je suis devenue secrétaire d'État, j'ai demandé à Cheryl de porter un regard neuf sur notre politique en Haïti et de proposer une stratégie de développement à fort impact économique pour améliorer la vie des Haïtiens. J'y voyais aussi une occasion de tester de nouvelles approches d'aide au développement qui pourraient être appliquées dans d'autres endroits du monde. Après tout, malgré les défis, Haïti avait de nombreux atouts. Le pays n'était pas divisé par des tensions religieuses ou confessionnelles. Il partage l'île avec un voisin stable et démocratique, la République dominicaine, et a la chance d'être proche des États-Unis. Il y a des diasporas haïtiennes importantes aux États-Unis et au Canada. Bref, Haïti a bien des points forts qui font défaut à d'autres pays désespérément pauvres. Si nous pouvions aider les Haïtiens à tirer profit de ces avantages, ils pourraient libérer un incroyable potentiel.

Le jour de janvier 2010 où le séisme a frappé, Cheryl et son équipe étaient en train de finaliser un rapport destiné à la Maison-Blanche ; il comportait une liste complète de propositions pour Haïti, fondée sur les priorités mises en avant par les Haïtiens eux-mêmes. Au cours des semaines qui ont suivi, tout le monde s'est concentré sur la réaction d'urgence. Mais, rapidement, il faudrait songer à la reconstruction à long terme et aux besoins de développement. J'ai donc demandé à Cheryl de dépoussiérer son rapport et de se mettre au travail.

*
* *

Le défi consistant à « reconstruire en mieux », selon une formule que mon mari avait utilisée lorsqu'il travaillait avec le président George H.W. Bush après le tsunami asiatique en 2004, était redoutable. Le tremblement de terre était un désastre d'une ampleur sans précédent qui avait dévasté le cœur économique du pays et une bonne partie de ses infrastructures de production : le plus grand port, le principal aéroport, les lignes et les postes électriques, ainsi que les grands axes routiers. Préval et son Premier ministre, Jean-Max Bellerive, ont tout de suite compris qu'Haïti avait besoin d'une stratégie de développement économique audacieuse qui consacrerait les fonds de reconstruction à des améliorations pérennes pour le peuple haïtien. Ils avaient le choix entre de nombreuses recommandations, car Haïti s'était retrouvé au cœur des débats en cours sur le développement et sur le rôle que l'aide internationale pouvait jouer pour stimuler une économie et rendre un gouvernement plus efficace.

Il en est sorti une stratégie de développement élaborée par le gouvernement haïtien et qui a servi de guide pour la reconstruction. Deux de ses principaux axes – créer des opportunités économiques dans des régions appelées « couloirs de croissance », à l'écart d'un Port-au-Prince congestionné, et développer l'emploi dans l'industrie légère et le secteur agricole – sont devenus les chevaux de bataille de l'aide américaine à Haïti.

L'idée de laisser le gouvernement local déterminer ses priorités et diriger le développement n'était pas vraiment nouvelle. En 1947, dans le discours annonçant son célèbre plan, George Marshall déclarait : « Il ne serait ni bon ni utile que ce gouvernement entreprenne d'établir de son côté un programme destiné à remettre l'économie de l'Europe sur pied. » Mais le sage principe de Marshall a souvent été oublié au cours des décennies qui ont suivi. Les États donateurs et les ONG se sont jetés sur les pays en développement avec leurs plans et leurs idées. Cette réaction était compréhensible, puisque les gouvernements locaux avaient fréquemment besoin d'avis d'experts,

– 645 –

mais elle a souvent engendré aussi de nombreuses conséquences imprévues. Les agents de l'aide sur le terrain se plaignent parfois des responsables de Washington ou des capitales européennes qui tentent de « microgérer » les efforts de développement avec un « tournevis de 10 000 kilomètres de long ». Des plans qui paraissaient parfaits en théorie se révélaient inapplicables en pratique et, sans la coopération et l'approbation locale, ils n'étaient pas transposables.

Finalement, la communauté internationale de l'aide au développement a redécouvert les idées de Marshall, notamment le principe de « propriété nationale », et nous l'avons placé au centre de nos efforts en Haïti et dans le monde. Pour nous, la propriété nationale impliquait que nous travaillions au maximum avec les responsables locaux et les ministères nationaux sur les besoins qu'ils avaient identifiés, pour les aider à renforcer leurs capacités et pour assurer une approche cohérente et unie, tous les donateurs et organisations œuvrant ensemble dans cette direction plutôt qu'en parallèle ou en compétition. Notre modèle de développement ne devait pas être stéréotypé. Ce qui fonctionne en Papouasie sera peut-être inefficace au Pérou. Nous devions travailler au cas par cas, pays par pays, et même village par village, en analysant les besoins, en évaluant les opportunités et en adaptant nos investissements et nos partenariats sur mesure afin de maximiser leur impact.

En Haïti et ailleurs, l'USAID a été le véhicule principal de notre travail de développement. Depuis des années, cette organisation qui fourmillait pourtant d'agents publics déterminés avait vu son budget diminuer et ses objectifs partir à la dérive. Dans les années 1990, au Congrès, des républicains menés par le sénateur de Caroline du Nord Jesse Helms avaient même réclamé sa suppression totale ; ils soutenaient que, depuis la fin de la guerre froide, l'aide internationale à grande échelle n'avait plus d'intérêt stratégique. Même si Helms n'a pas pu démanteler l'agence, il a réussi à réduire considérablement son budget. Ce qu'on avait oublié dans ce débat, c'étaient les conséquences réelles d'un désengagement qui laissait s'exacerber les problèmes, en particulier dans des pays comme l'Afghanistan. En 1989, quand les États-Unis s'en sont retirés après le départ des Russes, ils ont créé les conditions favorables à l'émergence des talibans. Cette erreur nous a coûté très cher.

Curieusement, vers la fin de la présidence de mon mari, le sénateur Helms a fini par soutenir l'initiative de Bill : effacer la dette des pays pauvres à condition qu'ils utilisent l'argent ainsi épargné pour la santé, l'éducation ou le développement économique. Le mérite en revient surtout à Bono, le chanteur de U2, qui s'est montré incroyablement persuasif avec ce sénateur acariâtre.

L'administration Bush a eu une autre façon de concevoir l'aide au développement. Le « conservatisme compatissant », qui était la marque de fabrique du président, l'a conduit à développer en dehors de la bureaucratie existante de l'USAID des programmes d'aide qui se sont révélés très efficaces, notamment en Afrique subsaharienne. La Société du compte du millénaire a aidé généreusement les pays qui satisfaisaient à certaines normes et entreprenaient des réformes sur la corruption et la gouvernance. Le plan d'aide d'urgence à la lutte contre le sida lancé par le président Bush (President's Emergency Plan for AIDS Relief, PEPFAR) a construit des cliniques, distribué des médicaments et sauvé des vies partout en Afrique ; ce fut un vrai succès.

Quand je suis devenue secrétaire d'État, reconstruire l'USAID et lui redonner des objectifs a été l'une de mes grandes priorités. Si nous n'entreprenions aucune réforme, notamment la réduction de notre dépendance envers des contractuels extérieurs et l'augmentation de notre capacité à innover et à exécuter, nous prenions le risque d'être distancés. De nombreux pays européens possèdent d'excellents organismes d'aide au développement qui fonctionnent avec une plus grande participation locale et moins de frais généraux que l'USAID. Et la Chine dépensait des sommes astronomiques aux quatre coins du monde en développement. On pouvait être en désaccord avec ses méthodes – donner la priorité à l'extraction de ressources et faire appel à sa propre main-d'œuvre au lieu d'ajouter de la valeur, de développer l'emploi et de protéger l'environnement –, mais on ne pouvait pas nier l'échelle ni l'envergure de son engagement. Je me suis rendu compte que, dans le monde, l'aide américaine manquait de symboles tangibles, faciles à identifier, alors que, dans de nombreux pays, les citoyens passaient tous les jours sur des autoroutes ou devant des stades construits par les Chinois. Nous ne voulions pas imiter leur approche ou sous-estimer l'importance de projets moins spectaculaires – en particulier ceux qui visent à augmenter les capacités de production agricole et à prévenir la mortalité due au sida, à la tuberculose et à la malaria. Mais nous devions continuer à améliorer et à innover pour que les programmes d'aide américains restent les plus respectés au monde.

Pour diriger l'USAID, nous avons nommé un jeune homme réfléchi et talentueux du département de l'Agriculture, le Dr Rajiv Shah. Médecin et économiste de la santé, il avait géré des programmes importants à la fondation Gates et il est rapidement devenu un partenaire précieux qui partageait notre engagement à réformer l'agence et à revaloriser l'aide au développement au sein de notre politique étrangère.

L'administration Obama avait proposé de doubler le budget de l'aide au développement d'ici à 2014, mais – c'était tout aussi important – nous avions l'intention de changer la façon de le dépenser : nous allions réduire les sommes allouées aux salaires et aux frais généraux des entreprises contractuelles à but lucratif et accroître les investissements directs dans les programmes sur le terrain. Je voulais aussi inverser la « fuite des cerveaux » de l'USAID en augmentant le nombre de ses professionnels de l'aide au développement afin que l'agence redevienne un lieu de travail attractif et excitant.

Raj et moi étions d'accord : pour y arriver, l'USAID devait conférer une importance nouvelle à l'innovation, à l'investissement et à l'autonomie. Nous avons cherché de nouvelles façons d'identifier et de soutenir les meilleures idées venues de l'extérieur du gouvernement qui pourraient nous aider à résoudre des problèmes dans le monde entier, en particulier les solutions de marché qui donneraient du pouvoir aux gens et encourageraient la créativité. L'USAID a ainsi lancé les « Grands Défis », des concours visant à financer des innovations potentiellement révolutionnaires. Nous avons aussi créé un nouveau fonds de type capital-risque pour investir dans des idées brillantes et porteuses. La première salve d'investissements a soutenu des projets comme l'éclairage solaire dans les zones rurales de l'Ouganda et des services de santé mobiles en Inde. De nouveaux partenariats avec la Fondation nationale pour la science (NSF) et les instituts nationaux de santé des États-Unis ont favorisé la mise en relation des scientifiques américains spécialisés dans le développement avec leurs homologues du monde entier. De nouvelles bourses scientifiques nous ont permis d'inviter plus de chercheurs, d'ingénieurs et de médecins à travailler avec l'USAID. En 2008, l'organisation consacrait près de 127 millions de dollars à la recherche-développement. En 2014, cet investissement avait atteint 611 millions de dollars.

À partir de 2011, Raj et moi avons discuté d'un projet central dans notre programme d'innovation : un laboratoire du développement ultra-moderne, géré par l'USAID en partenariat avec des universités de recherche, des ONG, le secteur des hautes technologies et de grandes entreprises américaines. Début avril 2014, après trois ans de préparation, j'ai été fière de retrouver Raj pour lancer ce qui s'appelle aujourd'hui l'US Global Development Lab. Il allait se concentrer sur des solutions radicales concernant l'eau, la santé, la nutrition, l'énergie, l'éducation et le changement climatique, avec pour ambition d'aider 200 millions de personnes les cinq premières années.

Un autre effort important visait à chercher de nouvelles façons de stimuler les investissements du secteur privé dans les pays en développement. Les entreprises américaines ont souvent du mal à s'y retrouver entre les nombreuses agences de l'État impliquées dans le commerce et dans l'investissement international, tels l'Organisme de promotion des investissements du secteur privé à l'étranger (OPIC), le département d'État, l'Autorité de crédit au développement de l'USAID, l'Agence du commerce et du développement, et la Banque d'import-export. Avant de quitter mes fonctions, j'ai présenté au président Obama un plan pour transformer l'OPIC en une vaste « institution de financement du développement » qui pourrait mobiliser toutes les ressources de l'État pour donner des incitations aux investissements privés ne nécessitant pas de fonds publics supplémentaires. D'autres pays ont ce type d'institutions ; nous devrions nous en inspirer. C'est intéressant pour les entreprises américaines et pour nos pays partenaires.

Tandis que nous améliorions nos capacités de développement, il était très important d'aider nos partenaires à progresser également. J'étais particulièrement préoccupée par la corruption et l'inefficacité des systèmes fiscaux des pays en développement. Même dans les meilleures circonstances, il est difficile de faire accepter l'aide au développement, mais cela devient mission impossible quand les élites de nos pays partenaires s'évertuent à esquiver leurs responsabilités. Je l'ai constaté partout dans le monde, et cela m'a scandalisée. En revanche, quand un pays entreprend des réformes pour améliorer son système fiscal, faire progresser la transparence et combattre la corruption, il instaure un cercle vertueux. Les contribuables en ont pour leur argent. La hausse des recettes publiques permet aux gouvernements de proposer de meilleurs services et de payer des salaires plus élevés à leurs fonctionnaires. Tout cela crée un climat plus attractif pour les investisseurs étrangers comme pour les donateurs d'aide au développement et met ces pays sur la voie de l'autonomie.

*
* *

Aider Haïti à se reconstruire allait être un test crucial pour l'USAID. Nous aurions l'occasion de mesurer notre aptitude à travailler avec le gouvernement haïtien tout en augmentant ses capacités et en collaborant avec nos partenaires internationaux : des États, des ONG et des institutions.

Immédiatement après le séisme, j'ai joint des dirigeants du monde entier, en commençant par les ministres des Affaires étrangères français, brésilien, canadien et dominicain. Au printemps 2010, lors d'une Conférence internationale des donateurs pour Haïti, les États-Unis ont entamé l'allocation de plus de 3,5 milliards de dollars d'aide, et nous avons encouragé les autres pays à suivre notre exemple. Au total, la conférence a réuni plus de 9 milliards de promesses de dons auprès des gouvernements pour un développement à long terme, ainsi que des engagements importants du secteur privé. Tous les pays des Amériques ont participé. J'étais particulièrement heureuse que la République dominicaine, qui partage l'île d'Hispaniola avec Haïti et n'a pas toujours été en bons termes avec son voisin, enterre la hache de guerre et propose son aide. Nous avons même collaboré avec Cuba et le Venezuela.

Ban Ki-moon, le secrétaire général des Nations unies, avait demandé à Bill de devenir envoyé spécial à Haïti à partir de mai 2009, un poste qu'il a occupé jusqu'en 2013. Puis le président Obama lui a demandé de coopérer avec l'ancien président George W. Bush pour diriger une campagne post-séisme qui a levé des dizaines de millions de dollars afin de lancer de nouvelles entreprises et de favoriser l'emploi. Bill était assisté par le Dr Paul Farmer, le cofondateur de l'organisation à but non lucratif Partners in Health, à qui il avait proposé de devenir l'envoyé spécial adjoint des Nations unies en août 2009. Son organisation travaille en Haïti depuis 1983, et elle a élaboré un modèle exceptionnel pour offrir aux populations pauvres des zones rurales un service de santé de qualité, malgré des ressources limitées. Après la catastrophe, Paul et son équipe ont réussi à monter un centre d'études hospitalières complet, l'Hôpital universitaire de Mirebalais, qui est aussi le plus grand bâtiment du pays fonctionnant à l'énergie solaire.

L'effort international de secours et de reconstruction a été très bénéfique, en particulier immédiatement après le séisme, mais il y a eu des problèmes dans sa mise en œuvre. Des dizaines de milliers de secouristes ont monté un camp dans ce qui ressemblait à une ville assiégée, et ils n'étaient pas toujours bien coordonnés. De trop nombreuses ONG bien intentionnées embouteillaient les opérations. Et, cas tragique de conséquences imprévues, l'épidémie de choléra apparue à l'automne 2010 avait probablement été transmise par les casques bleus népalais envoyés par les Nations unies.

L'USAID a raté le coche sur des points importants. Le réseau d'aiguillage des soins hospitaliers conçu par l'un de nos experts n'a jamais été réalisé, en grande partie à cause de conflits bureaucratiques internes. Pour l'énergie, les États-Unis ont construit une centrale électrique et fait des réparations, mais nos projets plus larges de transformation énergétique ne se sont pas encore concrétisés.

Nous avons tout de même remporté des succès substantiels. En janvier 2013, 7,4 millions de mètres cubes de gravats avaient été retirés, pour un tiers par le gouvernement américain. Le nombre d'Haïtiens qui vivaient sous des tentes est passé de 1,6 million à moins de 200 000. Plus de 300 000 personnes ont bénéficié d'un meilleur hébergement grâce à des programmes financés par l'USAID. La riposte à l'épidémie de choléra et la campagne de vaccination conduites par les CDC ont contribué à faire baisser le taux de mortalité due au choléra de 9 % à un peu plus de 1 %. Les États-Unis ont soutenu 251 centres de soins de première urgence et 52 centres de santé secondaires dans tout le pays, couvrant, selon nos estimations, près de 50 % des besoins de santé de la population haïtienne. Nous avons aidé près de 10 000 agriculteurs à accéder à de meilleures semences et à des engrais plus efficaces, et nous les avons initiés à de nouvelles techniques qui leur ont permis d'augmenter leur productivité. Les rendements du riz ont plus que doublé, et ceux du maïs plus que quadruplé.

Le but principal de notre stratégie de développement sur le long terme à Haïti était de relancer l'économie, de créer des emplois rémunérés à des salaires décents et, progressivement, de réduire la dépendance à l'aide internationale. Une pièce maîtresse de nos efforts était la construction d'un parc industriel à Caracol, dans le nord d'Haïti, un investissement de 300 millions de dollars cofinancé par le département d'État, l'USAID, le gouvernement haïtien et la Banque interaméricaine de développement. Ce projet s'est rapidement transformé en un effort mondial lorsqu'une compagnie textile coréenne, Sae-A Trading Co., s'est engagée à y construire et gérer une fabrique de tee-shirts et d'autres articles pour Wal-Mart, Kohl's et Target. Quand je suis venue assister à l'inauguration en octobre 2012, 1 050 Haïtiens y travaillaient déjà et de nouvelles embauches étaient prévues.

Le projet de Caracol s'inscrivait dans une grande tendance de notre vision du développement dans le monde. Nous réorientions nos efforts de l'assistance vers l'investissement. Dans les années 1960, quand le président Kennedy avait créé l'USAID, l'aide au développement officielle de pays comme les États-Unis représentait 70 % des flux de capitaux entrants dans les pays en développement. Depuis, même si les États donateurs ont accru leurs budgets, l'aide officielle ne représente plus que 13 % de ces flux de capitaux. C'est en grande partie grâce à la poussée des investissements et du commerce du secteur privé dans les marchés émergents, ce qui est une bonne nouvelle. Avec ce bouleversement, il était logique de recentrer notre approche du développement pour pouvoir mieux utiliser les forces du marché et faire des investissements publics intelligents, capables de catalyser une croissance économique durable.

Les États-Unis n'abandonnaient pas l'aide traditionnelle, tels les sacs de riz ou les caisses de médicaments. Ce type d'aide était toujours un outil essentiel, surtout dans le cadre d'une réponse d'urgence à un désastre. Mais, à travers l'investissement, nous pourrions briser le cercle de la dépendance et de l'assistanat, et aider les pays à construire leurs propres institutions et infrastructures pour assurer les services essentiels. L'assistance répond aux besoins ; l'investissement répond aux opportunités.

À la fin de 2013, une année après avoir été ouvert, le parc industriel de Caracol employait environ 2 000 Haïtiens. On comptait six entreprises installées, plus de 300 000 mètres carrés d'espace d'usines et de bureaux loués, et 26 millions de dollars d'exportations annuelles. Durant l'année 2014, leurs chiffres de l'emploi et des exportations étaient en passe de doubler et au-delà, car les industriels avaient déménagé dans des usines qui venaient d'être achevées. Maintenant, le parc abritait aussi une station moderne de traitement des eaux usées, un nouveau réseau électrique, qui pour la première fois fournissait du courant aux villes voisines de façon sûre, mais également de nouvelles maisons, de nouvelles écoles et une clinique de soins.

En 2013, dans une tribune publiée par le *Financial Times*, le Premier ministre d'Haïti, Laurent Lamothe, a indiqué que la majorité des familles haïtiennes gagnaient environ 700 dollars par an dans l'agriculture de subsistance et n'étaient jamais « sûres que leurs récoltes n'allaient pas être balayées par des pluies violentes ». C'est pourquoi, quand Caracol a ouvert, il y a eu cinquante demandes pour chaque offre d'emploi. « Une mère célibataire de Caracol gagne à présent un salaire annuel moyen de 1 820 dollars pour le premier emploi rémunéré de sa vie, écrit Lamothe. Si elle est promue superviseure, elle pourra gagner jusqu'à 50 % de plus. Précédemment sans emploi, elle peut à présent envoyer ses enfants à l'école, s'offrir un téléphone portable, payer l'électricité et faire des économies. Elle a aussi droit à des congés payés, à une assurance santé, et bénéficie de l'un des régimes de droit des travailleurs et de sécurité au travail les plus avancés du monde. »

En octobre 2012, l'inauguration du parc industriel de Caracol a donné à tous ceux qui, comme nous, avaient vécu les heures les plus sombres d'Haïti l'occasion de se réjouir enfin d'une bonne nouvelle, et personne ne méritait plus d'applaudissements que Préval lui-même. Mais, à ce moment-là, il avait quitté le pouvoir depuis plus d'un an, et ses relations avec le nouveau président étaient loin d'être chaleureuses.

La mésentente remontait aux élections de novembre 2010, dix mois à peine après la catastrophe. Au premier tour, le décompte officiel du gouvernement et celui, indépendant, de l'Organisation des États américains (OEA) n'arrivaient pas aux mêmes conclusions pour déterminer les candidats qui devaient participer au second tour. De nombreux Haïtiens, qui avaient déjà tant souffert, étaient scandalisés que, après tout ce qu'ils avaient subi, on ne tienne pas compte de leurs votes. Des manifestations bruyantes et incontrôlables ont envahi les rues.

J'ai décidé d'aller en Haïti rencontrer Préval et les autres candidats pour tenter de trouver une solution pacifique et d'éviter une crise ; il y avait encore tant à faire au lendemain du tremblement de terre. Le favori de Préval, que l'OEA donnait troisième, accusait la communauté internationale de vouloir le mettre hors jeu. J'ai répondu que c'était complètement faux. Après tout, lui ai-je dit, lorsque je me suis lancée dans la course à la présidentielle en 2008, on a aussi tenté de me mettre hors jeu. Mais, comme le président Obama et moi l'avions fait, les autres candidats et lui devaient respecter les préférences des électeurs. « Écoutez, lui ai-je déclaré, j'ai été candidate à des élections, j'en ai remporté deux, et perdu une très importante. Je sais exactement ce que l'on ressent. Mais l'essentiel, c'est de protéger la démocratie. » Contrairement à une diplomate professionnelle, à une universitaire ou à une dirigeante d'entreprise, je pouvais vraiment me mettre à la place de ces candidats. Les élections sont parfois douloureuses. La démocratie est sans pitié. En certains endroits du monde, on peut se faire assassiner parce qu'on veut se présenter ou voter à une élection ; on peut être emprisonné, ou acculé à la faillite. Il faut comprendre les risques que les gens prennent, les inquiétudes qu'ils ressentent, leur besoin de se sentir respectés.

J'ai rencontré Préval dans sa résidence secondaire. Nous nous sommes assis côte à côte dans des chaises magnifiques ; nos genoux se touchaient presque. J'ai évoqué ce que c'était de penser à long terme et pas simplement au lendemain. Je lui ai dit que ce moment allait le définir. Allait-on se souvenir de lui comme d'un président qui, semblable à tous ceux qu'Haïti avait connus au cours de son histoire, refusait d'écouter son peuple ? Ou allait-il devenir le président qui avait permis à la démocratie de prendre racine ? Il devait choisir. « Je vous parle non seulement en amie, mais aussi comme une personne qui aime son pays et qui a également vécu des moments éprouvants, lui ai-je dit. Prenez la décision la plus difficile, parce que, finalement, elle sera dans l'intérêt de votre pays et dans votre intérêt personnel, même si vous ne vous en rendrez compte que lorsque vous serez en mesure de prendre du recul. » Il a conclu la conversation par ces mots : « Vous m'avez donné beaucoup à réfléchir. Je vais voir ce que je peux faire. »

Peu de temps après, Préval et les trois candidats ont accepté les résultats de l'OEA. Le célèbre musicien Michel Martelly, plus connu sous le nom de « Sweet Micky », a remporté le second tour, et Préval est parti. En général, le gagnant d'une élection reçoit tous les honneurs. Mais, dans ce cas, je pensais que l'homme du jour était celui qui s'était retiré avec grâce alors que son pays était toujours en train de panser les blessures d'une catastrophe sans précédent. C'était la première fois dans l'histoire d'Haïti qu'un président cédait le pouvoir pacifiquement à un candidat d'un parti opposé.

C'était de très bon augure pour l'avenir du pays. Le lien entre développement durable et bonne gouvernance est connu. C'est pourquoi nous le plaçons au cœur de beaucoup de nos programmes d'aide, en particulier dans la Société du compte du millénaire (MCC). Les problèmes d'Haïti sur ces deux fronts étaient une belle illustration. Et nous avions déjà un contre-exemple sous la main. Le Chili avait été secoué par un séisme encore plus violent à peine un mois après Haïti. Mais, contrairement à Haïti, le pays avait les infrastructures, les ressources et les institutions gouvernementales nécessaires pour résister à un événement aussi dramatique et réagir de façon rapide et efficace. Pour « reconstruire en mieux », il ne suffisait pas qu'Haïti nettoie les gravats et relance l'économie. Le pays avait besoin d'une démocratie forte et d'un gouvernement réceptif et responsable. Une transition politique pacifique était un premier pas essentiel.

J'ai été très heureuse de voir Préval lors de la cérémonie d'inauguration de Caracol, mais je me demandais comment Martelly et lui allaient se comporter. À ma vive surprise et à mon grand plaisir, Martelly a remercié Préval et l'a invité à le rejoindre sur scène. Puis ils se sont tenu la main et ont levé leurs bras au ciel en signe de célébration. C'était un geste simple, et familier pour les Américains. Mais c'était une première en Haïti, où les transitions pacifiques avaient été si rares. Je suis partie en me disant qu'Haïti était enfin, malgré toutes ses difficultés, sur la bonne voie.

*

* *

Travailler dans le développement international peut facilement vous rendre fataliste et frustré. Mais, en prenant un peu de recul historique, on réalise à quel point les contributions de notre pays ont été remarquables. Au cours de ma vie, les États-Unis ont aidé à éradiquer la variole et à faire reculer la polio et la malaria. Nous avons contribué à sauver des millions de vies grâce à des vaccinations, à des traitements contre le sida ou à la thérapie par réhydratation orale qui a considérablement réduit le taux de mortalité des nourrissons et des enfants. Nous avons aidé à éduquer des millions de jeunes gens et procuré un soutien significatif à des pays pauvres qui se sont épanouis et sont devenus eux-mêmes des donateurs généreux, comme la Corée du Sud. Les Américains sont fiers de ces succès, qui n'ont pas seulement aidé l'humanité, mais ont aussi concouru à répandre nos valeurs et à renforcer notre leadership dans le monde.

Chapitre 24

La diplomatie numérique du XXIe siècle dans un monde en réseau

« Au diable mon gouvernement ! » a déclaré la jeune femme d'un air de défi. J'avais demandé à une militante biélorusse pro-démocratie si elle avait peur des persécutions qu'elle risquait de subir en rentrant chez elle après le Tech Camp, une formation organisée en juin 2011 par le département d'État en Lituanie, un pays voisin. Au cours de ces séances, nous apprenions à des groupes de la société civile de toute la région comment intensifier leurs activités et éviter les persécutions grâce à la technologie. De tous les pays issus de l'ex-Union soviétique, la Biélorussie avait l'un des régimes les plus répressifs. Mais cette femme disait ne pas avoir pas peur. Elle était venue en Lituanie pour acquérir de nouvelles compétences qui l'aideraient à avoir une longueur d'avance sur les censeurs et la police secrète. J'aimais son attitude.

Entassés dans cette petite pièce à Vilnius se trouvaient environ quatre-vingts autres militants, venus de dix-huit pays pour suivre deux journées de formation de onze heures. La plupart n'étaient pas des idéalistes naïfs ou des évangélistes de la technologie. C'étaient des dissidents et des militants friands de *n'importe quel* nouvel outil pouvant les aider à exprimer leurs opinions, à s'organiser et à contourner la censure. Une équipe d'experts du département d'État était là pour leur expliquer comment protéger leur vie privée ainsi que leur anonymat sur Internet et comment contrer les pare-feux restrictifs du gouvernement. Il y avait aussi des cadres de Twitter, Facebook, Microsoft et Skype.

Certains militants nous ont raconté que le régime de Bachar el-Assad avait repéré les hashtags utilisés par les opposants sur Twitter et avait ensuite submergé le réseau de spams utilisant les mêmes mots clés pour empêcher ceux qui le voulaient de suivre les tweets de l'opposition. Y avait-il un moyen d'éviter cela ? D'autres souhaitaient que nous les aidions à cartographier les manifestations et les actes de répression en temps réel pendant les crises.

Ce soir-là, j'ai invité des membres de ma délégation à dîner dans un restaurant de Vilnius. Autour d'une bière lituanienne, je leur ai demandé ce qu'ils pensaient de cette journée. Alec Ross, mon principal conseiller à l'innovation, était extrêmement satisfait. En 2008, il avait aidé la campagne d'Obama à atteindre la Silicon Valley, et plus largement le secteur de la technologie. Quand je suis devenue secrétaire d'État, je l'ai prié d'œuvrer avec moi à faire entrer le département d'État dans le XXIe siècle. Je ne suis pas particulièrement technophile – j'ai surpris ma fille et mon équipe quand je suis tombée amoureuse de mon iPad, qui m'accompagne aujourd'hui dans tous mes voyages –, mais je comprenais que les nouvelles technologies allaient remodeler la diplomatie et le développement, de même qu'elles changeaient la façon dont les gens communiquaient, travaillaient, s'organisaient et jouaient partout dans le monde.

Nous avons discuté à propos du fait que ces outils étaient en eux-mêmes idéologiquement neutres. Ce sont des forces qui peuvent être utilisées à des fins bonnes ou mauvaises, de même que l'acier peut servir à construire des hôpitaux ou des tanks et que l'énergie nucléaire peut faire vivre une ville ou la détruire. Nous devions agir de façon responsable pour maximiser les bénéfices d'Internet et en minimiser les risques.

La technologie ouvrait de nouveaux chemins pour résoudre des problèmes et promouvoir les intérêts et les valeurs de l'Amérique. Nous allions nous employer à aider les sociétés civiles dans le monde à maîtriser la technologie mobile et les réseaux sociaux, afin qu'elles puissent réclamer des comptes à leur gouvernement, rapporter ses abus et donner du pouvoir à des groupes marginalisés tels que les femmes ou les jeunes. J'ai vu de mes yeux des innovations faire sortir des gens de la pauvreté et leur rendre le contrôle de leur vie. Au Kenya, le revenu des agriculteurs a augmenté de 30 % quand ils ont commencé à utiliser la technologie bancaire mobile sur leur téléphone portable et appris à mieux protéger leurs récoltes des insectes nuisibles. Au Bangladesh, plus de 300 000 personnes ont souscrit à des applications pour apprendre l'anglais sur leur portable. Il y avait presque 4 milliards de téléphones mobiles en service dans le monde en développement ; ils appartenaient à des agriculteurs, à des vendeurs sur les marchés, à des conducteurs de pousse-pousse et à d'autres qui, historiquement, n'avaient pas accès à l'éducation et aux opportunités. Différentes études montraient qu'une augmentation de 10 % du taux de pénétration des téléphones portables dans les pays en développement faisait croître le PIB par habitant de 0,6 à 1,2 %. Cela se chiffre en milliards de dollars et crée un très grand nombre d'emplois.

Toutefois, nous avons aussi découvert la face sombre de la révolution numérique. Les caractéristiques qui font d'Internet une force de progrès sans précédent – son ouverture, son égalitarisme, son ampleur et sa rapidité – autorisent aussi des comportements répréhensibles à une échelle sans précédent. Chacun sait qu'Internet est une source de désinformation autant que d'information, mais ce n'est pas tout. Les terroristes et les groupes extrémistes l'utilisent pour inciter à la haine, recruter des membres, fomenter des complots et organiser des attaques. Les trafiquants d'êtres humains leurrent leurs victimes et les prennent au piège de l'esclavage moderne. Les pédophiles exploitent les enfants. Les pirates informatiques s'infiltrent dans les institutions financières, les sites de vente en ligne, les réseaux de téléphonie mobile et les boîtes mail personnelles. Des organisations criminelles et des États renforcent leurs capacités offensives de cyber-guerre et d'espionnage industriel. Des infrastructures cruciales comme les réseaux électriques et les systèmes de contrôle du trafic aérien sont de plus en plus vulnérables à ces cyber-attaques.

Comme d'autres agences gouvernementales sensibles, le département d'État était fréquemment la cible de ces attaques. Ses responsables devaient se défendre contre des intrusions dans leurs boîtes mail et des tentatives de hameçonnage de plus en plus sophistiquées. Quand nous sommes arrivés au département d'État, ces dernières ressemblaient aux e-mails frauduleux que reçoivent tous les Américains chez eux, sur leur ordinateur personnel. De même que l'anglais approximatif des auteurs de la tristement célèbre arnaque de la banque nigériane mettait la puce à l'oreille à la plupart des gens, les tentatives bâclées pour pénétrer notre système de sécurité étaient faciles à repérer. Mais, en 2012, leur sophistication et leur fréquence avaient considérablement augmenté : les agresseurs se faisaient passer pour des responsables du département d'État afin de tromper leurs collègues en les incitant à ouvrir des pièces jointes d'apparence authentique.

Lorsque nous voyagions dans des zones sensibles, comme la Russie, les responsables de la sécurité du département d'État nous demandaient souvent de laisser dans l'avion nos BlackBerry, nos ordinateurs portables et tout ce qui nous servait à communiquer avec le monde extérieur, après en avoir retiré les batteries afin d'empêcher des services secrets étrangers de compromettre ces appareils. Même dans des endroits plus accueillants, nous suivions des règles de sécurité strictes, déterminant très prudemment où et comment accéder aux documents secrets et utiliser nos outils technologiques. Un moyen de protéger ces informations était de les lire sous une tente opaque dans une chambre d'hôtel. Quand nous nous trouvions dans des lieux moins bien équipés, on nous demandait d'improviser en nous mettant une couverture sur la tête pour prendre connaissance des informations sensibles. J'avais l'impression d'avoir à nouveau 10 ans et de lire en secret sous mes draps avec une lampe torche après l'heure du coucher. Plus d'une fois, on m'a recommandé de ne pas parler librement dans ma chambre d'hôtel. Et les institutions et les responsables gouvernementaux des États-Unis n'étaient pas les seules cibles. Les entreprises américaines étaient aussi dans la ligne de mire. Je recevais des appels de PDG frustrés qui se plaignaient de vols éhontés de propriété intellectuelle et de secrets commerciaux, voire de piratage de leurs ordinateurs personnels. Pour mieux concentrer nos efforts sur cette nouvelle menace de plus en plus grave, j'ai nommé en février 2011 le premier responsable des problèmes liés à Internet.

Dans le monde, certains pays se sont mis à ériger des barrières électroniques pour empêcher leur population d'utiliser Internet pleinement et librement. Des censeurs effaçaient des mots, des noms ou des expressions des résultats des moteurs de recherche. Ils réprimaient des citoyens qui tenaient des propos politiques non violents, et pas seulement en période d'agitation ou de manifestations importantes. L'exemple le plus illustre était celui de la Chine : en 2013, elle abritait près de 600 millions d'internautes, mais connaissait aussi certaines des limites liberticides les plus répressives. La « Grande Muraille électronique » de la Chine bloquait des sites étrangers et des pages particulières dont le contenu paraissait menacer le parti communiste. Selon des rapports, le gouvernement chinois employait près de 100 000 cyber-censeurs pour patrouiller le Web. Durant dix mois, en 2009-2010, il a même totalement bloqué Internet dans la province du Xinjiang après des émeutes au sein de la population ouïghoure.

En juin 2009, lors de manifestations après des élections contestées, de jeunes Iraniens se sont servis des sites Internet et des réseaux sociaux pour diffuser leur message. Le brutal assassinat de Neda Agha-Soltan, une jeune femme de 26 ans, par les forces paramilitaires du gouvernement avait été filmé par des téléphones de mauvaise qualité, téléchargé sur Internet et partagé largement sur Twitter et Facebook. En quelques heures, des millions de personnes ont vu Neda mourir, dans une mare de sang, sur la voie publique à Téhéran. Selon le magazine *Time*, c'est probablement, « de toute l'histoire de l'humanité, la mort qui a eu le plus de témoins ». Cette vidéo a contribué à galvaniser l'indignation mondiale en faveur des manifestants.

À peine cinq jours plus tôt, des responsables du département d'État qui suivaient les efforts de l'opposition iranienne sur Internet avaient fait une découverte inquiétante. Twitter prévoyait d'interrompre ses services pour des opérations de maintenance à une heure qui correspondait aux environs de midi à Téhéran. Jared Cohen, un membre de notre équipe de planification politique âgé de 27 ans, avait des contacts chez Twitter. En avril, il avait organisé un voyage à Bagdad pour Jack Dorcey, l'un des cofondateurs de l'entreprise, et d'autres professionnels de la technologie. Il s'est empressé de joindre ce dernier pour le prévenir du tort que pouvait causer cette interruption aux militants iraniens. Twitter a donc retardé ses opérations de maintenance jusqu'au milieu de la nuit suivante. Dans un post sur le blog du réseau social, l'entreprise expliquait que la raison de ce report était « le rôle important de Twitter dans la communication en Iran ».

Mais le gouvernement iranien s'est aussi révélé capable d'utiliser les nouvelles technologies à ses propres fins. Les Gardiens de la révolution ont traqué les dirigeants de l'opposition en espionnant leurs profils en ligne. Lorsque des Iraniens qui vivaient à l'étranger postaient sur Internet des critiques à propos du régime, des membres de leurs familles restés en Iran étaient punis. Les autorités ont finalement bloqué tous les réseaux Internet et mobiles. Ils se sont aussi appuyés sur des moyens d'intimidation et de terreur plus classiques. Face à cette répression brutale, la protestation s'est effondrée.

J'étais scandalisée par ce qui se passait en Iran et par les persécutions que subissaient les militants sur Internet dans des États autoritaires du monde entier. Je me suis donc tournée vers Dan Baer, sous-secrétaire d'État adjoint à la Démocratie, aux Droits de l'homme et au Travail – je l'avais recruté alors qu'il était enseignant-chercheur à Georgetown sur les liens entre l'éthique, l'économie et les droits de l'homme. Je lui ai proposé de travailler avec Alec et son équipe pour déterminer ce que nous pouvions faire afin d'aider ces militants. Ils m'ont dit qu'il existait de nouvelles technologies émergentes très puissantes qui pourraient permettre aux dissidents de contourner la surveillance des gouvernements et la censure. Nos investissements pouvaient jouer un rôle pivot si nous rendions de tels outils accessibles et les mettions entre les mains des militants qui en avaient le plus besoin. Mais il y avait un problème. Les criminels et les hackers pourraient également utiliser ces outils pour éviter de se faire repérer. Nos propres agences de renseignement et de police auraient du mal à rester dans la course. Étions-nous en train d'ouvrir la boîte de Pandore de l'activité illicite sur Internet ? Donner du pouvoir aux militants et les protéger valait-il de prendre ce risque ?

Je prenais ces questions très au sérieux. Elles étaient lourdes de conséquences réelles pour notre sécurité nationale. Ce n'était pas un choix facile. Mais j'ai décidé que se battre pour la liberté d'expression et d'association dans le monde valait de prendre le risque. Les criminels trouveront toujours des moyens d'exploiter les nouvelles technologies ; ce n'était pas une raison pour ne rien faire. J'ai donné le feu vert. Notre équipe s'est mise au travail et, quand je me suis rendue en Lituanie en 2011, nous avions investi plus de 45 millions de dollars en outils pour protéger les dissidents sur Internet et formé dans le monde entier plus de 5 000 militants qui ont ensuite transmis leur savoir-faire à des milliers d'autres. Nous avons travaillé avec des concepteurs pour créer de nouvelles applications et de nouveaux appareils ; par exemple, nous avons inventé un bouton d'urgence sur lequel les militants pouvaient appuyer en cas d'arrestation pour prévenir leurs amis et, en même temps, effacer de leur téléphone toute leur liste de contacts.

*
* *

Ce programme technologique faisait partie de mes efforts pour faire entrer le département d'État et la politique étrangère américaine dans le xxie siècle. Juste avant de devenir secrétaire d'État, pendant la transition, j'avais lu dans la revue *Foreign Affairs* un article d'Anne-Marie Slaughter, doyenne de la Woodrow Wilson School of Public and International Affairs à Princeton, intitulé « Le point fort de l'Amérique : sa puissance à l'ère des réseaux ». Son concept de réseau était inspiré de l'architecture d'Internet, mais il était encore plus large. Il avait à voir avec les diverses façons dont on s'organisait au XXIe siècle pour collaborer, communiquer, échanger et même s'affronter. L'auteur expliquait que, dans ce monde en réseau, les sociétés diverses et cosmopolites auraient de vrais avantages sur les sociétés fermées et homogènes. Elles seraient mieux positionnées pour profiter de l'expansion de ces réseaux commerciaux, culturels et technologiques, et pour capitaliser sur les opportunités offertes par l'interdépendance mondiale. C'était, disait Anne-Marie Slaughter, une bonne nouvelle pour les États-Unis, avec leur population multiculturelle, créative et hyper-connectée.

En 2009, plus de 55 millions d'Américains étaient des immigrés ou des enfants d'immigrés. Ces Américains de première ou deuxième génération étaient des ponts précieux avec leurs pays d'origine et des contributeurs essentiels à la vie économique, culturelle et politique de notre pays. L'immigration permettait aux États-Unis de garder une population jeune et dynamique à une époque où beaucoup de nos partenaires et concurrents voyaient la leur vieillir. La Russie, en particulier, était confrontée à ce que le président Poutine lui-même appelait une « crise démographique ». Même la Chine, en raison de sa « politique de l'enfant unique », se dirigeait vers un abîme démographique. Je ne souhaite qu'une chose : que le projet de loi bipartisan qui réforme notre législation sur l'immigration, voté au Sénat en 2013, soit adopté par la Chambre.

Tout en conservant un grand respect pour les formes traditionnelles du pouvoir, j'étais d'accord avec l'analyse d'Anne-Marie Slaughter sur l'avantage comparatif de l'Amérique dans un monde en réseau. C'était une belle réponse à toutes les jérémiades sur le déclin de l'Amérique ; elle s'enracinait dans les plus vieilles traditions du pays, mais aussi dans ses innovations les plus récentes. J'ai demandé à Anne-Marie de prendre un congé à Princeton et de me rejoindre au département d'État en tant que directrice de la planification politique, notre institut de réflexion interne. Elle a aussi contribué à diriger un examen critique exhaustif du département d'État et de l'USAID, que nous avons baptisé « examen quadriennal de la diplomatie et du développement ». Inspiré de l'examen quadriennal de la défense du Pentagone, que je connaissais bien depuis ma participation à la commission des forces armées du Sénat, il visait à déterminer avec précision comment mettre en pratique le *smart power* et comment utiliser ce que je commençais à appeler la « diplomatie du XXIe siècle ». Celle-ci comprenait le recours aux nouvelles technologies, aux partenariats public-privé, aux réseaux diasporiques ainsi qu'à d'autres nouveaux outils, et nous a rapidement menés dans des domaines extérieurs à la diplomatie habituelle, notamment l'énergie et l'économie.

Le bureau des affaires publiques du département d'État a créé une division numérique qui avait pour but d'amplifier notre communication à travers un large éventail de plates-formes, tels Twitter, Facebook, Flickr, Tumblr et Google+. En 2013, plus de 2,6 millions d'usagers de Twitter avaient suivi plus de 301 fils officiels publiés dans onze langues, en particulier l'arabe, le chinois, le farsi, le russe, le turc et l'ourdou. J'ai encouragé nos diplomates dans nos ambassades aux quatre coins du monde à créer leur propre page Facebook ou compte Twitter, à se rendre sur les plateaux de télévision locaux et à communiquer de toutes les façons possibles. Je tenais aussi beaucoup à ce qu'ils écoutent ce que disaient les populations de ces pays, notamment sur les réseaux sociaux. À une époque où les problèmes de sécurité limitaient souvent le contact avec les citoyens étrangers, les réseaux sociaux offraient un moyen d'entendre directement ce que les gens avaient sur le cœur, même dans les sociétés relativement fermées. Plus de 2 milliards de personnes étaient aujourd'hui connectées à Internet, presque un tiers de l'humanité. Le Web était devenu l'espace public du XXIe siècle, l'agora du monde, son école, son marché, son café du coin ; les diplomates américains devaient donc s'y trouver aussi.

Tandis que Mike McFaul, professeur de sciences politiques à Stanford et expert de la Russie au Conseil de sécurité nationale, se préparait à se rendre à Moscou pour y être notre nouvel ambassadeur, je lui ai dit que nous devions trouver des solutions créatives pour contourner les obstacles du gouvernement et communiquer directement avec le peuple russe : « Mike, souvenez-vous de trois choses : soyez fort, dialoguez au-delà des élites et n'ayez pas peur d'utiliser tous les outils technologiques à votre disposition pour atteindre les gens. » Mike a rapidement été harcelé et vilipendé par les médias sous le contrôle du Kremlin. Un soir, j'ai tenu à l'appeler sur une ligne non sécurisée pour dire très clairement – afin que tous les espions russes qui écoutaient l'entendent – à quel point j'étais satisfaite de son travail.

Mike était devenu un fervent utilisateur des réseaux sociaux, jusqu'à être suivi par plus de 70 000 personnes sur Twitter et à devenir l'une des dix voix les plus influentes de la Russie sur

Internet – sur la base du nombre de lecteurs et de mentions chez d'autres utilisateurs. Beaucoup de Russes le connaissaient essentiellement comme @McFaul, et ils étaient intrigués par sa franchise surprenante et son enthousiasme à discuter avec tout le monde. Non seulement il donnait des explications sur la politique américaine et soulignait certains abus du Kremlin, mais il publiait également bon nombre de réflexions et de photos personnelles. Derrière l'ambassadeur américain, les Russes ont pu connaître l'homme, qui appréciait les ballets du Bolchoï, faisait visiter la place Rouge aux membres de sa famille en vacances ou encore faisait soigner son doigt qu'il avait cassé lors d'un match de basket. Dans une réunion officielle, peu après cet incident, le Premier ministre Dmitri Medvedev lui a demandé des nouvelles de sa main. Quand Mike a voulu lui raconter les détails de l'incident, Medvedev l'a interrompu : « Je sais tout, je l'ai lu sur Internet. »

Dès son entrée en fonction, Mike a engagé sur Twitter une joute animée avec le ministère russe des Affaires étrangères. Le ministre suédois des Affaires étrangères, Carl Bildt, qui peut se targuer de plus de 250 000 *followers*, s'est invité dans la polémique par l'intermédiaire d'un tweet personnel : « Je vois que le MFA russe [ministère des Affaires étrangères] a lancé une guerre-twitter contre l'ambassadeur américain @McFaul. C'est le nouveau monde : des tweets à la place des bombes. C'est mieux. » Je pense que Mike serait le premier à lui donner raison.

*
* *

Si l'hyper-connectivité du monde en réseau accentue les atouts de l'Amérique et lui donne l'occasion d'exercer son *smart power* pour promouvoir ses intérêts, elle pose aussi de nouveaux problèmes importants pour notre sécurité et nos valeurs.

Nous en avons fait les frais en novembre 2010, quand le site WikiLeaks et plusieurs médias dans le monde ont publié les premiers câbles volés au département d'État – il y en aurait plus de 250 000 –, dont beaucoup contenaient des observations sensibles et des renseignements confidentiels fournis par nos diplomates sur le terrain.

Un agent du renseignement militaire d'un grade peu élevé en poste en Irak, le soldat Bradley Manning, a téléchargé les câbles secrets à partir d'un ordinateur du département de la Défense et les a transmis à WikiLeaks et à son dirigeant australien, Julian Assange. Certains les ont félicités, les présentant comme des champions de la transparence qui portaient haut le flambeau d'une noble tradition : exposer au grand jour les méfaits de l'État. Ils ont été comparés à Daniel Ellsberg, l'auteur de la fuite des Pentagon Papers durant la guerre du Vietnam. Je ne voyais pas les choses ainsi. Comme je l'ai déclaré à l'époque, les gens de bonne foi comprennent la nécessité d'une communication diplomatique secrète pour protéger notre intérêt national, mais aussi l'intérêt général du monde. Chaque État devrait pouvoir parler franchement des peuples et des pays avec lesquels il est en relation, et les États-Unis également. Ces milliers de câbles volés ont plutôt montré que les diplomates américains faisaient bien leur travail, dans des conditions souvent difficiles.

Les câbles étaient parfois hauts en couleur. L'un d'entre eux, par exemple, décrivait le comportement d'un ministre d'Asie centrale complètement ivre pendant une réunion, qui « se balançait sur sa chaise en marmonnant toutes sortes de participes russes » ; un autre parlait d'un mariage au Daguestan (Russie) lors duquel les invités jetaient des billets de 100 dollars à des enfants qui dansaient, le qualifiant de « microcosme des relations sociales et politiques du Caucase du Nord ». Les diplomates exprimaient souvent un point de vue personnel sur les dirigeants mondiaux ; l'un des câbles sur le despote zimbabwéen Robert Mugabe notait « sa profonde ignorance des problèmes économiques (doublée d'une certitude : ses dix-huit doctorats lui donnent l'autorité nécessaire pour suspendre les lois de l'économie) ».

La publication de ces rapports a eu une conséquence inattendue : elle a montré que nos agents du Service extérieur travaillaient dur, qu'ils étaient des observateurs pertinents et parfois même de très belles plumes. Mais certains commentaires plus crus ont aussi détérioré les relations que nos diplomates avaient mis des années à construire avec précaution. Nos agents rapportent quotidiennement leurs conversations avec des militants des droits de l'homme, des activistes politiques, des chefs d'entreprise et même des officiels d'autres gouvernements qui pourraient être persécutés et punis si leurs noms étaient rendus publics.

Dès le lendemain de la fuite, j'ai condamné la divulgation illégale d'informations classées : « Cela met des vies en danger, menace notre sécurité intérieure et mine nos efforts pour travailler avec d'autres pays à résoudre des problèmes communs. » Puis j'ai entrepris de faire face aux retombées diplomatiques – alliés mécontents et partenaires outrés.

J'ai demandé au sous-secrétaire d'État au Management Pat Kennedy de mettre en place un groupe de travail pour analyser la fuite câble par câble, déterminer exactement quelles informations étaient compromises et quelles seraient les conséquences de ces divulgations pour nos intérêts, notre personnel et nos partenaires. Nous nous sommes empressés de développer une procédure pour identifier les sources en péril et, au besoin, les aider à se mettre en lieu sûr.

La nuit qui a précédé la Thanksgiving 2010, de ma maison de Chappaqua, j'ai passé des dizaines d'appels téléphoniques. D'abord à mon ami Kevin Rudd, le ministre des Affaires étrangères et ancien Premier ministre australien. Nous avons commencé par aborder nos sujets de prédilection, en premier lieu la Corée du Nord. « Je voudrais aussi soulever la question de WikiLeaks », lui ai-je dit. Notre ambassadeur en Australie avait déjà informé Rudd que certaines de nos conversations confidentielles sur la région, notamment sur les activités de la Chine, avaient peut-être été compromises. En réponse, le gouvernement australien avait créé son propre groupe de travail pour gérer la situation. « Cela pourrait poser un vrai problème », a-t-il dit. « Il y a des retombées désastreuses, ai-je reconnu. Nous regrettons sincèrement, nous avons été pris de court. » J'ai promis que nous ferions tout ce qui était en notre pouvoir pour l'aider à limiter les dégâts.

Les vacances de Thanksgiving ont été longues ; je les ai passées au téléphone à présenter des excuses. Les jours suivants, j'ai parlé à de nombreux ministres des Affaires étrangères, à un Premier ministre et à un président. Ces appels avaient aussi d'autres motifs, mais, dans chaque conversation, j'ai expliqué la révélation imminente des câbles secrets et prié mes interlocuteurs de se montrer compréhensifs. Certains étaient très en colère et blessés ; d'autres y ont vu une occasion de faire pression sur les États-Unis et ont tenté de l'exploiter. Mais la plupart étaient bienveillants. « J'apprécie que vous ayez appelé personnellement », m'a dit le ministre allemand des Affaires étrangères, Guido Westerwelle. Son homologue chinois, Yang Jiechi, s'est montré réconfortant : « Je ne peux pas prédire la réaction de l'opinion publique, mais il est important pour nos deux pays de renforcer notre confiance mutuelle. C'est le mot magique de la relation bilatérale entre la Chine et les États-Unis. » Un dirigeant a même plaisanté : « Si vous saviez ce que nous disons sur vous ! »

Les conversations en face-à-face ont été plus difficiles. La première semaine de décembre, je me suis rendue à un sommet de l'Organisation pour la sécurité et la coopération en Europe à Astana, au Kazakhstan, en compagnie de nombreux autres dirigeants. Silvio Berlusconi, le Premier ministre italien, dont les frasques avaient été rapportées dans quantité de câbles volés, était à présent ridiculisé à la une des journaux italiens et il était particulièrement furieux. « Pourquoi parlez-vous de moi comme ça ? » m'a-t-il demandé tandis que nous nous asseyions ensemble. « L'Amérique n'a pas de meilleur ami, a-t-il ajouté. Vous me connaissez, je connais votre famille. » Il s'est alors lancé dans un discours touchant : quand il était petit, son père avait l'habitude de l'emmener sur les tombes des soldats américains qui avaient donné leur vie pour l'Italie. « Je ne l'ai jamais oublié », a-t-il dit. Ce n'était pas la première fois que Berlusconi subissait ce genre de publicité négative : les coupures de presse sur divers scandales s'amoncelaient. Mais le regard de ses pairs, et des États-Unis en particulier, comptait beaucoup pour lui. C'était vraiment embarrassant.

Je me suis excusée, une fois de plus. Personne n'aurait pu souhaiter plus ardemment que moi que ces mots restent secrets. Mais, bien sûr, ce n'était pas suffisant pour l'apaiser. Il m'a demandé de venir avec lui face aux caméras déclarer solennellement à quel point les relations italo-américaines étaient importantes ; je l'ai fait. Malgré toutes ses faiblesses, Berlusconi aimait sincèrement l'Amérique. L'Italie était aussi un allié essentiel à l'OTAN et son soutien était nécessaire dans le monde, notamment pour la campagne militaire qui se préparait en Libye. J'ai donc fait mon possible pour reconstruire au mieux des liens de confiance et de respect.

En fin de compte, mon équipe et moi avons contacté presque tous les dirigeants cités ouvertement dans les câbles secrets. Ces efforts intensifs semblent avoir réduit au maximum les séquelles durables. Avec certains, l'honnêteté de nos excuses a peut-être approfondi nos relations. Avec d'autres, c'était irréparable.

En Libye, notre ambassadeur Gene Cretz est devenu *persona non grata* à Tripoli après la divulgation de ses rapports virulents contre le colonel Mouammar Kadhafi. Il a même été menacé par des hommes de main, ce qui m'a amenée à le rappeler aux États-Unis pour sa propre sécurité. Dans la Tunisie voisine, c'est le dictateur qui a dû partir. La publication de rapports secrets américains sur la corruption du régime a nourri une frustration populaire croissante qui s'est finalement transformée en révolution et a chassé Ben Ali du pouvoir.

Au final, les retombées diplomatiques de WikiLeaks ont été préjudiciables, mais non dévastatrices ; en revanche, cette affaire annonçait une brèche bien plus grave et de nature très différente qui allait se produire après mon départ. Edward Snowden, consultant pour l'Agence de sécurité nationale (NSA), le principal service chargé de surveiller les communications étrangères, a volé une quantité massive de dossiers ultra-secrets et les a livrés à des journalistes. Snowden s'est ensuite enfui à Hong Kong, puis en Russie, pays qui lui a accordé le droit d'asile. Ses fuites ont révélé certains des programmes secrets les plus sensibles du renseignement américain. On s'est indigné dans le monde en apprenant que, selon ces informations, les États-Unis espionnaient les appels personnels de partenaires comme la chancelière allemande Angela Merkel et la présidente brésilienne Dilma Rousseff sur leur téléphone portable. On pouvait aussi craindre que les terroristes et les criminels ne changent leurs pratiques de communication maintenant qu'ils en savaient plus sur les sources et les méthodes utilisées par les services de renseignement américains.

Mais, aux États-Unis, ce qui a surtout retenu l'attention, c'est que les citoyens américains étaient peut-être concernés par divers programmes de collecte de données de la NSA. L'intérêt du public s'est concentré en particulier sur la collecte en bloc des appels téléphoniques – ni les conversations ni l'identité des interlocuteurs, mais les numéros de téléphone avec l'heure et la durée des appels ; cette base de données pouvait être consultée s'il existait des raisons valables de soupçonner un numéro précis d'être associé à des activités terroristes. Depuis, le président Obama a demandé au Congrès de mettre en œuvre une série de réformes pour que l'État cesse de conserver ce genre d'informations.

Tout en continuant de défendre la nécessité des opérations de renseignement et de surveillance à l'étranger, le président était favorable à un débat public sur l'équilibre à trouver entre sécurité, liberté et respect de la vie privée, une douzaine d'années après le 11-Septembre. On imagine difficilement de tels débats en Russie ou en Chine. Et dire que, quelques semaines à peine avant le coup de Snowden, le président avait prononcé un discours important sur la politique de sécurité nationale, où il avait déclaré : « Nous avons à présent une dizaine d'années d'expérience, c'est le moment de nous poser des questions difficiles – sur la nature des menaces actuelles et sur notre façon de les affronter. [...] Les choix que nous faisons pour la guerre peuvent influer – de manière parfois inattendue – sur l'ouverture et la liberté dont dépend notre mode de vie. »

Moi qui vis depuis tant d'années sous le regard du public, j'apprécie l'intimité à sa juste valeur et je comprends la nécessité de la protéger. Et si les technologies qui posent problème sont nouvelles, le défi consistant à équilibrer liberté et sécurité ne l'est pas. En 1755, Benjamin Franklin écrivait : « Quiconque sacrifie sa liberté pour plus de sécurité ne mérite ni l'une ni l'autre. » Il ne faut pas s'imaginer que plus on a de liberté, moins on a de sécurité, et inversement. En fait, j'en suis persuadée, chacune est la condition de possibilité de l'autre. Sans sécurité, la liberté est fragile. Sans liberté, la sécurité est tyrannique. Le défi est de trouver la juste mesure : assez de sécurité pour protéger nos libertés, mais pas trop (ni trop peu) pour ne pas les mettre en péril.

En tant que secrétaire d'État, je me suis attachée à protéger la vie privée, la sécurité et la liberté sur Internet. En janvier 2010, Google a annoncé qu'il avait découvert que les autorités chinoises tentaient de pirater les comptes Gmail de dissidents. L'entreprise a fait savoir qu'elle riposterait en reroutant le trafic chinois par ses serveurs de Hong Kong, extérieurs à la « Grande Muraille numérique ». Le gouvernement de Pékin a réagi avec fureur. Soudain, nous étions plongés dans un incident international d'un type entièrement nouveau.

Cela faisait quelque temps que je travaillais à un discours qui soulignerait l'engagement de l'Amérique en faveur de la liberté d'Internet ; à présent, il semblait plus important que jamais de tirer la sonnette d'alarme contre la répression en ligne. Le 21 janvier 2010, je me suis rendue au Newseum, un musée high-tech de Washington consacré au journalisme d'hier et de demain, et j'ai expliqué l'importance de la « liberté de se connecter ». J'ai ajouté que les droits que nous revendiquons dans nos foyers et dans nos espaces publics – se réunir, s'exprimer, innover, militer – existent sur Internet. Pour les Américains, cette idée était enracinée dans le Premier Amendement, dont les termes étaient gravés dans cinquante tonnes de marbre du Tennessee sur le fronton du Newseum. Mais la liberté de se connecter n'était pas simplement une valeur américaine. La Déclaration universelle des droits de l'homme affirme que les peuples ont partout le droit « de rechercher, de recevoir et de répandre, sans considérations de frontières, les informations et les idées par quelque moyen d'expression que ce soit ».

Je voulais avertir des pays comme la Chine, la Russie et l'Iran que les États-Unis allaient promouvoir et défendre un Internet où les droits individuels sont protégés et qui est ouvert à l'innovation, interopérable dans le monde entier, assez sûr pour mériter la confiance des gens et assez fiable pour les aider dans leur travail. Nous allions nous opposer à toute tentative visant à restreindre l'accès à Internet ou à réécrire les règles internationales qui régissent ses structures, et soutenir les militants et les innovateurs qui essaient de contourner les pare-feu répressifs. Certains pays souhaitaient remplacer l'approche multipartite de la gouvernance d'Internet – mise en place dans les années 1990, réunissant les États, le secteur privé, les fondations et les citoyens, et défendant la libre circulation de l'information dans un réseau mondial unique – par un contrôle centralisé aux mains des gouvernements. Ils voulaient que chaque État puisse édicter ses propres règles, ce qui créerait des barrières nationales dans le cyberespace. Cette approche serait désastreuse pour la liberté d'Internet et le commerce en ligne. J'ai donné pour instruction à nos diplomates de rejeter ces tentatives partout où ils prendraient la parole, y compris aux niveaux les plus modestes.

Mon discours a provoqué un vif émoi, en particulier sur Internet. Human Rights Watch l'a qualifié de « révolutionnaire ». J'espérais effectivement que nous avions ouvert un débat qui changerait la façon dont on pense la liberté sur Internet. Et, par-dessus tout, je voulais m'assurer qu'au XXIe siècle les États-Unis resteraient les champions des droits de l'homme qu'ils avaient été au siècle précédent.

Chapitre 25

Les droits de l'homme : un travail en cours

Petite fille à Park Ridge, dans l'Illinois, j'allais toutes les semaines à l'école du dimanche de notre église méthodiste. Mes parents étaient tous deux croyants, mais chacun exprimait sa foi d'une manière différente, et il était parfois difficile de concilier l'idéal individualiste de mon père et le souci de justice sociale de ma mère. En 1961, un nouveau pasteur jeune et dynamique, Don Jones, est arrivé dans notre paroisse, et il m'a aidée à mieux comprendre la place que je voulais accorder à la foi dans ma vie. Il m'a appris à embrasser la « foi en acte », à ouvrir les yeux sur les injustices de notre vaste monde et à regarder au-delà de ma petite communauté de classe moyenne bien protégée. Il m'a donné de nombreuses recommandations de lecture et a emmené notre groupe de jeunes paroissiens dans des églises hispaniques et noires du centre-ville de Chicago. Nous avions beaucoup en commun avec les garçons et les filles que nous retrouvions dans les sous-sols de ces églises, même si nos vies étaient très différentes. C'est à l'occasion de ces discussions qu'est né mon intérêt pour le mouvement des droits civiques. Pour mes camarades de classe et moi, Rosa Parks et Martin Luther King étaient des noms que nous lisions occasionnellement dans les gros titres des journaux ou que nous entendions quand nos parents regardaient les informations télévisées du soir. Mais, pour les jeunes que j'ai rencontrés dans ces églises, ils étaient souvent des sources d'espoir et d'inspiration.

Un jour, Don nous a annoncé qu'il voulait nous emmener écouter le Dr King à Chicago. Si je n'ai pas eu de difficultés à obtenir la permission d'y aller, les parents de certains de mes camarades, en revanche, pensaient que King était un « agitateur » et n'ont pas voulu que leurs enfants soient du voyage. J'étais excitée, mais je ne savais pas vraiment à quoi m'attendre. Quand nous sommes arrivés à l'Orchestra Hall et que le Dr King a commencé à parler, j'ai été subjuguée. Le discours s'intitulait « Demeurer éveillé au milieu d'une révolution » ; ce soir-là, il nous a tous mis au défi de rester engagés pour la cause de la justice et de ne pas nous endormir tandis que le monde changeait autour de nous.

À la fin, j'ai rejoint la longue file d'attente qui s'était formée pour serrer la main du Dr King. Sa grâce et sa lucidité morale m'avaient fait une très forte impression. J'avais été élevée dans un profond respect pour les valeurs de la démocratie américaine. Du point de vue farouchement républicain et anticommuniste de mon père, le fait que nous ayons la Déclaration d'indépendance et la Déclaration des droits, et que les Soviétiques ne les aient pas, était crucial dans l'affrontement idéologique de la guerre froide. Les promesses de liberté et d'égalité de nos textes fondateurs étaient forcément sacro-saintes. J'ai pris conscience à ce moment-là qu'on refusait à de nombreux Américains des droits que je tenais pour acquis. Cette leçon et le pouvoir des mots du Dr King ont allumé dans mon cœur une flamme, alimentée par les préceptes de justice sociale de mon Église. J'ai compris comme jamais auparavant ce que signifiait exprimer son amour de Dieu par les bonnes œuvres et l'action sociale.

Puis j'ai fait la connaissance de Marian Wright Edelman, qui a été pour moi une source d'inspiration tout aussi importante. Diplômée de la faculté de droit de Yale en 1963, elle avait été la première Afro-Américaine admise au barreau du Mississippi et avait plaidé pour le NAACP à Jackson pendant le mouvement des droits civiques. Quand j'ai entendu Marian parler lors de mon premier semestre à Yale, elle m'a montré un chemin de vie consacré à la défense juridique, sociale et politique des droits de l'homme, notamment ceux des femmes et des enfants.

J'ai travaillé pour Marian au Fonds de défense des enfants. Ce fut l'un de mes premiers emplois après la faculté de droit. Elle m'a demandé de l'aider à résoudre un mystère : dans beaucoup de communautés, un nombre surprenant de jeunes enfants n'étaient pas scolarisés. Grâce au recensement, nous savions qu'ils vivaient là ; que se passait-il donc ? Dans le cadre d'une enquête nationale, j'ai fait du porte-à-porte à New Bedford, dans le Massachusetts, pour discuter avec les familles. Nous avons découvert que certains enfants restaient à la maison pour s'occuper de leurs jeunes frères et sœurs pendant que les parents travaillaient. D'autres avaient décroché pour pouvoir travailler eux-mêmes afin d'aider financièrement leurs familles. Mais, la plupart du temps, nous avons trouvé des enfants handicapés qui restaient chez eux parce que les établissements publics n'étaient pas équipés pour les recevoir. Il y avait des enfants aveugles et sourds, d'autres en chaise roulante, des déficients mentaux et des jeunes ayant besoin d'un traitement que les parents n'avaient pas les moyens de payer. Je me souviens de ma rencontre avec une fillette en fauteuil et de notre discussion sous une treille, derrière sa maison. Elle voulait tant aller à l'école, participer et apprendre – mais cela semblait impossible.

Avec de nombreux collègues dans tout le pays, nous avons rassemblé les informations de nos enquêtes, nous les avons envoyées à Washington, et, finalement, le Congrès a promulgué une loi déclarant que tous les enfants de notre pays avaient droit à une éducation, même s'ils souffraient d'un handicap. Pour moi, ce fut le début d'un engagement que je poursuivrais tout au long de ma vie en faveur des droits des enfants. J'ai également continué à militer pour la cause des handicapés et, au département d'État, j'ai nommé le premier conseiller spécial aux droits des personnes handicapées dans le monde afin d'encourager les autres gouvernements à protéger ces droits. J'étais fière de me tenir aux côtés du président Obama, à la Maison-Blanche, lorsqu'il a déclaré que les États-Unis allaient signer la Convention relative aux droits des personnes handicapées des Nations unies – largement inspirée de l'Americans with Disabilities Act –, qui serait notre premier nouveau traité des droits de l'homme du XXIᵉ siècle. Et j'ai été consternée qu'une poignée de sénateurs républicains soient parvenus à bloquer sa ratification en décembre 2012, malgré un fervent plaidoyer de l'ancien dirigeant de la majorité républicaine au Sénat et héros invalide de guerre Bob Dole.

*

* *

J'ai eu pour la première fois l'occasion de défendre les droits de l'homme aux yeux du monde en septembre 1995. Première dame, je dirigeais alors la délégation des États-Unis à la quatrième Conférence mondiale des Nations unies sur les femmes, qui avait lieu à Pékin. Je devais prononcer un discours important devant les représentants de 189 pays, des milliers de journalistes et de militants.

« Qu'est-ce que tu cherches à faire ? » m'a demandé Madeleine Albright alors que je travaillais sur un brouillon avec Lissa Muscatine, ma talentueuse rédactrice de discours. « Je voudrais faire avancer la cause des femmes et des filles le plus loin possible », lui ai-je répondu. Je voulais que mon discours soit simple, vif, et qu'il souligne avec fermeté que les droits des femmes ne sont pas un élément séparé ou subsidiaire des droits de l'homme dont nous devons tous jouir.

Lors de mes voyages en tant que première dame, j'avais vu de mes yeux les obstacles auxquels étaient confrontées les femmes et les filles : des lois et des traditions restrictives les empêchaient de profiter de l'éducation, des soins médicaux, ou de participer pleinement à la vie économique et politique de leur pays ; même sous leur propre toit, elles subissaient des violences et des maltraitances. Je voulais braquer les projecteurs sur ces obstacles et encourager le monde à les surmonter. Je voulais aussi parler au nom des femmes et des filles en quête d'éducation, de soins médicaux, d'indépendance économique, de droits juridiques et d'investissement politique – et brosser un portrait équilibré des femmes, à la fois victimes de discrimination et actrices du changement. Je voulais prêter ma voix aux femmes que j'avais rencontrées, mais aussi aux millions d'autres dont les histoires ne seraient jamais entendues si elles n'étaient pas racontées par des femmes comme moi.

Le cœur du discours était un constat évident et irréfutable, mais pourtant trop longtemps passé sous silence sur la scène mondiale. « Si l'on doit retenir une chose de cette conférence, ai-je déclaré, ce doit être : les droits de l'homme sont les droits des femmes et les droits des femmes sont les droits de l'homme, un point, c'est tout. »

J'ai énoncé une liste de maltraitances : la violence domestique, la prostitution forcée, le viol comme tactique ou butin de guerre, les mutilations génitales et les immolations d'épouses, et j'ai appelé énergiquement « le monde à les condamner unanimement ». J'ai parlé de certaines femmes remarquables que j'avais eu la chance de rencontrer : les jeunes mères indonésiennes qui se réunissaient régulièrement dans leur village pour parler nutrition, planning familial et puériculture ; les Indiennes et Bangladaises qui, grâce au microcrédit, avaient acheté des vaches laitières, des pousse-pousse, du fil et d'autres matériaux pour monter de petites affaires florissantes ; les femmes d'Afrique du Sud qui avaient aidé à conduire la lutte pour mettre fin à l'apartheid et qui contribuaient à présent à construire une nouvelle démocratie.

J'ai terminé mon discours en appelant à l'action : à notre retour dans nos pays, nous devions toutes renouveler nos efforts pour accroître les chances des femmes en matière d'éducation, de santé, de droit, d'économie et de politique. Quand j'ai conclu mon intervention, les déléguées se sont levées pour m'acclamer. À ma sortie de la salle, des femmes se sont penchées par-dessus les balustrades et ont couru dans les escaliers roulants pour venir me serrer la main.

Mon message était passé auprès des femmes à Pékin, mais je n'aurais jamais pu prévoir la dimension qu'allait prendre ce discours de vingt et une minutes. Depuis près de vingt ans, partout dans le monde, des femmes me rappellent les paroles que j'ai prononcées ce jour-là, me demandent de signer un exemplaire du discours ou me disent comment il les a incitées à s'investir elles-mêmes pour le changement.

Surtout, les 189 pays représentés à la conférence ont accepté la mise en place d'un Programme d'action ambitieux et détaillé qui appelait à la pleine participation des femmes, « sur un pied d'égalité, à la prise de décisions dans les domaines économique, social, culturel et politique ».

De retour à la Maison-Blanche, j'ai réuni mon équipe et j'ai annoncé que je voulais me mettre immédiatement au travail pour continuer ce que nous avions entrepris à Pékin. Nous avons commencé à organiser des réunions stratégiques régulières. Parfois, nous nous réunissions dans la salle des Cartes, au premier étage, où le président Franklin Roosevelt avait suivi la progression de nos armées durant la Seconde Guerre mondiale. La plupart des cartes avaient disparu depuis longtemps (j'avais tout de même retrouvé un original de FDR qui montrait la position des armées alliées en Europe en 1945 et je l'avais accroché au-dessus de la cheminée), mais le lieu me paraissait toujours propice à la planification d'une campagne mondiale. Cette fois, nous ne combattions pas le fascisme ou le communisme, mais notre but était ambitieux et courageux : faire progresser les droits et les chances de la moitié de la population de la planète.

Dans ce contexte, il y avait bien des façons de lire la carte du monde. Il était facile d'y voir une juxtaposition de problèmes. Si vous jetiez une fléchette au hasard sur la carte, vous aviez de bonnes chances de toucher un pays où les femmes subissaient des violences, des maltraitances ; une économie où on ne leur donnait aucune chance de participer et de prospérer ; ou un système politique qui les excluait. Ce n'était pas un secret : les régions du monde où les femmes étaient le moins respectées étaient aussi les plus affectées par l'instabilité, le conflit, l'extrémisme et la pauvreté.

C'était un point que la plupart des hommes qui concevaient notre politique étrangère à Washington n'avaient jamais remarqué, mais, au fil des ans, j'ai compris qu'il prouvait irréfutablement que se battre pour les femmes et les filles n'était pas seulement une bonne action ; c'était aussi un choix intelligent et stratégique. La maltraitance des femmes n'était certainement pas la cause unique ou principale de nos problèmes en Afghanistan, où les talibans interdisaient aux filles d'aller à l'école et forçaient les femmes à vivre dans des conditions moyenâgeuses, ni en Afrique centrale, où le viol était devenu une arme de guerre comme une autre. Mais la corrélation était indéniable, et un corpus de travaux toujours plus important montrait qu'améliorer la condition des femmes aidait à résoudre les conflits et à stabiliser les sociétés. La question de la « condition féminine » a longtemps été reléguée à la marge de la politique étrangère des États-Unis et de la diplomatie internationale, considérée au mieux comme une bonne action, mais jamais comme une nécessité. Je suis convaincue qu'il s'agit en fait d'une cause essentielle pour notre sécurité nationale.

Nous pouvions regarder la carte du monde d'un autre œil : en nous concentrant non sur les difficultés, mais sur les opportunités. Le monde regorgeait de femmes qui trouvaient des solutions nouvelles pour résoudre de vieux problèmes. Elles voulaient vraiment aller à l'école, posséder un terrain, ouvrir une entreprise ou se présenter à une élection. Si nous voulions agir, il y avait des partenariats à nouer et des dirigeantes à encourager. J'ai incité notre gouvernement, le secteur privé, les ONG et les institutions internationales à relever le défi et à considérer les femmes, non comme des victimes à sauver, mais comme de nouvelles partenaires à accueillir.

Mes deux directrices de cabinet à la Maison-Blanche ont été des compagnes de route indispensables dans cette aventure. Maggie Williams, avec qui j'avais travaillé au Fonds de défense des enfants dans les années 1980, était une incroyable communicante et la personne la plus imaginative et la plus intègre que j'aie jamais rencontrée. Elle m'a aidée à fixer le cap de mon travail de première dame et elle est toujours restée une intime et une confidente. Melanne Verveer avait été l'adjointe de Maggie durant le premier mandat et lui a succédé pour le second. Nous formons depuis longtemps un vrai club d'admiration mutuelle. Melanne et son mari, Phil, avaient fait leurs études à George-town avec Bill ; Melanne était ensuite devenue une vedette au Capitole et au sein de l'association People for the American Way. Son énergie et son intelligence sont absolument irrésistibles ; son engagement passionné pour la cause des femmes et des filles est incomparable.

Les années qui ont suivi la conférence de Pékin ont vu des progrès encourageants. Dans de nombreux pays, des lois qui permettaient la discrimination des femmes et des filles ont été abolies. Les Nations unies ont créé une nouvelle agence appelée ONU Femmes, et le Conseil de sécurité a voté une résolution reconnaissant le rôle essentiel des femmes dans le maintien de la paix et la sécurité. Des chercheurs de la Banque mondiale, du Fonds monétaire international (FMI) et d'autres institutions ont élargi leurs études sur le potentiel inexploité des femmes comme force motrice de la croissance économique et du progrès social. Plus les femmes avaient l'opportunité de travailler, d'apprendre et de participer à leurs sociétés, plus leurs contributions économiques, sociales et politiques se multipliaient.

Malgré ces progrès, la population de personnes en mauvaise santé, mal nourries et sous-payées est toujours composée en majorité de femmes et de filles. À la fin de l'année 2013, les femmes n'occupaient que 22 % des sièges dans les parlements et les assemblées législatives dans le monde. Dans certains pays, elles ne pouvaient ni ouvrir un compte en banque ni signer un contrat. Dans plus d'une centaine d'États, des lois toujours en vigueur limitent ou interdisent la participation des femmes à la vie économique. Il y a vingt ans, les femmes américaines gagnaient 72 cents quand les hommes gagnaient un dollar. Aujourd'hui encore, les salaires ne sont pas égaux. Dans notre pays, les femmes occupent la majorité des postes mal payés et les trois quarts des emplois rémunérés au pourboire – serveuse, barmaid ou coiffeuse –, qui rapportent encore moins que le salaire horaire moyen. On ne compte qu'un très petit pourcentage de femmes parmi les PDG des cinq cents plus grandes entreprises. Bref, le chemin vers une pleine participation des femmes et des filles est encore long.

Cette triste réalité décourage parfois. À la Maison-Blanche, après Pékin, lorsque je me sentais dépassée par l'immensité des problèmes que nous avions à surmonter, je regardais souvent le portrait d'Eleanor Roosevelt que je gardais dans mon bureau. Elle était un exemple de première dame intrépide et de militante courageuse des droits de l'homme qui m'inspirait et me donnait de la force. Après la mort de Franklin Roosevelt et la fin de la Seconde Guerre mondiale, Eleanor a représenté l'Amérique aux Nations unies et a aidé à orienter leur développement. Lors de la première Assemblée générale des Nations unies, à Londres en 1946, elle s'est jointe aux seize autres femmes déléguées pour publier une « lettre ouverte aux femmes du monde » dans laquelle elles déclaraient : « Les femmes, dans diverses régions du monde, se trouvent à différents stades de participation à la vie de leurs communautés », mais « le but d'une pleine participation à la vie et aux responsabilités de leurs pays et de la communauté mondiale est un objectif commun pour lequel les femmes du monde entier doivent s'entraider ». L'expression « pleine participation » d'Eleanor, reprise dans le Programme d'action de Pékin près de cinquante ans plus tard, a toujours résonné en moi.

C'est le cas de beaucoup d'autres de ses formules. « Une femme est comme un sachet de thé, avait-elle observé un jour avec ironie. On ne découvre sa force qu'une fois qu'elle a été plongée dans l'eau bouillante. » Cela me plaisait et, en ce qui me concernait, c'était flagrant. En 1959, vers la fin de sa vie, alors qu'elle était devenue une femme politique respectée, elle s'est servie de l'une de ses tribunes dans un journal pour appeler le peuple américain à l'action : « Dans notre démocratie, nous ne sommes pas encore arrivés à donner à chacun de nos concitoyens une liberté et des chances égales ; c'est un travail toujours en cours. » Quand j'ai approfondi mon action pour la cause des femmes et des filles dans le monde, j'ai appelé cette quête de l'égalité des droits et de la pleine participation des femmes le « travail en cours » de notre époque. Je rappelais ainsi à mes auditeurs, et à moi-même, tout le chemin qui restait à parcourir.

*
* *

Le plus bel accomplissement d'Eleanor Roosevelt a été la Déclaration universelle des droits de l'homme, le premier accord international officiel sur les droits du genre humain. Au lendemain de la Seconde Guerre mondiale et de l'Holocauste, de nombreux pays réclamaient une déclaration de ce genre pour garantir que nous allions à l'avenir empêcher de telles atrocités et protéger l'humanité et la dignité de tous. Si les nazis avaient été en mesure de commettre leurs crimes, c'était parce qu'ils avaient pu réduire progressivement le cercle des personnes définies comme humaines. Cette froide et sombre région de l'âme où l'on cesse de comprendre un autre être humain, puis de sympathiser avec lui et finalement de lui reconnaître la qualité même de personne, n'était évidemment pas l'apanage de l'Allemagne nazie.

La pulsion déshumanisante est souvent réapparue dans l'histoire, et c'est elle que les rédacteurs de la Déclaration universelle des droits de l'homme espéraient contenir.

Ils ont discuté, écrit, réexaminé, révisé, réécrit. Ils ont intégré des suggestions et des corrections émanant de gouvernements, d'organisations et d'individus du monde entier. Notons bien que, même au cours de la rédaction de la Déclaration universelle des droits de l'homme, il y a eu débat sur les droits de la femme. À l'origine, le premier article de la Déclaration stipulait : « Tous les hommes sont créés égaux. » Des femmes membres de la commission, menées par l'Indienne Hansa Mehta, ont fait remarquer que l'expression « tous les hommes » pouvait être interprétée comme une exclusion des femmes. Ce n'est qu'au terme d'un long débat qu'a finalement été adoptée la formule : « Tous les êtres humains naissent libres et égaux en dignité et en droits. »

À 3 heures du matin, le 10 décembre 1948, après deux années d'élaboration et une dernière longue nuit de discussions, le président de l'Assemblée générale des Nations unies a mis aux voix le texte final. Quarante-huit pays ont voté pour, huit se sont abstenus, aucun ne s'est opposé, et la Déclaration universelle des droits de l'homme a été adoptée. Elle disait clairement que nos droits ne sont pas octroyés par des gouvernements ; ils sont les droits imprescriptibles de chacun. Peu importe dans quel pays nous vivons, qui nous dirige ou même qui nous sommes. Parce que nous sommes humains, nous avons des droits. Et parce que nous avons des droits, les gouvernements doivent les protéger.

Durant la guerre froide, l'engagement de l'Amérique en faveur des droits de l'homme a fait de notre pays une source d'espoir et d'inspiration pour des millions de personnes dans le monde. Mais nos politiques et nos pratiques n'étaient pas toujours conformes à nos idéaux. Aux États-Unis, il a fallu le courage d'une femme qui a refusé de laisser son siège dans un bus, d'un pasteur qui ne voulait plus taire « l'urgence absolue du moment », et de tant d'autres qui ne toléraient plus la ségrégation et la discrimination, pour obliger l'Amérique à reconnaître les droits civiques de tous ses citoyens. Dans le monde, notre gouvernement a souvent fait passer la sécurité et les intérêts stratégiques avant les droits de l'homme, et soutenu d'odieux dictateurs parce qu'ils partageaient notre opposition au communisme.

Tout au long de l'histoire de la politique étrangère des États-Unis, il y a eu un débat permanent entre les « réalistes » et les « idéalistes ».

Les premiers, dit-on, donnent la priorité à la sécurité nationale sur les droits de l'homme, alors que les seconds font l'inverse. Il me semble que ces catégories sont beaucoup trop simplistes. Personne ne doit se faire d'illusion sur la gravité des dangers qui menacent la sécurité de l'Amérique et, en tant que secrétaire d'État, ma plus grande responsabilité était de protéger mon pays et ses citoyens. Mais, en même temps, lutter pour les valeurs universelles et les droits de l'homme est au cœur de l'identité américaine. Si nous sacrifions nos idéaux ou si nous laissons notre politique s'en éloigner trop, notre influence va s'évanouir et notre pays ne sera plus ce qu'en disait Abraham Lincoln : « le dernier et meilleur espoir de la Terre ». En outre, la défense de nos intérêts et la défense de nos valeurs sont souvent plus proches qu'on ne le pense. À long terme, la répression mine la stabilité et cause de nouvelles menaces, alors que la démocratie et le respect des droits de l'homme créent des sociétés fortes et stables.

Néanmoins, comme nous l'avons vu dans ce livre, il y a des moments où des compromis difficiles sont nécessaires. Notre défi est d'être lucide sur le monde tel qu'il est sans jamais perdre de vue le monde tel que nous voudrions qu'il devienne. C'est pourquoi cela ne me gêne pas d'avoir été qualifiée alternativement d'idéaliste et de réaliste tout au long de ma carrière. Je préfère être considérée comme un être hybride, ou peut-être une réaliste idéaliste. Parce que, comme notre pays, j'incarne les deux tendances.

L'un de mes exemples de prédilection pour montrer comment la lutte pour les droits de l'homme peut favoriser nos intérêts stratégiques date des années 1970, lorsque les États-Unis, sous le président Gerald Ford, ont signé les accords d'Helsinki avec l'Union soviétique. Certains commentateurs occidentaux avaient dénigré les articles sur les droits de l'homme : ils y voyaient le comble de l'ineptie idéaliste, ne valant pas de gâcher du papier. Les Soviétiques n'en tiendraient jamais compte.

Puis il s'est passé quelque chose d'inattendu. Derrière le rideau de fer, des militants et des dissidents se sont sentis en mesure d'engager une lutte pour le changement parce qu'ils étaient couverts par les accords d'Helsinki pour parler des droits de l'homme. Les responsables communistes étaient pris au piège. Ils ne pouvaient pas condamner un document signé par le Kremlin, mais, s'ils appliquaient ses articles, tout leur système autoritaire s'effondrait. Dans les années qui ont suivi, le syndicat des travailleurs du chantier naval de Pologne, appelé Solidarité, les réformateurs en Hongrie et les manifestants à Prague se sont tous emparés des droits fondamentaux définis à Helsinki. Ils ont reproché à leurs gouvernements de ne pas satisfaire aux normes qu'ils avaient acceptées. Helsinki a été un cheval de Troie qui a contribué à la chute du communisme. Cela n'avait rien d'« inoffensif ».

J'ai tenté de ne jamais oublier la leçon d'Helsinki et l'impact stratégique que peuvent avoir les droits de l'homme. Chaque fois que j'avais besoin d'une piqûre de rappel, je levais les yeux sur le portrait d'Eleanor Roosevelt, qui n'était jamais loin de mon bureau.

Vers la fin de l'année 1997, deux ans après la conférence de Pékin, les Nations unies m'ont invitée à participer au lancement des commémorations du cinquantième anniversaire de la Déclaration universelle des droits de l'homme. Le 10 décembre, devenu la journée des droits de l'homme, je suis allée au siège des Nations unies à New York pour prononcer un discours sur notre responsabilité commune de faire entrer l'héritage de la Déclaration dans le nouveau millénaire. Je me suis félicitée des progrès que le monde avait accomplis depuis 1948, mais j'ai ajouté : « Nous n'avons pas encore suffisamment élargi le cercle de la dignité humaine. Il y a encore beaucoup trop d'hommes et de femmes exclus des droits fondamentaux, beaucoup trop de personnes dont nous n'avons pas pu voir, entendre ou sentir les souffrances. » J'ai particulièrement attiré l'attention sur les femmes et les filles dans le monde dont on niait toujours les droits et que l'on n'autorisait toujours pas à participer à la société. « La pleine application des droits de la femme est un travail en cours en ce siècle troublé, ai-je dit, en écho à la formule d'Eleanor. C'est parce que chaque époque a ses aveuglements que nous devons accélérer notre propre travail en cours : maintenant que nous sommes au seuil d'un nouveau millénaire, le sentiment d'urgence est encore plus fort. Nous devons nous réengager à boucler le cercle des droits de l'homme une fois pour toutes. »

*
* *

Quand je suis devenue secrétaire d'État en 2009, j'étais déterminée à placer ce « travail en cours » en haut de la liste des priorités diplomatiques de l'Amérique. Melanne Verveer a été l'une des premières personnes que j'ai contactées. Elle venait de passer huit ans à la tête de Vital Voices, une organisation qu'elle et moi avions fondée avec Madeleine Albright pour repérer et soutenir les nouvelles dirigeantes qui émergeaient dans le monde. J'ai demandé à Melanne de devenir la première ambassadrice itinérante en charge de la condition féminine dans le monde ; elle allait m'aider à élaborer un « programme de pleine participation » et à l'intégrer au tissu de la politique étrangère et de la sécurité nationale américaines. Il fallait que nous obligions des bureaux et des agences attachés aux traditions à penser différemment le rôle des femmes dans les conflits, la paix, le développement économique et démocratique, la santé publique, etc. Je ne voulais pas que son bureau soit le seul à s'occuper de cette tâche ; je voulais que celle-ci fasse partie du travail quotidien de nos diplomates et de nos experts en développement partout.

Le département d'État et l'USAID ont lancé un large éventail d'initiatives régionales et mondiales : des programmes pour aider les femmes entrepreneurs à accéder à des formations, à des marchés, à la finance et au crédit ; des partenariats avec quelques-unes de nos principales universités féminines pour identifier, guider et former des femmes au service de l'intérêt public partout dans le monde ; des investissements pour apprendre aux femmes à utiliser la technologie mobile à de multiples fins, depuis les services bancaires sécurisés jusqu'à la documentation des violences sexistes. Melanne a voyagé sans relâche dans le monde entier pour trouver des partenaires locaux et pour s'assurer que ses efforts s'enracinaient dans les villages autant que dans les capitales. Je la taquinais souvent en lui disant qu'elle était la seule de mes connaissances qui cumulait plus de kilomètres que moi. (Si seulement l'Air Force en offrait !)

Des années auparavant, lors d'un voyage en Afrique, j'avais été frappée par le fait que je voyais partout des femmes travailler dans les champs, porter de l'eau, ramasser du bois pour le feu, faire du commerce sur des étals dans les marchés. Je m'en suis ouverte à des économistes et je leur ai demandé : « À quelle hauteur évaluez-vous la contribution des femmes à l'économie ? — Nous ne l'évaluons pas, m'a répondu l'un d'eux, car elles n'y participent pas. » Il voulait parler de l'économie officielle, celle des bureaux et des usines. Mais si un jour toutes les femmes du monde cessaient de travailler, ces économistes découvriraient vite qu'elles contribuent énormément à l'économie, ainsi qu'à la paix et à la sécurité de leurs communautés.

Je me suis heurtée à cette attitude partout dans le monde. Combien de fois, assise en face d'un président ou d'un Premier ministre, ai-je vu mes interlocuteurs lever les yeux au ciel quand j'abordais le problème des droits et des chances des femmes dans leur pays ! Je tenais discrètement le compte du nombre de femmes, dirigeantes ou conseillères, qui participaient à ces réunions. C'était facile : il n'y en avait pratiquement aucune.

Ma rencontre la plus pénible avec un dirigeant étranger inconscient remonte à novembre 2010, dans un lointain pays insulaire du Sud-Est asiatique, la Papouasie-Nouvelle-Guinée. C'est un pays mystérieux et riche en ressources qui est sur la voie du progrès ; mais le taux des violences faites aux femmes y est le plus élevé du monde. Selon une estimation, 70 % des femmes y seront victimes de viols ou de violences physiques au cours de leur vie. Lors de notre conférence de presse commune, un journaliste américain a demandé au Premier ministre Sir Michael Somare comment il réagissait à ces statistiques inquiétantes. Somare a déclaré que les problèmes étaient « exagérés par les personnes qui menaient ces enquêtes ». C'est vrai, a-t-il admis, il y a des violences, mais, a-t-il ajouté, « je ne suis pas né de la dernière pluie, je sais qu'entre hommes et femmes parfois on se bat, on se dispute, mais rien de vraiment brutal ». Il existe des lois, a-t-il dit. « Il y a aussi des cas de personnes ivres. [...] On ne peut pas se contrôler sous l'influence de l'alcool. » J'étais déconcertée, pour ne pas dire plus ; même les journalistes américains sont restés sans voix. Après coup, comme vous pouvez l'imaginer, Melanne et moi nous sommes mises au travail pour concevoir de nouveaux programmes et partenariats avec la société civile de Papouasie-Nouvelle-Guinée, afin de renforcer la voix des femmes et de leur offrir de nouvelles plates-formes de participation. Je suis heureuse qu'en mai 2013 le nouveau Premier ministre, Peter O'Neill, se soit publiquement excusé auprès des femmes de son pays pour les violences qu'elles subissent et ait promis de durcir les sanctions pénales.

Même chez nous, à Washington, notre travail pour le droit des femmes a souvent été considéré comme une parenthèse, distincte du travail sérieux de la diplomatie internationale. Dans un article du *Washington Post* sur nos efforts pour améliorer la condition féminine en Afghanistan, un haut responsable anonyme de l'administration a lancé avec mépris : « Les questions de genre vont devoir céder la place à d'autres priorités. [...] Nous ne serons jamais efficaces si nous maintenons tous les projets favoris de chacun. Tous ces cailloux dans nos chaussures nous plombent. » Je n'étais pas surprise que l'officiel en question n'ait pas souhaité révéler son identité. Melanne et moi avons rebaptisé son bureau le « service des cailloux dans la chaussure » et nous avons poursuivi notre travail.

Je dois l'admettre : j'ai commencé à en avoir assez que des gens, par ailleurs sensés, me sourient en hochant la tête quand j'abordais la question des droits des femmes et des filles. Je portais ces sujets sur la scène mondiale depuis près de vingt ans, et parfois j'avais vraiment l'impression d'avoir prêché dans le désert. J'ai donc décidé de redoubler d'efforts afin de présenter une démonstration assez solide pour convaincre les sceptiques, sur la base de données précises et d'analyses clairvoyantes, qui prouverait que donner leur chance aux femmes et aux filles dans le monde favorise la sécurité et la prospérité, et doit faire partie intégrante de notre diplomatie et de notre aide au développement.

L'équipe de Melanne a passé au peigne fin toutes les informations qui avaient été collectées par des institutions telles que la Banque mondiale et le FMI. Elle s'est vite rendu compte que certains aspects de la participation des femmes avaient été très bien étudiés, notamment l'intérêt de les faire entrer dans la population active et ce qui les en empêchait, mais que d'autres étaient tout à fait sous-documentés. Dans de nombreuses régions du monde, nous manquions même de données fiables et régulières sur des réalités élémentaires de la vie des femmes et des filles : avaient-elles des certificats de naissance ? à quel âge concevaient-elles leur premier enfant ? de combien d'heures de travail rémunéré et non rémunéré s'acquittaient-elles ? la terre qu'elle cultivait leur appartenait-elle ?

J'ai toujours pensé que, pour prendre de bonnes décisions en politique, en affaires ou dans sa vie privée, il faut s'appuyer sur les faits, pas sur des idéologies. C'est particulièrement vrai pour les politiques qui vont concerner des millions de personnes. Il faut mener des enquêtes et faire parler les chiffres ; c'est ainsi qu'on minimise les risques et maximise les résultats. Aujourd'hui, nous tenons des statistiques sur tout ce qui nous intéresse, des points produits dans le base-ball aux points d'indice de certains investissements. Il existe une formule dans les cercles de management : « Ce qui se mesure se fait. » Donc, si nous voulions vraiment aider davantage de femmes et de filles à concrétiser pleinement leur potentiel, nous devions collecter et analyser sérieusement les données sur leurs conditions de vie et leurs contributions à la collectivité. Nous avions besoin de plus d'informations, mais aussi d'informations de meilleure qualité. Nous devions les rendre accessibles aux chercheurs et aux politiques pour les aider à prendre de bonnes décisions. Le département d'État a lancé de nombreuses initiatives pour combler les lacunes des données en travaillant, entre autres, avec les Nations unies, la Banque mondiale, l'Organisation pour la coopération et le développement économiques, etc.

(D'une manière générale, j'ai été surprise de constater combien de personnes à Washington opéraient dans une « zone hors réel », où l'on ne tenait compte ni des données ni de la science. La presse avait cité les propos d'un haut conseiller du président Bush dénigrant « ceux qui se fondent sur des faits », ces gens qui « pensent que les solutions procèdent d'une étude judicieuse de la réalité visible ». Effectivement, j'ai toujours pensé que c'était la meilleure façon de résoudre les problèmes. Le conseiller de Bush ajoutait : « Ce n'est plus ainsi que le monde fonctionne aujourd'hui. [...] Nous sommes un empire à présent et, quand nous agissons, nous créons notre propre réalité. » Cette attitude explique largement ce qui ne tournait pas rond à cette époque-là.)

Nous n'étions pas tenus d'attendre que tous ces projets aient porté leurs fruits pour commencer à claironner les informations que nous avions déjà, notamment sur la place des femmes dans l'économie. Et nous n'avions pas à chercher bien loin. Au début des années 1970, aux États-Unis, 37 % des emplois étaient occupés par des femmes ; en 2009, ce chiffre s'élevait à 47 %. Les gains de productivité dus à cette augmentation ont contribué pour plus de 3,5 milliards de dollars à la croissance du PIB en l'espace de quarante ans.

On observe le même phénomène dans des pays moins développés. En Amérique du Sud et dans les Caraïbes, par exemple, la participation des femmes au marché du travail est en croissance constante depuis les années 1990. La Banque mondiale estime que ces gains récents ont réduit de 30 % l'extrême pauvreté dans la région.

Ces résultats, et d'autres qui vont dans le même sens, confirment irréfutablement qu'il est dans l'intérêt de tous de faire croître la participation des femmes à l'économie et de démanteler les obstacles qui leur barrent encore la route. En septembre 2011, j'ai rassemblé toutes les informations disponibles et j'ai fait une déclaration lors d'un sommet des dirigeants de l'Asie-Pacifique à San Francisco. « Pour atteindre l'expansion économique que nous recherchons tous, ai-je dit aux délégués, nous devons libérer une source vitale de croissance qui peut dynamiser nos économies pour les décennies à venir. Et cette source vitale de croissance, ce sont les femmes. Puisque nos modèles économiques sont en difficulté dans le monde entier, aucun d'entre nous ne peut se permettre de laisser se perpétuer les obstacles qui empêchent les femmes de travailler. »

J'ai été ravie quand le Premier ministre japonais Shinzo Abe a annoncé qu'accroître la participation des femmes à la population active allait être un pilier de son nouveau programme économique ambitieux. Ce volet serait surnommé la « féminomie ». Il a exposé un plan détaillé pour améliorer l'accès à des garderies abordables et prolonger les congés parentaux afin d'encourager plus de femmes à entrer dans le monde du travail. Abe a également demandé aux plus importantes entreprises du pays d'embaucher au moins une femme à un poste de direction. Nous avons besoin de plus de dirigeants clairvoyants de cette trempe dans notre pays et dans le monde.

Un autre domaine sur lequel nous avons concentré nos efforts était le rôle des femmes dans le rétablissement et le maintien de la paix. Nous avions, partout dans le monde, de si nombreux exemples édifiants de femmes qui prenaient des initiatives uniques pour mettre fin à des conflits et reconstruire des sociétés brisées, au Liberia, en Colombie, au Rwanda, en Irlande du Nord et ailleurs ! Je me souviens très bien de mon passage dans un *fish & chips* de Belfast en 1995, où j'ai eu l'occasion de dîner avec des femmes catholiques et protestantes qui étaient lasses des troubles et aspiraient à la paix. Même si elles fréquentaient des églises différentes le dimanche, sept jours par semaine elles priaient toutes en silence pour que leurs enfants rentrent sains et saufs de l'école et que leurs maris reviennent à la maison sans encombre. L'une d'entre elles, Joyce McCartan, qui a fondé le Women's Drop-In Center en 1987 après que son fils de 17 ans a été tué par balle, a dit : « Il faut des femmes pour ramener les hommes à la raison. »

Quand les femmes participent aux processus de paix, elles se concentrent sur les questions de droits de l'homme, de justice, de réconciliation nationale et de redressement économique, qui sont essentielles pour mettre fin aux conflits. En général, elles forment des coalitions interethniques et interconfessionnelles, et parlent plus facilement au nom d'autres groupes marginalisés. Elles font souvent office de médiatrices et aident à forger des compromis.

Pourtant, malgré tout ce que les femmes ont à apporter, le plus souvent elles sont exclues. Sur les centaines de traités de paix conclus depuis le début des années 1990, moins de 10 % ont fait appel à des négociatrices, moins de 3 % comportent une signature féminine, et seuls quelques-uns font, au moins une fois, mention des femmes. Il n'est donc pas surprenant que plus de la moitié de ces traités aient échoué dans les cinq ans suivant leur signature.

J'ai passé des années à essayer de faire comprendre cette réalité à des généraux, des diplomates et des décideurs de la politique de sécurité nationale dans notre pays et dans le monde. J'ai trouvé des alliés sympathisants au Pentagone et à la Maison-Blanche, notamment la sous-secrétaire à la Défense Michèle Flournoy et l'amiral Sandy Winnefeld, vice-président du Comité des chefs d'état-major inter-armées. Le département d'État, l'USAID et la Défense ont élaboré un plan qui changerait la façon dont les diplomates, les experts en développement et le personnel militaire interagissent avec les femmes dans les zones de conflit ou d'après-conflit. Nous allions nous atta-cher davantage à mettre fin aux viols et à la violence sexiste, et à donner aux femmes les moyens de rétablir et de maintenir la paix. Nous l'avons appelé Plan d'action national en faveur des femmes, de la paix et de la sécurité.

En décembre 2011, le président Obama a publié le décret de mise en application de ce plan. Flournoy et Winnefeld m'ont rejointe à Georgetown pour le présenter au public. En regardant l'amiral en grand uniforme participer à cette réunion sur le rôle de pacificatrices des femmes, je me suis dit que nous avions finalement passé un cap, au moins dans notre pays.

Lorsque mon mandat de secrétaire d'État est arrivé à son terme, j'ai voulu m'assurer que les changements que j'avais effectués pour intégrer la question du genre dans tous les aspects de la politique étrangère des États-Unis ne disparaîtraient pas après mon départ. Dans toute bureaucratie, les réformes institutionnelles sont difficiles à mettre en place ; le département d'État ne faisait pas exception. Pendant plusieurs mois, nous avons travaillé avec la Maison-Blanche sur un mémorandum présidentiel qui rendrait permanent le poste de Melanne – ambassadeur itinérant en faveur de la condition féminine dans le monde – et garantirait que celles qui lui succéderaient en réfé-reraient directement au secrétaire d'État. Il a fallu quelques pressions pour faire avancer ce texte au sein des services de la Maison-Blanche, mais, heureusement, mon ancien secrétaire d'État adjoint Jack Lew était devenu secrétaire général du président Obama. Nous avions donc un allié très haut placé. Le 30 janvier 2013, l'un de mes derniers jours en fonction, j'ai déjeuné avec le président Obama dans sa salle à manger privée près du Bureau ovale ; alors que je m'apprêtais à partir, il m'a arrêtée pour que je le voie signer le mémorandum. Il ne pouvait pas me faire un plus beau cadeau d'adieu.

*
* *

Notre travail pour la cause des femmes et des filles dans le monde faisait partie d'un programme général des droits de l'homme qui visait à défendre les libertés consacrées par la Déclaration des droits de l'homme et à les rendre tangibles dans la vie des gens de tous les pays.

En 2009, on ne pouvait nier que la vision de notre pays en matière de droits de l'homme s'était déséquilibrée. Le deuxième jour de son mandat, le président Obama a publié un décret interdisant les actes de torture ou de cruauté à tout officiel américain et ordonnant la fermeture de Guantánamo (un objectif qui n'a pas encore été rempli). Il s'est engagé à replacer les droits de l'homme au cœur de notre politique étrangère.

Comme je l'ai montré, les États-Unis sont devenus les champions de la liberté sur Internet et sont intervenus pour aider les dissidents qui tentaient d'échapper à la censure et de contourner les barrières électroniques. Nous avons pris parti en faveur des journalistes jetés en prison pour avoir révélé des vérités dérangeantes sur des régimes répressifs, aidé les rescapés de la traite d'êtres humains à sortir de l'ombre et plaidé pour les droits des travailleurs et pour de justes conditions de travail. Derrière ces formules, il y avait l'action diplomatique quotidienne : faire pression sur les gouvernements étrangers, soutenir les dissidents, coopérer avec la société civile et s'assurer que notre propre gouvernement garde les droits de l'homme en première ligne de toutes ses délibérations politiques.

L'une de nos premières initiatives a été de rejoindre le Conseil des droits de l'homme des Nations unies, un organisme de quarante-sept membres créé en 2006 pour surveiller les atteintes aux droits dans le monde. Il a remplacé la Commission des droits de l'homme des Nations unies, qu'Eleanor Roosevelt avait contribué à fonder et dirigée vers la fin des années 1940. Au fil du temps, cette commission était devenue ridicule, car des pays qui violaient manifestement les droits de l'homme, comme le Soudan et le Zimbabwe, en avaient été élus membres. La nouvelle organisation a connu des problèmes similaires ; même Cuba y a obtenu un siège. L'administration Bush avait refusé d'y participer, et le Conseil semblait passer le plus clair de son temps à condamner Israël. Alors, pourquoi y entrer ? L'administration Obama se rendait bien compte des défauts du Conseil, mais a estimé que nous aurions plus de chances d'avoir sur lui une influence constructive et de l'orienter vers une meilleure voie en le rejoignant.

Le Conseil a continué de poser de sérieux problèmes, mais il s'est révélé une tribune très utile pour faire avancer notre programme. Au début de l'année 2011, quand Mouammar Kadhafi faisait subir des violences extrêmes aux civils en Libye, je suis allée au Conseil de Genève pour tenter d'unir le monde contre ses atrocités. Là-bas, je me suis élevée contre le parti pris systématique en défaveur d'Israël. J'ai aussi poussé le Conseil à dépasser un débat qui durait depuis des décennies : devait-on interdire ou criminaliser les insultes à la religion ? « Il est temps de surmonter la fausse opposition entre les sensibilités religieuses et la liberté d'expression, et de tenter une nouvelle approche fondée sur des mesures concrètes pour combattre l'intolérance partout où elle se manifeste. »

Depuis des années, au sein du Conseil, certains pays à majorité musulmane soutenaient des résolutions, combattues par les États-Unis et d'autres pays, qui auraient menacé la liberté d'expression pour empêcher la « diffamation religieuse ». Au vu des tempêtes soulevées par la publication d'une caricature ou la mise en ligne d'une vidéo dénigrant le prophète Mahomet, il ne s'agissait pas d'un simple débat théorique. Je pensais que nous pouvions sortir de cette impasse en reconnaissant que la liberté et la tolérance sont toutes deux des valeurs maîtresses que nous devions protéger. Pour parvenir à un compromis, nous avions besoin d'un partenaire capable de dépasser les questions politiques et idéologiques émotionnelles qui brouillaient le débat.

Nous l'avons trouvé dans l'Organisation de la coopération islamique, qui représente près de soixante pays. Son président, Ekmeleddin İhsanoğlu, diplomate et intellectuel turc, est un homme réfléchi que j'avais rencontré dans les années 1990, lorsqu'il était directeur du Centre de recherche sur l'histoire, l'art et la culture islamiques à Istanbul. Il a accepté de travailler avec moi à une nouvelle résolution au Conseil des droits de l'homme. Elle défendait fermement la liberté d'expression et de culte, et s'opposait à la discrimination et à la violence fondées sur la religion ou la croyance, tout en évitant les vastes atteintes à la liberté d'expression préconisées par les précédentes résolutions « anti-diffamation ». Nos équipes à Genève ont négocié activement le texte et, vers la fin du mois de mars 2011, le Conseil l'a adopté à l'unanimité.

La liberté de religion est un droit humain en soi, indissociable d'autres droits, notamment le droit des gens à penser ce qu'ils veulent, à dire ce qu'ils pensent, à s'associer entre eux, à se rassembler pacifiquement sans que l'État les surveille ou le leur interdise. La Déclaration des droits de l'homme dit clairement que chacun naît libre de pratiquer une religion, d'en changer ou de ne pas en avoir du tout. Aucun État ne peut octroyer ces libertés comme un privilège ni les retirer en guise de punition.

Chaque année, le département d'État publie un rapport détaillé des cas de persécutions religieuses dans le monde. Par exemple, les autorités iraniennes répriment les musulmans soufis, les chrétiens évangélistes, les juifs, les baha'is, les sunnites, les ahmadis et d'autres qui ne partagent pas les opinions religieuses du gouvernement. Nous avons aussi remarqué une résurgence troublante de l'antisémitisme dans certains pays d'Europe : en France, en Pologne et aux Pays-Bas, des croix gammées ont été peintes sur des tombes et des écoles juives, sur des synagogues et des magasins kasher.

En Chine, le gouvernement a réprimé les « églises de maison » non déclarées et leurs fidèles chrétiens, ainsi que les musulmans ouïghours et les bouddhistes tibétains. En février 2009, lors de mon premier voyage en Chine en tant que secrétaire d'État, je me suis rendue à une messe dans l'une de ces églises de maison pour envoyer un message fort au gouvernement sur la liberté de religion.

Notre intérêt à protéger la liberté religieuse et les droits des minorités allait au-delà d'un simple argument moral. Il y avait aussi des considérations stratégiques importantes, en particulier dans les sociétés en transition. Quand j'ai visité l'Égypte en 2012, les chrétiens coptes se demandaient si le gouvernement allait leur accorder les mêmes droits et le même respect qu'au reste de la population. En Birmanie, la minorité ethnique musulmane des Rohingya se voyait toujours refuser une citoyenneté entière et l'égalité des chances pour l'éducation, l'emploi et la mobilité. Ce que vont décider l'Égypte, la Birmanie et d'autres pays au sujet de la protection de ces minorités religieuses aura un impact majeur sur la vie de leur peuple et en dira long sur leur capacité à instaurer la stabilité et la démocratie. L'histoire nous prouve que, quand les droits des minorités sont respectés, les sociétés sont plus stables et cela profite à tout le monde. Comme je l'ai dit à Alexandrie, en Égypte, durant le chaud et tumultueux été 2012 : « La vraie démocratie implique que chaque citoyen ait le droit de vivre, de travailler et de prier comme il l'entend, qu'il soit un homme ou une femme, un musulman ou un chrétien, ou de n'importe quelle autre confession. La vraie démocratie implique qu'aucun groupe, aucune faction ou aucun dirigeant ne puisse imposer sa volonté, son idéologie, sa religion ou ses désirs à quiconque. »

*

* *

Au fil des ans, j'ai souvent réutilisé l'un des arguments de mon discours du cinquantième anniversaire de la Déclaration universelle des droits de l'homme : « Nous arrivons à l'extrême fin du XXe siècle, qui a été déchiré par la guerre à maintes reprises. Si ce siècle a une leçon à nous apprendre, c'est que, chaque fois que la dignité d'un individu ou d'un groupe est compromise, nous ouvrons la porte au cauchemar. » Nous devions retenir la leçon et élargir le cercle de la citoyenneté et de la dignité humaine pour y inclure tout le monde sans exception.

Quand j'ai prononcé ces mots, je n'avais pas uniquement en tête le sort des femmes et des filles dans le monde, qui étaient toujours marginalisées à tant d'égards, mais aussi des autres « invisibles » ; je pensais notamment aux minorités religieuses et ethniques, aux personnes handicapées et aux minorités sexuelles – lesbiennes, gays, bisexuels et transgenres (LGBT). Quand je me retourne sur mon parcours de secrétaire d'État, je suis fière du travail que nous avons accompli : nous avons élargi le cercle de la dignité et des droits de l'homme pour y inclure des populations qui en étaient traditionnellement exclues.

En janvier 2011, le monde a découvert David Kato, un militant gay ougandais, très connu dans son pays et dans les associations de défense internationales. Il avait été menacé bien des fois, notamment à la une d'un journal ougandais, qui avait publié des photos de lui et d'autres personnes sous le gros titre : « PENDEZ-LES ! » Finalement, quelqu'un est passé à l'acte. David a été tué dans ce que la police a qualifié de vol, mais qui ressemblait davantage à une exécution.

Comme beaucoup en Ouganda et dans le monde, j'ai été effarée de constater que la police et le gouvernement n'avaient rien fait pour le protéger après les appels au meurtre publics. Mais c'était plus grave qu'une simple incompétence policière. Le parlement ougandais était en train d'examiner une loi qui ferait de l'homosexualité un crime passible de la peine de mort. Un haut responsable du gouvernement – le ministre de l'Éthique et de l'Intégrité, rien de moins – avait déclaré avec mépris dans une interview : « Les homosexuels peuvent faire une croix sur les droits de l'homme. » En Ouganda, les militants LGBT étaient harcelés et subissaient des attaques quotidiennes ; les autorités ne faisaient rien pour y mettre fin. Quand j'en discutais avec le président Yoweri Museveni, il tournait mes inquiétudes en dérision. « Oh, Hillary, vous voilà repartie ! » disait-il. Mais l'assassinat de David n'était pas un accident isolé ; c'était le résultat d'une campagne nationale pour réprimer les militants LGBT par tous les moyens, et le gouvernement y prenait part.

J'ai demandé un résumé de la vie et du travail de David et j'ai lu une interview qu'il avait donnée en 2009. Il y déclarait qu'il voulait être « un bon défenseur des droits de l'homme, un défenseur vivant, pas mort ». On lui avait volé cette chance, mais d'autres poursuivaient son effort, et je voulais que les États-Unis soient fermement à leurs côtés.

La maltraitance des militants LGBT n'est sûrement pas l'exclusivité de l'Ouganda. Au moment où j'écris, plus de quatre-vingts pays dans le monde, des Caraïbes au Moyen-Orient en passant par l'Asie du Sud, criminalisent l'homosexualité d'une façon ou d'une autre. Des gens sont incarcérés pour avoir eu des rapports sexuels avec une personne du même sexe, pour s'être habillés hors des normes de genre habituelles, ou seulement pour avoir dit qu'ils étaient LGBT. Le Kenya, voisin de l'Ouganda, emprisonne les gays depuis des années. Au nord du Nigeria, ces derniers risquent toujours la mort par lapidation. Au Cameroun, en 2012, un homme a été jeté en prison simplement pour avoir envoyé un texto romantique à un autre. J'ai été profondément troublée quand le président nigérian Goodluck Jonathan et son homologue ougandais Museveni ont promulgué des lois répressives très dures à l'encontre des homosexuels, au début de 2014. L'homosexualité était déjà un crime dans les deux pays, mais la nouvelle loi nigériane prévoit quatorze ans de prison pour les relations homosexuelles et dix ans pour le militantisme LGBT ; certains actes sont à présent punis de mort en Ouganda.

Le régime de Vladimir Poutine en Russie a également instauré un certain nombre de lois homophobes : elles interdisent l'adoption d'enfants russes par des couples homosexuels ou des ressortissants de pays qui autorisent le mariage pour tous, criminalisent la revendication des droits LGBT et même toute évocation de l'homosexualité en présence d'enfants. Quand je m'en suis ouverte à Sergueï Lavrov, le ministre russe des Affaires étrangères, d'habitude si calme et réservé, il s'est emporté. Les Russes n'ont pas de problème avec les homosexuels, m'a-t-il dit, mais ils ne veulent pas de leur « propagande ». « Pourquoi "ces gens-là" veulent-ils le crier sur les toits ? Les Russes ne devraient pas avoir à subir cela. » Lavrov rejetait avec mépris l'idée d'être « du bon côté de l'histoire » sur cette question ; « non-sens sentimental », m'a-t-il rétorqué. J'ai tenté de lui parler des initiatives que nous prenions pour abroger le « Don't Ask, Don't Tell » (« Ne demandez pas, n'en parlez pas ») et ouvrir les rangs de notre armée aux personnels LGBT. J'ai prié le représentant de la Défense auprès du département d'État, l'amiral Harry Harris, d'en expliquer les détails. Du côté russe de la table, on commençait à se moquer. « Oh, il est gay ? » a demandé quelqu'un en aparté. Harry n'est pas gay et il se fichait éperdument des sarcasmes des Russes, mais j'étais surprise que mes homologues russes, si raffinés, répètent spontanément et méchamment des arguments officiels scandaleux.

Le triste état des droits des LGBT dans le monde était dans le collimateur des États-Unis depuis quelque temps déjà. À partir de 1993, les instructions sur les informations à fournir au gouvernement ont changé : elles incluaient à présent la question de l'orientation sexuelle. Le département d'État a donc intégré à son rapport annuel sur les droits de l'homme les abus subis par les communautés LGBT dans le monde, et a soulevé le problème auprès d'autres gouvernements, comme je l'ai fait notamment avec Lavrov et Museveni. Nous avons aussi beaucoup contribué à aider les populations LGBT par le biais du PEPFAR, qui a non seulement sauvé des millions de vies, mais aussi introduit dans la sphère publique des personnes qui étaient auparavant isolées.

Mais j'ai décidé que nous devions renforcer notre action pour les droits de l'homme. Trop de preuves montraient que le climat se détériorait pour les populations LGBT dans de nombreuses régions du monde. Le contraste était flagrant avec les progrès remarquables accomplis ailleurs, notamment aux États-Unis. L'ironie de la situation était terrible : dans certains pays, la vie des LGBT était meilleure que jamais ; dans d'autres, elle n'avait jamais été pire.

En attendant, j'ai cherché ce que nous pouvions accomplir chez nous, en soutenant mieux les membres LGBT du département d'État. Dans les générations précédentes, des agents talentueux du Service extérieur avaient été contraints à la démission quand on avait appris leur orientation sexuelle. Cette époque était révolue, mais il existait toujours de très nombreuses règles qui compliquaient la vie de nos collègues LGBT. Donc, en 2009, j'ai étendu l'ensemble des avantages et allocations prévus par la loi aux partenaires de même sexe du personnel diplomatique à l'étranger. En 2010, j'ai demandé que la politique d'égalité des chances à l'embauche du département d'État protège explicitement les employés et les candidats contre les traitements discriminatoires fondés sur l'identité sexuelle. Nous avons également rendu plus facile aux Américains de changer le sexe mentionné sur leur passeport, et nous avons permis aux couples homosexuels qui s'étaient unis civilement ou mariés d'obtenir des passeports indiquant leur nouveau nom reconnu dans leur État. Pour soutenir le mouvement anti-intimidation lancé par le chroniqueur Dan Savage, j'ai enregistré une vidéo pour le projet « It Gets Better » (Ça s'arrange), qui s'est répandue comme un virus sur Internet. Je ne sais pas si mes paroles d'encouragement et de réconfort ont atteint des adolescents en danger, mais je l'espère fortement.

Je soutenais la célébration annuelle de la Gay Pride au département d'État, organisée par l'association GLIFAA, Gays et lesbiennes des Affaires étrangères. Comme son nom l'indique, elle est composée de LGBT qui travaillent dans la diplomatie américaine et sont donc d'autant plus investis professionnellement pour améliorer la vie des LGBT à l'étranger, et aussi chez nous. La Gay Pride qu'ils organisaient chaque année au département d'État était aussi joyeuse que militante. En 2010, après avoir récapitulé certains des progrès que nous avions accomplis l'année précédente, j'y ai parlé des terribles souffrances encore endurées par les personnes LGBT dans le monde. « Ces dangers ne sont pas des problèmes gays – c'est un problème de droits de l'homme », ai-je déclaré. Acclamations dans la salle. J'ai continué : « Comme j'ai été très fière, il y a plus de quinze ans, à Pékin, de dire l'évidence : les droits de l'homme sont les droits des femmes et les droits des femmes sont les droits de l'homme, je tiens à dire aujourd'hui : les droits de l'homme sont les droits des homosexuels et les droits des homosexuels sont les droits de l'homme, un point, c'est tout. » À nouveau, applaudissements nourris. Bien sûr, j'espérais que mes paroles seraient bien reçues, mais j'ai été surprise de la réaction passionnée de la foule. À l'évidence, c'était un message que les gens avaient encore plus envie d'entendre que je ne le pensais. Plus tard, Dan Baer, un membre actif des GLIFAA, me l'a confirmé. « Il faut dire cela au monde », a-t-il ajouté.

C'est ainsi que j'ai commencé à réfléchir à l'un de mes discours les plus mémorables de secrétaire d'État.

La plupart de mes grandes allocutions avaient, naturellement, l'épaisseur de la politique étrangère. Elles exposaient des stratégies pluriannuelles et pluridimensionnelles sur des sujets complexes. Elles contenaient souvent des réserves soigneusement formulées, des avertissements en sous-texte, et empruntaient au moins quelques termes au jargon diplomatique. Mes rédacteurs de discours travaillaient dur pour tenter de les rendre accessibles au public le plus large, mais le fait est là : les discours de politique étrangère sont faits pour les spécialistes, et leurs auditeurs et lecteurs les plus passionnés sont les professionnels de la politique étrangère – responsables gouvernementaux, experts des instituts de recherche ou journalistes au fait de ces questions.

Je souhaitais que ce discours-là soit différent. Je voulais qu'il parle aux personnes LGBT dans les situations les plus diverses – pas seulement à ceux qui militent en première ligne et qui connaissent l'argot des droits de l'homme, mais aussi aux adolescents persécutés, que ce soit dans nos campagnes, en Arménie ou en Algérie. Je voulais qu'il soit simple et direct – tout l'inverse du langage pompeux, obscur et allusif de tant de jérémiades anti-gay. Je voulais lui donner une chance de convaincre les auditeurs hésitants ; il devait donc être raisonnable et respectueux, sans reculer d'un millimètre sur la défense des droits de l'homme. Par-dessus tout, je désirais adresser un message clair aux dirigeants de tous les pays du monde : protéger leurs concitoyens LGBT faisait partie de leurs obligations à l'égard des droits de l'homme, et le monde les surveillait pour être sûr qu'ils s'en acquittent.

Avant de commencer à rédiger ce discours, je voulais décider de l'endroit où j'allais le prononcer ; sur un sujet aussi sensible, la question de la date et du lieu est encore plus importante que d'habitude. Nous étions au début de l'année 2011. Il était prévu que je voyage dans presque toutes les régions du monde dans les mois suivants. L'un de ces voyages serait-il le bon ? Je serais en Afrique en août, et nous avons brièvement envisagé de nous rendre en Ouganda et de dédier le discours à la mémoire de David Kato, mais nous y avons renoncé assez vite. Je voulais éviter à tout prix de laisser penser que les violences contre les homosexuels étaient un problème africain, alors que c'est un problème mondial, ou de donner l'occasion aux fanatiques locaux de critiquer les pressions américaines. Je voulais que l'attention se concentre sur le discours lui-même.

Nous avons regardé le calendrier ; peut-être valait-il mieux choisir une date qui fasse sens plutôt qu'un lieu particulier. La Gay Pride de juin 2011 ? Non – si je prononçais ce discours aux États-Unis, ce ne serait pas celui que j'avais en tête. La presse allait le couvrir du point de vue de la politique intérieure, si elle y prêtait la moindre attention. (Parler des LGBT durant le mois de la Gay Pride n'est pas vraiment d'un grand intérêt médiatique.) Cela n'aurait pas le même impact.

Finalement, Jake Sullivan et Dan Baer ont tous deux eu la même idée : je devais prononcer le discours à Genève, au siège du Conseil des droits de l'homme des Nations unies. Si mon but était d'intégrer les droits des personnes LGBT à la structure institutionnelle des droits de l'homme de la communauté internationale, il n'y avait pas de meilleur endroit.

Nous avions le lieu. Il nous restait à déterminer la date. Nous avons choisi la première semaine de décembre, pour commémorer la signature de la Déclaration des droits de l'homme, comme je l'avais fait en 1997. Le symbole historique était fort ; sur le plan pratique, je devais être en Europe cette semaine-là pour une réunion au quartier général de l'OTAN à Bruxelles. Ajouter une halte à Genève ne serait pas très compliqué.

La rédaction de ce discours n'était pas facile. Je voulais réfuter les mythes les plus monstrueux que les homophobes zélés énoncent comme des vérités, notamment ceux que des ministres m'avaient exposés très sérieusement lorsque je les avais pressés de traiter les personnes LGBT avec humanité. Ma rédactrice de discours, Megan Rooney, a cherché les exemples les plus extravagants. Il y en avait tant : les homosexuels étaient des malades mentaux pédophiles ; Dieu nous *ordonnait* de les rejeter et de les isoler ; les pays pauvres ne pouvaient pas s'offrir le luxe des droits de l'homme ; il n'y avait tout simplement pas d'homosexuels dans le pays. À l'université Columbia, en 2007, le président iranien Mahmoud Ahmadinejad avait déclaré : « En Iran, il n'y a pas d'homosexuels comme chez vous. » J'ai entendu ce genre de remarques dans des conversations privées à maintes reprises.

Dans notre premier brouillon, nous avions énuméré cinq mythes récurrents et nous les avions démolis l'un après l'autre. Le discours a un peu évolué par la suite, au fil des réécritures successives, mais il a conservé cette structure de base. Je savais que ce discours devait être tout à fait calme et mesuré si nous voulions avoir la moindre chance de faire changer d'avis un auditeur ; beaucoup de mes corrections consistaient par exemple à remplacer « cinq mythes » par « cinq questions ». Je pensais qu'il ne fallait surtout pas oublier qu'un grand nombre des *a priori* sur les LGBT s'enracinaient dans des traditions culturelles et religieuses très importantes pour les gens et qui ne devaient pas être dédaignées. « Je me présente à vous avec respect, bienveillance et humilité », ai-je écrit. La force des arguments n'était pas affaiblie par le ton mesuré de mes paroles.

J'avais dit à Megan de reprendre mon discours de Pékin et de s'en servir comme modèle. Après tout, mes objectifs étaient tout à fait similaires : nommer les réalités horribles que subissait ce groupe de personnes et dire qu'elles étaient des violations des droits de l'homme, simplement parce que ces personnes étaient des êtres humains. C'était tout : pas d'arguments complexes, pas de rhétorique tonitruante, juste quelques assertions sans fioritures qui avaient été depuis trop longtemps mises de côté.

Il fallait répondre à quelques questions stratégiques. D'abord, devions-nous attaquer nommément les pays qui avaient pris des mesures homophobes ? Dans l'un des premiers brouillons, nous avions nommé l'Ouganda, parmi d'autres. J'ai décidé que c'était une erreur. Aucune liste n'aurait été complète ; de plus, je savais que les pays critiqués se seraient crus obligés de répliquer, très probablement en se défendant avec colère. Après tout, les États-Unis avaient progressé, mais il y avait encore beaucoup à faire pour l'égalité des Américains LGBT. Je désirais faire réfléchir les dirigeants avec mon discours, pas les fustiger.

À l'inverse, nous avons cherché des exemples de pays non occidentaux qui avaient fait de grands progrès en faveur des droits des LGBT. Quelle meilleure façon de réfuter le mythe selon lequel soutenir les populations LGBT était une pratique occidentale, colonialiste ? Heureusement, nous avions l'embarras du choix pour trouver des contre-exemples. Finalement, j'ai félicité la Mongolie, le Népal, l'Afrique du Sud, l'Inde, l'Argentine et la Colombie, et cité l'ancien président du Botswana.

La deuxième question était : comment annoncer ce discours ? Comme une intervention en faveur des droits de l'homme des LGBT ? Dans ce cas, nous savions que certaines personnes, justement celles que nous cherchions à toucher en priorité, ne viendraient pas. J'ai donc décidé de le présenter comme un simple discours pour l'anniversaire de la Déclaration universelle des droits de l'homme, rien de plus.

Dans les semaines qui ont précédé mon allocution, alors qu'elle était pratiquement écrite, je restais à l'affût des récits et idées dignes d'être ajoutés. Lors d'une réunion à la Maison-Blanche, le commandant du Marine Corps a raconté cette anecdote sur l'abrogation du « Don't Ask, Don't Tell ». « J'y étais opposé, et je l'ai fait savoir à l'époque, a-t-il dit. Mais, lorsque la disposition est entrée en vigueur, j'ai vu que mes craintes étaient infondées. » Les Marines ont accepté le changement avec professionnalisme, a-t-il observé. Et c'est entré dans mon discours. Mon conseiller juridique Harold Koh m'a suggéré d'ajouter quelques mots sur la force de l'empathie, l'importance de se mettre dans la peau d'un autre. C'est devenu l'un des passages les plus touchants de l'allocution.

Finalement, nous sommes partis pour l'Europe. La Suisse était le troisième pays que nous allions visiter au cours d'un voyage marqué par cinq escales – un pays par jour. En Allemagne, j'ai conduit une délégation des États-Unis dans une conférence sur l'Afghanistan. En Lituanie, j'ai assisté à une réunion de l'Organisation pour la sécurité et la coopération en Europe. Quand nous sommes enfin arrivés à notre charmant petit hôtel de Vilnius, de nombreux membres de mon équipe se sont retrouvés au bar de l'hôtel pour un dîner tardif composé de spécialités lituaniennes. Mais Megan et Jake avaient trop le trac pour se détendre : ils pensaient à l'allocution du lendemain. Ils sont montés dans la chambre de Megan, se sont assis par terre, ont contacté Dan Baer, qui se trouvait déjà à Genève, en le mettant sur haut-parleur, puis ont relu le discours ligne par ligne. Ils ont fini au lever du jour.

Très tôt le lendemain matin, j'ai appris que la Maison-Blanche avait finalement approuvé le changement politique dont nous avions discuté. Désormais, les États-Unis tiendraient compte, pour l'octroi de leur aide internationale, du bilan d'un pays sur les droits des LGBT. Ce genre de politique avait des chances d'influer réellement sur les actes d'autres gouvernements. J'attendais cette confirmation avec impatience pour pouvoir l'ajouter à mon discours.

Le 6 décembre, nous nous sommes envolés pour Genève et avons filé directement au Palais des Nations. Il m'a donné l'impression d'être encore plus palatial que d'habitude. Le bâtiment est très impressionnant en temps normal ; construit pour être le siège de la Société des Nations, il avait été inauguré en 1936, dans une dernière bouffée d'optimisme avant que l'Europe ne se désagrège. Maintes grandes questions de la diplomatie du XXe siècle avaient été arbitrées là, du désarmement nucléaire à l'indépendance des pays qui se libéraient du colonialisme. Il y a toujours beaucoup de monde dans les couloirs et dans les salles, mais cette fois-ci il y avait vraiment foule.

Je suis montée sur scène et j'ai commencé mon discours :

> Je voudrais vous parler du travail qui nous reste à accomplir pour protéger une catégorie de personnes encore privées de leurs droits fondamentaux dans trop d'endroits à travers le monde aujourd'hui. À bien des égards, elles forment une minorité invisible. Elles sont arrêtées, tabassées, terrorisées, exécutées même. Beaucoup sont traitées avec mépris et violence par leurs compatriotes, tandis que les autorités chargées de les protéger détournent les yeux ou, trop souvent, participent aux mauvais traitements qui leur sont infligés. Elles se voient privées des possibilités de travail et d'éducation, chassées de leur foyer et de leur pays, et contraintes de dissimuler leur nature, voire de la nier, pour se protéger.

Dans l'assistance, certaines personnes avaient l'air très étonnées. Où voulais-je en venir ?

« Je parle des homosexuels, des lesbiennes, des bisexuels et des transsexuels », ai-je poursuivi.

J'étais fière de prononcer chaque mot de ce discours, mais quelques lignes en particulier sont restées gravées dans ma mémoire. En souvenir de David Kato, je me suis adressée directement aux autres courageux militants LGBT qui continuent de mener des combats difficiles dans des régions du monde très dangereuses : « Vous avez un allié dans les États-Unis d'Amérique, et il y a des millions d'Américains que vous pouvez compter parmi vos amis. »

En souvenir de toutes les conversations que j'avais eues avec des dirigeants étrangers qui haussaient les épaules et me disaient : « Notre peuple déteste les homosexuels, il soutient ces lois, qu'y pouvons-nous ? », je me suis adressée directement à ces gouvernants : « Le leadership, par définition, c'est guider son peuple lorsque les circonstances le veulent. C'est monter au créneau pour défendre la dignité de tous les citoyens et pour persuader son peuple de faire de même. »

Et, faisant écho à mon discours de Pékin, ainsi qu'aux paroles prononcées au département d'État l'année précédente, j'ai déclaré : « Tout comme le fait d'être une femme ou d'appartenir à une minorité raciale, religieuse, tribale ou ethnique, le fait d'être LGBT ne vous rend pas moins humain. Voilà pourquoi les droits des homosexuels sont les droits de l'homme, et les droits de l'homme sont ceux des homosexuels. »

Quand je me suis réveillée le lendemain, j'ai tout de suite reçu un premier signe que mon discours avait été entendu ; le coiffeur qui s'occupait de moi ce matin-là était gay : il s'est mis à genoux pour me remercier. J'ai ri et je lui ai demandé de se relever, pour l'amour de Dieu. Mon brushing, comme de coutume, ne pouvait attendre.

L'onde de choc du discours se propageait dans le monde entier, et mon téléphone a vite été saturé de messages. Beaucoup de gens avaient vu la vidéo sur Internet. J'avais bien des raisons d'être satisfaite. Je pensais que certains dirigeants africains risquaient de quitter la salle ce jour-là ; ils ne l'avaient pas fait. Et j'ai remarqué sur de multiples photos et vidéos de Gay Prides, partout dans le monde, que le slogan « Les droits des homosexuels sont les droits de l'homme » était repris sur des banderoles, des affiches et des tee-shirts. J'étais fière qu'une fois encore l'Amérique se soit dressée en faveur des droits de l'homme, comme nous l'avions fait en de si nombreuses occasions auparavant.

Vers la fin de mon mandat, j'ai reçu une lettre d'un agent du Service extérieur en poste en Amérique latine, que je conserve précieusement : « Cette lettre n'est pas celle d'un employé du département d'État à la secrétaire, c'est celle d'un mari et d'un père qui veut vous remercier personnellement pour tout ce que vous avez fait pour notre famille ces quatre dernières années. J'ai toujours rêvé d'être agent du Service extérieur, mais je n'y avais jamais songé sérieusement jusqu'à ce que vous deveniez secrétaire. À l'instant où vous avez donné pour instruction au département d'État de reconnaître les époux du même sexe comme membres de la famille, le seul obstacle qui me barrait la route a soudainement disparu. » Il poursuivait sa lettre en me disant à quel point il était heureux que son mari, qu'il avait épousé sept ans plus tôt, ait pu le rejoindre à l'étranger ; depuis, ils avaient aussi eu la chance de mettre au monde des jumeaux. Il avait joint une photo de son heureuse petite famille. « Ce qui était pratiquement impossible il y a trois ans [...], que nous soyons des diplomates au service de notre pays, que notre relation soit reconnue par notre gouvernement, que nous soyons pères, tout cela est arrivé. »

*
* *

Quand j'ai quitté le département d'État en 2013 et que j'ai commencé mon travail à la fondation Clinton à New York, je savais que je voulais continuer à participer au « grand travail en cours du XXIᵉ siècle ». Le vingtième anniversaire de la quatrième Conférence mondiale sur les femmes de Pékin approchait à grands pas, et cela m'a aidée à concentrer mes réflexions. J'étais fière de tout ce qui avait été accompli depuis cette époque. Mais, sans aucun doute, nous étions encore loin d'avoir atteint notre but : une « pleine participation sur un pied d'égalité ».

Melanne avait lancé un centre de recherche sur les femmes, la paix et la sécurité à l'université de Georgetown ; j'ai accepté d'en être la présidente fondatrice d'honneur. Maintenant que nous n'étions plus constamment aux quatre coins du monde, nous avons commencé à penser davantage au cours de l'histoire et à l'avenir du mouvement auquel nous avions consacré de si nombreuses années. J'ai appelé Maggie Williams et lui ai demandé de nous aider dans nos réflexions stratégiques. Avec Chelsea et notre superbe équipe de la fondation Clinton, notamment Jen Klein et Rachel Vogelstein, qui ont toutes deux joué des rôles clés au département d'État, nous avons imaginé un nouveau plan.

En septembre 2013, lors de l'assemblée générale annuelle de la Clinton Global Initiative à New York, j'ai annoncé que la fondation Clinton allait animer une large mobilisation pour évaluer les progrès des femmes et des filles depuis Pékin et pour tracer une voie vers leur « pleine participation sur un pied d'égalité ». J'ai dit que c'était le moment de regarder avec lucidité le chemin que nous avions parcouru, celui qui restait à parcourir, et ce que nous avions l'intention de faire au sujet de ce « travail en cours ».

Avec des partenaires comme la fondation Gates, nous avons commencé à préparer un « examen mondial » du statut des femmes et des filles, qui serait disponible en ligne et prêt à temps pour le vingtième anniversaire de Pékin, en septembre 2015. Je voulais montrer à tous ce que nous avions gagné, ainsi que les lacunes qui restaient à combler. Nous y présenterions des informations accessibles qui pourraient être partagées et utilisées par des militants, des universitaires et des dirigeants politiques en vue de concevoir des réformes et de conduire le changement réel.

Je voulais également partir du Programme d'action que le monde avait approuvé à Pékin et proposer une marche à suivre pour le XXIᵉ siècle afin d'accélérer la pleine participation des femmes et des filles dans tous les pays, y compris dans des domaines qui ne pouvaient même pas être envisagés en 1995. Par exemple, aucune d'entre nous à Pékin n'aurait pu imaginer combien Internet et la technologie mobile allaient transformer notre monde, ou comprendre ce qu'impliquerait le fait que, dans le monde en développement, il y ait 200 millions de femmes de moins que d'hommes en ligne. Abolir cette « fracture numérique » créerait de nombreuses opportunités nouvelles pour la participation politique et économique des femmes.

Finalement, nous avons baptisé cette initiative le projet « Zéro plafond – Pleine participation ». C'était un clin d'œil à ma formule sur les « dix-huit millions de fissures » dans le « plafond de verre », devenue célèbre à la fin de ma campagne, mais c'était bien plus que cela. Le problème ne se posait pas forcément au plus haut niveau de la politique ou des affaires ; partout, les femmes et les filles se heurtaient à toutes sortes de plafonds qui freinaient leurs ambitions et leurs aspirations, et rendaient la concrétisation de leurs rêves plus difficile, ou impossible.

Peu après que j'ai annoncé le « Zéro plafond », on m'a rapporté une histoire surprenante. Stephen Massey, qui était à la Maison-Blanche sous l'administration Clinton, flânait dans une librairie de Pékin. C'était un grand magasin moderne, mais calme et presque vide. Stephen n'en a pas cru ses oreilles. Dans les haut-parleurs, il a entendu une phrase familière : « Les droits de l'homme sont les droits des femmes, et les droits des femmes sont les droits de l'homme. » C'était ma voix. Ils passaient un enregistrement du discours dans tout le magasin. Quels progrès nous avions accomplis en vingt ans ! En 1995, le gouvernement chinois avait interdit la radiodiffusion de mon discours dans l'enceinte de la conférence. Aujourd'hui, ces paroles controversées étaient devenues de la « musique d'ambiance » pour les clients, faisant partie du tissu de la vie quotidienne. Stephen a sorti son smartphone, a fait une vidéo et nous l'a envoyée par e-mail. Je n'ai pas pu m'empêcher de rire en la voyant. Était-ce vraiment efficace pour vendre des livres ? En Chine ?

Le message de Pékin représentait le travail d'une vie ; il était devenu une part de mon identité, s'était presque inscrit dans mon ADN. J'étais heureuse qu'il soit entré dans les mœurs, même dans des endroits qui lui avaient été hostiles. Protéger et étendre les droits de l'homme est une cause toujours aussi urgente et aussi impérieuse, et il est peu probable que cette cause progressera sans le maintien du leadership américain.

*
* *

En février 2014, la Campagne pour les droits de l'homme[1] a invité ma fille Chelsea à prendre la parole lors d'une conférence sur les droits des homosexuels. Dans son discours, elle a donné une nouvelle dimension à une phrase familière. « Ma mère a souvent dit que le problème des femmes est le travail en cours du XXIe siècle, a-t-elle déclaré. C'est absolument exact. Mais les droits des LGBT sont aussi le travail en cours du XXIe siècle. » Bien entendu, elle avait raison, j'étais très fière de sa position ferme en faveur de l'égalité des chances pour tous.

Au début de ce livre, j'ai décrit le travail des diplomates américains à l'étranger comme une course de relais. On passe le témoin à des dirigeants pour qu'ils courent le mieux possible jusqu'à l'athlète suivant, afin de lui donner les meilleures chances de succès. Eh bien, les familles fonctionnent de la même façon. Dès l'instant où j'ai tenu Chelsea dans mes bras à l'hôpital de Little Rock, j'ai su que la mission de ma vie serait de lui donner toutes les chances de s'épanouir. Depuis qu'elle est adulte et qu'elle est entrée sur la scène publique en son nom propre, mes responsabilités ont changé. Et maintenant qu'elle attend à son tour un enfant, je me prépare à un nouveau rôle que j'étais impatiente de tenir depuis des années : celui de grand-mère. Cela m'a fait beaucoup réfléchir à la relation que j'avais eue, adulte et enfant, avec ma propre mère, et aux leçons qu'elle m'avait apprises.

Quand je suis devenue secrétaire d'État, maman allait avoir 90 ans. Depuis quelques années, elle habitait avec nous à Washington ; il était devenu trop difficile pour elle de vivre seule dans son appartement de Connecticut Avenue, qui donnait sur le zoo. Comme beaucoup d'Américains de ma génération, je me suis sentie chanceuse d'avoir gagné ces quelques années supplémentaires auprès d'un parent vieillissant, mais aussi très responsable de son confort et de son bien-être. Dans mon enfance à Park Ridge, maman m'avait témoigné un amour et un soutien inconditionnels ; à présent, c'était mon tour de l'aider. Bien sûr, je ne le lui aurais jamais dit de cette façon.

---

1. Human Rights Campaign (HRC), la plus grande organisation américaine qui œuvre pour les droits des personnes LGBT. « L'autre HRC ! » écrit l'auteur, souvent appelée HRC elle-même du fait de ses initiales.

Dorothy Howell Rodham était une femme très indépendante. Elle n'aurait pu supporter l'idée d'être une charge pour qui que ce soit.

L'avoir si près de moi m'a beaucoup réconfortée, surtout dans la période difficile de l'après-campagne 2008. Quand je rentrais d'une longue journée au Sénat ou au département d'État, je me glissais près d'elle à la petite table de notre coin-déjeuner et je laissais retomber la pression.

Ma mère adorait les romans policiers, la cuisine mexicaine, « Danse avec les stars » (nous avons même réussi à l'emmener à un enregistrement de l'émission) et, plus que tout, ses petits-enfants. L'école de mon neveu Zach Rodham se trouvait à quelques minutes de la maison, et il venait souvent lui rendre visite l'après-midi. Elle adorait passer du temps avec ses plus jeunes petits-enfants, Fiona et Simon Rodham. Pour Chelsea, sa grand-mère a été l'une des personnes les plus importantes de sa vie. Maman l'avait aidée à grandir sous l'œil du public en gardant le cap dans une situation exceptionnelle et, quand elle a été prête, elle l'a encouragée à s'engager dans sa passion pour l'humanitaire et la philanthropie. Même à 90 ans passés, maman n'a jamais perdu cet attachement à la justice sociale qui m'a tellement modelée et inspirée quand j'étais plus jeune. Je me félicitais qu'elle ait la même influence sur ma fille. Je crois que je n'ai jamais vu ma mère plus heureuse qu'au mariage de Chelsea. Elle a descendu fièrement l'allée au bras de Zach et a exulté à la vue de sa petite-fille radieuse.

Ma mère a eu une enfance difficile, marquée par des traumatismes et par l'abandon. À Chicago, ses parents se disputaient souvent, et ils ont divorcé alors que sa sœur et elle étaient encore jeunes. Aucun d'eux ne voulait la garde des enfants ; ils ont donc mis les petites filles dans un train pour la Californie et les ont envoyées chez leurs grands-parents paternels à Alhambra, une ville proche des monts San Gabriel, à l'est de Los Angeles. Le vieux couple était sévère et froid. Un jour d'Halloween, les grands-parents ont surpris ma mère faisant la tournée des maisons avec des camarades de classe, malgré leur interdiction. Elle a été punie. Ils l'ont enfermée dans sa chambre pendant toute une année, sauf pour aller à l'école. Elle n'avait plus le droit de manger à la cuisine ou de jouer dans le jardin. Quand ma mère a eu 14 ans, elle en a eu assez de vivre chez sa grand-mère. Elle a déménagé et trouvé un emploi d'aide-ménagère et de nounou chez une femme très gentille de San Gabriel qui lui a offert le gîte, le couvert et 3 dollars par semaine ; elle l'a aussi vivement encouragée à aller au lycée. Pour la première fois, ma mère voyait des parents aimants qui prenaient soin de leurs enfants – ce fut une révélation.

Après le lycée, maman est retournée à Chicago, dans l'espoir de renouer avec sa mère. Malheureusement, elle a été éconduite à nouveau. Le cœur brisé, elle a travaillé pendant cinq ans comme secrétaire avant de rencontrer et d'épouser mon père, Hugh Rodham. Elle a construit une nouvelle vie de femme au foyer, passant ses journées à me prodiguer son amour ainsi qu'à mes deux petits frères.

Quand j'ai été assez grande pour comprendre tout cela, j'ai demandé à ma mère comment elle avait survécu aux maltraitances et à l'abandon sans devenir aigrie et sèche. Comment avait-elle pu connaître une enfance si solitaire et devenir une femme si aimante et digne ? Je n'ai jamais oublié sa réponse : « À un moment critique dans ma vie, quelqu'un a été gentil avec moi. » Quelquefois, cela n'a l'air de rien, mais cela veut dire beaucoup – ainsi son institutrice, qui avait remarqué qu'elle n'avait jamais d'argent pour acheter du lait, arrivait tous les jours avec deux bouteilles et lui disait : « Dorothy, je ne peux pas boire la seconde. La veux-tu ? » Et la femme qui l'employait comme nounou et insistait pour qu'elle continue à aller au lycée avait remarqué que ma mère possédait un seul chemisier, qu'elle lavait tous les jours. « Dorothy, lui a-t-elle dit, je ne rentre plus dans ce corsage, je serais triste de devoir le jeter. Est-ce qu'il te plaît ? »

Maman était incroyablement énergique et positive, même à plus de 90 ans. Mais sa santé commençait à se dégrader et elle souffrait de problèmes cardiaques. À l'automne 2011, je m'inquiétais de plus en plus de devoir la laisser seule. Le soir du 31 octobre, encore un Halloween, je me préparais à partir pour Londres et la Turquie. Mon équipe était déjà à bord de l'avion sur la base d'Andrews, on m'attendait pour décoller. C'est alors qu'on m'a prévenue que maman avait été transportée d'urgence à l'hôpital universitaire George Washington. J'ai immédiatement annulé le voyage. Bill, Chelsea et Marc sont aussitôt descendus de New York, et mes frères Hugh et Tony, accompagnés de leurs épouses Maria et Megan, sont arrivés aussi vite que possible. Ma mère a toujours été une battante, mais il était temps pour elle de baisser la garde. Je me suis assise à son chevet et lui ai tenu la main une dernière fois. Personne n'a eu plus d'influence sur ma vie et n'a façonné davantage celle que je suis devenue.

Quand j'ai perdu mon père en 1993, sa mort semblait prématurée et j'étais extrêmement triste de penser à tout ce qu'il ne verrait pas et ne pourrait plus faire. Cette fois-ci, c'était différent. Maman avait eu une vie longue et bien remplie. Je n'ai pas pleuré en pensant à tout ce qu'elle allait manquer, mais en sentant combien elle allait me manquer.

Durant les quelques jours qui ont suivi, j'ai fait le tour de ses affaires à la maison, feuilletant un livre, regardant une photographie, caressant un bijou tant aimé. Je m'asseyais à côté de sa chaise vide dans le coin-déjeuner, et ce que j'aurais voulu plus que tout, c'était une dernière conversation, un dernier câlin.

Nous avons organisé une petite cérémonie à la maison avec la famille et les amis proches. Nous avons demandé au révérend Bill Shillady, qui avait marié Chelsea et Marc, d'officier. Chelsea a prononcé des paroles très émouvantes, de nombreux amis de ma mère et de notre famille également. J'ai lu quelques vers de la poétesse Mary Oliver, que ma mère et moi adorions.

Aux côtés de Bill et de Chelsea, j'ai essayé de lui dire un dernier adieu. Je me suis souvenue d'une réflexion qu'une vieille amie m'avait faite vers la fin de sa vie ; elle illustrait bien la façon dont ma mère avait vécu, et dont j'espérais vivre moi-même : « J'ai aimé et été aimée ; tout le reste, c'est de la musique d'ambiance. »

J'ai regardé Chelsea et me suis rappelé combien sa grand-mère était fière d'elle. Ma mère mesurait la valeur de sa vie à l'aide et au réconfort qu'elle apportait aux autres. Si elle était encore parmi nous, je sais qu'elle nous inciterait à faire de même. Ne jamais se reposer sur ses lauriers. Ne jamais renoncer. Ne jamais cesser de rendre le monde meilleur. Voilà notre travail en cours.

Épilogue

« Où est passée Hillary ? » a demandé le président en me cherchant du regard. Il était en train de prononcer un bref discours sur
la démocratie en Birmanie, debout dans la véranda de la maison
d'Aung San Suu Kyi, à Rangoun. « Où est-elle ? »

Nous étions en novembre 2012, et c'était le dernier voyage que
nous faisions ensemble en tant que président et secrétaire d'État.
J'étais sur le côté et je lui ai fait un signe de la main. « La voilà »,
a-t-il dit. Tandis qu'il me remerciait, je me disais que nous avions
fait un beau parcours depuis notre entretien dans le salon de Dianne
Feinstein, quatre ans plus tôt. Cet instant, à l'image de notre voyage,
était teinté d'une nostalgie douce-amère ; nous étions fiers de ce que
nous avions accompli, heureux des partenaires que nous étions devenus, et tristes de savoir que cela allait se terminer bientôt.

Le président venait d'être réélu deux semaines plus tôt. Contrairement à 2008, je n'avais pas pu cette fois faire campagne pour lui.
Selon la loi et la tradition, les secrétaires d'État doivent se tenir à
l'écart de la politique intérieure. La convention nationale démocrate
de Charlotte, en Caroline du Nord, était la première que je manquais
depuis 1976. En 2008, à Denver, j'avais eu l'occasion de soutenir
Obama et de contribuer à rassembler les démocrates après la longue
campagne des primaires. Mais, lors de la convention de 2012, j'étais
à l'autre bout du monde, en Asie, où je représentais notre pays en
mission diplomatique.

Durant la nuit, mon mari a prononcé un discours à la convention
pour accorder officiellement l'investiture démocrate au président. Je
me trouvais au Timor-Oriental, l'un des plus jeunes pays d'Asie, qui

avait gagné sa longue bataille pour l'indépendance contre l'Indonésie en 2002. Après une journée de diplomatie à Dili, la capitale, et juste avant de m'envoler pour une réunion et un dîner avec le sultan Hassanal Bolkiah à Brunei, j'ai pu voler quelques instants d'intimité dans la résidence de notre ambassadeur. On ne captait pas CNN et la bande passante Internet était très réduite, mais Philippe Reines avait réussi à se connecter à son TiVo à Washington ; nous avons donc pu voir en différé chez notre ambassadeur, sur son ordinateur personnel, un enregistrement de Bill qui venait de terminer son discours. Je me suis assise pour regarder, le reste de l'équipe rassemblé derrière moi.

Je n'ai pas pu m'empêcher de sourire quand j'ai vu Bill sur scène devant la foule enthousiaste. Il n'avait pas fait campagne depuis seize ans, mais il adorait toujours autant l'excitation d'un beau moment politique. Comme s'il avait été un petit avocat exposant les faits au jury, Bill a expliqué à quel point notre économie et notre position dans le monde étaient dégradées en 2009 et comment l'administration Obama avait commencé à rétablir la situation. À la fin de son discours, il a abordé la question du déclin et du renouveau de l'Amérique. « Depuis plus de deux cents ans, après chaque crise, nous sommes toujours revenus en force, a-t-il dit. On n'a jamais cessé de prédire notre chute depuis que George Washington a été traité de médiocre arpenteur aux fausses dents en bois. Et, jusqu'à présent, tous ceux qui ont parié contre l'Amérique ont perdu de l'argent, car nous nous relevons toujours. Nous renaissons un peu plus forts et meilleurs après chaque incendie. » Quand il a eu terminé, le président Obama lui a fait la surprise de le rejoindre sur scène pour le remercier. Lorsque les deux présidents se sont embrassés, la foule de Charlotte s'est déchaînée. En assistant à cette scène, à des millions de kilomètres, je me suis sentie très fière de l'ancien président que j'avais épousé, du président actuel que je servais et du pays que nous aimions tous.

*
* *

Au terme de notre journée bien remplie en Birmanie, le président Obama et moi avons embarqué à bord de l'Air Force One en direction du Cambodge, où nous devions assister à un Sommet de l'Asie orientale et à une réunion des dirigeants de l'ASEAN. Ce serait un nouveau test crucial pour notre stratégie du pivot. Au même moment, le conflit à Gaza entre Israël et le Hamas dégénérait, et il nous fallait décider si je devais m'y rendre immédiatement pour tenter de négocier un cessez-le-feu. Avec tout ce que nous avions à nous dire, le président m'a invitée à le rejoindre dans son bureau à l'avant de l'Air Force One.

Je me suis assise face à sa grande table en bois et nous avons discuté des exercices diplomatiques délicats qui nous attendaient. Malgré tout ce qui se passait, nous nous sommes mis à évoquer nos souvenirs. Ces quatre années nous avaient changés d'une manière que nous n'aurions pu prévoir ni l'un ni l'autre. Ce que nous avions vu et fait ensemble nous avait aidés à nous connaître nous-mêmes, à nous comprendre l'un l'autre et à appréhender le monde comme nous n'aurions jamais pu le faire auparavant.

Mais, même après toutes ces années de coopération, je n'avais pas vu venir la question qu'il m'a posée : « Seriez-vous prête à rester secrétaire d'État ? »

Depuis que j'avais accepté le poste, je m'étais toujours dit : « Un mandat, pas plus. » J'adorais être secrétaire d'État, mais j'étais impatiente de quitter la vie publique, de passer plus de temps avec ma famille, de renouer avec mes amis et de vaquer aux activités quotidiennes qui me manquaient. J'avais envie de rester dans un seul fuseau horaire et ne plus avoir à ajouter ou à soustraire cinq, dix ou quatorze heures chaque fois que je me réveillais.

Mais, comme quatre ans auparavant, j'ai senti mon « gène du service » me titiller, cette voix dans ma tête qui me disait qu'il n'y a pas de cause ni d'appel plus noble que de servir son pays. Quand le président des États-Unis vous propose des responsabilités, comment dire non ? Il y avait encore tant de travail en cours. Le sommet au Cambodge et le conflit à Gaza étaient deux exemples parmi tant d'autres. Qu'allait-il arriver à la démocratie en Birmanie ? Vers où se dirigeaient nos négociations secrètes avec l'Iran ? Comment allions-nous contrer la menace croissante de Poutine en Russie ?

Mais la diplomatie est une course de relais, et j'arrivais au bout de mon parcours. « Je suis désolée, monsieur le Président, ai-je répondu. Mais je ne peux pas. »

*
* *

Quelques mois après nous être dit au revoir, j'ai déjeuné avec le président Obama dans sa salle à manger privée, près du Bureau ovale. Autour de tacos au poisson, nous avons discuté d'un mémo de vingt pages que j'avais préparé ; il contenait des recommandations pour son second mandat qui prenaient appui sur nos activités en cours et proposaient de nouvelles initiatives. En sortant, nous nous sommes arrêtés dans le Bureau ovale. Quand nous nous sommes séparés, j'ai embrassé le président et je lui ai répété à quel point notre travail et notre amitié m'étaient chers. Il pourrait toujours me joindre s'il avait besoin de moi.

Le 1er février 2013, mon dernier jour à Foggy Bottom, je me suis assise à ma table de travail dans mon petit bureau en cerisier et j'ai écrit une lettre à John Kerry. Je l'ai posée à la place où j'avais trouvé le mot de Condi quatre ans auparavant. Puis j'ai signé ma lettre de démission au président. Pour la première fois en vingt ans, après avoir été première dame, sénatrice et secrétaire d'État, je n'avais plus aucun rôle officiel.

Il ne me restait plus qu'à descendre dans le hall d'entrée – où l'on m'avait accueillie à mon arrivée en 2009 – pour dire au revoir aux hommes et aux femmes du département d'État et de l'USAID. De simples remerciements me semblaient insuffisants quand je pensais au travail remarquable qu'ils avaient accompli – mais j'ai fait de mon mieux. Une fois encore, j'ai regardé le mur de marbre où sont gravés les noms des collègues que nous avons perdus, morts pour notre pays. J'ai prié en silence pour eux et leurs familles. Dans le grand hall, il y avait tant de personnes que j'avais appris à aimer et à respecter. J'étais contente qu'elles continuent à servir les États-Unis avec intelligence, persévérance et courage.

Dans les années à venir, les Américains vont avoir à décider s'ils sont prêts à tirer les leçons de l'histoire, à s'en inspirer et à se dresser à nouveau pour défendre leurs valeurs et leurs intérêts. Ce n'est pas un appel à l'affrontement ou à une nouvelle guerre froide – nous avons appris dans la douleur que la force doit être notre ultime recours, jamais le premier. C'est plutôt un appel à rester fermes et unis dans la quête d'un monde juste, libre et pacifique. Seuls les Américains peuvent prendre cette décision.

Au final, notre puissance à l'étranger dépendra toujours de notre détermination et de notre résilience sur notre territoire. Dirigeants et citoyens, nous avons des choix à faire pour définir le pays dans lequel nous voulons vivre et que nous voulons laisser à la prochaine génération. Les revenus des classes moyennes déclinent depuis plus de dix ans et la pauvreté augmente, car la quasi-totalité des bénéfices de la croissance profitent aux plus riches des riches. Il nous faut davantage de bons emplois qui récompensent le travail sérieux par la hausse des salaires, la dignité et l'ascension sociale vers une vie meilleure. Nous avons besoin d'investissements pour construire une vraie économie du XXIe siècle avec plus de perspectives et moins d'inégalités. Et nous devons en finir avec les dysfonctionnements politiques à Washington qui freinent nos progrès et font honte à notre démocratie. Il nous faut donner plus de pouvoir à nos voisins, à nos concitoyens, pour qu'ils puissent participer pleinement à notre vie économique et politique. C'est le seul moyen de restaurer le rêve américain et d'assurer notre prospérité à long terme ainsi que le maintien de notre leadership mondial.

Ce ne sera pas facile dans le climat politique actuel. Mais, pour citer l'un de mes films préférés, *Une équipe hors du commun* : « C'est normal que ce soit difficile. [...] C'est parce que c'est difficile que c'est grandiose. » En suivant la voie difficile, notre pays restera grand.

*

* *

J'ai écrit ce livre en 2013 et au début de 2014, au troisième étage de notre maison de Chappaqua, dans l'État de New York, dans mon bureau chaleureux et lumineux. La moquette est épaisse, le fauteuil confortable, et par la fenêtre j'aperçois la cime des arbres. J'avais enfin du temps pour lire, rattraper des heures de sommeil, faire de longues promenades avec mon mari et nos chiens, profiter plus souvent de ma famille et penser à l'avenir.

Au début de l'année 2014, Bill et moi avons reçu la merveilleuse nouvelle que nous attendions depuis longtemps : nous allions être grands-parents. Nous étions tous deux absolument ravis pour Chelsea et Marc, et nous ne cachions pas notre bonheur. Quand ma fille est née, j'étais très nerveuse – malgré tous les livres que j'avais lus et mon travail au Centre d'étude de l'enfant de Yale, je n'étais pas préparée à ce pur miracle ni à la responsabilité d'être maman. J'ai prié pour être une bonne mère et j'ai vite senti qu'avoir un enfant, « c'est accepter pour toujours que votre cœur batte en dehors de votre corps », comme l'a écrit Elizabeth Stone. C'était merveilleux et terrifiant. Après toutes ces années, maintenant que je vais être grand-mère, je ne ressens qu'excitation et impatience. Je me souviens de ce qu'a dit Margaret Mead : les enfants nous gardent l'imagination fraîche, le cœur jeune, et nous poussent à travailler pour un avenir meilleur.

Aujourd'hui, je pense plus que jamais au futur. L'année dernière, lorsque je me suis remise à parcourir notre pays, une question m'a été posée plus que toute autre : serez-vous candidate à l'élection présidentielle de 2016 ?

Ma réponse : je n'ai pas encore pris ma décision.

Mais, chaque fois qu'on me pose cette question, je suis honorée par l'énergie et l'enthousiasme de ceux qui m'encouragent à me présenter, et plus encore par la confiance qu'ils m'accordent pour assurer le leadership dont le pays a besoin.

Pour l'instant, je pense qu'il faut se concentrer sur le travail à faire dans notre pays et qui ne peut pas attendre 2016. Beaucoup de nos concitoyens très durement touchés par la Grande Récession ne s'en sont pas encore relevés. Trop de jeunes gens sont accablés par des dettes d'études qui s'alourdissent et des perspectives d'embauche qui s'amenuisent. En 2014, une autre élection importante va avoir lieu ; elle décidera de qui contrôlera le Congrès, et elle aura de réelles conséquences sur notre économie et sur notre avenir. Nous ne pouvons pas nous permettre de l'ignorer ou de ne pas y participer.

Récemment, Bill et moi avons fait une autre de nos longues promenades, près de chez nous, cette fois avec nos trois chiens. L'hiver avait été très long, mais le printemps commençait enfin à percer sous le dégel. Nous avons marché et parlé, poursuivant une conversation que nous avions entamée il y a plus de quarante ans à la faculté de droit de Yale et qui ne s'est jamais interrompue.

Nous savions tous deux que j'avais une importante décision à prendre.

Pour m'être déjà présentée à la présidentielle, je sais combien c'est un défi sur tous les fronts – non seulement pour les candidats, mais aussi pour leurs familles. Et, pour avoir perdu en 2008, je sais que rien n'est joué d'avance et que rien n'est jamais acquis. Mais je sais aussi que les questions les plus importantes auxquelles doit répondre quiconque envisage d'être candidat ne sont pas : « Avez-vous envie de devenir président ? », ou : « Avez-vous des chances de gagner ? », mais plutôt : « Quel futur envisagez-vous pour l'Amérique ? », et : « Pouvez-vous nous y mener ? » Le défi est de diriger d'une façon qui unisse à nouveau l'Amérique et renouvelle le rêve américain. Telle est la barre à atteindre, et elle est haute.

Au final, l'élection de 2016 doit porter sur le type d'avenir que les Américains souhaitent pour eux-mêmes, pour leurs enfants – et petits-enfants. J'espère que nous opterons pour une politique d'inclusion et pour un projet commun, capable de libérer la créativité, le potentiel et les chances qui rendent les États-Unis exceptionnels. C'est ce que méritent tous les Américains.

Quelle que soit la décision que je prendrai, je serai toujours reconnaissante d'avoir eu la chance de représenter l'Amérique dans le monde. J'ai fait de nouveau l'expérience de la bonté de notre peuple et de la grandeur de notre pays. Je ressens bonheur et gratitude. Notre futur est si riche de possibles. Et, pour moi et ma famille, il comprend l'attente impatiente d'un nouveau membre : un enfant américain qui mérite le meilleur avenir que nous puissions lui offrir.

Mais, ce jour-là au moins, j'avais juste envie de me dégourdir les jambes et de profiter du printemps. Partout autour de moi, la vie recommençait. Ces instants de sérénité ont été rares ces dernières années. Et je veux les savourer. Le moment de prendre une nouvelle décision difficile viendra bien assez tôt.

Remerciements

« Nous sommes tous dans le même bateau » : telle est la devise de la fondation Clinton. Un message simple de solidarité dans un monde si divisé. J'ai découvert que cette formule convenait aussi parfaitement à l'écriture d'un livre. Je suis reconnaissante envers toutes les personnes qui m'ont aidée pendant quatre ans au département d'État et durant plus d'une année de rédaction et de relecture. La décision d'évidence était de demander à Dan Schwerin, Ethan Gelber et Ted Widmer de collaborer avec moi à la réalisation de ce livre. Je n'aurais pas pu rêver meilleure équipe pour travailler nuit et jour.

Dan Schwerin a débuté avec moi au Sénat et m'a rejointe au département d'État pour devenir l'un de mes rédacteurs de discours. Il a été mon principal partenaire, nous avons travaillé chaque phrase et chaque page ; il a su capter mes pensées et m'a aidée à les articuler de façon cohérente. Il est non seulement un auteur de talent, mais aussi un collègue merveilleux. Ethan Gelber, l'« homme indispensable », a supervisé ce gigantesque processus d'écriture et de correction ; il est parvenu à donner du sens à mes gribouillages, à clarifier mes souvenirs et à m'empêcher de devenir folle tandis que les brouillons s'amoncelaient. Je n'y serais jamais arrivée sans lui. Ted Widmer, historien brillant et collaborateur précieux, a contribué à replacer mon récit dans son contexte et à le mettre en perspective ; il a aussi instillé une dose d'humour et d'humanité bienvenue.

Huma Abedin, Cheryl Mills, Philippe Reines et Jake Sullivan, qui ont tant donné pour moi et pour notre pays durant nos années au département d'État, ont été des conseillers et des sources d'inspiration essentiels ; ils ont bien voulu vérifier les informations factuelles pendant tout le processus. Je me suis aussi appuyée sur l'aide et les conseils de Kurt Campbell, Lissa Muscatine et Megan Rooney, qui ont gracieusement relu mes brouillons et offert leurs recommandations.

Merci à Simon & Schuster, plus particulièrement à la présidente-directrice générale Carolyn Reidy et à mon éditeur Jonathan Karp. J'ai écrit cinq livres avec Carolyn ; cette fois encore, ce fut un vrai plaisir. Jonathan m'a prodigué la juste dose d'encouragements et de critiques, et il mérite sa réputation d'éditeur attentionné et constructif. J'ai également apprécié toute l'équipe : Irene Kheradi, Jonathan Evans, Lisa Erwin, Pat Glynn, Gina DiMascia, Ffej Caplan, Inge Maas, Judith Hoover, Philip Bashe, Joy O'Meara, Jackie Seow, Laura Wyss, Nicholas Greene, Michael Selleck, Liz Perl, Gary Urda, Colin Shields, Paula Amendolara, Seth Russo, Lance Fitzgerald, Marie Florio, Christopher Lynch, David Hillman, Ellie Hirschhorn, Adrian Norman, Sue Fleming, Adam Rothberg, Jeff Wilson, Elina Vaysbeyn, Cary Goldstein, Julia Prosser et Richard Rhorer.

Je veux exprimer à nouveau toute ma gratitude à mon avocat et guide dans le monde de l'édition, l'incomparable Bob Barnett, remarquablement assisté par Michael O'Connor.

Une des étapes les plus agréables de la réalisation de ce livre a été de renouer avec mes amis et collègues pour évoquer nos souvenirs. Je remercie tous ceux qui ont accepté de partager une anecdote, des notes et des points de vue, notamment Caroline Adler, Dan Baer, Kris Balderston, De'Ara Balenger, Jeremy Bash, Dan Benaim, Dan Benjamin, Jarrett Blanc, Johnnie Carson, Sarah Davey, Alex Djerassi, Bob Einhorn, Dan Feldman, Jeff Feltman, David Hale, Amos Hochstein, Fred Hof, Sarah Hurwitz, Jim Kennedy, Caitlin Klevorick, Ben Kobren, Harold Koh, Dan Kurtz-Phelan, Capricia Marshall, Mike McFaul, Judith McHale, George Mitchell, Dick Morningstar, Carlos Pascual, Nirav Patel, John Podesta, Mike Posner, Ben Rhodes, Alec Ross, Dennis Ross, Frank Ruggiero, Heather Samuelson, Tom Shannon, Andrew Shapiro, Anne-Marie Slaughter, Todd Stern, Puneet Talwar, Tomicah Tilleman, Melanne Verveer, Matthew Walsh et Ashley Woolheater. Je remercie également Clarence Finney et ses documentalistes consciencieux, ainsi que John Hackett, Chuck Daris, Alden Fahy, Behar Godani, Paul Hilburn, Chaniqua Nelson et les correcteurs attentifs du département d'État et du Conseil de sécurité nationale.

J'ai eu la chance d'être épaulée par une équipe de hauts responsables très investie : les secrétaires d'État adjoints Bill Burns, Jack

Lew, Tom Nides et Jim Steinberg, l'ambassadrice des États-Unis auprès des Nations unies Susan Rice, le directeur de l'USAID Raj Shah, le coordonnateur pour les États-Unis de la lutte mondiale contre le sida Eric Goosby, le président-directeur général de la Société du compte du millénaire Daniel Yohannes, et la présidente et PDG de l'Organisme de promotion des investissements du secteur privé à l'étranger (OPIC) Elizabeth Littlefield.

La « famille du département d'État » (voir la photo n° 10) tiendra toujours une place à part dans mon cœur ; je remercie ces agents du Service extérieur et fonctionnaires de carrière qui s'occupent si bien des secrétaires d'État, notamment Nima Abbaszadeh, Daniella Ballou-Aares, Courtney Beale, Christopher Bishop, Claire Coleman, Jen Davis, Linda Dewan, Sheila Dyson, Dan Fogarty, Lauren Jiloty, Brock Johnson, Neal Larkins, Joanne Laszczych, Laura Lucas, Joe Macmanus, Lori McLean, Bernadette Meehan, Lawrence Randolph, Maria Sand, Jeannemarie Smith, Zia Syed, Nora Toiv et Alice Wells, ainsi que le secrétariat exécutif et l'incroyable « Line team[1] ».

Merci aux hauts responsables du département d'État, de l'USAID, du PEPFAR et de la Société du compte du millénaire, dont Dave Adams, Tom Adams, Elizabeth Bagley, Joyce Barr, Rick Barton, John Bass, Bob Blake, Eric Boswell, Esther Brimmer, Bill Brownfield, Susan Burk, Piper Campbell, Philip Carter, Maura Connelly, Michael Corbin, Tom Countryman, Heidi Crebo-Rediker, PJ Crowley, Lou CdeBaca, Ivo Daalder, Josh Daniel, Glyn Davies, Eileen Donahoe-Chamberlain, Jose Fernandez, Alonzo Fulgham, Phil Goldberg, David Goldwyn, Phil Gordon, Rose Gottemoeller, Marc Grossman, Michael Hammer, Lorraine Hariton, Judy Heumann, Christopher Hill, Bob Hormats, Rashad Hussain, Janice Jacobs, Roberta Jacobson, Bonnie Jenkins, Suzan Johnson Cook, Kerri-Ann Jones, Beth Jones, Paul Jones, Declan Kelly, Ian Kelly, Laura Kennedy, Pat Kennedy, Robert King, Reta Jo Lewis, Carmen Lomellin, Princeton Lyman, Dawn McCall, Ken Merten, Steve Mull, Toria Nuland, Maria Otero, Farah Pandith, Nancy Powell, Lois Quam, Stephen Rapp, Julissa Reynoso, Anne Richard, John Robinson, Miguel Rodriguez, Hannah Rosenthal, Eric Schwartz, Barbara Shailor, Wendy Sherman, Dan Smith, Tara Sonenshine, Don Steinberg, Karen Stewart, Ann Stock, Ellen

---

1. La « Line team », qui doit son nom à la disposition de ses anciens bureaux, est l'équipe qui s'occupe de la logistique des déplacements des membres du département d'État.

Tauscher, Linda Thomas-Greenfield, Arturo Valenzuela, Rich Verma, Phil Verveer, Jake Walles, Pamela White et Paul Wohlers.

Je veux remercier spécialement les agents de la Sécurité diplomatique, courageux et dévoués, qui nous ont protégés, moi et mes collègues, partout dans le monde. Durant mon mandat, mes équipes de sécurité étaient dirigées par Fred Ketchem et Kurt Olsson.

Tout au long de cette aventure, un groupe d'assistants et de conseillers fidèles et infatigables m'a prêté main-forte pour ce livre et, durant la dernière ligne droite, pour tout le reste. Merci à Monique Aiken, Brynne Craig, Katie Dowd, Oscar Flores, Monica Hanley, Jen Klein, Madhuri Kommareddi, Yerka Jo, Marisa McAuliffe, Terri McCullough, Nick Merrill, Patti Miller, Thomas Moran, Ann O'Leary, Maura Pally, Shilpa Pesaru, Robert Russo, Marina Santos, Lona Valmoro et Rachel Vogelstein.

Merci encore au président Obama de m'avoir accordé sa confiance et donné l'opportunité de représenter notre pays à l'étranger ; au vice-président Biden et aux membres du Conseil de sécurité nationale d'avoir été des partenaires solidaires.

Enfin, comme toujours, je tiens à remercier Bill et Chelsea de m'avoir patiemment écoutée et attentivement relue, brouillon après brouillon, pendant des mois, et de m'avoir aidée à condenser et expliquer quatre années si intenses. Une fois encore, ils m'ont offert le cadeau le plus précieux : leur soutien et leur amour.

Table des matières

Crédits des photos

Recherche iconographique : Laura Wyss, Wyss Photo, Inc., assistée d'Elizabeth Ceramur, Amy Hidika et Emily Vinson.

1. Win McNamee/Getty Images
2. © Barbara Kinney
3. © Barbara Kinney
4. © Christopher Fitzgerald/CandidatePhotos/Newscom
5. AP Photo/Charles Dharapak
6. Alex Wong/Getty Images
7. MARK RALSTON/AFP/Getty Images
8. Mannie Garcia/Bloomberg via Getty Images
9. Official White House Photo by Pete Souza
10. Department of State
11. REUTERS/Jason Reed
12. Matthew Cavanaugh-Pool/Getty Images
13. Melissa Golden/Redux
14. © Philippe Reines
15. Official White House Photo by Pete Souza
16. REUTERS/Toru Hanai
17. Bloomberg via Getty Images
18. TATAN SYUFLANA/AFP/Getty Images
19. Ann Johansson/Getty Images
20. AP Photo/Korea Pool
21. Photo by Cherie Cullen/DOD via Getty Images
22. SAUL LOEB/AFP/Getty Images
23. AP Photo/Greg Baker/Pool
24. Win McNamee/Getty Images
25. SAUL LOEB/AFP/Getty Images

26. AP Photo/Saul Loeb, Pool
27. © Genevieve de Manio
28. Getty Images News/Getty Images
29. Win McNamee/Getty Images
30. AP Photo/Saul Loeb, Pool
31. AP Photo/Saul Loeb, Pool
32. AP Photo/Saul Loeb, Pool
33. Official White House Photo by Pete Souza
34. Official White House Photo by Pete Souza
35. Official White House Photo by Pete Souza
36. REUTERS/Jerry Lampen
37. SHAH MARAI/AFP/Getty Images
38. Department of State
39. J. SCOTT APPLEWHITE/AFP/Getty Images
40. ROBERT F. BUKATY/AFP/Getty Images
41. AP Photo/K.M. Chaudary
42. Diana Walker/TIME
43. Official White House Photo by Pete Souza
44. Official White House Photo by Pete Souza
45. TRIPPLAAR KRISTOFFER/SIPA/Newscom
46. Chip Somodevilla/Getty Images
47. Michael Nagle/Getty Images
48. REUTERS/Larry Downing
49. KCSPresse/Splash News/Newscom
50. Brendan Smialowski/Getty Images
51. Department of State
52. BRENDAN SMIALOWSKI/AFP/Getty Images
53. SAUL LOEB/AFP/Getty Images
54. AP Photo/RIA-Novosti, Alexei Nikolsky, Pool
55. HARAZ N. GHANBARI/AFP/Getty Images
56. © Philippe Reines
57. AP Photo/Mandel Ngan, Pool
58. AP Photo/Eraldo Peres
59. © TMZ.com/Splash News/Corbis
60. STR/AFP/Getty Images
61. AP Photo/Pablo Martinez Monsivais, Pool
62. REUTERS/Glenna Gordon/Pool
63. ROBERTO SCHMIDT/AFP/Getty Images
64. AP Photo/Khalil Senosi
65. AP Photo/Jacquelyn Martin, Pool
66. Photo by Susan Walsh-Pool/Getty Images
67. AMOS GUMULIRA/AFP/Getty Images
68. Charles Sleicher/Danita Delimont Photography/Newscom

69. AP Photo/Jacquelyn Martin, Pool
70. © Sara Latham
71. Official White House Photo by Pete Souza
72. © Stephanie Sinclair/VII/Corbis
73. Astrid Riecken/Getty Images
74. Official White House Photo by Pete Souza
75. Department of State
76. MARWAN NAAMANI/AFP/Getty Images
77. Official White House Photo by Pete Souza
78. PAUL J. RICHARDS/AFP/Getty Images
79. REUTERS/Kevin Lamarque
80. Department of State
81. STR/AFP/Getty Images
82. Official White House Photo by Pete Souza
83. Official White House Photo by Pete Souza
84. Chip Somodevilla/Getty Images
85. KEVIN LAMARQUE/AFP/Getty Images
86. Mario Tama/Getty Images
87. Official White House Photo by Pete Souza
88. AP Photo/Egyptian Presidency
89. Official White House Photo by Pete Souza
90. AP Photo/Saul Loeb, Pool
91. © Kris Balderston
92. AP Photo/Julie Jacobson, Pool
93. Allison Shelley/Getty Images
94. AP Photo/Larry Downing, Pool
95. Andrew Harrer/Bloomberg via Getty Images
96. Courtesy of the William J. Clinton Presidential Library
97. *Washington Post*/Getty Images
98. AP Photo/Anja Niedringhaus
99. © Nicholas Merrill
100. MANDEL NGAN/AFP/Getty Images

Composition et mise en pages
Nord Compo à Villeneuve-d'Ascq

Impression réalisée par
CPI BRODARD ET TAUPIN
La Flèche

pour le compte des Éditions Fayard
en mai 2014

Fayard s'engage pour
l'environnement en réduisant
l'empreinte carbone de ses livres.
Celle de cet exemplaire est de :
2,000 kg éq. CO_2
Rendez-vous sur
www.fayard-durable.fr

PAPIER À BASE DE
FIBRES CERTIFIÉES

Imprimé en France
Dépôt légal : juin 2014
N° d'impression : 3005387
25-6667-0/01